中國三峡建设年鉴

鄒家華

2002

中国三峡建设年鉴社

中国三峡建设年鉴

《中国三峡建设年鉴》编纂委员会

*

中国三峡建设年鉴社出版发行

（湖北省宜昌市东山大道80号）

全国新华书店经销

深圳雅昌彩色印刷有限公司制版印刷

2002年7月第1版　2002年7月第1次印刷

开本：787×1092毫米　1/16　印张：25

字数：834千字　印数：1－3000册

*

刊号：ISSN1007－7650 / CN42－1597/TV

广告经营许可证（宜）许可证号：临2002－004

精装本定价：人民币　100.00元

《中国三峡建设年鉴》编纂委员会

中国三峡建设年鉴社

编 辑 说 明

一、《中国三峡建设年鉴》是由国务院三峡工程建设委员会主管、中国长江三峡工程开发总公司主办的专业年鉴，是逐年集中反映三峡工程建设、移民开发、输变电工程和长江水利资源开发过程中的重要事件、技术资料、统计报表以及中国三峡总公司改革与发展进程的大型资料性工具书。

二、《年鉴·2002》卷是根据年鉴编委会第六次会议精神，在调整个别栏目的基础上编纂而成的。调整后的《年鉴·2002》卷将“新闻宣传与出版”栏目合并到“综述”栏目中，将原属于“枢纽工程”栏目的“三峡坝区封闭管理及精神文明建设”调整到“综述”栏目中，同时在“综述”栏目中又增加了“海关监管和商检”等内容，在“枢纽工程”栏目内增加了“三峡工程验收”及“三峡工程通航管理”等内容。通过对栏目和内容的调整、补充，进一步使年鉴的框架结构趋向科学、合理、完善。

三、《年鉴·2002》卷共设15个栏目。分别为：特载、法规·文献、专论、综述、枢纽工程、输变电工程、移民开发、合作与交流、中国三峡总公司、先进集体与个人、统计资料、大事记、附录、英文目录、索引以及三峡工程参建单位名录等。以丰富翔实的信息资料，全面系统地反映2001年三峡工程建设、移民开发、输变电工程及中国三峡总公司的建设进程。

四、为了方便读者查检、携带，《年鉴·2002》卷同时出版了电子光盘版。电子光盘版利用最先进的电子网络技术将文字、声像、图片集于一体，为读者提供高效、快捷的检索功能。同时，本卷年鉴还编辑了以汉语拼音字母为序列的检索系统，在中国三峡总公司网站（www.ctgpc.com.cn）上开辟了“中国三峡建设年鉴”专栏，多方面为读者查阅提供方便。

五、《年鉴·2002》卷采用统一的法定计量单位。数字的用法遵从国家《关于出版物上数字用法的试行规定》，技术术语、专业名词、符号等用法力求符合规范要求或约定俗成。单位名称的使用首次出现时使用全称，再次出现时使用规范的简称。

六、由于编辑水平和专业知识有限，加之实践经验不足，《年鉴·2002》卷难免存在疏漏之处，敬请读者批评指正，促进本年鉴更臻完善。

中国三峡建设年鉴社

2002年7月

《中国三峡建设年鉴》

荣获首届、第二届中央级年鉴评比二等奖，

获首届美术装帧优秀奖

和框架设计优秀奖。

目　录

特　载

法规·文献

法规·文件

中国三峡总公司文件

历史文献

专 论

综 述

概 况

工程管理

财务工作

计划·合同

审计工作

电力生产

防汛工作

科研与应用

生态环境与文物保护

三峡坝区封闭管理及精神文明建设

新闻宣传与出版

枢纽工程

施 工

物资、设备供应与管理

机电设备与金属结构安装

监　　理

设　　计

三峡工程验收

三峡工程通航管理

输变电工程

移民开发

概　　况

党群工作

改制工作

下属独资、控股、参股企业

先进集体与个人

统计资料

三峡工程固定资产投资完成情况

项目合同统计

征地移民情况

外迁统计

对口支援及工矿企业统计

国民经济和社会发展统计

大事记

附 录

三峡库区文物考

三峡工程历史回顾

索 引

英文目录

中共中央政治局常委、全国人大委员长李鹏及夫人朱琳视察三峡工程

全国政协副主席张克辉(右)考察三峡工地

全国政协副主席胡启立（左一）考察三峡工程

全国政协副主席、中国民生银行董事长经叔平（左二）参观三峡工地

全国政协副主席罗豪才（前排左三）考察三峡工地

中共中央政治局委员、中央军委副主席迟浩田考察三峡工程

三峡枢纽工程质量专家组组长钱正英在三峡工地

全国政协常委、民建中央副主席路明（右一）、张榕明（女）参观三峡工程

国家科技部副部长李学勇（右三）考察三峡工程

著名水电专家张光斗与中国三峡总公司领导交换意见

香港九届人大代表考察三峡工地

国务院新闻办、中央外宣办主任赵启正(中)参观三峡工程

中国能源研究会理事长黄毅诚(左)考察三峡工地

国家民委常务副主任牟本理(左)考察三峡工程

水利部部长汪恕诚(右二)考察三峡工程

西藏自治区副主席加保(左)考察三峡工程

中信公司董事长王军(右)考察三峡工程

中央台办、国务院台办主任陈云林（左二）考察三峡工程

国务院军事室参事周镜（左四）、吴灏铸（右四）、郭廷结（左三）参观三峡工程

重庆市委书记贺国强（中）考察三峡工程

解放军副总参谋长钱树根（前排左二）一行考察三峡工程

国土资源部部长田凤山（中）考察三峡工程

全国人大教科文卫主任委员朱开轩（左一）参观三峡工程展览馆

上海市委常委、副市长蒋以任(右二)考察三峡工地

湖北省省长张国光（中）考察三峡工地

全国政协委员、甘肃省政协主席杨振杰（左）参观三峡工程

全国人大常委贾志杰（左一）、陶驷驹（后排左二）、刘珩（女）等参观三峡工地

中央党校常务副校长郑必坚在三峡工程展览馆留墨

新疆自治区人大主任阿木冬·尼牙孜（右）考察三峡工地

三峡工程全貌

三峡左岸电站厂房封顶

三峡大坝坝顶公路横梁吊装

三峡大坝主体施工

高程 120m 栈桥贯通

双线五级船闸闸门安装完毕

干净整洁、即将开仓浇筑的仓位

左岸厂房坝段

夕阳下

三峡工程 1# ~ 6# 机组施工现场

上游围堰拆除

茅坪防护大坝施工

1# ~ 6# 机组即将浇筑混凝土

引水压力钢管混凝土浇筑

首台机组定子吊装

第一台由中国东方电机厂生产的水轮机座环在三峡工地吊装

反弧门吊装

1250t 桥机落户三峡

三峡 8# 机组座环吊装

第一台三峡水轮机转轮在加拿大GE公司出厂

钢铁世界

左岸电站挡水坝段首块浇筑至设计高程

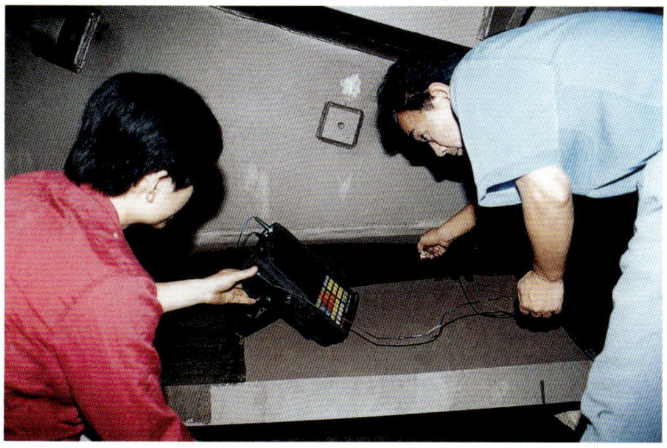

三峡质检人员在中国东方电机厂检测三峡座环质量

检测人员在三峡工地进行水质化验

汛期临时船闸启用

二期围堰拆除水下开挖

吊装引水压力钢管

永久船闸施工全景

双线五级船闸地下输水系统施工

首扇尾水闸门吊装

中国三峡总公司聘请的日本安全总监在三峡工地工作

左岸电站机电设备安装与调试合同签字仪式

外迁移民别大坝

云阳港，即将外迁的移民

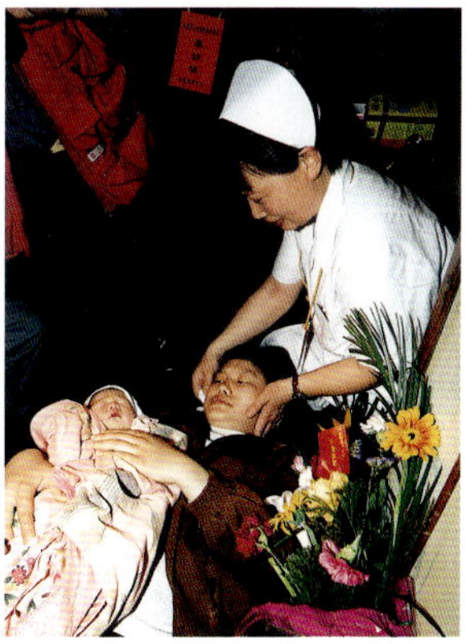

外迁途中，移民在船上顺利产下一女婴

小移民姜小兰、姜大芳、姜红军憧憬着外迁的美好生活

江苏省副省长于广州亲赴如东，了解移民们的生活情况

菲律宾莱特省省长帕拉蒂（女）考察三峡工程

巴基斯坦总统佩尔韦兹·穆沙拉夫及夫人访问三峡工程

美国参议院情报特别委员会副主席理查得·谢尔比及夫人参观三峡工程

特　　载　Ⅰ

崛起的新城——开县新县城绿化

李鹏在接见三峡工程建设者时的讲话(摘要)

（2001 年 10 月 6 日）

三峡工程从设想到变成现实经历了很长的过程。孙中山先生早在 1919 年就提出了兴建三峡工程的设想。建国后毛泽东主席、周恩来总理都十分关心三峡工程建设。党中央第二代、第三代领导集体，邓小平同志、江泽民同志都为此投入了很多精力。1992 年 4 月 3 日，七届人大五次会议表决通过了关于兴建三峡工程的决议。1993 年三峡工程开始施工准备，1994 年 12 月 14 日正式开工，从开工到现在已经 7 年了。1997 年 11 月 8 日，三峡工程顺利实现大江截流，标志着工程转入第二个建设阶段。第二阶段工程建设有三大目标：一是水库初期蓄水到 135 米，同时完成 135 米水位线以下的移民任务；二是首批机组发电；三是双线五级船闸通航。

三峡工程的质量是全国人民所关心的。千年大计，质量第一。三峡工程建设通过采取工序控制，实行全面的质量管理，建立完善的监理制度，保证了质量总体优良。但是，工程质量好坏最后的考验还是在蓄水后。工程进度有保证，满足了设计要求，资金到位良好。应该说，在天时、地利、人和等各方面都给三峡工程建设提供了较好的条件。投资得到了较好的控制，从预计的 2039 亿元至目前预测的 1800 亿元。

三峡工程是跨世纪宏伟工程，它建成后有防洪、发电、航运等效益，将来可能还有调水的效益。三峡工程建设通过 7 年的实践取得了经验，锻炼了队伍，还有更重要的一条，就是形成了一套与国际接轨的现代化的工程建设管理机制。用社会主义市场经济原则组织三峡工程建设。除了竞争以外，还有合作的精神，这是中国特色，也是社会主义市场经济的特色。过去是指挥部制，指挥部要协调设计、施工、运行各方面的关系，还要协调与地方的关系，往往指挥长由地方的书记、市长来担任。现在成功地摸索出了一套建立在社会主义市场经济条件下的现代化的项目建设管理机制，实行了项目法人负责制、招投标制、工程监理制和合同管理制，这也是一项重大成果。当然在这个过程中，来自全国各地参加施工的单位也付出了代价，经受了考验。

三峡工程建设成绩很大。现在工程建设混凝土施工高峰已经过去，进入金属结构和机电安装的高峰。安装阶段技术含量更高，特别是机组安装，70 万 kW 机组制造还有许多未知数，过去制造伊泰普电站机组的技术骨干现在差不多都退休了，而且三峡的水轮机比伊泰普难得多，水头变幅大，所以要充分估计到安装的困难。我们也不要忘记过去葛洲坝机组发生事故的教训。必须深刻认识到水轮发电机组及输变电设备安装是一件技术性更强、技术含量更高、要求更严格的工作，要有充分的思想和技术准备。明年三峡工程还要进行导流明渠的截流，这是一件大事。这次截流比大江截流难度更大。但我相信，只要准备充分，截流一定会成功。还有一个问题是翻坝的问题。明渠截流后要断航 67 天，三峡建委要与重庆市、湖北省以及交通航运部门很好地协调，处理好这件事情，组织好货运分流和客运转运。我相信，既然我们是市场经济，就要按市场经济原则办事，给航运部门恰如其份的补偿。但我们又有社会主义制度，国家的宏观调控也会发挥作用，一定能妥善解决好这一问题。

三峡工程建设已到了关键时期，三峡总公司、设计、施工、监理单位的全体三峡建设者要以更强的责任心来完成关键时期的关键任务。三峡工程已经成为社会主义中国的形象工程，大家对她赞不绝口，但真正的考验还在 2003 年，要看能否顺利蓄水和通航，要看首批机组能不能如期并网发电。希望大家兢兢业业，迎接新的挑战，以优异的成绩，向党中央、国务院，向全国人民交上满意答卷。

对此，我充满信心。

钱正英在三峡质量专家组与三峡总公司和参建单位领导座谈会上的讲话(摘要)

(2001 年 12 月 2 日)

同志们今年以来克服了种种困难,工程建设取得很大的成绩。形象进度基本达到设计要求,对已经发生的质量事故和缺陷进行了认真检查和处理,总体施工质量继续提高。

从进度和拥有的条件看,2002 年 11 月明渠截流是可以做到的。可以说,三峡枢纽的二期工程已经胜利在望,从现在起将进入二期工程的决胜阶段。在这样的关键时刻,我只想强调一点,就是:"不留工程隐患,是三峡工程建设的最高原则"。

一、不留工程隐患是中央多次强调的原则

按我的理解,不留隐患这是工程质量最低的标准。因此,也应当是工程建设中的最高原则。所谓最高原则,就是任何其它的原则如果和它发生矛盾就必须服从它。例如,如果速度和不留隐患发生矛盾,应当速度服从不留隐患。其它如经济、美观等问题,都应服从于不留隐患的原则。可以具体设想一下,在工程中,如果导流底孔、泄洪深孔留下隐患,将要发生什么后果;如果三峡大坝或基础留下隐患,将发生什么后果;如果船闸、升船机留下隐患,将会发生什么后果;如果发电设备留下隐患,将会发生什么后果。这些后果都不需要我来具体分析,同志们可以分析得比我更好。经过具体分析后,我们可以看到,只有不留隐患,才有可能使三峡工程安全长寿,发挥长远的最大的经济效益。

二、什么问题可能防碍我们夺取胜利

我认为,一般情况下,已经没有不可逾越的困难防碍我们的胜利,除非有特大的意想不到的灾害。防碍我们的胜利,只有建设者本身的失误。

关于失误,我设想了五条:

(一)发生特大的安全事故,打乱原定的施工部署。

(二)发生特大的质量事故,延误了截流时机。

(三)发现一些新的质量缺陷,使人怀疑是否有更多的问题,需要扩大范围查明。

(四)质量缺陷虽然不复杂,但是发现得太晚,延误了截流时机。

(五)截流以前没有发现,一直到蓄水发电通航以后才发现质量问题。

三、可能发生以上五条失误的因素

虽然近几年来,工地的质量意识不断加强,措施逐渐完善,总体质量继续提高,但是这些进步还不够巩固,不够落实,在新的情况下,很有可能发生忽视质量的新倾向。在这里,我列举下面五种因素,有这五种因素就有可能发生前面提到的五个问题。

(一)自满和松懈的情绪

不少同志满足于总体质量的不断进步,但是如果满足于这一条,就有可能产生自满情绪。过去我们一直表扬这里的温控做得比较好,但是今年的温控有所退步。又如,这几年来,大家不断强调如何改进混凝土的浇筑,这方面工地采取了很多措施,例如,建立仓面设计等制度,这些制度确实有效地提高了总体施工质量。但是现在有的单位,满足于执行仓面设计的百分比,还满足于发现的一些质量缺陷经过检查后属于局部架空。这种情绪就可能出现大的问题。

(二)队伍涣散问题

在二期工程将要结束时,一些施工队伍任务已经完成了,需要转岗位。单位要转岗,职工要转岗,在这种情况下可能会产生涣散的情绪,确保不了最终阶段的补强和尾工质量。

(三)隐瞒事故的问题

过去隐瞒事故的问题已经发现好几起,所以,我认为,隐瞒事故的问题,在最后阶段的时候特别值得警惕,一是要查清楚过去还有没有隐瞒事故的问题,还要警惕在当前这个最后阶段更容易发生隐瞒事故的倾向。如果存在隐瞒事故问题,那就会造成严重后果。因此,现在对于隐瞒事故问题,不是研究怎样批评惩处,而是要研究怎样才能够及时发现。从现在条件看,在三峡工地,不怕发现问题,只怕发现问题太迟。现在查到个别单位过去有这种情况,其它的单位有没有,很需要大家注意。

(四)作风不严、不细

这是队伍素质问题,不是一下子就能够解决的。可是这种因素就有可能造成新的事故和缺陷,这需要在最后阶段工作中特别警惕。例如混凝土问题,三峡总公司下了决心,混凝土浇筑的硬件有很大改善,但是软件方面,队伍素质还是存在问题,这次在安装过程中发现的 1 号机组凑合节的问题,值得大家引为教训。

(五)设备制造的质量问题

现在看起来，外国制造的设备、本国制造的设备都有一些质量问题，需要高度警惕。

四、要研究措施

我希望三峡总公司和各级领导，针对这些问题，围绕着不留隐患这一最高原则，进一步采取措施。我这里只是设想一些措施，仅供大家参考。

（一）要进一步加强思想教育

要认识不留隐患是工程建设的最高原则，要认识到没有质量就没有进度，要谨记“欲速则不达”、牢记“行百里者半九十”的古训。

（二）完成全面检查和补强任务

现在已经开始全面检查和补强，我认为应当下决心一丝不苟地完成这个任务，前面张老（张光斗）已经提到永久船闸，这是我们全体专家当前最担心的问题，希望三峡总公司加强领导，一定要保证永久船闸不留隐患。希望长江委支持，抓紧研究这方面的工作，及时拿出正确的处理方案。

（三）要层层把好质量关和安全关

就是从施工班组到施工单位的质检，从监理到中国三峡总公司工程建设部，再到总监办公室，以及质量检查专家组，要层层把好质量关和安全关，最好今后不再发生质量缺陷、事故，力争各个部位施工一次合格；其次是能够及时发现缺陷。总之，发现比不发现好，早发现比晚发现好，我想特别要请各单位的监理，从过去的这些事例中吸取教训。监理真要给施工单位帮忙，最好就是防止发生缺陷，其次就是及时发现缺陷。在当前阶段，不怕发现缺陷，就怕发现缺陷太迟。对于安全，也要做到人人重视，层层把关，警钟长鸣。

（四）要改变一些不利于保证质量的做法

我看到有些现象，例如在计划管理中的重数字轻形象的问题，这是过去计划管理中的老毛病。这次好几个单位之所以在混凝土浇筑中违反规定用了很多台阶，很大因素就是在追求年底的混凝土浇筑量。实际上许多单位的工程形象已满足要求，即使年底混凝土浇筑方量有所欠缺，也会认为你们是完成计划了。重数字轻形象，结果是轻质量。

再一个就是怎样使队伍在阶段任务将要结束时安心做好尾工，我了解三峡总公司已采取很多措施。再一条就是怎样使职工不再隐瞒事故，今天潘（家铮）院长讲了很多，也提了很多措施。

五、如何进一步加强对设备制造的监督

对于设备质量，三峡总公司一定要抓紧，无论怎样都不能出问题。

郭树言在三峡工程重庆库区农村移民出市外迁工作会议上的讲话（摘要）

（2001 年 10 月 18 日）

同志们：

2001 年三峡工程重庆库区农村移民出市外迁工作会议是经国务院领导同意召开的。会议的主要任务是贯彻落实国务院领导对三峡移民外迁工作的指示精神，总结交流今年重庆库区农村移民出市外迁工作经验，研究部署 2002 年移民外迁安置工作任务。下面，我讲几点意见。

一、2001 年移民出市外迁任务圆满完成，取得很大成绩

（一）立足抓早抓实，按时超额完成年度外迁计划

到 8 月 31 日，出市外迁移民共完成 43481 人，为年度计划 4 万人的 108.7%，加上去年试点期间完成的 7451 人，共完成 5.1 万人，占出市外迁总任务 7 万人的 73%。此外，重庆市内外迁完成 1.23 万人，为年计划 1 万人的 123%。

（二）外迁移民的生产生活条件得到较大改善

在今年的外迁移民安置中，11 个省市坚持以农为主、以土为本的安置原则，绝大多数安置地移民承包的土地人均达到 1 亩左右，耕地面积较多的省市人均水田达到 1.2 亩以上，所有外迁移民承包地都达到或超过当地居民的平均水平。移民的承包地大多为稳定高产的熟地，水利设施基本配套，离移民住地较近，便于耕作，为外迁移民安居乐业、勤劳致富打下了良好的基础。外迁移民不仅生产条件得到了较大改善，生活条件也有了很大提高。11 个省市都拿出了较好的地方安置外迁移民。浙江安置在杭嘉湖地区，广东安置在珠江三角洲地区，山东把本省最好的青岛、烟台、威海、济南、潍坊等 5 个市用于移民安置。其他省市也都是

安置在较好的地方。从移民的住房看，人均住房面积都达到了 20m² 以上，多数为砖混结构，大多数为楼房，都通过了当地有关部门组织的质量验收。各地安排的移民点大多在交通要道两旁，水、电、路等基础设施配套，有的地方还将程控电话和闭路电视天线架设到了移民点，一些移民搬入新居后就安装了电话，购买了彩电。移民的生产生活条件和环境与在库区相比，有了很大的改善和提高。

(三)移民搬迁运送中做到了安全、快捷、有序

在搬迁运送开始前，三峡建委移民局邀请公安部、交通部、铁道部有关负责同志与迁出、迁入地一起召开了搬迁运送协调会，详细研究了各地提出的搬迁运送方案，联合下发了《关于切实做好三峡工程重庆库区农村移民出市外迁安全运输工作的通知》。各迁出、迁入地主要领导亲自主持研究搬迁运输工作，对组织协调、人员分工、车船配备、后勤服务、意外情况处置等各个方面都作出了具体安排，并层层分解任务，逐项落实到单位和个人，确保了 4 万多移民安全有序地到达新家。今年外迁移民搬迁运送共动用汽车 8260 辆次，火车 17 个专列 200 个车厢(皮)、轮船 232 艘次。

(四)外迁移民到达迁入地后比较稳定，没有出现大的波动

今年出市外迁 4 万多人，绝大部分到达迁入地后都很稳定，个别地方曾出现群体性事件，由于工作得力很快平息。目前，各迁入地正在加紧整理外迁移民档案，办理有关证件，土地承包等手续，落实各种帮扶措施，使移民尽快适应当地的生产生活环境。在外迁移民中，有的开办了商店，有的经营重庆火锅餐厅，还有的正在筹办养猪厂，也有的盖起了蔬菜大棚。总的看，外迁移民已把主要精力放在了发展生产上，正逐步融入当地社会。

2001 年移民出市外迁任务圆满完成，首先是因为国务院作出了扩大三峡库区农村移民外迁的正确决策。其次是迁入地各级党委、政府，认真贯彻中央的决定，顾全大局，克服困难，以实际行动与中央保持高度一致，支持三峡工程建设。第三是迁出、迁入地和中央有关部门齐心协力，密切配合，保证了外迁移民工作的顺利开展。第四是外迁移民群众和迁入地群众对外迁移民工作的充分理解，积极支持。

二、充分认识 2002 年移民外迁安置任务的艰巨性

(一)明年外迁移民的构成更复杂，想法更多，安置的难度更大

今年虽然超额完成了外迁安置任务，出市外迁人数达到了 4 万多人，但据综合监理反映，外迁移民中 135 米水位线以下的移民所占比例不高，有的县还不到 30%。在 135 米水位以下还有大量必须外迁的移民，主要有这么几类：一是城镇郊区农民，他们的生活相对比较富裕，看到一座座漂亮的新城镇在家门口建起来了，不愿远迁，但后靠又没有安置容量。二是亦工亦商的农民，既种地又在当地做些小买卖或跑运输等，外迁的思想顾虑较大。三是占地移民，他们想留下来，改变自己的农民身份，但因为在城里没有可靠的谋生手段，需要外迁。四是受滑坡等地质灾害影响以及生活比较困难的移民。五是近两年外迁动员中一直观望犹豫，拿不定主意，反复动员没有走的移民。以上这些移民，虽然心态各异，也有各自的具体困难，但不外迁是没有出路的。勉强后靠，要么开荒造成新的水土流失，要么安置不稳定，留下诸多隐患。根据我们稽察了解的情况，有的地方人均不到 5 分地，这些人如果不重新安置，今后的生存问题根本无法解决。对此，我们要有足够的认识。明年，不管有多大困难，我们都要坚决把 135 米水位线以下符合外迁条件的移民动员出来，决不能出现"水赶人走"的局面，决不能因为移民安置进度滞后而影响三峡工程按时蓄水发电。

(二)明年移民对安置点要求更高，迁入地选点更难

明年将外迁的移民心态比较复杂，期望值普遍较高。在选点对接时，一些移民会挑三拣四，一些移民会要求安排在城市郊区和交通要道附近，或者要求安排在经济较为发达、收入水平高的地区。在安置方式上，部分移民会提出要到迁入地经商或进厂务工，有的甚至会提出农转非。这些问题，在移民动员、对接、建房等各个环节中都会表现出来。我们要有充分的思想准备，并在制定政策和采取措施时予以考虑。总的原则是，既要坚持外迁移民的政策，又要实事求是考虑移民的利益，帮助移民解决实际困难，以有利于移民和迁入地的长治久安。如果我们措施不当，就会引起移民大的波动，不仅影响移民外迁工作的顺利进行，甚至影响到迁出、迁入地的社会稳定。

(三)一些从事外迁移民安置工作的同志或多或少地产生了"松劲"思想

有的同志认为，2001 年我们完成了 4 万多外迁移民安置任务，剩下的移民人数不多了，工作量少了，没有什么了不起。也有另外一些同志因为两年外迁移民工作的实践，遇到很多的麻烦和困难，因而产生了一定的畏难情绪和"厌战"情绪，觉得移民工作难做，不愿惹这个麻烦。这两种倾向都会给我们的工作带来极大的危害。因此，各省市对明年外迁安置工作的艰巨性、复杂性要有一个清醒的认识，对明年移民外迁工作的困难程度要有足够的估计，既不能掉以轻心，也不能被困难所吓倒，而要冷静分析，过细工作，提早做好准备，有针对性地抓好每个关键环节。

（四）在具体工作中，还存在一些与做好移民外迁工作不相适应的薄弱环节

一是部分迁出地对移民资格审查不严。二是迁出地宣传政策不够严谨，有的片面夸大迁入地的优惠条件，甚至越俎代庖，代迁入地向移民许诺，造成迁入地工作非常被动。三是有过份迁就移民不合理要求的现象。如有的移民在考察对接时要求十几户甚至几十户集中安置，一些带队考察的干部不是艰苦细致地做移民的工作，而是附和这些移民的意见，有的接收地干部也没有坚持分散安置的原则，结果是安置过于集中，对移民的发展和迁入地的稳定都不利。四是个别地方搬迁运送工作不够严密细致。五是个别接收地对移民的扶持政策和国家制定的政策没有及时落实到位。六是部分接收地有“先热后凉、上热下冷”的情况。

三、再接再厉，夺取 2002 年外迁移民工作的全面胜利

（一）加强宣传动员，加大依法移民的力度

要教育移民服从国家大局，服从三峡工程整体利益，支持三峡工程建设，主动移民；同时，要严格执行今年 3 月国务院新颁布的《长江三峡工程建设移民条例》，对移民的权利要切实维护，移民也要履行自己应尽的义务。移民工作作为政府行为，我们不能过份强调移民自愿，不能过份迁就，特别是对那些“钉子户”，不论怎么做工作都拒不迁移的，就要按照《移民条例》中的有关规定加以规范。

（二）坚决执行集中安置到县、乡，分散安置到村、组的安置方式

我国几十年来水库移民的经验教训，特别是两年外迁移民工作的实践启示我们，移民分散安置有利于移民尽快融入当地社会，有利于接收地调整土地和山林，有利于减少基础设施的投入，有利于帮扶措施的落实，更重要的是有利于社会稳定。2002 年的外迁移民安置，一定要坚持分散安置到村、组这一原则，每个安置点以 3～5 户为宜，一般不超过 10 户。就是从国有农场购买土地的，移民安置也要适当分散。但从安置到县和安置到乡来说，还是要坚持相对集中，而不能象撒“胡椒面”一样，一个省几千移民，每个县都安排，这样也不利于管理，给工作带来很多不便。

（三）坚决维护外迁移民政策的严肃性和统一性

移民外迁安置是一项政策性很强的工作，维护政策的严肃性和统一性尤为重要。三峡工程重庆库区农村移民出市外迁安置政策，包括资金管理的各项规定和移民外迁安置的工作程序都是在移民工作实践中的经验总结。这些政策规章有些是国务院三峡建委制定的，有些是经国务院批准的，迁出、迁入地都要严格执行。尤其是外迁移民的安置方式、移民资格的审查、移民资金的发放等关系到移民切身利益的事项，要不折不扣地执行，不能随意变通和自搞一套。重庆市要对各迁出县制定的移民资金“明白卡”、移民外迁安置合同书、公证书等进行一次检查，对不符合国家移民政策的、条款不严谨容易产生分歧的，要予以纠正。

（四）要克服“松劲”和“厌战”情绪

明年虽然人数不多，最多的广东省 2800 人，最少的是江西省只有 750 人。但大家千万不能“松劲”，行百里者半九十，何况我们还没有完成 90% 的任务。所以，思想上一定要重视起来。另一种情绪是“厌战”，有的同志认为搞了两年，工作辛辛苦苦，甚至还觉得费力没讨好。大家千万不要有这种思想。朱镕基同志今年 7 月在国务院召开的三峡工程移民暨对口支援工作会议上指出，无论是库区动员移民外迁，还是其它省市接收外迁移民，都是一件很麻烦、很难做的事情。但是，我们不能怕这个麻烦，只要大家顾全大局，加强领导，做好工作，这些困难是可以克服的。

（五）要进一步增强团结协作、换位思考的意识

实践证明，在移民外迁安置工作中，如果迁出、迁入地之间能够密切配合，换位思考，分歧就容易协调，矛盾就容易化解，移民外迁工作就能够顺利进行。相反，工作开展就很难。因此，工作中，我们一定要换位思考，彼此尊重，互相体谅，密切配合。迁入、迁出地都要从国家建设大局出发，从移民外迁安置工作的大局出发，从有利于移民迁得出、稳得住、逐步能致富的目标出发，加强团结协作。对迁出地来说，做移民的宣传动员工作确实很辛苦，有时还要受很多委屈；对迁入地来说，为了接收三峡移民，克服了很多困难。但双方在工作中难免产生些矛盾和意见，大家也不要计较，有事多商量、多沟通，这才有利于问题的解决。任何不团结的行为对工作都是有害的。迁出、迁入地的各级政府，要按照移民外迁工作中的职责分工，尽职尽责地做好自身工作，以赢得对方的信任和尊重。这两年，迁出、迁入地双方在这方面总体上做得是好的，希望继续发扬光大。

（郭树言系国务院三峡建委副主任）

溙林在三峡工程重庆库区农村移民出市外迁工作会议上的总结讲话(摘要)

(2001年10月19日)

一、这次会议的主要收获

(一)进一步认识到三峡外迁移民安置政策的正确性和重要性

在2000年9月的浙江嘉兴会议上,吴邦国副总理在强调三峡外迁移民时着重指出:一是要坚持以农为主,以土为本的原则;二是要坚持集中安置到县、乡,分散安置到村、组的安置方式。工作中,绝大部分省市也都是严格按照这一原则进行的,所有的接收地都保证了移民住有其屋,耕有其田,使移民得到了不低于当地农民平均水平的土地,为以后的稳定提供了最基本的保证。在安置方式上,有的地方由于受条件的限制,集中度相对大一些,有的一个村组几十户,甚至上百户,结果移民的稳定程度就相对差一些。如果我们每个村组都是安置3～5户,移民就相对稳定得多,即使出现一些不稳定因素,也容易通过做工作将矛盾化解在萌芽状态。另外,这种安置方式还有利于解决土地问题,减少移民与当地农民在承包土地方面的利益冲突,有利于减少水、电、路等基础设施建设投入,有利于移民较快地融入当地社会,也有利于当地老百姓和移民结成帮扶对象。

(二)在贯彻外迁移民政策时不能有丝毫走样

(三)相互理解,密切配合是做好外迁移民工作的基础

大家一致认为,迁出、迁入地之间互相体谅、密切配合,是搞好移民外迁工作的一条重要经验。实践中,迁出、迁入地在这方面工作做得好的,矛盾就容易化解,利益就容易协调,移民外迁安置工作就能够顺利进行。

(四)加强对移民的教育是做好移民外迁工作的前提

一些迁入地的同志讲,以前大家对三峡移民工作难做的说法不以为然。现在看来这工作确实很艰难。三峡移民尤其是出市外迁的这部分移民,当他们为支持三峡工程建设远离故土到一个新地方时,容易产生"特殊公民"的思想。广东的同志总结出三峡移民有五种心态:期望值过高的心态、特殊公民的心态、等靠要的心态,绝对平均主义的心态、"农者不农"的心态。这几种心态,在移民中确实不同程度地存在。要做好移民工作,就一定要有针对性地加强对移民的思想教育和法制教育,扭转他们的错误思想和认识。

重庆的同志也认识到,以前为了动员移民外迁,过份宣传了外迁的优惠政策而忽视了对移民的教育,致使一些移民蒙生了"特殊公民"思想,有的移民到达迁入地后无理取闹,触犯法律,他们表示在以后的工作中要进一步加强对移民思想教育和法制教育,力争使每个外迁移民都具有明理、知法、勤劳、守法的现代农民的良好品质。

二、关于贯彻落实这次会议精神的几点要求

明年,是全面完成三峡工程二期移民任务最关键的一年。为了使三峡工程2003年6月正式蓄水发电,并给库底清理工作留取时间,135米水位线下的各项移民任务要在2002年底完成。明年重庆库区出市外迁任务1.9万人,要确保按时完成任务。

(一)要及时传达、认真贯彻会议精神

一是要求各省市政府的秘书长回去后及时向省市政府分管领导汇报这次会议的情况,充分认识明年外迁工作的艰巨性和复杂性,使他们进一步重视和支持这项工作。二是要把郭树言主任的讲话传达到有移民外迁工作任务的各级政府和各有关部门、单位,并结合本地实际,认真组织学习讨论,贯彻落实到实际工作中。三是各省市在传达贯彻会议精神的同时,要认真研究落实移民外迁工作具体方案,确保明年外迁工作的顺利开展。

(二)切实加强对移民外迁工作的领导

明年的移民外迁任务仍十分艰巨。迁出、迁入地各级政府要切实加强对外迁工作的组织领导。在今年工作的基础上,要进一步健全外迁移民安置管理机构,充实外迁工作力量,同时,要加强对从事移民外迁工作干部的培训力度,特别是要加强各地乡、镇移民干部的培训,使他们熟悉移民政策,尽快适应移民外迁工作的需要。

(三)认真制定移民外迁工作方案,全面完成明年移民外迁任务

这次会议后,各省市要立即组织有关人员研究制定好移民外迁工作方案,尽快布置明年的各项任务。首先,迁出地要认真做好移民的宣传动员和资格审查

工作，对移民的宣传动员，要实事求是，再不能像今年有的地方那样，单纯为了搬得出而不切实际地夸大迁入地的安置条件，甚至代迁入地政府无原则地向移民承诺或者向移民开空头支票。对外迁移民资格的审查，要把重点放在135米水位线以下，符合外迁安置条件、尚未安置的农村移民上。这部分移民明年一律要动员外迁安置，以确保2003年按期蓄水发电。在这方面，重庆市5个迁出县一定要下大力气，啃下这块“硬骨头”。迁入地要按照“相对集中安置到县、乡，分散安置到村、组”的原则，编制好外迁移民安置规划。明年外迁移民安置点的选择，各迁入地要在总结今年选点的经验教训基础上，从移民能够安稳、社会能够稳定这个大局出发，选择条件较好的地方，要求应不低于今年各地安置点的条件。其次，迁出、迁入地双方要密切配合，积极做好相互衔接工作。在工作中，要严格掌握移民政策，并注意彼此尊重，互相体谅，多通气，多协商。第三，三峡建委将积极协调各迁出、迁入省市政府落实好县级移民安置点，并加强对移民外迁工作的检查和指导，使移民外迁工作进一步规范化、制度化。

（漆林系国务院三峡建委移民开发局局长）

陆佑楣在中国三峡总公司工作会议上的总结讲话（摘要）

2002年2月7日

同志们：

这次会议开得很好。这次会议主要还是统一思想。“怎么搞好三峡工程建设？怎么建设好三峡总公司”是会议的主题，也是以往的几次工作会议讨论的主题。会后大家要共同努力，贯彻落实这次会议的精神，把今年的工作做好。下面我想讲几个问题。

一、组织好三峡工程建设仍然是我们当前最主要的任务

这次会议的工作报告我们分给4个同志讲。贺恭同志对2001年的工程建设情况作了很好的总结和评价，同时对2002年到2003年工程的具体安排做了清晰的部署，大家讨论时没有提出任何异议。对概算如何控制及目前控制的情况也作了一些阐述，当然我们觉得还不够，还需要继续来分析我们的概算，因为还有很多我们预计不到的事情。要不断地分析工程建设概算上的风险。

王家柱同志对工程技术上的风险作了一些分析，提出了一些工程上的要害问题，我觉得这个非常重要。确实我们时间紧迫，潘总（潘家铮）说是背水一战，事实就是这样。5月1日上游基坑就要进水，不进也得进，进水前要做些什么事情？大坝的上游面出现了一些裂缝，当然这些裂缝也不值得大惊小怪，就是内外温差所造成的，有点儿“感冒”。但是我们要牢牢记住钱正英副主席说的不留隐患是三峡工程的最高原则。出了裂缝如果不处理，最坏的后果是大坝挡水后缝内承受水压力，裂缝将进一步发展，可能造成大坝的整个受力情况发生变化。出现这个事情是不行的。所以我们要做到不留隐患，这是我们的最高原则也是最低标准，必须认真处理。

要实现2003年水库初期蓄水、首批机组发电和双线五级船闸通航，大量的工作都要在2002年完成。这一点在大家讨论过程中都很明确，没有什么不同的意见。怎么办？只有靠我们精心地来运作，要集中精力。这是三峡总公司的第一件大事，是头等大事。这次会上大家讨论比较关心的热点是总公司的改革和改制，这对三峡总公司来讲非常重要，今年要有大的动作，但是这一切的基础就是工程建设。工程建设出了问题，什么改制上市都谈不上。所以我们全体员工要有一个清醒的头脑，工程建设仍然是我们的基础。为什么今年我们工作会议的第一个报告由贺恭同志来作？主要也就是工程建设仍然是我们当前最主要的责任，最主要的任务。

二、关于改制工作

李永安同志已经作了一个很好的报告，有了很多具体的思路，大家讨论中还是支持、赞成总公司的改制的。确实这是势在必行，是大势所趋。不是为了改制而改制，而是为了发展。从大道理上来讲，中国加入了WTO，进入了一个国际的竞技场，要遵循国际的规则。中国如果不进入WTO，好象我们自己有一个金饭碗捧着，日子过得挺好，一枝独秀，看不到整个世界在发生变化，最终是要挨打的。

中央对国有企业改革的方针非常明确，党的十五届四中全会和去年的政府工作报告都提出，所有的国有企业，除了国家必须垄断经营的企业之外，都必须进行规范上市；同国计民生关系密切的企业要国家控股，也要规范上市，多元持股。三峡总公司改制的路是非走不可的，但必须严格规范经营，目标就是要增强投资者的信心，筹集更多的资金，把“蛋糕”做大，真正实现滚动开发。我们的负债率不低，负债率高了以后造成的后果是电价要高，电价高竞争能力就不够，竞争能力不够，就没有效益，这是最简单的道理，所以我们应该充分看清这个形势。同时通过改制，我们必须转换企业的经营机制。

要想改制成功，关键是要练好“内功”。练好“内功”的第一件事是葛洲坝电厂要提高运行能力，要能够创造最大的价值。三峡工程的建设要创造最好的效益，控制概算，降低建设成本，保证质量和进度，能够一按电钮机组真正转起来，还要电能够送得出去。

股改上市的另一个重要的“内功”是财务要清晰，要完全透明，不做假账。朱镕基总理给上海会计学院题词就是不做假账四个字。安龙公司的垮台也是因为做假账，安达信这么有名的会计公司做了假账。所以我们坚定不移地不做任何假账，否则就不要改制上市，要改制上市就绝对不做假账，让投资者清楚你的企业究竟怎么样。形成这样一个机制。所以三峡总公司从一开始就坚决不去搞这种“包装”，图个虚名，这不是三峡总公司应有的诚信。

大家在讨论中还提到关于改制、发展和稳定的关系，其实这些关系是统一的，并不矛盾。不是一改制，就会导致很多人要下岗。大家在讨论的时候都有很多疑虑，感觉到我们现在日子过得还可以，改制是不是又要折腾？有些人可能现在的饭碗端不住了，怎么办？看问题要发展地看，我们改制的首要目标是要把企业搞好，确实会有一些人可能要分流，但我们在操作过程中要千方百计少影响职工已经得到的利益。我不能说不影响，因为每个人的人生价值都是有他的定位的，你本来就不具备这个岗位的条件，非要硬撑在这个岗位上，这就降低了企业的效益，也扭曲了你本人自己的价值。

说到底，改革就是调整利益分配，激励、激发大家更大的热情，共同来创造更美好的社会。所以如果停留在混饭吃的水平，那自己是没有出路的，大事干不了，小事又不愿意干，最终只有遭到淘汰。总之，改制和发展是完全紧密地结合在一起的。没有改制就没有发展，没有发展也就没有稳定，稳定、发展、改革三者是统一的。不改革就不可能有发展，不发展就不可能有稳定。

三、关于多产业经营的定位

多产业经营是三峡总公司的一个支柱，不可缺少的一个支柱，问题在于发展还不够，在于现在我们的多种产业基本上都还是围着三峡工程。多产业经营根本的出路我不只是在这次工作会议讲，而且在过去多次工作会议上都讲得很清楚，要面向市场，要独立经营，这样才有很好的发展前途。

所有的多产业经营都应该面向市场，服务三峡只是一小部分，应该说越来越小，前景是面向市场。所以说多产业经营的定位应该是很清楚，就是要发展。不要用一种消极的办法来解决人员的分流，要用发展的眼光来分流，这才达到了我们改革的目的。改革的目的就是要发展，国家要发展，我们企业要发展，每个人自己也要发展。

四、关于总公司内部改革

企业内部改革确实有很多事情要做。成立电力股份公司以后母公司怎么办？停留在现在这个状况不行，现在的状况不是一个经营的性质，而是一种行政管理的性质，要改变，首先从性质上、观念上要有很大的转变。机构怎么调整，改革还要精心设计，不能盲动，也用不着人心惶惶，但根本的问题是人事制度的改革。我们从去年开始逐步走上了第一步，竞聘上岗，尽管可能有这样那样的缺陷，但没关系，要继续往前走，逐步做到全员竞聘上岗。首先要设定好岗位，然后每一个岗位需要什么样的人大家来竞聘，只有这样才能够打破论资排辈，使人才年轻化、知识化落到实处。公开竞聘除了考核以外，就是要靠民主评议，要让大家认可。你认为自己干得很好，结果人家不认可怎么办？把你放在这个岗位上也挺难受。所以我们一定要公开化，搞民主评议。

去年年终总公司本部进行了干部考核。虽然还有不科学的地方，我们认为基本上还可以。物质的奖励就是奖金，A等的奖金最高，一级一级下来，适度拉开，也不是拉得很大，逐步形成一种激励机制。所以人事制度改革这个文章要做好。

其他的一些改革，住房制度改革已经基本完成，需要进一步完善，接下去就应该是货币化。新进来的同志，新分配来的大学生住房要实行真正的货币化、商品化。他的工资里面应该考虑住房的消费，建立起完善的公积金制度。住房制度归根结底就是商品化、货币化，而不是一种实物分配的形式。

医疗制度的改革也是势在必行，全国都要走这条路，有抵触不行，有疑虑也不行，问题是我们怎么操作好。我们的目标是有病的必须看，而且一定要看好病，三峡总公司还是有这个能力的，但是不要变成一种医疗的不公平消费。现在我们每年的医疗费用是五百多万，还不包括电厂。这个当然跟社会上医疗体制的改革有关系，所以医疗体制必须实行社会化改革，社会功能要还给社会，这个也是必定要走的道路。

还有一个大问题是车辆管理的改革。车辆管理要改革，大家呼声很高。一年的车辆费用高达 1100 多万，但是不是所有的职工都享受到车辆的使用了呢？没有！一少部分人用车多了，这里面也是一个分配不公平的问题。费用很高，公私不分，因公用车和因私用车混在一起，说不清，大家希望改革。

要实行全面预算管理。一个企业不管好财务，敞开口子花钱，这算什么企业？去年我们开始走出了第一步，实行预算管理，年初各单位根据自己的业务和自己的职责，需要花多少钱，都要编制出准确的预算来，编制出来后由三总师来审查，审查后向总公司党组报告，经过批准以后大家照此执行，不得突破。如果有非常情况要突破，必须送到总经理办公会或党组会来审定。一定要实行预算管理，从工程到所有的费用，都要实行预算管理。

总之，这次会议开得很好，大家明确了今年的工作任务和目标，接下来的问题是我们怎么干。当然具体的办法很多都没有制定，也不可能在年初就把很多办法制定出来，但是看到不合理的事情，就要下决心进行改革。

总公司是有前途的，我们充满着信心。

（陆佑楣系中国三峡总公司总经理）

李永安在中国三峡总公司工作会议上的讲话（摘要）

（2002 年 2 月 4 日）

根据会议安排，我主要就总公司改制和电力生产的具体工作讲几点意见，供大家讨论。

一、关于改制工作

2001 年 11 月，我们向吴邦国副总理汇报了改制的基本思路。朱镕基总理、吴邦国副总理在陆佑楣总经理关于总公司进行改制上市的报告上作了重要批示。在全国经贸工作会议上，吴邦国副总理要求总公司规范改制上市，发展成为拥有自主知识产权和具有核心竞争力的企业集团。国家经贸委召开专题会议，审查并原则同意我们提出的《三峡总公司整体改制思路》和《三峡总公司电力企业改制重组及上市初步设想》这两个报告，要求总公司正式启动股份公司设立的前期工作。国家经贸委对总公司改制寄予厚望，要求体现规范和创新的思想。

（一）继续深入研究总公司的整体改制，统筹规划，分步实施

1. 总公司的发展定位

吴邦国副总理指出，总公司要改制成为国家授权的投资主体，今后可以自主决策对大型建设项目的投资，这就进一步明晰了总公司的发展定位：三峡总公司应是国家授权经营的投资主体，以水利资源开发和经营为主的大型企业集团。

2. 改制的目标和安排

结合三峡电厂的筹备，先以葛洲坝电厂为基础，2002 年组建电力股份有限公司，2003 年三峡首批机组投产发电后，根据资本市场的情况，选择适当的时机上市。本着积极稳妥的原则改革工程建设管理体制，整合现有的工程建设管理职能部门，组建工程建设管理公司和工程咨询公司，负责第三阶段三峡工程建设，开发金沙江水利资源，以及其它工程项目的咨询和建设。

在组建三峡电力股份公司的过程中，对总公司和葛洲坝电厂的多种经营企业进行产业整合，优化结构，规范关联交易，提高生存能力、竞争能力和发展能力。财务公司要进一步解放思想，抢占先机，完善资本运作的手段，提高资产收益水平，逐步创造条件向基金、保险、证券等领域发展。

（二）抓紧做好电力企业重组改制，规范组建三峡电力股份公司

1. 规范改制

总公司电力企业的重组改制要力求规范。要精干主业、剥离社会职能、分离多种经营产业、不留存续企业、改革一步到位。要建立规范的公司法人治理结构。要正确处理三峡工程社会效益与经济效益的关系以及电力股份公司与总公司之间的同业竞争、关联交易等生产关系。

2. 多种经营公司的重组和社会职能的剥离

多种经营公司从葛洲坝电厂分离后有较好的发展基础。对多种经营公司和参与三峡建设的单位，将针

对不同情况与总公司的多种经营企业整体规划，区别不同情况，促进共同发展。

葛洲坝电厂担负社会职能机构的单位将交地方政府管理或实行社会化经营，总公司将予以适当政策扶持，确保平稳过渡，彻底改变企业办社会的状况。

3. 人员重组

人员分流重组将坚持以下原则：保证电力股份公司人员精干；人员随资产走，并重新确立劳动合同关系；充分考虑职工的利益，对分流人员妥善安排。

人员分流和重组要采取积极的措施，用发展生产的办法安置富裕人员，同时，可以考虑多种方式，如转换岗位、提前退养、买断工龄、转岗培训等。

4. 改制上市工作安排

总公司电力企业改制上市主要分为两个阶段：重组改制及股份公司设立阶段；上市前辅导及公开发行、上市阶段，具体发行上市时机将视市场情况确定。

(三)坚定信心，勇于探索，推进重组改制的顺利实施

总公司改制符合党中央、国务院关于国有企业改革的精神；总公司改制对实现可持续发展具有重要的战略意义；总公司改制既面临机遇也面对着挑战。我们各级领导干部要统一认识，规范管理，做好政治思想工作和宣传工作，引导职工正确处理国家、企业、个人三者之间的利益关系，加强组织纪律性，保持干部、职工队伍思想稳定。广大职工也要提高素质，转变观念，顺应历史潮流，适应改革的要求。

二、关于电力生产

2001 年，葛洲坝电厂安全生产继续保持良好的形势。全年发电 162.91 亿 kW·h，居投产以来第三位；实现连续安全生产 259 天；完成销售收入 14.14 亿元，总成本控制在 7.28 亿元的目标以内，利税总额 9.15 亿元，上交三峡基金 5.20 亿元；加大设备整改和环境整治的力度，全年共安排大修费用 1.32 亿元，技改资金 1.14 亿元，为历年最高水平。三峡电能消纳与三峡枢纽管理体制研究协调取得重要进展。国务院批复同意国家计委报送的关于三峡水电站电能消纳方案，为三峡电力营销创造了条件；基本确定了三峡枢纽工程防洪、发电、航运管理关系。

从现在起，距离三峡水库初期蓄水、机组调试只有短短 17 个月时间了，电力生产任务十分艰巨。生产关系要进行重组，今年要相继成立电力股份有限公司、枢纽管理部、三峡电厂和梯调中心；葛洲坝水库要移交梯调中心调度运行；双线五级船闸要进行无水调试和有水调试；三峡电厂生产准备进入最紧张的阶段；电力营销谈判开始启动。这一系列工作都和三峡工程建设和总公司改制交织在一起，需要我们付出艰苦的努力。

(一)葛洲坝电厂要坚持以安全生产为中心，加大技术改造的力度

2002 年，葛洲坝电厂全年要实现安全生产三个 100 天，力争全年无事故，安全发电 153.8 亿 kW·h 和总成本控制在 7.77 亿元以内的管理目标。

(二)抓紧三峡电力营销准备，适时启动售电合同的谈判

三峡电能的充分消纳是三峡工程经济效益的直接体现，与总公司的发展密切相关。根据竞价上网实行电价新机制的要求，今年三峡电力营销准备要做好 4 件事：成立总公司电力营销工作小组；积极争取国家宏观管理部门的支持；落实三峡电力电量分配计划，研究售电合同与并网调度协议的配套执行、电量结算、线损分配等操作问题；提出三峡电力电量销售合同和并网调度协议范本。

(三)理顺三峡枢纽管理关系，落实运行管理任务

通过一年的工作，三峡枢纽工程的防洪、发电和航运管理关系基本确定，明确了三峡枢纽工程由总公司统一管理，梯调中心统一接受国家有关部门调度指令的原则。在防洪调度上，接受国家防洪主管部门统一调度。在电力调度上，与国家电力公司已达成共识：在 2003 年三峡首批机组投产发电时，暂时维持华中电调调度葛洲坝电厂，但由梯调中心统一对外接受国调、华中电调的电力调度指令；在三峡电厂运行出力达到葛洲坝电厂装机容量时，国调通过梯调中心调度到三峡、葛洲坝电厂母线。在航运管理上，实行政事分开、由总公司统一管理航运设施的原则。

(四)充分认识三峡梯级调度的复杂性，发挥三峡—葛洲坝枢纽联合调度的综合效益

梯调中心是三峡—葛洲坝梯级枢纽运行的调度、协调机构，主要任务是在确保梯级枢纽安全运行的前提下，协调防洪、发电、航运等综合利用的关系，在满足防洪需要和航运安全的同时，充分发挥最大发电效益。三峡梯级枢纽调度运用的情况复杂，牵涉面广，技术含量高，调度潜力大。梯调中心首先要做好三峡水库蓄水前的各项调度准备工作。当前最紧要的任务是做好三峡—葛洲坝枢纽调度规程的编制。其次，要结合三峡—葛洲坝枢纽调度规程的编制，认真开展一些关系长远的专题研究。如：水库优化调度应用的研究；适合长江中下游情况的防洪调度方案的研究；在保证航运安全情况下电站调峰，提高电能质量的研究；在设计和技术允许范围内，争取水库重复利用库容，汛前腾库和汛后蓄水的最佳方案的研究；同时还要抓好泥沙观测、预报、分析工作，掌握水库泥沙的变动、淤积规律，为适时地提高水库运行水位，减少水库淤积，及时提出水库运用调度方案。

（五）以国际一流水平为目标，做好三峡电厂生产准备工作

三峡电厂是世界上最大的水电厂，我们以一流的标准建设三峡工程，同时也要瞄准世界一流标准，管好三峡电厂。根据2003年三峡首批机组发电的要求，2002年三峡电厂筹建处要围绕顺利接机、保证机组安全运行这个中心，全面安排好三峡电厂投产发电的各项生产准备工作。

为此，要做好处理各种事故的预案，做好参与三峡工程建设的相关工作，做好三峡电厂、梯调中心计算机监控系统的联合开发，做好电力生产管理信息系统建设。

（李永安系中国三峡总公司副总经理）

贺恭在中国三峡总公司工作会议上的讲话（摘要）

（2002年2月4日）

一、对2001年工程的总体评价

（一）工程主要成果

1. 较好、较全面地完成了11项主要工程量计划指标

除混凝土防渗墙、帷幕灌浆、填筑完成量略低于年初上报计划外，开挖、混凝土浇筑、接缝灌浆、固结灌浆、金结机电埋件安装、机组埋件等项目完成量全部超过年初上报计划，特别是混凝土浇筑突破400万 m^3，实现了从1999年以来连续三年三破世界记录。三年共完成1400万 m^3 高强度的混凝土浇筑任务。

2. 主要工程形象达到预计目标，若干工程难点有了重大突破

（1）泄洪坝段。尽管过去的一年遇到了塔带机和混凝土质量缺陷检查处理等制约因素，泄洪坝段上块平均高程仍达到了156米，中块除10#～13#外，其余全部达到并缝高程；导流底孔的金结及弧形工作门启闭机系统全部安装调试完成，泄洪深孔工作门全部吊装到位，高程120米栈桥比预定时间提前贯通，基本实现年初预计目标。

（2）左岸厂房坝段。甲块左厂1#～6#到达坝顶高程185米，安Ⅲ至左厂14#到达高程134米以上，平均到达高程157米；乙块除安Ⅲ至左厂7#外，其余均达到并缝高程；拦污栅槽全线达到高程130米以上；1#～6#机组电站进水口闸门二期埋件、1#～6#机组压力钢管安装全部完成。

（3）左岸电站厂房。所有为机组准备的土建形象全部达到预定目标，安Ⅰ、安Ⅱ、安Ⅲ之间的1#～6#机组混凝土浇筑全部达到高程75.3米，使1#～6#机组整个区域形成一个非常好的安装平台，1#、2#、5#机已经向机组安装交面，为机组安装创造有利条件；2#、5#两台水轮发电机组的定子机座相继于11月和12月吊入基坑并装焊完毕；此外，1#～6#机组段厂房边墙已经到顶，1#～5#机组段屋顶网架吊装完成，尾水门埋件及门体吊装过半，大小桥机安装完毕。

（4）双线五级船闸。双线五级船闸混凝土超额完成年初上报计划，混凝土总量完成比例已过90%；24扇人字门全部安装到位，地下输水系统24扇反弧门已完成8扇吊装任务。

（5）右岸工程。为明渠截流和三期工程作准备的右岸工程全线启动，茅坪防护大坝心墙及坝体填筑到达高程148米以上；地下电站引水隧洞开挖全部结束，开始衬砌混凝土；3#～6#进水塔开始浇筑混凝土，平均高程达到108米；高程84米一座 $4\times3m^3$ 拌和楼安装完成。

3. 实现了或正在实现工程方面的三个转移

施工的重点、难点和高峰期逐步由混凝土浇筑向金属结构和机电安装阶段转移；大坝混凝土施工手段由以塔带机为主向布设在高程120米栈桥上的门机、塔机和缆机为主转移；右岸工程的建设，特别是右岸岸坡厂坝开挖、场地平整和高程84米混凝土拌和系统提前建成，为第二、三阶段工程转移和衔接奠定了基础。

4. 在保证工程形象进度的同时始终不渝地把工程质量摆在首位。

5. 在投资和造价控制方面成果良好

九年来，三峡工程投资控制在概算和预计范围内，为实现三峡工程概算和总投资控制的总体目标奠定良好基础。

6. 建安、机电、金结、物资的各项合同执行情况总

体良好。

7.为工程的阶段验收做了大量准备工作。

8.三峡工地精神文明建设成果显著，逐渐形成了有三峡特色的文化氛围。

(二)存在的主要问题和风险

1.虽然质量意识和管理水平有了提高，没有发生重大质量事故，但“常见病”、“多发病”等顽症依然存在；而且历年来形成的质量缺陷仍需我们花费较大的精力来解决。

2.工程进度总体符合预定目标，但仍不够平衡，有些项目进度绷得很紧，没有足够的回旋余地，如果工作中或因质量安全问题、或因组织协调不好，就会影响工程总体进度目标的实现。

3.三峡工程混凝土浇筑的高质量和高强度与现代化施工设备是分不开的，由于三峡工程施工设备运行的时间较长，而相应的管理水平仍有待提高，还不时出现施工设备故障影响施工进度的现象。

4.金属结构安装调试、机电设备安装调试的风险分析及预案需进一步深入研究和在实践中不断完善。70万kW大型机组和高压电气设备的安装调试、导流明渠的截流及三期RCC围堰的快速施工等，都是我们面临的新课题，如果对技术预案研究不充分或对施工中的技术问题没有严格把关，就有可能出现风险而影响工程顺利实施。

二、2002年工程建设主要任务和措施

(一)主要特点

1.混凝土浇筑仍然重要，而且技术含量高，但高峰已过，金属结构和机电安装调试已上升为工程组织的重点；同时土建工程、缺陷处理任务和金结、机电工作又有较多的交叉和衔接。

2.2002年的主要工程项目，有不少是与洪水赛跑，必须在限定时段内完成，而且环环相扣，最终要确保导流明渠截流成功，并力争年底启动三期RCC围堰施工。

3.2002年与2003年工程的衔接，以及第二阶段工程转入第三阶段工程的各项准备工作均须在今年完成。

4.2002年开始，工程验收将从准备阶段进入实施阶段，三峡工程在继续施工的同时，必须接受国家对工程阶段成果的鉴定和验收。

(二)2002年工程建设四大任务

抓好在建工程，确保明渠截流成功；消除各种缺陷，保证工程不留隐患；做好各项验收，获取工程阶段成果；抓紧各项准备，实现工程阶段转移。

(三)2002年重大阶段性进度安排

5月份上游围堰破堰进水；7月份下游围堰破堰进水；7月份永久船闸进入无水调试阶段；10月永久船闸进入有水调试阶段；11月中下旬导流明渠截流。

(四)2002年工程建设主要管理措施

继续坚持“双零”管理目标；加强工程计划的科学管理；严格合同管理，控制好概算和工程投资；加强工程各环节的总体协调；组织好工程验收和安全鉴定工作；继续组织好招投标；进一步深入推广应用TGPMS，为工程建设和企业管理服务，使之进一步发挥经济和管理效益；在抓紧工程建设任务的同时努力抓好精神文明建设，最大限度地调动建设者的积极性。

三、工程建设与总公司的发展与改革

关于金沙江溪洛渡、向家坝两工程前期准备工作。溪洛渡项目可行性研究报告将于2002年一季度正式上报，并争取在上半年内得到国家综合部门的审批。2002年首先启动溪洛渡电站的对外交通，并逐步开展现场施工规划方案的优化和启动。继续抓好溪洛渡电站在可行性研究之后的设计优化和完善工作，以及向家坝电站可行性研究阶段的工作。总公司将对溪洛渡工程建设的管理体制着手开展工作。

(贺恭系中国三峡总公司副总经理)

法规·文献 Ⅱ

崛起的新城——兴山新县城

法规·文件

长江三峡工程建设移民条例

2001 年 2 月 15 日国务院第 35 次常务会议通过此《条例》

第一章　总　则

第一条　为了做好三峡工程建设移民工作，维护移民合法权益，保障三峡工程建设，促进三峡库区经济和社会发展，制定本条例。

第二条　三峡工程建设移民，适用本条例。

第三条　三峡工程建设，实行开发性移民方针，统筹使用移民资金，合理开发资源，保护生态环境，妥善安置移民，使移民的生产、生活达到或者超过原有水平，为三峡库区经济和社会发展创造条件。

第四条　三峡工程建设移民工作应当与三峡库区建设、沿江地区对外开放、水土保持和环境保护相结合。

第五条　三峡工程建设移民，实行国家扶持、各方支援与自力更生相结合的原则，采取前期补偿、补助与后期生产扶持相结合的方针，兼顾国家、集体和个人的利益。

三峡工程淹没区、移民安置区所在地的人民政府和群众应当顾全大局，服从国家统筹安排，正确处理移民搬迁和经济发展的关系。

第六条　三峡工程建设移民，实行移民任务和移民资金包干的原则。

第七条　国家对三峡工程建设移民依法给予补偿。具体补偿标准由国务院三峡工程建设委员会移民管理机构会同国务院有关部门组织测算、拟订，报国务院批准后执行。

第八条　三峡工程建设移民工作实行统一领导、分省(直辖市)负责、以县为基础的管理体制。

国务院三峡工程建设委员会是三峡工程建设移民工作的领导决策机构。

国务院三峡工程建设委员会移民管理机构负责三峡工程建设移民工作。

湖北省、重庆市人民政府负责本行政区域内三峡工程建设移民工作，并设立三峡工程建设移民管理机构。

三峡工程淹没区和移民安置区所在地的市、县、区人民政府负责本行政区域内三峡工程建设移民工作，并可以根据需要设立三峡工程建设移民管理机构。

第二章　移民安置

第九条　三峡工程建设移民安置，应当编制移民安置规划。移民安置规划应当与土地利用总体规划相衔接。

水利部长江水利委员会会同湖北省、重庆市人民政府，负责编制《长江三峡工程水库淹没处理及移民安置规划大纲》(以下简称《规划大纲》)，报国务院三峡工程建设委员会审批。

湖北省、重庆市人民政府应当按照《规划大纲》，负责组织本行政区域内有关市、县、区人民政府编制并批准有关市、县、区的移民安置规划，并分别汇总编制本省、直辖市的移民安置规划，报国务院三峡工程建设委员会备案。

国务院三峡工程建设委员会移民管理机构应当加强对移民安置规划实施情况的监督。

第十条　经批准的移民安置规划应当严格执行，不得随意调整或者修改；确需调整或者修改的，应当按照原审批程序报批。

第十一条　三峡工程建设用地按照批准的规划，一次审批，分期划拨，并依法办理土地权属变更登记手续。三峡工程建设移民迁建用地应当严格控制规模，并依据土地利用总体规划和土地利用年度计划，分批次逐级上报省级以上人民政府依法办理农用地转用和土地征用手续。移民迁建用地不得转让，不得用于非移民项目。

第十二条　因三峡工程建设和移民迁建，土地被全部征用并安置在第二产业、第三产业或者自谋职业的农村移民，经本人同意，由有关县、区人民政府批准，可以转为非农业户口。

第十三条　移民安置地的有关地方人民政府应当合理调整土地，鼓励移民在安置地发展优质、高效、高产农业和生态农业；有条件的地方，可以通过发展第二产业、第三产业安置移民。

第十四条 三峡工程建设移民安置实行就地安置与异地安置、集中安置与分散安置、政府安置与移民自找门路安置相结合。移民首先在本县、区安置;本县、区安置不了的,由湖北省、重庆市人民政府在本行政区域内其它市、县、区安置;湖北省、重庆市安置不了的,在其它省、自治区、直辖市安置。

第十五条 农村移民需要安置到本县、区其它农村集体经济组织的,由该农村集体经济组织与县、区人民政府移民管理机构或者负责移民管理工作的部门签订协议,并按照协议安排移民的生产、生活。

第十六条 移民在本县、区安置不了,需要在湖北省、重庆市行政区域内其它市、县、区安置的,由迁出地和安置地的市、县、区人民政府签订协议,办理有关手续。

移民需要在湖北省、重庆市以外的地区安置的,分别由湖北省、重庆市人民政府与安置地的省、自治区、直辖市人民政府签订协议,办理有关手续。

第十七条 三峡工程受益地区和有条件的省、自治区、直辖市及其市、县、区应当接收政府组织外迁和投亲靠友自主外迁的三峡库区农村移民,并及时办理有关手续,统一安排移民的生产、生活。

投亲靠友自主外迁的三峡库区农村移民,应当持有迁出地的县、区人民政府出具的证明。

第十八条 农村居民点迁建应当按照移民安置规划,依法编制新居民点建设规划。编制新居民点建设规划,应当因地制宜,有利生产,方便生活。

新建居民点的道路、供水、供电等基础设施,由乡(镇)、村统一组织施工。

房屋拆迁补偿资金按照农村房屋补偿标准包干到户,由移民用于住房建设。

移民建造住房,可以分户建造,也可以按照自愿原则统一建造。有关地方人民政府以及村民委员会不得强行规定建房标准。

第十九条 城镇迁建,应当按照移民安置规划,依法编制迁建区详细规划,并确定需要迁建的公共建筑和各项基础设施的具体位置。

城镇公共建筑和各项基础设施迁建补偿资金实行包干管理,其数额按照实际淹没损失和适当发展的原则核定。

城镇迁建中单位和居民搬迁的补偿资金实行包干管理,其数额按照实际淹没损失核定。

第二十条 需要迁建的城镇应当提前建设基础设施。

对自筹资金或者使用非移民资金提前搬迁的单位和居民,有关地方人民政府不得减少其应得的移民资金数额。

第二十一条 有关地方人民政府应当根据国家产业政策,结合技术改造,对需要搬迁的工矿企业进行统筹规划和结构调整。产品质量好、有市场的企业,可以通过对口支援,与名优企业合作、合资,把企业的搬迁与企业的重组结合起来;技术落后、浪费资源、产品质量低劣、污染严重的企业,应当依法实行兼并、破产或者关闭。

有关地方人民政府应当妥善安排破产、关闭企业职工和离退休人员的基本生活,做好再就业和社会养老保险工作。

工矿企业搬迁补偿资金实行包干管理,其数额按照实际淹没损失的重置价格核定。

第二十二条 因三峡工程蓄水被淹没的公路、桥梁、港口、码头、水利工程、电力设施、电信线路、广播电视等基础设施和文物古迹需要复建的,应当根据复建规划,按照经济合理的原则,预先在淹没线以上复建。复建补偿资金实行包干管理,其数额按照原规模、原标准或者为恢复原功能所需投资核定。

第二十三条 城镇迁建单位、工矿企业和居民的搬迁以及基础设施的复建,因扩大规模和提高标准超过包干资金的部分,分别由有关地方人民政府、有关单位、居民自行解决。

第二十四条 移民工程建设应当做好项目前期论证工作。城镇、农村居民点、工矿企业、基础设施的选址和迁建,应当做好水文地质、工程地质勘察、地质灾害防治勘查和地质灾害危险性评估。

第二十五条 移民工程建设应当履行基本建设程序,严格执行国务院 2000 年 1 月发布的《建设工程质量管理条例》规定的各项制度,确保建设工程质量。

移民工程建设施工,应当保护生态环境,防止植被破坏和水土流失。

第二十六条 安置移民生产,严禁开垦 25 度以上的坡地;已经开垦的,应当按照规划退耕还林还草。对已经开垦的 25 度以下的坡地,应当因地制宜,采取"坡改梯"措施,实行山水林田路综合规划治理。

第二十七条 三峡工程淹没区的林木,在淹没前已经达到采伐利用标准的,经依法批准后,林木所有者可以采伐、销售;不能采伐利用的,淹没后按照《规划大纲》的规定给予补偿。

第二十八条 三峡工程建设,应当按照"保护为主、抢救第一"和"重点保护、重点发掘"的原则,做好文物抢救、保护工作。

第三章 淹没区、安置区的管理

第二十九条 有关地方人民政府应当加强对三峡

工程淹没区基本建设的管理。任何单位和个人不得在淹没线以下擅自新建、扩建和改建项目。违反《国务院办公厅关于严格控制三峡工程坝区和库区淹没线以下区域人口增长和基本建设的通知》的规定，在 1992 年 4 月 4 日后建设的项目，按照违章建筑处理。

第三十条 三峡库区有关公安机关应当加强对淹没区的户籍管理，严格控制非淹没区人口迁入淹没区。1992 年 4 月 4 日后，按照《国务院办公厅关于严格控制三峡工程坝区和库区淹没线以下区域人口增长和基本建设的通知》的规定允许迁入的人口，经县级以上人民政府公安机关批准入户的，由国家负责搬迁安置；因其他原因擅自迁入的人口，国家不负责搬迁安置。

三峡库区各级地方人民政府和有关单位应当加强计划生育管理，控制人口增长，保证库区的人口出生率不超过湖北省、重庆市的规定。

本条第一款所称允许迁入的人口，是指因出生、婚嫁、工作调动、军人转业退伍和高等院校、中等专业技术学校毕业分配以及刑满释放等迁入的人口。

第三十一条 按照移民安置规划必须搬迁的单位和移民，不得拒绝搬迁或者拖延搬迁；已经搬迁并得到补偿和安置的，应当及时办理补偿销号手续，并不得返迁或者要求再次补偿。

按照移民安置规划已经搬迁的单位和移民，其搬迁前使用的土地及其附着物由当地县级人民政府依法处理。

第三十二条 三峡水库消落区的土地属于国家所有，由三峡水利枢纽管理单位负责管理，可以通过当地县级人民政府优先安排给当地农村移民使用；但是，不得影响水库安全、防洪、发电和生态环境保护。因蓄水给使用该土地的移民造成损失的，国家不予补偿。

第三十三条 有关地方人民政府应当对三峡工程移民档案加强管理，确保档案完整、准确和安全。

第四章 移民资金使用的管理和监督

第三十四条 移民资金实行静态控制，动态管理。除价格指数变动、国家政策调整和发生不可抗力外，不再增加移民资金。

第三十五条 移民资金年度计划应当纳入国家年度投资计划。

国务院三峡工程建设委员会移民管理机构根据经批准的三峡工程移民安置规划，组织编制移民资金年度计划，报国务院审批。

县级以上地方人民政府移民管理机构或者负责移民管理工作的部门组织编制本行政区域的移民资金年度项目计划，经本级人民政府审核同意后报上一级人民政府移民管理机构审批。

经批准的移民资金年度项目计划，不得擅自调整；确需调整的，应当报原审批机关批准。

第三十六条 移民资金安排应当突出重点，保证移民安置进度与枢纽工程建设进度相适应。

移民资金由有关地方人民政府按照移民安置规划安排使用。

有移民安置任务的省、自治区、直辖市人民政府应当根据国家移民资金投资包干方案，将移民资金拨付到县级人民政府和有关单位，由县级人民政府和有关单位将移民资金具体落实到各类移民投资项目。

第三十七条 移民资金应当在国务院三峡工程建设委员会移民管理机构或者省、自治区、直辖市人民政府移民管理机构指定的银行专户存储、专账核算。国务院或者省、自治区、直辖市人民政府确定的移民资金管理部门应当按照包干方案、移民资金年度项目计划和进度及时拨付移民资金。

第三十八条 移民资金应当用于下列项目：农村移民安置补偿；城镇迁建补偿；工矿企业迁建补偿；基础设施项目复建；环境保护；国务院三峡工程建设委员会移民管理机构规定的与移民有关的其他项目。

任何部门、单位和个人不得挤占、截留和挪用移民资金。

第三十九条 移民资金存储期间的孳息，应当纳入移民资金，不得挪作他用。

第四十条 有关地方人民政府设立的城镇迁建工程建设指挥部(管委会)不是一级财务核算单位，移民项目资金不得经其转拨。

第四十一条 国家对移民资金的管理、拨付和安排使用实行稽察制度，对管理、拨付和安排使用移民资金的有关地方人民政府及其有关部门、机构的负责人实行任期经济责任审计制度。

第四十二条 县级以上人民政府应当加强对下级人民政府及其有关部门管理、拨付和安排使用移民资金情况的监督。

各级人民政府移民管理机构或者负责移民管理工作的部门应当加强内部审计和监察，定期向本级人民政府、上级主管部门报告移民资金年度项目计划执行情况、移民资金拨付和使用情况。

第四十三条 有移民任务的乡(镇)、村应当建立健全财务管理制度，乡(镇)、村移民资金的使用情况应当张榜公布，接受群众监督。

第四十四条 各级审计机关和监察、财政部门应当加强对移民资金管理、拨付和安排使用的审计和监察、监督，依法履行国家有关法律、法规赋予的职责。

审计机关和监察、财政部门进行审计和监察、监督时，有关单位和个人应当予以配合，及时提供有关资料。

第五章　扶持措施

第四十五条　国家从三峡电站的电价收入中提取一定资金设立三峡库区移民后期扶持基金，分配给湖北省、重庆市和接收外迁移民的省、自治区、直辖市人民政府，用于移民的后期扶持。具体办法由财政部会同国务院有关部门制定，报国务院批准后执行。

第四十六条　三峡电站投产后缴纳的税款依法留给地方的部分，分配给湖北省、重庆市人民政府，用于支持三峡库区建设和生态环境保护。具体办法由财政部会同国务院有关部门制定，报国务院批准后执行。

第四十七条　农村移民建房占用耕地，免征耕地占用税。三峡工程坝区和淹没区建设占用耕地，按照应纳税额的40%征收耕地占用税；城镇、企业事业单位搬迁和基础设施复建占用耕地，按照国家有关规定缴纳耕地占用税。缴纳的耕地占用税全部用于三峡库区农村移民安置。

第四十八条　三峡电站投产后，应当优先安排三峡库区用电。

第四十九条　国家将三峡库区有水电资源条件的受淹县、区列为农村水电初级电气化县，予以扶持。

第五十条　国家将三峡库区具备一定条件的受淹县、区优先列入生态农业试点示范县，予以扶持，并优先安排基本农田及水利专项资金，用于移民安置区农田水利建设。

第五十一条　国务院有关部门和湖北省、重庆市人民政府及其有关部门在安排建设项目、分配资金时，对三峡库区有关县、区应当优先照顾。

第五十二条　国务院有关部门和有关省、自治区、直辖市应当按照优势互补、互惠互利、长期合作、共同发展的原则，采取多种形式鼓励名优企业到三峡库区投资建厂，并从教育、文化、科技、人才、管理、信息、资金、物资等方面对口支援三峡库区移民。

第五十三条　国家在三峡库区和三峡工程受益地区安排的建设项目，应当优先吸收符合条件的移民就业。

第五十四条　国家对专门为安置农村移民开发的土地和新办的企业，依法减免农业税、农业特产农业税、企业所得税。

第六章　罚　则

第五十五条　违反本条例规定，未经批准，擅自调整、修改移民安置规划和移民资金年度项目计划的，由规划、计划的审批机关责令限期改正；逾期不改正的，对直接负责的主管人员和其他直接责任人员，依法给予行政处分。

第五十六条　违反本条例规定，擅自将移民迁建用地的使用权转让或者用于非移民项目的，由县级以上人民政府土地行政主管部门会同同级移民管理机构依据职责，责令限期改正，没收违法所得，并处违法所得1倍以上3倍以下的罚款。没收的违法所得和收缴的罚款，全部纳入移民资金，用于移民迁建。

第五十七条　违反本条例规定，在淹没线以下擅自新建、扩建和改建项目的，由县级以上人民政府移民管理机构依据职责，责令停止违法行为，限期恢复原状，可以处5万元以下的罚款；造成损失的，依法承担赔偿责任。

第五十八条　违反本条例规定，在移民搬迁和安置过程中，有下列行为之一的，由县级以上人民政府移民管理机构会同同级有关部门依据职责，责令限期改正，给予警告；构成违反治安管理行为的，由公安机关依法予以处罚：拒绝搬迁或者拖延搬迁的；按照规定标准已获得安置补偿，搬迁后又擅自返迁的；按照规定标准获得安置补偿后，无理要求再次补偿的。

第五十九条　违反本条例规定，有下列行为之一的，由有关审计机关、财政部门依照审计、财政法律、法规的规定予以处罚；对直接负责的主管人员和其他直接责任人员，依法给予行政处分；构成犯罪的，依法追究刑事责任：将移民资金用于非移民项目、偿还非移民债务和平衡地方财政预算的；利用移民资金进行融资、投资和提供担保的；购买股票、债券和其他有价证券的；利用其他方式挪用移民资金的。

第六十条　违反本条例规定，在国务院三峡工程建设委员会移民管理机构或者省、自治区、直辖市人民政府移民管理机构指定的银行之外的金融机构存储移民资金的，由县级以上人民政府移民管理机构按照职责分工，责令限期改正，给予警告；对直接负责的主管人员和其他直接责任人员，依法给予行政处分；有违法所得的，没收违法所得，并处违法所得1倍以上3倍以下的罚款。

第六十一条　违反本条例规定，挤占、截留移民资金的，由有关审计机关、财政部门依法予以追缴，可以处挤占、截留移民资金数额1倍以下的罚款；对直接负责的主管人员和其他直接责任人员，依法给予行政处分。

第六十二条　在移民工程建设中，破坏植被和生态环境，造成水土流失的，依照环境保护法和水土保持法的有关规定处罚。

第六十三条　国家机关工作人员在移民工作中玩忽职守、滥用职权、徇私舞弊，构成犯罪的，依法追究刑事责任；尚不构成犯罪的，依法给予行政处分。

第七章　附　则

第六十四条　本条例自2001年3月1日起施行。1993年8月19日国务院公布施行的《长江三峡工程建设移民条例》同时废止。

关于下达2001年三峡工程建设基金征缴计划的通知

2001年9月24日，国家财政部办公厅以财办企〔2001〕845号文通知国家电力公司，财政部驻各省、自治区、直辖市财政监察专员办事处，广东省、海南省、内蒙古自治区财政厅

为确保三峡工程建设基金（以下简称"三峡基金"）及时征缴入库，财政部拟定了2001年三峡基金征缴计划（详见附件），现下达给你们，并就有关问题通知如下：

一、2001年三峡基金征收标准和征收范围仍按国家电力公司、财政部《关于下达1998年三峡工程建设基金征缴计划的通知》（国电财〔1998〕137号）执行。

二、2001年三峡基金征缴计划是必成数，不是包干数。请各有关单位按规定将三峡基金及时足额征收上来，均衡缴入国库，确保三峡工程建设资金需要。

附件：

2001 **年三峡工程建设基金征缴计划**

单位：万元

单　　位	2001年计划数
华北电力集团公司	73700
其中：本部	36000
河北省电力公司	19100
山西省电力公司	18600
东北三省及国家电力公司东北公司	34150
其中：国家电力公司东北公司	1150
辽宁省电力公司	17000
吉林省电力公司	7000
黑龙江省电力公司	9000
华东电力集团公司	184000
其中：上海市电力公司	48000
江苏省电力公司	58000
浙江省电力公司	55000
安徽省电力公司	23000
华中电力集团公司	112000
其中：湖北省电力公司	42000
湖南省电力公司	19000
河南省电力公司	41000
江西省电力公司	10000
西北电力集团公司	18200
其中：陕西省电力公司	6300
甘肃省电力公司	5900
宁夏自治区电力公司	2500
青海省电力公司	2100
新疆自治区电力公司	1400
四川省电力公司	14000
重庆市电力公司	6050
贵州省电力公司	5000
云南省电力公司	4600
山东省电力公司	42000
福建省电力公司	17270
广西自治区电力公司	4300
广东省电力公司	26808
内蒙古自治区电力公司	3000
海南省电力公司	680
合　　计	545758

国务院三峡建委职能配置内设机构和人员编制规定

2001年12月29日，国务院办公厅以国办发〔2001〕100号文通知各省、自治区、直辖市人民政府、国务院各部委、各直属机构

根据"精简、统一、效能"的原则，将国务院三峡工程建设委员会办公室（国务院三峡工程建设委员会三峡工程稽察办公室）、国务院三峡工程建设委员会移民开发局、国务院三峡工程建设委员会监察局合并，重新

组建国务院三峡工程建设委员会办公室(国务院三峡工程建设委员三峡工程稽察办公室),为国务院三峡工程建设委员会的办事机构。

一、职能调整

(一)转入原国务院三峡工程建设委员会办公室(国务院三峡工程建设委员会三峡工程稽察办公室)承担的职能。

(二)转入原国务院三峡工程建设委员会移民开发局承担的职能。

(三)转入原国务院三峡工程建设委员会监察局承担的职能。

二、主要职责

根据以上职能调整,重新组建的国务院三峡工程建设委员会办公室(国务院三峡工程建设委员会三峡工程稽察办公室)的主要职责是:

(一)组织提出三峡工程(枢纽工程、输变电工程和移民工程)的有关政策建议,起草有关法规草案,就三峡工程重大问题与有关省、直辖市和中央有关部门进行协调;研究制定三峡工程移民工作管理办法;负责国务院三峡工程建设委员会全体会议以及办公会议的准备工作,督促、检查会议决定事项的落实。

(二)控制三峡工程投资总量,监督三峡工程静态投资计划执行情况;提出三峡工程年度投资规模,协调落实资金筹措,负责计划、资金和工程进度的相互协调、综合平衡,审查年度投资价格指数和价差;安排移民搬迁安置年度大类计划;审核需报国务院三峡工程建设委员会审批的预备费项目和投资结合使用项目计划;申报、审核由于政策调查增加的工程投资。

(三)管理三峡库区移民搬迁安置工作,监督移民搬迁安置规划的实施;协调并推动三峡工程移民外迁、对口支援、经济技术协作、生态建设、泥沙研究等方面工作;负责三峡枢纽工程概算中安排的坝区以外生态建设、环境保护科技攻关工作;管理三峡工程移民科研、移民工程建设及监理、三峡工程淹没区及迁建区文物保护以及移民概算资金中安排的环境保护和地质灾害治理工作;组织、指导三峡工程移民培训工作。

(四)组织协调三峡工程中重大方案性问题、争议较大的技术问题以及国际招标中重大方针政策问题;审查初步设计的重大变更;研究提出三峡工程重大装备的技术装备政策,协调三峡工程重大技术装备的技术攻关和自主化(国产化)工作。

(五)研究协调三峡枢纽运行管理体制和三峡工程综合调度方案的有关工作;研究三峡水库管理的有关制度,协调三峡工程建设期三峡水库的管理工作;提出三峡水库水、土(含消落区)、岸线资源管理和移民后期扶持的政策建议。

(六)负责三峡工程(枢纽工程、输变电工程和移民工程)稽察工作;组织三峡工程验收工作;组织协调湖北省、重庆市以及安置外迁移民的省、直辖市纪检监察部门对移民资金进行监督检查;负责机关及相关单位党风廉政建设工作。

(七)负责组织三峡工程重大信息的收集、整理和发布,提出三峡工程对内对外宣传口径,组织协调有关重大宣传活动。

(八)组织协调三峡工程与外国政策机构、组织间的合作与交流,管理机关及相关单位外事工作。

(九)承办国务院和国务院三峡工程建设委员会交办的其他事项。

三、内设机构

根据上述主要职责,国务院三峡工程建设委员会办公室(国务院三峡工程建设委员会三峡工程稽察办公室)设9个职能司(局):

(一)综合司(信访办公室)

组织起草三峡工程建设有关的法规草案和会议文件;负责政策研究、会议组织、文电管理、秘书事务、保密及档案管理等机关政务工作;提出三峡工程对内对外宣传口径,对外发布三峡工程重要信息,协调三峡工程重大宣传活动;负责机关政务信息化建设;管理机关和直属单位干部人事工作;负责人民来信来访接待处理工作。

(二)资金计划司

监督三峡工程投资概算的总量控制,组织实施投资控制风险分析;审核需报国务院三峡工程建设委员会审批的预备费项目和投资结余使用项目计划以及年度投资价差;协调、平衡三峡工程投资计划和进度;安排移民年度大类计划并对执行情况进行监督;研究提出三峡工程资金筹集政策、方案并协调落实;负责三峡库区移民资金财务管理和移民统计工作;参与协调三峡工程建设管理体制有关工作。

(三)移民安置规划司

管理三峡库区移民搬迁安置工作;监督三峡库区移民搬迁安置规划的实施和调整,促进三峡库区经济发展和社会稳定;管理三峡移民工程建设及监理、移民科研、淹没区及迁建区文物保护、移民概算资金中安排的环境保护和地质灾害治理等工作,参与协调三峡库区地质灾害防治工作。

(四)技术与装备司

组织协调三峡枢纽工程初步设计方案的重大修改和争议较大的技术问题;联系三峡枢纽工程建设质量、设备质量、施工安全监督管理工作;联系三峡枢纽工程质量检查组的有关工作;协调三峡工程高新技术和重大装备的科技攻关、自主化(国产化)以及国际招标等工作；研究协调三峡枢纽运行管理体制有关问题和三峡工程防洪、发电、航运等综合调度方案。

（五）经济技术合作司

研究提出全国有关省、市、自治区和中央有关部门对口支援三峡库区的政策建议和具体措施，组织、协调和推动对口支援三峡库区移民工作；推进三峡库区高效生态农业发展，促进库区农村产业结构调整；研究提出三峡库区工矿企业迁建工作管理办法及年度计划资金安排意见，协助有关部门做好三峡库区搬迁工矿企业结构调整工作；组织协调三峡工程与外国政策机构、组织间的合作与交流，协助有关方面为三峡库区引进国内外资金和技术；管理机关和相关单位外事工作。

（六）外迁协调司

研究提出三峡工程外迁移民安置工作的政策建议及相关管理办法；协调外迁移民安置规划工作，编制外迁移民安置年度计划并对执行情况进行指导和监督；协调处理移民外迁工作中的有关问题。

（七）水库管理司

研究提出三峡水库管理的有关制度，协调三峡工程建设期三峡水库的管理工作；研究提出三峡水库水、土（含消落区）、岸线资源管理和移民后期扶持的政策建议；参与协调三峡库区生态建设和环境保护、泥沙研究工作，具体组织三峡工程生态环境监测和三峡枢纽概算中安排的坝区以外生态建设、环境保护科技攻关工作；参与三峡工程断航碍航期翻坝方案和补偿方案的研究工作。

（八）稽察司

负责三峡枢纽工程、输变电工程和移民工程稽察的组织工作，提出稽察报告，督促检查稽察整改意见落实情况；负责三峡工程阶段性验收的组织协调工作。

（九）监察局

组织协调湖北省、重庆市和安置外迁移民的省、直辖市对三峡工程移民资金的使用管理情况进行监督检查；负责机关及相关单位的党风廉政建设工作。负责组织机关和直属单位财务的内部审计工作。机关党委负责机关和在京直属单位的党群工作。

四、人员编制

国务院三峡工程建设委员会办公室（国务院三峡工程建设委员会三峡工程稽察办公室）机关行政编制为85名（另核定临时行政编制8名，用于三峡工程稽察工作，工作结束后自行撤销）。其中：主任1名，副主任4名（其中1名兼任监察局局长）。司局级领导职数26名（含三峡枢纽工程稽察组、输变电工程稽察组和移民工程稽察组稽察专员各1名，机关党委专职副书记1名）。

五、其他事项

考虑到工作需要，国务院三峡工程建设委员会移民开发局、国务院三峡工程建设委员会监察局的牌子暂时保留，待重新组建的国务院三峡工程建设委员会办公室（国务院三峡工程建设委员会三峡工程稽察办公室）运行一段时间后予以撤销。

国务院三峡建委关于对中国三峡总公司开展2001年度稽察的通知

2001年4月26日，国务院三峡工程建设委员会以国三峡委发稽字〔2001〕12号文通知中国长江三峡工程开发总公司

根据国务院三峡工程建设委员会（以下简称“三峡建委”）2001年工作安排，经国务院领导同意，三峡建委今年将继续派出稽察组对你公司进行稽察，现将有关事项通知如下：

一、今年稽察的主要内容仍按三峡建委“国三峡委发办字〔1999〕18号”和“国三峡委发办字〔1999〕26号”两个文件执行，稽察时段截至2000年12月31日。

二、稽察组组长、副组长仍分别由石启荣、张德楠同志担任。

三、稽察组定于4月27日在北京召开“稽察基础材料填报工作会议”，同时，安排有关稽察工作，会期一天，请你公司及所属葛洲坝水力发电厂总会计师带助手（包括计算机网络管理人员1～2名）参加会议。

请你公司并通知葛洲坝水力发电厂做好参加会议准备，积极配合稽察组的工作。

特此通知。

国务院三峡建委关于调整成员的通知

2001年5月18日，国务院三峡工程建设委员会以国三峡委发办字〔2001〕17号文通知各省、自治区、直辖市人民政府，国务院各部委、各直属机构，各有关单位

为保证长江三峡工程建设的顺利进行，根据工作需要和人事变动情况，经国务院领导批准，对国务院三峡工程建设委员会组成人员进行相应的调整。现将调整后的人员名单通知如下：

主　任：朱镕基　国务院总理
副主任：吴邦国　国务院副总理
郭树言　国务院三峡工程建设委员会办公室主任
曾培炎　国家发展计划委员会主任
张国光　湖北省省长
包叙定　重庆市市长
陆佑楣　中国长江三峡工程开发总公司总经理
甘宇平　重庆市副市长
委　员：马　凯　国务院副秘书长
李荣融　国家经济贸易委员会主任
蒲海清　国务院三峡工程建设委员会办公室副主任
李世忠　国务院三峡工程建设委员会办公室原副主任
邓　楠　科学技术部副部长
朱志刚　财政部副部长
田凤山　国土资源部部长
翁孟勇　交通部副部长
张基尧　水利部副部长
陈耀邦　农业部部长
肖　钢　中国人民银行副行长
陈　元　国家开发银行行长
邓道坤　湖北省常务副省长
宋瑞祥　国家环境保护总局副局长
路甬祥　中国科学院院长
周生贤　国家林业局局长
张文彬　国家文物局局长
高　严　国家电力公司总经理
黎安田　水利部长江水利委员会主任
漆　林　国务院三峡工程委员会移民开发局局长
何文彬　国务院三峡工程建设委员会监察局局长

关于转报《三峡枢纽工程2000年度质量检查报告》的报告

2001年5月28日，国务院三峡工程建设委员会办公室以国三峡办发技字〔2001〕51号文报送吴邦国副总理、朱镕基总理

一年来，以钱正英为组长、张光斗为副组长的三峡枢纽工程质量检查专家组（以下简称专家组）和工作组8次赴工地调研，广泛听取中国长江三峡工程开发总公司（以下简称总公司）以及设计、监理、施工单位汇报，深入现场察看，参阅了大量的资料。在此基础上，对2000年4月至2001年3月间枢纽工程施工质量作出了全面评价。2000年5月17日，专家组向国务院三峡工程建设委员会（以下简称三峡建委）报送了《关于三峡枢纽工程2000年度工程质量检查报告》（随文报上）。为了节省领导时间，现将《报告》的主要内容报告如下。

一、关于质量保证体系和措施及其执行情况

总公司认真贯彻了三峡建委九次会议精神和专家组意见，通过完善制度建设，加强管理，聘请中外专业总监，广大职工的质量意识和对质量问题的态度有明显提高，施工水平和管理水平进步明显，现场文明施工和安全条件得到改善。对已查出的质量事故正进行认真处理，做到满足设计要求，不给工程留下隐患。

尽管2000年工程质量总体上有明显进步，但仍出现了一些质量缺陷和事故，究其原因，一是一些施工和监理人员素质不高和责任心不强，二是质量保证体系和措施不够落实。为从根本上提高质量水平和管理水平，还需要从深层次、高层次上检查。

二、关于工程质量

2000年度工程质量比1999年度在总体上有明显进步，出现的质量问题少了，对已查出的事故正在认真处理。

（一）对混凝土原材料质量进行了全面有效的检测，符合三峡工程标准（TGPS），总体质量优良。各标号混凝土机口取样的设计龄期抗压强度质量良好。仓面取样抗压强度高于设计值，抗渗、抗冻指标满足设计要求，极限拉伸值除个别偏低外一般可满足设计要求。

（二）厂坝段混凝土浇筑方面汲取了泄15#下等坝块导流底孔底板下严重质量事故的经验教训，浇筑质量总体上良好，但还需进一步提高。左岸厂房坝段2000年发现裂缝42条，其中Ⅲ、Ⅳ类裂缝9条，均作了处理。电站厂房中已浇筑的蜗壳二期混凝土质量基本上是好的，但设计要研究减少钢筋用量，降低施工难度。专家组提出，设计单位要结合已施工情况和工程地质条件对帷幕灌浆的排水设计重新研究。从钻孔混凝土芯样看，接缝灌浆质量良好。接缝灌浆注入量过大，说明还有灌入混凝土内的现象。

（三）永久船闸高陡边坡开挖、支护工程和混凝土浇筑质量良好。升船机上闸首工程质量还存在欠缺，需要改进，以满足设计要求。

（四）茅坪溪防护坝质量良好，抽检结果符合后期蓄水要求。

（五）引水压力钢管、蜗壳制造和安装质量良好；

$1^{\#}$ ～ $6^{\#}$ 机组埋件存在某些制造缺陷和施工质量事故，但已按程序认真处理，安装质量尚属良好。厂坝的金属结构未完成原定计划，作为完整的门槽部位尚不具备交验条件，暂不作质量评定。永久船闸金结设备安装也未具备单项工程验收条件，本次不作质量评价。

三、关于工程质量事故处理

专家组列为工程质量事故的有 7 起。

（一）导流底孔底板下部混凝土质量事故，发生在泄 $10^{\#}$ ～ $16^{\#}$ 下块，以及泄 $13^{\#}$ 和泄 $15^{\#}$ 中块，系接缝灌浆时耗浆过多而被发现，不是由施工、监理发现的。采用补强灌浆处理，共注入浆 51845 升，耗水泥 65.4t，其中泄 $15^{\#}$ 下、泄 $13^{\#}$ 中和泄 $15^{\#}$ 中最为严重，各耗水泥 10.8、22.7 和 11.3t，处理历时 6～7 个月。经处理后可满足设计要求。现总公司已决定对已浇混凝土全面进行钻孔检查。

（二）导流底孔表面不平整事故，从 2000 年 4 月开始全面修补，预期 2001 年底可完成。

（三）厂房安Ⅱ至 $1^{\#}$ ～ $5^{\#}$ 机组段 24m 高程抽排灌浆廊道局部渗水事故，共 42 处。现正按设计要求灌浆处理。

（四）永久船闸二闸首北 1 块混凝土严重质量事故。采用挖除迎水面 $55m^3$ 混凝土，对内部混凝土灌浆处理，并经钻孔检查混凝土性能符合设计要求。

（五）$8^{\#}$ 机穿墙压力钢管质量事故。该钢管擦节环缝内侧出现严重质量问题未报告监理人员，就沿焊缝两侧（熔合线部位）刨出了两圈沟槽，致使焊缝缺陷性质未能查明。现环缝修补后全部磨平，经探伤检查合格。

（六）$6^{\#}$ 机蜗壳拼焊质量事故。在凑合节切割下料时误伤蜗壳，在厚度为 53mm 的母材上形成长约 75mm、深达 48mm 的切口，事后私自补焊处理。现重新处理后合格。

（七）$3^{\#}$ 机座环上环板切割事故。监理人员发现 $3^{\#}$ 机座环 $2^{\#}$ ～ $3^{\#}$ 固定导叶间上导流板与上环板连接焊缝处有焊缝缺陷，经探伤检查证实为长 59mm、宽 18mm、深 4mm 的沟槽。现已按厂家指令完成修补，但未查出责任者。

此外在施工中还有一些质量缺陷。在设备制造方面也发现制造质量问题。涉及国外的有 GE 加拿大制造、VGS 供货的 $1^{\#}$、$2^{\#}$、$3^{\#}$ 机组座环质量问题；属国内的有夹江水工机械厂的深孔弧门第二套门叶面板及合缝端板局部厚度未达到设计要求，和东江水工机械厂第一套底孔弧门面板曲率半径超差。

四、对 2001 年工作的建议

专家组认为，2001 年任务十分艰巨，混凝土浇筑量 410 万 m^3，由于高程高，仓面小，钢筋密集，施工难度更大。金结机电及安装进入高峰年，达 6.9t，约为 2000 年的 3 倍。水轮发电机组本体开始安装。帷幕灌浆和接缝灌浆任务繁重。为确保实现 2003 年首批机组发电和永久船闸通航的目标，2001 年必须全面完成工程计划，抓紧计划管理，努力完成规定的形象进度。建议：

（一）坚持质量教育常抓不懈，严格质量管理。在处理好已有质量事故，不留隐患的同时，防止新质量事故的发生。

（二）要分项检查落实计划进度。要十分重视施工设备的维护、保养，防止再出现重大设备事故。

（三）坚持检查处理好导流底孔底板下混凝土的问题，同时对已浇筑的混凝土作全面钻孔取芯检查。

（四）加强对监理（包括监造）工作的监督、检查和管理。

（五）今后国外厂家将大量交货，应加强制造和监理合同的管理，严格机电设备的出厂验收制度，认真审查检测记录、探伤报告等交验文件，防止类似 VGS 座环质量问题的发生。

我们认为，专家组对质量的评价是客观的，所提意见十分中肯，应在今年工作中认真落实改进，以确保三峡枢纽工程建设质量。

特此报告，请审示。

附件：关于三峡枢纽工程 2000 年度工程质量检查报告（略）

关于三峡枢纽工程 2000 年度价差计算报告的批复

2001 年 7 月 23 日，国务院三峡工程建设委员会以国三峡委发办字〔2001〕31 号文批复中国长江三峡工程开发总公司

你公司《关于报送三峡工程 2000 年度价差计算报告的请示》（三峡计字〔2001〕108 号）收悉。经组织专家研究、审查，现批复如下：

一、经核定，计算 2000 年度价差的静态投资基数为 492245.09 万元，其中：建筑工程投资 384320.53 万元，安装工程投资 14373.16 万元，设备工程投资 54589.16 万元，独立费用 38962.24 万元。

二、同意《三峡枢纽工程 2000 年度价差计算报告》中采用的价差计算办法、权重、主要材料原价采集的原则和依据、运杂费的计算标准以及有关替代价格指数。

三、核定 2000 年对 1993 年的基期价格指数为 123.62%，2000 年对 1999 年的环比价格指数为

99.10%。相应建安、设备及费用的价差额为116290.18万元。

四、同意计列施工设备进口环节税7623.65万元，其他税金1580.24万元。

根据国务院三峡工程建设委员会“关于三峡工程坝区征地移民补偿投资价差问题的复函”(国三峡委发办字〔2001〕20号)增补坝区征地投资价差1500万元，计入枢纽工程2000年度价差。

以上共计126994.07万元。

关于你公司提出的永久设备中一般设备价格指数、坝区征地移民补偿投资价差、总公司经常费和监理费不足等问题，请你公司根据专家和价差审查会的建议意见，抓紧组织专题研究，另行报批。

根据国务院三峡工程建设委员会第九、十次会议精神，考虑到三峡枢纽工程质量要求高、施工难度大、对建设人员素质和技术等级要求高等因素，需对枢纽工程人工费价差计算办法进行修改，请你们组织力量进行研究，提出修改意见。对2000年度人工费计算，同意暂按《三峡枢纽工程2000年度价差计算报告》中人工费的调整意见进行。

关于对《关于审批2000年度三峡工程库区移民补偿投资价格指数和价差的指示》的批复

2001年8月31日国务院三峡工程建设委员会以国三峡委发办字〔2001〕35号文批复移民开发局：

你局《关于审批2000年度三峡工程库区移民补偿投资价格指数和价差的指示》(国峡移发计字〔2001〕124号)收悉。经研究，现批复如下：

一、同意你局意见：2000年度综合指数为130.83%；2000年三峡工程移民补偿资金为480000万元，折合静态投资366565.92万元，价差113434.08万元。

二、分大类价格指数、动态投资及折算的静态投资如下：

项目	价格指数(%)	动态投资(万元)	静态投资(万元)
农村	153.14	99089.84	64372.68
城镇	126.81	200766.84	158320.98
工矿	123.34	85611	69410.58
专项	130.30	62988.11	48340.83
环保	128.07	2524.6	1971.27
其他费	128.07	20009.42	15623.81
滑坡监测处理	128.07	2210.19	1725.77
耕地占用税	100.00	6800	6800
合　计		480000	366565.92

其中农村移民外迁经费按指数1.55折算。

三、财政部2000年直接拨入你局中央移民工作经费1404万元，按综合价格指数130.83%，折合静态投资1096.28万元，价差307.72万元。请你局按照以上批准的2000年度价格指数、分大类价格指数及下达的移民补偿资金，尽快与湖北省、重庆市进行静态资金折算，并报三峡建委核备。

国务院关于三峡水电站电能消纳方案的批复

2001年11月27日，国务院以国函〔2001〕155号文批复国家计委

你委《关于三峡水电站电能消纳方案的请示》(计基础〔2001〕980号)收悉，现批复如下：

原则同意你委商有关部门及受电省制定的三峡水电站电能消纳方案。三峡水电站电能消纳，是关系到当今世界最大水电工程能否充分发挥效益以及受电省市经济发展的大事，请你委加强协调，精心组织实施，确保三峡水电站电能消纳方案的落实。

中国三峡总公司文件

中国三峡总公司文件目录(部分)

三峡建字

关于印发《三峡水利枢纽合同项目工程验收资料整编基本要求(之二)》(试行)的通知

关于贯彻《国务院办公厅关于进一步整顿和规范建筑市场秩序的通知》的通知

关于印发“长江三峡水利枢纽工程合同项目工程验收资料整编基本要示之一(试行)”的通知

关于《长江三峡工程三期明渠截流气象保障服务方案》的复函

关于报送《长江三峡水利枢纽工程阶段验收工作大纲(修订稿)》的函

关于增补中国三峡总公司工程验收工作领导小组成员的通知

关于调整三峡工程安全生产委员会成员的通知

关于转发三峡工程门、桥式启闭机质量标准(试行)修订意见讨论会纪要的通知

关于成立三峡总公司工程验收工作领导小组及开展工程验收各项准备工作的通知

关于转发质量检查专家组“关于三峡枢纽工程2000年度工程质量检查报告”及总公司“关于贯彻落实三峡枢纽工程质量专家组意见的安排”的通知

关于转发《钱正英副主席的讲话及专家组成员的发言》的通知

关于转发三峡工程金属结构质量标准(试行)修订意见讨论会纪要的通知

关于报送《三峡工程施工区生态与环境监测状况报告(2000年度)》的函

关于印发“长江三峡水利枢纽启闭机设备制造安装质量检测及等级评定标准”的通知

关于印发《三峡水利枢纽合同项目工程验收规程》的通知

关于印发《长江三峡水利枢纽工程2000年工程完成情况及2001年工程计划目标》的通知

关于印发《加强三峡工程安全生产管理的措施》等规定的通知

三峡办字

关于发布《水轮发电机组设备及部件分类与代码》的通知

关于印发《中国长江三峡工程开发总公司计算机系统设备管理办法》的通知

关于印发《三峡工程管理系统合同管理信息分类与代码标准》的通知

关于印发《中国三峡总公司住房制度改革方案及实施办法有关条例的补充规定》的通知

关于表彰2000年度三峡总公司先进集体、先进班组和先进工作者的决定

三峡电字

关于请协调清理葛洲坝三江上引航道码头的函

关于葛洲坝水力发电厂进口10台500kV隔离开关的批复

关于转发财政部批复葛洲坝电厂2000年专项支出经费的通知

关于表彰葛洲坝电厂2000年电力生产取得突出成绩的通报

三峡计字

关于报送金沙江前期工作会议纪要的函

关于葛洲坝水力发电厂2002年小型基建计划的批复

关于报送中国三峡总公司2002年基建投资和电力生产建议计划的函

关于印发《中国三峡总公司招标成果资料的归档与分发实施细则》的通知

关于印发《中国长江三峡工程开发总公司2002年度招标项目计划》的通知

关于报送2000年三峡总公司固定资产投资统计年报表的函

三峡财字

关于报送《长江三峡水利枢纽工程阶段性竣工财务决算暂行办法》的函

关于认真做好2001年会计决算工作的通知

关于开展2001年三峡枢纽工程预算执行情况检

查和编报 2002 年三峡枢纽工程预算(草案)的通知

关于印发《中国三峡总公司 2001 年度预算管理方案》的通知

关于印发《中国三峡总公司国有资本保值增值考核暂行办法》的通知

转发《财政部关于没有主营业务收入企业开支业务招持费问题的通知》的通知

关于报送 2002 年度基本建设财务会计决算报表的函

关于三峡财务公司开办内部结算业务的批复

关于印发《进一步加强总公司会议费管理的补充规定》的通知

关于对葛洲坝电厂计交地方教育发展费的批复

三峡机字

关于转发"《长江三峡水利枢纽消防工程设计说明》汇报审查会纪要"的函

关于转发《〈三峡工程大象溪绝缘油系统专题设计报告〉审查会议纪要》的函

三峡人字

关于曹广晶等同志取得专业技术资格的通知

关于成立总公司改制领导小组的通知

关于成立三峡工程阶段性竣工财务决算领导小组的通知

关于调整总公司专业技术资格评审工作领导小组及各专业技术资格评审委员会的通知

关于 2000、2001 两个年度专业技术资格评审工作有关事项的通知

关于调整总公司环境及文物保护委员会成员的通知

关于中国三峡总公司三峡工程验收办公室机构设置的通知

关于印发《中国三峡总公司管理人员竞聘上岗试行办法》的通知

关于人事劳动部更名为人力资源部的通知

关于印发《中国三峡总公司员工年度考核试行方案》的通知

关于印发《中国三峡工程开发总公司机关员工奖金管理暂行办法》的通知

关于撤销北京三峡长江水电技术发展中心的通知

关于印发《中国长江三峡工程开发总公司劳动合同管理暂行规定》的通知

关于调整中国长江三峡工程开发总公司国家安全小组成员的通知

关于增设新闻宣传中心影视工作部的通知

关于成立安全总监办公室的通知

三峡设备字

关于印发《三峡工程金属结构及启闭机设备制造质量问题分类暂行规定》的通知

关于印发《三峡二期工程塔(顶)带机、供料线、缆机及门塔机"安全专项奖"管理办法》(试行)的通知

关于印发《三峡工程施工设备配件采购与供应管理办法》的通知

三峡技字

关于报送《水工混凝土施工规范》报批稿的函

关于长江三峡工程"十五"期间(2001－2005 年)泥沙问题研究计划的复函

三峡梯字

关于转发《三峡梯调中心调度区规划设计》审查意见的函

三峡经字

关于葛洲坝电厂对所属多种经营企业投资参股的批复

关于印发《中国三峡总公司规范内部关联交易的暂行规定》的通知

关于成立总公司坝区旅游协调领导小组的通知

关于北京三峡长江水电技术发展中心、宜昌三峡工程多能公司清算有关问题的通知

三峡审字

关于印发《三峡工程合同项目内部审计管理办法》的通知

关于印发《2001 年审计项目计划》的通知

三峡国字

关于转发财政部、外交部《临时出国人员费用开支标准和管理办法》的通知

关于印发《中国长江三峡工程开发总公司外事管理工作的若干规定》的通知

关于成立安全总监办公室的通知

2001 年 1 月 19 日,中国三峡总公司以三峡人字〔2001〕9 号文通知总公司各部门、各单位

为加强三峡工程安全生产的监督与管理，经总公司研究决定：

成立安全总监办公室。安全总监办公室设在工程建设部，受三峡工程安全生产委员会和工程建设部的双重领导。

撤销工程建设部工程技术部质量安全管理处。原工程建设部工程技术部质量安全管理处职责及人员划归安全总监办公室。

三峡工程合同项目内部审计管理办法

2001年3月19日，中国三峡总公司以三峡审字〔2001〕45号文通知总公司各部门、各单位遵照执行。

一、总　则

第一条　根据《中华人民共和国合同法》、《中华人民共和国招标投标法》、《中华人民共和国建筑法》、《中华人民共和国审计法》、《中华人民共和国审计实施条例》、《审计署关于内部审计工作的规定》，参照《会计师事务所从事基本建设工程预算、结算、决算审核暂行办法》及国家有关财经法规制定本管理办法。

第二条　通过对工程合同项目的招投标、工程价款、合同的决算进行审计，对其真实、合法和效益给予客观公正的评价。

第三条　中国三峡总公司审计室是公司实施内部审计的职能部门。通过内部审计，加强内部管理和监督，遵守国家合同法规和财政法规，促进廉政建设，维护企业合法权益，改善经营管理、提高经济效益。

二、三峡工程内部审计项目

第四条　内部审计的工程合同必须是通过完工验收和经项目部审核的完工结算书的合同。

第五条　经总公司批准的审计工作计划中列的工程合同项目和国家审计署安排的工程项目审计计划的合同项目。

第六条　自2001年起完工的工程合同项目完工验收后必须提请审计部门进行完工结算审计。

三、三峡工程合同项目内部审计的程序

第七条　根据第四条、第五条、第六条规定审计室提前七天向被审单位发出内部审计通知书并派出审计小组。审计小组编写审计方案报审计室批准后由审计小组负责实施。

第八条　审计小组召开由被审部门(单位)及有关配合部门的审计预备会，提出审计工作安排和要求。被审计部门(单位)将被审计的工程项目按审计要求及时、真实、完整的提供资料，并应审计小组的要求对审计时提出的问题进行解释和提供补充资料，以谁提供资料谁承诺的原则，被审部门(单位)及配合部门对提供的资料的真实性由负责人出具承诺书。

被审计部门(单位)是指工程合同签约的各方，以项目部为主要被审计部门，其他有关单位和职能部门为协助方。

第九条　审计小组就合同项目的审计情况与被审计单位交换意见，并提出审计意见(初)。

第十条　审计小组接到被审计单位对审计(初)的意见后，再次交换意见，并提出审计意见。

第十一条　在总公司审计联席会议通报或分管副总经理签发后，向被审计单位提出审计意见或决定。

第十二条　被审计单位对审计意见或审计决定如有异议时，可以在十天内向总公司分管审计的副总经理提出复议要求。

第十三条　审计室应对被审计的工程合同项目进行后续审计，检查采纳审计意见和执行审计决定的情况。

四、三峡工程合同项目内部审计的主要内容

第十四条　招标文件、标底、工程招标、评标及合同签订的程序及其内容的合规、合法情况；

第十五条　合同价款结算、工程合同的实施、变更、索赔的合规、真实情况；

第十六条　合同项目的完工验收报告，合同完工结算的真实、有效情况；

第十七条　合同项目的尾工工程，未完工程量和预留资金的真实、合理情况；

第十八条　对负责合同实施的项目部的经济责任完成的真实、效益情况。

五、对合同项目审计的内部审计主要权限

第十九条　根据内部审计工作规定，要求被审单位按时报送招投标、执概、决算、报表和有关合同管理的文件、资料等。

第二十条　审核招投标、工程价款支付、变更、索赔、决算，查阅有关文件和资料。

第二十一条 对审计涉及的有关事项进行调查，并索取有关文件资料和证明材料。

第二十二条 凡属规定内应审项目的完工结算未经审计的，财务不予办理完工结算。

第二十三条 对正在进行的严重违反合同法和不按合同条款规定支付工程价款的情况，经分管副总经理同意，可作出暂停支付决定。

第二十四条 对于阻挠、妨碍审计工作以及拒绝提供有关资料的，经总公司分管副总经理批准，可采取必要的临时措施，并提出追究有关人员责任的建议。

第二十五条 提出改进管理，提高效益的建议，纠正违反合同法规的行为的意见。

第二十六条 对严重违反合同法规，造成损失的直接责任人，提出行政处理建议。

六、其 他

第二十七条 经内部审计的工程合同项目并不能免除国家审计，最终以国家审计结论为准。

第二十八条 内部审计的审计小组成员与该审计项目工作有关联的应回避，一经发现立即纠正。

第二十九条 内部审计人员应当依法审计，忠于职守，坚持原则，客观公正，廉洁奉公，保守秘密；对滥用职权，徇私舞弊，泄露机密，玩忽职守的根据情节轻重，给予行政处分，经济处罚。

第三十条 本管理办法自 2001 年 1 月 1 日起试行。

加强三峡工程安全生产管理的措施

2001 年 1 月 5 日，中国三峡总公司以三峡建字〔2001〕第 1 号文通知三峡工程各施工、监理、设计、运行管理单位，总公司各部门遵照执行

为加大安全生产工作的管理力度，贯彻落实三建委稽察工作组对三峡工程安全管理的意见，扭转当前安全生产工作的严峻局面，决定采取以下措施：

一、建立职责明确、指挥统一、监控有力的安全管理责任体系

（一）根据国家“企业负责，行业管理，国家监察，群众监督，劳动者遵章守纪”的安全生产管理体制，结合三峡工程施工实际，三峡安委会将行使行业管理职能。

（二）三峡安委会受三峡总公司的领导，三峡安委会的“组织、协调”职能调整为“行业管理监督职能”。

（三）成立安全总监办公室，安全总监办与三峡安委会办公室合并办公。安全总监办在三峡安委会和工程建设部的领导下，对工程建设部各项目部的安全管理工作进行检查、监督；聘请土建、机械设备等安全总监（管理型的、专业型的），安全总监的职责暂定为：培训、组织、检查、监督。

（四）三峡安委会与地方政府部门的劳动安全监察为协调关系。

（五）地方劳动等部门对三峡工地施工、运行管理单位的安全生产进行监察。

（六）工程建设部各项目部对所管合同项目的安全生产承担全面管理责任，对监理单位履行监理合同所规定的安全职责进行检查、监督。

（七）监理单位根据施工承包合同和国家有关安全生产法规，对施工承包单位、运行管理单位安全生产进行检查、监督。

二、落实参建各方安全生产责任

（一）进一步明确参建各方责任

三峡安委会办公室编制《关于三峡工程参建单位安全责任的规定》

1.《规定》汇集了《三峡工程施工安全管理办法（试行）》（三峡建字〔1995〕第 226 号）、《三峡工程建设监理统一管理办法（试行）》、三峡二期工程土建与安装施工招标文件中参建单位各方的安全生产责任。

2.《规定》依据《三峡工程施工安全管理办法》的框架，对业主责任进行了补充、完善；明确了施工合同条款中业主和施工承包单位各自安全责任的内容。

3.《规定》不替代《三峡工程施工安全管理办法（试行）》。

（二）建立、完善参建各方内部安全生产责任制度

1. 总公司各项目部从项目负责人到项目工程师的职责规定。

2. 监理单位安全生产监督管理实施细则（细则包括从总监到监理工程师以及各部门的安全生产责任、工作内容与程序等内容）。

3. 施工承包单位各级安全生产责任规定（特别是领导与作业班组长的安全责任规定）。

（三）明确施工、监理、总公司项目部安全第一责任人和专管安全负责人，增加专职安全监理工程师，实现全工地安全生产对口管理。

三、有计划地、不厌其烦地强化安全教育培训

（一）以总公司为主、实施分层次的安全教育培训，时机成熟时移交施工承包商来实施。

（二）由三峡安委会办公室每半年组织施工单位安全员、监理单位专职安全监理工程师进行一次培训，提高安全业务素质。

(三)制作安全知识卡通画、录相带,举办事故案例警示展,加强宣传教育。

(四)在工地以班长为核心,召开工前班会(班前5分钟教育),做防止伤害的布置和职工安全器具携带状况的检查。

(五)班长组织、全班人员参加,时间5分钟。

(六)每一工种都要围绕人、机、物、环境和施工办法进行讨论,找出存在的危险与存在的问题,由班长提出应注意的安全事项和应采取的安全措施。

四、加强安全检查与监督

(一)实施日、周、月安全检查制度

下列分层次的安全检查不替代施工单位各级生产负责人对现场安全工作的检查。

1. 施工单位安全员日巡查

各施工单位安全部门的安全员每日进行安全巡查,发现危险场地和危险作业进行纠正并做记录,当班向安全部和专职安全监理工程师汇报,由安全部门责成有关部门对隐患进行限期整改。

2. 专职安全监理工程师日督查

专职安全监理工程师按监理单位《安全生产监督管理实施细则》的规定履行安全监督检查职责,对施工单位安全部责令整改项目进行督查并有权制止不整改者停止施工。

3. 业主、监理、施工三方周联合巡查

由专职安全监理工程师牵头组织,业主项目部、施工单位专管安全负责人及其它有关部门参加。检查以表格记录,根据记录,及时提出巡视时发现的不安全部位、整改措施及指令;对延误整改的,由监理通报,并下达停工整改令(工作理顺后,可改为两周巡查一次)。

4. 安全总监办组织全工地月安全检查,并及时召开安全分析会,提出整改意见,评定各部位安全形势和安全奖惩。

5. 安全总监现场随机督查

安全总监在现场发现问题和隐患,以安全总监办的指令下发项目部和各专职安全监理工程师执行,由项目部和专职安全监理工程师报告限期整改结果。

五、建立安全例会制度

(一)三峡安委会办公室月安全例会。

(二)三峡安委会在特殊情况下召开紧急安全会议对未遂事故、严重违章行为、已发生事故的紧急通报和处理。

六、加大依法管理力度

(一)请地方劳动部门参与三峡工程施工安全生产监督工作,在以合同为依据的前提下,依法行使劳动监察职能,对施工单位及相关单位的安全生产进行执法和监督。

(二)严肃依法对事故的调查、处理,依法追究事故责任人的责任,构成犯罪的,追究刑事责任。

(三)典型事故及处理,在报上曝光;所有事故在全工地曝光。

(四)收集、汇编安全法规、标准,作为依法管理的依据。

七、完善安全奖惩制度,坚决实现安全生产一票否决

(一)施工承包单位对安全奖惩制度要进行修订,强制规定发生重伤以上事故的作业队,扣发全年所有奖金,对安全工作做得好的作业队实行重奖。

(二)施工单位发生重伤以上事故,取消合同季度奖。

(三)三峡安委会建立安全专项基金,重奖避免或未发生较大事故的施工、监理单位或集体。

(四)奖罚实施细则另行规定。

八、适时调整三峡安委会。

九、树立全工地安全工作做得好的典型,作为榜样,以点带面,逐步推广。

中国三峡总公司规范内部关联交易的暂行规定

2001年7月27日,中国三峡总公司以三峡经字〔2001〕第150号文通知各部门、各单位遵照执行

第一章 总则

第一条 为了规范总公司内部的关联交易,促进总公司多种经营健康、良性、有序地发展,特制定本规定。

第二条 本规定依据以下相关法规、制度、文件制定:

(一)财政部《企业会计准则一关联方关系及其交易的披露》。

(二)财政部《国有企业兴办企业若干财务问题的暂行规定》。

(三)财政部《企业会计制度》。

(四)国家和总公司有关招标、合同管理、财务担保的法规制度。

(五)国家经贸委《关于规范国有企业建立现代企业制度的若干规定》。

第三条 总公司内部的关联交易应当遵循以下基本原则:

(一)关联交易必须坚持合规合法、平等自愿、公正公平的原则。

(二)关联交易必须坚持社会主义市场经济的原则。

(三)关联交易要保证国有资产不受损失、三峡工程资金安全的原则。

(四)关联交易的披露要真实、准确、充分的原则。

第四条 本规定适用于总公司及各关联企业。

第二章 关联方关系及关联交易

第五条 本规定涉及的关联方关系主要指:

(一)总公司直接或间接以各类资产独资、控股、参股方式兴办的企业之间互为关联法人(关联企业),并构成关联关系。具体形式包括母公司、子公司及直接或间接投资形成的各股份制公司、合营企业、联营企业。

(二)公司正、副董事长、正、副总经理及关键管理人员或与其关系密切的家庭成员在本企业以外的任何企业担任关键管理人员、董事、正、副董事长、正、副总经理等职务,则该企业与本企业间构成关联关系。其中关键管理人员是指各企业、各单位财务处长、经营处长、合同处长和总公司五级以上(含五级)及主要业务岗位的各级干部。

(三)公司正、副董事长、正、副总经理、关键管理人员或与其关系密切的家庭成员投资控制的其它企业与本企业构成关联关系。

(四)总公司及下属公司向受总公司或下属公司控制的企业推荐的董事、监事、高级管理人员及与其关系密切的家庭成员均属该企业的关联自然人。

第六条 关联交易主要指有第五条所述关联关系的企业相互间的交易行为。总公司内部的关联交易主要指总公司与所属公司及所属公司相互间或与其关联人交换资源、财产、相互提供产品或者劳务、转移义务的交易行为,其中关联人包括关联法人(关联企业)、关联自然人、潜在关联人。本规定所指的关联交易具体包括以下各种类型:

(一)购买或销售商品。

(二)购买或销售商品以外的其它资产。

(三)提供或接受劳务。

(四)代理。

(五)租赁。

(六)提供资金(包括以现金和实物形式的贷款或权益性资金)。

(七)担保或抵押。

(八)管理方面的合同。

(九)承包工程或其他服务。

(十)许可协议。

第三章 内部关联交易应遵循的一般原则

第七条 总公司直接或间接以各类资产独资、控股、参股方式兴办的企业应在资产、机构、人员等方面与总公司划清界限,实行财务脱钩,彻底分离,其经费、人员、工资关系、奖金、劳保、福利等方面的开支,由兴办的企业自行负担。

总公司投入各类企业的资产,产权及形成的权益归总公司所有;凡属资本投入的,必须同股、同权、同利,按股分红;凡属总公司提供的不属资本金范畴的各类资产,实行有偿使用的原则,按《国有企业兴办企业若干财务问题的暂行规定》中有关资产使用费的计算办法,必须向总公司支付合理的资产使用费。

第八条 总公司不再兴办具有建设管理及经营的双职能公司,原有职能部门兴办的公司按第七条要求进行分离,否则不得与总公司系统内发生各类关联交易;总公司及下属公司原有的社会挂靠企业要与被挂靠企业进行脱钩,并禁止总公司及下属公司接纳以任何形式挂靠的社会其它企业。

第九条 严格控制总公司与其下属公司、下属公司与下属公司之间相互出资兴办股份制公司,下属公司的投资遵从总公司多种经营企业的对外投资规定,撤销四级及四级以下的公司。

第十条 总公司及下属公司推荐到受总公司或下属公司控制企业的董事、监事、高级管理人员,凡属兼职的,一律不得在此类控制企业中领取兼职工资和其他报酬。

总公司禁止在职人员在与总公司无资产纽带关系的其它经济组织或企业兼职,因工作需要确需兼职的,需由总公司领导批准并报经营管理部、人事部备案。

第十一条 总公司及总公司所属公司要认真执行回避制度,从严控制与受主要投资者个人、关键管理人员或与其关系密切的家庭成员控制的企业发生各种形式的关联交易,如因客观原因确需发生交易行为的,要经过总公司领导审查批准,并报经营管理部备案,若未经过审查批准及备案程序的,视为违纪并追究总公司及所属公司经办人员的责任。

第十二条 总公司关联企业按照“公开、公平、公正”的原则可参与总公司招标范围内任何项目的投标。在同等条件下可优先中标,但必须严格招投标程序和有关保密方面的规定。

(一)不符合招标项目资格条件的关联企业不得参与该项目的投标。在投标过程中要严格按招标要求提供各项资格预审资料，不得减免这一程序。

（二）总公司内部与总公司关联企业相关的关联自然人以及与投标人有利害关系的人员不得参与招标项目的评标活动，已经进入的要进行更换。

（三）涉及招标、标底、评标及决标过程和结果的任何人员不得向参与投标的总公司关联企业透露在招投中不予公开的各种信息，严格遵守保密规定，违反者将承担法律责任，同时取消关联企业的投标资格。总公司推荐在关联企业兼职的高级管理人员在涉及本关联企业的投标、评标活动中均应予以回避。

（四）评标活动必须客观、公平、公正，不得向关联企业倾斜。

第十三条 总公司关联企业中标以后，应严格按照其投标文件与总公司的招标人订立合同，明确双方的责任、权力和义务、质量标准、履约期限、价格和结算方式、违约责任等。总公司关联企业不履行或不完全履行合同的，按《合同法》和总公司有关规定处理，并取消下一轮投标资格。

第十四条 对于总公司范围内非招标方式的项目发包：如设计有特定专利或专有技术（包括高度专业化或有特殊要求）的，只有一两家有资格的潜在投标人可供选择的项目，对于不具备最经济和有效竞争的情况下的项目，对于实施条件受限制或其它不宜采用公开招标的项目，直接邀请有承包能力的投标人报价和提供技术文件，用协商谈判方式确定承包人、合同价、合同条款及签约事宜。总公司内关联企业具备以上条件的，应作为优先邀请协商的投标人，参与投标竞争。

第十五条 总公司关联企业在获得了总公司招标范围以外的其它项目后，如坝区绿化、环卫、物业管理、供水供电、仓储服务等不便于招标的项目，也应由总公司与其订立规范的项目合同，明确双方的权利、责任和义务，并严格履行合同。

任何上级单位或主管部门不得以行政下文的方式代替合同，双方也不得采取先履行项目的各项内容而后签定项目合同等其它不符合《合同法》的行为。

第十六条 总公司及总公司所属公司向关联企业的借款和担保需遵从《中国三峡总公司关于加强借款和担保管理的有关规定》（三峡财字 2000〔146〕号）。

第十七条 总公司及所属公司在与关联企业发生其它类型的关联交易时，无论交易性质如何，其交易行为必须遵从国家有关法律、法规及总公司的有关规章制度。

第十八条 重大关联交易（涉及三峡工程设备、物资采购以及监理、委托管理等合同金额在 300 万元以上者）需报经总经理办公会批准后实施。

第四章 关联交易价格的确定

第十九条 在总公司各关联企业之间的业务往来中，合同价格是判断关联交易规范与否的关键。在关联交易中，凡公开招标的，按中标价格签订合同执行。

第二十条 对于不宜采用公开招标、邀请招标的交易，则可视不同类型，采用不同的定价方式，并归口由总公司综合部门核定。

（一）委托管理类。此类项目由于其特殊性，一般委托内部关联企业承担，其价格采用成本加成法确定，即价格由实际成本、合理的管理费、税收、合理利润（一般控制在 10%或社会同行业平均水平）等组成。

（二）购销产品或提供劳务类。采用市场平均价格或再销售价格法定价。即参照再销售给无关联关系的第三者价格确定关联交易的价格，亦称市场平均成交价。

（三）财产租赁类。房屋、土地等不动产的租赁价格，按所在地区房地产等主管部门的定价方法、定价原则和同期的定价水平确定。机械设备的租赁价格，可参照本地同期同类设备的平均成交价格水平确定。

（四）为盘活积压、闲置资产（包括积压配件和物资、闲置设备和房产等），其销售和租赁价格可在市场同期价格基础上向下浮动 10～30%。对于大型、专用工程设备和配件，由于使用条件限制，盘活更为困难，由总公司综合管理部门根据存量资产价值和受托范围与责任等，综合测定现时价格标准后，报经总公司分管副总经理批准后实施。

（五）代理和其他服务类。参照国家部委现行标准或类似标准，由总公司综合管理部门核定，并报总公司分管副总经理批准后实施。

第二十一条 以上各类关联交易，其价格除按上述办法确定外，凡能请政府物价部门参与的，可请当地物价部门参与、指导或确认，以保证价格的公正性。

第五章 关联交易的披露和审计

第二十二条 总公司的关联交易要严格按照《企业会计准则一关联方关系及其交易的披露》的要求进行披露。在年度末，总公司直属企业及全资、控股、参股的企业不论是否发生关联交易，均要填报《关联方关系统计表》和《关联方交易统计表》；总公司投资，二级部门代管的企业，由代管部门负责填报。

第二十三条 总公司关键管理人员要分年度填报《企业关键管理人员关联方关系声明》及《利益冲突声明》。

《关联方关系统计表》、《关联方交易统计表》、《企业关键管理人员关联方关系声明》、《利益冲突声明》样式见附表。

第二十四条 加强对内部关联交易的审计、监督、检查工作。对关联交易的审计工作由总公司审计室负责进行。下列企业为重点审计关联交易的对象。

(一)与总公司关联交易数额在总公司所有关联企业中居前两位的企业;

(二)与同行业盈利水平相比,盈利水平的偏差范围居前两位的企业;

(三)与总公司关联交易数额占该公司全年营业收入80%以上的企业。

第二十五条 在关联交易的审计中,要对经营项目取得的程序及合法性进行分析,并对关联企业的职能或功能进行综合分析,对关联企业的综合素质、履行合同的能力、各项经济合同的合规合法性进行评价,要全面熟悉被查企业的生产经营活动内容、方式、收入确定、财务核算,并重点审计该企业的利润(亏损)额、投资和销售利润(亏损)率、销售收入的完整性、成本费用支出的合理性、借贷资金的利率水平高低、有形和无形资产转让、使用价格的合理性等。

若在审计检查中发现定价不合理而造成盈利水平过高者应予以纠正,若发现在关联交易中有徇私舞弊或违法违纪行为的,要追究合同当事人的责任,并采取协商及法律程序挽回相关损失。

第二十六条 关联交易情况,总公司组织由计划合同部、财务部、工程建设部、人事部、审计室、监察室、经营管理部等有关部门参加每年检查一次。

第六章 附 则

第二十七条 本规定中若有与国家现有相关法规、制度相抵触的,以国家法规、制度为准;在执行过程中,若国家出台相应的关联交易的规定或有关关联交易的法规、制度,服从国家相应的规章制度。

第二十八条 本规定由总公司经营管理部负责解释。

第二十九条 本规定自发文之日起实施。

关于中国三峡总公司三峡工程验收办公室机构设置的通知

2001年10月17日中国长江三峡工程开发总公司以三峡人字〔2001〕205号文通知总公司各部门、各单位

根据三峡建字〔2001〕114号文件精神,为保证三峡工程验收各项工作的顺利进行,现将总公司三峡工程验收工作领导小组办公室(简称总公司三峡工程验收办公室)有关问题明确如下:

一、总公司三峡工程验收办公室为总公司常设二级部门(三峡企业四级),挂靠工程建设部,日常工作由工程建设部领导,业务工作由总公司三峡工程验收工作领导小组领导。

二、总公司三峡工程验收办公室职责:

(一)负责工程验收(含安全鉴定)的规划和组织。

(二)负责对合同项目工程验收的指导和检查,组织、协调各参建单位开展验收准备工作,汇总各类验收资料和报告。

(三)代总公司起草请验报告和枢纽工程建设报告。

(四)完成总公司三峡工程验收工作领导小组交办的其它任务。

三、总公司三峡工程验收办公室编制定员暂为10~12人。设主任1人,副主任2人。不下设处级机构,根据工作需要设置主任专业师、副主任专业师岗位。

总公司三峡工程验收办公室所需工作人员主要从工程建设部抽调,个别特殊需要的,可从三峡工程设计、施工、监理单位借调,也可回聘退休专业干部。

中国三峡总公司金沙江前期工作会议纪要

2001年11月29日,中国三峡总公司以三峡计字〔2001〕第227号文报送国家发展计划委员会、国家开发银行、国家电力公司、云南省人民政府、四川省人民政府

为了贯彻党中央国务院实施西部大开发的战略和西电东送的指导方针,落实国家"十五"发展纲要的要求,推动金沙江水能资源开发。2001年11月11~16日,中国长江三峡工程开发总公司在四川省宜宾市召开了金沙江前期工作会议。会议的主要议题是检查总结金沙江溪洛渡和向家坝水电站前期工作情况,确定下一步工作目标和任务,以促进金沙江溪洛渡水电站早日开工建设。应邀出席会议的主要领导有四川省副省长邹广严、云南省原副省长李树基、国家发展计划委员会顾问石启荣。国家发展计划委员会、国家开发银行、国家电力公司、云南省人民政府、云南省计委、昭通市政府、昭通市计委、永善县、绥江县、水富县、四川省人民政府、四川省计委、凉山州政府、凉山州计委、宜宾市政府、宜宾市计委、雷波县、屏山县、水利部长江水利委员会、国家电力公司水电水利规划设计总院(以下简称水规总院)、国家电力公司成都勘测设计研究院(以下简称成勘院)、国家电力公司中南勘测设计研究院(以下简称中南院)以及有关咨询公司出席了会议。三峡总公司贺恭副总经理、杨清副总经理和总公司有关部门(公司)的领导和代表出席了会议。

会议分两个阶段进行。

第一阶段(11 月 11～14 日)考察工地现场,与会代表听取了成勘院和中南院对金沙江溪洛渡和向家坝两电站可行性研究勘测设计情况的汇报,考察了金沙江向家坝和溪洛渡两电站的现场,检查了这两个电站前期工作进展情况。

第二阶段(11 月 15～16 日)在宜宾市召开。15 日上午的开幕式由杨清副总经理主持,贺恭副总经理代表三峡总公司作了题为《抓住机遇,加快金沙江水电前期工作步伐,实现长江干流水能资源的滚动开发》的工作报告,四川省邹广严副省长、云南省原副省长李树基同志、国家计委基础产业司史立山同志作了大会发言。三峡总公司介绍了《金沙江溪洛渡水电站项目建议书》和《项目建议书补充报告》,宜宾市市长刘捷作了发言。会议围绕会议工作报告和有关文件展开了讨论,对加快溪洛渡水电站的筹建工作取得了共识,对进一步完善《项目建议书补充报告》提出了好的建设性意见和建议。16 日下午,会议进行了总结。三峡总公司杨清副总经理宣读了会议纪要,成勘院、中南院、水规总院、昭通市、凉山州、国家电力公司、国家开发银行作了发言,国家发展计划委员会顾问石启荣同志作了讲话,贺恭副总经理作了会议总结。

本次会议日程紧凑,讨论热烈,与会代表对三峡总公司组织金沙江两电站的前期工作给予了高度评价,对两电站特别是溪洛渡水电站的勘测设计科研成果给予了充分的肯定。中央和地方各部门的代表表达了支持三峡总公司开发金沙江水电的心愿,对加快启动金沙江溪洛渡水电站筹建工作提出了很好的建议。会议达到了预期的目的,取得了共识,会议纪要如下。

一、会议取得丰硕的成果

(一)进一步加深了对金沙江水电开发重要性的认识。与会代表一致认为,开发金沙江水电、促进西部民族地区经济发展和人民脱贫致富,代表了广大人民的根本利益,是落实江泽民总书记"三个代表"重要思想的重要举措;金沙江水电的开发建设可以有效拉动内需和促进地域经济发展,符合国家目前实施的经济政策和可持续发展战略。

会议认为贺恭副总经理的工作报告,全面总结了金沙江溪洛渡和向家坝水电站的前期工作进展情况和两个电站前期工作所取得的主要成果,对下一阶段完成溪洛渡水电站的可行性研究报告报审和继续做好向家坝可行性研究工作提出了明确要求,并对溪洛渡水电站前期筹建工作提出了初步意见,是三峡总公司下一步继续开展前期工作的指导性文件。本次会议也是三峡总公司在三峡工程建设顺利进展、有条件和能力实施长江上游梯级滚动开发的前提下,开发金沙江水电的继往开来的一次会议;是在两个电站特别是溪洛渡电站前期工作取得重大进展,已经基本具备开工兴建条件下召开的,标志着金沙江水电开发由前期勘测设计工作阶段即将转入勘测设计与筹建工作并重的新阶段。

(二)对两电站前期勘测设计工作进行了检查

会议检查总结了溪洛渡和向家坝两电站可行性研究设计阶段的主要成果。会议认为,在 1996 年预可行性研究审查通过后,三峡总公司承担了金沙江溪洛渡、向家坝水电站业主职责。六年来,在国家有关部门指导和设计科研单位共同努力下,组织开展两电站可行性研究设计工作中,做了大量的卓有成效的工作,取得了重要的阶段性成果。

1996～1998 年,经过 5 个专题研究论证,完成的《向家坝、溪洛渡水电站综合比选报告》,解决了溪洛渡和向家坝两电站建设的先后排序问题。1999 年三峡总公司委托成勘院、中南院承担两电站可行性研究报告工作,签订合同后,通过有效地组织并加强与中央有关部门和地方的协调,目前合同履行是顺利的。两电站可行性研究工作均可按原计划完成。

与会专家、代表通过坝址现场考察和会议讨论认为,成勘院本着科学严谨的作风开展的溪洛渡水电站的勘测设计工作是深入的,电站的工程技术问题与移民安置规划均已基本解决,重大技术专题研究已通过中国水电顾问公司的咨询,在年底按计划提交可行性研究报告是有保证的。向家坝水电站的勘测设计工作也在按原计划正常进行,可以实现 2003 年底完成可行性研究设计报告的目标。

与会代表还认为,三峡总公司围绕两个水电站可行性研究工作组织开展了一系列对外委托的专题研究。如委托国家电力公司承担的《金沙江一期工程溪洛渡、向家坝水电站输电系统规划设计》,科学预测和分析研究了华东、华中地区未来电力市场的需求、金沙江水电的输电方案和竞争力;委托长江水利委员会开展的《溪洛渡、向家坝水电站防洪专题研究报告》,论述了溪洛渡水电站的防洪、拦沙效益,确定了溪洛渡、向家坝水电站在长江防洪体系中的地位和作用;委托中国水电顾问公司开展的《金沙江一期工程对长江合江一雷波段珍稀鱼类国家级自然保护区的影响及替代方案研究》，将解决经济发展、工程建设与生态环境保护相互协调的问题；委托北京峡光经济技术咨询公司编制《溪洛渡水电站项目业主概算》，为今后工程建设的投资控制做好预测分析。这种由主设计单位承担电站设计任务与委托有关权威单位承担综合专题研究相结合的前期工作管理模式是科学合理的，对于溪洛渡和向家坝这种特大型水电工程可行性研究工作是需要和适合的。这种组织管理模式对于在市场经济体制下，项目业主组织水电工程建设前期工作具有重要的借鉴意义。不少代表还希望三峡总公司能尽快介入金沙江流域其他电站的前期工作。

（三）对溪洛渡水电站项目建议书补充报告提出了修改意见

会议认为，《项目建议书补充报告》融入了溪洛渡水电站可研工作最新成果，增加了电力市场、输电规划、电价竞争能力和防洪作用分析，对三峡总公司提供资本金和筹措资金能力的分析是切实可行的。《项目建议书补充报告》反映了国家宏观决策部门关心的问题，内容和结构是合理的。会议代表提出，对《项目建议书补充报告》有些问题需要进一步深化和完善，如：阐述溪洛渡和向家坝水电站是一组优势互补的整体电源的内容，补充输电方案研究成果；补充环境保护方面的内容及移民规划与安置方案。对这些好的建议和意见，会后将认真研究，补充完善项目建议书补充报告，年内上报国家计委，争取明年第一季度通过国家审查。

二、国家有关部委从宏观角度发表了好的指导性意见，地方政府表达了支持金沙江水电工程建设的心愿

国家有关部委和来宾对启动开发金沙江水电、建设溪洛渡水电站提出了好的建议和意见。国家计委的代表认为，金沙江溪洛渡和向家坝水电站是实施西电东送中线的最佳电源点，符合国家西部开发战略和扩大内需的政策。溪洛渡水电站前期工作深入，国家计委支持溪洛渡水电站尽早开发。国家开发银行的代表表示，开发银行作为国家政策性银行，愿意为溪洛渡、向家坝电站的建设提供贷款，并愿为金沙江前期工作提供短期贷款。

国家电力公司代表指出，开发溪洛渡水电站使西电东送有了一个较高的起点。国家电力公司组织开展的金沙江第一期工程溪洛渡和向家坝输电系统规划设计工作初步成果已经完成，研究表明溪洛渡电站的市场是有保证的，输电方案是可行的，电价是具有竞争力的。长江水利委员会代表指出，溪洛渡工程在长江治理开发规划中是以发电为主，兼有防洪、拦沙和改善下游航道条件等综合利用效益的巨型工程。通过防洪专题研究，表明了溪洛渡工程的确是长江防洪体系中的重要工程，从而确定了溪洛渡水电站在长江防洪体系中的地位和作用，更符合可持续发展的要求，赞成这个项目早日上马。

两省政府也充分表达了欢迎三峡总公司挥师西进、开发金沙江的热切期望。

云南省代表表示，对两电站的建设，云南省政府将成立以常务副省长牛绍尧同志为首的机构，负责协调解决金沙江两电站建设过程中涉及云南省的各种重大问题。对工程建设将执行国家西部大开发的优惠政策和省里的相关配套政策。云南省将严格控制和禁止在溪洛渡库区 600m 以下、向家坝库区 380m 以下建设永久性设施和投入新的农业开发。

四川省代表表示，三峡总公司在建设两电站的过程中，可以享受和执行国家对少数民族贫困地区的一系列优惠政策，对工程建设将免收有关费用。并表示一定要把库区移民安置好。

两省领导同志都明确表示全力作好工程建设的服务工作，希望能成为金沙江水电开发的基地。

三峡总公司与会人员一致认为，金沙江水电开发的历史机遇和责任又一次地落在我们肩上，深感责任的重大。同时，又清醒地认识到三峡工程的顺利建设和实现 2003 年初期蓄水、通航和发电的三大目标是滚动开发金沙江的前提和基础。表示一定要兢兢业业搞好三峡工程建设，同时要加大金沙江两电站前期工作力度。

三、下阶段工作任务和要求

（一）尽快上报项目建议书补充报告，作好申报溪洛渡水电站可行性研究报告准备工作

会议指出，要继续补充完善《溪洛渡水电站项目建议书补充报告》，完成溪洛渡水电站可行性研究报告，为提交国家主管部门审查作好准备，力争明年一季度完成项目建议书的审查，争取二季度完成可研报告的审查工作；溪洛渡水电站筹建工作的难度在于交通。对外交通、场内交通的勘测设计应及早起步，提前作好方案审查，以备外委设计，在国家审批立项后能立即施工。认真抓好向家坝电站的可研设计，重大技术难题和方案选择要在 2002 年内基本完成，实现 2003 年高质量全面完成可研设计的目标。

（二）适时启动溪洛渡水电站前期筹建工作

会议代表认为：从华东、华中地区的电力市场变化来看，金沙江水电最好在 2013 年前能输送电力，即溪洛渡水电站工程需要在 2004 年开工（指导流洞开工），推动金沙江水电的开发。但从目前的工作进度来看，溪洛渡水电站地处深山峡谷，现有交通条件差，一切基础设施需要自成体系，前期准备工作量大，应该看到工程筹建和建设的艰巨性。

会议建议，三峡总公司应尽早组建工程筹建机构，加大投入力度，在成勘院现有规划基础上，尽快组织开展施工组织规划工作，做好施工区场内外道路布置、施工布置、临建工程各工序衔接等工作，以便筹建工作及时启动和顺利开展。

关于成立三峡工程阶段性竣工财务决算领导小组的通知

2001 年 12 月 3 日，中国三峡总公司以三峡人字〔2001〕236 号文通知总公司各部门、各单位

为了贯彻财政部《关于同意编制三峡工程阶段性竣工财务决算的复函》(财企字〔2001〕513 号)，经总公司研究决定：

一、成立三峡工程阶段性竣工财务决算领导小组，统一组织三峡工程阶段性竣工财务决算的编制工作。

组　长：李永安

副组长：刘匡华(执行)、薛砺生

成　员：杨　亚、甘　伍、赵建强、王湘潭、蔡定国、冯正鹏、胡伟民、戴会超、肖崇乾、奉昌芝、张　诚、袁　杰、于　滨、金和平、毛跃光、朱　和

二、阶段性竣工财务决算领导小组下设办公室，具体负责阶段性竣工财务决算的编制工作。办公室挂靠财务部，人员在总公司现有财会人员中选调，由朱和同志兼办公室主任。

长江三峡水利枢纽工程阶段性竣工财务决算暂行办法

2001 年 12 月 19 日，中国三峡总公司以三峡财字〔2001〕第 250 号文报送财政部

第一章　总则

第一条　为了适应社会主义市场经济发展的需要，遵守国家规定的基本建设程序，规范长江三峡水利枢纽工程竣工财务决算(以下简称三峡工程财务决算)的编制工作，准确考核概算执行情况，科学分析工程建设和投资控制成果，正确确认、计量工程资产价值，结合三峡工程的实际，制定《长江三峡水利枢纽工程阶段性竣工财务决算暂行办法》(以下简称办法)。

第二条　三峡工程建设管理体制以项目法人责任制为核心，实行招标承包制、建设监理制和合同管理制，财务决算与建设管理体制相适应，体现工程建管结合、资产自交自接的特点。

第三条　为保证国有资产的完整，三峡工程财务决算的编制必须遵循以下原则：

(一)以财政部颁布的《企业会计准则》、《企业会计制度》、《国有建设单位会计制度》和《企业国有资本与财务管理暂行办法》为基本依据，按照社会主义市场经济体制的要求，结合工程建设和管理的特点，正确确认、计量三峡工程的资产、负债和权益。

(二)按照资本保全要求，贯彻权责发生制、历史成本计价、配比、明晰性等会计原则，全面、准确、真实地核算三峡工程建设成本，科学合理地确定各类(项)交付使用资产价值。

(三)处理好工程建设与综合利用效益的相互关系，编制完整、统一的三峡工程财务决算，以适应三峡工程防洪、发电、航运及其它综合利用效益统筹兼顾、综合协调的要求。

第四条　三峡工程财务决算由三峡工程项目法人单位——中国长江三峡工程开发总公司(以下简称三峡总公司)统一组织编制，各参建的设计单位、施工单位、监理单位、设备制造厂商及经办建行按三峡总公司的安排协助编报。

第二章　三峡工程财务决算的组成与内容

第五条　三峡工程财务决算以建设工期的三个阶段为依据：第一阶段(1993～1997 年)为施工准备和一期导流阶段，以实现大江截流为标志；第二阶段(1998～2003 年)为二期导流阶段，以实现水库初期蓄水、第一批机组发电和双线五级船闸通航为标志；第三阶段(2004～2009 年)为三期导流阶段，以机组全部投入运行和工程全部完工为标志。

第六条　根据三峡工程规模大、工期长的特点，三峡工程财务决算由单项附属工程财务决算、阶段性竣工财务决算和三峡工程竣工财务总决算组成。三峡工程阶段性竣工财务决算是三峡工程竣工财务总决算的重要组成部分，可以单项附属工程财务决算为基本单元。

第七条　三峡工程财务决算内容由单项工程的建筑工程、安装工程、设备价值等直接成本和水库淹没补偿费等其他费用支出形成的间接成本构成。

(一)单项附属工程财务决算在工程完工后及时编制。单项附属工程财务决算只计算工程直接成本，不分摊临时工程和待摊投资。

(二)三峡工程筹建期(1984～992 年)发生的论证、勘测设计、前期准备工程及其他筹建支出是三峡工程建设成本的组成部分,并入三峡工程竣工财务总决算统一编报。

(三)编制三峡工程财务总决算时,应对单项工程成本构成的内部结算部分进行背抵合并调整。

第八条 阶段性竣工财务决算期由工程筹建期、第一阶段和第二阶段构成。阶段性财务决算在 2003 年首批机组投产,国家进行阶段性验收时编制,财务决算截至 2003 年 12 月 31 日。

阶段性竣工财务决算的项目包括:挡水工程、发电厂工程(含机组、金属结构及辅助设备)、航运工程(含金属结构设备)、交通工程、房建工程以及已完工并投入运行的附属工程和设施。

编制阶段性竣工财务决算时,对水轮发电机组及其他永久机电设备价值,采取以合同实施价为基础并按规定分摊费用的办法暂估入账;对其他应转入交付使用固定资产的工程项目,如有零星未完收尾工程和费用,则以合同执行价和未完工程量占合同量的比例为基础,通过编制尾工费用预算纳入阶段性竣工财务决算。

截至阶段性财务决算日,对续建工程、尚不能独立发挥作用的工程项目,作为未完施工项目纳入工程竣工财务总决算范围并作相应调整。

第九条 第三阶段和竣工财务总决算在 2009 年三峡工程竣工验收后统一编报。编制竣工财务总决算时应对阶段性竣工财务决算中暂估入账项目进行清算并据实调整。

第三章 三峡工程资产的分类和价值确定

第十条 三峡工程资产按照国家颁布的《企业会计制度》和电力行业固定资产目录,结合三峡工程的具体特点分为三大类:

一是服务于防洪、发电、航运的三峡工程主体资产(以下简称主体资产),包括大坝、厂房、发电设备、通航设施、管理用固定资产等;

二是为工程建设服务而兴建或购买的可永久使用并能独立经营的其他独立资产(以下简称其他独立资产),包括房屋、土地、交通等配套设施。

三是水库淹没补偿费用。这部分支出作为水库项目单独核算,纳入三峡枢纽工程永久建筑物,构成三峡工程总造价。

第十一条 单项工程建设期间发生的直接材料、人工、设备、辅助性工程等支出,直接列入单项工程资产价值。跨期发生的直接支出,采取待摊方式合理计入各个建设阶段的相关单项工程资产价值。

第十二条 根据三峡工程临时工程与永久设计相结合的特点,对于概算中在临时工程列项的工程项目,以是否能永久存续和独立经营为原则,按与三峡工程运行的相关性确认为主体资产或其他独立资产。其他独立资产在服务主体工程期间,按其使用年限或磨损程度采取折旧或其他分摊方法计入主体资产价值。

(一)导流工程:按挡水工程的投资比例分摊计入三峡工程主体资产各坝段项目价值。

(二)临时交通工程:概算中在临时交通工程中列项而实际可作为永久交通工程使用的项目,按直接成本净值单独列项;

不能形成永久实物形态的其它临时交通工程及建设期累计运行维护费用,按概算投资比例分摊计入各主体资产价值。

(三)临时房建工程:概算中在临时房建工程类列项而实际按永久房屋标准设计和建设的房建项目,根据其与枢纽工程资产的关系,按直接成本净值分别计入主体资产或其他独立资产价值,其磨损值按年限折旧法计算摊入主体资产价值;

对于其他未按永久房屋建设、管理使用的临时房建,以及已经按国家政策进行房改的职工住宅等临时房建工程的净支出,按概算投资比例分摊计入各主体资产价值。

(四)其他临时工程:在三峡工程完工后仍可继续独立经营的单项工程,作为其他独立资产按直接成本净值单独确认资产价值;其他临时工程在抵减临建设施回收价值之后,按比例分摊计入主体资产价值。

第十三条 其他独立资产在独立交付以前,通过在建工程科目核算,建设期有偿使用的净收益冲减工程成本;独立交付经营后的经营损益列入企业当期损益,其中:

(一)对以实物出资入股方式经营的其他独立资产,列作三峡工程长期投资;若对外投资过程中其他独立资产需要进行评估,对其评估的增值部分,按国家规定程序评估确认后,列为资本公积。

(二)以租赁方式经营其他独立资产,列作经营租赁资产,其经营损益列作当期损益。

(三)其他有偿使用方式经营其他独立资产,其经营损益列作当期损益。

第十四条 三峡工程建设期间发生的取得永久土地使用权的支出(包括建设场地征用及清理费),列作无形资产。

第十五条 工程建设期间发生的待摊投资等间接费用,按下列方法分摊计入三峡工程各相关单项工程资产价值。

（一）工程建设财务费用（含贷款利息、债券利息、汇兑损益、利用外资费用、债券发行费用等）成本的确认：

2003年12月31日以前按利息资本化原则全额计入工程建设成本，2004～2009年工程建设与生产运行并行期间的年度融资成本按投产后年度实际发电量占设计发电量的比例，合理确定应计入电力生产成本的财务费用和应计入工程建设成本的资本化利息。

对计入工程投资的财务费用，按投资比例分摊计入永久建筑物和需要安装的设备项目。

（二）建设管理费用的分摊：

1. 未取得永久土地使用权的建设场地占用及清理费支出，按概算投资比例计入各主体工程项目。

2. 联合试运转费摊入相应的安装工程费。

3. 生产单位准备费列入长期待摊费用。

4. 研究试验费按有关研究试验服务对象进行分摊。

5. 建设管理费、国务院三峡工程建设委员会（以下简称国务院三峡建委）费用、坝区综合管理费、勘察设计费等待摊投资费用，根据支出对象与实际情况，可分别采取执行概算比例、实际投资比例、工程量比例等方法分别计入各主体资产价值。

（三）工程建设期间发生的各项税收支出，按与工程项目的关系分别计入相应的单项工程资产价值。

第十六条 水库淹没处理补偿费按实际支出数摊入枢纽工程，作为三峡工程固定资产的组成部分。

第十七条 资产清理、债权债务的处理。

（一）编制竣工财务决算之前，应对施工现场剩余材料、设备等物资及时清理盘存，确认发生的变价处理净损失列入相应项目的工程成本，工程结束时仍然没有变价处理的资产，应合理预估损失入账。

（二）对工程建设过程中发生的债权坏账损失及材料、设备等物资变价净损失，按照国家颁布的企业会计制度和国有建设单位会计制度、财务政策的规定由三峡总公司制定具体审批程序确认计入各工程项目成本。

第十八条 为三峡工程采购的大型专用施工设备（包括土石方设备、砼设备、公用施工设备）除按租赁合同从施工单价中回收以外，采取按工程量折旧法或使用年限折旧法计入受益项目的工程成本；

对已经退役或暂时闲置的专用施工设备及配件，由三峡总公司采取变卖、出租或其他方式盘活处置，处置的收益冲减设备采购成本。

在编制阶段性竣工财务决算和竣工财务总决算时，对确实不能盘活处置的专用设备及配件或不能全额回收的设备及配件的购置成本，按账面净值或预计差值分摊计入三峡工程相关项目成本。

第十九条 在工程建设期内，三峡工程实行预提投资节余制度，投资节余采用按年预提、以丰补欠、工程竣工时全面清算的办法。建设期年度预提投资节余列作“应交基建投资节余”，按规定比例分配使用，在编制阶段性竣工财务决算时将预提金额按实际投资比例分摊计入工程成本，其余额结转下一阶段继续使用，待编制三峡工程竣工财务总决算时统一清算。

第四章 三峡工程负债与权益的确定

第二十条 三峡工程负债分为募集资金负债、结算负债、其他负债。

（一）募集资金负债指筹集资金所产生的负债，包括社会性负债、信贷负债、其他信用负债。社会性负债指通过发行债券等形式向社会公众募集资金所产生的负债。信贷负债指向开发银行、各商业银行及国内外金融机构的负债。其他信用负债指通过担保或其他举债方式所产生的负债。

（二）结算负债指工程建设期间与施工、设计、监理、供货厂商、税务机关和其他经济往来单位因经济业务结算关系所产生的负债。

（三）其他负债指除募集资金负债、结算负债以外所发生的负债。

第二十一条 三峡工程募集资金负债以资金实际到位数额计入负债，其利息支出及融资费用在减去利息收入后计入工程财务费用。

第二十二条 结算负债、其他负债以实际发生数计入负债项目。

第二十三条 三峡工程投资人权益由国家资本、法人资本、资本公积、盈余公积等项目组成。

（一）国家财政拨入的三峡基金作为三峡工程的国家资本。

（二）因工程建设发行股票所募集的资金，按股票面值计入法人资本，超过面值的部分计入三峡总公司的资本公积。

（三）利用其他独立资产对外投资所产生的股权溢价在计入长期投资的同时，列入三峡总公司的资本公积。

（四）2003年三峡电厂投产以后产生的发电收益经出资人认可再投入工程建设的资金，计入国家资本。

（五）建设期已编制单项附属工程财务决算、提前交付使用的其他独立资产的资产评估增值部分列入资本公积。

（六）工程竣工后经清算的投资节余按清算净值计入盈余公积。

第五章　三峡工程概算与财务决算的衔接

第二十四条　三峡工程概算管理实行“静态控制、动态管理”,“总量控制、合理调整”的原则。执行概算是指导编制财务决算的依据,财务决算是分析、考核三峡工程投资控制情况的基础。单项附属工程财务决算的口径原则上与执行概算项目一致,如有概算调整发生变化的部分,应单列说明。

第二十五条　作为共同费用分摊计算依据的概算比例,以三峡工程业主执行概算为依据。

第二十六条　交付使用资产价值按各类(项)资产的财务实际支出数为基础,根据财政部批准或会计师事务所审验的历年基本建设财务决算数确定。

第二十七条　编制阶段性竣工财务决算、竣工财务总决算的概算价值,以国家批准的初步设计概算、历年批准的价差、实际融资成本和三峡工程业主执行概算以及国家批准的有关概算项目、价格调整文件为依据。建安工程概算价格以三峡工程业主执行概算单价进行计算。

第二十八条　分析和考核三峡工程投资控制情况,应区别概算价值、财务核算价值进行比较。财务实际支出数以执行概算项目为单元与执行概算价格进行对比,分析和考核三峡工程投资控制情况。

第六章　三峡工程财务决算的编制与审批

第二十九条　竣工财务总决算报告由竣工财务总决算编制说明、竣工财务总决算报表、报表附注及有关附件组成。

第三十条　单项附属工程在完工后编制单项附属工程财务决算。阶段性竣工财务决算在阶段终了后六个月内编制完成。三峡工程竣工财务总决算在2009年度终了后一年内编制完成。

第三十一条　单项附属工程财务决算经注册会计师审验后,由三峡总公司组织审批。阶段性竣工财务决算经注册会计师审验后,由财政部驻湖北省专员办审核并签署意见,报国务院三峡建委和财政部核备。工程竣工财务总决算由财政部驻湖北省专员办审核并签署意见,经财政部审批后报国务院三峡建委备案。

第三十二条　竣工财务总决算和阶段性竣工财务决算是全面反映三峡工程建设成果的重要的经济档案,是办理固定资产交付使用手续的重要依据,必须妥善保管,永久保存。在阶段性竣工财务决算和竣工财务总决算全面编制完成并批准之前,三峡总公司应依据已完成的单项附属工程财务决算及资产评估结果办理资产自交自接手续,及时将已完工资产投入生产经营,确保国有资产保值增值。为了满足三峡总公司股份制改造的需要,阶段性竣工财务决算在编制过程中需要解决的问题,由财政部作个案处理。

第七章　附则

第三十三条　本办法根据财政部财企字〔2001〕513号文的有关规定制定。

第三十四条　本办法自报财政部备案之日起开始执行。

关于成立中国三峡总公司改制领导小组的通知

2001年12月3日,中国三峡总公司以三峡人字〔2001〕239号文通知总公司各部门、各单位

为了加强对总公司改制工作的领导,经研究,决定成立总公司改制领导小组,改制领导小组在总公司党组领导下工作。下设办公室(简称改制办)。现将有关事项通知如下:

一、改制领导小组负责对总公司改制工作重大问题进行决策。领导小组组成如下:

组　长:李永安

副组长:郭　涛、杨　清

成　员:寇日明、史振宇、赵泽黎、刘利人、闫于信、甘　伍、杨　亚、毕亚雄、谭德骏、赵木森、张　诚、陈大林、张建国

二、改制办为改制领导小组的具体办事机构,负责组织实施总公司改制工作,由寇日明同志任主任,金才玖同志任副主任。

历史文献

国务院关于长江三峡工程可行性研究报告的批复

1984年4月5日，国务院以〔1984〕国函字第57号文批复国家计委、水电部、交通部、财政部、建设部、机械工业部，四川、湖北省人民政府

国家计委1983年6月报送的《长江三峡水利枢纽工程可行性研究报告审查意见的报告》，已经国务院原则批准。请抓紧提出初步设计方案，经审查同意后，提请全国人大常委会和全体会议审议通过，然后正式开工兴建。

现对有关问题批复如下：

一、三峡工程按正常蓄水位150m，坝顶高程175m设计。请水电部于今年年底前完成初步设计报审。

二、关于解决通航和泥沙淤积问题的措施，请水电部会同交通部在初步设计阶段中研究落实。施工临时通航，除垂直升船机方案外，还应进行明渠通航、临时断航等多种方案的比较，提出专题报告报批。

三、鉴于三峡工程规模巨大，涉及的问题广泛、复杂，在建设中应按特批的三峡基本建设程序办事。在三峡工程初步设计方案和工程概算未批准前，今明两年可先进行场外公路、部分码头、供电、通信、部分房屋建筑和施工征地等方面的前期准备工作。同时，可按照可行性研究报告中的总体规划方案，进行单项工程设计（对外公路等项目的设计方案报水电部审批）。要多方面努力，为争取主体工程1986年正式开工创造条件。

四、四川、湖北两省和淹没区的各级人民政府，要配合水电部等有关部门做好水库淹没核查和移民安置规划工作。当前在施工准备阶段，要配合做好施工的征地、移民安置以及公路、邮电、输电线路等项建设的有关事项。同时，要明令禁止在水库淹没区搞新的基建工程，违背规定而新建的工程，今后一律不予赔偿。

三峡工程有巨大的综合效益，是举世瞩目的我国最大的重点工程。四川、湖北两省，水电部和中央各有关部门，都要从大局出发，把承担三峡工程建设任务，积极支援三峡工程，当做自己光荣的职责，同心协力，做好前期工作，为全面建好三峡工程做出贡献。

转发《关于开展三峡工程筹备工作的报告》的通知

1984年4月29日，中共中央办公厅、国务院办公厅以厅发〔1984〕43号文通知四川、湖北、湖南、江西、河南、江苏、安徽、贵州、上海、北京等省、直辖市党委和人民政府，中央和国家机关各部委，军委各总部，各人民团体

《关于开展三峡工程筹备工作的报告》已经中共中央、国务院批准，现转发给你们，请遵照执行。

长江三峡工程是建国以来最大的建设项目，对实现本世纪末工农业的年总产值翻两番具有战略意义。各有关地区、部门都要从全局出发，关心三峡工程建设，支援三峡工程建设，同心协力，为全面建好三峡工程做出贡献。

在人大对三峡工程作出决定前，暂不对外宣传。

附件：

关于开展三峡工程筹备工作的报告

紫阳、万里、依林、纪云同志：

2月17日中央财经领导小组会议，对建设三峡工程问题作了原则上的决定，责成我们四人负责筹备工作。据此，我们对筹备工作中的一些问题，多次进行讨论研究，并取得了一致意见。现将情况报告如下：

一、关于成立三峡工程建设领导机构问题

考虑到三峡工程是建国以来规模最大的重点建设项目，它的建设，不仅对我国国民经济发展起着十分重要的作用，而且也涉及到四川、湖北及长江下游各省的利益，同时，与国务院许多部委，与许多科研单位、大专院校、军事部门也有着程度不同的联系。因此需要成立一个全国性的组织，来协调中央和地方以及各部门之间的关系，并对建设中的方针、政策及重大步骤作出决策。这个组织暂定名为国务院三峡工程建设委员会，由国务院一位副总理兼任主任，国家计委主任、中央财经领导小组秘书长和水电部部长任副主任，委员由有关各省、直辖市和国务院各有关部委负责人担任。这个委员会成立日期，最好定在人大常委会对三峡工程进行了讨

论，并相应作出建设三峡工程的决定之后为好。委员会下设办公室，办公室设在水电部，负责日常工作。

为了及时开展三峡工程建设的筹备工作，可先成立国务院三峡工程筹备领导小组。由李鹏同志任组长，宋平、杜星垣、钱正英同志任副组长，成员由国家计委黄毅诚、芮杏文，国家经委林宗棠、国家科委杨浚，建设部李锡铭，水电部陈赓仪、黄友若，交通部郑光迪，机械部沈烈初，石油部李天相，财政部迟海滨，经贸部魏玉明，中国银行崔延绪和湖北省田英，四川省何郝炬等同志组成。办公室主任由黄友若同志兼任。领导小组经批准后即开展工作，对外暂不宣布，该小组同时负责三峡工程建设委员会的筹备工作。

二、成立三峡工程开发总公司

总公司是一个独立核算的经济实体，具有法人资格，在国家计划指导下的经营管理和对外交往中都行使较大的自主权。总公司在三峡工程建设期间是该工程的建设单位(总甲方)；工程投产后全部资产，包括债权债务，都归其所有，并负责水电站的经营管理。开发总公司实行董事会领导下的总经理负责制，党的组织起保证监督作用。总公司对内对外发行股票或债券，由投产后发电和其他收益中偿还。

葛洲坝工程局是三峡工程主要单位，它和总公司是承包关系。为了提高经济效益，避免吃“大锅饭”，总公司可按单项工程在全国范围内招标，择优选择施工单位。水电部长江流域规划办公室是三峡工程的设计单位，承担主要设计任务。

葛洲坝电厂是三峡工程开发总公司的组成部分，固定资产和职工原则上应属总公司管理。但考虑到三峡工程建设初期，为使总公司能集中精力搞好建设工作，葛洲坝电厂管理体制不作变动，由华中电管局代管，但财务预算决算要经总公司审批，电厂所创造的利润上缴总公司，作为建设投资的组成部分。

三、妥善解决库区移民问题

这是三峡工程的关键，必须花大力气，下大功夫妥善处理。鉴于三峡库区移民量大，是一项政策性很强的工作，而且涉及到湖北、四川两省和中央有关部委，拟由筹备领导小组组织力量，进行调查研究，并和两省及中央有关部委协商后，提出方案报请国务院审定。

四、三峡工程建设资金的筹措

这个工程需要大量资金，要多想点办法，多开辟一些渠道加以解决。现在设想有下列资金渠道：

(一)由国家拨款，纳入国家基本建设投资计划的资金。

(二)开发总公司的卖电收入和其他收入。

(三)向国内发行三峡工程建设股票或债券，由受益地区的企事业单位和个人认购，其利息一般应高于银行利息，股票允许在市场上流通，三峡发电后按股票分红并得到相应比例的用电权。

(四)利用外资，争取使用若干外国政府的低息贷款和外国出口信贷。

(五)石油生产形势比较好，石油部以每年包干后超产油中得到的收入，认购一部分三峡工程建设股票或债券。

五、三峡工程的建设程序

这个工程规模巨大，必须采取积极、慎重和科学的态度，必须严格按建设程序办事。由于现有的建设程序不一定适合三峡的特殊要求，因此必须制定适合三峡工程的程序。这个程序委托领导小组办公室会同国家计委联合制定，报领导小组审查，经国务院批准后实施。一定要把这个程序搞好，这是保证三峡工程质量和经济性的一项重大措施。初步设想，这个程序有下列主要内容：

(一)审查可行性报告，由国务院批准，即可开始部分施工的前期准备工作。

(二)审查工程初步设计，经三峡工程建设委员会组织审查、国务院同意后，提交全国人大批准，就可以正式列为建设项目。

(三)所有单项主体工程的技术设计，必须经水电部审查、建设委员会批准后才能进行施工。

(四)开发总公司根据国家批准的初步设计和总概算制定工程年度计划、年度预算和决算，经建设委员会审查批准后全权负责执行，并由银行和审计部门监督执行。

六、今年前期工作所需要的经费

中央财经领导小组会议确定，今明两年要完成施工前期工作。鉴于工作量很大，任务比较艰巨的情况建议在可行性报告批准后，同意水电部今年开始进行部分施工前期准备工作，包括公路、码头、供水、供电、通信、场地平整和部分科研工作，共需投资 8 千万元。已初步商得石油部同意，今年再超产 30 万 t 石油，上交国家，列收列支，拨交水电部专款专用，作为今年三峡工程前期经费。

七、关于起草建设三峡工程报告问题

三峡工程是一项举世瞩目、全国关心的特大工程项目，应经中共中央和国务院讨论后向全国人大提出报告，经人大批准后，向全国人民发出号召，动员全国力量来完成这一工程。可由水电部组织一个班子代国务院起草这个报告，并于今年上半年完成，经领导小组审查后，再提交国务院讨论。

以上报告，是否妥当，请予批示。

李 鹏 宋 平 杜星垣 钱正英

(1984 年 3 月 30 日)

三峡工程筹备领导小组第一次会议纪要

1984年5月7日，国务院三峡工程筹备领导小组办公室印发第一期三峡工程筹备工作简报

4月28日下午，李鹏副总理在国务院主持了三峡工程筹备领导小组第一次会议，宣读了中共中央办公厅、国务院办公厅转发《关于开展三峡工程筹备工作的报告》的通知，宣布三峡工程筹备领导小组正式成立。会议听取了钱正英同志关于当前准备工作情况的汇报，并对近期需要研究、决定的重大问题作了初步安排。现将主要情况纪要如下：

一、会议一致赞成《报告》提出的各项筹备工作的意见，并表示要按照《通知》的精神，从全局出发，同心协力，为全面建设好三峡而努力工作。

二、会议肯定了前一阶段的筹备工作。钱正英同志就筹备工作进展情况作了介绍

（一）三峡工程初步设计争取今年四季度提出，报领导小组组织审查，年底报国务院审批。当前要抓好以下几个环节：

1. 施工通航问题。4月初，吕克白同志召开会议研究，长办提出了大明渠、明渠加船闸和升船机三个方案，并推荐大明渠方案。会议认为工作做得还不够，决定由长办牵头，机械部、交通部及有关单位参加，进行方案比较，6月底以前提出推荐方案，报领导小组审定。

2. 对外技术合作。根据独立自主的原则，由我国付少量费用，聘请国外专家对三峡工程进行咨询，十分必要。美方拟由垦务局与我方合作，去年三峡代表团在访美时，曾就三峡工程设计问题与该局比较充分地交换了意见，收效颇大。现正在和他们讨论有关三峡设计咨询的协议。根据中美水电技术合作的已订协议，我们已邀请他们派代表团来我国讨论三峡的初步设计。

3. 今年4月中旬，水电部组织了国内水工专家，在武汉召开了三峡工程设计主要问题讨论会，取得了一定的收获。拟研究成立三峡工程技术咨询小组，准备邀请国内和国际上的著名水电专家参加，定期对三峡工程的设计成果进行咨询和评价。

（二）施工前期工作。陈赓仪同志已率领一个组在湖北研究三峡施工前期工作。国家计委拟下达三峡工程前期工作经费6000万元，将要着手进行施工征地和前期准备工作。

（三）移民安置准备工作。黄友若同志已率领一个组到四川、湖北两省分别征求意见，并已派出一个小组到三峡库区进一步研究移民安置方案。

（四）三峡工程开发总公司的筹备工作。目前准备起草总公司的职责条例，并着重研究建设资金的筹措办法。

（五）代国务院草拟向全国人大报送建设三峡工程的报告，第一稿正由长办起草中，将于5月底报送水电部后，拟于6月报领导小组。

三、三峡工程筹备领导小组工作安排

（一）由水电部商四川、湖北两省，于6月份提出库区移民安置政策和移民组织机构方案，要着重研究成立三峡特区的可行性，要重开发。不要只限于搞安置。

（二）由水电部负责5～6月份提出三峡工程开发总公司的任务、职权和体制方案。国家计委芮杏文同志负责主持研究三峡建设中，如何在施工、设计及设备采购等方面进行改革，突破现有体制，达到鼓励先进，不保护落后的目的。使三峡工程建设，包括水库移民安置，都能做到投入少，产出多。

（三）三峡工程初步设计中的两大技术问题——施工通航和泥沙问题，由水电部会同交通、机械等部门，于6～7月份向领导小组提交专题报告。

（四）请水电部于6月下旬，提出代国务院起草的关于三峡工程建设向全国人大的报告稿。

（五）由水电部研究提出三峡工程的集资方案，包括利用外资的方式和数量，国内集资方式以及偿还能力。这个方案由国家计委牵头组织经贸、财政等部门讨论后，报领导小组审查。

（六）由水电部于四季度提出三峡工程初步设计，领导小组争取在今年年底前组织审查报批。

出席会议的领导小组成员：李鹏、杜星垣、钱正英、黄毅诚、芮杏文、林宗棠、杨浚、郑光迪、沈烈初、崔延绪。

请假的领导小组成员：宋平、李锡铭、迟海滨、李天相、魏玉明、陈赓仪、黄友若、田英、何郝炬。

列席领导小组会的同志：储传亨、徐巨洲、李长林、李鹗鼎、曾念、朱福林、李克、李慧。

国务院办公厅关于筹集三峡工程建设基金的通知

1993年6月14日，国务院办公厅以国办发〔1993〕第34号文通知各省、自治区、直辖市人民政府，国务院有关部门

为了筹集三峡工程建设资金，经国务院批准，财政部、国家计委、能源部、国家物价局于1992年12月联

合发出《关于筹集三峡工程建设基金的紧急通知》(〔1992〕财工字576号),规定从1992年开始,全国每kW·h电力征收三厘钱作为三峡工程建设基金(以下简称"三峡基金")。"通知"下发后,各地"三峡基金"的征收入库工作进展缓慢,有些省(区)要求免交甚至出现拒交的现象,致使"三峡基金"不能及时到位,影响了三峡工程准备工作的顺利进行。为此,经国务院同意,特通知如下:

一、三峡工程是一项造福于子孙后代的跨世纪工程,需要全国人民的大力支援。各省、自治区、直辖市人民政府要从大局出发,服从国务院的决定,严格按照《关于筹集三峡工程建设基金的紧急通知》中第二条规定的范围征交"三峡基金",不得以任何理由减免或缓征。

二、各省、自治区、直辖市电力局和电力部所属各电管局要在每月终后10日内,将"三峡基金"就地上交中央金库。对1992年和1993年1~5月份应交而未交的"三峡基金",必须在今年6月底以前彻底交清,不得拖欠。否则,要追究有关部门主要领导人的责任。

三、各有关银行对电力部门入库的"三峡基金"要及时汇入中央总金库,不得滞留和挪用。

四、财政部驻各省、自治区、直辖市财政厅的中央企业财政驻厂员处,要真正担负起"三峡基金"的征收管理和监缴、催缴任务,使"三峡基金"及时、足额入库。

五、各省、自治区、直辖市财政、电力、计划部门要密切配合,采取有力措施,做好"三峡基金"的征收工作。

关于设立三峡工程专业质量总监和成立三峡工程质量总监办公室的通知

2000年8月22日,中国三峡总公司以三峡办字〔2000〕195号文通知总公司各部门、各单位

为认真贯彻执行《国务院三峡工程建设委员会第九次全体会议》的精神,全面落实三峡枢纽工程质量检查专家组的意见,进一步完善三峡工程建设的质量保证体系,加强三峡工程建设的质量管理,确保三峡工程的一流质量。经总公司总经理办公会议研究,决定按专业设立三峡工程质量总监和成立三峡工程质量总监办公室。现将有关事宜通知如下:

一、三峡工程专业质量总监的职责

质量总监不替代监理工程师的职能,监理工程师仍按合同授予的职责开展工作。专业质量总监的主要职责为:

(一)按专业行使对三峡工程施工质量进行高层次、有权威性的监督。

(二)研究和发现三峡工程施工中可能出现的质量问题,并及时提出警示和建议。

(三)为实现三峡工程的一流质量,对工程质量控制、施工技术与工艺提出意见和建议。

(四)对已经出现的工程质量缺陷和事故,提出纠正和处理措施。

(五)对施工中发现的质量隐患和违反质量技术要求的行为提出意见,行使质量一票否决权,并在授权范围内行使对质量监理的决策权。

(六)在了解设计意图的基础上,为保证工程最终质量,提出优化设计的建议。

(七)根据需要对总公司和监理单位的质量管理人员进行专业技术培训。

二、三峡工程专业质量总监的聘任和工作方式

(一)专业质量总监聘请中、外专家和有关部门高素质技术人员担任。所聘专家应具备专业扎实的理论知识和丰富的实践经验,有良好的品德素质,经严格遴选确定。可根据工程建设需要,不同时段聘请不同的专业质量总监,实行动态管理。

(二)专业质量总监主要在施工现场独立进行质量总监,在授权范围内和项目部配合下,对监理工程师提出建议或下达指令,一般不直接对施工承包商下达指令。

(三)专业质量总监在质量总监办公室的统一组织和协调下开展质量监督工作。

三、三峡工程质量总监办公室职责

(一)三峡工程质量总监办公室设在工程建设部。受三峡工程质量管理委员会和工程建设部的双重领导。

(二)负责组织和管理专业质量总监的工作,向总监提供必要的设计和其它技术文件。

(三)三峡工程质量总监办公室设主任一名,副主任2名,下设中方专家组,外方专家组和具体工作班子。

(四)质量总监办公室除行使专业质量总监的职责外,还承担以下职责:

1. 参与对三峡工程各参建单位的质量保证体系和质量规程,要求进行检查和指导。

2. 掌握三峡工程质量状况,对三峡工程的质量管理和质量状况进行阶段性分析和总结。汇总和编写向上级有关部门汇报的质量材料和有关文件。

3. 参与对工程质量缺陷和质量事故进行的调查和评定,审查重大质量事故的处理方案。

4.协助和配合三峡枢纽工程质量检查专家组行使对三峡枢纽工程的质量检查和监督，负责与质量检查专家组及工作组的日常联系业务。

5.监督工程建设部各项目部和监理单位对质量控制和质量管理的情况。上述有关部门和单位应积极支持质量总监办公室的工作，及时提供有关质量信息。工程建设部工程技术部及下属的金属结构检测中心、试验中心、测量中心、安全监测中心等机构应做好技术支持和有关配合工作。

四、原三峡工程质量管理委员会办公室撤销，其职能按本通知的规定由质量总监办公室负责外，其余职能由工程建设部技术部承担。

特此通知。

移民小区绿化之一

专　　论　Ⅲ

崛起的新城——万州万安大桥

三峡工程建设管理的实践

陆　佑　楣

陆佑楣，男，1934年生，江苏太仓人。中国共产党党员，教授级高级工程师。1956年毕业于华东水利学院（现河海大学）河川结构及水力发电专业。1956～1970年参加黄河刘家峡水电站建设，任开挖队队长、技术处科长、工程师。1970～1975年参加汉江石泉水电站建设，任生产技术组长、工程师。1975～1983年参加汉江安康水电站建设，任技术处长、总工程师、副局长、高级工程师。1983～1984年参加青海黄河龙羊峡水电站建设，任局长。1984～1988年任水电部副部长，1988～1993年任能源部副部长。现任国务院三峡工程建设委员会副主任、中国长江三峡工程开发总公司总经理。

一、关于工程项目管理的理念

工程项目的管理就是为实现已经确定的项目目标，在实施过程中的组织和控制。组织就是管理体制，也就是建设各方实施者的职责和权限的定位，控制是贯穿管理的全过程。任何一个工程项目制定的计划无论多么精确，在实施过程中都会出现一些与原计划不符，发生偏差的情况，必须及时纠正，再付诸实践，以达到最终的项目目标。由于人们对自然界的认识不足，或者在制定项目目标时就存在偏差，需要修改原定项目目标。如三门峡水利枢纽工程就是一例。偏差的出现是由主观和客观的因素造成的，主观因素往往是决策者、管理者和实施者的主观行为造成的，一般可以用直接控制方法予以纠正。客观因素往往是自然和社会的环境情况发生了预想不到的变化而引起的，必须根据客观条件修正自己的行为。

工程项目的管理，完整的内容应该涵盖自然资源的评价、生态与环境评价、社会需求的评估、社会文化的评价以及经济效益的评价、项目的规划、勘测设计、项目论证、立项决策、工程设计、制定实施计划、管理体制、组织构架、建设施工、监理监督、资金筹措、验收决算、生产运行、经营管理等内容。上述内容在立项决策之前是项目的前期工作与管理，工程设计以后到竣工验收决算是工程项目的实施管理，生产运行和经营管理是目标的运行管理。所以一个项目的完整管理可以分为3个阶段，即：第一阶段，项目前期的决策管理；第二阶段，项目的实施管理；第三阶段，项目目标运行管理。

二、工程项目管理在不同经济体制下有不同的模式

工程项目管理在不同的社会经济体制下有不同的管理模式。在社会主义计划经济体制下主要用政府的行政行为来组织工程项目的实施。中国在计划经济年代成功地建设了一大批国家的重点工程项目，如北京的十大建筑、50年代苏联援建的156项工业项目、武汉长江大桥、南京长江大桥以及一大批大型水电站如新安江、三门峡、刘家峡、葛洲坝、龙羊峡等，这一模式在中国经济发展过程中起到重要作用。

随着中国经济的发展，社会主义计划经济时代已经成为过去。社会主义市场经济体制确立后，传统的行政管理模式已日益暴露出它的弊端，如：工程项目的建设没有开发主体，建设资金全靠国家财政计划拨款，建设单位、施工单位一体化，不承担项目的经济责任，运行者不承担建设资金的回报等等，由于职责不清，往往出现一些工期“马拉松”、投资“无底洞”工程，不讲求经营效益，造成资金效率低、重复建设等种种弊端。中国在20世纪80年代后期开始建设管理体制的改革，新的管理体制明确了项目开发的主体，建设和生产经营一体化，资金有偿使用，工程施工采取招标承包制、建设监理制，用合同的形式确立各建设单位相互之间的权责关系，建立一套完整有序的管理体制。运用这一管理体制已成功地建成一大批工程，其中有水口、漫湾、五强溪、李家峡、广蓄、二滩等大型水电站，发挥了很好的经济效益。实践证明，这种建设运营体制是行之有效的，是同国际工程建设管理模式逐步接轨的。

三、三峡工程的管理体制

三峡工程是一项特大型的多功能综合性工程，也是一项世界特大工程。1992年第七届全国人民代表大会五次会议表决通过立项建设，完成了近半个世纪的研究论证和决策程序，转入实施阶段。

长江三峡工程项目目标：首要的是缓解长江中下游地区的洪水灾害，以水库的调节蓄滞洪水，降低下泄的洪峰流量，提高荆江河段及其下游的防洪能力，减轻荆江大堤的防洪压力，这是最为重要的社会效益。其次是利用长江丰富的水能资源获得巨大清洁的电力，这是三峡工程最直接的经济效益，为此才有能力偿还巨额的投资。同时水库的形成从根本上改善川江航道，对中国西部地区开发将起到重要作用。三峡工程建设的成败将涉及到沿江各省市直接和间接的利益，也将对全国的政治、经济和社会生活产生深远影响。三峡工程是一项代表最广大人民群众利益的工程项目。为此，国务院成立三峡工程建设委员会(以下简称三峡建委)，由国务院总理担任委员会的主任，国务院有关部委和有关省市领导为成员，成为三峡工程建设的最高决策机构。为了落实和执行国务院三峡建委的决定，处理和协调日常事务，委员会下设办公室。

三峡工程建设须动迁113万人口，这是一项复杂而艰难的社会工程。为了完成好三峡水库的移民工作，三峡建委下设移民开发局，制定移民政策，协调移民工作，监督移民计划的实施。

为了确保三峡工程顺利建设，防止一切违规、违纪现象，三峡建委下设监察局，并成立中国长江三峡工程开发总公司(以下简称中国三峡总公司)。中国三峡总公司是三峡工程项目的法人，是一个经济实体，全面负责三峡枢纽工程的建设和施工管理，负责工程和移民资金的筹措，承担全部建设债务，负责三峡枢纽和葛洲坝枢纽的经营管理，以其经营效益滚动开发长江干支流水力资源，以及其它水利水电工程项目和其它产业的开发经营。中国三峡总公司目前是国有独资企业，在国企改革的进程中将改制为国家控股的股份制上市企业，将按照现代企业制度的标准，成为国家投资和开发的主体。

四、中国三峡总公司对工程的建设管理

(一) 三峡工程建设管理的目标及机构体系

在国家批准的投资概算及工程总进度目标下，实现三峡工程的预期功能。根据三峡工程的自身特点，中国三峡总公司对工程建设管理实行矩阵式的管理构架，如图1所示。

(二) 三峡工程的设计管理

设计的质量和水平是工程项目成败的前提，三峡工程的设计工作由水利部长江水利委员会全面承担。

三峡工程设计阶段包括：可行性论证报告，由国务院审查批准；初步设计，由国务院三峡建委审查批准；技术设计，由中国三峡总公司技术委员会组织审批；招标设计，由中国三峡总公司批准；施工详图设计，由中国三峡总公司工程建设部会同各监理单位批准。

(三) 三峡工程重大问题的决策管理

三峡工程不论在设计过程还是施工过程都有一系列重大问题需要决策。能否准确而果断地决策，是三峡工程建设不走弯路，建设成功的关键因素。九年来，中国三峡总公司遵循在广泛征求专家和有工程实践经验者意见，充分吸收当今国内外先进技术的基础上，既从三峡工程的实际出发，又不停留在固有的经验和习惯上，注重发挥集体智慧，鼓励创新思维，成功地决策了一系列重大的管理和技术问题。实践证明，这些措施有力地保证了工程的顺利实施。

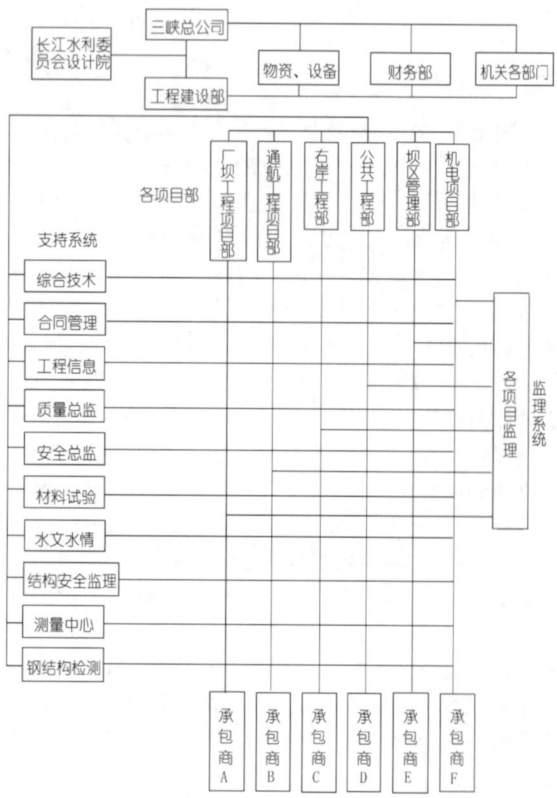

图1 三峡工程管理矩阵图

1. 三峡工程对外交通方案

在论证阶段三峡工程对外交通方案是长期争议的问题之一。三峡工程工程量巨大，混凝土最高年浇筑强度达540万 m^3，水泥、钢材、各类建筑材料的运输达200万t，各类超大件钢结构、超重件机电运输量大，每天有10000人次的客流量，交通运输繁忙。最后决策放弃传统的大型水电站用铁路专用线的方案，用一条近30 km的高等级全封闭山区准Ⅰ级公路和长江水运相结合的运输方案，做到了既快捷高效，又避免无效投资，事实证明决策是成功的。

2. 砂石系统方案的决策

三峡坝区缺少天然砂，如果在河床中采挖天然砂，既破坏长江河势，而且运输距离达100 km以上，中国三峡总公司决定采用人工砂的方案。人工砂的选择过程中，放弃离坝址30 km的石灰岩制砂方案，采用离坝址10 km以内，云母含量低于国家标准的下岸溪花岗岩料场，得到相对优质的砂料，保证大坝混凝土的质量。

3. 三峡大坝的混凝土施工方案

三峡大坝混凝土总量达 2800 万 m^3，最高年施工强度达 540 万 m^3 左右，月施工强度达 50 万 m^3，日施工强度达 2 万 m^3，这是三峡工程总进度必须达到的，这一混凝土施工强度是创世界纪录的。采用什么施工手段成为三峡工程能否达到预期目标的关键。中国三峡总公司经过认真研究，广泛征求意见，决定放弃常规的用汽车水平运输、用高塔式起重机进行浇筑的方案，果断选择在国内外尚未大规模采用的连续输送浇筑方案，即从混凝土工厂生产出的混凝土直接用皮带机、高架自升式皮带栈桥、塔式皮带机(Rotec)直接入仓的浇筑施工方案，成功地于 2000 年创造年浇筑混凝土 542.8 万 m^3 的世界纪录，从而确保大坝混凝土浇筑的质量和进度。

4. 分项招标、分项管理的决策

三峡工程规模宏大，中国尚没有一家施工承包商有足够的实力进行总承包。根据中国承包商的实际和三峡工程的特点，决定根据三峡工程各项目相对独立特点，实行各工程项目分项分期招标、分项管理、整合汇总的办法。实践证明这一决策是切合实际的，保证了工程的进度和质量。

5. 坝区建设的方针

三峡工程工期长达 17 年，创造一个良好的坝区环境对文明施工，改善设计、施工、监理、管理人员的生活条件，确保建设者的身心健康，保护环境都有积极的意义。中国三峡总公司决定对坝区实行封闭管理，由原设计方案中大规模建设临时性房屋(80 万 m^2)，取代之以永久性的小区居住和办公建筑(40 万 m^2)，配套建设文化、饮食、体育、商业等公共设施，大规模绿化建设，做到工程建设与环境保护同步建设。

(四) 三峡工程的招标管理

三峡工程自开工起就实行招标承包制，运用市场的竞争机制，择优选择承包商，以取得相对最优的施工队伍组合。中国三峡总公司根据三峡工程的特点实行分项招标。

严格招标原则，即公开招标、公平竞争、公正评标、集体决策。遵照这一原则制定严格的招标程序，即编制招标设计文件，经审查批准后公开发售标书，投标者购买标书并编制投标文件，在公证机构代表监督下公开开标，中国三峡总公司聘请有资格的外部专家进行评标。在评标过程中尽可能量化，根据不同工程项目的特点按报价、业绩、技术、信誉等方面进行打分，汇总排序提交给中国三峡总公司领导班子集体决策，这一完整的程序必须排除各种干扰，坚决抵制不规范行为，以保证招标工作的成功。招标工作是手段和措施，目的是准确选择对三峡工程最有利的承包商。

国家招投标法公布实施后，中国三峡总公司进一步规范和完善招标程序，成立招标委员会，统一组织各项目招标工作，严格各程序的把关，停止部分项目(一般都属小项目)的议标，招标活动由中国三峡总公司控股的三峡国际招标有限责任公司负责代理，按招投标法规定的办法聘请评标专家组独立进行评定工作。

九年来，三峡工程已经完成和正在执行的合同有 5273 个，其中 70%都是通过招标签订的，在 5273 个合同中，主体工程的承包合同 423 个，100%的通过公开招标选定承包商。实践证明招标管理是成功的，没有出现重大偏差。

(五) 三峡工程的合同管理

决标后开始合同谈判，合同谈判的依据是以招标文件和承包商的投标文件共同认可的条款为基础，将条款具体化。三峡工程的合同金额都很大，如泄洪坝段、厂房坝段、发电厂、船闸等合同，其中最大的一个合同金额 66.85 亿元，而且每一合同执行期长达数年。合同的文本参照国际通用的 FIDIC 条款，根据不同的项目内容，结合中国的实际，采用单价合同和总价合同两种形式；单价合同或总价合同根据合同执行期的长短又可采用固定价或浮动价两种形式；每一项合同按年度计划量在年初由业主支付 15%～20%的预付款，合同款每月按照实际完成量结算一次，并按比例扣回预付款。每次结算中甲方扣留 3%的质保金，在决算时偿还给承包商。合同执行过程出现的各种偏差，承包商通过监理反馈给业主的项目部，设计图纸和技术上的问题会同设计现场代表予以及时处理，重大问题及时反馈到中国三峡总公司工程建设部，经决策后实施。这样，较好地处理了合同执行过程中出现的各类矛盾。合同管理是工程施工管理的核心，是工程质量、进度和成本控制的第一线，必须予以高度重视。

(六) 三峡工程的物资管理

为了保证工程质量和防止不规范的市场行为(如伪劣产品)进入三峡工程。中国三峡总公司从一开始就规定钢材、木材、水泥、粉煤灰、炸药和燃料油六大材由业主统一招标采购的原则，在承包商投标时以业主提供的固定价报价，出现的价差由业主承担，较好地控制了原材料的质量和价格。

(七) 三峡工程施工设备的管理

考虑到中国承包商的财务实力有限，同时三峡工程的施工方案不同于一般方案，很多设备不是定型产品，有方案的选择和制造的过程，因此，中国三峡总公司决定在工程招标前由业主选定施工方案，并由业主提供主要的大型专用施工设备。在招标文件中规定施工设备使用的有关报价方案，在合同履行过程中由业主提供技术服务和人员培训服务。三峡工程施工设备的管理,作为一个特殊的情况,较好地保证了设备的使用和运行。

(八)三峡工程的进度控制

三峡工程分三期导流,工程的施工也分3个阶段,总工期17年。每一阶段的施工进度和工程目标十分清晰。

1993～1997年底,为一期导流,也是工程的第一施工阶段。主要施工任务是完成场内外的交通道路建设、坝区的场地征用(15.28 km^2)、场地平整、导流明渠的开挖及混凝土纵向导墙的施工,左岸双线五级船闸陆上部分主体工程开挖,以及临时船闸建成通航。1997年11月8日长江主河道的截流,上下游围堰填筑等工程项目的完成标志着三峡工程第一阶段施工目标完成。

1998～2003年为二期导流,也是第二阶段的施工。主要施工任务是:除升船机外建成上下游围堰、溢流坝段、左侧大坝发电厂房、非溢流坝段、升船机坝段以及双线五级船闸等左岸工程;2002年底实现导流明渠截流;抢筑三期碾压混凝土围堰;并于2003年5月实现水库初期蓄水至135m高程,首批4台水轮发电机组投产、双线五级船闸通航,与此同时还要完成右岸茅坪溪防护坝及预留地下发电厂房进水口工程。

2004～2009年,为三期导流,也是第三施工阶段。以左侧发电厂房每年投产4台机组、完成升船机工程及全面完成右侧大坝及发电厂房的施工安装,三峡工程全部达到建设目标为标志。

中国三峡总公司根据3个阶段工程建设的目标,制定总进度计划,在总进度目标下,实行分项目控制进度的编制,并据此编制分项招标进度,按照进度计划签订合同,控制进度,通过合同管理及时调整分部进度,确保关键路线上控制进度目标的实现。9年来三峡工程各项进度基本上按预定的进度实现各个目标,从而保证了总进度计划目标。

(九)三峡工程质量控制

三峡枢纽工程的成败在于工程质量,这不仅是一个工程技术问题或经济问题,也是一个政治社会问题。因此工程一开始,质量问题就引起国家领导人、科学技术界、全国人民直到每一个三峡工程建设者的重视。中央领导指出"一流的工程,必须一流的质量"、"三峡工程质量重于泰山"、"千年大计,国运所系",这些指示精神明确三峡工程必须高标准严要求,为此三峡工程建设建立了一套较为完善的质量保证体系。

1. 制定三峡工程质量标准

根据已有的国家标准、各部委颁布的行业标准、三峡工程设计的部分特殊要求、三峡工程的施工特点,中国三峡总公司编制《中国长江三峡工程标准》,英文缩写TGPS。从大坝水工建筑物的基础开挖、基础处理、帷幕及固结灌浆的标准,到建筑物混凝土及钢筋混凝土的砂、石、水泥、粉煤灰、外加剂、钢材等原料的标准、混凝土的温控标准、建筑物的接缝灌浆标准、各类钢结构的制造精确度、材质、焊接标准,以及机电设备的制造安装标准等都制定了严格的质量标准,至今已汇编并实施了150余个质量检测标准。

2. 建立质量管理机构及责任制

除合同条款中规定的职责外,从原材料的加工制造、储存运输到施工以及施工监理、项目管理到中国三峡总公司各级管理人员都建立了责任制。在任何一个环节出了问题都有明确的责任人。此外,中国三峡总公司还组织参建各方成立了三峡工程质量管理委员会,负责质量的检查、督促、协调、指导、评价等质量管理工作。

3. 建立质量事故的处理程序

三峡工程质量管理规定要求现场发现质量缺陷或事故必须在规定时间内逐级报告,业主项目部组织参建各方有关人员进行现场检查,查阅施工记录,初步界定质量事故等级,提出处理方案。对重大的质量事故应及时"推倒重来",即返工处理。对难以处理的质量事故报中国三峡总公司决策层和设计单位进行研究,提出设计处理方案,处理方案批准后严格按方案处理,不留质量隐患。对事故的责任者进行追究与处罚。

4. 制定质量奖罚制度

除了合同条款有规定以外,制定《三峡工程质量奖罚办法》。出现质量事故,除了按合同规定造成损失的经济责任由责任方承担外,同时将扣留质保金。中国三峡总公司为了增强各参建方的质量责任意识,决定从工程成本中提取2.5亿元(在第二阶段)作为质量特别奖,只要不出现任何质量缺陷和事故,都可得到奖励,重点奖励第一线的工人和工程技术人员。

5. 建立单元工程质量评定制度

对工程的每一部位、每一单元完工后进行质量评定。从1993年开始施工到2001年10月底,共评定118606个单元工程,全部合格,其中优良工程9474个,优良率79.9%。

6. 建立质量检查的逐级把关制度

原材料的出厂检查由中国三峡总公司委托有资格的机构按照标准实行出厂合格证签发制度;钢结构及机组设备的制造由中国三峡总公司委托有资格的国内外机构进行驻厂监造,定期向中国三峡总公司报告制造质量状况。原材料、钢结构及机组设备出厂后还要进行一系列检查:国外进口的设备有入关检查和现场检查;施工过程有承包商自检,监理工程师检查,中国三峡总公司的材料试验中心、测量中心、安全监测中心、金属结构检测中心对各施工部位按规程进行检查。中国三峡总公司还聘请国内外有经验的专家组成混凝土、焊接、机电设备安装等专业总监,加强质检控制力度。国务院三峡建委指派由中国工程院院士组成的专家组每年对工程质量进行跟踪检查,并每年向国务院三峡建委提出质量检查报告。这一完整的质量监督体制,防止了质量缺陷掩盖或失控现象,保证了工程质量。

(十)三峡工程的监理制度

建设监理制是保证工程建设达到预期的质量、进度和投资目标的重要制度,从三峡工程这一特大工程来讲,监理的完整涵义应分三个层次:

三峡工程项目监理——是三峡工程的项目法人。中国三峡总公司对国家全面负责三峡工程的建设管理。

三峡工程工程监理——中国三峡总公司直接负责三峡工程建设施工管理的工程建设部,对各分项目施工监理进行协调组织。

三峡工程施工监理——由中国三峡总公司选聘的有监理资格的公司、设计院等单位分项目对承包单位进行合同履行的监理。发布开工、停工令,协调业主、承包商和设计单位合同外的补偿和索赔,在施工现场对施工过程进行质量检查和安全监督,审查设计施工详图。

(十一)三峡工程的投资控制

国家批准的三峡工程投资概算为900.9亿元,其中三峡枢纽工程投资为500.9亿元,三峡水库移民费用400亿元,这是1993年5月末的价格水平。三峡工程建设期长达17年,外部环境和工程建设情况都会发生不同程度的变化,中国三峡总公司采取的投资控制措施有:

1. 实行"静态控制、动态管理"的方针

静态投资概算是国家批准的900.9亿元,而17年的工期中每年的物价指数都是变化的,每年都要按照当年的物价指数与1993年的价格相比进行价差调整;建设资金中有近30%的资金来源于银行贷款、企业债券等,17年建设期的利率是浮动的,每年须支付利息和到期的本金。如果把这两部分加起来,称之谓动态投资。三峡工程需要每年预测未来的资金需求,实行动态管理。用静态概算控制工程的投资,优化工程管理,降低成本和移民的各种费用。用动态的价差支付、多种融资措施降低融资成本,形成静态控制、动态管理的投资控制模式。1994年预测到2009年工程竣工时总投资为2039亿元,通过9年的实践后,2001年预测总投资约为1800亿元,完全可以控制在国家批准的概算内。

2. 实行价差管理

三峡工程的主体工程合同周期较长,对大部分合同实行价差调整,每年一次补偿给承包商,合理地解决承包商不必要的亏损。价差比率的确定,中国三峡总公司委托中介机构对全国的建材、器材、各类商品、人工费等的价格进行分析,提出影响三峡工程的环比和基比的价差率,报国务院三峡建委,由三峡建委会同国家计委和中介机构的专家核定。每年核定上一年的价差比率,中国三峡总公司按承包商投标及当年合同的报价补偿其差额。

3. 实行分项目设"笼子"的办法控制概算

在国家批准的初步设计概算总量控制基础上,通过技术设计的调整编制业主执行概算。为了便于在合同履行过程中控制价格,业主编制分项目分合同的实施控制价,只有在发生重大设计变更时才动用概算中的基本预备费。每年都要进行概算执行和控制分析,目前,三峡工程的投资控制情况良好。

(十二)三峡工程的资金筹措和资金管理

三峡工程资金由以下几个方面组成:

三峡建设基金:国家从全国销售的电量中每度电征收4~7厘钱建立三峡建设基金,作为国家对三峡工程建设投入的资本金,约占工程总投资需求的40%。

发电收益投入:中国三峡总公司的自身发电收益,包括已经建成的葛洲坝电站(年发电量150~160亿kW·h)以及三峡电站自2003~2009年建设期的发电收益,投入三峡工程建设,约占三峡工程总投资的20%。

银行贷款:包括国家开发银行的长期贷款和国家商业银行的短期贷款,这部分资金每年须支付利息,约占总投资需求的20%。

利用国外出口信贷:约占总投资的6~8%。

企业债券:中国三峡总公司已成功地发行四期三峡企业债券,总额110亿元。今后根据每年的资金需求还将继续发行企业债券,企业债券最终约占总投资需求的10~12%。

为了运作好三峡工程的建设资金,减轻利息负担,降低融资成本,中国三峡总公司经国家批准成立三峡财务有限责任公司。为了控制资金的使用,除了投资控制外的各项经常费用,中国三峡总公司实行全面财务预算管理。

中国三峡总公司根据国企改革的进程,正在筹划在国家控股的条件下,实行企业股份制改制,既可为三峡工程筹集到更多资金,又能减少负债率。

(十三)三峡工程的阶段财务评价(不考虑改制)

2001年经测算三峡工程最终(动态)投资总额为

1800 亿元，电力生产上网电价 0.25 元/kW·h，资金平衡年（即不再借新债）2009 年，最高负债率 60%出现在 2003 年，竣工时 2009 年的负债率为 37%，贷款偿还年限 22 年。

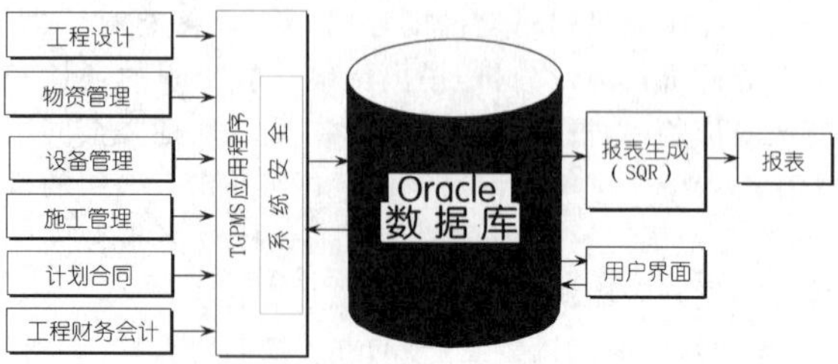

图 2 TGPMS 系统结构图

（十四）三峡工程信息管理系统 TGPMS

三峡工程规模宏大，边界条件复杂，自然因素、人为因素众多，它的建设管理本身就是一个庞大而复杂的系统工程，如何科学有序地进行管理是三峡工程建设的重要课题。为此，需要依靠现代信息技术，用计算机网络系统，把各项工程、各项管理、各参建单位、各自然参数、经济参数和工程技术参数等联系起来，成为一个有机的整体。三峡工程成功地建立了三峡工程信息管理系统，英文缩写 TGPMS。

TGPMS 的系统结构是一个集成的工程管理数据库系统，如图 2 所示。

TGPMS 加快了工程信息的反馈速度，有效地支持了工程管理和控制。根据预先制定的工程计划目标和控制基准，在实施过程及时获得信息反馈，可以及时地纠偏调整，明显增强控制力度。

TGPMS 可及时提供准确的数据，支持各项工程的管理业务，为工程各个阶段提供决策服务。

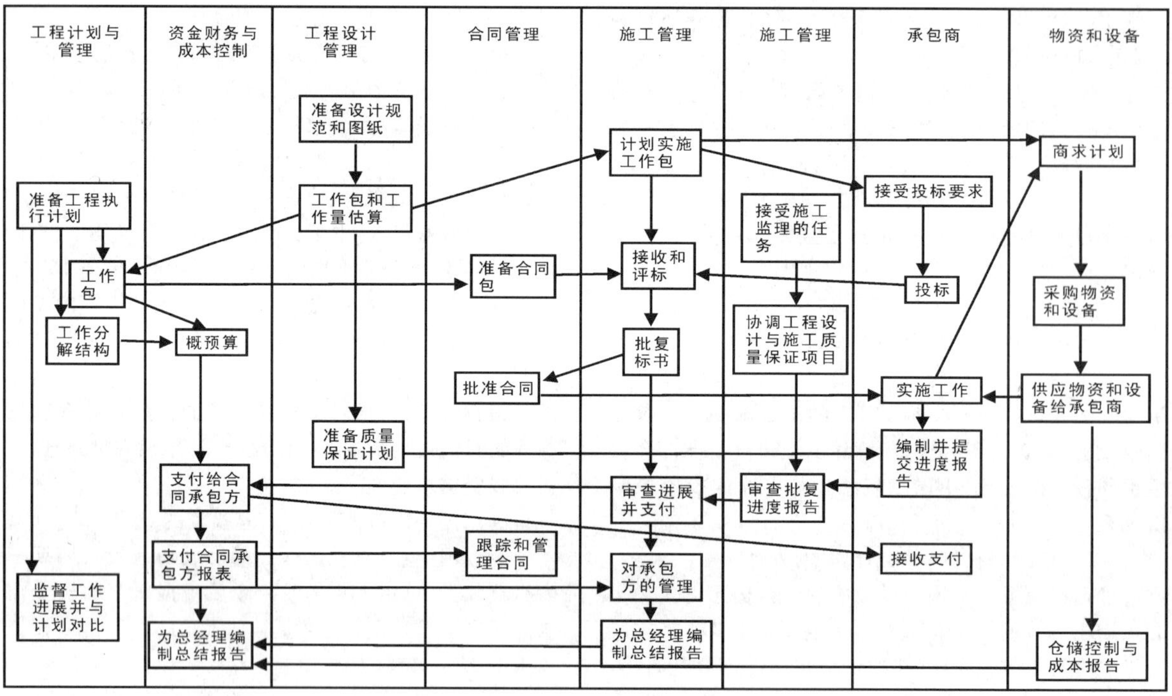

图 3 三峡工程 TGPMS 支持系统示意图

TGPMS 的建立和使用本身就是工程建设管理科学化的体现，也是用信息技术装备工程项目管理，推动管理的改革。

五、结束语

三峡工程建设时期正值社会主义市场经济体制的建立、发育和逐步健全的过程，因而三峡工程的建设管理是一个动态过程。2003 年，三峡工程将实现水库初期蓄水、首批机组发电投产、双线五级船闸建成通航。三峡工程项目管理将从单一的工程建设进入工程建设和运行经营并存阶段。2003 年开始，三峡电站每年将有 4 台 70 万 kW（计 280 万 kW）发电机组投产，这一过程将持续到 2009 年工程全部竣工。这期间中国的经济体制将进一步改革完善，电力体制改革也将随着市场经济的成熟而完善，基本建设的管理体制、国有企业的改革将直接影响到工程建设管理体制的改革。三峡工程的管理是中国三峡总公司企业管理的重要组成部分，随着中国三峡总公司的体制改革，工程建设管理体制将更为健全，逐步形成一个较为完善的模式，目前三峡工程建设的项目管理只能是一个实践，还称不上模式。

九年来的实践表明，三峡工程管理在不断实践的路程上，越来越科学化，从工程建设管理到将来的投产运行经营管理都必将会达到伟大的三峡工程预期的目标。

精心组织，精心安装调试，确保三峡机组的长期安全稳定运行

刘 锦 江

刘锦江，男，1931 年 10 月生，天津市人。1952 年毕业于清华大学电机系。曾任水利水电安装局八处主任工程师，刘家峡 813 分局副局长，水电部机电研究所副所长、总工程师，电力部北京勘测设计研究院副总工程师。

参加过丰满、刘家峡、葛洲坝等十多个水电站的机电安装工作。参加过三峡、二滩、龙滩电站及丰宁抽水蓄能电站等十多个项目的设计评审或设计工作。

曾受聘为国务院三峡工程建设委员会枢纽工程质量专家组特邀专家。现受聘为中国三峡总公司机电专业质量总监。为中国电机学会水电设备委员会顾问。

一、机电安装工程的质量目标

三峡工程的机电设备及安装工程占三峡工程造价的 22%，其工程质量问题可能影响全工程的质量评价、经济评价及造价。机组和机电安装工程的质量还影响三峡工程的经济效益和社会效益。70 万 kW 机组每转发电量价值可达 39 元，每天发电量价值可达 420 万元。三峡的电能主要送往湖北、上海、广东、四川等 9 省市。机电安装的质量问题将影响华中、华东、广东等地区的社会效益。因此工程质量问题关系着国计民生。

机电安装工程是机电设备设计、制造、安装的最后一道工序，安装过程中不仅要消除安装缺陷及隐患，还应努力及时发现、消除设备缺陷，不留工程质量隐患。

机电安装工程的质量目标是：把质量放在首位，质量达到一流标准；消除安装缺陷，消除设备缺陷，不留工程隐患；吸取国内外大型水轮发电机组安装工程的质量事故教训，制定具体措施，预防发生恶性质量事故；质量第一，当进度与质量发生矛盾时，进度服从质量。

二、机电安装工程总体方案的论证及安装的前期准备

（一）机电安装工程总体方案论证

机电安装工程的总体方案，如总进度、总布置、总措施等影响着三峡工程的总体施工方案。1986～1987 年水利电力部在三峡工程论证中开始对机电设备问题进行论证。

1993～1995 年中国三峡总公司组织技术施工设计审查工作。有许多安装专家参加安装方案的讨论。

1997 年 11 月中国三峡总公司邀请 40 多位机电安装专家讨论机电安装方案。

1997 年机组设备订货合同签订后，至 2001 年 10 月共进行 5 次设计联络会，中国三峡总公司邀请机电安装专家参加有关安装方案的讨论。

（二）机电安装前期准备工作

1. 优选机电安装队伍

三峡巨型机组安装，需要有资质、有实力、有大型电站安装经验的机电安装队伍进行。

自 1951 年东北丰满水电公司安装大队成立以来，到目前中国有 19 支水电机电安装队伍，共约 14000 人，年投产水电机组 600 万 kW。已具有龙羊峡、漫湾、隔河岩、岩滩、小浪底等水电站 25 万、30 万 kW 机组的安装调试经验，以及李家峡、二滩水电站 40 万、55 万 kW 机组的安装调试经验。对进口机组的新技术、新结构、新材料及安装方法也有了初步实践。

经过数十位机电专家的评审，中国三峡总公司于 2001 年 7 月选择 3 支有资质、有能力、有经验的机电安装队伍，并签订合同。这 3 支队伍是：葛洲坝集团公司、中国水利水电第八工程局、第四工程局。分别承担 4 台（ALSTOM/ABB 制造，下称 ALSTOM）、6 台（VGS 制造）、4 台（ALSTOM/ABB 制造）机组及其辅助设备的安装调试工作。

2. 机组安装技术专题研讨及技术培训

机组安装过程中，中国三峡总公司邀请国内水轮

发电机组安装、制造专家进行机组安装技术专题研讨，内容包括工程、工艺措施及质量标准等。2001年12月及2002年3月已进行两次专题研讨。

按照机组设备合同，设备制造厂要对安装人员进行培训，包括水轮机、发电机安装等。

3.组建机电安装监理部

2001年8月22日中国三峡总公司成立机电安装监理部，由中国三峡总公司工程建设部机电安装项目部、三峡电厂筹建处，葛洲坝水电建设监理公司及外聘专家组成。监理工作实行总监理工程师责任制，制定各级监理人员责任制、监理工作制度及监理工作规划和细则，以及涉外工作联络制度等。

三、机电安装工程的特点

(一)三峡水轮发电机组的特点

机电安装工程是一个复杂的系统工程，需按照机组性能、结构特点及厂家规定的安装工序、工艺进行。三峡机组是目前世界上最大容量的水轮发电机组。发电机额定功率70万kW。三峡水轮发电机组主要参数见表1、表2。水轮发电机组结构及安装的主要特征见表3-1、3-2。

三峡机组的特点是：部件尺寸重量大，刚度相对较小；技术新、结构新；参数平均先进；发电机定子线棒水内冷。

水轮机转轮叶片为X型，VGS转轮叶片X型呈30°，ALSTOM叶片X型呈60°，水轮机原型效率高达96.26%，势必设法加大水轮机的通流流道，使结构刚度相对较小。导水叶端面间隙总和1.5～2mm，由于顶盖尺寸较大(Φ12.7及Φ13.3m)，顶盖运行中将出现下挠0.7～0.8mm，导叶处约为0.4～0.5mm，导叶端面间隙调整时应考虑上下端间隙的合理分配。转轮上下止漏环间隙分别为2.5～4.4mm及4.5～6mm，运行时大轴挠度等可为1.5～2mm，飞逸时转轮下止漏环位移及胀开可达3～4mm。因此，对端面间隙及止漏环间隙的调整，机组设计部门及安装单位均需综合分析确定。

发电机转子直径大(Φ18.43及Φ18.737m)，转子支架挠度达2.8～3mm。发电机定转子间气隙分别为34.6mm及31mm，运行中因离心力、电磁力及温升等因素，气隙将减小1～1.5mm，飞逸时及转子两点接地事故时气隙将减小5～8mm。下机架挠度达3.5～3.69mm，推力轴瓦下沉量分别可达0.15～0.3mm及1.5mm。在安装调整时需考虑这些结构的特点及参数。

发电机定子线棒为水内冷，其电流密度为空冷机组的1.5～2倍，线棒承受的电动力也比空冷机组大2.25～4倍。水内冷线棒的空心导线内孔分别为9.5×2.4mm及11×2mm。极易发生漏堵结垢、腐蚀问题。定子铁芯运行中直径膨胀可达4～6mm，VGS及ALSTOM分别采用预留热胀间隙及弹性斜立筋的方法，减少铁芯的热环箍应力，以防止铁芯翘屈，损伤线棒。

推力轴承的推力荷载分别为4850tf及5800tf，是世界上水电机组最大的推力轴承。设计的推力瓦温度为：正常运行时最高瓦温分别为79℃及80℃，飞逸时最高瓦温109℃及90℃，在机组甩负荷过速时最高推力瓦温可达90～100℃。

根据机组特点，机组安装时要求每一道工序工艺，每一个部件零件，以及装置材料，均应精心施工与检验，做到万无一失。

(二)三峡水轮发电机组安装的特点

安装工艺新，难度大。工地组焊工作量大、要求高(CO_2气保焊、中频钎焊、电阻钎焊等)。工地加工量大，精度要求高，最大切削量达3.5～4.0t，精度0.05～0.1mm。水内冷定子组装工艺要求特殊，环境要求高。系统多、接口多，公共系统有9个分系统，计算机监控系统约有40000多个I/O点。这些系统要逐点、逐回路(设备)、逐系统以及总体的安装及调试，做到不错不漏。高压电气设备工艺要求精细，这是高压电场及大电流的技术特点，小的毛刺、小的冲击可能导致大的问题。星点瑕疵，可导致大的事故发生。

针对上述安装特点及难点，安装单位应发扬“严、细、精”的优良传统。严密组织，严格的制度与措施，严谨的质量标准、工艺标准，严肃的操作实施。精心准备、精心科学试验、精心安装调试、精心管理。细致地控制工序及工艺过程、细致地检查工序质量及工艺质量、细致地检验与发现设备、设计、施工等问题。

务必使机电安装工作，包括每分项工程，每个工序、工艺，甚至每个零件、每个操作做到有组织、有计划、有步骤、有措施、按标准、有准备及研究试验。有布置检查、有精确可追忆记录地进行。

四、加强科学管理，保证机电安装工程质量

加强科学管理，特别是全面质量管理是保证机电安装工程质量的重要措施。质量、质量控制及质量管理如逆水行舟，要常抓不懈，否则会反弹，会出现纰漏，甚至重大事故。

中国国内25～30万kW机组及55万kW机组，国外大古力、伊泰普、古里电站机组，在安装、检修、运行中均发现、发生了不少问题。有些是安装检修问题，更多的是设备问题。有的导致重大事故，不得不更新改造。为此，应预见、预防及避免重大事故的发生。如：定子铁芯松动，定子水内冷线棒松动，空心导线漏堵蚀问题。转子磁轭松动，转动部件甩出、转动部件与固定部件碰撞问题。推力轴承瓦烧损问题。转轮叶片裂纹问题。水轮机主轴密封漏水问题。高压电气设备击穿烧损问题。监控系统误动作、误操作问题。

为做好全面质量管理,安装及监理单位应健全工作程序和制度。如质量安全技术责任制、工作及操作人员资质认证考核制、技术交底制、质量三检制、隐蔽工程检验制、永久设备检验制、各级资料审核发放制、交接班制、工地及工具管理制、工地安全防火制、工地环境管理制与外商联络制等。

这些制度要贯彻到每个工序及工艺之中。同时要加强工序及工艺全过程的控制,按照业主的要求健全与实施《工序质量卡、工序工艺卡、永久设备检查卡》制度。使安装工程质量的控制到细节,即每个工序工艺,甚至到每个操作步骤和每个零件安装。做到工序工艺全过程控制。

目前,三峡巨型机组安装已取得良好的成果。今后,在中国三峡总公司的领导下,全体机电安装、监理人员及设计人员,将不辜负党中央、全国人民的期望,再接再厉,勇于克服困难,全心全意,全力以赴,精心组织,精心安装调试,确保三峡机组的长期安全稳定运行。

表 1 三峡水轮机及国外大型水轮机的主要参数表

参数 \ 单位 \ 电站机组		三峡(VGS 产)	三峡(ALSTOM 产)	大古力Ⅲ(22# ~24# 机)	大古力Ⅲ(19# ~21# 机)	伊泰普	古里Ⅱ
额定出力	万 kW	71	71	71.3	61.1	71.5	61
最大出力	万 kW	76.7(85.2)	76.7(85.2)	82.7	71.8	74	73
定额水头	m	80.6	80.6	86.9	86.9	112.9	130
设计水头 Mpa($\eta=\eta_0$时)	m	108	108	92.96	92.96	118.4	138
最大水头	m	113	113	108.2	108	126.9	146
最小水头	m	61	61	67	67	82..9	111
最高效率	%	96.26	96.26	93	94.5	95.3	95.8
定额流量	m^3/s	995.8	991.8	930	815	680	512
额定转速	r/min	75	75	85.7	72	90.9(92.3)	112.5
比转速	m·kW	261.7	261.7	273	212	203.3	200.1
转轮进口周速	m/s	37.5	38.5	37.48	36.28	41.13	41.34
转轮叶片出口相对流速	m/s	39.3	40.9	42.6	38	39.43	49.11
转输直径(喉部)	m	9.4	9.8	9.223	9.296	8.1	7.16
导叶高	m	2.82	2.99	2.67	2.0	2.2	1.55
导叶中心圆直径	m	11.13	11.6	10.27	10.28	9.68	8.37
初生空化系数		0.161~0.065	0.189~0.065			0.158~0.128	
电站装置空化系数		0.279~0.137	0.275~0.135			0.281~0.18	
尾水管在力脉动(最大)	%	8	6		8.7	5.8	8-12
水轮机室噪声	dB	90	90		100~105	98.5	
转轮重	tf	407	445	460	408	295	155
水轮机总重	tf	1745	1809			738	
制造厂		VGS	ALSTOM	ASCGE	WH-DEM	NVOITH	JWGCGE
投产年份		2003	2003	1979	1975	1984	1984
水库来水泥沙含量 多年平均	kg/m^3	1.2	1.2				
水库来水泥沙含量 汛期	kg/m^3	1.61	1.61				
水库来水泥沙含量 最大	kg/m^3	10.5	10.5				
水库来水泥沙含量 d50>0.05mm	%	67.3	67.3				
水导瓦温度	℃	70	70				

表 2 **三峡水轮发电机及国外大型水轮发电机的主要参数表**

参数 \ 单位 \ 电站机组		三峡（VGS产）	三峡（ALSTOM产）	大古力Ⅲ（$22^{\#}$～$24^{\#}$机）	大古力Ⅲ（$19^{\#}$～$21^{\#}$机）	伊泰普	古里Ⅱ
额定功率	万 kW	70	70	70	60	70	70
最大功率	万 kW	75.6	75.6				
短时最大功率	万 kW	84	84				
定额容量	MVA	777.8	777.8	718	615	823.6	778
最大容量	MVA	840	840	825	707	823.6	805
额定功率及最大容量时功率因数	cosΦ	0.9	0.9	0.975	0.975	0.85	0.9
额定电压	kV	20	20	15	15	18	18
额定电流	A	22453	22453	27634	23686	26417	24947
最大额定功率时电流	A	24249	24249				
额定效率	%	98.75	98.77	98.6	98.37	98.6	98.69
额定转速/分离转速	r/min	75/105	75/105	85.7	72	90.9/104.5	112.6
飞逸转速	r/min	150/30min	150/5min	158	144	170	215
定子槽数	个	510	540	540			
定子绕组		波绕 5 支路并联					
每极每相槽数		17/8	9/4				
定子绕组电流密度	A/mm²	5.2	3.77				
定子绕组最大电密	A/mm²	5.6	4.07				
定子绕组纯水装置散热容量	kW	4500	5172.5		空冷	4714	空冷
定子绕组纯水装置纯水流量	L/s	42	47(40，跳闸)			42	
定子铁芯内径	m	18.5	18.8	18.79	18.3	16.0	13.65
定子铁芯高	m	3.13	2.95	2.13	3.48	3.5	3.8
转子励磁电压	V	409	497.1	378	312.5	230	482
转子励磁电流	I	3940	4345	4090	3360	9000	3200
励磁顶值电压	V	1189.4	1556	1462		1380	1983
励磁顶值电流	A	7880	8690			10000	
转子绕组电密	A/mm²	1.94	2.42				
励磁顶值时转子绕组电密	A/mm²	3.88	4.83				
推力轴承负荷	tf	4050（4850 最大）	4100（5800 最大）	4700	4100	4250	2667
推力瓦压强	Mpa	4.18	4.17		7.0(水冷)	4	4.6
定子铁芯扼部压紧强度	Mpa	1.1	1.4	2.2		1.89	4.0
转子磁轭压紧强度	Mpa	2.8	18.0				4～5
定子重	tf	707	804	577	975	692	740
转子重	tf	1694	1779	1400	1760	1961	1244
发电机总重	tf	3143	3333	2500	3421	3548	3800
推力轴承瓦温	℃	79/109	80/98				
定子绕组纯水温(进/出)	℃	38/65	38/65				
转子励磁绕组温升	°k	75	75				
制造厂		西门子	ABB	(加)CGE	德西屋	西门子	东芝、日立、三菱、西屋

表 3－1 水轮发电机组结构及安装主要特征（VGS 机组）

	部件名称	全部工地组装（叠片下线）	工地组装焊接（或螺接）	工地加工	工地电接头焊接（或螺接）	工地纯水接头焊接（或螺接）	工地铰销钉	工地安装调整	说明
水轮机	座环		√（焊接）	√					①最大加工量 6～18mm 钻孔螺丝：M80mm 螺栓孔 186 个，M64 孔 72 个，Φ50 销钉孔 96 个。②加面水平≤0.13mm。③上环板（顶盖座板）与底环座板加工面距离误差≤±0.15mm。④上下环板镗口半径误差≤0.3mm。⑤固定叶 23 个，高 2826mm。⑥上环板镗口直径 12308mm。⑦座环重 440t。⑧固定叶的安置角 54.6°、52.6°。
水轮机	顶盖		√（螺接）				√	√	①4 瓣，Φ12720×2267mm，重 300t。②密封条位于座环端面。③上止漏环间隙 2.5～3.28mm。④安装螺栓 M80mm，168 个，销钉 Φ60，24 个。
水轮机	底环		√（螺接）				√	√	①4 瓣，Φ12290×510mm，重 85t。②密封条在座环下环板侧面镗口处。③下止源环间隙 4.5～5.34mm。④安装螺栓 M64mm，72 个，销钉 Φ50，96 个。
水轮机	导水叶		√（螺接）				√	√	①导叶轴偏心率 1%，导叶全开角 42～45°。②导叶高 2816mm。③导叶端面间隙：上部为 1.0±0.2/0.15mm，下部 0.6±0.45/0mm。④导叶数 24 个，每个重 9.6t。
水轮机	转轮		√（螺接）					√	①材质 ASTM、A743 Gr CA－6NM，13 叶片。②最大外径 Φ10.07m，重 407t。③与大轴螺接。④转轮上冠无泄压孔。⑤X 型叶片，30°。
水轮机	主轴		√（螺接）				√	√	①上下端法兰为内法兰。②与转轮联接为 28 个套筒螺栓，套筒 Φ280mm，螺栓 M160mm。③与发电机大轴联接为 20 个 Φ250 螺杆，螺丝 M245，工地同铰。④轴心补气管 Φ500mm。⑤主轴密封为端面密封，线速度 15.8m/s，清水压力 0.2～0.5Mpa。⑥主轴 Φ3800×6300mm，重 114t。
水轮机	水导轴承		√（螺接）				√	√	①分块轴瓦，24 块，尺寸 250×250×100mm。②油外循环冷却。油量 3.7m^3。③轴瓦间隙（单侧）0.15～0.2mm。④总重 8t。
水轮机	调速器							√	①数字式电液调速器 DIGIPID1500，主配压阀 DN250mm。②额定工作油压 6.3Mpa。
水轮机	水轮机透平油总量								30m^3

续表 3－1

发电机	定子	√	√ （CO_2 焊接）		√（钎焊）	√（钎焊）	√		①机座组焊：母材 ASTM，A36m，1 扇片为非磁性钢 X35Mn18，CO_2 焊，焊缝长 72m，焊丝重 700kg。②铁芯分 56 小段，冲片厚 0.5mm，两面有水乳性绝缘漆，共厚 0.016～0.024mm。冲片共 5600 层，32136 片。定位筋 170 个，M42 压紧螺栓 170 根。螺栓在铁芯外圆外边。③定位筋与托板及冲片间共有 1.5＋0.5mm 间隙，供铁芯热膨胀。④上下层线棒共 1020 个，q＝17/8。每线棒内铜空心导线。内孔 9.5×2.4mm，壁厚 1.35mm。线棒主绝缘厚 4.6 mm。槽楔有波纹垫条。⑤电及纯水接头银铜钎焊。中频焊及电阻焊，电接头 1219 个，水接头 1020 个。⑥进线棒的纯水分支路 174 个，除 4 分支串 4 个线棒外，其余均串 6 个线棒。⑦铁芯圆度误差±0.84mm。⑧定转子气隙 34.6±1.42mm。⑨定子绕组整体耐压 43kV，50Hz，1min。⑩定子线棒电水接头用不注胶绝缘盒屏障。
	转子	√	√ （CO_2 焊接及 SMAW）		√（钎焊）		√	√	①转子支架（圆盘式）组焊：材质 ASTM A36，CO_2 焊及 SMAW，焊缝长 151m，焊丝 2.5t。②转子磁轭分两大段分别在紧，有径向键，扭力键。③磁轭热打键单侧胀量 3mm。④转子冲片厚 4.78mm，658 层，共 13500 片。压紧螺栓 M39，1440 个。⑤转子圆度误差≤1.34mm。⑥转子绕组整体耐压 5000V，50Hz，1min。⑦转子支架挠度 3mm。
	大轴		√（螺接）				√	√	①大轴（下端轴）法兰均为内法兰，与转子中心体联接为 M170 螺栓 20 个，Φ100 水平销 20 个。②大轴尺寸 Φ3800×4000mm，重 88t。③上端轴 Φ2700×3975mm，264t，外法兰，与转子中心体联接，20 个 M100mm 螺栓，Φ30mm 水平销 10 个。
	下机架		√ （CO_2 焊接及 SMAW）	√					①6 支臂。②下机架尺寸 Φ16090×4047mm，重 320t。③下机架材质：ASTM A36，工地焊接支臂与中心体，CO_2 焊及 SMAW。④下机架挠度 3.5mm。⑤工地加工，并钻推力环销孔。
	推力轴承							√	①小弹簧支撑式（每瓦 94 个蝶形弹簧组），钨金瓦 28 块。②瓦承压强度 4.18Mpa，最小油膜厚＞0.03mm。③有高压油顶超装置。④油外环循环冷却。
	导轴承							√	①上导轴瓦间隙（单侧）0.25mm。16 块瓦。油内循环冷却。②下导轴瓦间隙（单侧）0.5mm。42 块瓦。油外循环冷却。
	上机架		√ （CO_2 焊接）						①16 支臂，与风罩基础 8 处支撑。②尺寸 Φ21350×792mm，重 92t。③工地焊接支臂与中心体，CO_2 焊。
	透平油总量								15.5m^3

表 3－2 水轮发电机组结构及安装主要特征（ALSTOM 机组）

序号	部件名称	全部工程组装（叠片下线）	工地组装焊接（或螺接）	工地加工	工地电接头焊接（或螺接）	工地纯水接头焊接（或螺接）	工地铰销钉	工地安装调整	说明
水轮机	座环		√（焊接）	√					①上环板及底环座板 Φ170mm 孔，深 3 mm，锪平，共 270 个。钻孔攻丝：M72mm，螺栓孔 210 个。调整垫片加工 270 个，厚度按实测，误差±0.02mm。②座环上下环板镗口加工，半径误差≤0.13mm。③上环板镗口直径 Φ13280mm。④固定叶 24 个，高 3000mm。⑤座环重 350t。⑥固定叶安置角 64.63～64.69°。
	顶盖		√（螺接）				√	√	①4 瓣，Φ13290×2275mm，重 380t。②密封位于座环镗口（侧面）。③上止漏环间隙 3.4～4.4mm。④安装螺栓 M72mm，168 个，销钉 ϕ50，6 个。
	底环		√（螺接）				√	√	①4 瓣，Φ13270×700mm，重 110t。②密封位于座环镗口（侧面）。③下止漏环间隙 5～6mm。④安装螺栓 M72mm，24 个，销钉 ϕ50，24 个。
	导水叶		√（螺接）				√	√	①导叶轴偏心率 1%，导叶全开角 39～41°。②导叶高 2990mm。③导叶端面间隙：上部为 0.1mm，下部 0.4～0.7mm。④导叶数 24 个，每个重 9.5t。
	转轮		√（螺接）					√	①材质 ASTM、A743 Gr CA－6NM，15 个叶片。②最大外径 Φ10600mm，重 445t。③与大轴螺接。④上冠处有 Φ196mm 泄压孔 15 个。⑤X 型叶片，60°。
	主轴		√（螺接）				√	√	①上下端法兰为内法兰。②与转轮联接为 Φ220mm 沉头螺栓，20 个，螺丝为 M160mm。③与发电机大轴联接为 30 套筒螺栓，套筒为 Φ205mm，螺栓 M110，工地同铰孔。④轴心补气管 Φ600mm。⑤主轴密封为端面式，线速度 16.1m/s，清水压力 0.2～0.5Mpa，允许磨损 12mm。⑥主轴 Φ4000×6680mm，重 110t。
	水导轴承		√（螺接）				√	√	①分块轴瓦，12 块，瓦尺寸 430×430×130mm。②油外循环冷却。③轴瓦间隙，单侧 0.3mm。
	调速器								①数字式电液调速器 DIGIPID1500，主配压阀 DN250mm。②额定工作油压 6.3Mpa。
	透平油总量								$30m^3$

续表 3－2

发电机	定子	√	√ （CO_2 焊）	√ （齿压板压指加工）	√ （钎焊）	√ （螺接）	√		①斜立筋机座，机座组焊：母材 ASTM，A36m，CO_2 焊，焊缝长 22. 65m，焊丝 150kg。②铁芯分 47 小段，冲片厚 0. 5，两面有水乳性绝缘漆，共厚 0. 016mm。冲片共 5400 层，313728 片。定位筋 180 个，铁芯压紧螺栓 M20，螺杆 Φ24，共 270 根。有绝缘套及垫。③定位筋与冲片径向只有 0. 3mm 间隙，铁芯热膨胀由机座斜立筋弹性变形配合。④上下层线棒共 1080 个，q＝9/4。每线棒内 6 根不锈钢空心导线。内孔 11×2mm，壁厚 1 及 1. 25mm。线棒主绝缘厚 4. 6 mm。槽楔内有波纹垫条。⑤电接头银铜中频焊。水接头螺接，电接头 1307 个，水接头 1080 个。⑥进线棒的纯水分支路 180 个，6 个线棒串联为 1 分支路。⑦铁芯圆度误差 ±0. 75mm。⑧定转子气隙 31 ± 1mm。⑨定子绕组整体耐在 43kV，50Hz，1min。⑩定子线棒电水接头用不注胶绝缘盒屏障。⑪穿心压紧螺栓间及对地绝缘电阻为 15MΩ(20℃)。
	转子	√	√ （CO_2 焊及 SMAW）		√ （螺接）		√	√	①斜支臂（32 个）。圆盘支架组焊：材质 S355 J2G3，CO_2 焊焊缝长 350m，焊丝 3. 2t。②转子磁轭为一段，有 32 对键。③磁轭热打键单侧胀量 5mm。④转子冲片厚 3mm，共 1058 层，2. 1 万片。压紧螺栓 M42mm，1280 根。⑤转子圆度误差≤±1mm。⑥转子支架挠度 2. 8 mm。⑦转子绕组整体耐压 5000V，50Hz，1min。
	大轴		√ （螺接）				√	√	①下端轴法兰为外法兰，与水轮机轴连接，上端为内法兰与转子中心体相联，20 个套筒螺栓，套筒 Φ240/mm，螺栓为 M140mm，现场同铰。②下端轴 Φ2700×3975mm，106t。③上端轴 Φ2710×2215mm，68t，与转子中心体连接，M100 螺栓 20 个，Φ52 销钉 4 个。
	下机架		√（螺接及焊接）						①16 个斜支臂，工地焊接支臂与中心体，CO_2 焊。②尺寸 Φ15100×4880mm，重 396t。③下机架挠度 1. 74mm（无水推力）及 3. 69mm（有水推力）。
	推力轴承							√	①不同直径圆柱（每瓦 34 个圆柱）支撑在厚托瓦上，托瓦下为 1 个抗重螺柱，钨金瓦 24 块。②瓦承压强度 4. 17Mpa，最小油膜厚＞0. 06mm。③油外循环冷却。④有高压油顶超装置。⑤瓦下沉 0. 15mm（无水推力），0. 3mm（有水推力）。
	导轴承							√	①上导轴瓦间隙（单侧）0. 3mm。10 块瓦，油内循环冷却。②下导轴瓦间隙（单侧）0. 6mm。16 块瓦。油外循环冷却。
	上机架		√ （CO_2 焊）					√	①20 个斜支臂，工地焊接支臂与中心体，CO_2 焊。②尺寸 Φ23200×2678mm，重 140t（含轴承）。
	透平油总量								$30m^3$

综　　述　Ⅳ

崛起的新城——忠县移民新城一隅

概　况

三峡建委办公室工作

一、围绕重要会议，做好协调服务工作

配合国务院办公厅，为5月31日朱镕基同志主持召开的国务院三峡工程建设委员会(以下简称三峡建委)第十次全体会议做准备工作，并落实会议的决定事项。会同三峡建委移民开发局，为7月16～18日国务院三峡工程移民暨对口支援工作会议的召开做准备工作，并提出有关库区移民工作和对口支援工作的一系列政策措施。组织召开三峡工程重大装备工作会议。

二、协调研究三峡工程建设有关重大问题

组织三峡二期工程验收大纲编制工作。提出总体要求，组织中国三峡总公司、移民开发局和国家电力公司分别编制验收工作大纲并分别召开工作大纲审查会。协调并上报国务院验收委员会成员组成名单。

组织协调施工期通航中的重要问题。组织召开办公会议，协调确定安全水域的范围；制定翻坝方案，解决蓄水期碍航和断航问题；协调三峡工程通航管理体制问题，基本达成一致意见。

组织开展三峡工程分期蓄水、防洪动库容和泥沙研究工作。主持召开有关专题会议和专家审查会，并批准会议纪要转发有关部门、单位。

开展从三峡水库引水入渭济黄、济华北工程的研究。在大量研究的基础上，提出从三峡水库引水入渭济黄、济华北比较完整的方案。这一方案无论是长远效益，还是投资规模都具有突出的优点。国务院领导已批转国家计委、水利部深入研究。

开展三峡电站电价和电能消纳研究。提出的三峡电站电能消纳方案已经国务院批准。

三、开展三峡枢纽工程、移民工程稽察，完成输变电工程稽察准备工作，加强枢纽工程质量检查工作

继续对枢纽工程进行稽察，2001年度的枢纽工程稽察报告分别征求有关单位意见并上报国务院。2000年11月首次对库区移民工程进行稽察，稽察报告已转送库区各地认真整改。输变电工程的稽察工作在多次调查研究和与有关部门、单位多次协调的基础上，确定了稽察范围、对象、形式和工作程序，拟定了稽察工作方案，国务院领导已作重要批示。

为进一步加强对枢纽工程质量检查和监督，1999年，三峡建委成立由钱正英同志为组长、张光斗同志为副组长的质量检查专家组，定期对枢纽工程质量进行检查评估，保证了三峡枢纽工程的质量。三峡建委办公室(以下简称三峡办)主动配合专家组工作，积极为专家组提供服务。

四、做好三峡库区移民和对口支援工作

进一步做好农村移民外迁安置工作，积极鼓励和引导更多的农村移民外迁；抓紧解决135m水位线以下的移民工作进度滞后问题，以便合理安排移民补偿资金；进一步提高就近后靠移民的安置质量；进一步加大库区搬迁工矿企业结构调整工作力度；进一步加大对口支援工作力度，在动员和引进民营企业参与库区的建设方面做大量工作。

五、协调重大装备和科技攻关项目的组织管理工作

积极参与三峡—广东直流工程国产化工作并参加国家计委成立的国产化领导小组；参与组织协调“十五”攻关项目的立项及“九五”重大装备科研攻关项目的验收工作、组织“九五”重大装备研制“三峡水利枢纽工程”各专题的验收、参加机组和输变电“十五”立项的专家审查会；协调第二重型机械厂承担三峡工程左岸机组转轮不锈钢铸件的有关工作；参与“输变电系统优化补充研究”专家评审会；组织“永久船闸不架设防护网协调会议”和“三峡电站厂用电优化方案”专家评审会及会后的有关工作；参与协调中国三峡总公司“梯调中心及厂内计算机监控系统”评标工作等。

六、会同有关单位，做好环境保护和地质灾害防治工作

参加分别由国土资源部和环保总局牵头的三峡库区地质灾害防治工作领导小组和水污染防治领导小组。协调编制完成三峡库区地质灾害防治总体规划，全面展开影响2003年135m水位蓄水的各类地质灾害防治工作，下达地质灾害防治项目和四大滑坡体防治的前期费用。积极推进水污染防治工作，配合国家环保总局和国土资源部编制规划。全面整改三峡库区生态与环境监测系统，组织有关单位对库区现存垃圾进行调查。

七、加强三峡工程宣传工作和国际交流活动

会同国务院新闻办，组织国内外记者集体采访三峡库、坝区活动；会同中国三峡总公司参加外经贸部组织的阿联酋"中国工程与技术展览会"、协调有关三峡重大装备制造国内厂家参加国家经贸委组织的"科技创新展览会"；组织召开三峡工程建设宣传工作座谈会；完成出访任务6批13人次；完成外宾接待任务15批40人次；就召开"三峡高效生态农业国际研讨会"赴三峡库区开展调研工作。

八、进行机构改革，适应三峡工程建设新要求

年初，根据三峡工程的进展情况和任务重点的变化，按照科学分工与人员合理配置的原则，率先对三峡办机构进行适当调整。下半年，为进一步适应三峡工程建设繁重任务的要求，三峡办、移民开发局党组和监察局领导经过慎重研究，并报国务院领导同志批准，决定将3个机构合并为新的国务院三峡工程建设委员会办公室(兼挂"国务院三峡工程建设委员会三峡工程稽察办公室"牌子)。通过精简机构、减少工作层次，适当调整内设机构、统一调配人员的办法提高办事效率，更好地适应三峡工程建设的需要。

(沈星原)

三峡建委系统党风廉政建设和反腐败工作

一、领导干部廉洁自律工作

认真落实领导干部配偶、子女从业的有关规定。三峡建委系统处级以上领导干部的配偶、子女，不准在三峡枢纽工程和移民工程中承接建筑工程项目，不准从事与枢纽工程和移民工程建设相关的有偿中介活动和各种业务咨询活动。认真开展清理领导干部收送现金、有价证券工作。清理结果，共有42名干部主动上交收受的现金、有价证券，累计折合人民币23400元；3名司局级干部先后5次自觉拒收现金、有价证券，累计22500元。认真开展对处级以上领导干部因私出国(境)护照的专项清理工作。经摸底登记，3名干部持有因私出国(境)旅游或探亲护照，未发现持有赴港澳通行证、外国居留证等。全体处级以上干部认真执行收入申报制度、礼品登记制度，自觉报告个人重大事项，主动接受党内监督。

二、查办案件工作

共受理信访举报64件(次)。受理案件线索10件。其中，了结3件，转立案4件，尚在办理的3件。查结的4个案件中，违反财经纪律2件2人；职务侵占1件3人；骗取银行贷款1件1人。移送司法机关处理3人。通过查办案件，挽回经济损失365万元。

三、移民资金监管工作

协调督促三峡库区各级移民资金监督网，全面完成审计整改工作。湖北省和重庆市对《审计决定》指出的1999年度违纪资金全部归垫到位。

三峡建委监察局(以下简称监察局)会同中央纪委研究室、执法监察室和移民开发局组成联合调查组，赴山东、江苏、福建、浙江，对外迁移民资金使用管理情况进行专题调查，并建立与有关省市纪检监察部门的联系制度。通过调查督办，接收外迁移民的有关省市把移民资金监管工作列入纪检监察部门的议事日程，普遍制定监管办法和措施，定期开展监督检查，切实做到专款专用。监察局会同最高人民检察院职务犯罪预防厅在重庆市召开移民资金案件分析会，就三峡工程开工以来查办案件的情况，进行深入的分析，从理论与实践的结合上，深刻剖析案件的成因、特点及规律，认真查找管理中存在的漏洞和薄弱环节，就如何进一步加强监管，有效遏制违纪违法案件的发生，提出对策和措施。

监察局组团赴埃及和美国分别考察埃及南部和西奈半岛大型水利工程建设及资金管理情况，美国西部水资源开发利用、环境保护及资金管理情况，并就进一步加强三峡工程建设资金和移民资金的管理提出建议。

四、反腐败工作

改革行政审批制度，规范行政审批权力。各单位对原有行政审批项目进行认真清理，对可以取消的行政审批项目予以取消。三峡建委办公室通过清理，对需要保留的行政审批项目，建立健全权力监督制约机制，规范审批程序，坚持重大问题提交党组会议或主任办公会议集体讨论决定。

积极推进干部人事制度改革，加强对干部提拔任用情况的监督检查。各单位提拔任用干部，人事部门在提请党组讨论前，均做到主动征求纪检监察部门的意见。提拔任用司级以下干部均实行任前公示制度，提高干部人事工作民主、公开、竞争的程度。

按照中央关于财政制度改革的统一要求，强化资金监管。三峡办和移民开发局、监察局3个单位在银行开户账号共有28个，经清理整顿，保留24个，撤销4个，未发现私设账户、公款私存及其他违纪行为。

主动介入，加强预防，不断规范建筑市场管理。中国三峡总公司监察室先后40多次参与工程建设项目、物资设备采购和金属设备安装等招投标工作的全过程监督，及时查处和纠正违规违纪行为。会同坝区工商分局，对三峡建筑市场开展阶段性专项检查，共清退不符合资质要求的劳务人员1296人。

五、党风廉政工作

结合纪念建党80周年，组织党员干部参观图片展览，参加党的知识竞赛，使大家重温党章和党纪条规，从中受到党风党纪和党的优良传统教育。学习移民工作先进人物冉绍之、汪洋湖事迹，增强人民利益高于一切的观念。中国三峡总公司坚持抓好每季度一次的党风廉政教育日活动，全年共有974人次参加此项活动。通过学习党纪政纪条规，巡回播放反腐败录像片，通报案件查处情况，开展党风廉政建设知识测试活动，组织七级以上党员干部对照国有企业领导干部廉洁自律的有关规定，认真自查自纠等，增强领导干部的遵纪守法、廉洁自律意识，为三峡工程建设的顺利进行提供精神动力和思想保证。各级领导坚持把责任制作为一项政治纪律认真执行，对党风廉政建设和反腐败各项任务进行分解，做到分工明确，责任到人。移民开发局党组对近几年内部发生违纪案件的有关单位领导进行了责任追究。责成有关人员作出书面检查，并在全局通报批评。

六、监察队伍的自身建设

各单位纪检监察干部认真学习江泽民总书记"七一"重要讲话和十五届六中全会精神，努力把"三个代表"要求贯彻于纪检监察工作的全过程。先后集中进行理论学习4次，计40多人次。选派干部参加中纪委举办的培训班2人次；参加国际形势及WTO知识讲座20多人次。认真贯彻六中全会精神，加强作风建设。监察局会同移民开发局先后派出5个调查组，深入到移民资金监管工作第一线进行调查研究，摸清情况，提出建议。中国三峡总公司监察室在办案工作中，恪尽职守，秉公执纪，不怕威胁，不受利诱，顶住说情风，不怕得罪人。2名同志被评为湖北省经贸系统优秀纪检干部，1名同志被评为中国三峡总公司优秀共产党员。

（夏开良）

工　程　管　理

三峡工程建设管理概况

一、强化项目管理，落实岗位责任制

继续实行工程建设管理、设计管理、三方经济协调等例会制度，及早协商解决工程建设中出现的问题；深入施工现场，及时掌握现场出现的新情况、新问题，加大协调力度；合理配置资源和生产要素，增强工作预见性和前瞻性；探索在右岸项目部和机电安装项目部采用项目管理与监理联合办公的管理模式，加强业主现场协调管理力度。合同管理坚持"公开、公平、公正"原则，全年签订合同233个，总金额154608.60万元；依据合同管理原则，加快合同变更、索赔、竣工决算及重大合同经济问题的处理，完成合同变更及索赔277个，核定金额24122.26万元。

二、进一步强化质量管理

认真贯彻三峡枢纽工程质量检查专家组意见，积极研究整改方案和措施，并严格监督实施；在设立质量特别奖和补充完善《三峡工程质量标准》的基础上，加大质量保证体系的落实和质量奖惩力度；规范质量总监办公室工作，充分发挥其技术权威和专业优势；全面实施单元工程施工工艺设计制度，严格执行工艺传递卡和工艺指导书制度，规范记录表格等，确保混凝土浇筑质量；为确保工程不留隐患，对已浇筑的混凝土展开全面质量检查和缺陷处理，消除一切质量隐患；严把设备制造出厂质量关，严格产品出厂检查验收，把设备制造质量缺陷和隐患消除在设备出厂前；加强金结设备和机组埋件安装质量监控，严格控制安装精度，狠抓测量控制，加强现场工艺过程检查，全面提高质量控制水平。

三、建立安全管理体制

从规范安全帽、安全绳佩戴等基础工作抓起，做到以人为本；举办各种培训班，开展典型事故安全警示教育、危险预知分析；制定《加强三峡工程安全生产管理的措施》；认真执行现场日常巡查制度，发现隐患，限期整改；定期召开安全生产周例会，分析当前安全生产形势，提出阶段管理目标和措施，对安全隐患提出整改意见；完善安全奖惩制度，建立安全专项基金，对严重违章情况执行停工整改、通报、经济处罚和离岗学习制度。全年发生施工死亡10人，重伤13人，与2000年相比，施工死亡事故、重伤事故明显下降。

四、探索工程建设管理新模式、新方法

2001年，三峡工程建设逐渐由混凝土施工转向金结埋件及机组安装，工作头绪多、生产关系复杂、协调工作量大，为确保机电埋件、机组安装工作顺利进行，及时组建机电安装项目部，实行项目管理与监理管理合并办公方式，加强质量、安全、进度控制，加快信息反馈，提高决策准确性。

五、加强技术创新和设计管理

密切注视科学技术的发展动态，积极推广新科技。在采用MY－BOX技术、WISA模板、X404高效减水剂取得初步成果的基础上，进一步推广采用节安螺栓、帷幕灌浆提高孔口段灌浆压力、压力钢管全位置自动化焊机应用等，提高三峡工程现代化施工技术水平和工程质量。为确保三峡工程设计质量，做到设计工作不留隐患，在抓好优化设计和限额设计的同时，要求长江水利委员会设计院组织力量加强设计复核，消除因考虑不周所带来的设计缺陷。加强现场设计交底工作，使监理、施工人员充分理解设计意图，做到在施工实践中不断优化设计，方便施工，提高设计质量。

六、进一步规范和强化监理管理

为提高监理人员素质，与水电监理协会在三峡工地举办第五期监理工程师培训班和第六期全国水电总监理工程师研修班。针对监理单位出现人员思想不稳定、管理工作松懈的现象，及时与各监理中心及其总院领导座谈，共同研究应对措施，稳定思想，扭转监理工作的被动局面。明确监理单位的人员组成、素质要求、岗位职责和工作程序，建立切合实际的激励机制，促使监理管理工作规范化、制度化。加强现场监理工作力度，提高现场工作效率，充分发挥监理工程师对工程质量、进度、投资的管理协调作用。

七、做好防汛度汛工作

为确保三峡工程安全度汛，按照国家防汛抗旱总指挥部有关批示精神和工程度汛标准，结合施工度汛特点，吸取以往工程度汛经验教训，加强水文气象信息采集、预报和发布工作；督促各参建单位采取积极有效措施，加强重点部位的防汛工作，保障了三峡工程2001年安全度汛。针对2001年应急转运工作的新特点，及时调整应急转运方案，明确各方职责，精心组织，周密布置，保证了汛期通航任务顺利完成。2001年累计疏运船舶194艘次、车辆3863台次，没有发生安全事故，圆满完成转运任务，实现国务院三峡建委提出的“安全、畅通、有序、优质”的总体目标。

八、开展工程阶段性验收、安全鉴定工作

按照中国三峡总公司要求，组建验收办公室加强对工程验收工作的指导和检查；积极开展验收准备工作，为工程验收提供系统、完整、准确的工程设计和施工资料，对工程质量的全面检查和评价做出详细安排，确保质量事故和缺陷得到认真处理，不留任何影响工程安全运行的隐患。配合工程蓄水验收前必须完成的工程建筑物安全鉴定工作任务，着手建筑物安全监测资料的综合整理分析和投入运行后的运行管理安排。

九、规范坝区管理

三峡工程坝区以创建“安全文明（单位）小区”为突破口，加强三峡工程坝区社会治安综合治理工作。年初与三峡工程各参建单位及周边地区50个单位签订社会治安综合治理目标管理责任书；开展企地共建活动，组织参建单位与周边四镇及乡村签订公约，结成共建对子95个；认真组织创建“安全文明（单位）小区”活动考核评比工作，分别对5个施工区、14个生活办公区、98个参建单位进行全面认真考评，优良率达到80％；严格贯彻《消防法》，加强三峡工程坝区消防安全管理；加强施工现场管理力度，实施重点部位封闭管理，保障工程建设顺利进行。

十、开展精神文明创建活动

充分发挥三峡工程坝区精神文明建设指导委员会的指导、协调作用，紧紧围绕三峡工程建设的实际，以现场的文明施工为重点开展创建工作，推动三峡工程坝区精神文明创建工作向纵深发展。以纪念建党80周年为契机，组织全体三峡建设者开展不同形式的纪念活动，全面提高建设者素质。

（李先富）

三峡工程质量管理

2001年初，中国三峡总公司提出“零质量事故”管理目标。围绕这一目标，各参建单位完善质量保证体系，落实各级人员岗位责任制，提高质量管理的预见性，加强现场质量工艺过程控制，抓制度和措施的落实，三峡工程2001年度的施工质量进一步提高。

一、质量管理工作的主要措施

（一）坚持质量意识教育

党中央和国务院领导对三峡工程的质量十分关注，朱镕基总理针对三峡工程的质量问题多次发表重要讲话，全体三峡建设者通过学习和领会“讲话”精神，质量意识进一步提高。

（二）学习领会质量检查专家组的指示和意见

参建各方对照国务院三峡枢纽工程质量检查专家组组长钱正英副主席的讲话及专家组成员的发言和质量检查报告，提出具体的整改内容，部署了落实措施及工作安排。

（三）完善质量标准

根据工程进展情况及实际需要，在已编制的“中国长江三峡工程标准”系列基础上，颁布实施《长江三峡水利枢纽启闭机设备制造安装质量检测及等级评定标准》等标准，为三峡工程质量控制提供技术保障。

（四）制定统一的施工工艺要求

中国三峡总公司质量总监办牵头，与长江水利委员会（以下简称长江委）设计代表局一起组织参建各方共同制定一系列工艺要求，并将执行情况作为质量奖罚考评依据。这些施工工艺细则的制定，对提高工艺水平，改进工艺作风起到积极的作用。

（五）加强对监理的检查监督

中国三峡总公司与各监理单位签订监理工作年度工作协议和考核奖励协议，从质量、进度、安全和信息管理等方面，强化对监理的监督考核。为提高监理人员素质，中国三峡总公司和水电建设监理协会联合在工地举办了水电监理工程师培训班和总监培训班。

（六）发挥专业质量总监的监督作用

在保留原有2名混凝土专业质量总监的基础上，相继聘请4名机电专业质量总监和1名金结专业质量总监，进一步充实专业质量总监的力量，更好地实现对机电安装和金结方面的质量监督。

专业质量总监每周将现场发现的施工问题发送到项目部及监理单位并要求整改。结合工程实际情况，将总监工作例会调整为质量检查及缺陷处理工作例会，定期通报工作进展情况并研究解决存在的问题，建立缺陷处理日报和周报制度，保证缺陷处理的质量和进度。

（七）对混凝土进行全面质量检查和缺陷处理

中国三峡总公司组织各标段按具体部位及工作面成立质量检查与缺陷处理四方工作小组，研究解决有关问题，保证质量检查和缺陷处理工作的顺利完成。制定《三峡二期土建与安装工程项目工程质量检查与施工质量缺陷处理费用补偿实施办法》（试行），从经济上保障质量检查和缺陷处理工作的正常进行。

为全面检查三峡混凝土工程施工质量，在合同项目参建各方自检的基础上，中国三峡总公司选定专业化的施工队伍对混凝土质量进行终检钻孔取芯检查，严格按制定的检查标准对混凝土质量进行评定，对不合格钻孔严格按要求处理并进行扩大检查，消除一切混凝土质量缺陷。

（八）完善机电安装项目管理

根据三峡枢纽质量检查专家组的建议，中国三峡总公司成立机电工作协调领导小组，由一位副总经理担任组长，每周召开会议，及时解决有关金结和机电设备从采购、制造到现场安装调试的全过程协调，并加强对中国三峡总公司招标公司、设备部、机电工程部、工程建设部的机电安装项目部等部门之间的协调。同时，中国三峡总公司将机电安装项目管理与机电安装监理两部门合并，成立三峡左岸电站机电安装项目监理部，以加大对金结机电的监督和协调力度。

（九）加强金结设备和机组埋件制安质量控制

中国三峡总公司提出“关于加强金属结构设备和机组埋件安装质量控制的几点意见”。严格控制安装精度，抓测量控制以及加强施工现场工艺过程检查，对现场安装监理工作提出具体要求，全面提高过程质量控制水平。

中国三峡总公司设备部会同质量总监办、金结检测中心及各设备制造监理共同制定《三峡工程金属结构及启闭机设备制造质量问题分类暂行规定》，严格重要部件和产品的出厂检查验收。

二、提高现场施工质量的具体措施

（一）采用高质量模板

为确保大坝过流面及坝体上、下游长期外露面的混凝土质量，泄洪坝段表孔侧墙过流面使用芬兰模板，非过流面使用大型平面悬臂钢模板或芬兰板；在转角、止水片、拦污栅、坝后背管部位采用定型钢模板；每个坝段模板缺口部位采用相应尺寸的定型钢模板，不得采用散装钢模板和木模板补齐；及时维修、更换损坏的模板，使模板表面平整度满足合同要求。研制专用的连接角模，解决转角部位跑模、漏浆问题。设计并加工制作底口带止浆橡皮和压浆板的模板，以解决层面结合处因浆液流失导致的架空、麻面问题。

（二）提高止水安装质量

采用定型模板、止水支架、定型接头、沥青麻丝填料在厂内加工预制成型，对止水周边混凝土实施专人把边振捣等措施，保证止水片正确固定。

（三）在高流速部位采用纤维混凝土

为提高过流面高标号混凝土的早期抗裂和抗冲、耐磨性能，在左导墙部位进行纤维混凝土现场生产试验，试验结果表明纤维混凝土比普通抗冲磨混凝土劈拉强度增长10％～20％，抗冲耐磨性能提高1.4～2.0倍。已在泄洪坝段深孔和导流底孔跨缝板部位使用。

（四）全面使用节安螺栓

从2001年7月开始，混凝土永久外露面的模板拉筋的安装全部采用节安螺栓或套筒螺栓，避免切割钢筋引起的混凝土表面损伤及钢筋的表面锈蚀。同时研制成功新型套筒螺栓及施工工艺，并在此基础上研制专门工具进行螺栓孔的修补。

（五）提高过流面混凝土的表面质量

为提高大坝过流面混凝土浇筑抹面质量和抹面工效，研制桥式抹面振捣机，经过试验，各项性能良好，已在泄洪深孔和表孔底板中使用。

（六）优化混凝土施工配合比

调整减水剂的掺量，解决混凝土含气量偏大的问题。优化混凝土施工配合比，调整塌落度和引气剂掺量，采取适当降低砂率等措施，解决混凝土表面砂浆过多的问题。

（七）停止使用砂浆垫块

双线五级船闸地下输水隧洞使用砂浆垫块控制钢筋保护层，存在许多质量隐患，已发现母体混凝土与垫块结合缝面拉开、部分仓号砂浆垫块密集、强度随意性大、抗冲磨强度低等。2001 年停止使用砂浆垫块。

（八）优化帷幕灌浆设计

提高帷幕灌浆孔首段压力。对已完成主帷幕施工的坝段增加一排 8m 深的帷幕灌浆孔，压力采用 3.5～4.0MPa；其他坝段均将接触段灌浆压力提高到 3.5～4.0MPa，确保帷幕第一段灌浆压力达到 2 倍坝前水头；同时将主帷幕检查孔压水压力提高到 2.5～2.6 MPa。

加深主帷幕底线。在帷幕灌浆单耗量较大的部位增加一排孔补灌；对终孔段未达合格标准的部位加深钻灌至满足基岩透水率≤1Lu；深槽段主帷幕加深至 －120m 高程。

在地质条件较差地段，增加 23 个检查孔，并加大水压力。初步压水检查资料表明，合格坝段与原资料一致。

船闸左岸山体防渗线路按透水率≤1Lu 的顶板线布置。

委托长江科学院进行基础三维渗流场计算。初步成果显示，由于实际钻孔压水资料统计的帷幕透水率远小于 1996 年计算采用值，计算成果比 1996 年有所改善。

（九）加强对金结及机组埋件制造与安装质量的抽检

中国三峡总公司金结检测中心加大对金结及机组埋件制造与安装质量的抽检，对压力钢管制造安装、机组埋件安装、金属结构设备制造与安装和金属结构防腐质量进行巡检及委托检测，发现问题及时通报有关部门督促处理。

三、主要质量问题的处理

（一）泄洪坝段上下游坝面混凝土裂缝

2001 年 11 月，检查发现上游坝面共出现 40 条裂缝，每个坝段有 1～2 条裂缝，裂缝宽度 0.1～0.3mm，裂缝长度 25～30m，裂缝深度 1～2m。下游坝面出现 38 条裂缝，每个坝段至少有一条裂缝，裂缝宽度 0.51～0.99mm，裂缝长度合计为 695.2m，裂缝深度一般不超过 3m。

上游面裂缝的处理措施。泄洪坝段上游坝面的裂缝处理采用 LPL 环氧材料灌浆充填，再凿槽用 SR2 塑性止水材料封堵，然后在表面粘贴厚 3mm、宽 40～60cm 氯丁橡胶片，再覆盖宽 8m 的 SR 防渗盖片，外部用钢筋混凝土薄板（或 6mm 厚 PVC 板）保护。

下游面裂缝处理措施。清理缝面，沿缝面贴咀布孔，采用 LPL 进行灌浆；灌后沿缝面凿槽，尺寸为宽×深＝5cm×8cm；槽内先填 5cm 深的 SR2 塑性止水材料，然后嵌补 3cm 的 903 砂浆；表面喷涂 KT1 水泥基渗透结晶型防水材料。此方案是经过专家咨询会审定，采用国内外研制成熟的防渗材料。处理后，大坝满足安全运行要求。

（二）混凝土初凝异常的处理

2001 年 5 月，先后在泄洪坝段 23 个浇筑仓面出现部分混凝土凝结异常。通过调查分析、试验论证、微观分析及混凝土性能试验认为，水泥中石膏掺量的变化，会影响混凝土的凝结时间。混凝土凝结时间延长，使混凝土早期强度偏低，影响正常的冲毛、拆模及其他作业，耽误工期，若对混凝土产生扰动，则会影响混凝土质量。严重缓凝的混凝土早期无强度，都作了挖除处理。

（三）左厂 6# 机蜗壳 $Ⅱ_{7-2}$ 二期混凝土质量缺陷

左厂 6# 机组段蜗壳 $Ⅱ_{7-2}$ 二期混凝土拆模后，混凝土专业质量总监发现该部位存在严重的表面质量缺陷。位于 $Ⅱ_{7-2}$ 块的内侧立面、定子基础螺栓三期坑底部及壁面等部位有规模不等、深浅不一的蜂窝、麻面、挂帘、错台。经现场凿开检查，并校对浇筑记录，认为属于表面缺陷，主要是浇筑设备少、浇筑历时长，且边角振捣不足等原因所致。

该缺陷已按设计要求全部处理完毕，修补质量满足混凝土缺陷处理标准及设计要求。

（四）六闸首公路桥支承牛腿裂缝

六闸首公路桥支承牛腿在检查中发现有局部裂纹和裂缝，长江委设计院复核后认为：六闸首公路桥的设计是安全的，可以满足运行要求；牛腿出现的裂纹和裂缝不会影响桥梁的整体安全；考虑到结构的耐久性和转轮运输的重要性，建议采取化灌和碳纤维或其它稳妥可靠措施进行补强处理。经荷载复核试验，牛腿裂缝变形与应力满足设计要求。为增加今后安全运行的可靠性，设计提出了预应力锚杆加固与裂缝灌浆的措施。

（五）左岸电站 4# 机压力钢管合拢焊缝安装间隙超差问题

2001 年 11 月 13 日，对 4# 机压力钢管合拢焊缝组装情况进行测量，发现组装间隙超标，最大间隙达 12mm（设计要求安装间隙 2～3mm，错牙≤4mm）。

处理措施：4# 机合拢焊缝大间隙采用堆焊方式，堆焊长度约为焊缝总长度的 80%～90%，堆焊最大宽度约 9mm，最终使焊缝间隙达到≤3mm 的标准要求。

经处理后的监测结果显示应力状态良好，外观符合设计要求。

(六)左岸电站 7# 机座环固定导叶制造尺寸超差问题

6 月 2 日对左岸电站 7# 机座环固定导叶制造尺寸进行测量后发现：7# 机座环导叶中心、座环上环及座环底环面的三项指标不能同时达到要求；0# 固定导叶高度较设计值小 8mm。

处理措施：在保证导叶中心水平和导叶中心高程的前提下调整处理座环底环和上环的水平。根据测量成果将导叶中心水平调整在标准要求的 3mm 以内，座环底环的水平为 8～10mm，上环水平为 9mm，再将 0# 导叶相对应的底环部位打磨 8mm 左右，对应的上环部位堆焊 8mm 左右，满足以后的加工余量。

四、混凝土质量全面检查

为做到不留工程隐患，满足安全运行的要求，需对坝体混凝土质量进行全面检查并作出评价。其中密实性钻孔检查是一项最直观、最重要的检查，检查分自检和终检两步进行。自检主要采用钻孔检查，部分结合排水设施进行检查，终检基本采用钻孔检查。检查内容主要包括压水试验(自检还有抽水试验)、抗压强度试验等。二期上游围堰进水前检查的重点部位为高程 90m 以下的坝体混凝土及航建项目的大体积混凝土。

(一)自检孔检查成果总体评价

施工完的 568 个总进尺 6401m 的自检孔统计资料表明，三峡工程大体积混凝土总体质量良好，极少量混凝土局部存在少量架空和压水试验超标现象，均已做扩大检查处理。

(二)终检孔检查总体评价

已施工完的 250 个 4254m 的终检孔资料统计表明，三峡工程大体积混凝土总体质量良好，右纵坝身段混凝土局部存在少量架空和压水试验超标部位，已安排扩大检查处理。

(王世平)

三峡工程安全生产管理

一、各项工作落实情况

(一)建立安全管理责任体制

将三峡工程安全委员会(以下简称安委会)的“组织、协调”职能调整为“行业管理”；成立安全总监办公室(以下简称总监办)并明确其职能；聘请日本前田公司土建、机电安全总监各 1 名监督三峡工程施工安全，行使培训、组织、检查、监督职能；监理单位各自明确一位副总监专管安全并设专职安全监理工程师，施工单位各增加安全督查员和安全专职管理人员，并明确一名副总经理分管或专管安全工作，充实安全监督管理力量。安委会印发《关于三峡工程参建单位安全责任的规定》、《安全生产监督管理实行细则》、《安全生产责任标准》、《安全生产职责》、《安全管理补充规定》等管理办法，完善原有责任规定。

(二)修改补充完善安全生产制度

中国三峡总公司印发《三峡工程安全生产奖罚有关规定》、《关于启用三峡工程安全生产奖励基金账号的通知》、《三峡工程安全生产奖励基金年度考核细则》、《三峡二期工程塔(顶)带机、供料线、缆机及门塔机安全专项奖管理办法》、《三峡右岸工程爆破安全统一管理办法(试行)》、《茅坪溪防护大坝二期工程综合目标奖罚实施细则》、《120m 高程施工栈桥交通运行管理办法(试行)》。

施工单位修改原有安全管理办法，进一步明确责任，细化考核奖惩细则，补充了用电安全专项管理、简易扒杆使用安全规定、多卡模板拆装作业安全规定等管理制度。各监理单位制定了仓面防护、起吊作业、排架施工、爆破作业等高危作业实行监理工程师检查签证制度。

(三)执行安全监督检查制度

形成施工单位专职安全员巡查、专职安全监理工程师督查、安全总监办组织安全总监现场巡查制度，及时纠正违章行为。对严重危及安全和不能按期整改的部位下发违规通知单或实行停工整改措施。对严重违章行为严格执行通报制度、说清楚制度、停工整改制度、经济处罚制度、离岗学习制度。

安全总监办组织安全总监现场巡查 146 次，检查指导班前会和预知危险活动 29 次，发出“就地整改通知书”466 份。组织各单位项目部联合安全检查 11 次，检查各项硬性规定落实情况 5 次，组织安全文明施工检查考评 5 次，参与或组织事故调查 21 次。通过事故调查处理，着重落实预防事故的整改措施。

安全总监办制定下发“班前会要点”、“安全巡视的实施要领”、“安全培训教材”、“编制作业程序书的要点”、“安全文明施工的要点”、“安全文明施工实施状况评估表”、“安全施工循环”、“训练危险预知和预防危险资料集”、“用数字标识的安全标准”、“安全综合检查一览表—26 工种”、“安全誓约书”等 11 种安全标准。

(四)坚持安全例会制度

施工单位在坚持开好周、月安全例会制度的基础上，每天下午在前方工地召开安全系统碰头会，通报当天情况，提出整改要求，检查前一天提出的整改事项落实情况。同时编发“安全日报”，及时通报到各级领导和作业队。

监理单位安全管理人员除参加施工单位周安全例会、检查日碰头会外，每月召开参建各方参加的月安全工作例会，通报本月安全工作情况，提出下月安全工作重点。

中国三峡总公司安全总监办每周二召开施工单位安全部长、监理单位安全副总监和专职安全监理工程师组长、项目部安全负责人的周安全例会。例会上听取监理、施工单位一周安全工作情况汇报，通报已发生的事故或险情，下发安全总监现场巡查书面隐患整改通知，检查上周隐患落实情况，提出下周和近期工作要求。三季度安全总监办在原有与会人员的基础上要求各监理单位总监、施工单位主管安全的副总经理每月参加一次周（月）安全例会。

（五）各项规定的执行情况

安全总监办提出的对协作单位进行清理整顿、补签安全协议，对民工进行三级安全教育、取证上岗，高处作业使用双保险，仓面临空面防护实施监理工程师签证等制度得到贯彻落实。2001 年清退不合格队伍 41 个，对保留的 159 个有资质的协作队伍全部补签安全协议，将安全风险抵押金列入安全协议，规定考核奖惩标准；高处作业人员按规定佩带双保险；对新进场工人进行三级培训教育，全部持证上岗。

针对三峡工地连续发生数起施工、交通死亡、重伤事故情况，中国三峡总公司制定了预防事故发生的“六项硬性规定”，对事故的处理、协作队伍管理、高危作业的监督管理、重大隐患整改等方面作出明确规定，并要求施工、监理单位严格遵照执行。

（六）推广重点施工部位安全监督检查整改经验

安全总监办先后选择葛洲坝三峡指挥部厂坝项目一部、武警水电部队三峡指挥部北线混凝土项目部进行安全重点监督检查整改。安全监督检查组通过现场“拉网”式检查，剖析隐患产生原因，调查施工过程安全管理，查找落实上的差距，提出整改措施进行整理整顿，总结经验、以点带面在全工地推广。

（七）开展创建安全文明施工示范区活动

结合三峡工地实际情况，安全总监办组织开展创建“安全文明施工示范区”活动。活动分“组织启动”、“检查座谈”、“整顿”、“总结交流”四个阶段进行。安全总监办制定安全文明施工示范区 7 项 28 条检查要点。各施工单位制定创“安全文明施工示范区”活动实施细则，确定试点示范区的施工部位。11 月 14～28 日，安全总监办组织监理、施工单位及相关项目部对五大施工单位进行了安全文明施工联合大检查，对照“安全文明施工示范区开展状况评价表”，对五大施工单位进行考核评分。与开展活动前相比，现场安全防护更加规范，事故隐患逐步减少，安全、文明的施工环境有明显进步。

（八）开展危险预知活动

10 月，安全总监办组织安全总监对施工单位安全管理干部进行危险预知活动骨干培训，施工单位分期对班组长进行培训。为强化活动效果，安全总监办组织监理、施工单位反复抽查和现场指导。危险预知活动在施工作业面进行，由班长主持，职工讨论，确认当班作业存在哪些危险源、预防的重点和应采取的措施，使作业人员真正认识到危险所在。危险预知活动使职工由原来被动管理转为主动参与，提高职工预知危险、发现危险、预防危险、处理危险能力。

（九）强化安全教育培训

2001 年，安全总监办组织安全总监给施工、监理单位各级干部培训 28 次，累计听课人数 2073 人。培训主要介绍日本前田公司安全管理经验、思路、理念以及事故预知防范，事故调查分析，土建、机电、起重作业安全检查与防护措施等内容。

充分发挥班前会危险预知作用。转发湖北省安全生产委员会《关于开展 2001 年“安全生产周”活动的通知》，组织观看《人命关天的大事》录像，学习《国务院关于特大事故行政责任追究的规定》，对施工部位进行安全检查整改，组织安全竞赛等活动。汇编《三峡工程 2000 年死亡事故案例》、《安全管理培训教材》、《预知危险活动培训教材》、《三峡工程安全生产监督管理法规汇编》、《三峡工程参建单位安全生产管理文件汇编》，制作安全卡通画手册，对管理干部和员工进行事故案例教育和安全知识、法律法规宣传教育。开展形式多样活动，加强员工的技能训练。施工单位按总监办的要求，组织三级安全教育，所有人员持证上岗。

（十）设备安全管理

成立塔（顶）带机安全运行技术小组，协调解决塔（顶）带机安全运行过程中遇到的重大问题；设立塔（顶）带机、供料线、缆机及门塔机等设备“安全专项奖”，以强化和激励一线设备运行、维护、管理人员的安全意识和责任心，调动其积极性；制定《起重机械超载吊装安全操作特别规定》，确保重大件吊装安全；加强日常监督检查的同时，定期开展施工设备安全生产检查，并根据季节特点，适时安排防火、防雨/水、防雷击、防风、防滑等专项安全检查；定期召开设备监理总监例会，做好安全隐患整改跟踪检查，并定期通报整改完成情况；主动配合地方质量监督部门对运行中的 30 余台起重设备和施工电梯及 400 余台压力容器等特种设备进行安装检验和定期检验，报检率和取证率均达100%；组织设备操作、维护及管理人员培训12期，培训277人，发证226人；狠抓制度建设及岗位职责落实，深入贯彻落实定期维修保养制度。

二、2001年事故概况

2001年，三峡工程发生施工死亡重伤事故18起，死亡10人，重伤13人。与2000年相比(2000年发生施工死亡重伤事故28起，死亡26人，重伤25人)，事故起数下降35.7%，死亡人数下降61.5%，重伤人数下降48%。三峡坝区红线内(含施工区场内道路)发生道路交通死亡事故6起，死亡6人(2000年发生道路交通死亡事故4起，死亡4人)，与2000年相比事故起数与死亡人数略有增加。

三、安全管理存在的主要问题

安全管理系统与生产管理系统的安全职责没有完全融合；安全管理在班组脱节；施工单位安全教育、培训工作粗放；习惯性违章、个人的不安全行为未杜绝；随意用工、不经三级培训无证上岗时有发生；事故处理时，对管理上存在的问题整改不彻底。

(孟　军)

三峡工程管理信息系统建设

一、TGPMS应用

(一)合同管理

1. 合同管理系统的应用全面走向正轨，2001年度输入合同1093(累计7799)个，报价单项7629(累计42025)项；合同变更2171(累计10311)项，变更报价单8593(累计35536)项。

2. 通过收集补充整理，校核历史数据，形成较为完整的三峡工程合同管理数据体系。

3. 合同Web查询系统及TGPMS中的合同信息资源得到较好利用。进入系统的数据被广泛地用于稽察工作、合同执行情况统计分析、合同预算编制等各方面。

(二)投资管理

1. 基础数据资料规范化

通过概算代码、统计指标码与合同数据资料的有机结合，形成一套完整的能与总执行概算、单项执行概算、单个合同金额进行比较分析的数据资料。全年对7629条新增合同报价单项对应了概算代码、统计指标码，维护执行概算折算系数132条。

2. 实现投资统计数据资料共享

施工单位、监理单位及中国三峡总公司各职能部门的投资统计数据，均在同一数据库进行操作，避免数出多门，提高了工作效率。2001年成本发生数据45305条(累计88362条)，投资数据生成4874条。

3. 实现统计台账、统计报表自动生成及灵活多样的查询

三峡工程合同台账、概算台账，三峡工程进度完成情况统计月(年)报表，中国三峡总公司固定资产投资统计月(年)报表均能自动生成。

4. 投资统计基础工作不断规范

合同报价单和合同变更报价单BOQ项的分级定义，BOQ项的文字描述，概算代码和统计指标的规范和完善，均比系统开始运用时有很大提高。

(三)财务会计

1. 工程会计核算系统得到进一步深入应用，工程投资会计核算信息处理的集成化、规范化程度提高。2001年，进入系统的支付申请单8057(累计16319)个，支付细项11268项；会计凭证3480(累计9055)个，凭证分录15262(累计39534)条；会计科目40(累计1424)项，新增往来户66(累计1218)个；对7629(累计31042)条合同报价单项目对应了会计科目；合同支付台账数据6768(累计11670)条。

2. 通过工程成本、财务信息的快速准确传递、加工处理，提高资金流预测准确度。

3. TGPMS物资设备集中核算财务系统进一步完善，报表系统投入运行。

4. 确定TGPMS全面预算管理和保险管理设计方案。

(四)物资管理

TGPMS物资域全面启用，实现新旧系统的切换，满足物资各业务处室的日常业务需要。2001年度输入物资编码182(累计1317)个；需求计划222(累计8201)个；计划细项2694(累计13574)项；物资到货验收1194次；物资调拨3627次。

(五)设备管理

1. 确定永久机电设备系统的运行业务流程、规范，建立了数据责任体系。

2. 发布水轮发电机组设备编码标准体系，水轮发电机组零部件资料基础数据库初步建立，着手机组设备属性的录入。

3. 进行电气设备编码工作，建立主变压器、GIS数据以及盘柜集数据。全过程管理调速器、励磁设备的合同执行。

4. 金属结构、水轮发电机组设备物流管理纳入正常轨道，物流业务流程所涉及到的设备编码、合同及合同变更、设备催赶、设备运输、设备验收、设备调拨、合同支付、财务、固定资产登记等9个主要方面开始应用

TGPMS进行全过程管理。2001年度输入到TGPMS的数据有1990(累计330907)条设备代码,1900多个合同,催货221次,验收189次,调拨1951次。

5. 机组图纸资料从初步运用跨入到规范地进行日常管理。

6. 设备Web查询系统开发完成并投入试运行。

(六)质量管理

1. 全过程跟踪施工过程质量数据,便于进行深入的质量分析。2001年度进入TGPMS的单元工程19519(累计60485)个;工序72776(累计168787)个;工序检测明细165470(累计377063)项;单元工程评定与验收19013(累计51602)次;材料检测4216(累计10283)次;材料检测明细18179(累计39483)项。

2. 质量事故、缺陷、问题的填报实现制度化、经常化,2001年度通过TGPMS反映的质量问题469(累计1449)个,混凝土裂缝39(累计116)个。

3. 开展TGPMS金结及机电设备安装质检代码及工序检测标准编制项目。

4. TGPMS质量Web查询系统应用逐步深入广泛,质量子系统访问16000人次。

(七)安全管理

安全事故及伤亡数据进入TGPMS,并能进行各类统计分析。2001年度,进入系统的安全事故77(累计196)个,伤亡人数165人,安全检查240次,安全隐患84处,安全会议65个。TGPMS安全Web查询系统访问超过4800人次。

(八)文档、设计管理

1. 启动三峡国际招标有限责任公司、中国三峡总公司设备部和三峡工程主要监理单位文档管理系统的应用实施,继续推动和支持文档管理系统老用户的应用与服务维护工作。2001年度进入系统的文档数据33724(累计66632)条。

2. 建立文档应用规范,促进中国三峡总公司各单位、各部门文件登记、发送、立卷和归档管理业务规范化、标准化,保障文档信息资源及时、准确、完整。

2001年移交中国三峡总公司档案馆存档案卷443(累计584)盒,归档图纸及设计通知2867(累计6940)份。

(九)编码标准工作

组织完成三峡工程机组设备编码标准、机电文档编码标准的编制与发布等工作;完成对TGPMS全套编码标准体系的修改到最终交稿的全部工作;按照子系统组织汇编形成13个子系统的编码标准。

(十)Web查询系统

2001年,进一步维护、完善和扩充TGPMS Web查询系统,文档管理信息Web发布查询系统投入使用。截至年底,TGPMS Web主页累计访问14万人次。

二、三峡电厂生产管理信息系统(PMS)规划设计工作

2001年,举办"三峡电厂生产管理信息系统技术交流会";完成对小浪底电厂等数家国内电力行业企业关于生产管理系统的调研和考察,为三峡电厂PMS选型奠定基础;完成《三峡电厂生产管理系统(PMS)总体规划报告》并举行专家评审会以及《三峡电厂生产管理系统(PMS)询价书》。

三、TGPMS开发和维护

2001年,完成Patch13个,完成修改623次。严格执行数据库维护策略,诊断并解决与数据库系统有关的问题;TGPMS文档管理信息Web发布查询系统开发完毕并投入使用;TGPMS设备物流管理信息Web发布查询系统投入试运行;TGPMS Web质量、合同、投资、财务、安全、物资查询系统得到进一步维护、完善和扩充;ORACLE数据库管理系统的升级工作初步完成;TGPMS应用系统升级(16位到32位)工作启动;将生产环境移植到前方的主机上,做到前后方双机备份,提高运行可靠性。

四、网络基础设施、系统平台建设

完成网络系统主干部分的升级改造工作;结合网络改造采取防火墙隔离、划分到不同的网段、购置网络测试仪和网络安全漏洞检测软件等措施,提高网络安全;加强计算机病毒的防范工作;维护中国三峡总公司计算机主机系统、网络系统;做好中国三峡总公司及三峡工程设计、监理、主要施工承包单位和其他参建单位的信息技术服务工作;Inernet接入带宽,由2000年的512K扩充到4M;清理使用信息系统费用所采购的计算机及其外部设备,制定相应的管理办法;完成宜昌电信、宜昌联通、宜昌移动3家服务商的互联网接入服务或测试工作。

五、建章立制,规范管理

(一)组织TGPMS应用部门制定一系列TGPMS运行的业务规范,明确各单位在TGPMS运行应用中的职责和业务流程,建立并完善高度集成的工程管理各单位、各部门分工协调的业务及数据责任体系。

(二)理顺、规范与计算机信息系统建设有关的管理工作,全年信息系统预算828.3万元,实际支出743万元,归口管理费用指标146万元,实际支出70万元,均控制在预算范围内。

六、TGPMS市场推广

创立TGPMS品牌,实现中国三峡总公司资产保值增值,推广实施贵州洪家渡电站、新疆吉林台电站、台湾中兴公司等项目,取得阶段性成果。

七、其他

修改完善“三峡工程日报”系统的功能；配合中国三峡总公司办公室等部门进行三峡建委稽察组对三峡工程稽察的准备工作；配合中国三峡总公司人力资源部完成2000～2001年度专业技术职称评审工作；在北京中关村注册成立三峡高科信息技术有限公司；加强内部工程新闻网站的建设与运行，为宣传三峡工程服务。

（李卫兵）

坝区公共工程管理

一、主要指标完成情况

三峡工程公共工程的砂石料、供电、供水及通信各系统完成的实物指标：人工砂生产供应284万t，含水率均低于6%，保证率大于85%，石粉含量、细度模数均完全满足规范要求。人工碎石生产供应623万t。全年供电量3.23亿kW·h，最大负荷63万kW，功率因数超过95%，网损率4.26%，均符合国家行业标准。全年供水量5560万t，水质均符合国家标准。安装电话500门。

二、工程建设情况

砂石系统主要由下岸溪人工砂石加工系统和古树岭人工碎石加工系统及高程115m公共骨料转运等系统组成。下岸溪人工砂石加工系统本年生产供应砂石骨料481万t，其中人工砂284万t，人工碎石197万t；采场场平及毛料开采进度完成情况较好，其中毛料开采完成186.07万m^3，为调整年计划的116.3%，覆盖料开挖完成27.52万m^3，为调整年计划的133.1%，采场边坡支护完成3596万m^2，为调整年计划的119.9%。系统石粉清运及砂石料运输基本完成调整年计划的目标。古树岭人工碎石加工系统本年生产碎石426万t，完成年计划。高程115m公共骨料堆场全年共转运骨料248万t，保证了高程82m、高程90m及高程120m混凝土拌和生产需要。

供电系统的变电所及线路基本建设完成，2001年度主要进行左岸非溢流坝段至永久船闸电缆廊道土建及机电埋件与安装、坛子岭35kV变电所改造等项目的实施，进一步完善35kV供电系统及陈家冲220kV变电所，提高供电的可靠性。

供水系统主要是进行已建加压泵站及管路、水厂及水厂船的更新改造和维护。完成永久船闸六闸首公路桥供水管道安装及调试、2万t及9万t水厂船度汛等工作，确保三峡工程左、右岸生产生活供水需要。

通信系统实现中国三峡总公司范围内交换机整体DID拨号方式，与中国移动、中国联通、葛洲坝集团、清江开发公司和长江航运管理局等多家单位交换机互联，开设中国三峡总公司移动电话虚拟网，完成建设管理中心至东岳庙交换机房多模光缆敷设、中国三峡总公司西陵住宅小区通信及电视系统及右岸三期通信等工程的建设。

三、系统的运行管理

砂石系统的运行管理采用谁建设谁管理的方式。供水、供电及通信系统运行委托葛洲坝水力发电厂进行管理。经过几年的实践，公共工程的管理逐渐规范化、标准化，管理人员素质不断提高。

（王 燕）

海关监管和商检

一、海关监管

宜昌海关成立于1996年10月，为服务三峡工程，下设专门办理三峡工程海关业务的“宜昌海关驻三峡办事处（以下简称宜昌海关三峡办）”。至2001年底，共受理三峡进口报关156票，货运量2.8万t，进口贸易额15138万美元，审核减免税货物价值9590万美元，减免税款24853万元。

（一）业务特点

涉及面广。三峡工程海关业务涉及减免税、保税、加工贸易、外专自用物品、暂时进口、进口通关、无代价抵偿等。

业务依工程进度而定。1997年大江截流前，进口业务多为施工机械，以征税为主；1998年，三峡工程进入围堰开挖、坝体浇筑及左岸水轮发电机组预埋及安装阶段，进口主要为免税的水轮发电机组及附件。

货物的政策性、时效性、敏感性强。大部分进口设备可享受国家减免税政策，因此政策性较强。三峡工程的进口货物都是工程急需安装使用的设备，如果在通关上受阻，将直接影响下一环节的工程进度。三峡工程世界瞩目，无论哪方面原因影响施工计划，都将成为“焦点事件”。

特殊业务多。如暂时进口货物需要在境内使用时间达4年；进料加工成品凭《征免税证明》转为享受减免税政策，宜昌关区首次办理减免税货物进口再加工业务。

（二）高效通关、文明服务

人员保障。宜昌海关选派业务精、素质高、相对固定的人员到三峡办工作，要求三峡办海关人员树立强烈的“三峡意识”。

制度保障。制定《三峡进口物资转关联系配合办法》上报海关总署批准实施；对三峡工程进口货物实行预先审核、预先申报、预先放行制度；对到港货物实行门到门的验货服务等制度，提高通关效率；为加强制度的针对性，制定《三峡工程急需货物通关管理办法》。

信息保障。走访参建单位，加强新政策法规的宣传；了解进口计划；了解有无需加班验收的货物；走访商检等有关部门，加快通关速度。

时效保障。对三峡工程需要通关的货物，宜昌海关合理调配人力物力，优先办理通关手续，保证通关时效；对需要查验的货物，优先安排人员车辆，保证验放时效；多次派人到上海联系转关事宜，保障三峡工程货物转关时效。

硬件保障。在坝区设立保税仓库、监管码头，并与中国三峡总公司计算机系统联网，及时了解有关信息，主动提供服务。

政策保障。及时协调、请示，办理暂时进口货物在境内使用的延期手续；办理轴承异地加工贸易手续；联系免税进口镜板加工地海关，保证镜板及时加工处理后运回三峡工地使用。

(三)加强监管，严格把关

严把素质关。通过邀请水电专家授课等形式组织海关人员学习水电知识，对企业进行海关政策宣传及海关业务知识培训。

严把审核关。三峡工程货物品种多、贸易方式复杂，每票货多达几百项，经办海关人员严格进行审核，并制定“预先审核”制度，提高办事效率和审核质量。

严把征管关。严格审核不同贸易性质的货物，5年累计征收税款22195万元，保证税款应收尽收，及时入库。

严把查验关。由于货物数量、金额都很大，查验前验货关员认真审核报关单，熟悉货物清单，分析查验重点，进行有针对性的查验。

严把后续关。对减免税、暂时进口货物、加工贸易等档案进行清理、造册，加强中期、核查，后续管理，保证三峡进口货物按要求使用。

严把打私关。

二、商检

(一)概况

宜昌商检局于1993年担负三峡工程一期工程进口施工设备的检验工作。1994年6月，在三峡工程施工现场设立“宜昌商检局驻三峡工程办公室”。1995年2月15日，成立“湖北商检局三峡工程办事处”。1999年10月，因机构改革更名为“湖北出入境检验检疫局三峡办事处”(以下简称检疫局三峡办)。

检疫局三峡办1993年7月至2001年底，共接受进口设备、备件及材料报检321批，检验各种进口施工设备226台套，左岸电站发电设备14台套，钢材20844t/23批(含5796项检测数据)，总货值3.5亿美元。对外出具品质、数量、鉴定、残损证书219份，为国家挽回直接经济损失543万美元。

(二)1993～2001年完成的主要工作

完成混凝土拌和楼、供料线、塔带机、缆机、挖掘机、起重机、装载机等大型进口成套设备，高强低合金厚钢板等原材料，电站永久性发电设备及直流输电设备的开箱检验工作。

对德国DEMAGMH135挖掘机、日本COBELL-CO挖掘机、美国ROTEC塔带机、丹麦KROLL塔机、CIFA混凝土拌和楼，VGS2# 水轮机座环等在安装调试过程中的质量问题进行检测、鉴定、出证、处理。

参与法国POTAIN顶带机、美国ROTEC塔带机、CIFA混凝土拌和楼、丹麦KROLL塔机、德国KRUPP缆机、BENZ平板车等二期工程大型施工设备的交货验收。

进行KRUPP缆机、日本高强低合金厚钢板、韩国EX－220挖掘机、ROTEC塔带机等设备的对外出证，谈判及索赔。

对到货的ALSTOM、VGS水轮机座环、转轮，三峡一常州直流输电工程换流变压器、平波电器等大件设备及ROTEC塔带机等部分施工设备进行初步检验。

参加由中国三峡总公司主持的ROTEC塔带机、FORD旅行车、VGS水轮机座环等设备的技术质量分析鉴定会。

进行每批进境设备的木质包装检疫和集装箱卫生除害工作，坝区及换流站工地设立3个实蝇监测点，对检疫过程中发现的ALSTOM—4# 发电机定子叠片木质包装上的动物排泄物，进境二手设备包装集装箱及换流站隔离开关木质包装内的活体昆虫、土壤进行疫情处理及除害。

与中国三峡总公司协商制定《左岸电站进口设备检验工作实施办法》，对各参建单位公布服务承诺。2000年度湖北省出入境检验检疫局三峡办被国家质检总局评为检验检疫系统先进集体；2001年度被评为湖北省检验检疫系统“文明窗口”；2001年底获团省委“青年文明号”称号。

(李道祥)

财 务 工 作

三峡建设资金到位使用情况

一、资金到位情况

2001年三峡工程建设资金共到位147.73亿元，其中：三峡基金到位53.07亿元，完成年计划51.44亿元的103.17%。至2001年底三峡工程建设资金累计到位762.30亿元，其中资本性资金来源347.86亿元，占45.63%，债务性资金来源414.44亿元，占54.37%。见表1。

表1　三峡工程资金到位情况　单位：万元

项　目	2001年资金到位	累计到位资金	占累计到位资金%
到位资金合计	1477262.56	7623014.34	
一、基建拨款	530663.78	3478601.08	45.63%
(一)财政部三峡基金	530663.78	3460174.94	
其中：电力加价	478663.78	3091068.98	40.55%
葛洲坝电厂发电利润	52000.00	369105.96	
(二)其它拨款		18426.14	
二、基建投资借款	946598.78	4144413.26	54.37%
(一)开发银行贷款	3000000.00	2390000.00	31.35%
(二)外汇贷款	-13401.22	219413.26	
其中：储备贷款	-74494.90		
出口信贷及国外商贷	61093.68	219413.26	
(三)商业银行贷款	200000.00	535000.00	
(四)三峡债券	500000.00	1000000.00	
(五)电网基金	-40000.00		

说明：2001年偿还国家外汇储备贷款9000万美元，偿还电网基金4亿元人民币。

二、资金使用情况

2001年财务资金总支出128.41亿元，其中枢纽工程52.01亿元，库区移民64.35亿元，利息支出18.73亿元，周转性资金回收10.28亿元，概算外项目0.94亿元。分项目支出情况见表2。

表2　三峡工程财务支出汇总表　单位：万元

项　目	2001年		1984～2001年累计支出	
	计划完成	财务支出	计划完成	财务支出
一、概算内项目	1403159.28	1376025.97	7313810.63	7129128.17
(一)静态	909951.58	998564.59	5092642.92	5320375.27
其中：枢纽工程	431485.66	520098.67	2887038.33	3114770.68
库区移民	478465.92	478465.92	2205604.59	2205604.59
(二)物价	307058.15	190123.88	1328210.91	911038.20
其中：枢纽工程	141994.07	25059.80	640345.50	223172.79
库区移民	165064.08	165064.08	687865.41	687865.41
(三)利息	186149.55	187337.50	892956.80	897714.70
二、概算外项目	11328.30	9376.68	48323.63	48036.97
地下厂房设计			5114.34	5114.34
金沙江前期工程	11328.30	9376.68	38209.29	37922.63
重庆变压器厂			5000.00	5000.00

三、周转性资金占用		−102825.28		120601.48
物资采购		−9177.74		10626.36
设备采购		−26305.67		101968.41
预付工程款		−26184.30		3354.59
施工单位借款垫资		−19563.15		13088.46
内部单位往来及其他		−21594.42		−8436.34
四、其他支出		1530.10		3096.16
总　计	1414487.58	1284107.47	7362134.26	7300862.78

（程志明）

财务管理概况

2001年中国三峡总公司坚持稳健、审慎的财务政策，资金到位满足工程建设和库区移民的需要。三峡基金征收完成年度计划的103.17%，成功发行50亿元三峡债券，设计了15年固定利率附息债券的创新品种，利息支出控制在预算以内；物资、设备及施工单位占用的综合费用降低10亿元；建安工程投资继续得到有效控制，投资节余率2.01%；生产经营企业经济效益稳定，葛洲坝电厂生产总成本控制在7.28亿元以内；多种经营企业重组整合的力度加大；继续执行财政贴息、三峡基金增值税返还、计提总机构管理费、三峡工程建设绩效奖励等财务政策。

至2001年底，中国三峡总公司资产总额840.75亿元，负债总额438.27亿元，净资产402.24亿元，资产负债率52.14%。

2001年，中国三峡总公司所属生产经营企业实现营业收入16.12亿元，利润总额7.27亿元，税后净利润4.83亿元。

一、完成2001年筹资任务

（一）及时、足额筹集到所需资金

2001年共到位资金159亿元，加上当年归还的临时借款20亿元，共筹集资金179亿元。保证了工程建设和移民的资金需要，归还到期债务11.55亿元。

（二）融资成本得到控制

2001年融资成本总支出22.41亿元，扣除财政贴息3.23亿元后，净支出18.61亿元。在债券资金到位较晚、移民投资增加12亿元的情况下，通过使用搭桥贷款、短期商业贷款等方式调整债务结构，加快综合费用回收和资金周转，融资成本总支出控制在年初预算的22.46亿元之内。

二、加强资金使用管理，提高资金使用效益

坚持稳健、审慎的财务政策，资金使用合法、安全。大幅度压缩综合费用，防范财务风险。年末综合费用余额12.31亿元。进一步加强物资采购资金集中管理，资金周转速度加快。

三、认真贯彻执行《基本规范》，推行全面预算管理

为贯彻国家经贸委关于《国有大中型企业建立现代企业制度和加强管理的基本规范》，实行全面预算管理制度，中国三峡总公司从2001年起开始推行全面预算管理，各有关归口管理部门预算管理意识普遍加强，大部分费用项目控制在年度预算指标内。

四、多经企业清算重组工作取得进展，资产管理的基础工作加强

2001年中国三峡总公司对多经企业进行了较大幅度的清算重组。清算撤消北京长江水电技术发展中心、三峡信息公司；全面清查多能公司、发展中心、利源公司、三峡发展公司及江峡公司等5个会计主体的资产，理顺产权关系，妥善解决历史遗留问题，在资产清查的基础上重组为三峡发展公司和专项清收债务的多能公司；对葛洲坝电厂所属集体企业九洲公司、能达公司、光耀公司、建筑咨询公司、工程监理公司等7家公司进行资产置换和财务重组；投资新设三峡高科公司；完成中国三峡总公司坝区、西坝接待中心经营运行的财务清理，进行旅游公司重组的准备工作；减持峡光公司股份。

五、制定《三峡工程阶段性竣工财务决算办法》，完成阶段性竣工财务决算的制度准备

六、会计队伍建设

组织中国三峡总公司财会骨干学习新《企业会计制度》；根据财政部统一部署，在中国三峡总公司范围内开展《会计法》执行情况检查，对被检查单位提出整改意见；举办中国三峡总公司第一届财会专业硕士学位研究生班。

七、积极争取国家财务政策的支持

继续争取财政贴息政策，2001 年到位贴息资金3.80亿元。落实三峡基金征收、拨付及增值税返还政策。落实总机构管理费税前计提政策，计提总机构管理费 1440 万元。落实中国三峡总公司绩效奖励资金、工地补助等政策。

八、理顺税收关系

理顺债券个人投资者利息所得税纳税关系，在中国企业债券中第一次尝试向个人投资者扣收利息税，制定'99 三峡债利息所得税征收方案，加强同税务部门、主承销商及承销团成员的联系与协调，做好对投资者的宣传、解释工作，保证方案得以实施，各付息网点共代扣个人投资者利息税 260.15 万元。

理顺三峡施工供电增值税纳税关系，减轻中国三峡总公司的税负。

附表 1　　各省(市、区)缴纳三峡基金情况

省　份	1992～2001 年上缴任务合计（万元）	1992～2001 年入库合计（万元）	现行征收标准（元/kW·h）	
			枢纽	电网
电力加价	3477308	3583184		
华北	512542	523431		
其中：京津唐	253763	259470	0.004	
河北	130239	129012	0.004	
山西	128540	134949	0.004	
东北	301237	297723		
其中：辽宁	204560	249446	0.004	
吉林	42080	20892	0.004	
黑龙江	54597	27385	0.004	
华东	997266	1076383		
其中：上海	251602	277597	0.007	0.008
江苏	341909	348797	0.007	0.008
浙江	253330	299350	0.007	0.008
安徽	150425	150639	0.007	0.006
华中	699573	696562		
其中：湖北	245413	248886	0.007	0.008
湖南	148945	134675	0.007	0.006
河南	239870	248724	0.007	0.006
江西	65345	64277	0.007	0.006
西北	153627	155115		
其中：陕西	54173	49987	0.004	
甘肃	52298	48453	0.004	
宁夏	19515	25497	0.004	
青海	16013	15228	0.004	
新疆	11628	15950	0.004	
直属省局	813063	833970		
四川	123304	123182	0.004	0.003
重庆	24119	25132	0.004	0.003
贵州	37508	38507	0.004	
云南	37567	42160	0.004	
山东	260402	271177	0.004	
福建	78632	90443	0.004	
广西	33053	30773	0.004	
广东	186918	186750	0.004	
内蒙	26168	22805	0.004	
海南	5392	5741	0.004	

附表 2　　三峡债券发行及信誉评级情况

债券名称	发行日期	发行额度（亿元）	期限（年）	利率	信用评级	备注
'96 三峡债券	1997-2-28	10	3	11%	AAA－	已兑付
'98 三峡债券	1999-1-18	10	3	5.60%	AAA	
	1999-1-18	10	8	6.20%	AAA	
'99 三峡债券	2000-7-25	30	10	D+1.75%	AAA	
'01 三峡债券	2001-11-8	20	10	D+1.75%	AAA	
	2001-11-8	30	15	5.21%	AAA	

注：D 表示中国人民银行公布的一年期银行储蓄存款利率。

附表 3　历年三峡工程上缴税、费情况　单位：万元

征收名目	1984～2000 年	2001 年	合　计
一、税	116728.29	19013.92	135742.21
(一)营业税及附加	64786.59	13419.57	78206.16
代扣建安营业税及附加	61788.79	12248.05	74036.84
总公司缴纳营业税及附加	2997.80	1171.52	4169.32
(二)增值税及附加	8034.31	3993.99	12028.30
砂石料生产增值税及附加	3391.42	1017.15	4408.57
水电项目增值税及附加	559.17	542.94	1102.11
混凝土增值税及附加	875.87	1728.45	2604.32
物资供应增值税	3207.85	705.45	3913.30
(三)设备进口环节税收	36661.84		36661.84

(四)耕地占用税	3664.60		3664.60
(五)矿产资源税	541.86	1163.84	1705.70
(六)固定资产投资方向调节税	1556.31		1556.31
(七)印花税	907.09	173.63	1080.72
(八)房产税	525.88	187.03	712.91
(九)车船使用税	23.97	5.44	29.41
(十)土地使用税	25.84	70.42	96.26
二、费	3012.60	50.00	3062.60
水资源费	240.00	40.00	280.00
排污费	701.93		701.93
矿产资源补偿费	970.00		970.00
河道采砂管理费	63.00		63.00
进口施工车辆附加费	1025.67		1025.67
水利建设基金	10.00	10.00	20.00
土地补偿费	2.00		2.00
合　计	119740.89	19063.92	138804.81

（程志明）

计　划·合　同

招标及合同签订情况

经过2000年度对《招标投标法》的实践，2001年中国三峡总公司提高了自觉遵守《招标投标法》及系列配套法规的意识，并在总结经验的基础上，结合《招标投标法》制定了中国三峡总公司新的招标管理办法，加强对招标工作的组织、领导和协调，理顺内部招标工作关系，明确招标责任部门及招标机构的职责，健全招标管理体系，完善管理制度，保证招标工作行为的规范，提高招标工作质量和效率。

2001年，中国三峡总公司共签订合同527项，合同金额19.51亿元，其中通过公开招标、邀请招标、询价签约74项，合同金额15.82亿元。进行招标的项目主要是建筑安装、机电设备采购、物资采购、监理等。

一、建筑工程施工招标

（一）茅坪溪防护大坝二期工程招标

中国三峡总公司工程建设部（以下简称工程建设部）负责招标项目立项和招标文件编制；招标发包工作由三峡国际招标有限责任公司具体实施。工程分2个标段。2001年2月27日发售标书，2001年3月27日开标，有5家投标单位，3月27～4月1日评标，2001年4月25日定标。

（二）右岸地下电站进水口混凝土和金属结构安装工程招标

工程建设部负责招标项目立标和招标文件的编制，招标发包工作由三峡国际招标有限责任公司具体实施。2001年5月9日发售标书，2001年6月11日开标，有4家单位投标，2001年6月12～19日评标，2001年7月9日定标。

（三）右岸24#～26#厂坝基础开挖及场地平整工程招标

工程建设部负责招标项目立项和招标文件的编制，招标发包工作由三峡国际招标有限责任公司具体实施。2001年1月8日发售标书，2001年4月20日开标，有3家投标单位，评标时间为2001年4月20～25日评标，2001年5月25日定标。

（四）二期围堰拆除工程招标

工程建设部负责招标项目立项和招标文件的编制，招标发包工作由三峡国际招标有限责任公司具体实施。工程分2个标段。2001年9月14日公开发售标书，2001年10月9日开标，有3家投标单位，2001年10月9～15日评标，2001年10月29日定标。

（五）84m高程拌和系统招标

工程建设部负责招标立项和招标文件的编制，招标发包工作由三峡国际招标有限责任公司具体实施。2001年8月6日发售标书，2001年8月28日开标，有3家投标单位，2001年8月29～9月2日评标，2001年9月17日定标。

表 1　建筑工程施工招标合同签订情况

合同名称	合同金额（万元）	承包单位	签订时间
茅坪溪防护土石坝二期工程	17677.20	葛洲坝水利水电工程集团公司	2001.4.25
右岸地下电站进水口混凝土和金属结构安装工程	29637.65	宜昌青云水利水电联营公司	2001.7.9
右岸 24# ～ 26# 厂坝基础开挖及场地平整工程	8335.20	三七八联营总公司	2001.5.25
二期上游围堰拆除工程	8043.61	武警水电部队三峡工程指挥部	2001.11.2
二期下游围堰拆除工程	16153.81	葛洲坝水利水电工程集团公司	2001.11.2
右岸高程 84m 混凝土拌和系统建安工程协议	4618.75	三七八联营总公司	2001.9.18

二、机电设备安装与调试招标

工程建设部负责招标项目的立项和招标文件的编制，招标发包工作由三峡国际招标有限责任公司具体实施。项日分 3 个标段，2000 年 12 月 25 日发售标书，2001 年 4 月 25 日开标，有 5 家单位投标，2001 年 4 月 25 日～5 月 25 日评标，2001 年 7 月 31 日定标，合同签订情况见表 2。

表 2　机电设备安装与调试合同签订情况

合同名称	合同金额（万元）	承包单位	签订时间
左岸电站机电设备安装与调试工程（第一标）	5665.37	中国水利水电第八工程局	2001.7.31
左岸电站机电设备安装与调试工程 2A	3560.43	葛洲坝水利水电工程集团公司	2001.7.31
左岸电站机电设备安装与调试工程 2B	3790.77	中国水利水电第四工程局	2001.7.31
左岸电站机电设备安装与调试工程（第三标）	3958.82	葛洲坝水利水电工程集团公司	2001.7.31

三、机电设备采购招标

（一）永久船闸集控设备采购及安装调试招标

由中国三峡总公司机电工程部负责招标项目立项及招标文件编制，招标发包工作由三峡国际招标有限责任公司具体实施。2000 年 10 月 10 日发售标书，2000 年 12 月 12 日开标，有 6 家单位投标，2000 年 12 月 13～25 日评标，2001 年 3 月 21 日定标。

（二）左岸电站、梯调中心计算机监测系统采购招标

由机电工程部负责招标项目立项及招标文件编制，招标发包工作由三峡国际招标有限责任公司具体实施。此项目为国际招标，分 2 个标段，2000 年 12 月 12 日发售标书，2001 年 3 月 27 日开标，有 5 家单位投标，2001 年 3 月 28 日～4 月 21 日评标，2001 年 8 月 8 日定标，合同签订情况见表 3。

表 3　机电设备采购合同签订情况

合同名称	合同金额（万元）	承包单位	签订时间
永久船闸集控系统设备采购及安装调试	1770.98	中国船舶重工集团公司七 0 九研究所	2001.3.21
左岸电站计算机监控系统采购	6392.11	ALSTOM（瑞士）公司	2001.8.8
梯调中心计算机监控系统采购	4678.98	ABB 自动化系统股份公司	2001.8.8

四、钢材采购招标

2001 年下半年钢材采购招标由中国三峡总公司物资部负责招标项目立项及招标文件编制，招标发包工作由三峡国际有限责任公司具体实施。2001 年 5 月 28 日售标，2001 年 6 月 8 日开标，有 12 家单位投标，2001 年 6 月 8～15 日评标，合同签订情况见表 4。

表 4　钢材采购招标合同签订情况

合同名称	合同金额（万元）	承包单位	签订时间
2001 年下半年钢材采购（64999t）	17187.82	上海宝山钢铁公司 邯郸钢铁公司 首都钢铁公司 湖北钢铁公司 包头钢铁公司	2001.7.4

除了以上主要项目外，还有 60 项招标项目，合同金额为 26712.02 万元。

（陈华英）

三峡工程招标成果与经验

三峡工程在长达 17 年的建设期中，约需浇筑混凝土 2900 万 m^3，开采砂石净料 4200 余万 t，开挖土石方

14000余万 m^3，采购水泥、粉煤灰700余万 t，采购钢筋、钢材80余万 t。从其巨大的工程规模和庞大的实物工作量可以看出三峡工程招标任务的艰巨性。

一、招标业绩

（一）招标成果

三峡工程从开工起便按照市场经济模式运作，全面推行招标投标制。截至2001年底，三峡工程累计完成投资731亿元，其中枢纽工程完成55%，库区移民完成45%。枢纽工程已完工或正在执行的合同共6445项，合同总金额622.4亿元。已招标的项目有436项（不含未列报投资的项目），合同总金额294.63亿元。其中公开招标93项（合同金额为189亿元），邀请招标155项（合同金额为72亿元），两项合计占比重88%。1999～2001年的招标项目中，公开招标的项目占80%。自2000年《招标投标法》颁布以后，凡大型招标项目均采取公开招标方式。

（二）招标效益

建筑安装工程。一期工程（1993～1997年）主要是前期准备工程、主体工程开挖及大江截流等，通过公开招标签订的主要项目合同金额为50.8亿元，与概算价格水平比较，最终形成节资率约8%。二期工程进入大坝、电站厂房、船闸的基岩开挖和混凝土浇筑，施工难度大，通过公开招标签订的主要项目合同金额超过100亿元，合同正在实施中，从执行情况看，与概算比较，将形成节资率约3%。

金属结构采购。技术标准要求比较高，市场上没有可比价格，但从投标价分析，加工制作费、管理费及利润的取费费率具有竞争性，预计节资率6～8%。

机电设备采购。已公开招标32项，其中：国际招标9项，主要是水轮发电机组、高压电器及配套设备，合同总金额为9.4亿美元（折合78亿元人民币）；国内招标23项，合同总金额2.2亿元人民币，从合同金额看，国际招标占总量的97%。节资率约13%。考虑到合同执行中的变更、索赔问题的处理，估计最终节资率约8%。

大宗物资材料采购。钢材招标节资率3%，水泥节资率11.5%，一级粉煤灰招标节资率16%。

（三）工程质量、投资、进度三控制

2001年三峡工程单元工程质量评定15248个，全部合格。优良单元工程12192个，优良率79.96%，较2000年有所提高。

截至2001年底，三峡二期工程单元工程质量评定61039个，全部合格，优良48383个，优良率79.3%。三峡工程的静态、动态投资均控制在国家批准的初设概算及预计的投资范围内；工程进度满足总体设计进度安排。

二、三峡工程招标经验

（一）积极、全面推行招标投标制

招标投标制是三峡工程建设实行的业主负责制、工程监理制、招标承包制、合同管理制等四项基本制度之一，是贯彻社会主义市场经济制度的具体体现。三峡工程开工之初，中国三峡总公司按照国务院领导关于三峡工程要引入社会主义市场竞争机制的指示，结合三峡工程建筑规模大、项目多、技术复杂、难度大、强度高、工期长等特点，积极推行招标承包制。《招标投标法》颁布实施后，中国三峡总公司进一步强化了对招标工作的规范化管理。这些措施为竞标者创造了公平竞争的市场环境，吸引全国乃至全世界优秀的建筑施工企业、物资供应商和设备制造商参与竞标。从而保障中国三峡总公司能够择优选取承包商，实现资源优化配置目标，保障国有资金的有效使用。

（二）招标投标制是三峡工程建设管理的重要环节

三峡工程是一个庞大的系统工程，工程参建各方既相互关联又互为独立，并通过各种形式的合同组成一个庞大、复杂而又紧密联系的立体关联网络。合同界定了项目法人与工程设计、工程监理、施工承包商、设备制造商和材料供应商相互间的责任、权利与义务，是合同双方工作的依据和行动准绳，合同管理工作贯穿于工程建设管理全过程，合同的顺利实施是实现工程三控制目标的保障。

在工程设计、招标、合同实施等工程建设管理的诸阶段中，招标工作起着承上启下的作用，管理工作的核心"合同条款"酝酿、生成于招标阶段，承包商的优劣、机电设备和物资材料质量均由该阶段决定。

（三）健全的组织体系和完善的规章制度是招标工作顺利实施的保障

中国三峡总公司招标管理工作在组织体系上，经历了"集中—分散—再集中"的过程，招标管理办法也经历了"制订—完善—再完善"的过程。每个过程都是对实践经验的总结提高和不断适应国家法律、法规的结果。

1.初期集中招标管理阶段（1993～1997年）

(1)招标特点

按工作时序分招标设计、招标文件及招标工作三个阶段管理，职责分明。

根据工程技术复杂、工期长、多专业并存的特点做好分标设计。按建设施工程序分为土石方开挖、混凝土浇筑、金结安装、机电设备安装、计算机监控系统等5个阶段。按项目作用又划分为主体工程、房建、交通、通信、供电等辅助工程项目，以及机电设备、金属结构、大宗物资材料等货物采购，和监理、设计等咨询服务业的招标。

通过各类典型项目的招标实践，不断完善招标管理工作；及时总结招标实践经验，不断完善评标管理办法，尤其是评标标准及评分细则，使其更加科学、合理、规范。坚持外聘专家评标，重大项目邀请本领域造诣深的权威性专家参加。不断完善招标文件，使招标文件从一开始套用范本到后来拥有自己风格的范本。坚持集体决标，严格评标纪律。

1993～1994 年成功组织了一期、二期建安工程国内招标、左岸电站 14 台水轮发电机组等国际招标的项目。

(2)存在问题与不足

合同执行部门参与招标设计、招标管理工作不够；合同条款的解释权、变更的审批权仍滞留在招标管理部门；合同执行部门有责无权，无法充分发挥主观能动性；管理层次过多，导致工作效率低；权力部门对现场了解不够，不利于归纳总结提高。

2. 分散管理阶段(1998～1999 年)

1997 年三峡工程实现大江截流，一期工程顺利完成。中国三峡总公司在总结一期工程建设管理模式的基础上，加大内部改革力度，积极推行分项目管理，在加大项目管理责任的同时，赋予其足够的权利，实现责权一体化。

(1)招标特点：总结一期建设管理经验，完善内控体系；招标按项目性质由相应的项目部门负责；招标方式和程序进一步规范，明确提出评标专家资质要求，加大外聘专家比例；制定标底编制原则；专业化分工提高招标效率。

(2)典型招标项目：二期厂坝工程及永久船闸启闭设备招标，一百多台套液压启闭机一次招标成功。外聘专家比例 80%。

(3)存在问题和不足：招标机构较分散，不利于决策层控制；项目部门兼顾招标和合同管理，工作过于繁重；招标工作规划和计划性不强、准备不充分；招标队伍不稳定，各招标机构间沟通不够，水平不均，不利于总体水平的提高。

3. 再集中阶段(2000 年迄今)

《招标投标法》酝酿产生的前后，全国人大法制工作委员会、国务院法制办、国家计委都曾派员来三峡调研，指导中国三峡总公司招标工作。在《招标投标法》颁布后，中国三峡总公司广泛地组织学习，并在总结、对照检查过去招标工作的基础上，第三次制定《三峡工程招标管理办法与实施细则》，其主要特点是：

(1)成立中国三峡总公司招标委员会，加强对招标活动的组织、领导和协调。对限额以上的重大项目，从招标立项、招标方式和程序、评标组织和决标等全过程进行组织和领导，对一般项目的招标进行指导。招标委员会下设办公室，负责招标计划和立项审核等日常工作，加强招标工作的计划性，减少盲目、随意性。严格的立项审批制度，有效地控制了项目投资规模及招标方式，力求做到尽可能采用公开招标方式。

(2)根据三峡工程的特点，分为建筑安装工程、机电设备采购(含金属结构制造)、大宗物资材料采购三大类进行招标。并将招标划分为前期和招标实施两个阶段，分别由业务部门负责招标前期工作(主要是招标设计及招标文件编制等)，委托行使中国三峡总公司招标中心职能的三峡国际招标公司负责招标实施阶段的工作，即行使招标代理机构的职能，使招标工作专业化、职能化。

(3)加强对评标工作的组织和领导，建立对重大项目的招评标工作的评标大纲审查制度，力求使评标大纲和评分细则更科学。

(4)在国家对三峡招标监督机构未到位时，建立由纪检监察室和招标办组成的内部自行监控机制，管理招标投诉，自我规范招标行为，严格遵循"公平、公正、公开和诚实信用"原则。

(5)坚持评标大纲审查制度和中国三峡总公司领导集体决标制度。

(四)进一步研究科学、规范的评标方法

通常使用的综合评价法和满足招标文件实质性要求的最低标价评标法，适应于不同特点的招标项目，在实践的过程中需进一步研究如何使各评分因素的权重设计更合理、评分更科学。

(五)严格招标文件编制工作

招标文件既是招标工作的基础又是合同执行的依据，招标文件完全依托设计单位编制是不妥当的，一般出于安全考虑或减少责任，设计单位对技术标准有偏于保守的考虑，其结果是有导致概算失控的风险。中国三峡总公司合理处理"投资、进度和质量"三者间的关系，避免失衡，坚持重要项目招标文件编制由三总师亲自指导，并提交总经理办公会审议批准。

(六)建立评标专家库，科学合理选取专家。

(七)加强标底的编制和管理控制项目的投资

三峡工程的标底编制具有挑战性，其采用的施工机械设备和施工工艺流程无现行定额和规范套用，给标底编制带来难度。中国三峡总公司一般采用 AB 法确定评标标底，把业主标底和市场价格综合起来，以求更加公平、合理地评价投标人的报价水平。对货物采购不常设标底，但要事先作些市场调查，了解市场行情，做到心中有数。

(八)加强合同管理，巩固招投标成果

在合同执行中，中国三峡总公司努力履行甲方责任和义务，同乙方协商合理处理变更和索赔，维护双方的合法权益，落实招标成果。

三、中国三峡总公司现行采用的招标方式

在《招标投标法》颁布之后，中国三峡总公司认真贯彻执行《招标投标法》的精神，制定新的招标管理办法，取缔“议标”的招标方式。2001 年中国三峡总公司总招标金额 15.8 亿元，其中公开和邀请招标金额占 98.68%，询价采购金额占 1.32%。

在中国三峡总公司的招标中，询价采购只是一种辅助方式，主要应用于办公桌椅、办公用计算机和车辆采购，以及施工现场急需且采用招标方式无法在时间上满足的零星工程。对询价采购方式，由中国三峡总公司招标委员会严格立项把关。

（胡安喜）

审 计 工 作

一、概况

2001 年，中国三峡总公司重点抓五个方面审计工作：进行单位负责人的离任审计；对下属企业和二级核算单位进行年度审计；专项审计财务管理不规范、群众意见较大的单位；开展工程项目竣工验收审计；配合国家审计等其他有关工作。

（一）受中国三峡总公司人事劳动部委托对三峡发展公司经理刘纪胜、三峡电子公司董事长敖麟、多能公司总经理庞庆庄进行离任经济责任或任期经济责任审计。

（二）对下属企业和二级核算单位进行年度审计。对三峡国际招标有限公司、宜昌荆当公路建设有限责任公司、北京代表处、上海办事处、武汉办事处、重庆办事处、工程建设部、设备部、物资部、离退休职工管理办公室进行财务收支审计。

（三）开展专项审计。对两个财务管理薄弱的单位进行专项审计，严肃财经纪律，堵塞管理漏洞，挽回经济损失。

（四）开展工程项目竣工验收审计。对大江截流及二期围堰合同工程、永久船闸排水洞合同工程、左岸大坝与电站第二阶段和挡水石埂外移、永久船闸泄水箱涵出口围堰开挖、通航建筑物上、下游航道口门整治工程项目进行审计。在审计中，中国三峡总公司审计室坚持以合同为依据，重点审计投资控制、合同变更、价款结算、工程档案资料的完整性、合法性、合规性、合理性。共审计合同金额 80151.6 万元。

（五）配合国家审计及其他工作。配合落实审计署武汉特派办关于三峡计算机系统建设项目的审计决定，向国家审计署报送《经济责任审计及相关报表》；根据中央五部委经济责任审计工作联席会议办公室的要求上报《三峡总公司关于经济责任审计工作开展情况的自查报告》；完成三峡工程稽察组交办的有关砂石料问题的核查工作；配合财务部参与对三峡发展公司、多能公司、三峡电子公司的清算工作。

二、审计工作主要做法

制定《三峡工程合同项目内部审计管理办法》，广泛听取各方面意见，积极稳妥开展工程审计。坚持既搞好监督，又搞好服务的宗旨。

三、审计工作存在的不足

对下属企业内部审计指导检查不够，内部审计体系尚待进一步完善。由于中国三峡总公司对下属企业没有建立经济责任制，导致审计中没有评价标准，审计人员培训工作有待加强。

（段兵芳）

电力生产

电力生产管理概况

2001年,中国三峡总公司电力生产管理围绕葛洲坝工程安全运行和迎接三峡工程首批机组接机发电等工作有序展开。

一、全面完成电力生产任务

2001年,葛洲坝电厂安全生产继续保持良好的形势。全年发电162.91亿kW·h,居投产以来第三位;实现连续安全生产259天;完成销售收入14.14亿元,总成本控制在7.28亿元的目标以内,利税总额9.15亿元,上交三峡基金5.20亿元;加大设备整改和环境整治的力度,全年安排大修费用1.32亿元,技改资金1.14亿元,为历年最高水平。

二、安全管理

(一)分年适度提高葛洲坝电厂折旧率,多渠道筹措技改资金,加大安全生产技术改造投入,加快主要生产设施的更新改造。随着葛洲坝电厂500kV开关站构架加固、200kV开关刀闸改造和大江发电机组出口断路器开关改造等技改工程的竣工,消除了多年的安全生产隐患,为安全多发电提供了坚实的设备基础。

(二)加强"双零"安全目标考核,严格落实安全奖惩责任制和各项安全生产措施,现场安全生产井然有序。

(三)加强制度建设,研究出台电力生产绩效考核管理办法,探索适应现代企业制度的授权经营、责权明确和分级管理的电力生产管理体制。

三、稳步推进三峡接机发电准备工作

2001年,三峡电厂(筹)、梯调中心(筹)有员工147人。围绕接机发电和三峡、葛洲坝水库统一调度目标,两个筹建处先后组织18人次赴委内瑞拉、加拿大等国参加大机组运行、检修和梯级调度学习;参加国内大电站和大机组运行、检修及调度管理培训800人次,提高员工专业技术和专业技能。为顺利实现三峡—葛洲坝枢纽的联合运行,梯调中心(筹)积极推进三峡—葛洲坝枢纽调度规程编制工作,在长江水利委员会(以下简称长江委)的配合下,基本确定围堰发电期的防洪、航运和电力调度关系及水库调度运用原则,长江委可按期在2002年初将围堰发电期调度规程框架报告提交中国三峡总公司。从肩负最终用户责任出发,三峡电厂(筹)主动参与三峡工程设计、机电设备安装及验收等工作,同时接管左岸电站小桥机的运行维护管理工作,为顺利接机做准备。根据2003年三峡发电、通航的生产需要,全年开展三峡水利枢纽坝区漂浮物治理措施研究、三峡水库汛后提前蓄水可行性研究等科研项目,研究提出解决三峡2003年初期蓄水的排漂、治漂措施,并对提前蓄水进行了可行性研究,以争取在满足三峡防洪需要、航运约束条件下最大的发电效益。

四、全面完成预算控制任务

2001年中国三峡总公司实现全面预算管理。为贯彻全面预算管理办法,实现三峡接机发电准备工作的有序管理,出台《中国三峡总公司生产准备费、联合试运转费用暂行管理办法》并参与编制了《生产准备、联合试运转费用执行概算》。通过采取项目管理与年度预算控制相结合的措施,加强生产准备费、联合试运转费的计划、立项和设备的招标采购、固定资产管理、费用支付等方面的管理,使2001年度生产准备费预算得到有效控制,2001年全年支出生产准备费2169万元。

五、进行股份制改造及电力营销研究

结合中国三峡总公司关于在2002年组建三峡电力股份有限公司、2003年改制上市的总体工作目标,组织有关人员在调研国内部分大中型企业股改上市经验的基础上,对中国三峡总公司电力股份制改造方案及组织实施步骤进行研究,提出重组中国三峡总公司电力生产关系的建议,为中国三峡总公司电力股改工作提供参考意见。

随着三峡接机发电各项准备工作的逐步深入,三峡电力营销研究工作"以市场为导向,以效益最大化为原则"主要从4个方面展开:一是通过研究三峡水库不同分期蓄水方案,及时了解和掌握不同分期蓄水方案对三峡可发电量的定量影响,积极配合国家计委做好三峡电能消纳预案工作。二是在对三峡受电区电力市场进行调查的基础上,为贯彻落实"国家划定市场、市场确定价格"的三峡电价运行机制,寻求多方支持与配合,促使国家计委在年内及时启动三峡电价运行机制研究工作。三是在调研部分上网发电企业并网发电及售电协议的执行经验基础上,开展三峡售电协议、并网及调度协议框架研究工作,为2003年顺利接机发电做好营销准备。四是通过积极参加《电力法》修订研讨等行业协会活动，争取政府在制定水电开发、公平税赋和公平交易的政策、法规时，充分考虑独立发电企业的合法权益。

六、协调葛洲坝枢纽的运行管理

2001 年，葛洲坝枢纽工程运行管理工作主要开展葛洲坝 2# 船闸计划性大修，葛洲坝 2#、3# 船闸坝面的临时建筑清除，以及葛洲坝水利枢纽及黄柏河流域环境现状分析和治理对策研究等工作。葛洲坝全年航运正常，枢纽工程运行情况良好。

（曹光荣）

梯调中心筹建工作

一、概述

三峡梯调中心是三峡一葛洲坝梯级枢纽运行的调度、协调机构，主要任务是在确保梯级枢纽安全运行的前题下，协调防洪、发电、航运等综合利用的关系，在发挥枢纽防洪作用和保证航运安全的同时，充分发挥枢纽最大发电效益。

2001 年梯调中心筹建处以《三峡—葛洲坝枢纽水库调度规程》和《三峡电力调度规程》编制工作为契机，进一步理顺与国家防汛部门、电力调度部门、航运管理部门的调度关系，并建立相应的业务联系。在硬件建设中，梯调中心筹建处以水调自动化系统和监控系统的建设为主要目标，全面启动、参与相关工程项目、科研项目的建设与实施。在机构建设中，以建立健全内部管理制度为重点，使各项工作有章可循，运行高效有序。在人员招聘中，坚持“公开、公平、公正”招聘原则，严把人员质量关，同时加快人员培训步伐，提高人员素质。

二、完成的主要工作

（一）抓好双规编制工作，建立调度管理体系

《三峡—葛洲坝梯级水库调度规程》（以下简称《梯级调度规程》）编制工作是梯调中心筹建处 2001 年的工作重点。梯调中心筹建处与《梯级调度规程》的设计方长江水利委员会（以下简称长江委）设计院多次协商，分别于 2001 年 9 月和 11 月在武汉召开编制联络会。长江委设计院 2001 年完成《梯级调度规程》编制的讨论稿。

在委托长江委设计院开展《梯级调度规程》编制的同时，2001 年 7～12 月，梯调中心筹建处分四个阶段邀请国内水库调度方面的资深专家对《梯级调度规程》的编制进行咨询，提出阶段性的《咨询报告》，做到规程编制重大问题心中有数。配合四次咨询活动，梯调中心筹建处组织《梯级调度规程》编制的咨询专家 10 余人赴黄河流域小浪底、三门峡两水利枢纽进行考察，学习借鉴两个枢纽泥沙调度运用成功经验。

在积极编写《梯级调度规程》的同时，梯调中心筹建处多次与三峡电厂和葛洲坝电厂就梯级电力调度问题进行广泛的协商，努力理顺梯级内部电力调度关系。2001 年 6 月，在中国三峡总公司电力生产部的主持下，完成《三峡梯调电力调度管理原则》讨论稿，统一了对梯级电力调度有关问题的认识，明确三峡梯调对葛洲坝、三峡电厂的调度关系、原则和调度方式。2001 年底，完成《三峡梯级电力调度规程》编写工作大纲。

（二）以两个系统建设为契机全面启动硬件建设

三峡水库调度自动化系统设计以满足围堰发电期枢纽运行调度为主要目标，并兼顾初期运行和正常运行期的发展需要。该工程项目由长江委进行技术设计，2001 年 5 月 31 日通过技术设计审查，10 月 8 日开标，11 月上旬评标工作结束，2001 年底完成合同谈判及签订工作。作为梯级水调自动化系统的一个组成部分，《梯调中心专业气象台气象应用软件开发工程合同》于 2001 年 10 月签订，由湖北省武汉中心气象台承建该项目。

梯调监控系统是三峡、葛洲坝枢纽联合运行调度的基础平台，该系统的招标工作由中国三峡总公司机电部负责。梯调中心筹建处积极配合做好设计、招标、评标及合同谈判工作，中国三峡总公司于 2001 年 8 月 8 日与 ABB 公司正式签订梯调监控系统承建合同。此外，为充分利用葛洲坝各监控系统的资源和功能，研究对葛洲坝的监控和调度模式，梯调中心筹建处于 2001 年 4 月完成葛洲坝电厂接入三峡梯调系统的专题研究，对葛洲坝电厂各监控系统的资源情况进行了较深入的调研，提出葛洲坝电厂接入三峡梯级调度系统的方案，为三峡梯调监控系统的建设做好技术准备工作。

（三）建好调度窗口工程营造良好工作环境

梯调调度区域是梯调中心实施梯级调度的场所，为保证这一工程按期高质量的完成，满足 2002 年 6 月调度工作的需要，梯调中心筹建处委托长江委设计院进行调度区规划设计。2001 年 3 月召开设计审查会，4 月召开标书审查会。2001 年 11 月 13 日正式开工。

（四）加大培训科研力度发挥职工潜能

梯调中心筹建处根据生产调度需要，与国内科研院所合作，开展《三峡电力系统稳定性分析》、《葛洲坝电厂接入三峡梯调系统方案研究》、《梯调决策支持系统》、《三峡梯级 AGC》、《三峡大坝坝区滚动天气预报方法研究》、《梯调中心专业气象台业务体系的研究》、《三峡水库区间入库洪水预报模型研究》、《基于 GIS 的三峡枢纽水文信息管理系统》、《寸滩、武隆短期洪水预报方案研

究》、《寸滩、武隆中长期洪水预报方案研究》。其中《三峡电力系统稳定性分析》被列入国家"十五"攻关项目。在科研合同执行过程中，梯调中心筹建处注意加强科研与实际相结合，使科研工作更有针对性。对重大的技术问题积极分析研究，提出看法和措施。

2001年度梯调中心筹建处以培养电调和自动化技术人员为主，组织人员到东北电网、南方电网、华中网调、葛洲坝电厂和重庆大学考察、学习。通过实地学习培训，让技术人员了解国内梯极电力调度的现状，学习电网运行方式编制和调度运行管理的经验，为今后的三峡梯级调度积累知识。

2001年11～12月，根据中国三峡总公司与委内瑞拉EDELCA公司签订的合作协议，梯调中心筹建处选派4名电调人员赴委内瑞拉进行调度业务技术培训。此外，2001年还签订《水调人员清江梯调培训合同》和《泥沙人员培训合同》。

(五)完善内部管理制度规范工作程序

梯调中心筹建处除执行中国三峡总公司的各项规章制度外，还根据自身的实际情况，陆续制定中国三峡梯调中心筹建处《车辆管理暂行规定》、《材料管理暂行规定》、《费用结算暂行规定》、《关于设备管理的暂行规定》、《传真管埋暂行规定》和《公文处理暂行规定》等内部管理制度。初步形成筹建处管理工作的规章制度体系，为筹建处管理的制度化、标准化、规范化奠定制度基础。

年底，为全面贯彻落实中国三峡总公司关于加大人事制度改革力度，建立健全员工绩效考核制度的精神，梯调中心筹建处根据《中国三峡总公司员工年度考核试行方案》，结合自身工作实际，制定《梯调中心筹建处员工年度考核方案实施细则》。

(六)坚持"三公"招聘原则严把人员质量关

根据筹建工作需要，经中国三峡总公司同意，梯调中心筹建处分别于2001年2月和7月进行两次人员招聘。2月初，梯调中心筹建处坚持公开、公平、公止招聘原则，面向中国三峡总公司内部正式员工，招聘8名电调技术人员和2名自动化人员。7月中旬，梯调中心筹建处成立中国三峡总公司人力资源部和纪律监察室相关人员在内的考评小组，面向宜昌市城区进行首批聘用制合同员工招聘。经过笔试、技能操作和面试等环节，招聘2名司机和1名文书。

应工作需要，梯调中心筹建处分别于2001年年初和8月下旬借调葛洲坝电厂6名同志参加筹建工作，其中5名人员于2001年8月底办理正式调动手续。截至2001年底，梯调中心筹建处正式员工总人数为27人。

（侯保民　葛文波）

三峡电厂筹建工作

一、概况

2001年，三峡电厂筹建处以组建国际一流水电厂为目标，一手抓参与工程建设，一手抓内部管理、培训和技术准备，以三峡电厂生产管理信息系统建设为切入点，推动三峡电厂现代化管理工作的开展。

二、主要工作

(一)参与工程建设

全面参与机电设备、金属结构招标文件的编制、评标、合同谈判和设计联络、出厂验收和到货验收，积极配合中国三峡总公司工程建设部对三峡工程设备质量性能把关。2001年100人次参与招标、合同谈判和设计联络会；78人次参与设备试验见证和验收；16人参加机电安装工程项目监理部和厂坝项目部的工作；16人跟班参与大桥机、泄洪坝段等金结设备和闸门启闭机的安装调试。接管左岸电站厂房125t/125t小桥机，配合完成厂房网架、大桥机、定子机座安装等工作。参与电源电站前期工作，组织完成三峡工程厂用电系统的可靠性研究。

(二)生产技术准备

加强对工程图纸技术和资料信息的整理、加工、管理工作。收集和整理图纸268卷计10964张、技术资料950本，建立图纸资料室；绘制、整编《三峡电厂设备图册》计11分册；编译、编写技术、培训资料30余册，500余万字；自主开发技术图纸资料管理软件，实现电子文档资料管理网络化；着手编写6部运行、维修规程，其中《125t/125t厂房桥机运行、维修规程》投入使用；组织机组技术供水减压阀试验；积极配合三峡二期工程验收的准备工作，成立三峡电厂筹建处参与验收工作的组织机构。

(三)人力资源管理

组织完成两次员工招聘工作。按照"公平竞争，公正考核，择优录取，双向选择"原则，组织进行两批员工招聘工作，先后录取68人。筹建处员工总数116人，平均年龄33岁。

员工培训。2001年完成专业技术培训70期，参加培训人员805人次。9人次(含西班牙语、英语翻译)分别参加委内瑞拉EDELCA公司的电气维修培训和ALSTOM发电机技术培训；150人次参加桥机、闸坝金结、辅机、GIS、10kV和0.4kV开关、10kV干式变等设备厂家的技术培训；组织运行维修人员89人次分别到龙羊峡、岩滩、天生桥等单位跟班实习，学习大型混流式机组的运行、维修经验，完成实习报告140余篇；邀请5名院士举办一期《现代电力发展》讲座；举办CAD、NOTES等办公软件的使用培训、电力系统理论培训、英语初、中级口语等培训班；组织内部本专业和跨专业人员进行专题技术讲课。

（四）管理工作

三峡电厂筹建处2001年6月迁到三峡坝区培训中心办公。2001年3月，三峡电厂筹建处与中国三峡总公司信息中心共同成立ePMS建设项目组织，先后完成技术交流、总体规划的设计编制和软件招标文件的编写，组织研究三峡电厂运行操作、维修、消缺、采购等典型生产管理工作流程，为下一步ePMS的实施创造条件。进一步细化筹建处各部门管辖设备、设施的范围及管理职责、权限等分工。制定计算机及网络设备、施工现场安全、检验和验收、人事劳资、绩效考核、公文编写等10多项管理规定，提高筹建处规范化管理水平。建成工地办公区局域网，组建网站兼职管理机构，明确各栏目版主及职责。为统筹资源，提高管理效率，编制2001～2003年《三峡电厂投产发电倒计时计划》计4700余项。选举产生三峡电厂筹建处党总支部，并相继成立五个下属党支部。三峡电厂筹建处（分）工会、团支部在推进民主管理、维护职工权益、丰富职工业余文化生活方面起到积极作用。

（赵 蕊）

三峡坝区供电供水

一、供电

2001年，三峡施工供电局向三峡施工区供电32307.87万kW·h，安全生产665天，平均网损率为4.26%，功率因数控制在0.92以上，电费回收率为100%。共完成操作任务5654个，无差错操作52123项，办理工作票844张，及时处理设备缺陷580条（其中主要设备缺陷50条），巡线210km，实现安全生产全年无事故目标。

（一）安全管理

强化安全意识。通过“安全生产周”、“安全管理培训班”、“我为安全献一计”等活动加强安全生产的宣传教育力度，工作重点由事后处理转变为事前教育预防。使职工牢固树立“安全第一”的思想、“违章就是事故”的观念，增强遵章守纪的观念和自我防护意识。

健全、落实安全管理制度。先后颁布实施《安全生产禁令》、《计划检修的有关规定》、《安全考核条例》等多项安全规定，形成畅通的安全管理渠道。

加强安全考核力度。颁发《安全生产岗位责任制》；与各车间签订安全目标责任书；严格执行“安全生产一票否决权”的规定，将职工的安全工作业绩列为职工获得双考资格、晋级、评先的重要内容和依据之一。

落实各项安全措施。实施春季安全大检查、各站消防设施检查、船闸变电站院墙外移、汛期安全大检查、各施工单位用电监察等安全措施，保障人身及设备安全。

加强整改力度。整改72项安全隐患；建立健全不安全现象台账。

加强6kV公用系统安全管理工作。

加强电网安全监察力度。深入现场对供用电情况进行深入细致的安全检察，严把线路报装关。

确保汛期安全供电。教育职工树立“防重于抢、责任重于泰山”的思想，在防汛方案制定、人员落实、设备维护、巡视检查、物资准备、应急抢险等关键环节上审慎从事、保证管理到位、技术到位、措施到位、责任到位，将防汛保供电工作落到实处。

针对设备的运行状态制定切实可行的防事故预案。落实消防安全工作、加强治安管理，杜绝不安全隐患。

（二）设备管理

进行二、三期工程衔接前的大修工作。组织完成陈家冲等5座变电站的设备大修及坛子岭厢变设备大修，检修预试主变24台、断路器158台、隔离开关135台、电压互感器47台、电流互感器144台、避雷器389只；校验继电保护装置242套，检验计量、测量表计300余块。

实施改造工程。完成MIS系统的建立，完成白庙子、瓦窑坪、浸水湾、高家冲变电站6kV刀闸换型改造及陈家冲变电站避雷针接地装置改造等19项工程改造任务。

及时做好线路维护抢修。发现和清除110kV及35kV线路接地短路故障9次。汛期来临之前，更换部分导线。处理路灯系统回路短路故障12起、修理路灯灯具1890套、更换高压钠灯280只。完成绝缘子炸裂、厢变变压电缆短路等事故抢修8起。

更换各站通信电源，对部分无线电话系统进行安装调试，确保三峡电网通信畅通。

加强设备的消缺力度。先后完成所辖设备避雷器、接地电阻的全面预试和测量；瓦窑坪、坝河口、高家冲、坛子岭4座变电站避雷系统加装一组消雷器；110kV莲陈线普通型绝缘子更换为防污型绝缘子；35kV陈高线右岸段加装避雷器；更换改造瓦窑坪、坝河口、下岸溪等8座变电站6kV刀闸并进行防锈处理；处理陈家冲、下岸溪、瓦窑坪3座变电站屋面漏水。

处理事故做到稳、准、快。汛期共完成35kV及各系统故障处理 22 次,6kV 线路事故处理 127 次,单相接地故障处理 22 次,设备缺陷处理 187 条。

(三)用电管理

变更电费管理体制。接管 13~19 小区的用电管理及电费收缴工作,签订供用电协议 23 份,明确供用电双方的权利和义务,保证小区商业用户电费保证金及小区用户电费的回收、上缴。

完成各项经济指标。严格执行《供电损耗考核办法》,加强供电损耗管理,合理调整运行方式,降低电网损耗;制定落实《节能降耗考核办法》,使职工在日常工作中养成良好的节能习惯;各变电站及时投运无功补偿装置,及时调整主变分接开关,使电网功率因数控制在 0.9 以上,提高工程供电质量。

理顺报装程序。制定《用户用电报装管理办法》,规范电网用电报装程序,办理用户报装申请用电 36 次(含小区用电),增容 5 次,销户和用户转移 3 次。

做好电费计算、收缴工作。

二、供水

2001 年,针对施工用水区域重点从 120m 高程以下转变为 150m 高程以上、高区供水量加大的特点,及时调整供水方案,力保三峡工程混凝土浇筑任务的施工用水。三峡工程水厂通过深入开展优质服务、内部挖潜、文明创建等工作,全面完成各项工作任务。全年完成供水 5665 万 t,水费回收率 90%,经市卫生防疫站检测综合合格率 100%。

(谭云影 杨 莉)

三峡专用港口码头运行管理

2001 年,三峡工程专用港口码头累计吊装物件 1673 件,重 30000 多 t,连续安全生产 1023 天。

一、构筑安全生产管理体系

年初,三峡工程专用港口码头管理处与各部门签订安全工作目标责任书,同时出台《安全管理制度汇编》,明确规定各级人员的安全责任,构成层层落实安全生产制度的安全管理体系。

2001 年安全生产技术措施:制作码头平台安全护栏、更换码头变电所主供电电缆线、完成码头平台沉陷、位移观测基点造标及测点的改造、处理变电所屋面漏水、对桥机轨道钢箱梁进行二次防腐处理。

先后完成对桥机滑线挂钩部分损坏、桥机大车轨道啃轨、主起升减速器声音异常等 9 个项目的整改。全年初插各种钢丝绳 10 对,新购葫芦 8 个、卡环 20 个,报废钢丝绳 8 对。处理码头桥机设备缺陷 10 项,变电所设备缺陷 8 项,更换各种电气元件 40 多件,设备完好率达到 100%,两票合格率 100%。2001 年 1~9 月,对码头整体外观进行 9 次检查,没有发现大的异常。

二、开展劳动竞赛,增强服务意识

三峡专用港口码头管理处以竞赛促管理,以竞赛促服务,将过去的被动服务转变为主动服务。员工在劳动竞赛中,比工作效率,比安全生产,比服务质量,综合素质明显提高。

三、精神文明建设

按照三峡坝区综合治理办公室的要求,积极开展坝区安全文明单位创建工作。通过制定有针对性的创建措施,取得较突出的创建效果:码头治安状况良好,码头区域清洁整齐,安全组织运转规范,各项规章制度进一步完善,生产生活秩序井然。再次通过三峡综治办的安全文明单位验收。

(魏建中)

防 汛 工 作

三峡工程防汛工作

一、汛期三峡坝区天气及来水情况

5~10 月高温日数(最高气温≥35℃)32 天,其中 7 月 10 日极端最高气温达 40.3℃,创三峡工程建设以来最高记录。5~10 月平均气温 24.2℃,比常年偏高 0.9℃。

汛期(5~10 月)有 5 次暴雨过程。8 月 8 日出现大暴雨过程，左岸坛子岭降水 123.1mm，右岸风箱沟降水 101.3mm，最大降水强度 50mm/h。5～10 月总雨量 1050.0mm，比常年偏多 19.3%。由于降水过于集中，对工程危害程度超过往年。

10 月阴雨过程频繁，乐天溪站月雨量 246.9mm，较常年偏多 222%，创 1992 年建站以来历史同期最高记录，也为宜昌站自 1950 年以来 50 多年历史同期的第二个峰值年份，仅次于 1983 年 10 月的 294mm 最高记录。

汛期坝区共发生 8 次 7 级以上的大风过程。其中 7 月 2 日下午 14 时，瞬时风力最大达 11 级（风速28.8 m/s）。7 月发生两次 10 级以上大风。大风频数之高，风力之大，是三峡工程开工建设以来少见的，给工程施工设备带来一定损失。坝区主要气象要素见表 1、表 2、表 3。

表 1　2001 年 5～10 月三峡坝区暴雨、强雨过程统计表　　雨量单位：mm

气象观测站		乐天溪站			坛子岭站			枫箱沟站		
序号	时间	日雨量	时段	最大雨强	日雨量	时段	最大雨强	日雨量	时段	最大雨强
1	6 月 28 日	94.6	14～17	42.0	86.1	14～17	30.2	73.7	13～17	35.0
2	7 月 2 日	32.0	14～15	30.9	39.3	14～15	30.7	27.2	14～15	18.9
3	7 月 21 日	30.3	14～15	27.7	16.5	14～15	13.0	9.8	14～15	9.0
4	7 月 23 日	50.3	15～18	20.5	42.7	15～16	28.7	37.0	15～18	15.5
5	8 月 8 日	60.9	20～22	—	123.1	20～22	50.0	101.3	20～22	41.8
			10～11	25.8		12～13	36.3			
6	8 月 20 日	19.8	2～3	10.3	41.8	2～3	26.7	80.9	1～3	43.1
7	8 月 21 日	50.3	7～9	29.5	47.5	7～9	19.4	43.7	7～9	17.9
8	10 月 26 日	53.1	22～23	11.2	51.8	22～23	13.1	55.8	22～23	11.0

表 2　坛子岭气象站 2001 年 5～10 月主要气象要素统计表

月份	最大日雨量	最大雨强	雨日	大风日数	极大风速	雷暴日数	高温（≥35℃）		最长连续降水		
							日数	极值	时段	天数	雨量
	mm	mm/h	天	天	m/s	天	天	℃	日～日	天	mm
5	26.2	5.7	10	—	13.6	1	1	36.5	24～27	4	29.4
6	86.1	30.2	13	—	12.1	5	2	37.0	3～5	3	13.7
7	42.7	30.7	15	7	28.8	14	16	40.1	21～27	7	74.3
8	123.1	50.0	7	2	20.0	5	4	38.1	20/7～1	13	112.5
9	5.7	1.9	4	—	10.2	—	1	35.0	21～22	2	6.0
10	51.8	13.1	18	—	9.4	—	—	—	12～16	5	87.6

注：大风日数指瞬时极大风速超过 13.9m/s 的天数

表 3　乐天溪气象站 2001 年 5～10 月主要气象要素统计表

月份	项目	降水（mm）				气温（℃）			
		上旬	中旬	下旬	月	上旬	中旬	下旬	月
5	实况	28.9	0.2	28.8	57.9	21.1	23.5	22.7	22.4
	距平	−41	−100	−35	−58	1.3	2.5	−0.4	1.1
6	实况	22.7	43.2	112.2	178.1	25.1	25.1	26.7	25.1
	距平	−19	16	16	42	−0.8	0.8	0.7	−0.5

7	实况	41.0	28.8	147.1	216.9	28.8	28.9	28.0	28.5
	距平	−44	−64	134	1	1.3	0.9	−1.0	0.3
8	实况	59.1	9.8	50.3	119.2	27.2	26.5	26.0	26.6
	距平	−26	−81	9	−33	−1.3	−1.1	−0.9	−0.9
9	实况	0.2	0.0	5.5	5.7	25.3	25.0	22.7	24.3
	距平	−99	−100	−78	−95	−0.1	1.9	1.1	1.0
10	实况	42.1	116.2	88.6	246.9	19.4	17.1	18.0	18.2
	距平	49	428	238	222	−0.2	−0.4	1.5	0.1

注："—"表示偏少或偏低；降水距平单位：%。

5～10月三峡坝址来水总量3250亿 m^3，较常年偏枯8.5%，整个汛期出现4次超过30000m^3/s的洪水过程，最大峰值流量41500m^3/s（9月8日02时），特别是7月份来水量与常年平均值相比偏枯30%以上，月最小流量10500m^3/s，为1943年以来同期最低。整个汛期来水除明渠通航对混装船有影响外，对其它航运和工程施工未造成大影响，汛期坝址来水特征见表4、表5。

表4　三峡坝址2001年5～10月来水统计表　（流量：m^3/s）

月份	平均流量	距平(%)	来水频率(%)	最大流量	出现时间	最小流量	出现时间
5	9310	−22.4	84.6	13800	5日14时	5500	25日08时
6	19200	3.2	41.0	26600	30日14时	9200	3日02时
7	20900	−30.3	92.0	33700	6日20时	10500	28日08时
8	22100	−21.6	81.2	36500	24日02时	15000	14日02时
9	31000	17.0	25.0	41500	8日02时	23000	1日02时
10	20500	3.5	40.9	30700	1日02时	13800	25日02时

表5　2001年汛期三峡坝区水位特征值统计表　（水位：m）

月份	茅坪水位				三斗坪水位			
	月最高	出现时间	月最低	出现时间	月最高	出现时间	月最低	出现时间
5	67.57	5日08时	66.04	19日02时	66.80	5日08时	65.71	19日02时
6	70.41	30日14时	66.41	05日02时	68.22	30日14时	65.92	05日02时
7	72.02	07日08时	66.57	28日02时	69.25	07日08时	66.02	28日02时
8	72.48	24日02日	67.39	14日02时	69.45	24日02日	66.34	14日02时
9	73.64	8日02时	69.47	1日02时	70.19	8日02时	67.73	1日02时
10	71.27	1日02时	67.20	25日08时	68.81	1日02时	66.29	25日08时

二、工程度汛

（一）汛前准备

按照2001年工程度汛标准，结合2001年三峡工程的施工度汛特点，中国三峡总公司成立以副总经理贺恭、王家柱、杨清为组长，各参建单位和部门领导为副组长及成员的度汛领导小组，统一领导工程度汛工作。下设度汛办公室负责日常的度汛工作和水文气象信息采集、预报和发布。工程各参建单位成立相应工程度汛机构和抢险队伍、统一服从度汛领导小组指挥，按属地管理分工原则：谁承包、谁管理、谁负责。

3月8日，中国三峡总公司在"长江三峡工程2001年度汛工作安排"文件中根据长江委三峡工程代表局《长江三峡水利枢纽2001年度汛要求》，对各工程部位的度汛标准作出明确规定。抗御洪水标准为：二期上游围堰按百年一遇洪水 83700m^3/s 设防；下游围堰、导流明渠按50年一遇洪水 79000m^3/s 设防；临时船闸在洪水流量达到 45000m^3/s 时封航停运；沿江两岸其它工程部位按20年一遇洪水 72300m^3/s 设防。二期施工基坑、永久船闸地上地下的防暴雨标准按 80 mm/h降水强度配足抽排水泵。规定度汛领导小组和下属各度汛机构，按照坝址洪峰流量达到 45000m^3/s、55000m^3/s、65000m^3/s 及以上，或坝区降水强度为 25mm/h、50mm/h 以上及有大风警报时分别进入值班、警戒和抢险状态。以确保三峡工程在度汛标准内万无一失，遇超标准洪水时，按设计的抢险预案将洪灾损失减少到最低程度。

4月16日，中国三峡总公司召开三峡工程参建单位和部门防汛办公室主任会议，对2001年防汛工作进行动员和安排，各主要施工、监理和运行管理等单位对各自的防汛组织机构、抢险队伍、防汛物资、防汛措施等方面工作进行汇报，并讨论加紧落实的措施。强调各参建单位、部门领导和全体建设者必须克服麻痹侥幸心理，立足于防大汛。会议特别强调：随着大坝和厂房的不断升高，门机、塔带机等设备也随之升高，防大风的问题变得突出，应引起高度重视。5月中、下旬，三峡工程度汛办公室牵头，施工、监理、运行管理、设计等单位领导或代表参加的三峡工程防汛检查组，对三峡工程防汛重点部位进行全面检查，通报检查情况，督促有关单位和部门落实防汛准备工作。

（二）水文气象信息采集、预报与发布工作

2001年3月下旬和4月上旬，中国三峡总公司度汛办公室、水文气象中心和国家气象中心相互交换三峡坝址汛期来水及坝区长期气象趋势信息，指导工程的防汛准备工作。6月上旬度汛办召开汛前水文气象现场工作会议，检查和安排汛前准备中的技术、业务工作；检查、测试各主要施工单位和重点部位天气警报器，保证其处于完好状态。

为提高坝区灾害性天气监测和预报手段，中国三峡总公司与中国气象局等单位共同出资，在宜昌兴建新一代多普勒雷达。2001年6月1日新建多普勒雷达正式投入运行。汛期灾害性天气预报成果见表6。

表6　三峡坝区2001年汛期暴雨、大风灾害性天气预报统计表

日期	大风			暴雨		
	预报	实况	预见期	预报	实况(mm)	预见期
6月13日	大风警报	7级	20分钟			
6月28日				强雷雨	94.6	30分钟
7月2日	7～8级	11级	1小时			
7月14日	7～8级	10级	14分钟			
7月21日	6－7级	8级	43分钟			
7月23日	6级	10级	1小时	强雷雨	50.3	2小时
7月26日	6级	9级	58分钟			
8月7日	6～7级	8级	1小时			
8月8日				强雷雨、暴雨	123.1	4小时
8月20日				短时强降水	80.9	30分钟
8月21日				短时强雷雨	50.3	25分钟

（三）工程重点部位的防汛工作

针对2001年6～7月间三峡坝区频繁出现局地短时暴雨大风天气给工程带来的影响，工程建设部7月24日以《关于加强对灾害性天气预防工作的紧急通知》，通报雷雨大风对工程施工造成的影响，要求各参建单位加强对灾害性天气的防范工作，全天候值班收听和咨询水文气象中心的信息。

2001年二期工程上下游围堰及基坑的度汛，受洪水威胁不大，但受到暴雨大风袭击的影响，主要影响有3次：7月2日中午大风（11级），三七八联营总公司尾水平台上三台门机相撞，其中有一台发生险情；部分施工生活区、加工厂房屋顶损坏。7月23日下午暴雨大风（10级），厂坝上游段主电源及线路遭雷击，造成停电及基础灌浆临时中断。8月7日晚特大暴雨，基础灌浆廊道进水1.1m，下游集水坑抽排不及，固定泵站被淹。由于措施得力，以上灾害性天气未对施工造成大的影响。坝区属雷击多发地区，汛前对易受雷击部位接地装置进行全面检修，主要设备如塔带机及其供料线、高架门机、栈桥、高压配电系统等均安全度汛。

永久船闸地上地下工程度汛工作主要是防大风、防暴雨。汛前施工、监理和项目部门紧密配合，认真落实中国三峡总公司度汛工作安排，在汛期遭受6次较大暴风雨的袭击中，地下输水洞等工作面被淹，由于及时全力抢险，损失降到最低，并及时恢复生产。7月23日大风造成13# SDMQ1260/60型门机翻毁，25t浦沅汽车吊和400t德马克汽车吊被砸坏，除突发性暴风雨是直接和根本原因外，安全防护等措施不到位也是主要原因。

下岸溪料场是防暴雨、防坍塌的重点部位。汛前查出隐患12处，整改11处，减少水毁损失，保证生产正常进行。供水、供电、通信、交通、坝区周边地区等安全度汛。

三、通航转运工作

6月21日，汛期三峡工程应急转运工作协调领导小组召开会议，调整领导小组成员和应急转运工作方案，明确各方职责。2001年航运的最大特点是出现了滚装船，根据这一情况，会议决定当坝址洪水流量超过30000m³/s时，滚装船不能通过明渠或临时船闸，应通过陆路转运。

2001年坝址洪水流量没有超过45000m³/s，临时船闸没有封航，正常的客货运输未受影响。流量超过30000m³/s的天数累计19天，共疏运滚装船194艘次(其中上行77艘次，下行117艘次)，船上汽车3863辆次。实现国务院三峡建委提出的"安全、畅通、有序、优质"总体目标。

四、存在的问题和建议

多次指出二期基坑排水的整改意见未被落实；防大风意识不强；需加大永久船闸地下洞室排水能力。

（刘尧成　刘松柏）

葛洲坝枢纽水库运行调度

一、概述

葛洲坝水库2001年来水属偏枯年份，年来水总量4217.39亿m³，年平均流量13400m³/s，较多年平均值14300m³/s偏枯6.29%，年最大洪峰流量41300m³/s。2001年来水有三大特点：一是年内来水分配与同期多年平均值偏差较大；其中1～2月份平均偏丰10.4%，4～5月份平均偏枯18%，7～8月份平均偏枯23.1%，9月份偏丰20.4%。二是主汛期来水量较小；7月份有13天来水量小于发电用水量，月平均入库流量是建厂以来同期最小的，8月份有7天来水量小于发电水量。三是秋汛明显；9月份平均流量31900m³/s，较常年偏丰20.4%，居建厂以来同期第二位；9月份最大入库流量41300m³/s，是2001年最大入库流量。

汛前，机组按计划完成大、小修，水工建筑物及闸坝机电设备的维修也按计划完成，大坝安全监测及大坝汛前检查按国家相关规范要求进行。汛初，葛洲坝电厂防汛领导小组对年度的防汛工作做周密部署，各二级单位成立防汛组织机构和防汛抢险突击队，制定各种异常情况下应急处理方案，层层落实防汛责任和措施，先后组织防汛抢险事故演习。水工分厂制定发生设计洪水和超设计标准洪水的防汛措施，落实备足了防汛抢险备品备件物资，并按86000m³/s洪水防御措施做防汛演习。

葛洲坝水库2001年5～9月份来水总量2763.47亿m³，较多年同期平均值偏枯9.09%。全年没有发生洪峰流量大于45000m³/s洪水，只出现4次超过35000m³/s的洪水过程，各月平均入库流量见表1。

表1　**汛期逐月平均入库流量表**　流量单位：m³/s

月份	5	6	7	8	9
月平均流量	9310	19200	21600	22900	31900
来水频率	85%	41%	91%	78%	21%
多年平均值	11800	18600	30000	28000	26500
距平	−21	3	−28	−18	20

2001年大江泄洪冲沙闸运用3次，三江冲沙闸运用2次。

二、水情及气象预报

（一）站网布设及水情传递

水雨情信息全部采用电信部门X.25分组交换网进行传输。汛前葛洲坝电厂与各报汛单位签订了报汛合同，严格了合同条款。以电传形式向国家防汛抗旱总指挥部、国家电力公司调度中心等有关部门传送水情实况和水情预报。4月15日～9月30日对外发报1672份。

近坝区雨量遥测系统、坝区水位遥测系统和二江、大江电站压差监测系统在日常调度中发挥了重要作用。近坝区遥测系统汛期沟通率为98%，系统可用度为95%。

（二）天气形势及气象预报

上游流域天气形势：三峡区间春夏秋季连旱，同时四川盆地春夏连旱。梅雨季节没有出现。长时间的盛夏高温天气，给这一地区造成严重旱灾。四川盆地秋汛明显。

表2　汛期三峡区间逐月面降雨量表　雨量单位：mm

月份	5	6	7	8	9
面降雨量	113	133	92	74	23
距平	−28	−20	−48	−55	−86

汛期，葛洲坝电厂专业气象台仍对三峡区间及四川盆地的降水进行预报。上游流域24小时降水预报准确率为92%，48小时预报准确率为88%，面雨量20mm以上的降水过程24小时预报准确率为42%，近坝区灾害性天气未发生漏报。

（三）水情预报

1.过程预报

各月不同预见期入库流量预报误差统计见表3。

表 3 汛期各月入库流量预报误差统计表 误差单位:%

预见期	5	6	7	8	9	平均
12 小时	0.99	0.88	1.12	0.88	0.61	0.90
24 小时	1.23	1.77	2.44	1.32	0.75	1.50
48 小时	2.78	4.50	3.59	2.20	1.05	2.82

2. 洪峰预报

9 月 8 日 6 时,坝址出现最大流量 41300m³/s,此次洪水由四川盆地降雨造成,区间基本无降雨,根据寸滩 3 天预报和武隆 1 天的预报,葛洲坝电厂于 9 月 5 日,提前 72 小时预报坝址流量为 41800m³/s,峰值预报误差 1.2%,峰现时间预报误差为 2 小时。

三、洪水调度

8 月 27 日~9 月 2 日,四川盆地处于地面高压后部,受高原涡和西南暖湿气流影响,盆地出现长达 7 天的连阴雨,降水时间长,总量大。受其影响,长江上游除乌江以外,其它几大支流流量相继上涨。干流寸滩站流量从 8 月 29 日 2 时的 20300m³/s 起涨,9 月 5 日 23 时为 43400m³/s,入库流量从 8 月 31 日 8 时的 22500m³/s 开始起涨,9 月 8 日 6 时出现最大流量为 41300m³/s。

根据预报,葛洲坝工程防汛协调小组于 9 月 4 日召开第四次协调会议。会议决定:大江泄洪冲沙闸 9 月 5 日 9 时开启泄洪,最大泄量为 15000m³/s。9 月 3 日、4 日,大江排漂孔、排沙洞、大江电站部分排沙底孔相继开启。

四、发电调度

(一)发电概况

1~2 月来水偏丰 10.4%,流量绝对值较小,对发电量影响不大。3~5 月来水平均偏枯 14.5%,欠发电量较多,5 月底全厂发电量仅 43.38 亿 kW·h,列历年同期第六位。6 月,发电形势好转,特别是 7~8 月来流量较常年偏枯 23.1%,7~8 月分别比计划多发电 1.37 亿 kW·h 和 2.63 亿 kW·h,其中 8 月份发电量为 20.13 亿 kW·h,创同期发电量的最大值;9 月来水偏丰 20.4%,出力受阻严重,其发电量比计划少 0.66 亿 kW·h,10~12 月来水较常年基本持平,比葛洲坝电厂发电较多的年份偏丰,发电形势继续向好,全年发电 162.9093 亿 kW·h,位居葛洲坝电厂机组全部投产以来第三位。其中大江电厂发电量 103.2345 亿 kW·h,二江电厂发电量 59.6748 亿 kW·h,通过 500kV 直流输电线路向华东地区送电 14.5805 亿 kW·h。

(二)节水增发电量

根据来水特点采取的一系列节水增发电量措施:

1. 加强对漂浮物的监测和清排,增加有效水头。

2. 加强对流域水、雨情及天气形势分析,准确预报来水,合理安排负荷,使弃水调峰损失电量降到最低。

3. 小开度、勤动门,增加机组发电水头。大洪水期直接增加单机出力。

4. 精心组织冲沙调度,根据入库流量大小适时选择冲沙时机,妥善处理冲沙用水与发电用水的矛盾。

以上措施年平均库水位比考核水位抬高 0.21m,节水增发电量 8.6773 亿 kW·h,水能利用提高率为 5.63%,葛洲坝水库运行情况见表 4。

(三)配合系统调峰

全年最大调峰容量 54.2 万 kW,年平均调峰量 18.7 万 kW。

五、冲、排沙调度

(一)大江泄洪冲沙闸

由于主汛期入库流量大于 35000m³/s 的历时不长,为了提高大江航道的冲沙效果,延长了冲沙历时。大江泄洪冲沙闸关闭时机选择在其泄流量小于或等于 10000m³/s 时。具体运用情况见表 5。

表 5 大江泄洪冲沙闸运用情况表 单位:流量:m³/s

开启时间	关闭时间	开启时 Q入	关闭时 Q入	最大泄量	关闭时泄流量	历时 (h)
8 月 23 日 8:07	8 月 26 日 9:36	35000	30500	15000	10800	73
9 月 5 日 9:05	9 月 12 日 11:35	34000	32800	15000	10000	170
9 月 24 日 8:05	9 月 30 日 11:06	36500	33800	15000	12000	147

(二)三江冲沙闸

尽管汛期未发生洪峰 45000m³/s 以上的洪水过程,但三江航道淤积仍较严重,为确保航运安全,8 月 21 日、10 月 8 日对三江航道进行了汛期和汛末两次冲沙。为保证冲沙效果,满足冲沙用水的需要,两次冲沙过程都对机组负荷进行了压减,其中,第一次压减负荷 12 万 kW,第二次压减负荷 67 万 kW,损失电量分别为 68 万 kW·h、432kW·h。具体运用情况见表 6。

表 6 三江冲沙闸运用情况表

单位:流量:m³/s

开启时间	关闭时间	开启时 Q入	关闭时 Q入	最大泄量	历时 (h)
8 月 21 日 7:00	8 月 21 日 21:00	27000	27000	9000	14
10 月 8 日 7:00	10 月 8 日 21:00	24000	23500	9000	14

表 4　　2001 年水库运行情况表

	单位	1	2	3	4	5	6	7	8	9	10	11	12	年
月初库水位	m	65.85	65.81	65.81	66.04	65.68	65.70	66.30	66.37	66.26	66.30	66.32	65.79	65.85
月末库水位	m	65.81	65.81	66.04	65.68	65.70	66.30	66.37	66.26	66.30	66.32	65.79	65.94	65.94
最高库水位	m	66.24	66.15	66.06	66.21	66.40	66.46	66.44	66.46	66.35	66.37	66.34	66.26	66.46
最低库水位	m	65.71	65.66	65.63	65.63	65.67	65.59	65.60	65.59	66.10	65.72	65.65	65.65	65.57
平均库水位	m	65.97	65.87	65.83	65.94	65.92	66.19	66.19	66.28	66.22	66.18	66.01	65.99	66.05
平均水头	m	25.75	25.92	26.03	25.17	23.28	19.70	18.90	18.68	16.42	19.63	22.69	25.09	22.26
平均入库流量	m^3/s	4780	4350	4140	5690	9310	19200	21600	22900	31900	19500	10600	6170	13400
最大入库流量	m^3/s	5150	5500	4400	7300	13900	29000	35000	38000	41300	31600	17600	7000	41300
最小入库流量	m^3/s	4000	4000	3850	4400	5700	9100	10000	14800	24000	13500	7000	5300	3850
发电流量	m^3/s	4670	4240	4020	5570	9180	16700	16700	18400	19700	16700	10500	6040	11100
弃水量	亿 m^3	0.00	0.00	0.00	0.00	0.00	60.34	128.51	115.78	311.24	70.38	0.29	0.00	686.54
平均出力	MW	1047	955	913	1219	1829	2627	2470	2706	2478	2657	2031	1327	1860
调峰容量	MW	205	121	64	220	373	175	174	156	122	121	242	267	187
发电量	亿 kv·h	7.7861	6.4190	6.7894	8.7788	13.6093	18.9137	18.3742	20.1319	17.8392	19.7676	14.6257	9.8744	162.9093
耗水量	m^3/kW·h	16.08	15.98	15.87	16.45	18.08	22.90	24.28	24.52	28.68	22.68	18.60	16.38	21.44

(三)大江排漂孔和排沙洞

排漂孔、排沙洞具体运用情况见表 7。

表 7 大江排漂孔、排沙洞运行情况表

泄水建筑物	开启时间	关闭时间	运用孔号
排漂孔	6 月 22 日 11：25	6 月 26 日 16：30	双孔
	6 月 29 日 16：20	7 月 13 日 11：00	双孔
	8 月 1 日 9：56	8 月 2 日 15：30	双孔
	8 月 20 日 8：40	9 月 13 日 15：30	双孔
	9 月 4 日 16：50	10 月 7 日 1：15	双孔
	9 月 14 日 15：50	9 月 14 日 15：50	双孔
排沙洞	6 月 29 日 10：35	7 月 13 日 15：25	右孔
	9 月 4 日 15：50	9 月 14 日 10：30	左孔

(四)大江电站排沙底孔

具体运用情况见表 8。

表 8 大江排沙底孔运用情况表

开启时间	关闭时间	运用孔号
6 月 29 日 16：55 至 6 月 30 日 10：30	7 月 13 日 9：15 至 7 月 13 日 10：55	15#、16#、17#、18# 机右孔、19# 机左孔
9 月 3 日 17：21 至 9 月 4 日 14：35	9 月 14 日 13：55 至 9 月 14 日 15：50	14#、5#、16#、17#、18#、21# 机左孔

六、防汛清污

汛期采用调度上有利导漂与机械清污相结合的清污方式，并在电力系统低谷期采用机组压减负荷甩漂清污等方式，水工分厂组织成立了防汛清污专班，整个汛期分厂领导轮流值班，共出动清污劳力 1605 人次，清污机运行 160 个台班，共清理拦污栅浮渣 22400m^3，保证机组安全发电。

(欧阳德和)

科 研 与 应 用

三峡工程科研工作概况

一、"九五"国家重大技术装备研制和国产化"三峡水利枢纽工程成套设备"项目

"九五"国家重大技术装备科研工作进度及其取得的科研成果总体满足三峡工程建设需要。2001 年主要评审验收长江水利委员会设计院承担的下列专题。

全数字式水轮机调速器研制；水轮发电机组励磁系统及装置研制；多级船闸闸室消防研究；五级船闸自动控制技术研究；三峡枢纽综合自动化系统实施方案研究；发电机保护研究；永久船闸大型闸、阀门研制；永久船闸大型闸、阀门启闭设备研制；闸门防腐关键技术研究；泄洪闸门运行条件研究及设备研制；导流底孔工作闸门运行条件及设备研制；电厂闸门设备研制；大型压力钢管关键技术研究。

由于升船机缓建，相应的科研工作滞后。经专家组审议，同意将有关升船机方面的 3 个专题结转至"十五"进行研究。3 个专题是：三峡升船机整体动态仿真技术研究、三峡升船机关键设备及安全保证体系研究、升船机中间试验机试验研究。

至年底，由中国三峡总公司主管的 23 个"九五"重大装备专题项目全部通过验收。

二、"九五"期间三峡工程泥沙问题研究

2000 年完成"九五"期间三峡工程泥沙问题课题验收。2001 年，以林秉南院士为首的泥沙专家组组织专家对"九五"泥沙的研究成果进行综合分析和总结。"九五"期间三峡工程泥沙问题研究课题取得的主要成果参见本书第 97 页。泥沙专家组在总结"九五"研究成果的基础上，启动"十五"泥沙研究课题，有关承担单位开始进行"三峡水库上游来水来沙的变化及其影响研究"和"三峡水库泥沙淤积研究"等专题研究。

三、中国三峡总公司安排的施工科研课题及其它科研课题

2001 年中国三峡总公司签订各类科研项目合同 40 项(其中包括"十五"泥沙合同 7 项)，主要围绕三期导截流关键技术、二期围堰拆除、三期碾压混凝土围堰施工及拆除方案，以及三峡工程施工期漂浮物治理措施和三峡水库运行调度等方面内容进行研究。

2001 年三峡工程取得多项科研成果，这些成果已在三峡工程设计、施工和管理等方面得到不同程度的应用，有的成果还将直接应用于电力生产和水库调度运行方面，为生产运行服务。

（尹庭伟）

三峡工程“九五”泥沙研究主要成果

一、三峡工程坝区泥沙问题研究

（一）三峡工程通航建筑物引航道布置方案比较

经过 1993～1998 年的研究，三峡工程通航建筑物的上引航道选定全包布置方案。上引航道的隔流堤从大坝左非 14# 坝段和左非 15# 坝段分缝处起，垂直坝轴线向上游延伸，然后跨越临时船闸引航道至堤头（祠堂包），全长 2674m。隔流堤内包括永久船闸和升船机的航道以及由临时船闸改建成的冲沙闸，故称“全包方案”。

在布置方案的比较过程中，曾经考虑小包方案（隔流堤内仅包括永久船闸的上引航道，初期建 660m 长的短隔流堤），大包方案（隔流堤内仅包括永久船闸和升船机的上引航道）。经过大量科研工作和分析比较后，得到以下结论。

1. 小包方案将升船机上引航道置于隔流堤外，当三峡工程运行至中期时（40～50 年），升船机上引航道将穿越隔流堤外的边滩，维护航道水深比较困难，同时在发生大洪水时，升船机上引航道将穿过口门区的斜流，对客运船舶安全航行不利。

2. 小包方案采用正向取水时，引航道内将产生巨大的往复流，水位波动大，停靠的船舶需要承受很大的系缆力。改成侧向取水后，由于取水口处于堤外边滩内，难于防止泥沙淤堵进口和进入船闸闸室。

3. 大包方案改善了升船机上引航道的航运条件。但引航道内是一个封闭的水体，当船闸充水时，产生的水位波动将影响升船机的正常运行。

4. 大包方案的隔流堤下端设置在升船机和临时船闸之间，临时船闸改建成冲沙闸后，不能冲刷上引航道内的泥沙，不利于清除航道内的淤积。

5. 和小包方案相比，大包方案工程量增加较多。

6. 全包方案改善了升船机上引航道的航运条件，可以利用冲沙闸冲刷上引航道内的泥沙，但仍存在水位波动影响升船机安全运行的问题。

7. 全包方案工程量比大包方案增加更多，隔流堤跨越临时船闸的上引航道，遗留堵口工程量较大，通航日期推后。

根据以上分析，3 个方案，各有利弊，但从通航安全出发和航道泥沙淤积处理方面考虑，加之开挖永久船闸的弃碴量较大，上引航道全包方案隔流堤需要的大量石碴基本可以解决，中国三峡总公司技术委员会最后确定采用全包布置方案。

（二）全包方案水流、泥沙试验研究主要成果

1998 年 5 月，泥沙专家组和航运专家组举行联席会议，讨论和肯定了长江水利委员会设计院提出的全包设计方案。会议建议，按照选定方案进行水流和泥沙的系列模型试验，研究上、下引航道在三峡工程不同运用期内的泥沙淤积和水流通航条件。试验由长江科学院、南京水利科学研究院（以下简称南京水科院）和清华大学 3 家承担。

1. 枢纽运用后坝区河势变化和泥沙淤积

三峡水库蓄水后，坝区河势变化不大。30 + 2 年以后，原河道深槽被泥沙淤平，河势有所调整，主流开始左移。至 50 + 4 年，两岸边滩形成，坝区淤积趋于平衡，淤积量 11.1～11.9 亿 m^3。当流量为 45000m^3/s 时，平均流速 1.7～2.2m/s。至 70 + 6 年，边滩趋于完整，淤积量 11.9～12.2 亿 m^3，主流左移约 300m。流量为 45000m^3/s 时，145m 水位下坝前过水面积为 18000～23000m^2，淤积基本达到平衡。3 家模型试验成果相当接近。

2. 上、下引航道的泥沙淤积

上引航道内的泥沙淤积主要是由异重流和往复流引起的，口门区的淤积则是由缓流和回流所引起的。各家模型不同运行年的淤积量见表 1。

下引航道内淤积主要由异重流形成，船闸泄水直接排入长江，引航道内往复流影响很小，口门区淤积也是由缓流和回流形成，不同运行年的淤积量见表 2。

表 1　不同运行年上引航道年碍航淤积量　单位：$10^4 m^3/a$

时期（年）	长江科学院		南京水科院		清华大学	
	口门内	口门外	口门内	口门外	口门内	口门外
1～6	22.6	0	20.0	—	73.6*	
31～40	21.3	16.4	15.4	0	18.3	12.8
41～50 + 4	47.3	44.9	43.4	23.4	43.4	44.9
51～60	53.7	48.2	40.3	63.1	60.7	59.1
61～70 + 6	66.2	59.2	68.6	71.4	91.3	105.0

注：* 是 1～6 年的总淤积量

表 2 不同运行年下引航道年碍航淤积量 单位 $10^4 m^3/a$

时期(年)	长江科学院		南京水科院	
	口门内	口门外	口门内	口门外
1～10	10.8	9.6	20.2	
11～20	8.8	8.1	/	
21～30+2	11.7	13.2	24.9	
31～40	15.5	23.1	16.0	12.1
41～50+4	33.4	72.6	46.6	55.9
51～60	46.6	97.8	48.5	90.9
61～70+6	56.7	118.7	48.8	109.0

表 1 和表 2 中的引航道年碍航淤积量是各时段的平均值。由于各年来水来沙不同,各年的碍航淤积量有较大差别,如在 30+1 年、50+3 年和 70+5 年发生的 1954 年型的丰水丰沙年,3 个模型试验得到的上下引航道口门内的碍航淤积量见表 3。

表 3 丰水丰沙年上下引航道口门内碍航淤积量

单位($10^4 m^3/a$)

运行年(年)	单位	上引航道口门内	下引航道口门内
30+1	长江科学院	25.0	24.4
	南京水科院	4.0	—
	清华大学	31.1	—
50+3	长江科学院	81.2	59.9
	南京水科院	89.4	78.4
	清华大学	134.0	—
70+5	长江科学院	100.0	103.4
	南京水科院	133.1	90.7
	清华大学	184.3	—

由表 3 可见,在三峡工程运行中后期遇到丰水丰沙年,上下引航道口门内的碍航淤积量可达 141～168 万 m^3(50+3 年)和 203～224 万 m^3(70+5 年),比相应的平均碍航淤积量增大一倍以上。

3. 口门区的通航水流条件

引航道口门区的通航水流标准为纵向流速≤2.0 m/s,横向流速≤0.3m/s,回流流速≤0.4m/s。

上引航道口门区在水库运行至 30+2 年末,当流量为 $35000m^3/s$ 和 $45000m^3/s$ 时,3 家试验结果表明,水流条件基本上都能满足通航要求,只有个别部位流速超标;当流量为 $56700m^3/s$ 时,3 家成果差别较大,长江科学院通航水流条件良好,清华大学水流条件较差,南京水科院居中。

水库运行至 50+4 和 70+6 年,在流量为 $35000m^3/s$ 和 $45000m^3/s$ 时,流速超标点数有增加,但占总点数的比重较小(10%～20%),当流量为 $56700m^3/s$ 时,南京水科院模型中超标点数接近 30%,不同时期上引航道的通航水流条件见表 4。

下引航道口门区在运行不同时期的通航水流条件见表 5。下引航道口门区的水流条件在各运用时期相差不大。

表 4 水库不同运用时期上引航道口门区水流条件

单位	流量(m^3/s)	30+2 年	50+4 年	70+6 年
长江科学院	35000	—	3(0.35)	3(0.35)
	45000	—	4(0.42)	2(0.58)
	56700	1(0.31)	5(0.82)	3(0.75)
南京水科院	35000	—	6(0.42)	3(0.52)
	45000	2(0.64)	5(0.68)	3(0.60)
	56700	6(0.56)	8(0.87)	7(0.74)
清华大学	35000	—	1(0.34)	1(0.32)
	45000	—	3(0.45)	3(0.72)
	56700	21(0.56)	1(0.42)	2(0.52)

注:表中数字为横向流速超过 0.3m/s 的点数,总点数为 36 点;括号中数为最大横向流速值(m/s);口门区指口门外 530m 范围。

表 5 水库不同运用时期下引航道口门区水流条件

单位	流量(m^3/s)	30+2 年
长江科学院	35000	14(0.68)
	45000	11(0.70)
	56700	15(0.65)
南京水科院	35000	6(0.93)
	45000	5(1.25)
	56700	7(1.52)

注:表中数字为横向流速超标点数,口门区测点总数为 36 点;括号中数为最大横向流速值(m/s);口门区指口门外 530m 范围。

口门区外至主流的连接段,水流条件难以满足口门区的通航水流标准。例如,第 70+6 年,当流量为 $35000m^3/s$ 时,上引航道横向流速超过 0.3m/s 的点数达观测点的 20%～40%;当流量为 $56700m^3/s$ 时,此百分数为 60%。下引航道连接段的水流条件更差。第 30+2 年时,95%以上的横向流速超过 0.3m/s,纵向流速的测点也有50%以上超过2.0m/s。因此，专家组建议除请交通部门定出连接段的通航水流标准外，还应通过船模试验进行研究。

4. 上引航道内的水位波动

3家模型都量测了船闸充水时在不同流量下上引航道内的水位波动峰谷差值。为了探索降低波动的途径，船闸充水工况采用单闸充水、双闸充水、错开充水3种方式，各家的试验成果见表6。

表6 **70+6年船闸充水时引航道水位波动峰谷差值** 单位：m

流量 (m^3/s)	充水工况	船闸闸首			升船机闸首		
		长江科学院	南京水科院	清华大学	长江科学院	南京水科院	清华大学
35000	单充	0.32	0.24	0.17	0.35	0.26	0.28
	双充	0.54	0.39	0.24	0.61	0.41	0.27
	错充	0.32	0.25	0.15	0.38	0.18	0.22
45000	单充	0.33	0.26	0.25	0.37	0.31	0.19
	双充	0.62	0.46	0.24	0.66	0.47	0.26
	错充	0.33	0.25	0.19	0.38	0.30	0.11
56700	单充	0.35	0.34	0.11	0.40	0.35	0.19
	双充	0.68	0.50	0.22	0.77	0.54	0.25
	错充	0.41	0.36	0.11	0.47	0.35	0.15

5. 结论

(1)随着泥沙淤积，隔流堤头附近的主流位置不断向左移动，从而使上口门区的水流流态产生一定变化，需要在枢纽运行过程中加强观测和采取必要的整治措施。

(2)在不考虑金沙江和嘉陵江新建水库拦沙的条件下，全包方案的上下游引航道在初期30年内淤积数量较少，采用机械清淤，即可保证通航。但是到60～70+6年，口门内平均年淤积量将达到120万m^3，口门外达到160～180万m^3。当发生1954年型的丰水丰沙年时，根据试验，口门内外的泥沙淤积还将增加一倍以上。

(3)当发生35000m^3/s以上的洪水时，上引航道口门区初期通航水流条件良好，后期则有部分水域不能满足通航水流条件，但超标区的比重不大，船模试验表明船队仍能进出引航道口门区。下引航道口门区的流态在不同运用时期相差不大，当流量大于35000m^3/s时，万吨船队可进出左侧航道，右侧航道下水船队可通行。

(4)由于船闸充水引起的水位波动，在双闸同时充水时，波动幅度超过误载水深限制，但错开充水时(错开时间为16.4分钟)波动幅度接近误载水深限制。

(三)引航道防淤清淤措施研究

1. 全包方案的冲沙试验研究

按照长江委设计部门的要求，长江科学院、南京水科院、清华大学在各自的泥沙模型上进行冲沙试验。冲沙设施为冲沙闸(Q=2500m^3/s)和一条或两条冲沙隧洞(Q=1000m^3/s，1500m^3/s)的组合，冲沙流量为2500～5000m^3/s，在大江流量为30000m^3/s时，上下引航道同时冲沙。试验结果表明，当三峡工程运行到后期时，仅有一个冲沙闸，冲沙流量偏小，冲沙效率较低，需要增加一条冲沙隧洞，使冲沙流量增大到3500m^3/s(长江科学院)，或4000m^3/s(清华大学)，才能达到较好的冲沙效果。南京水科院则主张增加两条隧洞，使总冲沙流量达到5000m^3/s或5000m^3/s以上，但这一方案存在上口门进水流量不足和引航道内水位降落超过设计的允许值等问题。长江科学院认为，在下阶段还需要研究冲沙流量为2500m^3/s、非航道区修筑围堤、降低下游水位和松动冲沙等提高冲沙效率的方案。

在讨论以上3个模型冲沙试验成果时，多数专家认为：鉴于三峡工程运用前30年，引航道内淤积数量很小，可以以机械清淤为主，必要时结合冲沙闸冲沙解决泥沙问题。至三峡工程运行中后期，再考虑修建冲沙隧洞帮助冲沙。

2. 长江航道局的研究成果

对于三峡工程引航道的机械清淤措施，交通部长江航道局根据现有设备的技术水平进行研究，得到如下认识。

(1)随着三峡水库运行期增长，引航道淤积量增加。各模型试验均表明，40年后，淤积量急剧增大，在丰水丰沙年份(70+5)上、下引航道内的淤积量可能达到200万m^3以上。

(2)枢纽水位变化大，上引航道只能在汛期清淤。

汛期回淤速度快，日均淤量可达 5～6 万 m^3，清淤频繁，则日回淤更快。

(3)根据模型试验的流速资料和挖泥、排沙条件，引航道适合清淤的时间在 58～106 天之间。

(4)引航道内泥沙层薄，泥沙粒径细，弃土难度大，且清淤施工需在不停航条件下进行，故清淤效率较低。引航道内的清淤能力是保证通航的关键。在出现 1954 年型大量淤积的情况时，单独依靠现有清淤能力，将难以保证正常航运，需要采取大流量冲沙等综合措施。

(四)不同运行时期电厂前沿水流流态和泥沙淤积研究

根据 3 家模型试验，电厂前沿流态演变过程如下：

在三峡水库蓄水初期，洪水通过溢流坝段下泄时，在左右电厂前形成两个方向相反的大回流。随着运行年限增加，回流范围逐渐缩小，回流强度不断增加，运用 30＋2 年，当流量为 45000m^3/s 和 56700m^3/s 时，回流流速约为 0.42～0.49m/s，运用 50＋4 年时，回流流速增大至 0.68～0.82m/s。运行至 70＋6 年，回流流速基本稳定，左回流强度略大于右回流。

在三峡水库运行过程中，左右电厂前沿泥沙淤积高程逐步发展。电厂进口高程 110.0m，运行 30＋2 年时，淤积高程低于电厂进口。运行至 70＋6 年，左电厂前沿最大淤积高程达到 119.7m(南京水科院)，右电厂前沿最大淤积高程达到 112.6m，但由于存在着冲沙漏斗，故没有发主淤堵进水口的现象。

当开启电厂下方 7 个冲沙孔时，总冲沙流量为 3500m^3/s，冲沙时间 35～48 小时，可使电厂前沿泥沙淤积高程明显下降。

电厂发电时，过机的含沙量和泥沙粒径与三峡工程的运行年限和洪水流量有关，在不同运行年限、洪水流量为 45000m^3/s 时，坝区进口和电厂下泄的含沙量和泥沙粒径见表 7。

表 7　　不同运行年限(Q＝45000m^3/s)电厂过沙情况

年限(年)	坝区进口		左电厂		右电厂	
	含沙量(kg/m^3)	泥沙中径(mm)	含沙量(kg/m^3)	泥沙中径(mm)	含沙量(kg/m^3)	泥沙中径(mm)
30＋1	1.05	0.018	0.95	0.015	0.96	0.015
50＋8	2.00	0.030	1.98	0.027	1.97	0.027
70＋6	2.30	0.034	2.33	0.032	2.33	0.031

清华大学模型试验在进行到 70＋6 年时，发现坝前右岸边滩已淤积到 145m 高程以上，逼使洪水(45000m^3/s)主流偏向左岸，水流流向溢流坝段和左电厂之间，水流流至坝前后，转为平行坝轴线方向，使电厂成为侧向进水，这将增加水流阻力，减少电厂出力。但是，长江科学院的试验并未反映这一现象。这一问题还应进一步论证。

二、三峡水库拦沙泄水对下游河道冲淤影响及对策研究

(一)葛洲坝枢纽下游水位变化对船闸与航道影响及对策研究

1. 水位变化的预估

三峡水库 2003 年蓄水拦沙后，葛洲坝枢纽下游河段将继续冲刷下切、水位下降。最低通航流量(3200m^3/s)的宜昌水位均低于通航要求。要使宜昌水位达到通航要求值的相应流量为 5000m^3/s(156m 蓄水期)与 6350m^3/s(175m 蓄水期)。因此，该河段河床下切、水位下降对通航的影响必须予以足够重视。

2. 对策研究

工程措施包括丁坝、潜坝、复式潜坝、河床护底以及葛洲坝三江下引航道开挖等方案。对多项工程方案进行的计算与定床模型试验表明，在胭脂坝左汊及其以上河段修筑潜坝群，宜昌枯水水位可少降落 0.4m 左右。动床模型试验表明，在胭脂坝左汊内修筑 5 道潜坝方案(枯期 3200m^3/s 时坝顶淹没水深 5m 或 6m、坝间距 350～750m)流量 3200m^3/s 的宜昌水位可少降落 0.15～0.29m。护底方案效果略差。

(二)江口镇上下浅滩演变与整治研究

三峡建坝后，枝城至大布街河段总体河势无重大变化，河床冲刷以纵向冲深为主。枢纽运用初期 20 年，浅滩河段将由水浅碍航变为水浅、坡陡、流急等多种形式碍航。三峡水利枢纽按坝前水位 135m 运用初期数年内，仍有较细泥沙进入芦家河河段，沙泓仍表现出汛期淤积、汛后冲刷的规律，遇到不利水文年时，沙泓可能因淤沙难以冲开而碍航。以后在全河段河床冲刷过程中，毛家花屋至姚港间长约 2km 河段，河底高程高于其上下游段，床面由泥砾层和砂砾层组成，抗冲性强，枯水期将出现坡陡、流急现象而影响通航。

枝城至大布街河段整治的总体思路是既要解决沙卵石河段水浅流急的碍航问题，又要力求整治后引起的水位下降不影响到宜昌；利用该河段总体河势较稳定的特点，采取整治措施使该河段成为有一定曲度的多个微弯段；通过基建性挖槽、整治建筑物等工程措施改善浅滩段航道尺度和局部流态。

（三）三峡建坝对下游河道冲淤与河势影响及对策研究

近50年来，长江中游河道演变受自然因素和人为因素的双重影响，河道演变具有以下主要特点：总体河势基本稳定，局部河段河势变化较大；全河段总体冲淤相对平衡，部分河段冲淤幅度较大。荆江和洞庭湖关系的调整幅度加大。

三峡建坝后，枢纽下泄水流的含沙量明显减少，坝下游河道将经历较长时期的冲刷——平衡——回淤过程。为预测三峡建坝后长江中下游河道的冲刷情况，利用两套坝下游冲刷一维数学模型，进行长系列年计算，宜昌至大通段最大冲刷量39.7～43.0亿t，发生在枢纽运用60～80年。其中三峡水库运用初期30年中宜昌至城陵矶河段冲淤过程和数量计算成果精度相对较好，可供有关部门参考。宜昌至松滋口段，最大冲刷量1.07～1.48亿t，出现在枢纽运用10～20年，河床平均冲深1～1.5m；松滋口至太平口段，最大冲刷量1.47～1.87亿t，发生在枢纽运用10～20年，河床平均冲深1.5～2m；太平口至藕池口段，最大冲刷量为3.7～5.3亿t，发生在枢纽运用30～50年，河床平均冲深2.4～3.4m；藕池口至城陵矶段，最大冲刷量16.6～23.48亿t，发生在枢纽运用40～60年，河床平均冲深5.3～7.5m。冲刷后水位下降，两模型计算的宜昌站水位降低值比较接近，相应流量5500m³/s的水位，较三峡工程开工前1993年的水位下降0.95～1.15m。

三峡建坝后，长江中下游河道在较长时期的冲刷过程中，局部河段的河势将有不同程度的调整。关于宜昌至城陵矶河段的河势控制方案，宜昌至枝城段宜采取护岸工程措施，稳定现有河势；枝城至杨家脑河段，宜采取河势调整工程措施，使全河段成为曲率适度、过渡段适中的弯曲河段；杨家脑至城陵矶河段，宜在2003年三峡工程按135m水位运用前完成河势控制近期工程。

鉴于长江中下游河道演变复杂，三峡工程建成后的较长时间内，坝下游河道冲刷和局部河段的河势调整，对防洪、航运、取水等将发生不同程度的影响。建议下阶段加强对三峡工程建成后长江中下游冲刷过程中河型和河势的变化，以及重点河段整治工程措施等方面的研究工作，并抓紧施工期坝下游河道演变的观测。

（四）三峡水库运用后对荆江三口分水分沙及荆江与洞庭湖防洪影响研究

"九五"期间各研究单位对荆江三口和江湖关系的现状作了较全面分析，建立河网水流泥沙数学模型，进行三峡建坝后荆江、三口分流道及湖区的冲淤变化计算，取得如下主要认识。

荆江三口分流道受自然条件和人为因素的影响，长期以来大部分河段均处于累积性淤积状态，1952～1995年淤积量7.25亿m³，占同期分流道输沙总量的16.5%，其中以藕池河中支、西支淤积最为严重。冲刷河段主要为松滋河东支南平以下河段。

荆江三口分流道分流分沙呈逐年递减的总趋势，下荆江裁弯加速递减速率。1981～1998年与裁弯前1955～1966年相比，三口分流道年径流量减少654亿m³，减少48.3%；年输沙量减少1.073亿t，减少53.5%。

根据1994～1995年实测洞庭湖地形图量算得城陵矶（七里山）水位31.5m时，洞庭湖总容积为167亿m³，而利用1974～1978年测图量出的总容积为182.8亿m³，两者相比容积减小15.8亿m³。容积减小的主要原因，一是泥沙淤积，二是湖区围堤加高。东、南、西洞庭湖的泥沙淤积量约占总淤积量的95%，其中东洞庭湖淤积占总量的39.5%，南洞庭湖次之，西洞庭湖最小。

利用建立的两套河网水流泥沙数学模型，对三峡建坝后三口分流道的冲淤变化进行计算。两个模型算得三峡枢纽运用30～40年内松滋分流道均处于冲刷状态，以后略有回淤，最大冲刷量0.46～1.0亿m³，太平口和藕池口分流道均以淤积为主。三峡建坝后三口分流分沙量明显减小，枢纽运用41～50年，三口年分流量为364.6～460.4亿m³，较1981～1998年减少34%～48%，藕池口分流量已很小；三口年分沙量为0.28～0.38亿t，较1981～1998年减少60%～70%。三口进入洞庭湖的沙量减少，对延缓洞庭湖的淤积速率具有重要作用。

荆江与洞庭湖相互制约、关系复杂，建议下阶段加强荆江与洞庭湖演变的观测分析工作，完善江湖水流泥沙数学模型，对三峡建坝后江湖关系的调整及其对防洪的影响与对策作进一步研究。

（五）三峡水库拦沙泄水对鄱阳湖口分流分沙及鄱阳湖防洪影响研究

三峡水库汛初（5～6月）降低水位迎洪，下泄流量大于天然值。据长江科学院等有关单位计算成果，此时长江湖口站水位将较天然值升高1.0～2.4m。此期间正逢鄱阳湖五河主汛期。经对典型年水文过程的计算，湖区水位相应升高0.3～2.2m，高于防洪警戒水位（19m）的频率增大、历时延长，湖内有效调洪库容减少。但因三峡水库蓄洪削峰，湖区最高洪水位较建库前仍有所下降。

10月份三峡水库蓄水，下泄流量小于天然值，导致湖口水位较天然值下降1～2.5m（1967年型水文年），湖区水位下降0.5～2.3m，露滩时间变长。

实测资料统计，天然条件下鄱阳湖年均淤积量约1210万t，湖底年均淤高2.63mm。三峡建库后，对典型年(1967年)的计算结果显示，湖区淤积较天然略有增加。

三峡水库蓄水拦沙后，对下游河道冲淤变化的影响，估计二三十年后才会波及鄱阳湖口。但水库运行调度引起的下泄流量的变化，则会很快影响鄱阳湖口的水位和流量。对此应予足够重视。

三、三峡水库及变动回水区泥沙淤积问题研究

(一)嘉陵江水土保持措施对长江三峡工程(来沙)减沙作用的研究

嘉陵江水土流失及保持工作。据1988年全国遥感普查结果，嘉陵江水土流失(>500t/km^2·a)面积达82830km^2，占该流域土地面积的52.1%，长江上游水土流失面积的27.1%。该地区土壤侵蚀总量为3.66×10^8t/年，相应的侵蚀模数4419t/km^2·年。自1989年以来，嘉陵江全流域已累计治理水土流失面积21361km^2，占其水土流失总面积的25.8%。

水保法推算水土保持效益。据水保法分析，1989～1996年较之治理前水保措施就地减蚀拦沙约3049×10^4t(其中1996年水平为5773×10^4t)。扣除天然雨、水量变化，人类活动增沙和水库群拦沙以及沿程河道冲淤调整等影响后，由水土保持措施得出嘉陵江不同支流在1989～1996年间平均减沙量比1988年以前年平均沙量减少4.0%～17.2%。其中涪江减少13.0%，渠江减少8.9%，干流区间(武胜)减少4.0%，嘉陵江出口(北碚)减少8.3%。

水文法推算的控制站减沙情况。根据水文法计算嘉陵江各控制站1989～1996年平均减沙量较之1988年以前(涪江河坝)减少30.9%，渠江(溪洛渡)减少36.7%，干流区间(武胜)减少40.9%，嘉陵江出口(北碚)减少40.7%，此处水文法减少是根据整治前历史资料建立降雨、径流和径流与输沙经验关系，推算治理前的输沙量再与实测值对比得到。所述各河流水文法减沙幅度远大于水保法。研究报告认为其原因：水文法涵盖水利工程、防护林工程、河道采沙及淤积、采金、引水等综合影响后的减沙作用。

嘉陵江主要控制站实测减沙情况。水文资料统计，北碚、朱沱、寸滩、宜昌4站1988年以前实测多年平均流量2220m^3/s、8510m^3/s、11100m^3/s、13900m^3/s，年平均输沙量为1.36×10^8t、3.15×10^8t、4.60×10^8t、5.23×10^8t。1990～1998年间年平均流量分别为1770m^3/s、8360m^3/s、10600m^3/s、13500m^3/s，年平均输沙量为0.494×10^8t、2.95×10^8t、3.75×10^8t、4.23×10^8t。可见1990年以后，北碚、朱沱泥沙减少，基本上都传递至寸滩及宜昌。

(二)修建溪洛渡或向家坝水库后对三峡水库淤积的影响

向家坝水库淤积平衡年限定为60年，溪洛渡淤积年限定为90年。三峡水库运用135m、156～140～135m及175～155～145m方案10年后向家坝或溪洛渡分别开始运用，前者至71年起来沙即同无库方案；后者至101年起来沙即同无库方案。有了向家坝或溪洛渡水库后，根据对其下游冲刷研究的朱沱输沙成果作为三峡水库进库资料，而北碚及武隆则不变。为简化以下称上游无库为方案一，向家坝建库为方案二，溪洛渡建库为方案三。中国水利科学研究院和长江科学院对上述3个方案分别进行了三峡水库淤积计算。

表8 **修建溪洛渡或向家坝水库对三峡水库淤积的影响**

时间(年)	三峡水库累计淤积体积(10^8m^3)					
	中国水利科学研究院			长江科学院		
	方案一	方案二	方案三	方案一	方案二	方案三
20	55.32	42.47	41.39	61.00	49.35	49.43
30	81.64	58.08	55.08	87.12	65.68	65.14
40	105.68	74.82	68.48	111.28	83.00	80.28
50	125.95	96.51	81.40	133.15	105.37	95.00
60	140.28	118.23	93.57	150.51	128.63	109.37
70	149.31	135.49	105.26	165.58	148.59	124.03
80	155.64	146.58	118.29	169.75	160.00	141.01
100	165.24	159.76	145.25	170.99	169.47	168.34
150	178.90	176.56	171.84			

表 9 **修建溪洛渡或向家坝水库对三峡水库变动回水区(涪陵以上)淤积的影响**

时间(年)	三峡水库累计淤积体积(10^8m^3)					
	中国水利科学研究院			长江科学院		
	方案一	方案二	方案三	方案一	方案二	方案三
10	2.46	2.46	2.46			
20	5.28	0.97	0.92	4.73	1.61	1.82
30	6.94	1.22	1.02			
40	8.40	1.90	1.17			
50	10.16	5.59	1.42	8.99	7.48	4.08
60	11.91	9.58	1.79			
70	13.47	13.22	2.81			
80	14.87	13.66	6.55	11.39	11.35	9.42
100	17.13	15.96	16.14	11.99	11.57	12.87

重庆洪水位抬高的减少:淤积 50 年,逢约百年一遇洪水时,方案二较方案一重庆水位少抬高 l.02～1.77m,方案三较方案一少抬高 l.96～3.11m。淤积 100 年,遇约 100 年一遇洪水时,方案二较方案一少抬高 0.36m～0.44m,方案三较方案一少抬高 0.64～0.88m。

坝前段淤积差别:坝前段(太平溪至三斗坪6.8km)淤积差别如下:30 年方案三为 $1.73\times10^8m^3$,较方案一少淤 $0.51\times10^8m^3$;70 年为 $6.30\times10^8m^3$,较方案一少淤 $2.18\times10^8m^3$;100 年为 $8.45\times10^8m^3$,较方案一少淤 $0.67\times10^8m^3$,后者相当于方案一 70 年的淤积量。

出库含沙量的差别:在淤积 31～50 年内方案二出库含沙量是方案一的 75%～85%,在淤积 51～70 年内,方案三出库含沙量是方案一的 53%～75%。

(三)三峡水库减少泥沙淤积、增大防洪能力优化调度研究

1.135m 水位双汛限方案的作用

(1)双汛限运用方式

双汛限方案是在原方案基础上当流量大于 $45000m^3/s$ 时,坝前水位由 145m 降至 135m,当流量达到 $56700m^3/s$,水库从 135m 开始拦洪,直至流量小于 $45000m^3/s$ 后,且预报洪水回落,坝前水位回升到 145m。这样,有两种汛限水位 135m 和 145m,故称为双汛限水位方案。据 1961～1970 年 10 年水文资料,流量大于 $45000m^3/s$ 的平均每年天数约为 4 天,相应的来沙量为 0.56×108t。由于洪峰过程不一样,按 $50000m^3/s$ 将坝前水位由 145m 降至 135m 时大约需 34 小时(1981 年型)～50 小时(1954 年型)。

(2)双汛限方案减淤效果

双汛限方案投入运用时间愈早,减淤的效果愈大。如按淤积 100 年减淤考虑,则第三年投入,水库总淤积量为 $122.96\times10^8m^3$,减淤 $41.21\times10^8m^3$;第二十一年投入总淤量 $138.09\times10^8m^3$,减淤 $26.08\times10^8m^3$;第五十一年投入,总淤积量 $151.02\times10^8m^3$,减淤 $13.15\times10^8m^3$;第九十一年投入,总淤积量为 $160.11\times10^8m^3$,减淤 $4.06\times10^8m^3$。

(3)淤积纵横向分布差别

双汛限方案与原方案的差别如下:最终平衡时的深泓高程较原方案低得多,近坝段要深 40m。奉节以下窄深河段平均降低 18m 左右。淤积三角洲提前约 13 年到达坝前,从而能增加排沙。深泓淤积末端较原方案偏下。分段减淤绝对值上小、下大,而减淤比上大下小。横断面的主槽较窄深。主槽的宽度一般均在 500m 左右,使边坡系数小。

(4)防洪动库容的增加

由于降低起调水位(以下汛限水位起算防洪库容)和减少淤积,可使防洪动库容有大幅度增加。在起调流量 $56700m^3/s$,蓄满流量 $60000m^3/s$ 条件下,初期由于降低起调水位至 135m,较之 145m 增加动库容约 $35.2\times10^8m^3$,使总库容达到 $214\times10^8m^3$。在上述条件下,淤积 50 年防洪动库容较之原方案增加 $34\times10^8m^3$;淤积 70 年增加 $42\times10^8m^3$;淤积 100 年增加 $50\times10^8m^3$。

(5)洪水位抬高的减少

当坝前水位 175m,逢百年一遇洪水时,双汛限方案水位较之原方案不同淤积年限重庆水位抬高减少值如下:20 年减少 0.11m,30 年减少 0.26m,50 年减少

0.83m，70年减少1.65m，100年减少2.58m。

2.多汛限水位方案

多汛限方案实际分3种汛限水位，相应有两种界限流量。多汛限水位主要解决双汛限水位断航天数较多（每年7天）的问题，同时也增加发电的效益。报告推荐的多汛限方案第一汛限水位150m（Q＜35000m^3/s），第二汛限水泣143m（35000m^3/s＜Q＜45000m^3/s），第三汛限水位为135m（45000m^3/s，预报出现10%的洪水）。按照流量的频率，第三汛限水位4.4天，第二汛限水位92天。从第十一年开始多汛限水位运用，至第一百三十年，总淤积量为$142\times10^8m^3$，较原方案少淤$31\times10^8m^3$，较双汛限方案多淤$8\times10^8m^3$。变动回水区（涪陵以上）共淤积$7.6\times10^8m^3$，比原方案减少$4.5\times10^8m^3$，略多于双汛限方案。重庆水位抬高较原方案少2.7m，较双汛限方案多0.1m。

（四）三峡工程施工期和175m蓄水初期变动回水区碍航河段及整治措施研究

该专题着重研究三峡工程施工期和175m蓄水初期变动回水区碍航河段的演变规律及整治措施。主要成果如下。

1.随着研究工作的深入，除三峡工程施工期变动回水区航道整治原确定需整治蚕背梁9处碍航滩险外，发现龙王沱、牛屎碛处于变动回水区中下段，泥沙会发生累积性淤积，航槽会发生位移；下洛碛因蓄水时流速减小，卵石停积、航槽变动，航行尺度不能满足要求，需要进行整治。

2.三峡水库175m蓄水初期，根据通航的要求，碍航河段和部位的碍航性质可分为三类：受泥沙累积性淤积影响，航槽变动，航道或港区水域淤浅造成碍航，如上洛碛等7处的航道和朝天门、九龙坡等3处港口作业区；由于河床中有礁石存在，航道宽度不够200m，或因滑梁水存在威胁船舶航行安全，不能满足万吨级双线通航的要求；峡口急滩、流速、比降超过万吨级船队上驶允许的要求产生碍航。

3.鉴于整治工程总量较大，各类碍航滩段的治理时机应区别对待，有先有后。或是一次建成，一步达到设计要求；或是分期实施，逐步达到设计要求。对重点河段整治方案，还需要进一步研究优化及加强有关河段的原型观测，并与已有成果作对比分析，以利于改进和提高。

（尹庭伟）

生态环境与文物保护

三峡工程库区文物保护工作

一、概述

国务院三峡工程建设委员会（以下简称三峡建委）审查批准三峡工程库区文物保护项目1087个（重庆库区752个，湖北库区335个），其中地下发掘项目723个（重庆库区506个，湖北库区217个），地面文物保护项目364个（重庆库区246个，湖北库区118个）。

涉及135m水位线下的文物保护项目723个（重庆库区435个，湖北库区288个），其中地下发掘项目468个（重庆库区276个，湖北库区192个），发掘面积60.779万m^2（重庆库区47.899万m^2，湖北库区12.88万m^2）。地面文物保护项目255个（重庆库区159个，湖北库区96年），搬迁保护项目32个（重庆库区31个，湖北库区1个），留取资料项目124个（重庆库区63个，湖北库区61个）。

1997～2001年，三峡建委累计预拨湖北省、重庆市三峡库区文物保护项目经费23894.36万元，两省（市）与项目承担单位签订文物保护项目实施合同400多个，合同金额15000多万元，完成考古发掘任务46万m^2；完成地面文物留取资料项目72项、原地保护工程35项、实施搬迁保护2项，120余项搬迁保护项目完成初步设计工作。

二、重庆库区文物保护工作

截至2001年底，三峡建委移民开发局共安排下达重庆库区文物保护项目计划经费1.78亿元。其中地下文物经费1.18亿元，计划发掘面积20.703万m^2，涉及255个项目；地面文物经费0.54亿元，涉及237个项目。

（一）实施库区文物保护项目计划，建立重庆库区

史前文化发展序列

地下文物保护方面，重庆库区完成40万m^2的考古发掘工作，完成全部规划发掘任务的文物点44个。出土珍贵文物3千余件，一般文物3万余件。其中，云阳李家坝遗址出土的巴文化青铜器、旧县坪遗址出土的汉简牍和铜范、忠县乌杨镇发掘的汉阙弥足珍贵。地面文物保护方面，完成留取资料项目52项，原地保护项目35项，实施搬迁保护1项，85项搬迁保护项目完成初步设计工作，基本完成搬迁保护项目的规划选址。

旧石器考古方面，通过对丰都高家镇、烟墩堡等遗址的发掘，将重庆旧石器文化向前推进到距今5～10万年前；奉节鱼复浦遗址发现的旧石器向新石器时代过渡时期的早期陶片，是整个大巴山以西地区迄今发现的最早陶片。新石器考古方面，陆续提出"老关庙下层文化"、"魏家梁子文化"和"哨棚嘴文化"，丰都玉溪遗址发现相当于城背溪时段的早期文化遗存，距今约7000年，初步建立了重庆地区原始文化序列的基本框架。在商周及战国时期考古发掘中，发现大量重庆地区夏商至西周时段的文化遗存，将过去通过战国晚期墓葬所知的巴文化推进到春秋时期，使巴文化从商周到战国形成一个不间断的完整序列；这一时期大量楚墓的发现，又为研究巴楚关系提供重要的实物证据。秦汉以后大批城址、聚落、墓葬、建筑、窑业、农业遗迹的勘探发掘以及为数众多的珍贵文物的出土，为了解峡江地区文明进程、环境变迁补充了大量实物史料。

(二)涪陵白鹤梁题刻、云阳张恒侯庙、忠县石宝寨三大项目保护工作

白鹤梁题刻位于涪陵区城北长江江心中的石梁上，梁脊标高140m，题刻区位于长约220m，宽约15m的梁体上。迄今发现有题刻约165段，文字内容约3万余字。白鹤梁题刻中有石鱼雕刻18尾，记载120多年来长江72个枯水年份的水文情况，具有极高的科学价值和应用价值。其最早的枯水题刻比1865年中国在长江上设立的第一根水尺——武汉江汉关水尺的水位观测记录要早110多年，有"世界第一水文站"之称。白鹤梁题刻汇集唐宋以来千余年各派书家遗墨，记录由唐代至现代一千多年的重要史迹。1988年白鹤梁题刻被国务院公布为全国重点文物保护单位。

2000年9月，重庆市文物局邀请国内有关科研单位一起研究白鹤梁题刻的保护工作。先后开展对题刻的30年系列泥砂淤积和推移质位置及方向水工实验；工程地质与岩土工程地质测绘、钻探、取样、原位测试、工程物探，对题刻区岩体质量和环境变化引起的岩体稳定性问题进行定量评价；题刻表层片板状剥落加固材料及施工工艺研究。在此基础上，由中国文物研究所、建设部勘察研究设计院制定白鹤梁题刻本体加固及题刻表面保护方案，并通过国家文物局审批。2001年，开展白鹤梁题刻留取资料阶段工作，进行题刻拓片、翻模、文字编录和摄录像工作，同时组织题刻区的精密测绘、近景摄影测量，建立题刻区精密工程控制系统和三维数字模型。

张桓侯庙，又称张飞庙，坐落于云阳县长江南岸飞凤山的北麓，临江而立，矗立于巨大的岩壁之上。相传建于三国时期，根据碑刻记录始建年代不晚于宋代，现存建筑主要是在清同治至光绪年间陆续补建而成的。所在位置的海拔高度120～150m，总建筑面积约2000m^2，总体布局上采取宅院民居的处理手法，山门、结义楼、戏台、大殿依山就势围成一个主体院落，与望云轩、偏殿、助风阁形成的两个次要院落构成"品"字形布局。东西两侧的古木修篁、石径苍苔，清泉叮咚，飞瀑轻扬，幽深静谧，使庙堂建筑和自然环境浑然一体，古朴自然。特定的历史人文背景、错落有致的山地建筑风格和依山傍水的自然环境，使张桓侯庙成为长江三峡极富盛名的名胜古迹，2001年被公布为全国重点文物保护单位。

经过多方面反复比选，充分考虑到自然地理环境、人文环境和以后保护发展的因素，最终确定将张桓侯庙搬迁至与云阳新县城隔江相望的盘石镇榜上院子一带的选址方案。2001年10月，国家文物局批准张飞庙搬迁保护方案。2001年12月，前期三通一平工程开工(征地经费220万元)。

石宝寨位于重庆市忠县境内长江北岸的石宝镇，西距忠县县城37km。石宝寨主体寨楼为12层塔形木结构楼阁，高45m，背靠玉印山绝壁，俯瞰长江。山上天子殿(绀宇宫)横陈舒展，白墙青瓦隐现于绿树丛中，与直耸云霄的高楼亭阁相呼应，四周尽悬崖绝壁，拔地而起。其中天子殿始建于明万历年间，寨楼始建于清嘉庆二十四年(1795)。石宝寨是中国仅有的几座高层木结构建筑中唯一的一座穿斗式木结构建筑。2001年被公布为全国重点文物保护单位。

三峡水库建成蓄水后，正常蓄水位将达到寨楼楼门口，水库最高风浪线在寨楼一层楼处。同时随着水库蓄水，玉印山的地下水位将抬升至175m，升幅约17～27m，处于该区域内的砂质泥岩与泥质砂岩在反复干湿交替环境中将产生软化、崩解和风化，使玉印山变形加剧，危及上部古建筑的安全，该项目保护的重点是解决山体的防护问题。1999年4月，国家文物局确定对石宝寨采取仰墙护坡的保护方案，2000年2月，重庆市文物局与重庆市移民局对石宝寨保护设计组织招投标，确定建设部勘察研究设计院承担方案设计工作。12月，设计单位完成地质勘察、地形测绘和方案初步

设计。

（三）规划建设中的重庆中国三峡博物馆

库区文物保护规划制定阶段，专家们提出在重庆建立大型博物馆。1999 年 4 月，重庆市政府召开会议，决定启动中国三峡博物馆暨重庆博物馆的筹备工作，馆址定在重庆人民大礼堂中轴线上，人民广场西端。1999 年 11 月，重庆市政府常务会议再次专题研究三峡博物馆建设事宜，并迅速成立市领导亲自负责的领导小组和领导小组办公室。2000 年 9 月，国务院办公厅正式批准同意将该博物馆定名为“重庆中国三峡博物馆”。

中国三峡博物馆的规划和初步设计工作完成。整个博物馆用地面积 2.9 公顷，建筑面积 4.2 万 m^2，建筑高度 26.7m，计划总投资 5 亿元人民币。2001 年博物馆用地的拆迁工作顺利实施。

三、湖北库区文物保护工作

（一）地面文物保护

2001 年着重进行秭归县、巴东县地面文物保护总体规划工作和宜昌望家祠堂、秭归江渎庙搬迁复建工程以及地面文物建筑保护项目的设计和拆迁工作。湖北省文物局委托北京建筑工程学院编制的秭归、巴东地面文物搬迁保护总体规划得到地方有关部门认可。望家祠堂、江渎庙复建工程经过招投标程序进入施工阶段，两处古建筑复建工程进入最后装修阶段。为确保地面文物复建工程能够高质量的完成，湖北省文物局率先引进监理机制，河南省东方文物建筑工程建设监理有限责任公司对两个项目进行全程监理。为抓紧进行地面搬迁保护项目的拆迁复建工作，河南省古代建筑保护研究所完成郑韶年老屋、郑万瞻老屋、刘正林老屋及杜氏祠堂、王氏宗祠等 6 处古建筑的复建设计、拆迁工作。湖北省文物考古研究所基本完成沿江石质文物的留取资料工作。

（二）地下文物点的发掘与整理

1. 楠木园遗址

楠木园遗址位于巴东县官渡口镇楠木园村，长江南岸二级台地上，海拔 100～140m。2001 年发掘完成勘探面积 21000m^2，发掘面积 7075m^2。出土的陶片以夹砂陶为主，有一定数量夹炭陶和少量泥质陶，陶色绝大多数为深褐色，少量深黑灰色，器表以绳纹为大宗，有极少量的素面陶，器类主要有圈底釜、支座、平底钵、圈足碗、深腹罐、矮领鼓腹壶，少量泥质深灰陶平底钵、假圈足碗。通过连续发掘和初步清理，经过多位专家论证，确定楠木园遗址包含许多历史时期的文化遗存，是建立三峡地区文化序列的重要基点，是楠木园文化得以确立的典型遗址。这类遗存是迄今在三峡地区发现最早的新石器时期文化。这一文化中作为炊器的釜以及陶器上出现的花边装饰是三峡地区先秦时期重要的文化特征，源远流长，是巴文化探源的重要线索。

2. 旧县坪遗址

巴东旧县坪遗址位于巴东县东瀼口镇焦家湾一组至五组之间，遗址的高程范围 90～125m。旧县坪遗址是一处内涵丰富、保存完好的古文化遗址，地面种植有农作物及柑桔树，遗址中部有一条古代形成的冲沟。2001 年发掘完成勘探面积 30100m^2，实际发掘面积 6000m^2。在旧县坪遗址西区发现有东周、两汉、六朝、隋唐、宋时期的文化遗存。东周时期的遗存同楚文化性质相同；两汉时期主要是作坊遗址，发现窑址 4 座；六朝至宋代是旧县坪遗址的繁荣期，各种遗迹遗物十分丰富，宋代以后旧县坪走向衰落；发现明代墓葬两座，一座为单人墓葬，另一座为夫妇双室合墓葬，墓室结构讲究，有透雕的花窗、壁龛，随葬有金耳环、银簪、大量铜钱、陶瓷器，还有一方石质的买地券。

此次发掘初步揭示宋代巴东城的规划布局，证实旧县坪作为县级城址的沿革历史。

3. 乔家坝遗址

乔家坝遗址位于秭归县香溪镇向家店村五组和六组，属于香溪河右岸的一级台地，海拔 86～106m，高出河床约 3～5m。遗址台地发育良好，地表比较平坦。2001 年发掘完成勘探面积 60000m^2，发掘面积 2400m^2。遗址发现的遗迹和遗物比较少，仅发现 4 个灰坑、3 座陶窑，以及铜镞、铜钱、陶鬲、陶豆、陶釜、陶罐等残片。乔家坝遗址周代遗存的特征进一步充实完善香溪河流域的先秦考古学文化序列。发现的六朝时期石灰窑在三峡地区比较少见。

4. 龙船河墓地

龙船河墓地隶属巴东县溪丘湾乡龙船河村二组，位于神龙溪（原名龙船河）左岸，是一处河谷山坡地。发掘总面积 4951m^2，共发掘墓葬 5 座，其中土坑墓两座，石室墓 3 座，出土铜器、石饰、陶瓦等各类文物近 40 件，其时代为六朝时期和清代。通过此次发掘，说明人们对墓穴位置的选择有一定讲究。其次说明这一地点在当时是一个经济发展较为落后的区域，一个临时落脚点而未能达到形成集镇的气候。

5. 沙罐岭遗址

沙罐岭遗址位于秭归县归州镇望江村一组，海拔 85～105m。发掘总面积 1500m^2。2001 年发掘清理灰坑 8 个，沟 1 条。包含物为东周夹砂红陶鼎口、足，灰陶罐、豆、瓮等。

该遗址由于早年滑坡等原因，遗址原貌遭到严重毁坏。发掘的大部分都是扰乱遗存，有大溪西周、东周、汉、宋遗物。以东周遗物为主，汉、宋次之。

6. 官庄坪遗址

官庄坪遗址位于三峡库区之首的秭归县归州(原香溪)镇官庄坪村八、九组境内。发掘面积约 5880m²。

二里头时期出土的遗物以夹砂褐陶居多,泥质灰陶少见。纹饰有绳纹、方格纹、蓝纹与附加堆纹。深腹罐、瓶、擂钵、碗、杯、圈足盘、豆、纺轮、陶人及陶鸟等,与宜昌白庙子遗址的器型特征基本相似。

东周时期出土遗物中以夹细砂褐陶为主,泥质灰陶次之。陶器制作一般较粗糙。纹饰以粗绳索纹较有特色,还有绳纹、弦纹及"S"纹等,部分陶豆在豆盘中央上刻有"十"字形或"☆"形等符号。器形有鼎、鬲、罐、盂、盒、壶、长颈壶、豆、器盖与纺轮及骨簪等。其中土井、带墓道与台阶墓属首次发现。随葬的夹砂红褐陶敛口鼓腹罐及夹砂深褐陶直口束颈平底罐等器型在三峡地区也属少见,鼎、盒、壶等器物为典型的楚文化特征,长颈壶的器型特征与江陵楚墓出土的长颈壶完全相同,为楚文化的典型器物。汉至六朝时期清理出众多的灶,这些灶东西排列有序,一般相距 4～10m,由于破坏严重,未发现与之相关的遗迹现象。从其排列的密度看,这些灶应为手工业作坊之用灶。通过发掘,证实第七层为六朝时期,为官庄坪遗址增加了新的文化内涵。

7. 义种地遗址

义种地遗址位于巴东官渡口镇西瀼口村一组,海拔 100～135m。2001 年发掘勘探面积 5000m²,发掘面积 2085m²。义种地的发掘,发现文化遗迹一处,汉魏六朝砖、石室墓葬 5 座,发现各类文物总计 147 件。在遗迹中发现纺轮、铁锸等完整的工具和武器。发现一批精美而完整的文物,如瓷质玺、钮为大鲵装饰,实为罕见,瓷马也是少见的,另外一批宋代的完整瓷器都是这次的重要收获。

8. 孔包河遗址

孔包河遗址位于巴东县东瀼口镇焦家湾村五组,海拔 90～135m,为长江北岸阶地及山前坡地。2001 年发掘面积 1200m²,发现有灰坑、房址、墓葬等遗迹,采集出土青铜佛像、陶鼎、陶壶、陶豆、陶灶、陶罐、银钗、银圈、铜扣饰、铜牌饰、铜带钩、料珠、琉璃耳档、管饰等一批重要器物。

孔包河墓葬复杂多样,有土坑墓、砖、石室墓、砖石混构墓,墓葬时代主要集中在战国、两汉、三国两晋南北朝、唐、宋及明清,孔包河墓地具有墓葬分布的集中性和整体性,还存在一定的连续性。

在发掘过程中均发现在墓葬死者骨架周围或整个墓室中埋葬有大量人的四肢骨骼,一些石室墓都存在多次使用。

发现一座青铜佛像,根据佛像的形制、姿势、服饰,初步断定大致为南朝晚期至唐代遗物。

巴东孔包河墓地东面紧邻旧县坪遗址,墓地和居住建筑遗址形成一个整体,其时代具有一定延续性。

9. 卜庄河墓群

卜庄河古墓群位于秭归县郭家坝镇卜庄河居委会四、五组,即长江南岸的山坡上,海拔 100～180m。2001 年实际发掘面积 3010m²,出土铜鍪、铜带钩、银镯、铁剑、铁削刀、铁斧、铁臿、陶鼎、陶罐、陶壶、陶钫、陶盒、陶灶、陶仓、瓷罐、瓷碗、瓷壶、玻璃坠饰等 110 余件,同时还出土数百枚"五铢"、"半两"、"元祐通宝"等青铜钱币,其中战国时期由鼎、盒、壶为组合的彩绘陶器尤为重要;汉代铜鍪,唐宋时期的瓷罐、斗笠形瓷碗,不仅保存较好,制作精美,而且在该墓区中是少见之物。此次是发掘面积最大,发现古墓最多,出土文物较丰富的一次大型考古发掘。这次发掘和大批珍贵文物的出土,尤其是人殉资料的发现,对研究中国古代历史,特别是对长江三峡地区的古代政治、经济、文化、军事以及楚文化的分布范围等方面的研究,具有十分重要的参考价值和意义。

10. 张家坪遗址

张家坪遗址位于秭归县香溪镇黄洋畔村一组和二组交界处,勘探面积 5000m²,发掘面积 1000m²。遗迹:灰坑、灰沟、陶窑、瓮棺葬、石坎、石路基等;遗物:陶器、铜器、铁器、瓷器、石器等类。

张家坪遗址在三峡地区是比较有代表性的遗址之一。

11. 大梁尾遗址

大梁尾遗址位于秭归县归州镇望江村二组,即长江北岸的顶堂坪。海拔 90～110m。2001 年发掘面积 525m²。遗迹:灰坑 3 个,其中一个为椭圆形,两个为圆形,坑壁较光滑。另发现一座陶窑,呈南北方向,由窑床、火膛、烟道、工作坑等部分组成。遗物:陶器、瓷器、铜器等类。陶器多为夹砂红陶、外表饰有绳纹、弦纹、镂孔、云雷纹、方格纹、圆圈纹等纹饰,器形有罐、钵、碗、釜等。此次发掘出商时期文化遗存,这是望江一带首次发现的早期文化遗存。

12. 何光嘴遗址

何光嘴遗址位于秭归县郭家坝镇东门头村四组西北约 200m 处。高程范围 80～130m。2001 年发掘面积 850m²。何光嘴遗址遗迹比较丰富,A、B 两区共发现房址 6 座,灰坑 44 个,墓葬 6 座。

遗址地层中出土石器数百件,另在遗址之下的沙滩上采集石器 300 多件,其数量之多,器类之全都是以往任何一个商代遗址中未曾见到的。

13. 罗坪遗址

罗坪遗址位于沿渡河中游,隶属巴东县沿渡河镇罗坪村,是一处河谷台地遗址。罗坪遗址海拔高度

110～120m。遗址发掘面积 2300m²，墓葬发掘面积 2200m²。其中遗址地层有东周、汉、六朝、明、清等历史时期的堆积；遗迹有水井、灰坑、灰沟、建筑遗迹、窑等；遗物有陶质瓦类、器皿、石质工具等。墓葬方面勘探发掘清理 13 座墓葬，均为六朝时期的砖室墓，多被早期盗掘。出土铜、瓷、玉、铁、陶等不同质地的器物 200 余件。

通过遗址发掘了解其分布特点：罗坪遗址较之今天的村落，更靠近河流。

（乾一兵　邵卫东　李　雁　余　萍）

重庆市三峡库区水污染治理项目工程招投标情况

2001 年重庆三峡库区第一批污水治理项目——19 个污水处理厂完成规划、立项、可行性审批、招投标、开工建设。19 个污水处理厂，分布在库区 13 个县，总投资约 9 亿元，总处理量 50 万 t/日，其中规模最大的为 8 万 t/日，最小的为 5000t/日，多数 2 万 t/日。

一、招标方式

重庆市委副书记、常务副市长甘宇平亲自领导污水治理项目的建设，市生态办公室负责指导和协调，建立区县政府领导责任制和项目业主责任制。

2001 年 7 月 24 日，重庆市政府生态建设和保护专题会议审议通过《三峡库区水环境项目招标总体方案》（以下简称总体方案）。总体方案按照《建筑法》提倡的总承包方式，针对 2001 年污水处理厂建设时间紧、项目众多、规模小、地点分散，难以吸引有技术实力和管理经验的知名设计院和环保公司，以及库区经济落后、污水处理厂基础资料缺乏、业主缺乏专业和管理人才、没有污水处理厂建设经验等实际情况，并考虑污水处理厂建设特点，提出招标实行项目建设总承包方案。项目业主对投标者提出工程项目的性能指标和边界条件，由投标人对项目的建设，包括工程设计、施工、安装、运行调试进行总承包。这种方式有利于质量控制、责任明确；有利于控制投资和保证财政资金的规范使用；有利于工期控制；有利于技术保障。

二、招标组织形式

为了提高污水处理厂厂区工程建设总承包的质量，使招投标真正做到公开、公平、公正，项目业主聘请具有设计、设备、土建招标代理甲级资质的中国仪器进出口公司国际招标代理公司、中国机械进出口公司国际招标代理公司、国际信托投资股份招投标代理公司作为招标代理。按照国家《招标投标法》，结合重庆市特别是库区实际，参考世界银行项目设计、建造总承包招标范本，开展项目总承包招标。为了从技术上保证工程总承包的质量，委托中国市政工程华北设计院承担标书技术文件的编制。

三、招标文件对技术的要求

预审文件和招标文书对项目投资控制、工程质量控制、工期控制、污水排放标准控制和厂内处理成本控制作出明确规定。按照可行性研究报告制定招标文件，要求污水处理厂工艺必须采取国家建设部、国家环保总局、国家科技部推荐的成熟的、工业化的技术，能最大限度满足招标文件中规定的各项综合评价标准，满足招标文件的实质性要求，经评审投标价格最低的为中标者（投标价格低于成本的除外）。

四、招投标及评标情况

8 月 20～21 日，3 家招标代理公司在指定媒体《中国经济导报》、《中国采购与招标网》、《重庆商报》、《重庆建设项目与招标网》上发布招标预审公告。19 个厂分为 16 个标，收到 246 份投标申请，182 份资格预审文件。通过资格预审的投标人共提交 86 份投标文件。

3 个招标代理公司分别组成评标委员会。每个评标委员会由 11 人组成，其中业主代表 2 名、外地专家 4 名、本地专家 5 名。所有专家均在监督部门和公证处的监督下随机抽取产生，许多专家是全国污水处理工艺、土建工程、设备、工程造价等专业的知名专家。评标委员会分别提交 16 份评标报告，按得分排序推荐前 3 名为中标候选人，并对前 3 名工艺设计、土建及设备、总投资、运行成本等情况作出结论。11 月 8 日重庆市生态领导小组按照国家计委颁发的《评标委员会和评标办法暂行规定》审查批准第一批中标单位（见附表）。

附表　　三峡库区首批污水处理厂项目总承包中标单位一览表

中标人		项目
牵头单位	成员单位	
重庆远达环保（集团）有限公司	西南市政设计院 重庆第一市政工程公司 成都工业安装公司	开县 4 万 t/日、奉节谭家沟 0.5 万 t/日
北京美华博大环境工程有限公司	北京市政设计研究院 重庆第三建筑工程公司	云阳 4 万 t/日、武隆 1.5 万 t/日、忠县州屏、苏家 2+1 万 t
重庆公用事业工程建设公司	中南市政设计研究院 重庆建工集团有限公司 重庆机电控股（集团）公司	万州明镜滩、沱口 2+3 万 t/日
重庆公用事业工程建设公司	西南市政设计研究院 重庆建工集团有限公司 重庆机电控股（集团）公司	江津几江 3 万 t/日

广厦重庆第一建筑（集团）有限公司	上海市政设计研究院 重庆新宝宇环保公司	涪陵 8 万 t/日、石柱 2 万 t/日
重庆康达环保股份有限公司	湖南省建筑设计院 重庆第二建设有限公司 重庆第二安装工程有限公司	万州申明坝 6 万 t/日、奉节口前、徐家包 2 万+1 万 t/日、丰都 3 万 t/日、长寿 4 万 t/日
重庆中天环保产业公司	天津市政设计研究院 重庆建工集团有限责任公司	巫山 2 万 t/日
机械工业第三设计研究院	重庆市政勘察设计研究院 重庆六路（企业）集团有限责任公司	江津德感 1 万 t/日
机械工业第三设计研究院	重庆市政勘察设计院 广厦重庆第一建筑（集团）有限公司	巫溪 1 万 t/日

（周时洪）

三峡工程库区地质灾害防治工作

2001 年，国务院三峡工程建设委员会移民开发局委托中国地质环境监测院编制《三峡工程库区地质灾害监测预警工程建设规划报告》。规划对三峡库区受蓄水影响的 1302 处崩滑体采取分类监测方法，有重点地实施监测预警工作，由国土资源部负责组织实施；制定《长江三峡工程库区移民安置地质灾害治理项目管理规定》，对使用三峡移民资金的崩塌、滑坡、泥石流等地质灾害实施工程治理项目的分级管理职责，对申报审批程序、方案设计与工程实施、监督检查与竣工验收、经费概算的编制、审核与使用管理等提出要求；组织完成《长江三峡工程库区滑坡防治设计与施工技术要求》的起草工作。委托水利部长江水利委员会开展三峡库区蓄水的塌岸影响及库岸稳定性调查与勘查工作，长江水利委员会提出三峡库区奉节、巫山、巴东 3 个县城移民迁建工程的高边坡防护与房屋建设基础超深处理的专题研究报告。对三峡库区 135m 蓄水前需开展崩滑体工程治理的 21 处项目，布置开展专题地质勘查和防治工程设计工作，安排重庆市石柱县沿溪乡张家坝滑坡、云阳县壁上挂灯滑坡、奉节县安坪乡新址藕塘滑坡、巫山县秀峰寺滑坡、巫山县双龙集镇新址马家屋场至后坪滑坡及赵家屋基变形体，湖北省秭归县马槽岭滑坡、兴山县彭家槽滑坡等滑坡工程治理项目 7 个，资金 5190 万元。这些项目在重庆市、湖北省移民局的组织下，各所在县政府有关部门实施工程建设，总体进展顺利。对三峡库区危害巨大、影响面广的湖北省巴东黄土坡滑坡、重庆市云阳县西城滑坡、万州区和平广场滑坡、万州区关塘口滑坡等四大滑坡布置开展补充地质勘查与防治工程可行性研究设计工作。

2001 年 7 月，国务院在湖北宜昌召开的三峡移民暨对口支援工作会议上做出决定，中央从三峡基金中拿出 40 亿元，专项用于治理影响三峡工程 135m 水位蓄水任务的各类地质灾害，要求国土资源部负责编制规划，国家计委负责审批项目。2001 年 8 月成立由国土资源部牵头，国家计委、财政部、三峡工程建设委员会办公室和移民开发局、建设部、水利部，以及重庆市、湖北省人民政府参加的三峡库区地质灾害防治工作领导小组，统一协调，推进三峡库区的地质灾害防治工作。至年底，三峡库区地质灾害防治总体规划编制完成，对影响 2003 年 135m 水位蓄水的各类地质灾害防治工作全面展开，国家计委批准第一批地质灾害防治项目投资计划。

根据三峡库区地质灾害防治总体规划，三峡工程库区的地质灾害主要包括 3 个方面：一是崩塌滑坡，三峡库区内有各类崩塌、滑坡体 2490 处，其中属受水库蓄水影响的 1627 处，在移民迁建区的 863 处。经分析，其中对库区人民生命财产造成较大危害的 1168 处崩滑体，规划采用工程治理或搬迁避让的措施处理；较为稳定的 744 处崩滑体，以实施监测预警为主；其余 578 处相对稳定或不直接造成重大危害的崩滑体，暂不处理。二是在三峡移民新城镇迁建及公路等专业设施复建过程中的高切边和基础超深问题，初步统计有高边坡 1428 处，部分高边坡稳定性较差，需要实施工程防护；在奉节、巫山、巴东县城等移民新区，由于地基条件不好，房屋等建筑设施的地基基础需要超深处理，以保证建筑物安全。三是塌岸，在三峡库区 5300 余 km 岸线中，可能存在地质灾害隐患的库岸总长约 440km，需实施工程防护的库岸 139km。

为了规范和加强三峡库区地质灾害防治资金的项目与经费使用管理，国家计委和财政部分别制定相关管理规定。国家计委要求，三峡库区地质灾害防治项目的报批参照国家基本建设项目报批程序，同时根据具体情况适当简化，以加快治理进度；在项目安排上，要求突出重点，把库区岸线、人口集中的集镇和居民点的崩滑体、塌岸治理作为重点，近期着重抓好大坝蓄水 135m 前三峡库区需要工程治理的地质灾害项目；对防治项目报批和实施的各环节实行分级负责、属地管理，按治理规模和投资额度纳入国家和省级重点工程管理。财政部为了管好用好三峡库区地质灾害防治资金，制定《三峡库区地质灾害防治资金管理办法》，要求三峡库区地质灾害防治资金实行项目管理，按规定程序编制年度财政预算，并按年度项目投资计划将资金分别拨付给重庆市和湖北省财政部门，重庆市、湖北省财政部门按规定程序将资金落实到具体使用单位；重庆市、湖北省财政部门应设立专账统一核算管理三峡库区地质灾害防治资金，保证专款专用；三峡库区地质灾害防治资金纳入三峡工程概算，中国三峡总公司根据财政部批复的三峡库区地质灾害防治资金年度决算相应增加国家资本金。

至2001年底，国家计委共审批限下项目（项目投资少于3000万元）17个，总投资19383万元，其中湖北省项目8个，投资7060万元；重庆市项目9个，投资12323万元。国家计委委托中国国际工程咨询公司对6个限上项目（项目投资大于3000万元）可行性研究报告进行评估，分别是：重庆市巫山县北门坡变形体、奉节县白衣庵滑坡、云阳县宝塔滑坡、涪陵区长江乌江汇合口东岸滑坡、万州区二丝厂（火车西站）变形体和万州区清泉路滑坡。以上项目除涪陵区长江乌江汇合口东岸滑坡有一部分需补充工作外，其他项目都经国家计委批复同意，进入初步设计阶段。

（罗元华）

长江三峡工程生态与环境监测公报（摘要）

2001年，国务院分别批准成立三峡库区水污染防治领导小组和三峡库区地质灾害防治领导小组，批准实施《三峡库区及其上游水污染防治规划》和《三峡库区地质灾害防治总体规划》。

2001年，长江三峡工程生态与环境监测网络按计划开展各项监测工作，监测结果表明：

三峡库区社会、经济快速发展，产业结构进一步优化，人民生活水平有所提高；人群健康状况基本正常。移民安置和搬迁企业结构调整工作顺利进行。

2001年，三峡库区自然生态总体状况基本保持原有状态；库区气候总体特征为偏旱偏暖；部分重要渔业水域受到不同程度污染，渔业资源呈现减少趋势；耕地面积继续减少，后备宜农荒地资源不足；大于25度坡耕地退耕还林、还草取得成效，退耕面积比2000年增加84.6%。三峡库区柑橘带生产未受影响，柑橘品质良好。

三峡库区地震活动属正常水平；发生有一定规模的以崩塌、滑坡、泥石流为主的地质灾害40余处，比2000年有所减少，库区地质灾害防治工作全面展开，库区地质灾害监测预警工作启动。

“一控双达标”成效显著，重点工业污染源减少37家，污染负荷降低；三峡库区注册船舶油污水处理率为98.6%；库区化肥、农药使用总量有所减少，但化肥施用比例不合理。

2001年，库区长江干支流水质状况总体良好，水质均为Ⅱ类，汛期水质较差。

第一章 三峡工程进展(略)

第二章 经济和社会发展

（一）库区人口、社会、经济（略）

（二）移民安置

环境保护：截至2001年，三峡工程移民环境保护投资8226万元。其中湖北省1496万元，重庆市6730万元（动态累计数）。

第三章 自然生态环境状况

（一）库区气候

2001年三峡库区气候总体特征为偏旱偏暖。各地年降水量普遍偏少，气温普遍偏高。与常年相比，库区冬季降水偏多，春、夏、秋季降水持续偏少。年内气温变化较大，与常年相比，冬季、秋季及初春、盛夏气温偏高，仲春、初夏及夏末气温偏低。库区平均风速略小于常年。且季节变化不大。

表1 **三峡库区各站气象要素监测结果**

站 名	平均气温（℃）	相对湿度（%）	降水量（mm）	蒸发量（mm）	平均风速（m/s）	日照时数（h）	雾日数（d）	雷暴日数（d）
重庆	18.9	79	813.9	1140.7	1.6	1047.0	29	22
长寿	18.1	80	800.4·	1187.9	1.6	1126.8	46	26
涪陵	18.7	79	831.9	1201.5	0.3	1127.1	102	29
万州	19.1	78	848.6	1276.7	0.5	1288.6	27	26
奉节	17.0	72	969.3	1345.4	2.0	1612.1	18	28
巫山	18.9	69	876.2	1797.5	1.7	1836.5	14	34
巴东	17.7	71	849.4	1730.1	1.8	1584.6	96	33

秭归	17.1	78	1301.3	1337.1	1.1	1729.8	12	33
坝河口	17.7	76	1182.2	1408.3	1.6	1487.8	1	30
宜昌	17.8	75	844.7	1461.5	1.2	1530.3	12	34

2001 年库区平均降水量 932mm，较常年偏少 1 成半以上。库区各地年度降水量 800～1300mm，均偏少 1 成半至 3 成。降水量具有中东部多西部少的特点。降水高峰分别出现在 6 月份和 10 月份，10 月份降水量最大。降水集中期出现在 4～8 月份，降水量明显少于常年。春季、夏季库区平均降水量分别为 239mm 和 367mm，均较常年偏少 2 成多。秋季库区平均降水量 235mm，较常年偏少近 2 成。

2001 年库区平均气温 18.1℃，较常年偏高0.5℃。万州年均气温最高，为 19.1℃。奉节年均气温最低，为 17.0℃。

库区平均风速 1.3m/s，与常年相比，偏小 0.1m/s。平均雾日 35.7 天，较常年偏多 1.6 天。各站平均相对湿度 76%，较常年略偏高。

2001 年，三峡库区主要气候灾害为春旱、伏秋旱；长寿、丰都等地发生 30 年一遇的大旱。忠县、梁平等地出现建国以来最严重的干旱。梁平自 6 月 21 日至 10 月 11 日连续干旱长达 113 天。长时间的严重干旱，导致溪河断流、库塘蓄水锐减、农田干裂、人畜饮水困难，农、林及水产养殖大面积减产，并给秋播带来不利影响。长寿、丰都、忠县、万州等地因干旱灾害造成的直接经济损失均超过 1 亿元，其中长寿、丰都在 2 亿元以上。10 月份库区降水相对丰沛，有效地缓解旱情。

库区降水量和雨日少，对移民迁建工作和重点工程建设的施工颇为有利。但降水量少，使长江水位偏低，对水上航运造成不利影响。库区盛夏 7 月份气温较常年偏高 0.9～2.4℃。长时间的晴热高温天气，使干旱灾害加剧，而且增加森林防火和城乡防火工作的难度。

6～7 月份，宜昌、秭归、忠县、丰都、万州、奉节、巫山、梁平、涪陵等地分别遭受因局地强对流天气造成的暴雨，冰雹或大风袭击，造成农作物大面积受损，部分农田绝收；大量林木折断倒伏；大批果树落果；部分房屋倒塌，多处发生山体滑坡并危及房屋和人身安全，河堤堰渠、道路桥涵、通信和输电线路及其他公共设施受损严重，6 月 4 日的暴雨、冰雹灾害使宜昌市遭受经济损失超过 9950 万元。

（二）库区陆生植物

2001 年，对三峡库区内的植物种类进行补充调查，没有发现新植物种。

三峡库区资源植物类别齐全，种类繁多，约 4500 多种。其中药用植物 3500 多种，食用植物 610 种，油脂植物 566 种，观赏植物 500 多种，纤维植物 250 多种，用材树种 300 多种，防护林、绿肥植物 136 种，染料植物 50 多种，橡胶植物 41 种，其它用途（如芳香油、栲胶、果类、树脂树胶、色素等）植物 480 种。

对库区古树的跟踪监测结果表明，古树的总体状况基本稳定。巴东县铁厂荒林场的 1 株巴山松（高 33.5m。胸径 1.6m）因雷击、虫害濒临死亡，重庆市北碚区歇马镇大磨滩河边有 1 株百年以上的黄角树因周围环境污染而濒临死亡。

篦子三尖杉、福建柏、银杉、金钱松、黄杉、穗花杉、巴山榧等 19 种珍稀植物保护状况良好。2001 年，在兴山县龙门河林场发现国家二级珍稀濒危树种小勾儿茶，在巫山县五里坡林场发现野生珍稀植物红豆杉群落的新分布点。

库区的固定标准地及样线状况基本良好，仅个别样地因修公路而受到影响。

（三）库区陆生动物

2001 年，库区鸟类记录为 378 种，比 2000 年记录的 364 种增添 14 种。爬行类新增 1 个本底和监测调查记录种——菜花原矛头蝮；兽类中 1 个新记录种——大仓鼠。

初步监测调查结果证实，至少有 2～3 群金丝猴栖息在湖北巴东县和兴山县境内，总数量不低于 400 只。由于大面积生态环境隔离带的存在，使得巴东县和兴山县境内的金丝猴种群与神农架保护区内的金丝猴种群分属于各自独立的活动区域。

监测结果表明，重庆武隆—彭水县分布的黑叶猴与南川的黑叶猴同属白颊亚种，是迄今已知的中国黑叶猴种群地理分布的北缘。重庆武隆—彭水县的黑叶猴种群与南川市的黑叶猴种群处于隔绝状态，是难以在短期内繁殖恢复数量的脆弱小种群。处于生态灭绝状况。

在库区新发现 2 处较大规模鸳鸯种群越冬地，分别是武隆县芙蓉江峡谷和巴东县沿渡河。

虎、金钱豹、云豹、金猫处于野外灭绝或接近野外灭绝的境地。

猕猴在巫山县大宁河、巴东县沿渡河、武隆县芙蓉江、丰都县龙河等地出没频繁。库区藏酋猴的分布状况未得到确证。

（四）渔业资源与环境

1. 渔业资源

2001 年，长江三峡库区、坝下、洞庭湖、鄱阳湖及河口区的天然捕捞总产量为 66879t，比 2000 年减少 21％。除鳗苗回升幅度较大外，“四大家鱼”、铜鱼、圆口铜鱼、中华绒螯蟹和风鲚等渔业资源呈减少趋势。

2. 渔业环境

2001 年，在长江干流的宜宾、巴南、万州、荆州以及洞庭湖、鄱阳湖和河口区共设置 7 个监测站。监测结果表明：依据《渔业水质标准》(GB11607－89)，长江流域重要渔业水域水质总体良好，基本能满足鱼类生长繁殖等要求，但部分水域受到一定程度的污染，主要超标污染物是总铜、石油类和非离子氨等。

（五）珍稀、濒危水生生物

1. 长江上游特有鱼类

2001 年，在长江上游共采集到鱼类 108 种（亚种）。其中长江上游特有鱼类 28 种，发现的珍稀鱼类有达氏鲟和胭脂鱼 2 种。在全部种类中，见于宜宾江段的有 43 种，其中特有鱼类 10 种。见于合江江段的有 87 种（亚种），其中特有鱼类 20 种（亚种）。见于木洞江段的 72 种（亚种），其中特有鱼类 18 种（亚种）。

2. 珍稀鱼类

2001 年秋季中华鲟有两次产卵，并有明显的间隔期，10 月 21 日第一次产卵，11 月 8 日第二次产卵。

2001 年在长江上游及宜昌江段未发现有白鲟活动。对底层鱼类的胃含物进行分析，也未发现白鲟鱼卵。

在宜昌江段有误捕胭脂鱼性成熟个体记录。4 月 14 日，发现胭脂鱼 1 尾，体重 4800 克。

在木洞江段有误捕达氏鲟 2 尾的记录。在宜宾江段误捕 1 尾杂交鲟。

（六）库区农业生态（略）

（七）库区地质灾害

1. 地震

2001 年，三峡库区及其外围（北纬 28°～34°，东经 108°～114°）共发生 $M_L \geq 2.0$ 级地震 56 次，其中 $M_L \geq 3.0$ 级地震 4 次，最大震级为 $M_L = 4.0$ 级。有较大影响的地震 2 次，分别是发生于 2001 年 10 月 11 日 16 时 04 分秭归梅家河乡的 $M_L = 3.4$ 级震（烈度为 V）和 2001 年 12 月 13 日 13 时 43 分发生于秭归三间的 $M_L 4.0$ 级地震（烈度为 VI）。

2. 滑坡崩塌泥石流

基本情况：2001 年，三峡工程库区以崩塌、滑坡、泥石流为主的地质灾害比往年少。湖北 4 个县、区发生崩滑等地质灾害近 40 处。重庆 16 个县、区发生崩滑等地质灾害约 240 处。其中较严重的两处地质灾害是：重庆市云阳县老城区五峰山崩（塌）滑（坡）流（泥石流）和湖北省秭归县郭家坝镇狮子包滑坡。

库区地质灾害防治：国务院成立由国土资源部牵头、湖北省、重庆市和国务院有关部门组成的三峡库区地质灾害防治工作领导小组。编制《三峡库区地质灾害防治总体规划》。

库区地质灾害监测预警工程全面启动：2001 年 4 月，三峡库区地质灾害监测预警工程通过专家评审；10 月，国务院三峡建设委员会办公室正式批复规划，由国土资源部负责组织实施。

工程建成后将实现对三峡库区地质灾害的实时监控和预警，为各级政府及有关部门制定减灾防灾预案和突发性地质灾害防治决策提供技术支持。

第四章　生态环境实验站监测研究（略）

第五章　污染源排污情况

（一）重点工业污染监测

2001 年，对三峡库区内直排长江的 60 家重点工业污染源废水进行监测。由于部分企业关、停、并、转或破产，该年度监测和调查的重点工业污染源数量比 2000 年减少 37 家。监测结果见表 2。

（二）城市污水调查与监测

城市污水监测结果见表 3。

表 2　**2001 年三峡库区直排长江的重点工业污染源废水排放状况**

行政区	废水量（万 t）	污染物排放量									
		化学需氧量（t/年）	石油类（t/年）	氨氮（t/年）	汞（kg/年）	镉（kg/年）	六价铬（kg/年）	铅（kg/年）	砷（kg/年）	挥分酚（kg/年）	氰化物（kg/年）
江津市	747.2	61.0	0.4	—	—	—	—	—	—	—	—
巴南区	466.3	269.1	—	23.3	—	—	0.3	97.0	—	—	413.0
大渡口	50.8	18.3	1.8	—	—	—	—	—	—	—	—
九龙坡区	3755.9	1036	39.8	57.4	—	—	18.7	—	—	—	—
渝中区	34.5	28.9	—	—	—	—	—	—	—	—	—
南岸区	116.0	138.5	0.5	—	—	—	—	—	—	—	—

江北区	103.1	92.4	4.5	—	—	—	1.0	3.9	—	—	—
渝北区	140.1	268.9	1.4	14.7	—	—	—	—	—	—	3.7
长寿县	2850.9	4170.1	29.0	44.6	—	—	192.0	—	—	481.0	—
涪陵区	2036.3	383.4	0.2	106.9	—	—	100.0	—	—	—	—
丰都县	19.2	86.8	—	—	—	—	—	—	—	—	—
忠　县	77.7	41.1	—	6.8	—	—	—	—	—	—	—
万州区	299.1	534.5	—	—	—	—	—	—	—	—	—
云阳县	22.3	17.7	—	—	—		—	—	—	—	
奉节县	22.0	16.1	—	—	—	—	—	—	—	—	
巴东县	6.8	185.0	—	71	—	—	—	—	—	—	—
秭归县	31.0	240.0	—	—	—	—	—	—	—	—	
总　计	10779.2	7587.7	77.5	324.8	—	—	312.0	100.9	—	481.0	416.7

表 3　　**2001 年三峡库区直排长江城市污水污染负荷统计表**

城　市	排污口（个数）	污染物排放量							
		污水量（万 t/年）	化学需氧量（t）	生化需氧量（t）	氨氮（t）	总氮（t）	总磷（t）	挥发酚（t）	污染物总计（t）
江津	1	337.26	1315.31	640.79	80.94	121.41	20.24	0.20	2178.90
巴南	2	843.99	3291.57	1603.59	202.56	303.84	50.64	0.51	5452.70
重庆主城区	19*	19046.46	74285.10	36190.18	4571.39	6857.09	1142.85	11.43	123058.03
长寿	3	1366.53	5329.46	2596.41	327.97	491.95	81.99	0.82	8828.60
涪陵	8	2252.91	8786.34	4280.52	54.70	811.05	135.71	1.35	14555.13
丰都	4	545.11	2125.95	1035.72	130.83	196.24	32.71	0.33	3521.77.
忠县	2	784.18	3058.29	1489.94	188.20	282.30	47.06	0.47	5066.26
万州	9	3457.62	13484.70	6569.47	829.83	1244.74	207.46	2.07	22338.27
石柱	1	72.92	284.39	138.55	17.50	26.25	4.38	0.04	471.11
云阳	3	485.85	1894.80	923.11	116.60	174.90	29.15	0.29	3138.86
奉节	4	907.17	3537.96	1723.62	217.72	326.58	54.33	0.54	5860.86
巫山	3	726.89	2834.88	1381.09	174.45	261.68	43.61	0.44	4696.16
巴东	5	758.84	2959.46	1441.79	182.12	273.18	45.53	0.46	4902.53
秭归	2	161.40	629.47	306.67	38.74	58.11	9.68	0.10	1042.76
总计	66	31748.13	116015.30	60321.45	7619.55	1142.32	1904.89	19.05	205111.94

注：重庆主城区城市污水口只计长江一侧，排入嘉陵江的污水口不在此统计内。

（三）库区搬迁集镇污染调查

124 个搬迁集镇常住人口约 114 万人（部分搬迁县城，只计搬迁部分人口），年供水量 0.78 亿 t，年污水排放量 0.62 亿 t。污水排放量最大的是涪陵区，各集镇污水全部未经处理，均通过沟渠或散排方式进入江河。搬迁集镇年产生垃圾 39 万 t，绝大部分垃圾就地堆放在山沟、河边，累计堆存量约 313 万 t。

2001 年调查需搬迁的乡镇企业 252 个。其污水年排放量 1162 万 t，污水年处理量 565 万 t，处理率约为 48.6%，污染物排放量列前三位的依次是化学需氧量、生化需氧量和总氮，分别为 6389t、3582t 和 2607t，乡镇企业废渣年产生量 39 万 t，年利用量 23.6 万 t，年处置量 3.26 万 t,历年累计堆放量均为 4746 万 t。

(四)库区农药、化肥监测

2001 年,对库区 19 个县、194 个乡镇的农药、化肥施用及流失情况调查监测结果(表 4,表 5)表明:化肥施用量减少,氮、磷、钾比例仍不合理,重氮、磷,轻钾肥的使用方式,导致氮、磷过量流失;农药使用总量减少,品种构成变化不大,有机磷仍是使用量最多的农药。

(五)库区流动污染源监测

表 4 2001 年度库区化肥施用、化肥利用率和化肥流失情况

化肥种类	施用总量(万 t)	流失总量(万 t)	作物利用率(%)	土壤残留率(%)	地面径流率(%)	地下淋溶率(%)	气态氮挥发(%)	土壤磷固定(%)
氮肥	9.24	0.93	35.16	30.31	9.53	0.54	24.46	—
磷肥	2.82	0.15	34.16	13.18	5.27	0.72	—	46.67
钾肥	1.31	—	—	—	—	—	—	—
总计	13.37	—	—	—	—	—	—	—

表 5 库区农药使用情况

农药类别	使用量(t)	百分比(%)
有机磷	473.67	60.23
有机氮	92.31	11.74
菊酯类	80.53	10.24
除草剂	37.23	4.73
其 他	102.72	13.06
总 计	786.46	100

表 6 油污水中主要污染物排放量统计

船舶类型	排放总量		石油类		悬浮物	
	排放量	占总量百分比	排放量	占总量百分比	排放量	占总量百分比
旅游船	2.6	2.5	0.2	0.6	2.4	3.5
客 船	76.0	73.7	16.7	49.4	59.3	85.9
客货船	0.8	0.8	0.5	1.5	0.2	0.3
货 船	15.1	14.6	13.6	40.4	1.4	2.0
滚装船	0.3	0.3	0.1	0.3	0.2	0.3
拖 轮	4.0	3.9	1.1	3.3	2.7	3.9
其 它	4.3	4.2	1.5	4.5	2.8	4.1
总 计	103.1	100	33.7	100	69.1	100

2001 年三峡库区客运量 1580 万人次,库区工作船员约 5 万人次,按每人每天产生 0.4kg 生活垃圾统计,库区共产生垃圾 1.23 万 t,垃圾回收率 70%以上。

2001 年三峡库区发生污染和安全事故共 38 起,其中安全事故 6 起,污染事故 32 起。

第六章 环境质量状况

(一)三峡库区环境监测情况

(二)城市江段水质

1. 水质现状

枯水期:Ⅰ、Ⅱ类水质断面数占监测断面总数的 87%,Ⅲ类水质断面占监测断面总数的 13%。

平水期:Ⅱ类水质断面数占库区监测断面总数的 67%,Ⅲ类水质断面占监测断面总数的 33%。

丰水期:Ⅱ类水质断面数占库区监测断面总数的 40%,Ⅲ类水质断面占监测断面总数的 46.7%,仅有 1 个断面的水质为Ⅳ类水质。

2001 年,影响库区城市江段水质的主要污染因子仍是化学需氧量、高锰酸盐指数和氨氮等。

2. 年际变化

水质状况好于 1999 年和 2000 年同期。

(三)岸边污染带状况(见表 7)

(四)长江干支流总体水质状况

2001 年,长江干流水质状况总体良好,大部分断面年度水质为Ⅱ类,吴淞口下断面因高锰酸盐指数偏高,年度水质为Ⅲ类。汛期水质有所下降,存在一定程度的重金属污染,主要超标项目为总铅。库区支流水质状况良好,年度水质均为Ⅱ类。

(五)施工区环境质量状况

1. 水文气象

2001 年,三峡坝区显著气候特征是:空梅干旱,高温酷暑,暴雨、大风多发,秋雨特征明显。

主要气候要素:全年平均气温 17.5℃,较近 10 年均值偏高 0.3℃;全年降雨量 1184.2mm,属正常年份,但月份分布极不平衡;全年日照时数 1428.1 小时,较近 10 年均值多 51.3 小时;年均相对湿度 75%,平均总云量 7.5 成,平均低云量 1.3;平均风速 1.6m/s,全年最多风向是西北偏北,相应频率 14%;极端最高气温 40.3℃,出现于 7 月 10 日;极端最低气温 −0.5℃,

出现在 1 月 16 日和 12 月 29 日，一日最大降雨量 123.1mm，出现于 8 月 8 日；极大风速 28.8m/s，出现于 7 月 2 日。

四季气候特征：2001 年冬季(2000 年 12 月～2001 年 2 月)气温较常年偏高 0.4℃，降雨偏多 66%，少见降雪和积雪天气。春季降水偏少，特别是 3 月份和 5 月份偏少 45～60%。

表 7　奉节、巫山、巴东城区岸边污染带范围

城市	大型污水口个数	水期	污染指标	超过入流背景浓度5%的超背景污染带			超过地表水Ⅲ类标准的超标污染带		
				长(m)	宽(m)	面积(m^2)	长(m)	宽(m)	面积(m^2)
奉节	4	平	高锰酸盐指数	1500	80	120000	/	/	/
			总氮	2500	80	200000	/	/	/
			总磷	/	/	/	/	/	/
		枯	高锰酸盐指数	2200	60	132000	/	/	/
			总氮	1350	40	54000	/	/	/
			总磷	1300	40	52000	1300	40	52000
巫山	3	平	高锰酸盐指数	1100	70	77000	/	/	
			总氮	1200	60	72000	/	/	
			总磷	510	40	20400	/	/	
		枯	高锰酸盐指数	1300	30	39000	/	/	/
			总氮	220	35	4400	/	/	/
			总磷	220	35	7700	/	/	/
巴东	5	平	高锰酸盐指数	5500	80	440000	/	/	/
			总氮	100	15	1500	/	/	/
			总磷	200	20	4000	200	20	4000
		枯	高锰酸盐指数	4400	30	132000	/	/	/
			总氮	4400	20	88000	/	/	/
			总磷	100	5	500	/	/	/

注：总氮缺地表水水质标准值

2. 空气质量

2001 年监测结果表明：施工区二氧化硫、二氧化氮年均值分别为 0.009mg/m^3、0.024mg/m^3，符合《环境空气质量标准》(GB3095－1996)一级标准；总悬浮颗粒物年平均值为 0.267mg/m^3，符合《环境空气质量标准》(GB3095－1996)三级标准。与 2000 年相比，二氧化硫、二氧化氮和总悬浮颗粒物浓度测值基本持平。

3. 噪声

监测结果表明：办公生活区环境噪声达到《城市区域环境噪声标准》(GB3096－93)Ⅱ类标准。施工作业区环境和施工作业现场噪声符合《工业企业噪声控制设计规范》(GBJ87－85)限制值 90 分贝的规定。施工红线外边界敏感点噪声符合《建筑施工场界噪声标准》(GB12523－90)限制值 85 分贝的规定。

4. 水质

依据《地表水环境质量标准》(GHZB1－1999)评价，三峡施工区江段对照断面(太平溪)、控制断面(东岳庙)削减断面(乐天溪)水质状况基本一致。施工活动基本未对水质造成影响。

施工区长江干流各断面年度水质较好，为Ⅲ类水。第三季度为长江的主汛期，部分断面水质为超Ⅴ类。

2001 年，施工区近岸水域水质略低于 2000 年，总体水质为Ⅲ类，影响因子为高锰酸盐指数和总铅。

5. 坝区库首地震监测

2001 年，三峡工程库首区共记录到地震 175 次，其中 M_L3.0 级以下地震 168 次，M_L3.0 级以上(包括 3.0)地震 7 次，最大地震为 12 月 13 日秭归县贾家店 M_L4.0 级地震。

2001年三峡工程库首区地震活动频度比前几年有较明显的增加,约是2000年度地震活动频度的3倍。地震活动强度比2000年有所增强,库首贾家店发生的M_L4.0级地震,是近40年来,距三峡坝址40km以内发生的最大一场地震。从地震活动空间分布来看,2000年,多数地震集中在黄陵背斜周缘断裂构造带上。总体来讲,2001年地震活动仍然保持在三峡地区原有弱地震活动本底状态。

第七章 库区人群健康

(一)基本情况

2001年,监测点内各级卫生机构总数419个,各级各类卫生人员总数4137人,医疗机构病床数3044张。

(二)生命统计

2001年监测范围内出生3830人。有62例婴儿死亡。该年度监测范围:重庆市、重庆市万州区、丰都县、湖北宜昌市总人口509955人,其中移民人口88759人,占总监测人口的17.41%。

人群死亡原因分析:按ICD—疾病分类标准,死因位居前五位的分别是:心血管疾病(30.10%)、呼吸系统疾病(20.01%)、恶性肿瘤(20.59%)、意外伤害(12.77%)和消化系统疾病(4.26%)。

(三)疾病监测

传染病监测:各监测点报告传染病发病3466例,发病率679.67/10万;死亡2例,死亡率0.39/10万,病死率0.06%。该年度监测区内法定甲类传染病无发病。

乙类传染病前5位依次为:肺结核(143.93/10万),病毒性肝炎(106.48/10万),痢疾(90.20/10万),淋病(83.93/10万),梅毒(10.00/10万)。

与2000年同期相比,有8种乙、丙类传染病的报告发病数有所上升,依次为:流感(950.00%)、风疹(687.50%)、感染性腹泻(418.18%)、腮腺炎(391.84%)、梅毒(96.15%)、麻疹(34.48%)、肺结核(40.88%)、痢病(13.02%),其它病种均无明显变化或略有下降。

地方病监测:在中小学生中开展地甲病、地氟病和肺吸虫病抽查。地方性甲状腺肿大的阳性率(7.50~12.02%)与2000年同期抽查结果相近。2001年地氟病仅见于重庆奉节监测点,检出率33.50%,未发现肺吸虫病阳性病例。

(四)生物媒介监测

2001年对鼠形动物(包括啮齿目和食虫目小兽)监测结果表明,室内密度2.79%,显著低于2000年的4.87%;户外密度4.88%,与2000年的5.06%基本持平。蚊类监测结果表明,畜圈的成蚊密度均显著高于户内。

说明:《长江三峡工程生态与环境监测公报2002》由中国环境监测点总站总编、湖北省支援三峡工程建设办公室等22家单位参编,由于《年鉴》容量有限,此文仅作摘要。摘要工作由年鉴社张明燕完成。

三峡坝区封闭管理及精神文明建设

宜昌市三峡坝区工作委员会工作概况

一、三峡坝区规范管理工作

2001年,宜昌市三峡坝区工作委员会(以下简称三峡工委)围绕三峡工程的年度工作目标,听取和征求各参建单位对地方政府服务三峡工程建设的意见,及时召开三峡坝区23个单位负责同志参加的动员大会,进一步端正指导思想。在此基础上,层层落实工作措施,明确责任,增强服务责任感和工作责任心,不断提高服务质量。

(一)社会治安综合治理工作

2001年,三峡工委组织三峡坝区"公、检、法、交"等部门认真落实社会治安综合治理责任制,把综合治理责任落实到各单位第一责任人,把各项防范措施进一步落到实处。2001年,三峡坝区重特大刑事案件比2000年下降8.8%。深入开展"严打"整治斗争,全年侦破重特大案件36起,刑事拘留75人,逮捕63人,抓获逃犯39名。

(二)道路交通管理

2001年，三峡工委组织三峡坝区交警大队开展6次交通秩序整治活动，投入警力上路17280人(次)，纠正违章26869起，交通事故死亡人数比2000年下降25%。协助完成大件物资运输保卫任务1354次。

(三)组织企地共建活动

2001年，三峡工委与中国三峡总公司共同组织参建单位与坝区周边镇村企地共建活动。参建单位积极为地方修公路、建市场、搞绿化等共办实事100多件，投入经费100多万元。武警水电部队三峡指挥部利用弃渣为乐天溪镇移民造田400多亩；地方政府积极为各参建单位解决子女入学350多名。加强三峡坝区内外环境整治，拆除周边乡镇乱搭滥建棚(屋)383间、3563m²，清理"三无"人员200多人。

(四)专项管理工作

2001年，三峡坝区工商分局、劳动分局积极配合中国三峡总公司清理整顿三峡坝区建筑市场、劳务市场，组织土地管理部门开展土地巡查，拆除违章建筑。组织税务部门加强税收征管，三峡国税分局完成税收47569万元，地税分局完成14697万元。配合解决因征地移民、施工用地和交通事故引起的矛盾纠纷17起。

二、对口支援工作

(一)新引进对口支援经济合作项目

2001年宜昌市新引进的经济合作项目中，有10个项目正式开工建设：河南双汇集团与兴山县合作年屠宰牲猪100万头及年加工1万t肉制品项目、均瑶集团当阳乳制品基地、夷陵区奶牛养殖、宁波洛兹集团在秭归独资兴办洛兹牌衬衣、山东鲁能瑞华公司与夷陵区合作的环保节能变压器、武汉人福科技与宜药集团合作的小针剂、泗溪风景区景点建设、山东平邑蒙阳红公司与猇亭区合作的石榴基地、广东中山裕隆公司在秭归独资兴办环保橡塑制品、宁波隆华集团在枝江市兴办的罐头加工等，10个开工项目当年完成投资18130万元，完成总投资的25.4%。其中4个项目(洛兹衬衣、节能变压器、隆华食品、奶牛养殖)实现当年签约、当年开工、当年投产。

(二)新引进对口支援社会发展项目

2001年，新引进对口支援社会公益类项目到位资金5943万元，其中引进20万元以上的社会发展项目22个。国家教育部下拨资金300万元，支持秭归县开展二期普及九年义务教育；湖北省内36所大专院校捐资金226万元，支持兴山县教育局机关搬迁；江苏省南通、扬州、泰州、镇江、常州等5市捐助120万元支援秭归县兴建的信息中心已竣工；广东省公安系统捐款175万元支援兴山县公安局机关搬迁；湖南省交通厅无偿拨款50万元，支持兴山县加快昭君大桥建设；上海市卫生系统及静安、闵行区捐助140万元，支持夷陵区城关中学和区医院开展远程教学、广播电视"乡乡通"工程及三斗坪镇医院建设；江苏省、武汉市分别援助200万元和50万元，在秭归新县城兴建"江苏路"和"武汉路"；国家计委、国家外经贸部、湖北省计委分别援助30万元，支持夷陵区图书馆、三斗坪中学建设和秭归县教育发展等。

(三)重点对口支援企业规模扩大

娃哈哈、汇源、均瑶、森达、维维、澳柯玛等6家落户企业，2001年共投入1.78亿元扩大生产规模。6家企业全年实现产值11.79亿元，比上年增长31.1%，实现利润5087万元、税收3451.4万元。其中汇源集团宜昌分公司投资2800万元，新上果蔬榨浆生产线，全年加工草莓、白桃、猕猴桃3700t，榨浆2680t。娃哈哈宜昌分公司2001年投资4000万元，新引进2条250ml利乐包乳制品罐装生产线完成安装调试，全年完成工业产值6.99亿元，比2000年增长9.49%，实现利润3167万元、税收2003万元。

(四)农业产业化基地建设

随着均瑶、汇源、椰风、隆华、际天时等龙头企业的落户，宜昌市加快奶牛、蔬菜、水果等农产品生产基地建设，形成"企业联基地带农户"的产业化格局。至年底，夷陵区、秭归县发展奶牛2590头，日产鲜奶17t；库区及移民安置区发展草莓3500亩、洲梨1万亩、猕猴桃5000亩。

(五)兴山县县城搬迁工作

随着2003年三峡工程第一批机组发电的临近，对口支援省市及省直、市直机关加大对口支援兴山县城搬迁的工作力度。2001年度，兴山县引进对口支援资金8251.7万元，比2000年同期增长22%。至年底，46个宜昌市直属单位落实搬迁资金3518.1万元，占承诺计划的86.6%；援助物资设备折款4.5万元；帮助争取项目13项，兴山县城搬迁步伐加快了。

三、提高领导班子和干部队伍素质

三峡工委坚持以提高素质为核心，坚持把政治理论学习作为加强领导班子和干部队伍建设的首要任务来抓，同时组织学习中国加入WTO有关知识。狠抓党风廉政建设，落实党风廉政建设责任制。三峡工委领导正职年初分别与班子副职及所属单位领导班子正职签订党风廉政建设责任书。各单位分别制定党风廉政建设责任制。三峡工委认真组织开展"党风廉政建设宣传教育月"活动。对"红包"、文凭、小金库等7项进行专项清理，三峡坝区执法部门普遍推行"阳光作业"、收支两条线、"三公开"(政务、警务、财务)，从而促进机关廉政建设。建立机关县级以上干部和所属单位领导班子成员廉政档案。2001年度三峡工委被宜昌市委考核验收定为"双优"单位。狠抓文明创建活动，激发干部职工争先创优的积极性。狠抓内部规范管理，促进机关工作作风的转变。狠抓机关的机构改革，确保机构改革的顺利进行。

（杨宣英）

三峡坝区封闭管理

三峡坝区 15.28km² 周边涉及秭归县和夷陵区 15 个村。三峡坝区封闭线路总长度 40km，其中左岸17.8 km，右岸 22.3km。在封闭设施建设中，左右两岸共砌围墙 855m，浆砌石围墙 443m，设铁丝网 30784m，喷塑网 7000m，打界桩 3020m。根据领导指示和多次协调的意见，本着有利于施工需要和坝区管理、有利于方便周边移民群众、促进周边镇村经济发展的原则，在坝区周边设置车行通道口 9 处、消防通道口 1 处，移民居民点均留有人行通道口，同时设置值班房 10 个，岗亭、岗哨 15 处。

一、组织专班，按时完成封闭设施建设任务

1995 年 5 月，中国三峡总公司工程建设部（以下简称工程建设部）根据三峡坝区施工现场的实际情况，成立封闭围墙领导小组，制定封闭设施建设实施方案。同时，从宜昌市三峡坝区工作委员会（以下简称三峡工委）、工程建设部坝区管理部保卫处、征地移民办等单位抽派 21 名人员成立工作专班，落实责任制。坝区周边两县（区）四镇、村都确定有专人负责。为确保工程质量，坝区封闭设施建设工程由坝区管理部保卫处为项目负责单位，中国三峡总公司多能公司负责施工监理，武警水电部队二总队负责施工。1995 年 6 月至 1997 年 6 月，历时 2 年时间，基本完成封闭设施建设任务。

二、解决封闭设施建设中的相关问题

为保障地方交通畅通，为封闭设施创造条件，中国三峡总公司先后拨款 3850 万元，新建和改建江峡二路等道路计 17.13km。对封闭工作涉及到周边移民的生产生活等诸多方面的问题，工程建设部和三峡工委的领导会同有关方面群众协调，创造条件，尽可能给予解决。在封闭过程中，工作专班与镇村干部一道，针对部分移民对封闭工作不理解、思想不通、甚至产生对立情绪的问题，采取多种形式，不厌其烦地进行说服教育，从而赢得周边广大移民干部群众支持。在封闭设施建设中，没有发生一起重大伤亡事故，没有与周边移民群众发生重大纠纷。

三、严格封闭管理规定，内保安全，外树形象

截至 2001 年底，三峡坝区封闭区域内包括专用公路及相关水域共设封闭管理检查站 27 个，全部由三峡坝区警卫消防大队和交通武警专用公路管理所战士执勤。全年投入执勤兵力 88700 人次，检查进出坝区车辆 768 万台次，检查各类进出坝区物资 3000 多万 t，劝返无通行证且与三峡工程无关的车辆 1879 台次，抓获各类犯罪嫌疑人 8 名。警卫消防大队与当地三斗坪政府、陈家冲村、秭归县初级中学等 21 个单位结成警民共建单位。

2001 年，工程建设部坝区管理部先后制定《三峡工程左岸电站厂房机组安装现场治安保卫工作办法》、《三峡工程永久船闸控制系统安装现场治安保卫暂行办法》和《三峡工程施工区参观、实习管理规定》。参建单位依据以上规定制定实施细则，定岗定责。依据新的规定和办法，坝区管理部在永久船闸六闸首公路桥和左岸厂房安装间增设武警执勤岗哨，严格进出人员和物资的检查，对进出的施工人员统一制发证件，对进出场的物资严格审批手续。

根据工程的进展情况，在左岸厂坝、永久船闸和右岸施工区设立 16 个联防执勤点，加大施工现场管理力度，与 2000 年同期相比，刑事案件发案率下降 85％、治安案件的发案率下降 74％。

（杨宣英　程剑平）

三峡坝区社会治安综合治理

一、落实社会治安综合治理责任制，强化组织领导

2001 年 3 月 8 日，三峡坝区社会治安综合治理领导小组与 47 个参建单位和坝区周边四镇政府签订社会治安综合治理目标管理责任书。三峡坝区各责任单位把综合治理、文明创建、企业共建与安全生产、质量管理同步纳入议事日程，把责任书签到厂队班组各基层单位。各责任单位结合实际，制定切实可行、便于操作的考核标准和考核细则，做到责任落实，奖惩兑现。对当年发生重大刑事案件、重大火灾事故、重特大交通事故、重特大安全生产事故、吸毒贩毒、群体上访等严重影响工程建设的单位，不得参与当年评先，实行一票否决制。为强化责任制的落实，不断加强治安保卫组织建设，坝区拥有保卫干部 243 人，治保会 137 个 717 人，调解会 128 个 648 人，治安巡逻队 91 个 500 人，义务消防队 100 个 1787 人，各单位配备保安人员 641 名。全年协助公安机关查处案件 28 起，协调矛盾纠纷 44 起。坝区综合治理办公室作为常设机构，由宜昌市三峡工委和工程建设部坝区管理部分别从三峡工委、公安、检察、法院、保卫处抽调 7 名干部组成。

二、开展“严打”斗争，确保三峡坝区稳定

三峡坝区"公、检、法"等部门深入开展"反盗打抢"、"治爆缉枪"、"打黑除恶"、防爆、防火、防盗、防恐怖事件和追逃等专项斗争，全年立各类刑事案件212起，破获104起，破案率49.1%。一般刑事案件立案数比2000年同期增加12起，上升6%。立各类重特大案件83起，破获36起，破案率43.4%。重特大案件立案数比2000年同期减少8起，下降8.8%。查处犯罪团伙9个40人，缴获赃款赃物价值59.25万元。全年受理治安案件136起，全部查处。受理案件比2000年同期增加41起，上升43.2%。刑事拘留75人，逮捕63人，治安处罚326人。与2000年同期相比，刑事拘留人数下降7.4%，逮捕人数上升14.5%，治安处罚人数上升23.5%。在严打整治斗争中，坝区公安分局组织追逃小组20个，分赴18个省、市、自治区，抓获在逃犯39名。获宜昌市公安局"追逃创新奖"。4月20日和9月13日，三峡工委分别组织召开两次万人公处大会，依法对23名罪犯判处有期徒刑，依法逮捕犯罪嫌疑人21名，刑事拘留1名，对8名吸毒人员实行强制戒毒。

三、加大社会治安防范力度，确保要害部位安全

2001年，社会治安管理和治安防范突出抓3个重点：一是坚持预防为主的方针，确保重点要害部位安全。公安部门加强对汽油库、炸药库等特种行业的管理和监督力度，开展经常性安全大检查，发现隐患，及时督促整改。三峡坝区内的汽油库、炸药库、金融库、物资设备仓库连续8年安全无事故。二是加大右岸施工区治安防范力度。三峡坝区检察院对中堡村开展法制教育和公民道德规范教育，三峡坝区公安分局加大对盗窃案件的侦破力度，中国三峡总公司坝区管理部保卫处与坝区综合治理办公室多次召开右岸施工单位保卫工作协调会，组建5个治安执勤点和2个治安巡逻队，与三斗坪公安派出所成立治安联合办公室，加大巡逻巡查力度。三是加大左岸施工区及办公生活区治安防范力度。左岸厂坝、航建施工区实行车辆、行人凭证通行的治安管理措施，坚持治安联防和治安巡逻，控制案件发生。重点加强对办公区、生活小区的治安防范，成立左岸生活区治安联防办公室和专职治安巡逻队，构筑自防、专防、联防相结合的立体防范网络，营造良好的生活环境。

四、加强交通管理，确保三峡坝区交通安全畅通

一是整顿坝区交通秩序。围绕抓"双超"(超载、超速)、压事故、保畅通的要求，坝区交警大队组织开展6次交通秩序整治行动，投入警力上路17280人次，纠违章26869起，处理违章驾驶人员21978人次。二是加强路面巡逻巡查和道路监控，组织干警深入到施工单位做好无牌车辆办证和报废车辆检查工作，搞好事故预防。三是做好大件运输保卫工作。全年完成大件运输1354次。四是依法查处道路交通事故。全年发生道路交通事故65起，死亡3人，伤52人。直接经济损失63万元。事故率比2000年同期上升16.1%，死亡下降25%，受伤上升62.5%，直接经济损失上升16%。五是完成重要警卫和保卫任务。三峡坝区公安、交警部门全年完成一级警卫7次，二级警卫12次，三级警卫48次，保卫161次。特别是国务院三峡工程移民暨对口支援工作会议、亚太地区工程咨询合作新世纪国际论坛会在三峡坝区召开，李鹏委员长、朱镕基总理和外国元首来三峡工地视察等重要警卫工作都做到安全圆满。

五、落实消防工作责任制，坝区火灾事故减少

2001年三峡坝区发生火灾5起，伤2人，经济损失4.2万元，与2000年同期相比，火灾损失下降10%。未发生重特大火灾事故。坝区防火安全领导小组与各消防重点保卫单位责任人签订责任状。进行各类消防安全检查90余次，查出不安全隐患159处，整改143处，签发《责令限期整改通知书》87份，复查意见书82份。全年成功举行消防演习6次。

(杨宣英)

三峡坝区周边协调工作

2001年，宜昌市三峡坝区工作委员会(以下简称三峡工委)与中国三峡总公司工程建设部(以下简称工程建设部)坝区管理部共同开展企地共建工作，取得显著成效。全年没有发生影响三峡工程建设事件、群体上访事件、特大恶性案件和火灾事故。

一、明确三峡坝区周边协调工作重点

三峡工委、工程建设部坝区管理部、坝区综合治理办公室联合确定2001年工作思路为：巩固左岸企地共建成果，整治右岸治安秩序，创造良好的右岸施工环境。2001年5月29日召开三峡坝区企地共建工作会议，进一步明确抓稳定、创环境、保工程、促发展的企地共建指导思想。周边四镇及坝区有关单位都成立企地共建工作领导小组。

二、开展共建活动，促进互办实事

三峡工委、工程建设部坝区管理部组织46个建设单位、22个市直派驻坝区单位分别与周边四镇10个移民村结成共建对子，召开镇、村企地共建联席会20次。共建单位确定专班专人抓落实，订公约，签协议，明确各自的责任和义务。2001年，企地双方互办实事100多件，修公路、建市场、搞绿化、捐资助学等共投入经费100多万元。

三、坝区内外联手抓整治，为三峡工程创造良好的社会环境

2001年在周边环境建设上，一是抓右岸治安环境整治。清理流动人口，加强治安巡逻。坝区管理部保卫处、坝区公安分局、三斗坪派出所成立治安联合办公室，各类案件得到遏制，治安形势好转。二是抓左岸周边环境综合整治。夷陵区委区政府成立坝区整治工作领导小组，8名区级领导带领30多名干部组成5个工作专班协助坝区周边三镇抓整治工作。重点搞好治安整治和卫生环境整治。层层召开动员大会，以卫生环境整治为突破口，彻底解决"脏、乱、差"问题。共清除生活垃圾、建筑垃圾28000t，拆除违章建筑720多处35000m^2。坝区三镇多方筹集资金600多万元，加强基础设施建设。太平溪镇建起3500m^2的绿化广场；乐天溪镇建4处绿化景点，栽植人行道树1350株，植草坪5000m^2；三斗坪镇建4处绿地，补树400株。加强街道建设。太平溪集镇装饰一新。瓦窑坪村移民居民点按照集镇规划，铺设人行道板9000m^2，安装双排路灯40盏，射灯20盏，建停车场1个，公安部门对1211个私人房屋出租户和88个房屋出租单位清理登记，核发治安许可证，新登记流动人口3886人；文化部门清理检查文化经营户65家，发出整改通知书22份，关闭非法电子游戏经营点17处；卫生部门依法取缔无证行医售药经营户7家，没收药品300余kg，吊销《食品卫生许可证》经营户20家；工商部门取缔无照经营15户，拆除违法违章招牌400余块(幅)，拆除收缴违法违章设置的户外广告300余幅(条)。

四、及时协调解决矛盾纠纷，确保施工的顺利进行

三峡工委积极配合坝区管理部等有关部门协调解决因征地移民和交通事故引起的矛盾纠纷17起。妥善处理坝区移民上访、交通事故上访37人次。积极配合坝区管理部开展夏季防汛和应急转运工作。

(杨宣英)

三峡坝区精神文明建设

一、加强理论学习，提高三峡建设者素质

组织各参建单位学习邓小平理论以及江泽民总书记关于"三个代表"的重要论述，传达贯彻中央文明委及湖北省文明委文件精神。各参建单位充分认识三峡工程坝区精神文明建设的重要性、长期性和艰巨性，结合工程建设和各自实际，制定本单位精神文明建设实施细则。加强思想道德建设和党风廉政建设，进一步提高三峡建设者的理论素质，扎扎实实地开展精神文明创建工作。

二、精神文明建设做到"五结合"

与中央精神及中国三峡总公司的规划相结合；与三峡工程建设任务相结合；与新世纪三峡工程两大阶段性目标相结合；与三峡工程坝区周边长远发展相结合；与队伍素质建设相结合。

三、围绕工程建设，开展精神文明创建活动

继续以"文明小区创建、社会治安综合治理、社会主义劳动竞赛、企地共建和文体活动"为载体，开展深入广泛的群众性精神文明创建活动。贯彻中国三峡总公司提出的"双零"管理目标，各单位开展以"文明施工"为主要内容的创建活动，推动工程建设顺利进行。

四、以建党80周年为契机开展活动

组织三峡建设者开展以"支持申奥、科学健身"为主题的体育月活动，与中国三峡总公司、三峡坝工委联合举办乒乓球、羽毛球、桥牌等体育比赛，组织观看《宇宙与人》、《巫师的骗术》，倡导科学文明的生活方式，号召全体三峡建设者以实际行动抵制"法轮功"的歪理邪说。配合中国三峡总公司团委、三峡工程劳动竞赛委员会办公室主办"三峡建设者首届青工技能大赛"，给广大三峡青年建设者搭建一个互相学习、互相交流的舞台，共同提高技术水平。

五、构筑精神文明建设的交流平台

2001年8月23～25日，三峡工程坝区精神文明建设指导委员会办公室在宜昌市远安县组织召开三峡工程坝区精神文明建设经验交流会。三峡工程坝区精神文明建设指导委员会18家成员单位50余名代表参加会议，提交19篇论文在会上进行交流。

六、开展评先工作

根据三峡工程坝区精神文明建设指导委员会意见，组织开展2000～2001年三峡工程坝区精神文明创建先进单位、先进集体、先进个人和先进工作者评选工作。评选工作得到各参建单位的高度重视。三峡工程坝区精神文明建设指导委员会办公室组织力量对申报先进单位的单位和推荐的先进集体进行认真检查和抽查，为确保评选工作的公正性，专门成立有工程质量、安全、进度等管理部门负责人参加的评先工作小组进行评选，向三峡工程坝区精神文明指导委员会推荐三峡工程坝区2000～2001年先进单位、先进集体、先进工作者及先进个人名单。

(裴红波)

新闻宣传与出版

新闻宣传工作概况

一、学习、宣传贯彻江泽民总书记“七一”讲话和党的十五届六中全会精神

“七一”前夕,《中国三峡工程报》刊发中国三峡总公司党组《建好三峡工程,实践“三个代表”》的长篇文章。新华社湖北分社专门组成由社长、总编带队的三峡精神报道小组,深入三峡工地调研、采访,在《国内动态清样》、新华网上发表8篇宣传三峡建设者实践“三个代表”重要思想的系列文章。人民日报湖北站深入工地一线,调研三峡工程贯彻落实“三个代表”重要思想的情况。党的十五届六中全会召开后,中国三峡总公司新闻宣传中心和直属党委在《中国三峡工程报》上联合开办“改变工作作风,促进两个建设”的专栏,把学习、贯彻党的十五届六中全会精神的活动逐步引向深入。

二、以新闻宣传中心六、七级岗位竞聘为重点,积极推进新闻宣传中心各项内部改革

3月6日～4月4日,新闻宣传中心作为中国三峡总公司人事制度改革试点单位,率先开展六、七级管理岗位干部的公开选聘工作。以本人申请、资格审查、综合笔试、素质测评、演说答辩、考察推荐的方式平稳地完成此项工作,使8名同志走上新闻宣传中心中层管理岗位。与竞争上岗前的中层管理人员相比,平均年龄从49岁下降到36岁,有大学本科以上学历者,从60%上升到87.5%。年内,新闻宣传中心顺利完成葛洲坝电厂新闻中心归并到中国三峡总公司新闻宣传中心的工作。

三、广泛联系社会媒体,为三峡工程建设营造良好的舆论环境

成功地举办中央主要新闻单位负责人参加的第二次、第三次三峡工程新闻宣传座谈会,逐步理顺与中央各主要媒体的沟通渠道。围绕工程建设的重点和热点,发出新闻宣传信息32期,重要通稿30期,自发稿件622篇。全年新闻接待203批,1740人次。省以上报刊全年刊发宣传三峡工程的文章1198篇。其中,中央电视台播出新闻50条。继续与香港文汇报合办《三峡之光》专栏,香港文汇报全年推出3整版三峡特别报道和多篇重要专访。香港大公报首次推出整版的三峡图文报道和多篇专稿。湖北、重庆两地电视台全年播出三峡新闻115条,《湖北日报》、《重庆日报》共刊发三峡稿件287篇。利用“全国电视新闻年会代表团”、“全国广播系统台长采访团”、“全国城市党报采访团”、“全国地市级晚报采访团”等大型新闻团体接待工作,借助地方媒体优势,扩大三峡工程在全国各地的影响。

四、进一步发挥一报两刊、展览馆和影视工作部的作用,搞好重点宣传和专题宣传

2001年,新闻宣传中心围绕船闸人字门安装、厂房大小桥机安装、高程120m栈桥贯通、机组本体吊装、上游土石围堰拆除等工程建设重点和热点,开展有力度的重点宣传。围绕建党80周年、党的十五届六中全会召开、中国三峡总公司工作会议召开、“双零”目标管理的推行、质量专家组到工地调研和检查、葛洲坝电厂发电20周年、50亿三峡债券发售、金沙江前期工作会议等,组织一系列较有份量的专题宣传。中国三峡工程报社开辟“点击双零”、“全景扫描——三峡工程全面攻坚第一年”、“制造严把关、精品献三峡”等重点栏目。中国三峡建设杂志社配合夏季混凝土温控、《招投标法》实施一周年等组织系列专题论文。中国三峡建设年鉴社将1999～2001年年鉴三卷合一,制作出集文字、声音、图像于一体的电子版,扩大工程信息荷载。影视工作部全年制作专题宣传片13部、《建设中的三峡工程》影集15本。三峡展览馆积极参与在北京举办的“国有企业改革与发展技术创新成果展”、在阿联酋举办的“中国工程与技术展览会”,全年接待内宾23165人次,外宾27288人次,其中党中央、国家领导人7人次,省部级以上领导123批,国外元首1人次,知名人士及重要团体25批次,参观人数比2000年增长79%。新闻宣传中心承制三峡工程简介、企业金卡、年度画册、年历等多种宣传品,以多种形式反映三峡工程建设。

五、加强内部管理,提高新闻宣传质量和对有偿新闻的控制执行力度

(张晓芽)

三峡工程宣传热点与社会反响

2001年三峡工程热点集中于中国三峡总公司工

作会议召开和第四季度三大热线的追踪报道。2001年2月，中国三峡总公司工作会议召开前后，新华网、新华社、中新社、中央电视台和人民日报、经济日报等多家媒体瞄准"三峡工程将全面展开攻坚战"大作文章，新华网1月24日发稿7条，在首条《三峡工程进展顺利8年完成投资591亿元》之后，以追踪方式向受众展现三峡工程的五大难关，将高强度的混凝土施工、特大型闸门安装与调试、特大型水轮发电机组的安装与调试、二次截流、双线五级船闸调试等依序作全方位的展示性报道。《人民日报》的《三峡工程将攻六大技术难题》，《经济日报》的《三峡工程进入三年攻坚》和《三峡打响攻坚战》，《经济参考报》的《"三峡"遇到五大技术"老虎"》，《中国电力报》的《三峡工程将进行第二次截流》等文章，进一步深化、细化三峡工程攻关的具体内容，使2001年初三峡工程攻坚的报道成为媒体纷纷关注三峡的一个宣传热潮。

9～10月，三峡库区生态环境和文物保护成为热门话题。2001年9月，全国人大常委会《水污染防治法》执行情况检查前后，《北京青年报》、《重庆日报》等媒体的《发自三峡库区的污染治理报告》、《长江污染正冲破法律底线》以及《光明日报》的《保护三峡文物时不我待》等文章，将国内众多媒体的视角又一次转向三峡及其上游地区的生态环保问题。诸多媒体对尽快治理库区污染的呼唤，进一步引起了国务院的重视，加快了治理规划，加大了资金的投入。库区沿江19个水污染处理设施于2001年年底相继开工建设。千年历史的瞿塘峡摩崖石刻10月22日拉开搬迁序幕。其社会影响和反响，至为强烈。9月28日，位于大坝腰部的120m高程施工栈桥提前2个月实现全线通车，为大坝浇筑手段的转换创造了条件。11月中下旬，二期上游围堰动工拆除，左岸电站首台机组进入本体安装的预期目标均一一实现。于是，从《湖北日报》第一时间的报道始，《人民日报》、《经济日报》、《经济参考报》相继追踪报道，中央电视台《新闻联播》、《现在播报》及一套、四套和十套节目作反复播报。以上内容的动态新闻，以及对永久船闸第一扇反孤门安装及2001年债券发行一同播出，强化了三峡工程的立体形象。

12月1日，美联社、美联环球电视、日本《产经新闻》、加拿大多伦多星报、韩国文化广播公司、汉城电视台及YEN新闻电视台等国外媒体驻京机构近20人联合采访三峡工地。此次大型采访，一方面说明国外媒体对三峡工程进展状况的重视；另一方面，反映国内媒体所关注的生态环境保护、电力消纳诸问题同样引起国外诸多媒体的兴趣和关注。

（杨慎勤）

报道三峡工程的主要新闻媒体及内容

时间	新闻媒体	报道内容
1月1日	经济日报	跨世纪工程展望——三峡工程
	中央电视台新闻联播	世纪之交的三峡工地
	中国经济导报	三峡工程再创世界水工新纪录
	湖北日报	①图片：三峡工地世纪之夜
		②三峡工程创混凝土浇筑奇迹
	北京青年报	中国三峡工程——你让洪水变能源
2日	中国经济导报	"九五"国家重大装备攻关在三峡结硕果（附图）
	中央电视台中国新闻	三峡工程进展"新世纪新成就"
	湖北日报	三峡工地新年第一天
3日	新华网	重庆将在10年内投400多亿元巨资保护三峡库区环境
	重庆日报	八年攻坚不寻常——三峡工程建设历程回顾
5日	新华网	著名考古学家俞伟超谈三峡文物的十大历史价值
	重庆日报	三峡移民政策有重大调整
8日	湖北电视台晚间新闻	三峡工程2001年将转入金属结构高峰年
10日	人民日报	三峡电力东送工程开工
15日	中国建设报	世纪之交看三峡
	中国经济时报	三峡工程筹集到位资金630多亿元
16日	经济日报	①三峡工程巨型机组创造水电奇迹
		②三峡大坝刷新世界纪录
		③构建三峡库区生态经济区
		④永久船闸展现世纪雄姿
	中国经济时报	①重庆库区今年将再安置10万三峡移民
		②长江抛石护堤工程是怎样进行的？
21日	中国电力报	三峡工地上的洋工长
	湖北日报	三峡工程施工技术首出国门
23日	中央电视台新闻联播	三峡永久船闸六闸首北线人字门吊装
	重庆日报	世纪大抢救——三峡地区文物抢救保护纪实

时间	新闻媒体	报道内容
24日	中央电视台焦点访谈	世纪工程之一——三峡工程
	人民日报	三峡工程八年完成投资近六百亿元
	湖北日报	三峡工程首套人字门顺利安装到位(附图)
25日	湖北日报	青春在三峡闪光
26日	湖北日报	宜昌构筑三峡库区生态环保网
	重庆日报	三峡工程确定三年攻坚目标
27日	中央电视台中国报道	三峡工程2002年实现第二次截流
28日	中央电视台晚间新闻	三峡工程研讨二期截流
29日	湖北日报	截断巫山云雨　再呈合龙胜景
	重庆日报	明年三峡工程二次截流
30日	湖北日报	为新世纪开好仓
2月1日	新华通讯社	三峡工程未来3年需攻克5大技术难关
	中国经济导报	三峡工程:招标系上保险带
2日	经济参考报	“三峡”遇到五大技术“老虎”
	中国新闻社	三峡工程建设投资比预计节省
	湖北日报	三峡工程需攻克5大技术难关
3日	中国电力报	三峡工程明年将进行第二次截流
	湖北日报	三峡珍稀林木“传后”有新途径
5日	新华通讯社	三峡工程面貌日新月异
6日	经济日报	三峡工程面貌日新月异
	重庆日报	三峡工程日新月异
8日	人民日报	三峡工程的新目标
9日	中国环境报	专家建议综合根治三峡库区漂浮物
	中国建设报	三峡工程筹资逾600亿元
	中央电视台	2001年三峡工程进入混凝土和金属结构安装高峰年
10日	湖南卫视	长江三峡工程2003年将断航两个月
11日	北京青年报	长江三峡大坝二次截流后三峡将断航两月
	湖北日报	三峡工程进入金属结构、机电埋件安装高峰期
12日	新华通讯社	国家今年将投资131亿元进行三峡工程建设

时间	新闻媒体	报道内容
	湖北日报	三峡工程聘请安全“洋总监”
13日	经济日报	三峡工程进入三年攻坚　今年预计投资131亿元
	光明日报	国家今年将为三峡工程投资一百三十一亿元
	中央电视台	三峡工程2001年工作安排
	中国新闻社	专家评定三峡工程一万四千余单元工程全部合格
	中国经济时报	国家今年投资131亿元建设三峡工程
	北京青年报	三峡工程今年投入131亿元
14日	经济日报	三峡工程2003年蓄水发电通航
	重庆日报	确保三峡工程2003年实现蓄水、发电、通航三大目标
	解放日报	三峡工程今起全面攻坚
15日	湖北日报	三峡建设基金年度征收计划完成
16日	水力水电工程报	如何处理三峡漂浮物?专家共识:导集清
17日	人民日报	重庆三峡农村移民工作进展顺利
	中国电力报	三峡工程建设投资比预计节省
	湖北日报	三峡大坝副坝二期工程开标
20日	人民日报	三峡工程攻下六大技术难题
22日	中国经济导报	“利民副坝”二期工程公开招标
23日	人民日报	三峡左岸电站设备获100亿元保险
	经济日报	三峡工程最大保单签署
	中央电视台	三峡工程二期工程左岸电站设备安装保险合同签字仪式
25日	经济日报	三峡工程打响攻坚战
	中央电视台	国务院签署《三峡工程移民管理条例》
26日	人民日报	长江三峡工程建设移民条例
	经济日报	长江三峡工程建设移民条例
	中国电力报	“九五”国家重大装备攻关在三峡结硕果
27日	重庆日报	白鹤梁保护方案获专家组原则通过
28日	人民日报	长江三峡工程建设取得骄人成绩
	中国质量报	三峡工程经得起风雨
3月1日	中国水利报	专用公路被誉为“公路工程博物馆”

时间	新闻媒体	报道内容
	湖北日报	今年三峡大坝部分坝段"长到顶"
2日	湖北日报	三峡船闸"天下第一门"安装到位
3日	重庆日报	三峡工程排定发电通航时间表
8日	中国质量报	事实是最响亮的回答
	中国青年报	"四大工程"激活东西南北
11日	重庆日报	三峡库区库底清理亟待加强
12日	中国质量报	三峡工地塔带机"体检"
13日	中国电力报	三峡工程:一切进展顺利
14日	经济日报	三峡"大管家"的管理秘诀
20日	重庆日报	全国人民关注三峡移民
24日	中国电力报	三峡永久船闸北一闸首人字门体就位
27日	湖北电视台	三峡工程进入收获季节
28日	中国经济时报	三峡工程进行两项国际招标
	重庆日报	三峡工程进行梯调中心和电站监控系统国际招标
	中国新闻	三峡工程又一项技术填补国内空白
29日	中国新闻	三峡工程梯调中心和左岸电站计算机监控系统国际招标开标
30日	湖北日报	①三峡工程度汛方案出台
		②图文:三峡大坝雄姿开始向世人展示
		③三峡工程度汛方案出台 确保工程安全万无一失
	中国新闻	①三峡工程茅坪溪防护土石坝二期工程施工公开招标开标
		②三峡工程度汛措施和防汛应急预备方案出台
	湖北日报	图文:三峡工地不夜城
4月2日	中国新闻	三峡工程设立建设质量特别奖
	湖北日报	图片:左岸发电机组蜗壳完成安装
3日	人民日报	三峡工程设立建设质量特别奖
	经济日报	三峡工程质量评定100%合格
	中国经济导报	三峡工程:绷紧度汛之弦
5日	中国水利报	科学合理的"塔带机方案"
	湖北日报	三峡大坝首批导流启闭设备通过验收

时间	新闻媒体	报道内容
6日	湖北日报	三峡电厂生产管理信息系统建设启动
	中新湖北网	陆佑楣称三峡工程是重要的生态工程
	中央电视台	三峡工程排定发电通航时间表
7日	中国电力报	三峡工程梯调中心和左岸电站计算机监控系统国际招标开标
9日	中国新闻	三峡工程初期蓄水、通航、发电目标排定
10日	湖北日报	图片:三峡左岸电厂机组引水压力钢管完成安装
12日	中国经济导报	①长江三峡工程梯调中心国际招标
		②首批三峡启闭机通过验收
	中国建设报	长江三峡工程部分系统进行国际招标
	中国水利报	二次风冷骨料技术的创新
	中国新闻	三峡工程开始汛前清淤
13日	中央电视台	三峡工程进入攻坚阶段
14日	中央电视台	三峡工程进行良好
	重庆日报	投资10亿元治污染 库区水质有保障
15日	中央电视台	三峡工程明年11～12月第二次截流
16日	经济日报	三峡工程明年底第二次截流
	重庆日报	三峡工程二次截流明年底进行
	长江日报	建设进入关键时期 三峡工程蓄水通航发电开始倒计时
17日	中国经济导报	三峡工程进入抢发电的千日决战
18日	湖北日报	用好国家税收 筑造千秋工程
19日	经济日报	三峡工程排定进度表
	中国水利报	"九拌郎"打破世界纪录
21日	中新湖北网	三峡工程质量控制出新招
25日	新华网	三峡左岸电站机电设备安装与调试工程招标开标
26日	光明日报	三峡大坝部分浇筑到顶
	中国水利报	优选混凝土添加剂
	湖北日报	三峡工程左岸电站机电设备安装与调试工程开标
	中新湖北网	三峡工程左岸电站机电设备安装与调试工程开标

时间	新闻媒体	报道内容
5月1日	经济日报	三峡工程发电机组首件国产部件启运
2日	湖北人民广播电台	三峡工程永久船闸液压启闭机联合调试成功
4日	人民网	三峡工程加紧进行第二次长江截流准备
	中央人民广播电台	两万八千三峡建设者五一奋战在工地
5日	中央电视台	①三峡工程筹中华壮志　创千秋伟业
		②三峡二期大坝全线突破100m高程
		③全国重点工程报道——三峡
	经济日报	建设三峡最自豪
6日	新华网	中国完全有能力预防和治理三峡库区地质灾害
	中新网	中国长江三峡工地进展迅速
9日	人民网	三峡永久船闸核心控制系统通过验收
	重庆日报	确保二OO三年按时完成二期移民任务
13日	中央人民广播电台	70多支考古队抢救三峡库区文物
14日	中央电视台	三峡永久船闸液压启闭机设备调制
	中新湖北网	三峡航道确保汛期畅通无阻
15日	中国新闻	①三峡航道确保汛期畅通无阻
		②三峡库区启动治理四大滑坡工程
16日	中新网	三峡永久船闸液压启闭机联调成功
17日	中国经济导报	三峡茅坪溪防护坝第二期工程决标
18日	中国新闻	三峡永久船闸液压启闭机联调成功
19日	湖北人民广播电台	三峡工程开展安全生产教育
20日	中央电视台	三峡首台机组水轮机混凝土浇筑完成
23日	中国经济时报	斥资40亿元治理三峡库区垃圾污染
24日	中新湖北网	三峡工程混凝土浇筑仓面记录器研制成功

时间	新闻媒体	报道内容
26日	中央电视台	陆总及三峡工程
	经济日报	三峡工程土石方里的高科技
	中国新闻	三峡工程混凝土浇筑全面记录器研制成功
	重庆日报	确保5万外迁移民一路平安
28日	中华工商时报	图片：三峡工程首批发电机组蜗壳安装工作全部完成
29日	中国新闻	三峡工程首条引水压力钢管合龙
6月1日	人民网	世界最大引水压力钢管在三峡合龙
	湖北日报	三峡工程首条引水压力钢管合龙
	中新湖北网	三峡临时船闸能够满足过往船只过坝要求
2日	中新网	三峡临时船闸能够满足过往船只过坝要求
	中新湖北网	三峡水库区泥沙问题有望解决
3日	中央电视台	朱镕基主持召开国务院三峡工程委员会第十次会议
	中国新闻	朱总理叮嘱三峡工程人员：不做骂名千载的罪人
	湖北人民广播电台	三峡泥沙问题可以解决
4日	经济日报	质量是三峡工程的生命
	经济参考报	千秋大业　质量第一
	科技日报	质量是三峡工程的生命
	中国质量报	朱镕基总理强调质量是三峡工程的生命
	湖北日报	千秋大业　质量第一
	重庆日报	质量是三峡工程的生命
	中国新闻	①三峡临时船闸能够满足过往船只过坝要求
		②三峡水库区泥沙问题有望解决
5日	中新湖北网	2000年三峡工程环境质量总体良好
	中国电力报	质量是三峡工程的生命
	湖北日报	茅坪溪防护大坝二期工程开工
	重庆日报	新一代天气雷达系统在三峡地区投入运行
7日	工人日报	三峡工程向污染说“不”
	科技日报	三峡工程首批发电机组蜗壳安装全部完成
	中国水利报	①三峡工程招标忙
		②二期大坝计算机模拟系统的开发应用

时间	新闻媒体	报道内容
	文汇报	三峡雄姿略减 魅力增添
	湖北日报	二次截流和三期工程准备工作全面展开
	湖北人民广播电台	三峡工程开始转入三期施工
	中新湖北网	"西电东输"三峡段主体工程开工
8日	人民日报	三峡水电机组研究获突破
	人民日报	三峡装备:今后立足于国内制造
	经济日报	三峡两年后下闸蓄水发电
	湖北日报	西电东输三峡段主体工程开工
9日	人民日报	确保三峡工程装备的质量提高重大装备国产化水平
	经济日报	提高重大装备国产化水平确保三峡工程装备的质量
	湖北人民广播电台	三峡临时船闸投入汛期运行
10日	人民日报	确保三峡工程装备质量提高重大装备国产化水平
	中国电力报	三峡右岸主体工程开工
12日	中新湖北网	三峡工程右岸地下电站混凝土和结构安装工程招标开标
13日	中国新闻	三峡文物保护进入攻坚阶段
14日	中国建设报	三峡三期提前动工
	中国水利报	①三峡工程装备:今后立足于国内创造 ②三峡工程混凝土浇筑仓面记录器研制成功 ③"声发射"探伤把关埋件质量
17日	中央电视台	三峡工程建设与南水北调工程
	中新湖北网	三峡泄洪坝永久设备开始安装
20日	中国新闻	三峡工程成为中国推进装备业国产化路标
21日	中国经济导报	三峡右岸电站部分基建项目启动
	中国水利报	"蓄清排浑",泥沙研究成果丰硕
23日	中国新闻	三峡工程首台发电机组设备运抵三峡工地
	湖北日报	三峡首批发电机组部件安全运抵工地
	重庆日报	图片:首台发电机组定子运抵三峡工地
	楚天都市报	首台发电机组到三峡 2003年将实现首批机组发电
25日	人民日报	全国支援三峡库区投入资金逾93亿元
	经济日报	①图片:三峡工程永久船闸人字门安装进入高峰 ②各地踊跃对口支援三峡库区
	湖北日报	三峡库区文物搬迁工程启动
26日	中新网	三峡工程二期上游围堰防渗墙施工技术国际领先
27日	中新网	三峡工程二期截流方案初定
	中国新闻	三峡工程质量过硬 相关评定迄今全部合格
	重庆日报	今明两年将形成建设投资高峰
	中新湖北网	三峡工程二次截流方案初定
28日	人民日报	图片:工地先锋
	中国新闻	三峡工程二期上游围堰防渗墙施工技术国际领先
	湖南卫视	三峡作证
29日	人民日报	重庆确保两年完成二期水位线下文物抢救
30日	经济日报	高峡平湖梦正圆
	中新网	三峡二期工程验收工作正式启动
	中新湖北网	①三峡二期工程验收工作正式启动 ②三峡工程首台发电机定子运抵工地
7月2日	中新网	三峡工程使用专利技术逾700项
	楚天都市报	三峡总公司为2万建设者投保
3日	中新网	滚装船首次通过三峡临时船闸
5日	中国经济导报	三峡建设者有了"保险带"
	中国建设报	三峡二次截流研究初现端倪
	中国电力报	聚丙烯纤维混凝土技术研制成功
	中国水利报	三峡工程创新系列报道:创新投资控制体系
	湖北日报	图片:2003年首批发电1#机组施工现场
6日	中国经济时报	图片:浇筑三峡工程8#发电机组引水压力管外包混凝土
	湖北日报	图片:挥汗大三峡
7日	中国电力报	700万元为三峡建设者上保险
8日	湖北日报	①三峡建设者学习贯彻江总书记重要讲话 ②图片:国产发电机组进三峡
9日	人民日报	①三峡工程首个国产化大件投入安装

时间	新闻媒体	报道内容
		②图片：三峡工程电站坝段雄姿
	中新网	三峡工程首个国产化大件正式投入安装
	经济参考报	三峡施工区环境质量好
	楚天人民广播电台	三峡电厂筹建工作进展顺利
	湖北日报	①图片：泄洪坝段底孔工作门启闭机安装吊装油缸
		②"双零"记录——记葛洲坝集团洞挖项目部
12日	中国建设报	专利技术助战三峡工程
	中国水利报	①三峡工程创新系列报道：防渗施工技术达到国际领先水平
		②三峡重大装备采购：由外及内　以我为主
13日	人民日报	三峡移民外迁形成高峰
	光明日报	图片：三峡工程首台国产电机座环投入安装
	中国建设报	图片：三峡工程的五级永久船闸已进入浇筑和安装并进的决战阶段
14日	中新网	①三峡工程实行"零质量事故"目标管理成效明显
		②三峡工程是改善生态环境的工程
	中国经济导报	三峡工地静悄悄
15日	人民日报	首选国产货
18日	科技日报	三峡大坝工程与生态环境建设同步——保护长江生命河之七
19日	中央电视台	朱总理出席国务院三峡工程移民暨对口支援工作会议并发表讲话
	中新网	三峡工程十五项专题成果获奖
	经济日报	①绝不给三峡库区留下污染隐患
		②盘活三峡无形资产
24日	人民日报	三峡库区10年受援80多亿元
	中国电力报	三峡机组部件有了"中国造"
26日	经济日报	三峡大坝导流底孔弧形工作门安装完毕
	中国水利报	重大装备研制填补我国多项空白
	湖北日报	三峡工程诱发地震测试系统通过单项课题验收
27日	经济日报	三峡工程今日签订左岸14台机组安装合同
	中新网	三峡大坝导流底孔工作门全部吊装到位
	湖北日报	①三峡大坝导流底孔工作门全部吊装到位
		②三峡左岸电站机电设备安装与调试正式启动
	楚天人民广播电台	三峡二期工程最后一个重大合同签订
28日	参考消息	中国阔步迈向未来
	中国经济时报	三峡左岸电站机电设备安装与调试正式启动
29日	中新网	三峡工程加紧施工
30日	中国质量报	三峡二期工程考验水电队伍
	楚天人民广播电台	国家将投资40亿元治理三峡库区地质灾害
8月2日	中国电力报	三峡左岸电站机电设备安装与调试工程合同签字
	中国水利报	"大江截流"荣获国家科技进步一等奖
3日	中国新闻网	中国将投资四十亿治理三峡库区地质灾害
4日	大公报	三峡工程向三大目标迈进
5日	湖北日报	三峡工程蓄水验收序幕拉开
7日	经济日报	①为了千秋万代的伟业——三峡工程建设最新推进态势令人振奋
		②三峡输变电工程开始进入大规模建设阶段
		③图片：三峡大坝浇筑数刷世界纪录
8日	中央电视台	三峡工程梯调中心、左岸电站计算机监控系统国际招标采购合同签字
	中国国际广播电台	三峡工程梯调中心、左岸电站计算机监控系统国际招标采购合同签字
9日	中央人民广播电台	三峡工程梯调中心、左岸电站计算机监控系统国际招标采购合同签字
	人民日报	三峡工程两大计算机监控系统国际招标合同签字
	中国经济时报	三峡工程又完成两项国际招标
	科技日报	三峡水库能蓄清水吗？
	中国水利报	大江截流的形象模拟及决策支持
	中国新闻网	三峡工程梯调中心、左岸电站计算机监控系统国际招标采购合同签字

时间	新闻媒体	报道内容
10 日	人民日报	我国将投 40 亿元治理三峡库区地质灾害
	经济日报	图文:三峡工程混凝土浇筑总量过半
	中华工商时报	三峡左岸机电完成国际招标
	湖北日报	三峡工程二项目国际招标签字
13 日	湖北日报	三峡工程装备国产化提速
16 日	中国水利报	世界最大桥机的技术跨越
17 日	经济日报	图文:世界最大桥式起重机在三峡安装
	楚天人民广播电台	三峡工程招标承包机制日臻完善
19 日	中国新闻网	三峡永久船闸人字门昨天通过验收
	湖北日报	“三峡第一门”制成
23 日	中国电力报	三峡工程用干式变压器通过评审
	中国水利报	高科技布控左岸坝基开挖
9 月 6 日	中国经济导报	①三峡右岸混凝土拌和系统建安工程开标 ②看三峡工程如何招标
	重庆日报	抓好三峡库区库底清理工作
7 日	工人日报	三峡库区外迁移民基本结束
	湖北日报	①三峡库区外迁移民基本结束 ②三峡库区地质灾害防治拉开序幕
	重庆日报	移民外迁破解世界级难题成功途径
10 日	人民日报	①湖北加强三峡库区地质灾害防治 ②三峡移民人权保障实证研究启动 ③图:世界最大桥式起重机落户三峡
11 日	中央电视台	厂房屋顶支架吊装
13 日	中国水利报	①YCCIS 系统:提供船闸施工决策支持 ②三峡工程进入冲刺阶段 巨额投资带来商机无限
14 日	中央电视台	三峡工程临时船闸恢复通航
	中国知识产权报	三峡工程:专利技术成长的摇篮
	湖北日报	三峡大坝全线超过 120m 高程
	中新网	三峡左岸电站开始封顶
	新浪网	三峡左岸电站开始封顶
15 日	湖北日报	大江截流围堰拆除工程面向国内公开招标
16 日	楚天都市报	斩江大堤完成使命——三峡拦江围堰拆除在即长江主河床将恢复通水
20 日	人民日报	图片:三峡工程临时船闸和电站厂房坝段全景
	中国经济导报	三峡工程:为二期围堰拆除而招标
	中国电力报	三峡二期围堰拆除工程进行招标
22 日	中新网	三峡工程遴选“十五”重大装备科技攻关项目
	中国水利报	三峡工程举世瞩目
	湖北日报	国产化是最大的科研课题
23 日	湖北卫视	环保中的三峡工程
24 日	中国建设报	国产化:三峡重大装备的憧憬
	楚天人民广播电台	三峡工程进展顺利 完成投资 670 亿元
25 日	湖北日报	三峡工程首套伸缩节成功安装
26 日	人民日报	三峡库区绿色屏障工程启动
	重庆日报	努力开创二期移民工作新局面
27 日	中国电力报	三峡启动“十五”攻关计划
28 日	香港文汇报	三峡水库:重大的生态工程
	湖北人民广播电台	三峡大坝 120 栈桥建成通车
29 日	工人日报	三峡工程 120 栈桥通车
	楚天人民广播电台	三峡大坝 120 栈桥建成通车
	湖北日报	三峡工程 120 栈桥全线贯通
	楚天都市报	三峡大坝架起“空中走廊” 千米栈桥昨通车
10 月 1 日	人民日报	图片:三峡二期施工的最高坝段已达到 185m 的设计高程
	湖北日报	图片:三峡永久性船闸五闸首人字门开吊
5 日	中央电视台	永久船闸地下输水南线混凝土浇筑完成
8 日	人民网	李鹏考察三峡水利枢纽工程建设情况
	中国经济导报	混凝土浇筑仓面系统问世
9 日	人民日报	李鹏考察三峡水利枢纽工程建设情况
	经济日报	李鹏考察三峡水利枢纽工程
	人民网	李鹏:确保高质量建好跨世纪宏伟工程

时间	新闻媒体	报道内容
10 日	人民网	两万建设者精心浇筑三峡工程
	搜狐	创一流无止境　两万建设者精心浇筑长江三峡大坝
	重庆日报	三峡库区生态环境及经济系统重建研究项目正式启动
11 日	中国电力报	李鹏委员长考察三峡工程建设
15 日	光明日报	三峡库区的环境保护
	湖北日报	三峡工程投资将节省 239 亿元
18 日	中国水利报	三峡工程：专利技术的摇篮
	中国经济导报	三峡工程国庆节后连连开标
20 日	重庆日报	加强资金管理　做好移民工作
23 日	中国经济导报	三峡电站首批发电机组 12 月份开始本体安装
	香港文汇报	三峡水库清库总方案即将出台
	重庆日报	三峡库区城镇迁建应重视基础设施配套建设
24 日	工人日报	为确保三峡工程顺利进行 200 亿投资加固长江堤防
25 日	中国经济导报	三峡工程两系统进行设备招标
	中国电力报	三峡工程又有两系统进行设备招标
26 日	重庆日报	严格执行“倒计时”　打胜二期攻坚战
27 日	中新网	世界最大叠梁门首节在三峡诞生
30 日	湖北日报	三峡首批发电机组厂房开始封顶
31 日	科技日报	三峡工程新闻座谈会召开
	工人日报	三峡工程投资规模降低
11 月 1 日	中国电力报	三峡发电机组 12 月开始本体安装
	中国水利报	①浇筑仓面的“数字监理”
		②三峡打造“十五”攻关计划
	湖北日报	图片：三峡工程左导墙鸟瞰
	湖北人民广播电台	三峡工程地震监测系统建成
	楚天人民广播电台	三峡工程诱发地震监测系统近日完成
2 日	中国建设报	三峡电站发电机组厂房开始本体安装
	湖北日报	①三峡工程诱发地震监测系统建成
		②图片：三峡工程电站厂房坝段，主体工程与道路、绿化等环境建设同步
	湖北人民广播电台	三峡工程二期围堰拆除工程中标单位揭晓
	楚天人民广播电台	三峡工程二期围堰拆除工作进入施工准备
6 日	湖北日报	加快三峡地质灾害防治
7 日	中央电视台	①’01 三峡债券正式发行
		②永久船闸第一扇反弧门吊装
	中国日报	’01 三峡债券正式发行
	重庆日报	加强库区地质灾害防治和污染治理
	楚天人民广播电台	三峡工程资金到位良好
8 日	人民日报	’01 三峡债券正式发行
	经济日报	三峡四期债券今日正式发行
	工人日报	’01 三峡债券正式发行
	中国经济时报	三峡第四期债券今日正式发行
	中华工商时报	’01 三峡债券正式发行
	中国青年报	‘01 三峡债券正式发行
	中国电力报	①’01 三峡债券正式发行
		②图片：三峡工程拦河大坝最低部位已在 120m 高程以上，年底可达 140m 高程
	中国水利报	①三峡首批发电机组 12 月开始本体安装
		②获得多项国家专利的“侧卸车”
9 日	中央人民广播电台	’01 三峡债券正式发行
	中国妇女报	’01 三峡债券正式发行
10 日	中国电力报	图片：三峡工程部分坝体穿上“棉衣”
11 日	中国电力报	二期围堰　明年拆除
12 日	北京青年报	三峡水土流失得到初步控制
13 日	中国经济导报	三峡工程管理目标凸现“双零”
	香港文汇报	二期围堰即将退役
15 日	中国电力报	电机本体　年内安装
	湖北日报	三峡工程推出“双零”管理目标
16 日	湖北日报	三峡永久船闸锚固工程完工
18 日	中央电视台	二期围堰拆除
	人民日报	三峡二期围堰开始拆除
	中国电力报	图片：施工人员正在厂坝段紧张开挖；三峡重件码头的职工起吊控制环

时间	新闻媒体	报道内容
	湖北人民广播电台	三峡工程二期围堰开始拆除
	楚天人民广播电台	三峡工程二期工程正式展开
19 日	经济日报	三峡二期工程取得阶段性胜利长江截流围堰昨日开始拆除
	中华工商时报	三峡大江围堰开始拆除
	中国青年报	三峡工程开始拆除大江截流围堰
	中国质量报	三峡工程质量特别奖发出4000万
	湖北日报	三峡工程二期围堰开始拆除
	重庆日报	三峡工程开始拆除大江截流围堰
	楚天都市报	三峡二期围堰昨起拆除
20 日	长江日报	三峡大江截流围堰开拆了
21 日	中央电视台	三峡债券上市发行
	陕西卫视	史诗般的壮举——建设中的三峡
22 日	中央电视台	三峡首批发电机定子吊装
	中国经济导报	招标拆除二期围堰
	中国电力报	二期围堰开始拆除
	中国水利报	先进的高边坡槽挖技术
23 日	经济参考报	图片：2# 机组第一瓣定子机座吊入机坑
	湖北日报	三峡工程首台发电机组开始安装
	重庆日报	图片：三峡工程首台水轮发电机组定子开始安装
26 日	重庆日报	图片：三峡工程右岸地下电站进水口洞挖临近尾声
	重庆日报	世界上最大桥式起重机落户三峡
	重庆日报	西电东送第二批项目开工
29 日	人民日报	全国对口支援重庆库区近80亿元
30 日	人民日报	三峡水污染防治工程正式启动
12 月 2 日	科技日报	三峡电站 2# 机本体开始安装
4 日	人民日报	三峡库区垃圾清理迫在眉睫
5 日	中国经济时报	三峡库区已搬迁安置移民近40万人
6 日	中国电力报	三峡工程 2001 年三大目标已达彼岸
	中国水利报	①五级船闸山体锚固工程的攻关 ②三峡二期围堰开始拆除
7 日	人民日报	国家安排 40 亿专项资金治理三峡库区地质灾害
	中国经济时报	40 亿专项资金治理三峡库区地质灾害
	中华工商时报	图：三峡永久船闸最后一扇人字门 6 日吊装完成
	中国建设报	三峡工程 4000 多万元质量特别奖颁发到位
	湖北日报	“天下第一门”吊装完成
	重庆日报	最后一扇完成吊装的闸门雄姿
8 日	中国电力报	三峡右岸地下电站进水口明挖工程结束
	重庆日报	40 亿元！用于三峡库区地质灾害防治
9 日	经济日报	三峡工程进展怎么样
	重庆日报	三峡工程 11 万多个单元工程全部合格
	四川新闻网	三峡 11 万个工程全部合格 2 亿元质量特别奖将兑现
10 日	重庆日报	二期移民决战决胜在明年
11 日	湖北人民广播电台	三峡左岸机组开始吊装
	楚天人民广播电台	三峡发电机组定子机座顺利吊装
12 日	人民日报	再投一次赞成票——香港全国人大代表视察三峡工程记事
15 日	湖北人民广播电台	国家投资 400 亿加强三峡库区水污染防治
20 日	楚天人民广播电台	三峡工程 9 年招标成果丰硕
25 日	中国电力报	洞挖工程实现“双零”
	湖北日报	三峡大坝全线达 140m 高程
26 日	湖北日报	三峡工程蓄水在望　港站复建如火如荼
27 日	中国电力报	三峡工程今年招标画上句号
	中国水利报	成功实现压力钢管全位置自动焊
	西部发展报	伟哉！长江三峡工程
28 日	湖北日报	三峡地质灾害预警网工程启动
	楚天都市报	三峡工程排定重点“剧目”单

（袁　磊）

中国三峡出版社出版情况

2001 年中国三峡出版社出版图书 98 种，总码洋 1600 多万元，其中新书 73 种，再版图书 5 种，各类三峡宣传品 32 种(其中正式出版 4 种)。总印数 88 万册；总印张 9360.8 千印张；新排字数 6170.3 万字。

一、坚持正确的出版方针，积极开拓图书市场

通过人事制度改革，优化人员结构，调动职工的积极性。2001 年出版社的工作重点是狠抓经济效益，搞好图书出版。确立开拓市场，狐抓质量，树立品牌，创造效益，改革后第一年打好基础，扭亏持平；第二年创出品牌，略有盈余；第三年全面发展，经济效益显著提高的奋斗目标。

二、质量是出版社生存发展的前提，市场是出版社生存发展的保障

为读者提供合格精美的图书是出版社的基本目标，也是出版社在竞争激烈的图书市场上立足的根本。通过强化责任意识，使注重图书质量成为每个人的自觉行动。2001 年出版的各类图书，从内在质量到装帧印刷都上了一个新台阶，受到社会各界的赞誉，从而迅速提升了出版社的整体形象。《读懂人生》一书是三峡出版社的名牌书，年初上市并保持连续 10 个月在全国销售图书排行榜上名列前茅，北京电视台《特别关注》栏目对此书进行了专门报道。

编辑部门以市场为导向，积极开发有市场、适销对路的选题、确立以三峡、英语、社科、汽车、生活等几大类为主打的选题系列，并挖掘一批优秀作者，为今后的图书出版打下坚实基础。

三、以服务三峡为宗旨，努力做好系统内工作

完成各类文件汇编、宣传材料的印制 30 多种，策划并承办“汇源杯”中国长江三峡知识竞赛。这是首次在全国范围内为宣传三峡开展的大型竞赛活动，收到答卷 5 万余份，在社会上引起强烈反响，参赛者来自除港、澳、台地区之外的全国所有省市，此次活动对三峡工程的宣传工作起到了良好的促进作用，成功地举办“百名画家画三峡”大型活动，中央电视台等多家媒体进行了新闻报道。

(秦　倩)

移民小区绿化之二

枢纽工程 V

崛起的新城——万州天城移民新城

施　工

主要施工单位

一、葛洲坝集团公司三峡工程施工指挥部

中国葛洲坝集团有限公司三峡工程施工指挥部（以下简称葛洲坝集团三峡指挥部）下辖项目部和施工单位26个，2001年在册职工10038人。主要机械设备1570台（套），自有设备1557台（套），设备原值11.58亿元。承担的施工项目有：三峡二期厂坝工程（Ⅰ&ⅡB标）、永久船闸机电金结安装及调试工程、临时船闸升船机工程、茅坪溪防护大坝二期工程、右岸地下电站进水口洞挖工程、二期下游围堰拆除工程等。

2001年，葛洲坝集团三峡指挥部完成结算产值12.77亿元，实现利税1亿元。全年完成混凝土浇筑185.73万m^3，其中二期厂坝工程181.85万m^3，临时船闸及升船机工程等项目3.88万m^3；完成永久设备金结及机电埋件安装3.04万t，完成临时工程高程120m栈桥安装、高程42m栈桥金属结构拆除1.06万t；完成接缝灌浆12.07万m^2；完成帷幕灌浆3.79万m；完成土石方挖填330.20万m^3。工程形象进度满足合同要求。全年累计完成单元工程6534个，一检合格率99.5%，单元工程合格率100%，单元工程优良率84.51%。其中二期厂坝工程完成单元工程5250个，合格率100%，优良率84.5%。

葛洲坝集团三峡指挥部组织技术人员编写《塔带机施工技术手册》，总结塔带机运行管理经验；厂坝金结机电安装施工中，成功进行深孔不锈钢复合钢衬的制作焊接；土建施工中，推广应用芬兰模板、钢筋直螺纹连接技术、定型止水接头及节安螺帽等多项新技术、新工艺；纤维混凝土试验取得成功，经业主、监理许可在泄洪坝段导流底孔跨缝板施工中应用。泄洪坝段底孔、深孔工作门及埋件安装方案优化、三峡永久船闸人字门安装技术和三峡二期工程4#、5#供料线顶升技术方案设计分别获葛洲坝集团公司2001年度科技进步一、二等奖；波坦组合塔机改造、茅坪沥青拌和楼控制系统改造制作、帷幕孔口段升压灌浆试验研究、三峡左厂进水口渐变段钢模台车的研制与运用等项目获三等奖；与西安交通大学联合研制的“混凝土生产运输计算机综合监控系统”和“压力钢管全位置自动焊接”两个科技攻关项目于2001年9月17日通过国家电力公司组织的验收。

2001年葛洲坝集团三峡指挥部举办各类技能培训班106期，接受培训人数6586人次。在业主举办的“三峡建设者首届青工技能大赛”中，赢得团体综合第二名、金结综合及个人两个单项第一的成绩。

葛洲坝集团公司副总经理兼指挥部指挥长、党委书记：刘金焕，常务副指挥长：刑德勇，党委副书记：高振芬，副指挥长：吴森康、李名章、毛建平、朱忠华，总工程师：朱忠华（兼）、张建新，总经济师：文德钧。

二、武警水电部队三峡工程指挥部

（一）概况

2001年，武警水电部队三峡指挥部主要承担双线五级永久船闸（以下简称永久船闸）、上游隔流堤、上游围堰拆除等项目建设。完成投资58000万元。完成主要实物工程量：永久船闸混凝土浇筑38.91万m^3，锚索195束，锚杆8461根；上游隔流堤土石方回填155.82万m^3，混凝土浇筑2.97万m^3；下游引航道土石方开挖166.08万m^3，边坡回填31.62万m^3；上游围堰拆除132万m^3。全年评定的单元工程合格率100%，其中永久船闸开挖工程优良率91.9%，混凝土工程优良率86.1%，金结安装优良率94.4%，未发生质量事故及可记录质量缺陷。武警水电部队三峡指挥部被国家电力公司评为安全先进单位。

（二）警卫消防工作

警卫消防以“内强素质、外树形象”为工作重点，狠抓文明执勤，依法执勤，出色地完成李鹏、朱镕基、尉健行等党和国家领导人来三峡视察的上等级警卫执勤任务19次。出动警力85600人次，检查进出坝区车辆450万台次，查扣手续不全车辆800台次，收缴不合手续外运物资80余t；出动消防车101台次，扑灭火灾49起，为国家和人民群众挽回直接经济损失300多万元。协助地方公安机关抓获各类犯罪嫌疑人5名，铲除非法栽种罂粟325株。

（三）部队管理工作

武警水电部队三峡指挥部全年计划达标的2个机关、7个中队，均通过达标考核。全年完成各类培训26项，参加培训765人次，投入训练培训费32万余元。三峡指挥部组队参加武警水电部队举办的专业技术竞赛，获得“模板模型工”第一名。为提高重大节日和敏

感时期部队处置突发事件的能力，三峡指挥部制定《处置突发事件作战预案》和《处突示范教案》，10月组织2次较大规模的处突演练，对6个处突分队的处突警力进行全面检验，达到锻炼部队，增强战备训练的目的。武警水电部队三峡指挥部狠抓施工过程和施工现场的管理，保证按图纸施工、按要求操作，尊重业主、尊重设计、服从监理，现场整洁有序，永久船闸现场文明施工多次受到业主、监理和有关方面的好评。

（四）后勤建设

全年完成设备大、中修43台，退租大型设备34台。主要施工机械完好率81.2%，利用率71.7%。全年完成六大主材供应7559万元，计划准确率和及时率达到100%，材料核销率达99%以上。

武警水电部队三峡工程指挥部指挥长周光奉，政治委员张去北，总工程师马青春。

三、三联总公司

全名宜昌三峡工程三联总公司，由中国水利水电第一工程局（吉林长春）、第十一工程局（河南三门峡）、第十四工程局（云南昆明）于1994年出资组建，旨在建设三峡，开发长江。三联总公司于1996年中标承建三峡工程永久船闸地下输水系统工程，同时设立永久船闸项目经理部，项目部为紧密型联营体，实行董事会领导下的项目经理负责制，中国水利水电第十四局为责任方，占70%的股份。实行“两级管理，一级核算，队为基础”的管理模式，严格按照“均衡生产，文明施工，确保安全，提高质量，降低成本”的方针组织施工。

三联总公司永久船闸项目董事会董事长李跃平，副董事长常焕生、衡富安，三联总公司永久船闸项目经理部总经理周宇，常务副总经理刘光，副总经理樊明滇、杨万洲、张建敏，总工程师李毅、总经济师郭启军。下设12个作业队（厂、部）和11个管理部（室），员工2500人，主要施工设备657台（套），设备原值5000多万元。

2001年，三联总公司完成投资2.67亿元，实现年初提出的质量零事故和安全零事故的“双零”目标。承建的永久船闸地下输水系统工程仍处于混凝土施工高峰期，三联总公司依靠科技进步，成功解决斜井、十字管、T型管等难度较大部位的混凝土施工，全年完成混凝土浇筑24.8万m^3。所有36条竖井均按期完成向金结交面工作。

四、三七八联营总公司

三峡工程建设三七八联营总公司，是1993年9月为适应三峡工程建设需要，由中国水利水电第三、第七、第八工程局以紧密联营方式，按照现代企业制度组建的国家一级大型水电施工企业集团，中国水利水电第八工程局为责任方。公司拥有员工6000余人，其中各类高级工程专业技术人员123人，中级专业技术人员413人。注册资金12300万元。拥有大中型机械施工设备400多台（套），是三峡工程建设的主力军之一。

2001年完成建筑施工生产总产值12.22亿元，完成实物工作量：土石方开挖195.4万m^3，占年计划的81.59%；土石方回填68.16万m^3，占年计划的101.95%；混凝土浇筑78.01万m^3，占年计划的108.35%；钢筋制安33881t，金结埋件安装17070.93t，混凝土生产125.84万m^3，碎石生产143万t，砂生产236万t；机电埋件安装65511.79t，占年计划的124.96%；帷幕灌浆4979m，占年计划的134.97%；接缝灌浆3800m^2，占年计划的152%。混凝土浇筑合格率100%，优良率89.63%，金结机电埋件安装合格率100%，优良率96%。提前60天和30天完成左岸厂房和永久船闸混凝土浇筑年度计划，超额完成机电金结埋件安装年度任务，按期实现左岸电站厂房土建向机组安装交面的施工目标，创造连续4年提前完成年度任务的佳绩。

2001年10月，三七八联营总公司被湖北省统计局、湖北省社会经济评价中心评为“2001年度湖北省建筑业‘百强单位’”；12月被宜昌市人民政府授予“宜昌市第四届重合同、守信用单位”。2001年5月1日，高程98.7m拌和项目部被全国总工会授予“五一”劳动奖状先进集体；被中国三峡总公司精神文明建设领导小组评为2000～2001年精神文明建设先进单位、社会治安综合治理优胜单位。

三七八联营总公司实行董事会领导下的总经理负责制，下设3个工程工区、人工砂石项目部、两个混凝土拌和项目部。机关设9个职能部门。按照《公司法》要求，制定三七八联营总公司《董事会章程》、《组织机构职权职责范围》和《议事规则》。同时设立监事会，制定《监事会章程》。

三七八联营总公司董事长：杨荣强，副董事长：张治源、范集湘，总经理：杨南安，副总经理：文加海、焦继轩、钱流涛，总会计师：方浩，总工程师：胡建伟，总经济师：陶思江。

三七八联营总公司的宗旨是：科学管理，精心施工，质量第一，信誉至上。进一步发挥联合施工企业优势，努力探索水电施工企业强强联合，科学管理的成功之路。

五、青云水利水电联营公司

2001年，青云水利水电联营公司（以下简称青云公司）完成投资45895.46万元，完成混凝土浇筑65.45万m^3，金属结构制安8861.99t，接缝灌浆56367m^2，帷幕灌浆21264.23m，固结灌浆13758.54m。超额完成年初业主下达的各项生产任务。实现质量零事故、安全零事故的“双零”管理目标。

（一）施工概况

2001年6月28日，青云公司以2.91亿元的标价夺得三峡右岸地下电站进水口预建工程。截至2001年底，青云公司共承担如下施工任务：

1. 左岸厂房坝段工程

左岸9# ～18# 非溢流坝段和左岸1# ～10# 厂房坝段。主体工程量：混凝土浇筑315万 m^3，钢筋制安54000t，机电设备和金属结构安装34000t，固结灌浆和帷幕灌浆72000m，接触、接缝灌浆155000m^2。

2. 上游隔流堤工程

该工程包括隔流堤坝前连接段混凝土直立墙基础开挖、混凝土工程和土石方填筑工程等。其中直立墙95m，最大底宽35m，墙顶宽3m，土石方开挖56100m^3，土石方填筑8000m^3，混凝土浇筑68500m^3。

3. 右岸地下电站进水口预建工程

包括进水口部分建筑物的混凝土浇筑、基础处理、建筑装饰；进水口建筑物全部金属结构埋件制作与安装、涂装；进水口建筑物部分闸门安装与涂装；机电设备埋件制作与安装。该合同工程2001年7月10日开工，计划2004年4月30日完工。

主要工程量：混凝土浇筑40.18万 m^3，钢筋1.51万t，固结灌浆2.78万m，帷幕灌浆2.27万m，回填灌浆1.25万 m^2，金属结构闸门及埋件3980t（其中一期埋件1565t，二期埋件1040t，闸门135t，钢衬1240t）。

4. 混凝土生产系统

即高程120m混凝土拌和系统。

（二）组织机构

青云公司董事长郑征宇，副董事长李跃平，总经理万连宝，党委书记席浩，副总经理罗霖、孙建明、蒋济，总经济师陶明，总质检师刘金山。青云公司2001年末在册总人数3283人，设备1842台（套）。

（李向阳　李永红　曾祥宝　薛春雨　汝会通　张　俊　张成刚）

三峡工程建设概况

一、工程量完成情况

2001年三峡工程建设任务，除金结机电埋件较计划有所滞后外，其它工程项目均完成或超额完成年度计划，主要工程形象达到年初制定的生产计划和建设目标。全年完成混凝土浇筑406.38万 m^3，金结机电埋件及安装63860t，机组埋件6339t，帷幕灌浆67057m，接缝灌浆170405m^2，固结灌浆84104m，土石方开挖708.91万 m^3，土石方填筑409.85万 m^3，混凝土防渗墙5159m^2，沥青混凝土心墙4844m^3。

二、主要项目工程形象进度

（一）泄洪坝段

泄洪坝段上块平均高程达到156m，最高达到高程172m（泄19#），最低达到高程146m（泄10# ～12#）；中块除泄10# ～13# 外，其余部分均达到并缝高程；导流底孔金结及弧形工作门启闭机系统全部安装调试完成；泄洪深孔工作门全部吊装就位。

（二）左岸厂房坝段

甲块左厂1# ～6# 达到坝顶高程185m，安Ⅲ至左厂14# 浇筑至高程134m以上，平均达到157m；乙块除安Ⅲ至左厂7# 外，其余均达到并缝高程；拦污栅槽全线达到高程130m以上；1# ～6# 机组电站进水口闸门二期埋件、1# ～6# 机组压力钢管安装全部完成。

（三）左非坝段

甲块9# 、14# ～18# 达到坝顶高程185m，10# ～13# 平均高程164m；乙块除11# ～13# 外，其余均达到坝顶。

（四）左岸电站厂房

完成1# ～6# 机组蜗壳二期混凝土及发电机层混凝土浇筑，1# ～6# 机组段厂房边墙到顶，1# ～5# 机组段屋顶网架吊装完成，1# 、2# 、4# 机组向机组安装交面。尾水门埋件及门体吊装完成过半，大、小桥机安装完毕。

（五）永久船闸

闸首混凝土全都完成；闸室边墙及底板混凝土浇筑进展顺利，南一闸室边墙浇筑完毕；竖井及南坡输水隧洞混凝土全部完成；人字门全部吊装就位，反弧门埋件基本吊装完毕，完成8扇反弧门吊装。

（六）右岸工程

茅坪防护大坝心墙及坝体填筑达到高程148m以上；地下电站引水隧洞开挖全部结束，开始混凝土衬砌；3# ～6# 进水塔开始浇筑混凝土，平均达到高程108m；高程84m一座4×3m^3 拌和楼投入试运行。

（七）砂石骨料项目

全年生产人工砂200t，骨料630万t；砂子含水率、石粉含量、细度模数均满足规范要求，骨料颗粒级配、超逊径等指标控制在合同要求范围内。

（裴红波）

重点施工项目完成情况

一、厂坝二期工程

（一）工程量完成情况

表 1 **工程量完成情况**

工程项目	单位	2001 年计划	2001 年实际完成	完成比例(%)
混凝土浇筑	万 m^3	277.08	263.43	91.5
其中Ⅰ&ⅡB标段	万 m^3	195.00	180.89	84.6
其中ⅡA标段	万 m^3	58.08	57.94	113.6
其中Ⅲ标段	万 m^3	19.00	22.67	125.9
金结机电埋件及安装	t	34392	35833	99.3
机组埋件	t	5211	6339	111.2
帷幕灌浆	m	48689	59488	122.2
接缝灌浆	m^2	15000	158204	105.5

(二)工程形象

1. 混凝土

1#～6#塔带机覆盖的泄23#～1#、左导墙坝段、左厂14#～7#坝段是大坝施工的关键部位,2001年实际完成形象与计划形象的对比情况见表2。左非14#～安Ⅲ左坝段已达坝顶高程;左岸厂房混凝土关键部位安Ⅰ～安Ⅲ机组段至年底全部形成发电机层,上、下游边墙到顶,安Ⅰ、安Ⅱ及1#～5#机组完成屋顶网架及屋面板的安装;1#～6#机组上游副厂房在2001年7月由ⅡA标交面给Ⅲ标段,7#、10#机组于年底开浇蜗壳二期混凝土。

表 2 **大坝混凝土形象对比表**

部位	泄23#～18#(TB1#)			泄17#～11#(TB2#)			泄10#～5#(TB3#)		
	上块	中块	下块	上块	中块	下块	上块	中块	下块
2001年计划高程(m)	162.0	156.5	120.0	151.0	151.0	120.0	152.3	151.0	120.0
2001年底实际高程(m)	169.5	156.5	120.0	151.9	151.0	120.0	152.1	152.1	120.0
部位	泄4#～左导墙坝段(TB4#)			左厂14#～11#(TB5#)			左厂10#～7#(TB6#)		
	上块	中块	下块	上块	中块	下块	上块	中块	下块
2001年计划高程(m)	144.8	151.0	120.0	145.8	131.0	82.0	157.8	133.8	/
2001年底实际高程(m)	152.8	152.8	120.0	150.7	131.8	82.0	158.8	133.5	82.0

2. 金结及机电设备安装

导流底孔4道门槽安装全线完成,其中事故门槽达到高程110m;底孔工作门启闭机安装调试完成;深孔23个工作门全部吊装完成,工作门启闭机开始安装;1#～6#机组压力钢管全部安装完成,7#～14#机组压力钢管开始安装;1#～5#机组钢管凑合节开始焊接,其中,1#、4#机组焊接完成;7#～9#机组伸缩节吊装到位;拦污栅槽埋件:左非18#～左厂14#坝段达到高程128～151m;1#～9#机组尾水门体共安装26扇;高程120m栈桥9月底全线通车,比合同工期提前2个月。

3. 帷幕灌浆与接缝灌浆

水泥帷幕灌浆全部完成,化学灌浆抓紧组织实施;接缝灌浆的控制工期主要是泄洪坝段,其上块高程85.5m以下全部灌完,部分坝块灌至高程109m,中、下块高程71.5m以下全部灌完,部分坝块灌至高程83.5m。其余部位的接缝灌浆形象均满足进度要求。

(三)质量评价

2001年厂坝项目评定单元工程8329个,全部合格,其中一检合格单元8229个,一检合格率98.8%,优良单元6915个,优良率83.0%。

二、永久船闸

(一)工程量完成情况

永久船闸闸首混凝土全部完成;人字门全部吊装到位,反弧门埋件基本吊装完毕,完成8扇反弧门吊装。2001年完成混凝土浇筑122.77万m^3,为年计划的133%,金结机电埋件安装完成25955t,为年计划的94.4%,帷幕灌浆完成6613m,为年计划的82.7%,固结灌浆完成70796m,为年计划的87.2%。

(二)工程形象

各闸首按期或略有提前到达设计高程;各闸室总体达到年计划形象,并略有提前,其中南一闸室率先全部到顶;除中一交通平台外,各闸首交通桥及交通平台按期完成;输水洞混凝土施工较年计划略有提前;竖井交面大部分按计划完成;集控楼、启闭机房、变电所施工全面展开，并完成6座启闭机房和2座变电所建设；反弧门吊装完成8扇；人字门页安装及顶底枢枕座埋件安装全部完成。

（三）质量评价

2001年，永久船闸项目评定单元工程8861个，一检合格率99.98%，优良率88.3%，具体情况见表3。

表3　永久船闸项目单元工程质量评定统计表

施工项目	单元数	合格数	一检合各数	一检合格率（%）	优良数	优良率（%）
开挖	313	313	313	100	228	72.8
边坡支护	10	10	10	100	4	40.0
锚索	327	327	326	99.7	262	80.1
混凝土	8211	8210	8210	99.99	7331	89.3
总计	8861	8860	8859	99.98	7825	88.3

三、右岸工程项目

（一）工程量完成情况

表4　主要项目工程量完成情况

工程项目	单位	2001年计划	2001年实际完成	完成比例
土石方开挖	万 m^3	264	362	137.12%
土石方填筑	万 m^3	160	201	125.63%
混凝土浇筑	万 m^3	11.0	6.0	54.64%
喷混凝土	m^2	30000	43866	146.22%
沥青混凝土	m^2	6500	4324	66.54%

（二）工程形象

地下电站进水口预建工程明挖、6条引水隧洞和排沙洞开挖工作全部结束；进水塔混凝土标于8月12日开工，引水隧洞混凝土衬砌于9月初开工；1#～6#发电塔混凝土浇至高程108m以上；1#～6#引水隧洞完成部分底拱衬砌；排沙洞钢衬共239节，制作完成99节，安装完成50节。

茅坪坝Ⅱ标段2001年5月8日开工，年底沥青混凝土心墙及两侧过渡料施工达到高程149.8m，石混料填筑至高程149.8m，背水侧石碴料填筑至高程150.4m，石混料填筑至高程151.6m。

右岸场平及24#～26#厂坝段基础开挖进展顺利，右岸三期施工场地雏形形成；右岸高程84m混凝土拌和系统于9月18日签订合同，安装进展顺利。

（三）质量评价

2001年右岸项目评定1122个单元工程，合格率99.9%，优良率83.2%。其中茅坪防护土石坝工程验收392个单元，合格率100%，优良率87.2%；右岸地下电站进水口工程验收538个单元，合格率99.8%，优良率85.3%；右岸电站场平初期开挖工程验收191个单元，合格率100%，优良率69.1%。工程质量满足合同要求。

四、机电安装项目

2001年是三峡左岸电站机电设备安装与调试工程正式开工的一年，机电安装项目完成左岸电站机电设备安装与调试工程的招标工作并顺利开工，同时组建机电安装监理部，初步实现项目管理和监理管理双重职能的合一与工作方式的转变。

2001年完成6#、7#、8#、10#机组蜗壳的挂装和6#、7#、10#机组蜗壳的焊接及7#、8#、9#、10#、11#机组基础环、座环的安装工作；6#机组发电机层混凝土浇筑完成，7#、10#机组蜗壳具备充水和二期混凝土浇筑条件；8#机组蜗壳焊接过半，11#机组蜗壳开始挂装；2001年计划完成机组埋件安装5211t，机组安装200 t，实际完成分别为6339 t和416 t，占年计划的112%和208%。

（袁廷敏）

三峡二期工程主要混凝土设备的运行与管理

2001年三峡二期工程主要混凝土设备管理的任务是：以设备安全管理为核心，以设备拆除交接为重点，进一步深化落实定期维修和保养制度、健全设备保障体系，为完成年度生产任务提供可靠的设备保障，为即将展开的三期工程打下良好基础。

一、三峡二期工程主要混凝土施工设备位置调整

2001年根据三峡二期工程施工需要，业主购置的30台特大型主要混凝土设备的布局略有调整：原位于厂坝上游90m高程的2#吉林MQ2000高架门机1月29日开始拆除，2月26日移装至厂坝下游高程120m栈桥，3月22日投入试运行。原位于厂房下游30m高程的3#上海MQ2000高架门机3月8日开始拆除，3月15日移装至厂房尾水高程82m栈桥，4月17日投入试运行。原位于厂房下游30m高程的1#上海MQ2000高架门机5月13日开始拆除，6月24日移装至厂房尾水高程82m栈桥，8月29日投入试运行。原位于厂坝上游的6#供料线6月17日开始拆除。改用汽车送料至临时供料线运输方式。原高程82m拌和系统设备7月30日开始拆除，10月12日在右岸高程84m拌和系统安装。原位于泄洪坝段高程42m栈桥上的 K－1800 塔机 12 月 5 日开始拆除。原位于溢流坝段的 3# 塔带机 12 月 30 日开始拆除。

二、主要施工设备运行情况

2001 年三峡工程混凝土浇筑量 406.38 万 m^3，金结机电安装量 6.38 万 t。坝体升高后其他设备逐步退出，业主的设备担当了混凝土施工及金结安装的主角。厂坝项目内设备混凝土拌制及混凝土运输分别占二期厂坝混凝土浇筑总量 1180 万 m^3 的 17％和 20％，占 2001 年度厂坝混凝土浇筑 263.43 万 m^3 的 76％和 90％。单台设备平均生产率：塔带机46.75m^3/台时，胎带机33.66 m^3/台时，6 座拌和楼 102.88 m^3/台时。

三、主要施工设备的运行管理

（一）概况

2001 年三峡二期工程主要施工设备的管理、运行、监理单位基本维持原状（参见《中国三峡建设年鉴》2001 卷第 126 页）。主要完成工作量如下。

完成混凝土拌制 327.1 万 m^3、混凝土浇筑 236.9 万 m^3（详见附表 1），平均完好率 94.8％，平均利用率 53.3％；完成大型施工设备拆除 6 台（套），移装 4 台，其中完成设备安装及验收 3 台（套）（见附表 2）；签订各类《合同》75 份，合同总金额 849.67 万元人民币；由业主组织的设备操作、维护及管理人员培训 12 期，培训 277 人，发证 226 人；组织设备监理到位 678.6 人·月，组织设备修理 16 台（次）；回收设备使用费 716.1 万元；业主组织的红旗设备评比 2 期，评出红旗设备 22 台（次），先进设备 41 台（次），安全奖设备 10 台（次），先进管理单位 7 个，先进监理人员 35 人（次），先进设备管理人员 16 人（次）。

（二）主要工作实施情况

1. 设备的安全管理

2001 年，中国三峡总公司设备部建立定期安全大检查制度，及时发现设备存在的隐患。有步骤的按照轻重缓急原则分类处理安全大检查及日常检查中发现的安全隐患。增设专职设备安全监理人员，加强现场管理力度。结合开展安全大检查和“安全生产周”等活动，广泛宣传设备安全运行的重要性，改变运行管理人员中存在的麻痹松懈和“厌战”情绪，牢固树立“安全第一”的思想和克服困难的信心。增设起重设备“安全专项奖”，进一步调动广大运行管理人员的积极性。进一步落实合同责任和岗位职责，不折不扣执行各项安全检查制度，对多次出现事故苗头的责任单位及时给予通报，遏制事故蔓延的趋势。对塔带机等存在隐患但暂不具备修复条件的设备，实施严格的监护运行，定期分析和评议，既保证工程急需又使故障的恶化处于受控状态。主动接受地方技术监督部门对起重及压力容器等设备的年度检验审核，设备按时取得合格证和准用证件。督促设备使用单位认真组织事故调查处理，及时找出发生事故的原因，作好防范措施。

2001 年业主施工设备发生事故 36 起，其中碰撞事故 16 起，机械及其它事故 20 起，发生设备事故率比 2000 年同期下降 32％。未因设备本身事故造成大的损失和对工程关键线路产生影响。

2. 设备的定期维修保养

二期混凝土施工设备经过几年的高强度连续运行，逐渐进入故障多发期，部分构件受制造质量不过关、日常检查维护不到位、操作不规范等原因影响，逐渐暴露问题。中国三峡总公司设备部督促设备使用单位加紧处理设备验收和日常检查过程中发现的问题，并协助其组织生产厂家、技术服务单位加快修复故障设备。另一方面，通过严格执行定期维修保养制度、加强日常检查和开展定期检查、组织有计划的设备检修改善设备技术状况。

2001 年，经设备部组织处理的较大设备故障 15 起，其中包括塔带机内布料皮带回转轴承更换、MQ6000 门机回转机构两次断轴的更换及变幅电控柜烧毁后的修复、KROLL 塔机电机烧毁后的修复、缆机摆塔滑轮钻孔加油等。在督促施工单位按时完成定期计划维修保养项目的同时，组织完成制冷设备冬季检修任务。2001 年度施工设备平均完好率 94.8％，保证工程需要。

3. 施工设备的移装、拆除、退库及相应的恢复修理、改造等工作

随着三峡工程进展，三期工程进入准备阶段，原高程 82m 混凝土生产系统等部分施工设备按计划开始或完成向新部位转移，其它设备包括塔带机、供料线等也将面临拆除、退库，大部分还将投入三期工程使用。中国三峡总公司设备部在做好设备拆除、转移、安装、验收等过程中各项工作的同时，积极组织制定各类设备的拆除交验大纲，提前进行二、三期工程衔接过程中业主施工设备拆除、转移、堆放、修理、改造等准备工作。并积极规划三期工程业主施工设备管理方案。

4. 监理管理

2001 年设备监理到位 678.6 人·月，新增专职设备安全监理人员 4 人，新增塔带机现场监护监理人员 6 人。针对监理工作中存在的现场监理力量薄弱、个别监理人员素质达不到要求、工作不得力等情况。中国三峡总公司设备部结合设备监理年度考核，开始监理整顿工作。对不符合要求的人员进行清理整顿，提高监理人员的持证率和职称比例，降低综合人员比例。与此同时按照《设备监理合同》继续加大对监理工作的日常监督检查，对监理到位、到岗情况进行定期和不定期检查，促进监理工作的不断完善。

附表 1

2001 年主要混凝土设备完成产量统计表

单位：m^3

设备名称及编号	1月	2月	3月	4月	5月	6月	7月	8月	9月	10月	11月	12月	本年累计
TB1#	17266.50	21481.00	28015.00	31018.50	27712.50	35776.50	30234.00	32919.00	27356.50	18490.50	20599.50	23341.00	314210.50
TB2#	17852.00	22903.00	28357.00	38201.00	29541.00	37576.00	38386.00	33154.00	36203.00	19730.50	23998.50	19236.00	345138.00
TB3#	15573.00	21277.00	20310.50	25536.50	24632.00	36424.00	28152.00	25384.50	35362.00	33814.00	28529.50	5130.50	300125.50
TB4#	20685.30	31842.20	23563.00	36436.80	35924.00	33155.60	27847.50	37402.60	36386.30	29880.00	31712.60	30979.00	375814.90
TB5#	13826.30	19426.70	14987.60	17494.50	19013.10	17467.40	13917.80	16968.30	23747.00	31453.50	31062.50	26591.60	245956.30
TB6#	5988.50	10577.50	11575.50	13008.20	12813.30	11075.60	19896.00	20765.00	20262.00	22496.00	22463.60	23525.80	19447.00
CC—001	2084.00	0.00	763.00	2625.00	6649.00	9516.00	2742.00	0.00	0.00	17304.00	19407.00	15836.00	76926.00
CC—002	1699.00	652.00	3185.00	3742.00	2814.00	637.00	793.00	149.00	0.00	0.00	675.00	4223.00	18569.00
CC—003	5197.00	4207.00	3809.00	3229.00	6890.00	2310.00	2187.00	4127.00	2983.00	3834.00	2802.00	1974.00	43549.00
CC—004	1356.00	952.00	582.00	829.00	1060.00	876.00	2243.00	2439.00	2243.00	1623.00	2540.00	4395.00	21138.00
上海 1#	2067.00	3199.00	2678.00	2794.00	1345.00	0.00	0.00	0.00	1738.00	1576.00	1142.00	1625.00	18164.00
上海 2#	2860.00	3512.00	4215.00	1913.00	1438.00	139.00	292.00	478.00	1697.00	1007.00	3375.00	1268.00	22194.00
上海 3#	992.00	0.00	0.00	56.00	3386.00	1054.00	2310.00	2471.00	2914.00	3132.00	1457.00	1825.00	19597.00
上海 4#	2260.00	2870.00	3654.00	3787.00	3688.00	2282.00	3328.00	2802.00	1786.00	2434.00	1389.00	1428.00	31708.00
上海 5#	2939.00	3113.00	4073.00	4184.00	3974.00	1569.00	2222.00	3004.00	2495.00	1817.00	2635.00	1726.00	33751.00
塔机	408.00	1737.00	1195.00	2024.00	2081.00	4299.00	3977.00	2138.00	174.00	1589.00	922.00	82.00	20626.00
MQ6000	3042.00	3108.50	5017.40	366.00	1560.70	3350.90	1655.00	893.00	3345.00	4663.00	7362.00	7601.50	41965.00
吉 1#	2971.20	6989.50	6135.20	7749.90	6791.10	7384.00	8155.20	6648.60	6707.50	6637.80	9169.00	8357.50	83696.50
吉 2#	2135.20	0.00	693.70	5227.50	3843.50	7458.80	4113.30	9547.60	11907.50	14367.20	16195.40	20484.70	95974.40
CC1#	4113.00	6404.60	6896.50	6782.60	5728.80	4164.50	5050.70	4217.50	6093.80	877.20	924.90	1603.00	52857.10
CC2#	1670.00	1865.60	419.50	32.40	1665.50	477.90	1300.50	815.10	1465.40	1162.80	732.50	1205.20	12812.40
▽79m 郑州楼	33034.00	42699.00	51567.00	62321.50	50541.50	63799.00	60507.50	62956.50	63914.30	46839.00	44830.50	39692.00	622701.80
▽79mCIFA 楼	32095.00	40396.00	44313.50	52484.00	43395.00	53339.50	42589.50	38011.00	41811.50	31694.00	40937.50	30783.50	491850.00
▽98.7mIHI 楼	38991.50	62930.00	66591.00	74826.50	65680.50	58333.50	49219.00	55201.50	54444.50	45019.50	49065.50	54993.00	675296.00
▽98.7m 郑州楼	47590.00	59996.50	52273.50	58407.50	53597.00	49127.00	37776.00	43715.50	50260.00	37368.50	43456.00	45667.00	579234.50
▽82m 郑州楼	17239.00	21001.00	28614.00	26482.00	32526.00	20572.00	19531.00	2044.00	0.00	0.00	0.00	0.00	168009.00
▽90m 郑州楼	21404.30	26255.30	20725.40	21276.10	24111.00	24033.00	13612.20	20498.40	23480.20	32797.30	36868.00	30962.70	296023.90
▽90m 江森楼	27725.50	39842.50	25602.00	43342.60	40711.50	39414.00	31372.00	35792.50	40009.00	37627.00	34374.50	41874.50	437687.60

5. 坚持既定的各项现场管理制度和措施

施工设备管理经过几年的摸索，已形成一套行之有效的管理制度和措施，如定人定机、持证上岗、岗前培训、红旗设备评比等。在做好前述工作的同时，继续坚持执行已有的管理制度和措施，从而保证设备管理的各项基础工作落到实处。

截至 2001 年底，中国三峡总公司设备部组织施工设备培训 129 期，培训 3279 人，发证 2284 人。组织红旗设备评比 14 期。二期工程混凝土设备定岗 1654 人，主要岗位持证上岗率 100%。

6. 技术支持及服务工作

2001 年中国三峡总公司设备部先后组织郑州水工厂、上海港机厂、北京航空航天大学、电力部杭州机械研究所、深圳中信康机电公司、美国 ROTEC 公司、法国 POTAIN 公司、德国 KRUPP 公司、丹麦 KROLL 公司、德国奔驰公司等十余家中外厂商技术人员在三峡进行专项技术服务、开展技术研究。部分厂商技术服务人员全年常驻三峡提供 24 小时随叫随到服务。这些服务机构（单位）不仅在现场解决不少疑难问题，为设备运行单位培训大批操作及维修人员，而且其研究成果已成为领导正确决策的重要参考。

四、存在的问题

2001 年发生的多起安全事故及未遂事故说明，设备安全问题仍然是较长时间内设备管理的首要问题。

三期工程建设在即，投入三期的施工设备面临拆除、交接验收、补充采购、修理、改造等大量工作，需要整合资源，明确目标，分步实施。

随着设备临近退场，一些设备运行单位逐渐放松管理，设备失修、失保、带病运行的现象又有所抬头。

二期工程即将结束，由于面临转岗，施工、监理单位人员思想状况开始出现波动，影响到工作的开展。

设备运行人员对设备关键技术的掌握程度不高，对生产厂家的依赖性仍然很强。

附表 2　　2001 年施工设备拆除及安置验收情况表

设备名称	开始拆除时间	完成拆除时间	开始安装时间	投入试运行时间	验收时间
1# 上海 MQ2000 高架门机（拆除、移装）	5 月 13 日	6 月 24 日	6 月 24 日	8 月 29 日	8 月 25 日
3# 上海 MQ2000 高架门机（拆除、移装）	3 月 8 日	3 月 15 日	3 月 15 日	4 月 17 日	4 月 17 日
2# 吉林 MQ2000 高架门机（拆除、移装）	1 月 29 日	2 月 26 日	2 月 26 日	3 月 22 日	3 月 21 日
6# 供料线（拆除）	6 月 17 日	进行中	/	/	/
▽82m 拌和系统（拆除）	7 月 30 日	进行中	/	/	/
▽84m 拌和系统（拆除）	/	/	10 月 12 日	待定	待定
TB3# 塔带机（拆除）	12 月 30 日	进行中	/	/	/

（熊志刚）

三峡二期厂坝工程 Ⅰ&ⅡB 标段施工

一、主要工程量完成情况

2001 年三峡二期厂坝工程Ⅰ&ⅡB 标实物工程量完成情况如下表。

工程项目		单位	2001 年计划	实际完成情况	完成计划百分率
主体工程	混凝土浇筑	万 m^3	180.6	181.85	100.69
	钢筋制安	万 t	3.25	3.54	101.14
灌浆工程	接缝灌浆	万 m^2	9.45	9.38	99.26
	帷幕灌浆	万 m	2.03	3.71	182.76
	基础排水孔	万 m	4.77	2.88	60.38
金结机电		万 t	1.96	2.12	108.16
▽120m 栈桥	钢结构制安	t	7800	7800	100
	预制梁吊装	根	350	350	100

二、主要工程形象

（一）主体混凝土工程

截至 2001 年底，泄洪坝段最高高程 176.0m（泄 19# 上块）、最低高程 144.0m（泄 11# 上块），平均高程 160.0m（左 11# －1－甲块）；左厂坝段最高高程 160.0m（左 11# －1－甲块），最低高程 134.5m（左 14# －2－甲块）。与年度形象计划相比：泄 18# ～23# 坝段形象与年计划持平；泄 5# 坝段至泄 17# 坝段部分坝块形象由于运输设备问题滞后 2～19m；左非 11# 至泄 4# 坝段形象超年度计划 4～8m。整个标段除个别坝块外，已浇至高程 150m 并缝高程，满足工程总进度要求。

（二）灌浆工程

帷幕灌浆:防渗轴线总长743m,设计工程量5.27万m。2000年6月8日正式开工,2001年12月25日全部完成。

接缝灌浆:设计总工程量28万m^2。2001年完成接缝灌浆11万m^2,大坝高程90m以下全部完成,满足2002年上半年二期上、下游围堰进水要求。

排水孔:设计总长33000余m,截至2001年12月底,完成排水孔24000m。

(三)其它混凝土工程

泄洪坝段导流底孔一线跨缝板于2001年上半年浇筑完毕,底孔启闭机大梁施工及启闭机室、油泵房的建筑装修工作全部完成,底孔出口封堵门施工到顶,进口封堵门槽全线达到90m高程,事故门槽达到110m高程,满足2002年基坑进水要求。泄洪坝段下游护坦于2001年10月开始施工,完成混凝土浇筑5000m^3。

由葛洲坝集团公司施工、长江水利委员会监理部监理的Ⅰ&ⅡB标段

左厂坝段压力钢管管理埋管混凝土全部浇完，拦污栅高程达到125m～130m。

左导墙工程于2001年7月完工。比合同工期提前半年。

（四）金结工程

底孔一线进、出口封堵检修门槽埋件安装完毕，达到设计高程；事故门槽埋件安装至高程110m；弧形工作门埋件、门体及液压启闭机安装调试完毕，具备运行条件。深孔一线检修门槽埋件挂装到高程105m；事故门槽有14孔埋件挂装到高程102m；弧形工作门埋件及门体安装完毕；启闭机有17孔下机架安装就位。表孔事故检修门槽一期埋件随坝体浇筑安装8个坝段。

右纵排漂孔弧形工作门埋件及门体安装完毕；左导墙排漂孔弧形工作门埋件安装至高程141m，门体铰链安装就位，具备安装门体支臂和门叶条件。

左厂11#～14#坝段压力钢管完成11#～14#机上斜段1～6管节、下弯段58～64管节以及11#～14#机下平段65～67管节的安装；左厂11#～14#坝段拦污栅槽埋件安装至高程131m。

（五）大型临时工程

大型临时工程高程120m栈桥全长696m，钢结构制安总工程量7800t，预制梁350根。栈桥钢结构于2001年3月12日开始吊装，9月18日最后一根钢箱梁吊装就位，9月28日栈桥全线贯通，比合同工期提前两个月完成。

三、主要施工措施及新技术运用

（一）主要施工措施

1. 混凝土浇筑

主体混凝土浇筑采用以塔带机为主的施工方案。随着坝体上升，多台塔带机相继出现回转轴承故障停产检查或监护运行，混凝土浇筑手段不足的矛盾突出。葛洲坝集团三峡指挥部加强现场组织协调，利用布料机、胎带机等替代手段，提高入转仓速度，严格控制仓位、层间间歇期，在部分坝段实行3m升层施工；研究改制波坦组合塔机，补充大坝上游面浇筑手段，加快高程120m栈桥施工，抓紧进行6#、3#、8#、5#高架门机向高程120m栈桥转移。采取上述措施后，施工进度满足混凝土浇筑和金结安装要求。

针对泄洪坝段溢流表孔（高程110m～高程158m）每仓都有过流面施工，模板设计难度大，混凝土下料困难，层间结合部位容易产生混凝土初凝、错台、挂帘，表面易产生裂缝等施工难题，采取将表孔过流面底板预留台阶、后期使用拉模浇筑过流面的措施，实行流水作业，不仅提高施工速度，而且降低成本，保证过流面施工质量。

对处于塔带机浇筑盲区的右纵1#坝段上块采取3种措施：一是利用塔带机供料，布料机及奥柯玛螺旋给料机浇筑；二是利用塔带机供料，仓内转料浇筑；三是利用高程120m栈桥上的高架门机供料浇筑。

2. 灌浆施工

三峡大坝坝基防渗主要采用封闭帷幕、抽排减压的渗控方案。Ⅰ&ⅡB标段建筑物基础防渗是三峡防渗屏障最重要的组成部分。葛洲坝集团三峡指挥部组织钻灌设备200多台投入施工，同时采用湿磨机、灌浆自动记录仪等先进设备，施工中创造单机组月完成帷幕灌浆530m，施工处月完成4660m的记录。单元工程合格率100%，优良率83.33%。

厂坝接缝灌浆施工部位主要分布于高程49m、高程72～140m的9层廊道中，施工受气温和盖重条件限制，只能在低温季节进行。施工中采用“单区同灌、多区多泵同灌”的施工方法，工期、质量得到保证。

3. 金结安装

泄洪坝段底孔一线门槽埋件安装和门体、启闭机安装调试工期紧张。为此，弧形门埋件采用“多工作面平行循环施工法”，同时闸门支臂拼装在下游围堰临地平台进行，用起重机和自制起吊梁联合吊装弧门支臂和门叶。导流底孔布置22台摆缸式液压启闭机，其油缸采用“一泵三机、一泵四机”进行集中控制，施工中埋件紧随坝体混凝土上升跟进安装，启闭机油缸、泵站利用下游高程45m栈桥门塔机配合专用吊具吊装。深孔弧形工作门安装原设计拟采用“闸孔下游面拖运、闸室土法吊装”方案，葛洲坝集团三峡指挥部经多方论证，采用“支承大梁一期安装，敞孔吊装支臂、双缆机抬吊门叶和部分闸孔上游面拖运”的优化安装方案，比原方案缩短工期一半，节约成本20%，创造一年安装40座大型潜孔式弧形闸门的新纪录。

（二）施工新技术应用

1. 热镦粗直螺纹套筒连接技术

热镦粗直螺纹套筒连接，是通过钢筋端头特制的直螺纹和直螺纹套筒咬合形成整体的一种钢筋连接方式。热镦粗直螺纹套筒连接技术2001年2月起开始在三峡工程泄洪坝段推广使用，现场操作简便，施工速度快，连接可靠，成本低廉，受到施工单位的欢迎。

2. 桥式混凝土振动抹平机

桥式振动抹平机主要用于坝体大仓面的溢流面混凝土振动抹平，2000年12月开始研究设计，2001年4月底正式投入使用。该设备在平面可自动行走操作，斜坡面使用卷扬机带动操作，每分钟振动抹平混凝土浇筑15m²，比传统方法提高工效8～10倍，抹面质量高，既适用于坝体抗冲混凝土面的抹平，也适用于公路及其它混凝土工程的抹面施工。

3. 竖井整体提升钢模板

泄洪坝段的坝体结构中设有许多规格不一的竖井孔洞。这些竖井空腔施工立拆模费工、费力、费时，难以保证施工质量和安全。为解决上述问题，采用竖井整体提升钢模板，综合工效比使用传统的散装小钢模板提高10～15倍，同时具有提高混凝土成型质量、降低劳动强度、减少后期修补工程量的优点。

4. 钢纤维混凝土试验及应用

高程120m施工栈桥位于二期厂坝下游坝坡面上，桥面总宽22m，是大坝后期施工混凝土、金结与机电设备运输的唯一通道。桥面铺装层混凝土厚度8～15cm不等。为提高桥面混凝土的抗裂、抗冲击、柔韧性等力学性能，缩短施工周期，设计采用CF50钢纤维混凝土。先进行钢纤维混凝土室内配比试验和现场生产性试验，对配比以及施工生产中的投料顺序、拌和时间、运输方式进行优化，使钢纤维路面混凝土施工达到设计要求。

5. 节安螺帽

节安螺帽是安装模板时用于连接模板与拉条的螺帽简称，使用时通过节安螺帽连接模板内外侧的拉条，使之形成一受力整体。其特点是：操作简便，使用安全，拆模后混凝土表面成型好，孔洞便于修补。这一工艺技术由葛洲坝集团公司在三峡对外交通公路下牢溪、黄柏河两座特大桥施工中率先试制使用，经过改进用于三峡二期厂坝混凝土施工，取得良好效果，得到三峡工程质量管理委员会的肯定和大力推介。

6. 超高式组合塔机的方案设计、制造和安装

三峡大坝坝体上升后，上游面混凝土运输手段不足，葛洲坝集团三峡指挥部利用已有门机轨道和高架门机与大型塔带机组接成超高式塔机。经过大量分析计算和工艺研究，获得宜昌市技术监督局和有关主管单位的审查认可。在原有高架门机基座之上，实施波坦塔吊机身的组接，形成高度107m、幅度61m、最大起重量30t的波坦组合式门塔机，及时解决上游施工手段缺乏的矛盾，实现大型特种起重机改造的技术创新。

7. 压力钢管60kg级高强钢气体保护自动焊接技术

2000年葛洲坝集团三峡指挥部在压力钢管施工中率先成功应用气体保护自动焊接技术，随后又在进口的60kg级高强度钢厚板上应用气体保护自动焊接技术，并取得成功。经过多次试验和检验，得到气体保护自动焊接最优技术工艺参数，焊接质量优于设计要求，焊缝一次探伤合格率99%以上。

四、工程施工质量

2001年，二期厂坝工程Ⅰ&ⅡB标段累计完成5250个单元工程，一检合格率99.31%，优良率84.05%；金结机电安装质量全部满足设计图纸及规程规范要求，已完成的验收单元合格率、优良率均为100%。

（张建新　孙昌忠　李　刚）

三峡左岸电站厂房及相关工程施工

一、施工情况简述

由于2000年底的工程形象与合同要求相比存在一定差距，特别是1#～5#机主厂房机窝一线施工进度普遍滞后。2001年三七八联营总公司加大资源投入，加强管理力度。认真研究主厂房蜗壳二期混凝土施工措施，开展主厂房内蜗壳二期混凝土完成后3条主线施工的攻关活动，第一条主线是：蜗壳三期坑处闷头拆除，凑合节安装焊接，三期坑混凝土回填；第二条主线是：高程67～75.3m发电机风罩、梁柱及发电机层楼板混凝土施工，内墙面处理；第三条主线是：屋顶网架安装及屋面板安装、防水层施工等。细化每条线上的施工工序，研究具体的实施工期，落实责任人。2001年实现以下主要目标。

1#～5#机组蜗壳二期混凝土及发电机层完成，比原计划提前1～2个月，6#发电机层混凝土于12月底开浇，比原计划提前2个月。7#、10#机组虽受埋件质量缺陷返工处理的影响，但经过赶工，年底具备二期混凝土开浇条件，与原计划持平。8#机组至年底蜗壳挂装完成，与原计划持平。9#、11#机组座环安装完成，部分蜗壳挂装，比原计划提前一个半月。安Ⅱ～6#机组上游副厂房9月全面开始施工，由于Ⅱ标段交面滞后，比原计划滞后2～3个月。1#～5#机组向安装标段交面。涉及2002年7月基坑进水的尾水护坝、Ⅳ区混凝土浇筑等项目已提前施工。下游副厂房1#～6#机组段装修完成，并移交机组安装标段使用。坝后坡接触浇浆完成。下游高程24m廊道原图纸的帷幕灌浆全部完成。1#～11#机组尾水闸门安装完成。

二、主要施工措施

（一）蜗壳二期混凝土浇筑

三峡左岸电站厂房蜗壳二期混凝土应在保压状态下进行浇筑，根据设计要求，蜗壳二期混凝土在3～6月或9～11月施工时，蜗壳内水可不加温，7～9月连续浇筑蜗壳外围混凝土时，可适当下调保压值或降低蜗壳内水温，在12月至次年2月连续浇筑蜗壳外围混凝土时，应采取保温措施，将蜗壳内的水温保持在16℃～22℃之间。

混凝土浇筑过程中为防止蜗壳变形，采取对称浇筑，即以蜗壳中心为基点，分成4个浇筑块，对角浇筑；

下料尽量接近仓面，避免对蜗壳的冲击；同时蜗壳附近采用小型振捣器进行振捣；适当控制混凝土的浇筑速度，避免其它埋件位移；每个浇筑层施工完成后，对座环、蜗壳进行检查；为确保浇筑的密实性，对可能出现不密实的部位进行埋管回填灌浆。

（二）预留三期坑一线施工

由三七八联营公司承建、西北勘测设计研究院监理的左岸电站厂房施工

三峡左岸电站厂房的闷头设在主厂房内。当蜗壳二期混凝土施工完成后，三期坑一线的施工尤为重要。施工过程中关键是确保钢管及凑合节的焊接质量，为此，三七八联营总公司精选合格焊工；在坑顶部搭设雨

棚，防止焊接过程中雨水及施工用水浇入施焊表面；三期坑部位狭窄，钢筋密集，浇筑无法振捣，三七八联营总公司自行研究满足工程要求的自密实混凝土。经检验，各项技术指标均满足设计要求。

（三）主厂房机窝高程 67～75.3m 一线施工

主厂房发电机风罩及楼板层施工在蜗壳二期混凝土浇筑完后进行，分为 3 个浇筑层，即高程 67～70m，高程 70～73m，高程 73～75.27m，其特点是：对模板质量要求较高，特别是发电机风罩，是薄壁圆柱面结构，模板质量直接影响其外观质量。采用全新小型钢模板，确保表面平整、光滑。

（四）主厂房封顶施工

2001 年完成 1# ～5# 机主厂房封顶，是三峡工程建设的一大重要目标，它标志着工程建设即将进入机组安装阶段。其关键工序为屋面板安装及屋面防水施工。屋面板安装主要采取以下措施。

标定轴线：于网架上标定控制轴线，轴线每网格一标定，轴线的放线误差不大于 2mm。

屋面板安装在屋架支托四角的支撑长度不小于 60mm，每块板就位后应及时校正焊接，每块板与支托间的焊接角应不少于 3 个，每个角点焊缝长度不应小于 30mm，焊缝位置从板端开始；板与板之间在边框中心线位置应保证焊接一点，焊接长度不小于 30mm。

屋面板安装时要对准安装线一次就位放好，位置需要调整时应用撬杆将屋面板撬动，不能撬动网架支托。如太空板四角与网架支托有间隙时，要垫上钢筋或钢板后再焊接，确保屋面平整。

板缝宽度均匀一致，轴线偏差不大于 5mm，板间缝应不大于 15mm。

屋面防水卷材铺设的施工要点是：确保基面清洁、干燥。卷材的接头和收头应满足设计要求，施工中，先放好基准线，卷材纵横向边的搭接控制在 80～100mm，上、下层卷材缝之间采取错缝搭接。（罗金望）

三峡二期工程ⅡA 标段土建及灌浆工程施工

一、主要计划指标完成情况

（一）土建工程

主要包括左岸非溢流坝段 9# ～10# 和左岸厂房 1# ～10# 坝段（含安Ⅲ坝段）以及隔流堤工程，2001 年完成投资 39673.2 万元（其中：ⅡA 标段完成36489.19 万元，隔流堤完成 1163.47 万元，9# ～11# 坝段完成 2020.54 万元），完成混凝土浇筑 60.15 万 m^3，占年计划 58.08 万 m^3 的 103.56％。

（二）灌浆工程

2001 年完成固结灌浆 10454.63m，帷幕灌浆 20308.8m。

二、工程完成形象及原因分析

2001 年ⅡA 标段混凝土工程完成 60.15 万 m^3，其中左非 9# ～11# 坝段于 2001 年 4 月开始施工，至年底完成 6.17 万 m^3，左非 12# 至左厂 10# 坝段以及隔流堤完成 53.98 万 m^3，超过业主下达的 58.08 万 m^3 的计划浇筑量。主要完成形象及分析如下。

主体混凝土工程：左非 10# ～13# 坝段受左岸电源电站埋管和交通道路压面影响，开面时间较晚，工期有所拖后；左非 14# 至左安Ⅲ左甲坝段达到坝顶 185m 高程；左厂 7# ～10# 坝段达到年初业主确定的形象高程；拦污栅混凝土在施工过程中由于主坝、门槽和拦污栅上下交叉作业，施工干扰大，结构体型复杂，钢筋较密，比年计划平均欠 2～3 层；左非 18# 至左安Ⅲ坝段大部分达到 144.75m 高程；左厂 7# ～10# 坝段拦污栅平均达到 131.75m 高程；管槽混凝土 1# ～6# 机组平均浇至 106.2m 高程，比调整计划欠 2～3 层，7# ～10# 机组平均浇至 74.27m 高程，比调整计划超过 2 层。左非 14# 坝段至左厂安Ⅲ左坝段浇筑至坝顶，左厂 1# ～6# 坝段进水口工作门门槽Ⅱ期混凝土浇筑到顶高程 135m，左厂 1# ～4# 检修门门槽Ⅱ期混凝土浇筑到顶，顺利完成年计划。

坝顶结构：公路桥预制梁安装至左非 17# 坝段。

施工栈桥：2001 年 6 月，高程 120m 施工栈桥推进至左厂 10# 坝段，实现全线贯通；8 月高程 82m 施工栈桥推进至左厂 13# 坝段，该标段施工任务全部完成。

三、施工组织管理

2001 年，青云水利水电联营公司根据年度施工特点，修改、补充、完善生产指挥、劳动竞赛、文明施工、质量管理、设备考核、经营管理等一系列规章制度，重新制定安全生产管理办法，以制度来规范项目经营活动，控制生产过程，协调经济分配，使项目施工在科学化、制度化轨道上稳步运行。

（一）施工管理

加大生产组织协调力度，保证施工现场的全过程监控，狠抓混凝土施工各环节，加大奖罚力度，保证各工序间的有效衔接和周计划的贯彻落实。在管理过程中，严格考核，客观评价工程进展情况，及时总结经验，完善施工生产各环节。对混凝土浇筑自仓面准备、组织验收、浇筑准备、混凝土配合比输入到混凝土拌制、运输、入仓、振捣、收面等整个环节进行全面指挥协调。实现设备故障、混凝土浇筑手段、混凝土入仓强度的计算机管理，小时、班、日、周、月浇筑强度与制定的达标强度进行量化对比考核。

(二)合同管理

以成本管理为中心,加大成本分析力度,强化队厂成本节约,每月定期开会研究施工单位成本,查问题,找漏洞,挖潜力,降消耗。重新制定年度预算单价,使预算单位更贴近三峡建设实际,并根据内部承包单价的变化,制定新的内部核算办法,形成有效的成本管理机制。青云公司全年实现结算收入45895.46万元,盈利1774.99万元。

(三)设备管理

重点加强设备检修制度,制定《大型施工设备定期检修制度》,实行设备检修审批制和设备检修"三检责任制",成立专门机构负责检修工作,控制检修过程,设立设备奖励基金,调动设备管理和检修人员的积极性,提高设备完好率和利用率,全年设备完好率95%,利用率79%。

2001年继续完善质量管理办法,并建立安全管理体系,实现"双零"管理目标。全年左岸完成1119个仓号,一次验收合格率98.5%,优良率91%,帷幕灌浆、接缝灌浆、固结灌浆全部合格,施工中未出现大的质量事故和质量缺陷。全年青云公司累计投入550多万元建立施工现场安全设施和发放安全保护用品,为安全生产奠定坚实的物质基础。同时大力开展安全培训工作。全年进行安全取证培训516人次,进行安全知识培训1783人次,各施工单位进行安全知识培训1987人次。

由青云水利水电联营公司施工、西北勘测设计研究院监理的左岸厂房坝段

(李贵兴)

ⅡA标段及SXJ/80标段金属结构安装

由青云水利水电联营公司承建的三峡二期工程ⅡA标段及SXJ/80标段金属结构、设备安装工程主要有以下项目:电站引水压力钢管制造与安装、排沙钢管制造与安装、电站进水口拦污栅一期埋件制造与安装、取水口检修门埋件制作与安装、电站进水口检修门埋件安装、电站进水口快速门埋件安装、排沙孔事故挡水门埋件安装、电站进水口拦污栅、检修门、快速门和排

沙孔事故挡水闸门安装、取水口检修门安装、坝顶门机及其轨道安装、排水泵房起重机及深水泵的安装、电站进水口快速门液压启闭机安装、门槽一期插筋制作与安装、启闭机室埋件制作与安装、坝顶门机轨道预埋件制作与安装和排水泵房埋件制造与安装。

2001 年该标段完成金属结构及设备安装 9318t。其中拦污栅一期埋件安装 1435t，门槽二期埋件安装 1214t，压力钢管安装 4951t，电源电站坝内埋管安装 379t，安Ⅲ－2 事故闸门安装 79t，Ⅰ型坝顶门机安装 880t，Ⅱ型坝顶门机安装 380t。

一、引水压力钢管的制造与安装

左岸电站厂房 1# ～10# 坝段进水口共布置 10 条引水压力钢管，机组采用单机单管供水方式，引水压力钢管设计直径 12.4m，单节钢管最大重量 80t，属超大型压力钢管。压力钢管的结构型式为钢衬钢筋混凝土联合受力，布置分坝内埋管段、坝后背管段及下水平段，坝后背管由上弯段、斜直段、下弯段组成，单条钢管长 122.677m，1# ～10# 坝段工程量总计约 13794t（不含伸缩节室）。钢管在制作过程中采用自动焊接方法进行焊接，自动化新工艺焊接手段不仅避免人工焊接时的弊病，也大大提高强度，保证施工质量和进度。钢管安装先安装坝内埋管部分，随后从下弯段起始点向两头安装，主要采用厂坝间高程 82m 栈桥 MQ6000 型专用门机及高程 120m 施工栈桥上 MQ2000 门机，辅助以缆机、坝前 MQ2000 门机吊装。2001 年压力钢管安装 4951 t，1# ～6# 压力钢管全部安装完成，7#、9# 安装至 G28 管节，8# 安装至 G26 管节，10# 安装至 G31 管节。

二、拦污栅一期埋件制造与安装

左非 18#、左厂 1# ～6#、安Ⅲ及左厂 7# ～10# 坝段电站进口处共布置拦污栅 68 孔，每孔分前后两道栅槽，拦污栅一期埋件由侧底槛、主轨、反轨、护角及锁定件等组成，埋件安装与栅墩混凝土浇筑相互交叉进行，施工干扰大、难度高。68 孔栅槽埋件共 2658t，2001 年拦污栅一期埋件安装 1435t，左非 18# 坝段安装至高程 151m，1# 至安Ⅲ－1 坝段达到高程145.57m，安Ⅲ－2 坝段达到高程 135.5m，左厂 7# 钢管坝段达到高程 141.5m，实体坝段达到高程 138.5m，8# ～9# 坝段达到高程 132.5m，10# 钢管坝段达到高程138.5 m，实体坝段达到高程 146m。

拦污栅栅叶 71 套（备用 3 套），共 4912t，计划 2002 年底准备，2003 年初安装。

三、进水口门槽二期埋件及门体安装

（一）进水口检修门、工作门、事故门埋件安装

进水口检修门门槽共 10 孔，左厂 1# ～6# 坝段检修门槽底坎高程 106.5m，7# ～10# 坝段检修门槽底坎高程 106.15m，埋件安装采用随混凝土浇筑的上升，相互交叉作业的施工方式，埋件安装二至三层后及时回填混凝土。检修门槽埋件总重 1696t，2001 年安装 820t，1# ～4# 机组安装至坝顶，5# ～6# 机组安装至高程 175.5m，7# ～10# 机组安装至高程 127.15m。

相应的左厂 1# ～10# 坝段布置 10 孔快速门门槽埋件，埋件设计高程 108～178m，快速门门槽埋件主要包括：底槛、侧底槛、副轨、反轨、门楣、检修平台、爬梯及扶手等，总重 701.27 t，2001 年安装 309 t，1# ～6# 快速门装至高程 153m，7# ～10# 快速门装至高程 124m。

ⅡA 标段布置 3 孔平面挡水事故门门槽，其中左非 18# 坝段布置有一孔门槽，该坝段门槽埋件安装高程 90～185m，安Ⅲ坝段布置 2 孔门槽，该坝段门槽埋件安装高程 75～185m。排沙孔平面挡水事故门埋件主要包括主轨、反轨、副轨、底坎、锁定装置及门楣等构件。总重量 236t，2001 年安装 85t，左非 18# 坝段安装至坝顶，安Ⅲ－1 安装至高程 171m，安Ⅲ－2 安装至高程 123m。

（二）事故挡水闸门安装

左岸厂房坝段 3 个排沙底孔进口处设有 3 套挡水事故闸门，其中左非 18# 坝段布置一套，安Ⅲ坝段布置二套。挡水事故闸门为平面定轮支承结构，由门叶、止水、反向支承、侧轮装置、定轮装置及平压阀装置等组成，单扇闸门重 79t。2001 年 11 月安Ⅲ－2 坝段排沙孔闸门完成下门，该闸门的挡水设计水头 100m，运行设计水头 75.0m。安Ⅲ－2 事故门的吊装采用在排沙孔门库内现场立拼方案，按底、中、顶节吊入门库，进行拼装、焊接、水封粘结等环节，完成后即可进行吊装下门。

四、坝顶门机安装

左岸电站厂房坝顶布置Ⅰ型和Ⅱ型 4500/1200/400/100kN 双向门机各一台，门机轨顶高程 185m，主小车容量 4500kN，副小车容量 1200kN，布置在门机上游侧，回转吊容量 400kN/100kN，分Ⅰ型和Ⅱ型方式布置在门机上游侧，门机轨距 16m，总运行距离 664m，在轨道两端设置挡头。门机主要用于电站进水口检修门、快速门、拦污栅、排沙孔、取水口事故门及检修门等项目的起吊工作及液压启闭机、固定卷扬机的安装工作。主钩起吊闸门时利用液压穿轴式自动挂钩梁来完成。回转吊用来吊取清污设备。单台门机重 800t，2001 年 11 月开始安装，年底Ⅰ型安装完毕，Ⅱ型完成门腿及大梁以下部分，约 380t。门机安装完毕后，要进行如下试验：各机构运行性能调试、各机构空载全行程运行试验、各机构静负荷试验、各机构动负荷试验。

五、电源电站引水钢管坝内埋管制造及安装

左非 $11^{\#}$、$12^{\#}$ 坝段增设两条电源机组引水钢管，引水钢管坝内埋管设计直径 6.2m(内径)，中心轴线安装高程 125.1m，工程量总计 463t，2001 年 4 月底开始制造，截至年底安装 379t，左非 $11^{\#}$ 坝段安装 232 t，左非 $12^{\#}$ 坝段安装 147 t。钢管安装主要采用厂坝间高程 120m 栈桥上布置的 MQ2000 型专用门机，将钢管吊到坝上相应安装坝段，钢管安装从 G10 管节开始从上、下游同时安装。钢管加工、安装、焊接按照标书及设计技术文件、图纸和《压力钢管制造安装及验收规范》执行。

截至 2001 年底，完成金属结构及设备安装 17490t。压力钢管安装 12467t，排沙钢管安装 1001t，电源电站坝内埋管安装 379t，拦污栅一期埋件安装 1843t，门槽二期埋件安装 1841t，闸门安装 79t，坝顶门机安装 1260t。

（周彩云　王雄武）

永久船闸二期地面工程及相关工程施工

一、武警水电部队承担的永久船闸二期地面工程施工

（一）概况

武警水电部队承担的永久船闸二期工程累计完成土石方开挖 2336 万 m^3，预应力锚索 4466 束，高强锚杆 9.5 万根，混凝土浇筑 140 万 m^3，保质保量完成永久船闸各阶段的工程目标。

（二）工程完成情况

2001 年完成土石方开挖 183.7 万 m^3，混凝土浇筑 37 万 m^3，锚杆 2195 根，锚索 166 束，帷幕灌浆 5200m，固结灌浆 3200m，防渗墙 $5000m^2$，一期金结预埋 1400t。2001 年完成工程量与年度计划对照如表 1。

表 1　　工程量完成情况表

工程项目		单位	2001 年计划	2001 年完成	完成年度计划%
土石方工程	开挖	万 m^3	181	183.7	101.5
	边坡回填	万 m^3	32.85	47	143.1
锚固工程	预应力锚索	束	162	166	102.5
	高强锚杆	根	800	2915	364.4
	边坡喷护	m^2	35000	14117	40.3
混凝土工程	混凝土浇筑	万 m^3	32	37	115.6
	钢筋制安	t	14500	16300	112.4
	固结灌浆	m	2000	3200	160
	防渗墙	m^2	8000	5000	65
	帷幕灌浆	m	4200	5200	124
	一期金结安装	t	1700	1400	82.4

截至 2001 年底，上游正向取水口护坡、浮堤支墩、上游辅导墙、靠船墩、挡水坝、一、二闸首、南一闸室等相继浇筑到顶，接缝灌浆、固结灌浆全部完成，同时上、下游引航道和闸顶建筑物及混凝土缺陷处理工程也全面展开。金罩路及占压段箱涵提前 1 个月开挖结束。至 10 月 11 日锚索、高强锚杆全部完成。各部位具体形象如下。

1. 混凝土工程

上游浮堤支墩 4 月 11 日全部浇至设计高程 185m；上游进水箱涵 $10^{\#}$、$12^{\#}$ 浇至高程 125.5m，其余 54 块箱涵均浇至设计高程 127.5m；南、北一闸首 22 个排架柱浇至设计高程，其中南侧 10 个排架柱于 9 月 25 日交面；南一闸室边墙全部浇至设计高程 179m，Ⅰ南底 10 浇筑一层，浇至高程 119.6m；北一闸室边墙滑模浇筑全部结束，其中Ⅰ中北 01 浇至高程 175.5m，Ⅰ中北 13、15 浇至高程 172.5m，Ⅰ北 01 浇至高程 169.7m，Ⅰ北 13、15、17、19 浇至高程 174.5m，其余均浇至设计高程 179.0m；南、北二闸首分别于 2 月 14 日和 3 月 19 日向金结安装交面，南、北二闸首交通桥通车并分别于 4 月和 5 月交面；南二闸室边墙Ⅱ南 11 浇至高程 160m，Ⅱ南 17 浇至高程 156.5m，Ⅱ南 18、Ⅱ中南 17 浇至高程 155.5m，其余均浇至设计高程；北二闸室边墙Ⅱ中北 01 浇至高程 164.0m，Ⅱ中北 02 浇至高程 160m，Ⅱ北 01 浇至高程 163.0m，Ⅱ北 07、09 浇至高程 155.5m，其余均浇至设计高程；下游泄水箱涵金罩路上游段 1～$18^{\#}$ 箱涵、金罩路下游段 $40^{\#}$、$42^{\#}$、$44^{\#}$～$54^{\#}$ 箱涵均浇至设计高程，其它箱涵全面展开，导航墩均浇至设计高程，导航板除北侧 $1^{\#}$～$3^{\#}$、$10^{\#}$ 板外，其它板均浇至设计高程，下游检修门库 $2^{\#}$、$4^{\#}$ 浇至设计高程；下航道护坡完成 R4 路、金罩路上游北坡及金罩路下游南坡混凝土浇筑；闸顶建筑物 $1^{\#}$ 变电所土建施工完成，进行装修工程施工，集控楼完成框架结构，启闭机房完成南侧 2 座启闭机房土建施工；一闸首中隔墩交通桥施工完成。

由武警水电部队施工、中南勘测设计研究院监理的永久船闸二期地面工程

2. 基础处理工程

一闸首接缝灌浆于2001年3月15日全部结束，比计划要求工期提前15天。由于设计变更，要求灌注桩进行高、低应变测试，南坡高程185m平台防渗墙推迟至6月初开始施工，年底完成5500m^2。固结灌浆全部完成。一闸首灌浆廊道、北线山体共完成帷幕灌浆5200m。

3. 混凝土缺陷处理

完成混凝土缺陷处理材料及配比现场试验，确定缺陷修补材料使用部位、缺陷处理有关技术要求及施工工艺。

进行闸室底板输水廊道素描的确认及表面缺陷处

理，输水廊道缺陷处理完成 50%。

4. 土石方工程

2001 年 4 月金罩路下游南侧及上游北侧边坡回填结束并向混凝土交面。5 月底金罩路下游段 50# ～54# 泄水箱涵开挖完成并向混凝土交面。金罩路 8 月开始拆除，10 月 16 日完成，并完成占压段泄水箱涵清基交面，比要求工期提前一个月。新增六闸首北坡场平开挖及回填项目，6 月初开始回填，至年底金罩路上游段完成。

5. 锚固工程

2001 年 6 月底，闸首结构加固锚索全部竣工，10 月 11 日锚索、高强锚杆全部完成。

由于一闸室南坡支护方案发生变化及下游引航道喷护设计方案未定，故未完成喷护计划。

(三)工程质量及安全

在施工质量方面，武警水电部队三峡指挥部按照业主提出的"零质量事故"管理目标要求，认真落实质量检查专家组意见，不断完善各项规章制度，调整充实质量管理委员会，努力改善工作作风，加强质检工作力度，特别是注重施工过程控制，对施工中出现的质量问题不包庇、不隐瞒，认真分析原因，总结经验教训，取得一定成效。2001 年没有发生等级质量事故和较大质量缺陷，各工程项目单元质量评定合格率均为 100%。混凝土浇筑评定 2265 个单元，其中优良 1996 个，优良率 88.12 %；一期金结安装评定 2733 个单元，其中优良 2578 个，优良率 94.33%；开挖工程评定 767 个单元，其中优良 606 个，优良率 92.05 %；锚索评定 728 个单元，其中优良 583 个，优良率 80.08%；高强锚杆评定 218 个单元，其中优良 145 个，优良率 66.5%。

在安全管理方面，加强现场安全文明施工管理力度，引进和完善"三工制度"、"安全生产作业程序指导书制度"、"预知危险活动"等一系列安全管理措施。坚持安全检查和例会制度，加强现场的安全设施、安全作业程序、协作单位的清理整顿和教育管理，安全生产形势有较大改观。加大安全培训力度，重点对专职安全员培训，提高预防事故能力，取得一定成效。

(四)竣工验收

2001 年武警水电部队检查、更正、补签、补充完善基础资料 8000 余份，收集基础资料 12000 余份，编制开挖、锚固、混凝土、金结一期埋件等各类竣工验收图纸 450 余张。主体段开挖工程、各闸室锚固、封顶马道混凝土及喷护等验收资料基本收集齐全。锚固工程量、开挖工程量及下航道工程量经过一年的细致清查和核对，已清理完毕，共整理工程量资料 1500 余份。

永久船闸第一闸首混凝土工程的分部分项工程验收签证工作于 2001 年 12 月 26～27 日通过。永久船闸第二、三、四、五闸首锚固工程分部分项工程验收签证工作于 2001 年 12 月 28～30 日通过。

二、三七八联营总公司承担的永久船闸工程施工

(一)完成工程量及质量评定

表 2　　**投资及主要工程量完成情况表**

项目名称	2001 年计划	2001 年完成	完成百分比	备　注
建安投资(万元)	24335.6	26623.7	109.40%	
混凝土浇筑(万 m^3)	5.3	5.55	104.72%	含交通等工程 1.7 万 m^3
钢筋制安(t)	16500	13980	84.73%	含交通工程 1980t
固结灌浆(m)	2200	6100	277.27%	含地质缺陷处理 3416m
金结与机电埋件(t)	1360	1380	101.47%	
接缝灌浆(m^2)	2500	3800	152.00%	

2001 年完成混凝土单元 3094 个，合格率 100%，数控优良率 91.56%，量控优良率 95.59%。

(二)缺陷处理完成情况

闸室底板及输水廊道部位共 260 个结构块，完成缺陷修复 247 块，完成率 95%，已验收 226 块，占 86.92%。

闸首、闸室边墙部位共 293 个结构块，全面展开检查、修复工作。

(三)工程形象

三闸首至六闸首全部浇筑到顶，其中五闸首工期比计划提前 1 个月。大部分闸室边墙按计划浇筑到顶，其中第一分流口边墙的进度比计划有所提前。闸室底板：除南四闸室因门机占压，有两块底板未浇筑外，其余闸室仅剩第一分流口底板在施工。建筑工程：闸顶 16 座启闭机房全部结束；2#、3# 变电所进行装修施工，闸面栏杆开始施工。

交通工程：三至六闸首交通桥全部架设完毕，并完成路面施工。完成六闸首全部接缝灌浆，闸首(室)固结灌浆完成。

完成出水口、消能盖板及排水管等所有预制件预制生产。

(四)施工措施

2001 年搬迁 8 台次门塔机，确保五闸首、第一分流口底板及边墙等部位对施工垂直手段的需要。

在模板工艺上，闸首(室)表面仍采用悬臂大钢模板、对撑滑模技术，廊道内(过流面)模板全部采用接安螺栓技术，以保证拆模后混凝土表面的质量。

(齐建飞　高　毅)

永久船闸地下输水系统工程施工

一、计划完成情况

项目	2001 年计划量	实际完成量	完成百分比
完成投资(万元)	17881.3	26760.8	149.7%
混凝土浇筑(m^3)	177512	248263	139.9%
钢筋制安(t)	17097	17198	100.6%
回填灌浆(m^2)	47000	45000	95.7%
固结灌浆(m)	77000	73500	95%
金结埋件(t)	247	141	57.3%
铜止水制安(m)	—	7144	
锚杆制安(根)	—	7087	

二、工程形象面貌

(一)形象进度

项目	开工至 2001 年底累计完成	占总工程量的百分比
完成投资(万元)	68437.2	94.89%
混凝土浇筑(m^3)	552211	107.57%
隧洞底板混凝土衬砌(m)	5576.814	96.88%
隧洞边顶拱混凝土衬砌(m)	5463.564	94.91%
竖井混凝土衬砌(m)	2382.48	100%
回填灌浆(m^2)	5545.119	80.14%
固结灌浆(m)	4764.188	68.85%

(二)形象面貌

36 条竖井、16 条斜井混凝土衬砌全部结束。南坡工程混凝土衬砌全部结束；中隔墩工程混凝土衬砌只剩下 5 个“十”字管部位；北坡工程混凝土衬砌二级、五级平洞还有部分工程量未完成，所有北坡 T 型管口均待完成。水泥灌浆南坡全线结束；中隔墩和北坡工程量还较多。混凝土表面缺陷处理工作至年底全面展开。

三、工程质量管理与安全管理

2001 年，三联总公司在永久船闸地下输水系统工程施工中，实现年初提出的质量零事故、安全零事故的“双零”管理目标。在“双零”目标管理中，三联总公司提出“用双零目标促进项目管理水平提高”的新思路。一方面逐条解决已暴露的问题或可能产生事故的隐患，另一方面坚决推行规范化施工，不断提高员工素质。在整改落实中从易到难，逐步深化，标本兼治，循序渐进，收到良好效果。

(一)质量管理

2001 年进一步加强质检员的质量意识教育，全年坚持召开一线质检员班前质量早会，将各种质量要求落实到每个质检员。仓面工艺设计、盯仓及质量现场会等好的做法进一步得到细化。全年考核发放质量奖金 1110069 元，罚款 164400 元。隧洞铜片止水施工以高质量获得三峡“样板工程”称号。2001 年永久船闸地下输水系统质量评定情况见下表：

项目	评定量	合格率	优良率
混凝土单元工程	878 个	100%	94.11%
水泥灌浆工程	394 个	100%	96.77%

(二)安全管理

2001 年，三联总公司加大安全培训教育力度，不断强化广大员工特别是班组长的安全意识，全年进行安全培训教育 22 次，安全员、班组长、厂队长和特殊工种作业人员等 1839 人次接受培训。从戴安全帽必须系帽带开始，到班前会的召开，作业程序书的完善，逐步规范，不断深化。全年对安全标兵工作面、安全标兵个人、优秀安全员以及安全文明施工区等奖励 923910 元，其中奖励个人 180830 元；对存在安全隐患的行为、作业面罚款 84700 元，其中个人罚款 10150 元。现场安全违章和隐患率逐步下降，文明施工变为员工自觉自愿的行动，基本实现由“要我安全”向“我要安全”的思想转变。一年来，先后有 112 名质量检查员和 58 名安全监察员在“双零”目标管理中得到全面锻炼，所有管理人员的质量安全意识得到加强，全体员工的质量安全意识和技术素质也都随着“双零”目标的实现而得到大幅度提高。

四、施工技术革新

2001 年，三联总公司在永久船闸地下输水系统施工中，除使用常规模板外，还投入 11 种类型共 79 台套的专用钢模板。其中竖井模板分为自升式爬模、滑框翻模、滑模、悬臂模及筒子模 5 种类型计 36 套；斜井模板包括底拱滑模、边顶拱滑模及全断面变径滑模 3 种类型计 9 套；平洞模板包括边顶钢模台车、底拱翻模台车及底拱小翻模 3 种类型计 34 套。

三联总公司自行设计制作的斜井底拱滑模、斜井边顶滑模以及斜井全断面变径滑模，成功地应用于斜井混凝土施工。用滑模施工后，混凝土表面光滑、平整，无错台、麻面，每天滑升速度最大接近4m。由于边顶拱滑模重量轻、结构简洁合理，既可用于混凝土施工，又便于钢筋运输及绑扎，使用及操作简单方便、安全可靠，与常规模板相比，节约成本近5倍，成功地解决变径斜井混凝土滑模施工这一难题。斜井全断面变径滑模在国内同行业中属首创。

另外，在混凝土配合比试验中创造出高效减水剂、引气剂和粉煤灰联掺技术，成功解决地下混凝土的可泵性和流动性，大大提高混凝土的抗冻性和抗渗性，这项技术在2001年得到进一步验证和推广应用。

五、施工组织与管理

2001年，三峡永久船闸地下输水系统仍然是混凝土施工高峰年，1～7月每个月的混凝土浇筑量都在2万m^3以上，施工中平洞、竖井、斜井及各T型管口多头并进，混凝土浇筑、隧洞灌浆、金结交面及缺陷处理多工序交叉，施工任务艰巨，安全形势复杂，技术要求严格，质量要求高。

三联总公司根据“先南后中保北”的施工总方针，进一步理顺管理关系，克服工作面狭窄、施工干扰大以及暴风雨袭击等诸多困难，采取一切手段调动员工的工作积极性，保障施工任务顺利完成。2月完成混凝土浇筑33343m^3，打破三联总公司于2000年12月份创下的月浇筑混凝土32766m^3的纪录，同时创造国内地下工程混凝土浇筑月产量的新纪录。施工高峰期每日投入近2500人，投入大型设备40多台套，50多个工作面同时展开作业，最终提前3个月完成混凝土浇筑年度计划。

制定《三联总公司机械设备管理实施细则》，坚持每月一次的设备大检查，对大型及主要设备实行状态维修法管理。2001年混凝土泵、混凝土搅拌运输车、高架门机、塔机、锚杆台车、拌和楼、反铲、装载机等大型、主要设备在使用期间完好率年平均保持在94.13%。对设备维修、保养实行强制管理，大型重要设备的维修保养在三联总公司设备物资部监督下进行。

（汝会通）

由三联总公司承建、中南勘测设计研究院监理的永久船闸二期地下输水系统施工

三峡右岸前期工程施工概况

一、右岸 24# ～26# 厂坝基础开挖

三峡工程右岸 24# ～26# 厂坝基础开挖及场地平整工程，工程区域为右岸上坝公路以左，西陵大道及导流明渠挡水石埂以右上游 RCC 围堰右端头以下。场平工程项目包括 9 个场平区域的场地平整开挖、回填、支挡护坡、施工道路（上坝路扩宽、高程 120m 一号路、二号路西陵大道延长段）、绿化等工程。厂坝开挖工程项目包括：右岸厂坝 24# ～26# 坝段基础开挖，右岸厂坝 24# ～26# 机组、安Ⅰ、安Ⅱ及尾水渠开挖，开挖料送茅坪溪防护土石坝及备料、弃料、基坑排水边坡喷锚支护等工程。

该标段工程于 2001 年 6 月 6 日开工。至 2001 年 12 月底完成建安投资 4739.32 万元。场平区土石方开挖完成 96.284 万 m^3，占年计划 90.0 万 m^3 的 106.99%，场平区回填完成 65.949 万 m^3，占年计划 60.8 万 m^3 的 108.47%，厂房、厂坝开挖完成 76.259 万 m^3，占年计划 75.0 万 m^3 的 101.68%，浆砌块石完成 1223.3m^3，占年计划 14050m^3 的 88.7%，施工道路混凝土完成 4810m^3；排水沟工程完成 2800m；电缆沟 1809m；石渣料、风化砂送往茅坪坝分别为 32 万 m^3 和 5.4 万 m^3；完成高程 125m 临时拌和楼的安装。

至 2001 年 12 月底，工程形象进度为：场平开挖基本完成，只剩下 D 区 6.5 万 m^3 土石方开挖，E 区 7.5 万 m^3 土石方开挖；A、B、C 区 8 月交付使用，F、G 区完工，H、I 区剩下部分边坡挡墙支护。西陵大道路面形成，剩下排水沟、电缆沟等。上坝路扩宽完工，高程 120m 一号路基本成型，二号路按设计图开挖。厂坝开挖项目中，基坑尾水渠剩下保护层开挖，厂房段最深下降到高程 40m，四周边坡已预裂，坝段剩下约 2000m^3。

2001 年 6～12 月底验收 316 个单元工程，评定合格单元 30 个，优良工程单元 286 个，优良率 90.5%。其中厂坝开挖质量评定 59 个单元，7 个单元合格、52 个优良单元，优良率 88.0%；道路工程 100 个单元中 11 个合格单元，89 个优良单元，优良率 89%；场平工程 176 个单元中 12 个合格单元，164 个优良单元，优良率 93.1%。

二、三峡右岸高程 84m 混凝土拌和系统施工

三峡右岸高程 84m 混凝土拌和系统建安工程位于西陵大道与上坝公路交汇处的上游侧。建成后主要为右岸地下厂房进水口、三期碾压混凝土围堰、三期主体工程提供混凝土。该系统设置两条混凝土生产线，相应配置两座 4×3m^3 混凝土拌和楼及其配套设施，其中一号生产线系统设备由左岸高程 82m 混凝土拌和系统迁移，二号生产线的拌和楼及其配套设施、设备由左岸高程 98.7m 混凝土拌和系统提供。以一号生产线为主配置生产 7℃预冷混凝土制冷系统，并应能向二号生产线切换生产 7℃预冷混凝土。

系统主要由拌和楼、粗骨料受料坑、粗骨料储运系统、砂受料坑、细骨料储运系统、胶凝材料储运系统、计量系统、粗骨料二次冲洗脱水筛分车间、粗骨料一次风冷调节料仓及车间、外加剂车间、制冷系统、空压站、给排水系统、污水处理系统、供配电控制系统及其辅助设施等组成。分别布置于右岸 105m、94m、84m 高程平台。

根据三峡工程进度安排，一号线必须在 2001 年 12 月底投产，二号线于 2002 年 11 月投产。主要工程量包括：土石方开挖 65000m^3，土石方回填 26000m^3，混凝土浇筑 15000m^3，浆砌石 3500m^3，钢材 4000t（含原利用钢结），房建 4664m^2。

2001 年 9 月 21 日右岸高程 84m 系统正式开工，比合同开工日期晚了 10 天，三七八联营总公司根据总工期和施工顺序要求，确定重点施工工作面，对关键项目详细制定节点控制计划，将任务层层分解，以日计划保周计划，以周计划保月计划。

2001 年 12 月 30 日，高程 84m 拌和系统提前一天投入试运行联动调试，从设备拆除、转运、检修、土建施工、设备安装调试，用了 100 天时间。同时，安全、质量顺利实现"双零"目标。

（王飞跃　刘技专）

二期土石围堰拆除工程

一、二期上游围堰拆除工程施工

（一）工程概况

二期围堰是三峡二期工程的临时建筑物之一，也是二期工程施工时期的安全屏障。

二期上游横向围堰是Ⅱ级临时建筑物，堰体材料主要由风化砂、石渣料、石渣混合料、块石料、过渡料等组成。设计堰顶高程 88.5m，堰顶宽 15m，上游围堰内布置有塑性混凝土防渗墙上接土工膜合成材料组成的复合防渗心墙（深槽段为双排塑性混凝土防渗墙，其它部位为单排塑性混凝土防渗墙），左右岸接头段、左右岸预进占段塑性混凝土防渗墙墙顶高程 79.0m、墙体厚 0.8m，上接土工膜至高程 86.2m；河床段（包括深槽双排防渗墙段）塑性混凝土防渗墙墙顶高程 73.0m、墙体厚 1.0m，上接土工膜至高程 86.2m。防渗墙内预埋有钢管或塑料管及其保持架实施基岩帷幕灌浆，双墙间设有5道厚1.0m的塑性混凝土横隔墙。

二期上游围堰最终拆除范围：自大坝Y坐标48+645.5以右的部分堰体、堰压部位除岩石外拆除至高程57.0m(混凝土防渗墙拆除至高程56.5m)，右端紧靠纵向混凝土围堰预留三期截流备料基地，基地部分堰体拆除至高程71.5m，高程71.5～56.5m之间的拆除开挖边坡1∶1.5，Y坐标48+645.5以左的拆除开挖边坡1∶5。上游围堰堰体下压及堰外岩石不开挖，截流基地不拆除。

为了避免上游围堰拆除高程以下的堰体石渣大量冲走而影响导流底孔安全运行，在上游截流基地以左围堰拆除顶面下游侧20m(该部位堰体拆除高程56.0m)及下游坡面设有块石护层，利用围堰背水侧戗堤拆除的粒径大于40cm的块石砌护至高程57.0m，护层厚1.0m。截流基地顶部采用块石护面至高程72.0m，护层厚0.5m，块石粒径30～50cm。边坡采用块石护坡，护层厚1.0m，块石粒径大于40cm。

二期上游围堰拆除，主要施工项目包括堰体填筑料拆除及下压部分开挖、塑性混凝土防渗墙拆除(含一期围堰柔性材料防渗墙拆除)、围堰保护层护坡块石、三期上游截流基地修建、三期上游截流备料。其主要施工项目与工程量见下表：

项目	工程量
水上拆除开挖	240.3万 m^3
水下拆除开挖	92.8万 m^3
防渗墙拆除	
一期围堰拆除	0.41万 m^2
二期围堰拆除	1.46万 m^2
围堰保护层护坡块石	3.0万 m^3
三期截流基地修建	
护面块石	1.05万 m^2
护坡抛石	0.8万 m^2
三期截流备料	
石渣	2.0万 m^2
中小石(料径0.4～0.7m)	1.5万 m^2
大石(料径0.8～1.1m)	1.0万 m^3
特大石(料径1.3～1.6m)	0.35万 m^3
20t混凝土四面体	84个
20t混凝土四面体	28个

武警水电部队以合同价人民币8043.60万元中标二期上游围堰拆除工程，2001年11月18日开工，围堰破堰进水时间2002年5月1日，工程完工日期为2002年6月30日。

(二)施工特性

二期上游围堰拆除开挖具有工程量大、工期紧、施工强度高的特点，围堰能否按时拆除完成，直接影响到三期截流的成败，责任重大。

围堰破堰进水前的拆除施工需保证二期基坑主体建筑物的安全施工。

二期围堰河床段防渗墙墙体内预埋有灌浆管及其固定支架。混凝土防渗墙钻爆成功关系到能否按时完成围堰拆除并确保施工质量。

二期围堰拆除与三期截流基地修筑及截流备料同时进行。水下开挖强度高，施工船舶多，对施工组织和管理要求严。

原一期土石围堰与二期围堰接头段未拆除，此段一期围堰内设有厚0.8m的柔性材料防渗墙。

(三)围堰拆除施工方法

1.水上拆除开挖主要施工方法

水上拆除开挖采用从堰内向堰外、先干地后水下、自上而下分层开挖的方法进行施工，为水下开挖提供工作面。

施工时按不同填筑料分区开挖，以保证开挖料分类有效利用，特别是满足三期截流基地备料所需的石渣料、中小石、大石、特大石及护面所需的块石用量，严禁混料开挖。覆盖层及风化砂、多余的开挖料运到指定的备(弃)料场。

优先安排三期截流基地的拆除开挖，及时提供备料场地。

水上拆除按施工分区采用18台反铲分台阶开挖挖装，台阶高度4m，70台20t自卸车运输至指定的堆料场。河床覆盖层中的块球体和孤石采用手风钻解小后反铲挖装、自卸汽车运至指定堆渣场堆放。混凝土防渗墙钻爆法拆除，钻爆后反铲挖装、自卸车运至指定堆渣场。

2.水下拆除施工方法

水下拆除开挖采用3艘抓斗式挖泥船配4艘底开式泥驳分段、分条、分层施工。经济断面以外分两段进行施工，经济断面分三段施工。

3.混凝土防渗墙拆除施工

二期上游围堰混凝土防渗墙拆除范围：左右岸接头及预进占段高程79.0～56.5m；河床段(包括深槽双排防渗墙及隔墙段)高程73.0～56.5m。经济挡水断面顶部高程70.3m。分为经济断面顶部高程以上和经济断面内墙体，即高程79.0～70.3m和高程70.3～56.5 m两部分墙体分别进行钻爆拆除，高程79.0～70.3m段及堰后一期防渗墙采用手风钻钻孔爆破；高程70.3～56.5m经济断面以下采用宣化钻钻孔，一次联网爆破。

4. 基坑充水及围堰破堰施工方法

在围堰破堰前先进行基坑充水，保证围堰破堰基坑进水时，堰内外的水位差不超过 10m，避免因破堰水流作用引起冲刷造成基坑淤填或对基坑内的建筑物造成危害。

（四）防渗墙拆除爆破振动安全监测

1. 监测内容

防渗墙拆除爆破试验时进行爆破质点振动速度安全监测。防渗墙拆除爆破及左岸侧岩石爆破时进行爆破质点振动速度安全监测。防渗墙拆除爆破、左岸侧岩石水下爆破及截流基地下压岩石水下爆破时进行水击波测试。对周围重要建筑物及测点部位进行爆前爆后宏观调查。

2. 监测部位

爆破振动安全监测部位：新浇混凝土、灌浆区、泄洪底孔闸门、厂房坝段闸门、混凝土纵向围堰。水击波测试部位：在厂房坝段与下游围堰之间水域顺流向布置一条测线。在泄洪坝段与下游围堰之间水域顺流向布置一条测线。

实际测试时根据具体爆破部位确定布置一条或二条测线。

3. 监测方式

每次爆破时（包括试验爆破和施工爆破）在上述部位各布置若干测点进行质点振动速度安全监测，每测点设两个方向（两个测线），即水平方向和垂直方向。同时在重要建筑物及测点附近布置若干宏观调查区，进行爆破前后宏观调查。

上游围堰防渗墙正式拆除爆破时进行水击波压力监测，测点布于上述测线水域中，每测线布置 4 个压力传感器测点。

二、二期下游围堰拆除工程施工

（一）工程概况

二期下游横向围堰按Ⅲ级临时建筑物设计，设计防洪标准 50 年一遇（流量 7900m^3/s）。围堰平面呈突向下游的折线形式，位于三峡大坝轴线下游 400～600m。围堰轴线全长 1075.9m，主要由风化沙、石渣料、石渣混合料、块石料、过渡料等填筑而成。堰顶高程 81.5m，堰顶宽 15m。下游围堰防渗墙采用混凝土防渗墙上接土工膜合成材料组成的复合防渗心墙形式。左岸段、右岸段混凝土防渗墙堰顶高程 79.0m，墙厚 0.8m，河床段混凝土防渗墙墙顶高程 70m，墙厚 1.1m，上接土工膜至高程 79m。

三峡工程三期截流时需截断导流明渠，迫使长江水流改道从大坝泄洪坝段底孔宣泄。导流明渠截流前需拆除二期下游土石围堰，以满足电站厂房机组运行要求和导流底孔泄水运行要求。

三峡工程二期下游围堰拆除主要工程量表

项目		单位	工程量
土石方拆除及开挖	水上开挖	万 m^3	213.96
	水下开挖	万 m^3	252.51
	合计	万 m^3	466.47
防渗墙拆除	二期围堰墙体	m^2	17800
	一期围堰墙体	m^2	4333
	合计	m^2	22133
三期截流备料		万 m^3	8
覃家沱护岸工程	土石方开挖	万 m^3	22.35
	抛投及回填	万 m^3	20.19
	护坡混凝土	m^3	6040

二期下游围堰拆除工程由葛洲坝集团公司中标承建，2001 年 11 月 1 日签订合同，合同工期 2002 年 2 月 1 日至 2003 年 4 月 30 日。

（二）施工特点及工程进展

二期下游围堰拆除工程量大、工期紧、强度高，尤其是水下开挖，高峰强度 30 万 m^3/月；二期下游围堰拆除与厂坝二期工程施工同时进行，尤其是高程 79m 混凝土拌和系统要边运行、边分部拆除，相互制约、相互干扰；截流基地的修建、备料及覃家沱护岸施工都须齐头并进，组织协调难度大；二期下游围堰防渗工程结构复杂，河床段防渗墙体内预埋有灌浆管及钢筋固定支架，增大防渗墙爆破拆除难度；水下岩石钻爆工程量大，且与混凝土纵向围堰距离较近，控制爆破技术要求高。

工程合同签订后，葛洲坝集团三峡工程施工指挥部迅速筹建二期下游围堰拆除工程项目部。并根据工程施工特点，优化施工方案，合理安排水下陆上开挖顺序，以期尽早提供水下开挖及岩石爆破施工部位，降低水下开挖强度。同时组织专班进行防渗墙爆破试验和施工重、难点分析研究，制定科学可靠的施工方案。

（覃壮恩　彭少引　邵玲珑）

茅坪溪防护大坝二期工程施工

一、工程概况

茅坪溪防护大坝二期工程于 2001 年 5 月 8 日正式开工，合同竣工工期 2004 年 12 月 31 日。二期工程施工起始高程为沥青混凝土心墙 142m，坝壳料填筑 140m。主要施工项目包括：高程 140m 以上坝体填筑、护坡及坡面排水工程；库岸部位岸坡清理和防护工程；高程 142m 以上沥青混凝土心墙铺筑工程，以及相关的机电金结安装及临时工程。

二、工程进展情况

截至2001年12月底,茅坪大坝迎水侧石渣、石混区填筑达到149m高程,背水侧石碴区填筑达到149.2m高程,石混区填筑达到151.6m高程,均超过合同计划147.5m高程;沥青混凝土心墙达到149.8m高程,超过合同计划149m高程。库岸Ⅰ区开挖147m高程以上部分完成,Ⅱ、Ⅲ区开挖基本完成,12月30日开始Ⅰ区石渣填筑施工。偏岩子料场开采总量完成168.34万m^3,占合同工程量194.98万m^3的86.3%,比合同工期提前9个多月。大坝防渗墙于1997年6月开始施工,以2001年3月31日最后一个单元槽浇筑完毕为标志,茅坪溪防护大坝混凝土防渗墙全部完工。坝后公路于12月上旬正式开工。茅坪溪泄水建筑物水库下压段围岩处理工程(合同变更项目)于12月底开始临时设施的施工。

以上各项施工共完成土石方开挖206.51万m^3,占计划125.70万m^3的164.3%;坝体填筑143.98万m^3,占计划117.42万m^3的122.6%;沥青混凝土浇筑4324m^2,占计划3760m^2的115%;完成防渗墙总面积29659.32m^2。墙下帷幕灌浆17805.8m。

三、主要施工措施

葛洲坝集团公司茅坪溪项目部增加钻爆力量和运输力量,加大偏岩子采料场的采料强度,确保料源供应满足坝体填筑需要。为方便坝段作业,分别在坝体左、右侧布置3条不同起讫高程的施工道路,便于多个作业面施工。对沥青拌和楼进行改造。改造前的拌和楼生产能力每小时40t,改造后的生产能力增至每小时55t,使沥青混凝土心墙摊铺一层所需要的时间减少2～2.5个小时。改造称量系统,为施工质量提供保障。

四、工程质量

2001年完成和验收单元工程299个,合格率100%,优良率90.3%。

(白凯平 李 刚)

三峡工程安全监测概况

一、永久船闸工程安全监测

(一)监测项目基本情况

永久船闸一期工程安全监测项目已验收并移交给葛洲坝水力发电厂三峡安全监测管理中心继续观测。二期工程在建安全监测项目实施情况见表1。所有监测设施均按规范及设计技术要求进行观测。

表1 永久船闸监测仪器埋设情况统计表

工程编码	监测仪器设备名称	单位	合同量	调整量	2000年底以前完成量	2001年完成量			自开工累计完成量	
						计划量	完成量	%	完成量	%
1-04	钻孔倾斜仪	孔	12	+2	14		0		14	100
	交会点	座	77	+16	99		1		100	107
	水准点(边坡)	座	77	+16	99		1		100	107
	水准点(排水洞)	座	109		116		0		116	106
	基岩标点	座	4		4		0		4	100
	伸缩仪	套	4		4		0		4	100
	精密量距	条	8		4		0		4	50
	测缝计	支		+12	4	8	8		12	100
	多点位移计	孔/点		+8/32	5	3	3		8	100
	倒垂线	条	20	+8	0		6		6	21
	正垂线	条	34	-10	0		4		4	17
	引张线	条	10		0		0		0	0
	水准点	个	156	-4+7	0		12		12	8
	静力水准仪	台	51	-5	0		0		0	0
	竖直传高仪	套	12	-2	0		0		0	0
	双金属标	座	3		3		0		3	100
	测温钢管标	座	8		8		0		8	100
	遥测垂线仪	台	100		0		0		0	0

1－05	测压管	孔	119	＋3	67		0		67	56
	锚索测力计	台	52	＋14	62	4	4		62	100
	渗压计	支	154	－5	110	29	29		139	93.3
	锚杆应力计	支	70	＋10	48	26	26		74	92.5
	钢筋计	支	87	－24	37	16	16		53	84.1
	应变计	支	46	＋1	38	3	3		41	87.2
	无应力计	支	14	－1	10	1	1		11	84.6
	测缝计	支	97	＋24	82	29	29		111	91.7
	温度计	支	83	－7	57	19	19		76	100

注：表中未列水力学监测仪器

(二)主要监测成果

1. 船闸高边坡与中隔墩岩体整体稳定性良好。高边坡与中隔墩岩体变形明显趋于稳定。

2. 截至2001年9月，测得北坡岩体向闸室中心线方向最大位移48mm，北坡直立墙顶的最大水平位移33mm；南坡岩体向闸室中心线方向最大累计水平位移60mm，南坡直立墙顶的最大位移47mm，各测点的年垂直位移变化多为下沉，且下沉量在3mm以内；中隔墩顶部岩体北侧向北线闸室实测最大累计位移36mm；南侧向南线闸室实测最大位移20mm；中隔墩顶部岩体的垂直位移均表现为回弹，实测累计最大回弹量23mm。

3. 永久船闸两侧边坡及中隔墩表层岩体月位移速率开始衰减并呈现收敛趋势。其中，中隔墩表层岩体变形收敛最快，其次是南坡表层岩体，最后是北坡表层岩体。1999年9月以后，深层岩体监测测点处的岩体位移也已趋于稳定。

4. 随着边坡开挖工作结束，1999年以后地下水位趋于稳定，大部分测孔内水位变化幅度在3m以内。

5. 永久船闸开挖工作结束后，一期高边坡监测锚杆应力主要为温度效应，实测锚杆最大拉应力82.15Mpa，锚杆的最大压应力测值为101.00MPa。二期直立墙锁口锚杆应力计实测最大拉应力236.02Mpa，最大压应力48.94Mpa。绝大部分锚杆应力基本稳定，表明边坡锚杆受力不大。

6. 二闸首南坡f_{1239}断层切割的大型不稳定块体无异常现象。

(三)水力学和动力学监测

1. 水力学和动力学监测目的

永久船闸总水头113m，中间级最大工作水头45.2m，输水阀门段最大流速40m/s，最大充水流量530m^3/s，其主要水力参数超过世界现有水平，存在着一系列复杂的水力学问题。如：输水阀门在高速水流非恒定流态作用下，承受各种复杂水动力作用，极易发生空化振动而危害阀门的安全运行；闸室充泄水过程中，由于水流惯性作用，会使闸室水位超高超泄，过大的反向水头不仅损害人字门启闭构件，而且还将在闸室内形成纵向水流，严重影响闸室内船只安全停泊。

2. 水力学和动力学监测的部位、内容

水力学和振动监测选择南线闸室和南坡输水廊道进行监测，其中第一、二、五闸室、第四闸首人字门，第二、五、六阀门井段，上、下游引航道中船队停泊区为重点监测部位。

水力学和振动监测的内容有：输水廊道阀门井段水流空化噪声特性。各级闸室充泄水水力特性。长廊道水击波压力和传播特性。各级闸室充泄水水位齐平时，超灌(泄)运行条件的控制。闸室充水需补水时，控制补水运行操作条件。门楣通气量的控制。首末级充泄水时，上、下游引航道中涌浪传播过程，水流流速、流态对船只停泊的影响。闸室及引航道中船只系缆力。不同水头运行条件下，反弧阀门和吊杆振动特性，反弧门启闭力测试。不同水头运行条件下，人字门动力学特性和启闭力的测试，人字门顶枢A、B杆在不同运行方式下受力增量的测定。

3. 水力学和动力学监测仪器埋设情况

截至2001年底水力学仪器埋设完成情况见表2。

表2　　水力学和动力学监测完成情况

工程编码	仪器名称	计量单位	合同总数	完成数量	完成%
1－05－03	脉动压力底座	套	130	104	80
	水听器底座	套	58	52	90
	四芯屏蔽电缆	m	19500	17000	87
	两芯屏蔽电缆	m	9000	6835	76
	脉动压力计	支	130	3	2
	无缝钢管	m	—	100	—
	跨缝钢管	m	—	648	—
	PVC线管	m	—	23835	—
	直接头	个	—	10442	—
	弯头	个	—	1202	—

二、临时船闸及升船机高边坡、左非 1# ～11# 坝段、升船机坝段、临时船闸坝段监测

（一）安全监测项目完成情况

临时船闸及升船机高边坡监测项目已移交葛洲坝水力发电厂三峡安全监测管理中心运行管理，2001 年为例行观测及维护。左非 1# ～11# 坝段、升船机坝段、临时船闸坝段等监测项目，2001 年埋设 2 条正垂线、1 条引张线、3 支渗压计、4 支钢筋计。

（二）临时船闸及升船机高边坡监测成果

1. 表层岩体变形

监测资料显示，边坡岩体处于相对稳定状态。测点位移除个别点外均在很小范围内呈一定周期性变化波动，主要是受气温变化的影响。

2. 深层岩体变形

岩体深层变形比较稳定，没有异常变形，呈季节性的规律变化，总体表现为：水平位移向闸室方向有微小变形，边坡岩体的垂直位移表现为下沉，岩体向闸室方向回弹变形累计最大为 11.6mm。

3. 地下水位情况

临时船闸南北坡各断层的水位均在测点高程附近变化，水位比较稳定。北坡地下水位年内变幅最大为 2.52m；南坡地下水位年内变幅最大为 9.10m。

4. 锚杆应力状态

临时船闸及升船机南北锚杆应力计应力值主要受外界气温的影响，测值没有异常，但个别测值有持续增大的趋势，尤以 RC08GP04 最为明显，应注意其发展趋势。

（三）左非 1# ～11#、升船机、临时船闸坝段监测成果

1. 温度监测

与 2000 年监测成果基本一致。

2. 钢筋计、锚杆应力计监测

埋设在升船机西坡的钢筋计，测量 2001 年应力变化范围为 -23.14～15.77Mpa，升船机上闸首底板及闸墙的钢筋计测量应力变化范围 -5.64～27.61Mpa，临时船闸埋设的锚杆应力计测得应力变化范围为 -15.9～374.81Mpa。

3. 基岩变形监测

升船机建基面的基岩变形计所测基岩面以下 13～15m 范围内，基岩的变形范围为 -1.47～0.26mm；左非 8# 坝段建基面的基岩变形计所测基岩面以下 13～15m 范围内，基岩的变形范围为 -2.49～0.22mm，总体变化不大。

4. 接缝开合度监测

边坡岩体与混凝土接缝开合度除升船机西坡在 1.50～2.43mm 之间外，其余部位均在 0.5mm 以下。混凝土与混凝土之间纵缝开合度 0.32～7.24mm，混凝土与混凝土之间横缝开合度 0.41～5.88mm。升船机底一块上游面裂缝开合度在 -0.0.2～0.34m 之间变化，与气温变化关系明显，升船机底二块高程 126.5m裂缝开合度 -0.16mm，未见继续发展趋势。

6. 变形监测

升船机坝段垂直位移继续表现为缓慢下沉，累计值在 2.44～8.90mm 之间变化，其中以底一块最小，右三块最大。闸基在垂直坝轴线方向水平位移的变化规律是总体朝向下游，年位移变化量 0.40～0.84mm，累积位移最大值 3.00mm；在平行坝轴线方向，水平位移的变化规律为朝向右岸，年位移变化幅度 0.31～0.58mm，累积位移最大值 -1.20mm。影响位移变化的主要因素是坝体混凝土的浇筑和坝体纵横灌浆以及温度变化等。

三、二期大坝和电站厂房安全监测

（一）监测项目基本情况

二期大坝及电站厂房工程监测 2001 年内埋设仪器见表 3。除水力学和动力学仪器外，其它所有已埋设仪器（或标点）均按规范及设计技术要求进行观测。

表 3 二期大坝及电站厂房仪器埋设情况统计表

标段	项目	设计工程量（支、点）	2001 年完成（支、点）	累计完成	
				数量	比例（%）
一标	小计	1033	163	722	70
	渗流渗压	155	/	57	36
	应力应变	733	142	614	83
	动力学	127	21	51	40
二标	小计	572	70	358	62
	渗流渗压	153	1	60	39
	应力应变	371	66	289	77
	动力学	48	3	9	18
三标	小计	918	237	560	61
	渗流渗压	51	2	24	47
	应力应变	699	186	451	64
	动力学	168	49	85	50
四标	变形监测点	669	21	232	35
五标	小计	708	154	465	66
	测压管底座	297	90	241	81
	通用底座	284	58	216	76
	水尺	127	8	8	6

（二）监测成果

1. 二期大坝及电站厂房沉降变形

随着主体工程进展，大坝基础垂直位移监测逐步埋设仪器并陆续取得观测资料，截至 2001 年 12 月，已

埋设垂直位移监测点 212 座，基本覆盖左非 17# 至纵向围堰坝段大坝基础。从测得的垂直位移资料看，随着大坝混凝土浇筑不断上升，基础岩体荷载不断增加，垂直位移总体表现为缓慢下沉，变形速率与施工强度成正相关，截至 2001 年 12 月大坝建筑物及其基础垂直位移累计最大 12.03mm，位移量达 10mm 以上的测点有 16 点。不同的工程部位，基础垂直位移略有不同，2001 年变化量均相对较大，大致情况如下：左非 12# ～左 18# 坝段年变化在 4.70～6.11mm 之间。左厂 1# ～6# 高程 94m 坝段基础廊道在 4.52～7.57mm 之间。左厂 6# ～9# 坝段上基础廊道在 4.52～5.41 mm 之间，下游及中间排水基础廊道在 3.66～4.45mm 之间，上游下沉量较下游略大。左厂 11# 坝段至右纵坝段上游基础廊道在 3.23～6.70mm 之间，下游基础廊道在 3.10～4.80mm 之间，上游下沉量较下游大。左厂 11# 坝段至右纵坝段上游高程 49m 廊道在 7.43～5.17mm 之间。左厂 11# 坝段至右纵坝段下游高程 45m 廊道在 3.74～4.70mm 之间。

2. 泄洪坝段及厂房坝段

(1)基岩变形计监测

左厂 3# 、左厂 14# 以及泄 1# 、泄 2# 坝踵、坝趾处建基面以下 15m 深度范围内岩体均呈压缩变形。至 2001 年底，坝踵处左厂 3# 坝段高程 85m 建基面以下 15m 范围内，累计压缩量 0.42mm；左厂 14# 坝段高程 25m 建基面以下 15m 范围内，累计压缩量 2.9mm；泄 1# 、泄 2# 建基面高程 4m 以下 15m 范围内，累计压缩量 2.77～2.91mm 和 3.32mm。

(2)混凝土与基岩接触面测缝计监测

混凝土与基岩接触缝面均呈压缩闭合变形，其中坝踵处左 3# 累计压缩闭合 0.21mm，左厂 14# 为0.12 mm，泄 1# 为 0.28mm，泄 2# 为 0.25mm。坝趾区混凝土与基岩接触面亦呈压缩闭合变形，累计压缩量分别是左厂 3# 为 0.21mm，左厂 14# 为 0.12mm，泄 1# 为 0.28mm，泄 2# 为 0.25mm。资料表明左厂 3# 坝段混凝土浇筑达到设计高程 185m 情况下，混凝土与基岩接触缝面趋于稳定，不再变化。

(3)渗压计监测

2001 年底所测水位值分别为 36.5 m 和 125.8m，二点间水平距离 16.4m，相应的水力坡降为 1.87，比 2000 年底主帷幕未封闭前的水力坡降 1.79 提高 4.5%，与 1999 年底该二测点间的坡降 1.12 相比，则提高 6.6%，可见主帷幕灌浆工作对降低地下水水力坡度起到很好效果。

(4)岩体温度监测

左厂 14# 坝段及泄 2# 坝段基岩 10m 深度范围内，全年温度变化幅度在 0.5℃以内，表现为基岩表面略大，随深度增加变化趋小。

(5)坝体温度监测

有监测仪器埋设的部位，混凝土的入仓温度测值在 7～14℃之间，由于水泥水化热的散发，泄 2# 坝块的最高温度曾达 19.3～36.0℃。2001 年混凝土浇筑已超过基岩约束范围，实测混凝土温度在设计控制值 36℃以内，满足设计要求。混凝土温度与气温之差，根据实测坝体中心部位混凝土温度曲线与当地实测日平均气温曲线分析，查找出最大的温差值，泄 2# 上块内外温差为 9.5～20℃，下块在 11～23℃之间，由于坝面采取保温被等技术措施，实际温差比该数值要小。温差值的缩小对预防产生混凝土表面裂缝有重要意义。

(6)坝块间纵、横施工缝测缝计监测

监测资料表明，在 2001 年前横缝灌浆区域内，泄 1# 、泄 2# 、左厂 14# 深槽 83.5m 高程以下，左厂 145m 高程以下所有横缝在灌浆后闭合度测值稳定，开度变化在 0.1mm 左右。泄 1# 、泄 2# 坝块纵缝 Ⅰ 在 30～50m 高程范围内，开度 1mm 左右，最大开度 1.8mm。

3. 左岸电站厂房

(1)基岩变形

与 2000 年监测成果基本一致。

(2)渗流渗压

左厂 1# ～6# 机组基础基岩内渗压水位 3.32～19.43m，最大渗透压力发生在 2# 机组基岩内。左厂 10# 机组基础底部渗压水位沿机组中心线顺流向分别为 4.25m、9.48m、8.04m、5.23m。左厂 14# 机组基础底部渗压水位，沿机组中心线顺流向分别为 3.32m、15.40m、13.02m、12.44m。左厂 1# ～6# 机组压力钢管垫层段，在厂坝分缝 20＋118.40 处压力钢管底部高程 50.8m 渗压值较小，为 0 ～1.8m。

(3)温度

10# 机组及 14# 机组混凝土温度较 2000 年低 2～3℃。

(4)接缝开合度

10# 机组厂坝分缝 42.0m 高程处，年末最大开合度 3.97mm，14# 机组厂坝分缝 46.0m 高程处，年内最大开合度 4.43mm，3# 机组压力钢管底部厂坝分缝 49.5m 高程处，年末最大开合度 2.40m，6# 机组压力钢管底部厂坝分缝 49.50m 高程处，年末最大开合度 0.47mm。3# 机组厂坝分缝 49.50m 高程垂直位错，年末为 0.53mm，6# 机组厂坝分缝 49.50m 高程垂直位错，年末为 0.39mm。

(5)钢筋应力

10# 机组、14# 机组钢筋应力与 2001 年相比变化不大，96 支钢筋计有 16 支受拉，应力在 0.85～73.65 MPa 之间，其中大于 50MPa 的有 2 支，其余均受压，测

值在 −1.42～−47.3MPa 之间。

(6)混凝土应力应变

10# 机组混凝土自生体积变形多为膨胀，最大膨胀变形 80.0με，混凝土应力应变变化在−170～5με 之间。

14# 机组混凝土自生体积变形，11 支无应力计中，6 支为膨胀，5 支为收缩，自生体积变形在−45～106με 之间，混凝土应力应变变化在−146～61με 之间。

4.4# 机组蜗壳监测

三峡工程左岸电厂蜗壳首次采用"充水保温保压"混凝土浇筑技术，监测显示该项技术达到设计预期效果。

蜗壳腰部环向应力随蜗壳管径变化而变化，断面大，应力小。同一断面底部、腰部应力大于顶部应力，应力最大值 68.1MPa。

蜗壳卸压后，壳体回缩，钢板应力相应减小，蜗壳钢板应力年变幅在 10～67Mpa 之间。轴向应力变幅 ±5MPa。

钢板应力随温度变化而变化，当温度变化在 10～20℃之间时，温度每变化 1℃，钢板应力为 0.3～0.6MPa。

蜗壳卸压前后，蜗壳与混凝土接合缝的开合度增量为 0.53～3.24mm，表明蜗壳壳体在卸压后已与混凝土全部脱离。

蜗壳加卸载对混凝土周边的钢筋应力影响不大，钢筋应力一般变化在 4～6MPa；对二期混凝土的应力应变影响也较小，混凝土一般变形为 ±10με。混凝土温度一般在 19.8～29.8℃之间，最高温度集中在蜗壳中心线以下的大体积混凝土内。

5. 二期工程水力学监测

(1)水力学监测仪器埋设情况

水力学专项监测于 1998 年 9 月开始进场实施，截至 2001 年底共埋设仪器通用底座 216 支，测压管底座 241 支，电缆 4 万余 m，镀锌钢管 2 万余 m。2001 年埋设通用底座 90 支，测压管底座 58 支，绘制观测水尺 8 条，安装脉动压力传感器 53 支，水听器 31 支，壁面流速仪传感器 4 支。

(2)水力学监测项目及水力学监测的主要部位

水力学监测的项目：泄水建筑物近壁面流速测量，泄水建筑物水流脉动压力测量、水流掺气量测量、水流空化噪声测量，泄水建筑物水流静水压力测量、水流水位过程线测量等。

水力学监测的主要部位：左厂坝段 1# 排沙底孔，2# 排沙底孔，左厂 1# 机组，左厂 7# 机组；泄洪坝段左排漂孔及左导墙，泄 11#、泄 22# 底孔，泄 1#、泄 12#、泄 23# 深孔，泄 1#、泄 11#、泄 22# 表孔，右排漂孔。

(3)水力学监测实施

水力学专项监测的实施分为二种情况进行。第一种为预埋件的埋设安装，随混凝土施工过程，在有关建筑物进水表面仪器埋设部位，先行埋设安装仪器的通用底座和电缆接头，在混凝土底座中预埋电缆并随混凝土浇筑将电缆引至观测站(房)。在主体工程各土建项目完工之后竣工之前，将各类型传感器安装在底座内，并联接硫化预留在底座里的电缆，在观测站通过仪器仪表观测，获得监测数据。第二种是在建筑物进水过程中，对水流形态的直接测量，包括水流挑射轨迹、雾化浓度、水流进态等。

四、混凝土纵向围堰及导流明渠安全监测

混凝土纵向围堰及三期碾压混凝土围堰一期工程的安全监测项目，2001 年按规范要求进行例行观测。

各部位的基岩变形量较小，上纵堰外段靠二期围堰接头附近最大达 3.37mm，其中导流明渠过流后，在二期围堰施工结束时，该部位基岩的压缩量仅增加0.7 mm，2001 年变化量 −0.01 mm。上纵堰内段为 −3.93～2.26mm，2001 年变化量 −0.07 mm。三期碾压混凝土围堰的基岩在过流前有抬升现象，是因为围堰基础开挖的卸荷回弹。过流后，基岩变化稳定，压缩量增加 0.2mm。外观测试也表明，各测点变形量在 0.26～1.07mm 之间。

测缝计、裂缝计的测试结果表明，混凝土与基岩垂直接触面的开合度变化较小，在−0.4～0.3mm 之间，无趋势性变化。坝块分缝面所测缝面开度随温度下降而增加，在 4.3mm 之内。接缝灌浆后，缝面开度增加小于 1mm，未随运行期的延长而增加。

温度测试结果表明，各建筑物内混凝土温度稳定，略有下降。受环境温度影响，各建筑物表面混凝土温度随季节波动。混凝土纵向围堰上纵堰外段的基岩温度 18.0～20.4℃，2001 年内变化量 −1.4～0.5℃。

渗压计监测结果表明，上纵堰外段基岩渗压与导流明渠水位变化有关，显示基岩有裂隙与渗压计相通，其它变化不大。混凝土层间大多无渗压。

五、右岸地下电站进水口预建工程安全监测

(一)工程完成情况

2001 年右岸地下电站进水口预建工程安全监测各分项完成情况见表 4。其中外部变形未建的二座网标可利用坝中网、茅坪溪防护土石坝的网点标墩代替，所有建成的监测设施按规范及设计技术要求取得首次值并开展正常观测。

表 4　**右岸地下电站进水口预建工程安全监测项目完成情况**

监测项目	监测仪器、设备	单位	合同量	2001 年完成量			总计完成	
				计划	完成	%	完成	%
外部变形（10－01－01）	水平位移简网点 *	座	5	3	3	100	3	100
	垂直位移简网点	座	2	2	2	100	2	100
	水平位移监测点	座	10	10	10	100	10	100
	垂直位移监测点	座	10	10	10	100	10	100
内部变形（10－01－02）	测斜管	套	4	4	4	100	4	100
	多点位移计	支	14	12	12	100	12	85.7
应变、渗压（10－01－03）	钢筋计	支	32	10	10	100	10	31.4
	应变计	支	4	0	0	0	0	0
	测缝计	支	20	3	3	100	3	15
	渗压计	支	4	2	2	100	2	50
	测压管	支	4	0	0	0	0	0
	锚杆应力计	支	18	2	2	100	2	11.1
	钢板应力计	支	8	0	0	0	0	0
水力学（10－01－04）	脉动压力计	支	26	0	0	0	0	0
	脉动压力计底座	个	26	3	3	100	3	11.5
	水听器	支	13	0	0	0	0	0
	水听器底座	个	13	2	2	100	2	15.4

注：* 可利用坝中网和茅坪溪防护土石坝网点标墩各一座

（二）安全监测成果

边坡外部变形监测成果表明，边坡各测点相对稳定，月变化量在允许误差范围内。进水口边坡上下游方向最大累积位移 1.87mm，左右岸方向最大累积位移 1.63mm，最大累积垂直位移 2.45mm。

1#、4# 进水口边坡上埋设的测斜仪监测成果表明上下游方向最大累积位移 3.90mm，左右岸方向最大累积位移－1.53mm。4# 洞内埋设的多点位移计监测成果表明，多数测点位移量在 0.1 mm 内变化，最大 0.12 mm。

4# 洞内环向钢筋上安装的钢筋计监测成果表明，钢筋应力在－14.25～34.18Mpa 之间变化，温度在 12.3～21.5℃范围变化。

4# 洞壁上埋设的测缝计监测成果表明，裂缝开合度变化范围在 0.06～0.70mm 之间，温度在 20.4～21.0℃范围变化。

4# 洞壁上渗压计的测试结果表明，温度在 21.0～21.4℃范围变化，未测得渗压。

六、茅坪溪防护土石坝安全监测

（一）监测项目基本情况

茅坪溪防护土石坝一期工程（140m 高程以下）土建施工于 2000 年底基本完成，二期工程土建施工于 2001 年 6 月正式开工，一期、二期工程间歇期监测项目取消，共取消交会点 19 座，水准点 23 座。茅坪溪防护土石坝一期安全监测项目完成情况见表 5。二期工程安全监测项目完成招标，由葛洲坝集团公司中标实施。2001 年二标段的安全监测项目因未达到仪器埋设高程尚未实施。

（二）监测成果

茅坪溪防护土石坝安全监测成果表明，2001 年心墙及坝体变形、应力应变和地下水位状况正常，无明显的异常变化。

土石坝内部最大累计沉降 78.8cm，上下游方向最大水平位移－107.1～122.7mm，左右岸方向水平位移－72.1～148.7mm。坝体表面上下游方向水平位移在－14.4mm～－3.6mm 之间，左右岸方向水平位移－11.7～3.0mm，最大沉降 58.3mm。基础廊道最大沉降 7.68mm。土石坝变形以垂直沉降为主。

沥青混凝土心墙的前后水位一直有 9m 的差值，墙前高程 108.4～108.9m、墙后高程 98.3～98.7m。说明沥青混凝土心墙的防渗性能良好。

心墙底部最大压应力－2.32Mpa，过度料底部最大压应力－6.33～－0.91Mpa。

心墙内部均是压应变，最大应变－30570μ，压应力和压应变主要随坝体填筑上升而增加。

表5 茅坪溪防护土石坝一期安全监测项目完成情况

监测项目	监测仪器、设备	单位	合同量	2001年前完成	2001年完成量			总计完成	
					计划	完成	%	完成	%
外部变形（8-02-01）	水准点标墩	座	7	7	0	0	0	7	100
	双金属标	座	1	0	1	1	100	1	100
	测温钢管标	座	4	4	0	0	0	4	100
	水准点	个	41	18	0	0	0	18	44
	交会点标墩	座	24	5	0	0	0	5	21
	视准线标墩	座	10	10	0	0	0	10	100
	视准线端点标墩	座	2	2	0	0	0	2	100
内部变形（8-02-02）	测斜兼沉降管	套	11	11	0	0	0	11	100
	沉降环	个	195	175	46	38	83	173	89
	高温位错计	支	7	7	0	0	0	7	100
	位错计	支	18	16	2	2	100	18	100
	界面变位计	支	4	2	2	2	100	4	100
	水管式沉降仪	点	27	15	12	12	100	27	100
	钢丝水平位移计	套	3	3	3	3	100	3	100
渗流渗压（8-02-03）	渗压计	支	23	23	0	0	0	23	100
	测压管	套	2	0	2	2	100	2	100
压力应力（8-02-04）	压应力计	支	3	3	0	0	0	3	100
	界面土压计	支	4	4	0	0	0	4	100
	应变计	支	28	28	0	0	100	28	100
	温度计	支	30	30	0	0	100	30	100
地震效应（8-02-05）	强震仪	套	1	0	1	1	100	1	100

施工期沥青混凝土心墙的位错变化不大，尤其是施工后期，沥青混凝土心墙基础的水平位错变化较小。说明心墙二侧过度料横向支撑已趋稳定。

施工期沥青混凝土心墙的沉降大于二侧过渡料的沉降。心墙与过渡料之间出现的最大位错变形－33.8mm（压缩）。

由于沥青混凝土心墙的墙体较薄，温度在施工后稳定并接近地温。

（李金河　刘祖强　欧阳代俊　朱全平　郭祚界　汪运星　邓　浩　周　扬　王伟民　沈天佑　刘　洪）

三峡工程原材料及混凝土质量

一、检测机构概况

中国三峡总公司试验中心（以下简称“试验中心”）于1993年5月组建，是业主进行质量控制的检测机构之一，主要从事三峡工程混凝土原材料及混凝土质量的监督检查和试验研究工作。

试验中心下设技术管理室、原材料室、混凝土室、土工室和现场检测室，截至2001年12月底有工程技术人员27人，其中具有高级工程师以上职称6人、工程师职称3人、其他专业技术人员18人。占地面积3800m^2，建筑面积2700 m^2。拥有固定资产530多万元。配备有国内外较先进的3000kN、5000kN压力试验机、500kN、1000kN液压伺服万能试验机、全自动抗冻试验机、动弹性模量测定仪、高精度干缩测定仪、含气量测定仪、核子密度仪、超声波测试仪以及常规检验设备等。工作场所可有效地进行温度和湿度控制，满足标准和规范要求。

试验中心于1996年9月通过国家级计量认证，2002年1月通过中国实验室国家认可委员会组织评审的实验室认可，表明试验中心已具备按有关国际认可准则开展检测服务的技术能力和市场竞争能力，社会信任度提高，并得到与CNACL签署互认协议的国家和地区实验室认可机构的承认。试验中心遵循的质量方针是“行为诚实公正、方法标准有效、数据准确可信、服务规范到位”。

二、质量检测控制基本程序

三峡工程混凝土原材料、配合比及混凝土质量的检查与控制，主要遵循如下基本程序：

(一)原料质量控制

主要有生产厂家出厂自检、采购部门派人驻厂检测、使用单位接收检验以及监理单位和中国三峡总公司试验中心进行监督抽查检验等环节。主要依据是三峡工程质量标准和国家试验规程规范。

(二)混凝土施工配合比的确定与控制

各施工单位均在中国三峡总公司推荐的配合比指导下根据各自使用的原材料和施工要求等具体情况，通过试验提出施工配合比，经监理工程师审批后应用于工程。

(三)混凝土质量控制

主要通过施工单位自检、监理单位和中国三峡总公司试验中心监督抽检进行把关，一般在各拌和系统机口取样进行检测。在仓面也抽取一定数量进行对比检验。检测的主要项目有混凝土塌落度、含气量、温度、强度、抗冻、抗渗、极限拉伸等性能。

三峡工程建立了一套严格的质量控制体系，通过层层把关确保三峡工程混凝土质量。

三、2001 年混凝土原材料及混凝土质量

2001 年仍是三峡工程混凝土浇筑高峰年，年浇筑混凝土 406.38 万 m^3，试验中心对水泥、粉煤灰、外加剂、砂石骨料等混凝土原材料及混凝土质量进行严格控制与检测，确保三峡工程质量。

2001 年，试验中心检测葛洲坝水泥厂、华新水泥厂和湖南特种水泥厂 141 组中热水泥和 6 组灌浆用 425# 普通水泥样品，检验结果满足三峡工程标准 TGPS03－1998 和国家标准 GB200－89、GB175－1999 的技术要求。检测阳逻、平圩、珞璜、华能南京、石门、鸭河口和邹县等 7 个电厂的 120 组Ⅰ级粉煤灰样，检测结果满足三峡工程标准 TGPS04－1998 的技术要求。检测减水剂 61 组 ZB－1A、33 组 JG3、48 组 X404、泵送剂 15 组 JM－Ⅱ、引气剂 80 组 DH9、1 组 UNF－5 的匀质性和 32 组混凝土试验，除 DH9 引气剂混凝土抗压强度比不能全部满足三峡工程标准外，其余检测结果均满足三峡工程标准 TGPS05－1998 的技术要求。检测下岸溪人工砂样 43 组，检测结果满足三峡工程标准 TGPS02－1998 的技术要求。检测下岸溪和古树岭系统碎石样 84 组，检测结果满足三峡工程标准 TGPS01－1998 的技术要求。抽检 911 组混凝土抗压强度，强度保证率在 99％以上。抽检 37 组混凝土抗冻性，最高抗冻标号达 D850。抽检 37 组混凝土抗渗性，最大抗渗标号达 S33。抽检 55 组混凝土极限拉伸值，基本满足设计要求。

检测结果统计分析表明原材料经出厂、驻厂检测、进场验收检验以及监理和中国三峡总公司试验中心的监督抽查检验，质量得到良好控制，三峡工程混凝土所用的水泥、粉煤灰、外加剂、砂石骨料等原材料均满足三峡工程质量标准或相应的国家标准要求。混凝土强度、抗冻、抗渗、极限拉伸等各项性能均满足设计要求。由于三峡工程采取限制原材料的碱含量等措施，并优化混凝土配合比，使混凝土总碱含量得到有效控制，以最不利因素计算混凝土总碱含量最大值为 2.46kg/m^3，满足三峡工程人工骨料混凝土碱含量小于 2.5kg/m^3 的技术要求，确保三峡工程混凝土不会发生危害性碱骨料反应。表明三峡工程混凝土有良好的耐久性。

(李文伟)

三峡右岸地下电站进水口预建工程及开挖工程施工

一、三峡右岸地下电站进水塔工程

三峡右岸地下电站是三峡工程的组成部分，进水口位于茅坪溪右侧，居白岩尖山体上游坡，正面迎水。青云水利水电联营公司承建右岸地下电站进水口混凝土和金属结构安装工程。

(一)工程简介

右岸地下电站进水口混凝土建筑物由进水塔、引水隧洞和排沙洞三部分组成。进水塔由 6 段发电塔、3 段排沙塔和 2 段连接塔组成，塔身高 85m，底宽 40m，轴线长 216.5m，在进水塔前沿设有 34 孔拦污栅，塔体右侧设有 3.9× 32.2m 混凝土构架式承重平台和自计水计井，此项目混凝土总量 35.2 万 m^3，钢筋制安 1.153万 t。引水隧洞共有 6 条，单洞长 94.58m，衬砌后直径 13.5m，衬砌厚度 1.0～2.0m，防渗堵头厚度 1.0m。洞衬混凝土总量 38790m^3，钢筋制安 3159t。引水隧洞分段长度 8m，特殊段长度 5.58m，每段混凝土分两次浇筑，圆形中心以下 90°范围内为底拱部分，以上为边顶拱，施工由洞口向洞内推进，衬砌施工先进行底拱施工后边顶拱跟进。排沙洞布置在进水塔左侧，轴线长 249.708m，开挖直径 6.6m，衬砌后洞径 5m，内衬采用不锈钢复合钢板，外部为钢筋混凝土，衬砌混凝土总量 5314 万 m^3。为减少施工干扰，在进水口引水渠护坦左侧边坡处设临时施工支洞，排沙洞混凝土衬砌由下平段开始尾随钢衬安装，逐段进行。

右岸进水口工程基岩以前震旦系闪长岩包裹体为主，处于微新岩体中，因距上游水库较近，水库蓄水后区域地下渗流场发生改变，地下水位将抬高，电站洞室围岩地下渗水量和渗透压力随之增加，对围岩稳定和后期电站正常运行均不利。为了降低渗透压力，增加围岩的稳定性，改善地下电站工作环境，对地下电站岩体采用防渗帷幕和基岩排水相结合的基础处理方案。右岸进水口基础处理工程包括进水塔基岩固结灌浆38644m，引水隧洞、排沙洞、地勘洞的回填灌浆12490m²，基础防渗帷幕灌浆24273m。

三峡右岸地下电站金属结构工程安装包括排沙孔钢衬砌制安、金结设备埋件制安、金结设备安装和机电一期埋件四部分。进水塔内3条排沙支洞钢衬砌内径4～5m，总管内径5m，穿过右非坝基通向右厂下游尾水渠。排沙洞一期工程量1379.07t。其中洞外段603.71t，洞内段775.36t。一期埋件包括进水口检修门槽、快速门槽、排沙孔事故门槽、快速门启闭机埋件、坝顶门机轨道一期插筋以及交通桥埋件，总量1435.4t。其中1#～6#进水塔34孔拦污栅，每孔分前后两道栅槽，工程量1360t。金属结构设备安装包括：检修门槽、快速门槽、排沙孔事故门槽以及其它钢结构1175t。机电设备一期埋件指随混凝土浇筑预埋的照明、供电、通信、防雷接地、消防、给排水以及通风采暖工程一期混凝土埋件，工程量36.55t。

右岸进水口工程2001年7月10日开工，合同完工时间2004年4月30日。2002年12月31日完成高程147m以下混凝土及灌浆工程。2003年3月31日前完成147m高程以下金结、机电埋件及排沙洞闸门的安装。

（二）2001年工程进度和形象

2001年7月右岸地下电站开工，至12月31日，青云水利水电联营公司承担的项目完成引水渠护坦浇筑7180.5m³，发电塔最大高程111m(5#、6#发电塔下块)，排沙塔最大高程113m(3#排沙塔下块)，连接塔最大高程109.5m(2#连接塔下块)，最低高程100m。6#发电站、3#排沙塔、5#发电塔、2#连接塔上块达到永久面109.5m高程，形成拦污栅平台，完成工程量27170.6m³。每条引水隧洞有12段底拱、12段边顶拱和一段堵头共25个仓号。2001年完成6#引水隧洞全部底拱、7段边顶拱；完成5#引水隧洞9块底拱；完成4#引水隧洞全部底拱、6段边顶拱；1#、2#、3#引水隧洞压浆板形成，并完成3#洞压浆板的浇筑，完成10753.5m³；完成排沙主洞帷幕段压浆板底拱、边顶拱浇筑，完成工程量311.5m³；地勘洞回填混凝土2166m³。2001年混凝土完成47582.1m³(出机量)。

基础处理工程完成进水塔固结灌浆3148m，压浆板下帷幕灌浆1105.9m(4#引水隧洞282m、5#引水隧洞283m、6#引水隧洞540.9m)，压浆板下帷幕灌浆完成，地勘洞回填灌浆完成810m²。

完成明挖段排沙钢管35个单元节、1#岔管、1#支管和2#岔管制作541.09t，完成率89.62%；洞内排沙钢管下水平段3个单元节制作54.1t，完成率6.97%。安装完成20个单元节、1#岔管和1#支管302.92t，完成总量的21.96%。

锚杆制安597根(随机锚杆205根、系统锚杆392根，不包括引水隧洞帷幕段的加强锚杆)。

二、三峡右岸地下电站进水口洞挖工程施工

（一）合同项目及主要工程量

三峡右岸地下电站进水口洞挖工程标段主要工程项目包括引水隧洞上平段开挖及安全支护工程，排沙洞开挖及安全支护工程以及合同范围内的临建工程、施工过程中的安全监测等。

该标段由葛洲坝集团三峡指挥部右岸洞挖项目部负责施工，2000年9月12日开工，2001年12月4日完工。实际完成工程量与设计工程量对照如表1。

表1 右岸地下电站进水口洞挖工程主要工程量表

序号	项目名称	设计工程量	完成工程量
1	洞挖	12.16万m³	13.34万m³
	排沙洞洞脸明挖		1814.44
2	支护工程		
2.1	锚杆		
(1)	Φ25\4m	3618根	6000根
(2)	Φ25\6m	900根	358根
(3)	Φ32\12m	336根	134根
2.2	喷射混凝土	600m³	1193.9m³
2.3	排水孔	400个	209个
2.4	挂网钢筋	200t	8.51t

（二）施工情况

右岸地下电站设置6条引水洞，1条排沙洞。每条洞由上平段、斜洞段及下平段组成，其中引水洞上平段长94.58m，开挖洞径15.5～17.5m，排沙洞洞挖段总长249.7m，开挖洞径6.6～8m。

1.主要施工措施

地下电站引水隧洞开挖断面大，须分上、下两个台阶施工。进口段与进水口明挖工程、排沙洞出口段与右岸厂坝开挖施工相互干扰。洞挖成型要求高，不允许欠挖(包括喷护混凝土后)，平均径向超挖值不得大于20cm。

葛洲坝集团三峡指挥部主要采取以下措施，确保施工质量和安全。

根据地质条件，进洞前先对洞脸进行锚杆、喷混凝土超前支护，然后采取先导洞后扩挖顺序进行开挖。洞口段采取导洞→扩顶→洞顶支护→扩邦的施工顺序，对施工第一、二循环的周边预裂、爆破孔，在常规孔距基础上加密到孔距 25cm,实行隔孔装药;坚持短进尺、弱爆破的原则,导洞每循环进尺控制在 1.5m 左右,最大单响药量控制在 11kg 以内;导洞爆破前,先把设计轮廓线上的密布周边孔造好,爆破时起绕射作用,以阻扰爆破振动的传播。上述措施确保洞口成型质量。

因明挖交面时间较合同要求推迟,排沙洞施工受到影响,葛洲坝集团公司优化施工方案,增设施工支洞,开辟平行作业面,加快施工进度。引水洞洞身帷幕灌浆段有长 1m 的变径段,受三臂台车滑架尺寸限制,必须在进入帷幕段前顺轴向开挖出 6m 长的先锋槽,而抽槽钻孔、爆破均不方便,且不利于围岩稳定。葛洲坝集团公司提出提前 8m 变径的方案,得到监理和设计单位的同意,使整个帷幕段均能利用三臂台车钻孔并进行光面爆破,保证围岩稳定,提高施工质量。

表 2　三峡右岸地下电站进水口洞挖工程量及径向超挖统计表

洞号	洞长(m)	设计开挖(m^3)	考核超挖量(m^3)	喷混凝土超挖量(m^3)	地质缺陷量(m^3)	实际开挖量(m^3)	平均径向超挖(cm)
1#	94.58	18892.6	876.2	125	84	19977.8	18.7
2#	94.58	18892.6	868.4	125	111	19977	18.5
3#	94.58	19008.9	874.1	126	106	20115	18.7
4#	94.58	18942	852	172	125	20091	18.2
5#	94.58	18839.9	837.1	173	115	19965	17.9
6#	94.58	18839.9	873.1	171	127	20011	18.6
排沙洞	249.7	8777.5	1075.5	112	156	10121	19.6

运用新奥法施工理论指导,在施工过程中进行控制爆破,加强围岩变形监测,根据监测数据及时调整钻爆参数及支护措施。同时,认真编制测量布孔、钻孔、爆破、喷锚支护作业指导书,指导现场施工。

2. 质量与安全指标

质量方面:整个洞挖工程开挖轮廓面无欠挖,周边孔半孔率达 95%,超过合同规定的半孔率 90%的要求。剔除地质缺陷等非施工原因,洞室径向超挖平均 18.6cm,控制在合同规定的 20cm 以内。

进水口洞挖工程完成开挖单元工程 111 个,其中优良单元工程 94 个,优良率 84.7%;喷锚支护完成单元工程 66 个,其中优良单元工程 58 个,优良率 87.9%。整个洞挖工程施工质量优良。

安全方面:采用非电雷管起爆技术;火工品领用、退料实行专人负责;施工过程中加强危岩排除,每循环爆破石渣装运完毕后,用反铲对掌子面进行清理,排除松动岩石,再用人工持撬棍利用凿岩台车平台,对洞壁及掌子面进行检查,进一步清理危岩;每 10 天对已开挖段的洞壁进行一次检查,发现问题及时处理。整个项目施工过程中,仅发生一起机械伤人事故,未发生死亡事故。

(张永宏　彭少引　李永红)

通航建筑物上游隔流堤主体段工程施工

三峡水利枢纽通航建筑物上游隔流堤工程位于永久船闸上游引航道及临时船闸上游引航道之间,全长 1920m。工程合同总投资 7842 万元,设计主要工程项目:水下清淤 7 万 m^3、土石方填筑 317.4 万 m^3、混凝土护坡 14 万 m^3,砂石垫层 8 万 m^3,护坡抛填块石 13 万 m^3,月最高填筑强度 25 万 m^3。此项目由武警水电部队承建。

一、工程完成情况

该工程于 1999 年 12 月底进行准备,2000 年 2 月 22 日正式开工,当年 4 月 20 日完成水下清淤,10 月开始混凝土浇筑,至 2001 年 12 月,工程累计完成投资 9423 万元,完成水下清淤 17.97 万 m^3,完成清基开挖 19.04 万 m^3,完成石渣填筑 53.89 万 m^3,石渣棱体 21.56 万 m^3,混合料回填 209.2 万 m^3,风化砂填筑 92.75 万 m^3,块石护坡 11.57 万 m^3,完成混凝土浇筑 9.5 万 m^3,钢筋制安 43t。2001 年 12 月,上游 70～0+850 通过分部工程验收,质量评定优良。

二、施工措施

水下清淤采用普通双桩法,分条带开挖淤泥,当施工水位以上土层厚度大于 2.5m 时,先对水上土层进行松动处理,用水枪冲击和反铲掏挖,挖泥船再行开挖。

土石方填筑铺料采用进占法铺料,推土机平料,风化砂料层厚 0.6m,石渣及石渣混合料层厚 0.6～0.8m。

混凝土护坡坡比有 1∶2、1∶2.5、1∶3 等 3 种,每高差 15～20m 设有一级 5～10m 宽的马道。主要采用组合钢模板立侧模,拉模浇筑,护脚和堤顶混凝土采用钢模分块浇筑。拉模由 3 块 5.5m 长的 40×4×4mm 槽钢螺栓拼装而成,拉模动力设备主要采用两台 13.5t 卷扬机,侧摸由两种槽钢拼装,模板支撑采用三角钢筋。

三、质量与安全管理

武警水电部队建立以作业组初检、作业队复检、施工单位质量主管部门终检的三级质检制度，对施工过程中每道工序进行动态的质量控制与管理，建立下道工序许可证制度。土石方填筑项目，根据填筑区域的实际情况，每填高5m，选定若干断面取样做一组相对密度、含水量、容重、抗剪强度、压缩性、变形模量等参数的物理力学试验，风化砂干密度大于1.902t/m³，石渣混合料干密度大于2t/m³，石渣料干密度大于2.05t/m³。混凝土浇筑项目，通过试验确定最优配合比，掺用减水剂和引气剂，适当增加砂率，控制混凝土的塌落度，使所选定的混凝土配合比具有良好的和易性，足够的安全性，优良的不透水性和耐久性。提高混凝土抗裂能力和施工性能，同时切实做好混凝土的养护和覆盖保护。认真贯彻落实"安全第一，预防为主"的方针，落实安全生产责任制。坚持工前5分钟安全讲话制度、周五安全日活动制度、定期安全检查和不定期专项安全检查及工地日常巡回检查制度，下达不安全因素通知单。2001年实现"双零"目标。

（郭建忠）

物资、设备供应与管理

物资供应与管理

2001年三峡工程累计采购钢材148953t（含二期模式自购8.4万t）、木材5973m³、油料22911t、炸药2538t、水泥77.11万t（其中含荆门水泥厂补偿贸易水泥21.1万t）、粉煤灰24万t，采购总金额84257万元；累计供应钢材149203t、木材6972m³、油料24209t、炸药2812t、水泥771059.69t、粉煤灰22.85万t，供应总金额87613万元。

一、物资供应管理

（一）狠抓质量管理，确保"双零"目标实现

中国三峡总公司物资部（以下简称物资部）将质量管理工作落实到物资采购、供应全过程，始终坚持质量第一的方针、坚持质量一票否决制度。注重事前控制：委托权威机构——国家水泥质检中心在3家水泥主供厂驻厂监理，监督水泥生产全过程质量控制状况，并在生产厂家对拟出厂水泥按三峡工程要求的质量标准进行严格检测，检测合格产品才能出厂。

强化过程控制：粉煤灰的检测采取委托长江科学院在杨家湾港设立质量检验站集中检测的办法，对到达三峡工地的粉煤灰再一次进行质量检测，并且定期或不定期抽查厂家粉煤灰生产过程的定时生产记录和检测手段及方法。对所有到货的钢材、油料、炸药，在必须具备出厂质量证明书的同时，除施工单位按工艺要求进行检验、监理单位抽检外，物资部还不定期取样送国家级质量检验中心或中国三峡总公司试验中心检测，确保进入施工流程的物资万无一失，质量保证率达到100%。

事后控制目的则在于提高各供应厂家质量忧患意识，开展积极的质量竞争。自2000年开展水泥、粉煤灰检测比对竞赛以来，在促进有关各方的检验检测水平方面取得良好收效，但同时也暴露出个别单位为眼前利益有短期行为的倾向。2001年物资部一改以往水泥粉煤灰检验比对竞赛模式，即"分发样品、各自检测、综合评分、统一发奖"的模式，而是在评比竞赛的同时，以组织质量管理工作会的形式，到有关主供厂家对质量控制工作进行现场交流，促使各参赛单位自己找差距、学经验，增进同行业间的竞争、交流，把质量检验比对竞赛全面引入良性互动的轨道。

2001年是国家水泥产品实行新标准的第一年，按新旧标准生产的水泥，同时供应三峡工程，物资部通过委托驻厂监理、派员巡检、到主供厂家组织现场会等措施及时稳定转换时期的水泥质量。从生产、运输、使用全过程层层把关、监控。同时组织各施工单位进行贯彻新标准培训，把握好使用环节的标准转换，使三峡工程的水泥质量一直保持在良好状态。

在钢材的质量管理工作中，自2000年邀请国家建筑钢材质量监督检测中心进驻三峡以来，2001年物资部进一步强化到货验收、检测，把生产中的质量巡检、出厂产品检验、到货后质量验收、施工现场质量抽检有机地结合起来，使三峡钢材的质量管理形成一套层层把关、环环相扣的全过程质量监控体系。2001年物资质

量检测合格率达到 100%。全年未发生一起质量事故或争议，并再次受到三峡建委质量专家组的肯定。

（二）物资核销管理

物资核销是控制工程造价的一项重要手段。由于成品油价格一度上扬，造成三峡工程油料采购成本与供应价之差最高时达 2000 元/t，致使盗卖、倒卖三峡工程施工用油的现象屡禁不止。另一方面因设计、计划等因素影响，各工程项目用油一直未得到有效控制，因此分项目的阶段性油料核销成为物资核销工作的重点。

2001 年，物资部组织监理等单位共同编写《测定三峡工程物资消耗定额工作大纲》，确定开展物资核销工作的操作规范。经中国三峡总公司批准，2001 年重点对厂坝二期工程Ⅰ&ⅡB标工程和永久船闸二期地面工程等 10 个项目的油料消耗情况作统计核算。经详细测算，与投标书总量相比仅以上项目就核减油耗近 1 万 t，按平均价差 800 元/t 计算，节约工程投资近 800 万元。油料分项核销工作的成功实施，为下阶段其它材料的核销奠定良好基础。

（三）强化合同管理

2001 年物资部对以往合同进行全面清理，共清查出钢材、水泥、粉煤灰等不能继续执行或未执行合同 44 份。经中国三峡总公司批准，分别采取清退履约保函，书面通知终止合同等措施，及时解决合同续存的遗留问题，有效地防止合同争议发生。

（四）加强进出场检查，防止假冒伪劣产品进入

2001 年物资部累计检查进场钢材 132223t、水泥 44006t、木材 5843m^3；检查过境物资 1804 车次，其中钢材 8499.44t、水泥 8382t、木材 1.5m^3。并对三峡坝区周边物资市场进行摸底调查，重点查证制售假冒伪劣钢材和盗卖三峡工程专用油料的行为，有力地配合公安、工商等执法部门的查处行动。

（五）物资采购管理

2001 年，物资部进一步规范招投标管理程序，提出招标资质审查制度，对投标单位进行投标前的资质审查，采取“投标资质一票否决制”，确保招标成果的真实可靠。

加大水泥补偿贸易的执行力度，使补偿贸易执行总量基本达到合同要求，为进一步优化下阶段的物资采购招标工作提供有力保障。

按 2001 年实际采购量核算，水泥实际节约采购成本 2828 万元、粉煤灰 1022 万元。2001 年组织 2 次钢材招标采购，采购价均低于同期市场价。

（六）物资仓储管理

2001 年物资部有计划地对各仓储系统的照明、保安、消防、防雷等安全设施及主要运行设备进行维护和更新。在仓储作业中，大力推广“班前检查制度”，提高作业可靠性。以日常安全抽查与节前安全普查相结合的方式，保证安全责任的贯彻落实。举办“物资部第一届仓储系统消防运动会”和“仓储安全知识竞赛”，以多种安全教育形式，增强职工安全意识。

对到期或即将到期的仓储系统委托管理合同，物资部进行统一规划，做好续签、变更工作，从根本上理顺合同关系，提高各仓储系统的运行效率。

二、物资部自身建设

（一）加强预算管理，规范会计业务

2001 年是中国三峡总公司推行全面预算管理的第一年，按照有关规定，结合部门实际情况，物资部经反复审核，按期编报 2001 年度资金使用计划和专项费用、经常费用的预算报告。并先后出台《物资部专项费用管理办法》和限制招待费、车辆使用费等经常性费用开支的若干管理规定 。并将费用控制责任详细分解，层层落实。截至 2001 年底，从物资部直接支付的专项费用实际发生额 199 万元，经常性费用 443 万元，分别占专项费指标 259 万元和经常费用指标 455 万元的 76 %、97 %。

2001 年也是新《会计法》颁布和实施的第一年，物资部严格按照会计规范化要求落实各项财务工作，对以往不规范账目进行相应调整。先后通过“财务收支审计”、“会计基础工作及会计法执行情况大检查”、“预算执行情况大检查”、“税务年终稽察”、“国务院稽察办对中国三峡总公司及下属企业的稽察”等多次审查考核，从检查结果看，财务状况良好，未发生任何违反财务制度和财经纪律的行为。

（二）加快信息化建设

2001 年物资部完成从 MIS 财务核算系统过渡到 TGPMS 财务子系统的转换工作，这标志着物资部财务信息管理，在规范核算程序、强化内控约束、避免人为差错、及时反馈信息等方面又迈入一个新阶段。同时也标志着整个物资供应管理业务从物流到资金流由旧系统到 TGPMS 实现完整意义全面切换。

物资部还加紧进行基于 TGPMS 信息系统的高层决策查询系统、物资部人事工资系统的开发立项及物资价格询价分析系统开发前期工作，参与中国三峡总公司信息化建设规划工作。

（物资部）

设备供应与管理

一、施工设备的安全管理与运行

参见本书第 140 页。

二、金结及启闭机设备制造、交货与验收

2001年组织召开金结及启闭机设备设计审查会、验收大纲审查会及设计联络会9次，组织督导组督导巡检29次，质量总监巡检14厂次、组织设备出厂验收233次、到货69个项目419批次。完成合同支付169次，支付总金额3.54亿元人民币。泄洪坝段全年到货9951.63t、厂房坝段全年到货5435.34t、永久船闸金结设备全年到货21572.10t，其中双线6个闸首的人字门、输水廊道反弧门制造完毕；液压启闭机全年到货3760.22t，门桥机全年到货1760.61t，其中4500kN坝顶门机（Ⅰ型、Ⅱ型）、5000kN坝顶门机（Ⅰ型）、2×2500kN桥机（首台）完成出厂验收工作。

（一）设备制造质量管理与控制

强化质量意识，严把出厂验收关，进度和投资始终服从质量。绝不允许不符合要求的产品进入工地。制定“金结设备监造工作督导及考核办法”、设立“监造季度奖”和“监造年度奖”，加大监造管理力度并定期进行量化考核和排序，促使监造管理水平不断提高。会同中国三峡总公司质量总监办公室、质检中心等部门制定《三峡工程金属结构及启闭机设备制造质量问题分类暂行规定》，促使各制造厂和监造单位不断健全和完善质量保证体系，同时对专业总监巡检发现的问题及时、认真整改，确保设备的制造质量。针对液压启闭机要求高、接口复杂，机、电、液由不同的厂家承担的特点，建立并落实机电液定期协调制度，全年召开协调会30次，保证液压启闭机机、电、液联调的顺利进行和安装接口的准确。

（二）设备制造的进度协调

建立定期进度协调制度，做好进度目标的编制与管理工作；监督检查进度目标实现情况，及早做好制造进度与安装进度的衔接，保证工地安装需要。

定期编制监造月报、周报及简报，召开设计联络（审查）会、专题会、出厂验收会、总监半月例会等，建立全面反映设备制造、运输、交货、安装情况的动态信息网络，强化设备制造全过程的控制管理。对出现的问题及时处理，严格把关。

（三）设备制造的合同变更与审核

2001年完成水利水电第八工程局桥机轨道梁增加项目、三八八厂一闸首液压启闭机油缸埋件补充订货、榆次油研公司增补泄洪坝段两台循环冲洗装置等合同的变更和审核工作。

三、机组设备的运输

2001年机组设备到货9922t，开箱检验78次；配套设备到货5092台套、重1515.48t。

按照中国三峡总公司分工及合同条款规定，严格检验设备交货质量。如ALSTOM（哈尔滨电机厂生产）供货的10#座环及附件电焊条包装未遵循合同规定，中国三峡总公司设备部拒收该件货，促使其改进。对交货、运输及检验中发现的问题及时取证，为后续的索赔等工作创造条件。

完成1200t桥机1788t的到货验收及润滑油应急采购，并协同有关部门数次对设备性能未满足合同要求的桥机滑线返厂处理。

完成重件码头平衡梁及550t吊钩、集装箱掏箱叉车和专用吊具等的采购工作，并对平衡梁及550t吊钩的制造进行监理。

组织监造做好电梯设备制造的前期工作，完成排水系统设备的监造、设计联络、出厂试验、到货验收等工作，会同相关单位完成排水系统设备合同变更工作。

组织协调转轮内河运输及现场转运方案的研究制定，并组织专家研究和审查。

采购仪器、车辆及自用设备108台套，总金额637.04万元。

四、仓储规划与管理

2001年仓储到货验收入库成套、金结类设备5316台（套），机组、桥机设备11727.4 t；退库施工设备432台（套）。全年完成库房改建、修缮等基建项目8个，合同金额294.4万元。组织完成永久机电设备保温库建设的招标工作。

2001年签订施工设备配件采购合同15个，合同金额340.2万元，审核垫资配件1131.7万元。

做好库存积压土石方设备（13种）备品配件的盘活工作，向中国三峡总公司提交库存备品配件价格调整专题报告，保证调价工作的顺利实施。

（朱 明）

机电设备与金属结构安装

三峡左岸电站永久机电设备采购及合同执行情况

一、三峡左岸电站水轮发电机组

水轮发电机组合同执行主要完成出厂主要部件验收、设计联络、图纸资料审查、现场发现的制造缺陷处理以及合同执行过程中各种问题的处理、设备监造工作等。

(一)水轮机座环的出厂检验

2001 年由国内分包商东方电机股份有限责任公司、哈尔滨电机厂有限责任公司制造的 9#、10#、11#、12# 四台座环出厂,中国三峡总公司组织进行出厂检验。出厂检验过程中对主要焊缝做超声波探伤抽查,进行外观检查,审核尺寸检查记录文件。

3 月 15、16 日对 9# 座环作出厂检验,随机抽查了座环编号 11# 瓣的一个导叶焊缝和 11#/12# 瓣的 5 处焊缝,焊缝累计长度 14.6m,按 ASME 标准评定,被抽查的焊缝质量合格。焊缝表面打磨平整,厚薄板过渡处理较好。过渡板焊缝是在组合情况下进行的,因此分瓣面错牙控制在设计范围内。

6 月 11、12 日对 10# 座环进行出厂检验,抽查带舌板的第 201 瓣。抽查焊缝长度 11.72m,所有抽查的焊缝均合格。

8 月 28~30 日对 11# 座环作出厂检验,UT 抽查焊缝长度 26.83m,检测合格。11# 座环质量比前一台 9# 座环的质量有明显提高,焊缝一次合格率提高,减少返修率、杜绝同一部位多次返修。外观检查满意,主要焊缝表层用细焊丝铺焊再做砂轮打磨使外观质量提高。

10 月 22~24 日对 12# 座环作出厂检验,UT 抽查焊缝长度 23.5m,过渡板对接焊缝有一处可记录缺陷和一处超标缺陷,并进行处理。为确保设备质量,厂方立即决定对整个座环有超标缺陷的同类焊缝作 100% 的 UT 复查,未发现新的超标缺陷。焊缝外观质量良好,厚薄板过渡合理,与 10# 机相比有较大改进。尺寸误差也在允许范围之内。

(二)VGS、ALSTOM 在巴西生产的导水机构的出厂检验

2001 年 7 月下旬至 8 月初,中国三峡总公司组团对 VGS 和 ALSTOM 在巴西工厂生产的导水机构进行出厂目击试验。VGS 供货的 3# 机导水机构已组装具备试验条件,ALSTOM 供货的 4# 机导水机构尚未达到组装阶段。因此,着重对 VGS 的导水机构进行目击试验,而对 ALSTOM 的导水机构进行制造文件检查,监造方参加目击试验。

试验表明:顶盖与底环轴孔的加工同心度满足设计要求,导叶加工在卧车上进行,轴径椭圆度控制在满足设计要求的公差之内。

由于座环先期运抵工地进行安装,在工程进行的试验中,顶盖、底环只能靠临时支撑进行组装,只能进行全关—全开—全关的操作,进行配合间隙的测量。

导水机构上下固定止漏环的同心度符合设计要求。导叶不同开度的端面间隙偏差在设计允许范围内。导叶立面间隙通过调整达到设计要求。

(三)转轮的出厂检验

中国三峡总公司验收小组于 2001 年 12 月在加拿大达蒙特利尔进行 3# 机转轮的验收。验收的主要内容及成果如下:

1. 转轮静平衡试验:进行配重,将转轮的不平衡力矩控制在 120.9~286.9kgm 的范围内,小于设计允许的 334kgm。

2. 叶片出口角测量:每个叶片测量 4 个不同位置的出口角度,最大的平均值偏差 $-0.2328°$,最大的单个值偏差 $-0.7658°$,都在合同规定的 $\pm1°$ 的偏差范围之内。

3. 最终外观检查:对发现的转轮表面微小气孔、凹坑都做了补焊、打磨,使表面粗糙度达到图纸标注的要求。

4. PT 检查:对叶片与下环焊缝的出口边进行 PT 检查。对转轮加工过程中叶片上焊接的临时支撑点进行切割、打磨和 PT 检查。对配重块与上冠的连接焊缝和其它补焊过的部位也做 PT 检查。

5. 表面喷漆检查:验收小组指出的喷漆不均匀等不足之处,GE 水电公司进行了打磨和重新喷涂处理。

6. 厚钢板焊接试验:由于叶片与下环的焊接厚度大(最大焊接厚度超过 200mm),GE 水电公司原来所做焊接试验的板厚达不到规范要求。符合规定的试验于 2001 年 12 月 18 日进行,采用机械手自动焊。焊接完成后,将由独立的检验机构对焊缝材料取样,进行拉伸、弯曲和冲击机械性能试验。

7. 文件审查：铸件——铸件化学成分和材料的机械性能均符合 ASTM 标准。在制造过程中对铸造缺陷按规定进行修复，修复后重新作 UT、MT、PT 检查，均符合 ASME 规范要求。转轮尺寸检查：相似性检查、转轮最终尺寸检查都符合设计规定。加工过程中的焊接质量——最终质量符合 ASME 标准。制造过程中的设计变更请求（DCR）和不一致报告（NCR）都得到确认，符合规定的程序。

（四）发电机定子线棒工厂试验情况

VGS 承担 6 台发电机的生产任务，其中 2 台发电机定子线棒在巴西西门子 LAPA 工厂生产，2 台在加拿大 GE 水电公司工厂生产，2 台在中国东方电机厂生产。2001 年 4 月下旬，LAPA 工厂承担的首台（2 号）发电机定子线棒生产完成，进入定子线棒试验阶段，中国三峡总公司派出小组对定子线棒进行目击试验检验。

定子线棒试验项目有：水力试验：包括流量试验、压差试验、热振试验、吹气/真空干燥试验、氦气试验；电气试验：包括 tgδ 试验、匝间绝缘试验、电晕试验、线棒表面电阻试验测量、高电压试验、主绝缘电阻试验。

检验小组审阅相关试验文件，确认已进行的电气试验中，高电压破坏性试验（2 根 110kV）满足合同要求；EDF 参加目击的高电压冲击试验（2 根 76kV）满足合同要求。

水力试验，西门子 LAPA 工厂的检验方法与发电机技术规范有所不同，但其方法比原技术规范规定的方法更严格。西门子公司表示该检验方法是该公司的内部方法，广泛运用在所有水冷定子线棒中，包括水电发电机，火电发电机。检验小组目击试验并讨论后，一致认为西门子 LAPA 工厂可以采用该检验方法。

检验小组共目击 8 根线棒的高电压绝缘试验。试验采用合同规定的标准 61.5kV，持续时间 1 分钟。试验过程中有 2 根线棒击穿，绝缘电阻急剧下降，厂方初步分析认为，击穿部位在端部，可能与端部防晕层有关。检验小组要求西门子公司认真分析，找出事故原因，并提出解决方案。西门子公司根据分析，对线棒绝缘进行处理，再次进行试验，设备监造方目击试验过程，试验获得通过。

（五）机组监造

法国 BV/EDF 负责三峡机组在国内外各个制造厂的监造工作。及时向业主报告在制造厂出现的各种偏差，使业主能及时了解制造情况，对重大偏差作出及时反映。BV/EDF 按照中国三峡总公司的要求，制定、落实“加强检验工作的计划”，具体表现为调整项目经理的责任与权利，增加设备出厂前的检验。

（六）第五次设计联络会

2001 年 10 月 10～24 日，机组合同执行第五次设计联络会在上海举行，10 月 29 日在湖北宜昌举行总纪要签字仪式。中国三峡总公司有关单位、长江水利委员会（以下简称长江委）设计院、卖方及其分包商等出席会议。会议分 ALSTOM 组、VGS 组、电气协调组、商务组进行。中国三峡总公司副总经理王家柱出席会议。

会上，双方分别介绍工程进展、安装计划、机电工程设计情况、制造进度。进行图纸审查；备品备件和专用工具确认；设备安装程序介绍和讨论；进一步落实设备交货、运输、仓储问题；设备调试及现场验收问题的讨论；与其它机电设备接口的协调；落实安装培训、运行培训及转轮出厂验收等项工作的安排。

二、三峡左岸电站调速系统设备

调速系统第二次设计联络会于 2001 年 6 月 18 日至 7 月 3 日在法国 Grenoble 召开。双方就与土建有关的埋件尺寸按现场情况予以确认，并审签相关图纸。讨论大部件的吊装、就位方式、专用吊具等安装细节。审查主要设备的材料清单。讨论车间见证试验程序。

调速器闭环试验于 2001 年 11 月 26 日至 12 月 13 日在法国 Grenoble 进行。包括外观检查、电气柜常规检查、调速器性能试验，其中“无扰动切换”未能满足合同要求，ALSTOM 承诺尽快完善。在试验的间隔期间，结合介绍试验原理，进行运行培训和安装培训。

三、三峡左岸电站励磁系统设备

2001 年 2 月 24～28 日在广东顺德召集 VOITH SIEMENS 公司、东方电机股份有限公司、顺德特种变压器厂、长江委设计院等召开特别设计联络会，进行励磁变压器设计联络以及通风冷却、DC 开关的讨论。

6 月 27 日至 7 月 13 日在德国埃尔兰根召开励磁第二次设计联络会，对励磁变、制动变及相应的交流连接电缆、灭磁及过电压保护方案、整流柜方案、励磁调节器方案、励磁系统的项目代号及电缆编号等技术问题进行讨论，达到预期目标。会议期间还进行法国供货的 DC 开关型式试验。

四、三峡左岸电站水力机械辅助设备

2001 年主厂房 1200/125t 桥机设备、主厂房 125/125t 桥机设备、排水系统深井泵及潜水排污泵交货，并逐步投入安装。

2001 年签订压力变送器、电动双向供水转阀、滤水器、减压阀、止回阀、水控阀组、电磁流量计、各种阀门、副厂房起吊设备、低压空压机等设备合同，并根据合同规定供货。

2001 年还完成油系统设备、暖通系统设备、消防系统设备、高压空压机等设备招标文件的审查工作。

五、三峡左岸电站六氟化硫全封闭电器（GIS）及附属设备

GIS第三次设计联络会于5月21～26日在宜昌召开。会议就继电保护遗留问题;GIS与电抗器接口的协调;GIS室通风;设备贮存、保管;SF6气体管理贮运技术要求;备品备件及专用工具贮存的技术要求;现场安装程序;现场安装进度;现场试验;出厂试验与验收等问题进行研究和协商。

8月19日至9月19日,中国三峡总公司派出验收组在瑞士对GIS第一批出厂设备进行见证试验。见证过程中所作的试验顺利,产品质量合格。第一批设备于12月29日到达上海。

六、三峡左岸电站SIEMENS主变压器

3月19日至4月3日在北京召开第三次设计联络会。会议就设备运输、水冷却器及套管等部件接口、在线监测装置配置及接口、现场试验仪器、现场安装工具、安装程序和初步计划、工厂见证初步计划以及第二次设计联络会遗留问题(电场、温度场、过激磁和过负荷曲线计算报告)进行讨论和协商。并商定在国内供货部分的运输方案、现场安装技术服务详细计划、现场初步验收、最终验收文件格式和内容等方面进行进一步的工作。

2001年2月2日和6日,分别对试验中的东屋公司和GEA公司水冷却器进行解体检查。变压器水冷却器冲水对比试验11月2日结束,通过对GEA和东屋公司三峡电站主变压器水冷却器进行解体检查,发现两种水冷却器均未发生堵塞。与此同时,国家经贸委机械联合会代表国家对东屋公司承担的“九五”攻关项目进行鉴定。

七、三峡左岸电站发电机出口大电流封闭母线

2001年2月对封闭母线2000年度合同执行情况进行全面检查,就合同执行过程中存在的问题与制造商交换意见,并请制造商按合同及有关会议纪要的要求提交IPB机械设计计算书、固有频率计算书等资料,要求供货商2001年6月前提交IPB试验段试验计划和方案供业主审查。江苏长江电器集团于4月6日提交封闭母线试验段初步试验方案和计划。由于工厂组织和设备等原因,至2001年底封闭母线试验段的制造工作未完成。

八、三峡左岸电站厂房、大坝及船闸厂用电设备

2001年7月20日,按照合同规定,许继变压器有限公司举行三峡左岸电站20kV样机及其型式试验专家评审,该样机型式试验合格,性能参数满足合同要求,可以按照该设计进行合同设备的设计和生产。

8月21～23日,在许昌许继变压器有限公司召开20kV厂用变压器第一次设计联络会。厂方介绍了变压器的计算结果,对变压器在1.2倍额定容量的温升进行补充计算,并且根据样机专家评审委员会关于减少变压器短路时线圈位移的意见,增加变压器的限位装置。

2001年1月17～19日,三峡工程永久船闸干式变压器、10kV开关柜、400V开关柜第一次设计联络会在厦门召开。4月18～19日在宜昌召开永久船闸供电设备第二次设计联络会,会议最终确定10kV开关柜、400V开关柜配置、供电系统监控系统配置、备自投方案、土建接口、运输、现场试验等问题,该部分设备具备投料生产条件。

泄洪坝段和左厂坝段厂用电设备设计联络会于2001年6月7～9日在武汉召开。会议讨论并确定泄洪坝段1#～4#变电所和左厂坝顶10kV负荷开关等设备配置细节、协调设备与土建及设备之间的接口、明确交货进度、技术培训内容、工厂试验大纲,确定交货程序和交货检验等问题。

九、三峡左岸电站厂房及大坝用电梯

1月12～13日,三峡左岸电站及大坝电梯垂直扶梯、观光电梯的设计联络会在宜昌召开。1月14日三峡左岸电站及大坝电梯自动扶梯、液压电梯的设计联络会在宜昌召开。4月17～18日,与上海三菱电梯有限公司举行第二次设计联络会。通过设计联络,解决电梯设计及接口等问题。

十、三峡左岸电站电抗器和中性点配套设备

2001年1月中国三峡总公司与西安电力机械制造公司进行合同谈判,并签订合同。电抗器及其中性点设备第一次设计联络会于6月25～30日在西安变压器厂召开,落实设计及接口问题。

十一、三峡左岸电站、梯调中心计算机监控系统

2001年3月经过认真细致的评标,选定梯调中心监控系统中标厂商为ABB自动化系统公司,左岸电站计算机监控系统中标厂商为ALSTOM瑞士公司。2001年7月开始合同谈判,8月8日,在北京中国大饭店举行合同签字仪式。

梯调中心计算机监控系统第一次设计联络会于2001年11月20日至12月14日分别在瑞典和德国举行。三峡左岸电站计算机监控系统第一次设计联络会于2001年11月26日至12月21日举行,第一阶段(11月24日至12月2日)在瑞士比尔,主要讨论项目总体实施计划、合同设备采购计划和现地控制单元LCU硬件及I/O配置,第二阶段(12月3～24日)在德国曼海姆,主要讨论厂站层设备及其功能。

十二、三峡左岸电站厂房、大坝及永久船闸排水系统控制设备

2001年初开始编写三峡左岸电站、大坝及永久船闸排水系统控制设备招标文件。5月发售招标文件。7月17日签订合同,西安航天自动化股份有限公司中标。年内开始提供设备。

十三、三峡左岸电站厂房、大坝及永久船闸直流电

源设备

2001年2～3月，中国三峡总公司分别对许继电源有限公司、深圳奥特迅电力设备有限公司等4家生产企业进行实地考察。6月20日公开开标，共有20家厂商递交投标文件，其中14家厂商对Ⅰ标段——直流系统及其附属设备进行投标，13家厂商对Ⅱ标段——阀控式密封铅酸蓄电池进行投标。6月20～29日评标。Ⅰ标段中标厂商为深圳奥特迅电力设备有限公司，Ⅱ标段中标单位为许继集团公司。9月7日，正式签订合同。

十四、三峡左岸电站发变组故障录波设备

根据长江委设计院"关于三峡左岸电站增设机组故障录波装置和500kV并联电抗器继电保护盘选型的报告"以及国家电力公司电力规划设计总院的文件，三峡左岸电站增设机组故障录波装置和500kV并联电抗器继电保护盘。2001年2～3月，中国三峡总公司分别对保定浪拜迪电气有限公司、北京许继电气有限公司进行实地考察。5月30日发售招标文件，9家厂商购买招标文件。最终选定中标厂商为许继集团公司。9月7日正式签订合同。

十五、三峡水利枢纽(二期工程)图像监控系统

2001年1月进行技术交流。2～3月，分别考察北京明鹏电力设备有限公司、中国华电总公司、深圳深锦实业有限公司、深圳博康科技股份有限公司。9月18日发售招标文件，共有20家厂商购买招标文件。10月25日开标，18家厂商递交投标文件。最终确定中标厂商为深圳博康科技股份有限公司。

十六、三峡左岸电站厂房、大坝及永久船闸火灾自动报警系统

2000年12月进行技术交流。2001年2月和3月，分别在北京、深圳等地考察北京首安工业消防工程公司、德国美力马公司、科艺防火保安工程公司、华夏消防集团。10月31日发售招标文件，共有14家厂商购买招标文件。11月17日开标，13家厂商递交投标文件，最终确定中标厂商为北京首安工业消防工程公司。

十七、左岸厂房顶户外500kV设备

2001年2月中旬完成厂房顶设备(避雷器、CVT、阻波器)询价书的编写。有关合格厂家于2月开始领取询价书。3月收到厂家报价文件，6个厂家递交报价文件。经过评审，选定500kV避雷器由抚顺电瓷厂供货，500kV电容式电压互感器由西安电力电容器厂供货，500kV线路阻波器由北京良乡电力设备总厂供货。4月中旬签订合同。

十八、永久通信系统设备

2001年2月中国三峡总公司、长江委设计院与北方电讯、ALCATEL、NEC等公司针对三峡永久通信传输网系统进行技术讨论。3月长江委设计院向中国三峡总公司提交"三峡左岸至西坝光缆路由及敷设方案选择报告"。5月，长江委设计院提交SDH微波通信专题设计报告、光纤通信单项技术设计专题报告、三峡永久通信设备招标文件(初稿)。

7月，中国三峡总公司主持对长江委设计院编制的《光纤通信单项技术设计专题报告》和《SDH微波通信专题设计报告》进行审查，并对三峡国际招标有限责任公司和长江委设计院编制的《三峡水利枢纽通信系统招标文件》进行初步审查。8月召开永久通信招标采购协调会议，并请长江委设计院根据会议纪要的内容修改招标文件。9月再次召开三峡通信系统招标协调会议，对二期工程通信系统光缆和设备招标的主要问题进行协调。11月5日二期工程通信系统光缆和设备招标文件开始发售，其中通信系统设备招标文件包括3个标段：SDH光纤通信系统和微波通信系统、交换系统、通信电源。参加光缆投标的厂商有8家，参加SDH光纤通信系统和微波通信系统投标的厂商有6家，参加交换系统投标的厂商有7家，参加通信电源投标的厂商有7家。11月26日至12月9日完成二期工程通信系统光缆和设备采购的评标工作。

(机电工程部)

三峡左岸电站永久机电设备安装

2001年，三峡左岸电站机组设备埋件安装工作继续进行，选定机电设备安装承包商，并于四季度开始机组设备本体安装工作。

根据中国三峡总公司工作会议精神，机电安装项目管理试行项目管理和项目监理合并管理的方式，2001年8月三峡左岸电站机电安装监理部成立，负责三峡左岸电站机电设备安装与调试工程的项目管理和监理工作，初步实现项目管理和监理双重职能合一及工作方式的转变。

一、机电设备安装工作

(一)机组埋件安装

继2000年完成1#～5#机组蜗壳安装工作后，2001年机组埋件安装工作继续处于高峰期，全年完成6#、7#、8#、10#机组蜗壳的安装及9#、11#座环挂装。

2001年计划完成机组埋件5700t，实际完成埋件安装6339t，占年计划的111.21%。达到的工程形象目标是：1#～5#机组发电机层混凝土浇筑完成，6#发电机层混凝土浇筑基本完成，7#、10#大型埋件安装完成，蜗壳具备二期混凝土浇筑条件，8[#]蜗壳挂装完成，9[#]、11[#]机组座环安装完成。

(二)左岸电站机电设备安装

左岸电站机电设备安装与调试工程招标工作是2001年机电安装项目的又一个工作重点。2000年12月25日发售招标文件。2001年4月25日递交投标文件并开标，参加投标的单位有：葛洲坝集团公司、中国水利水电第十四工程局、中国水利水电第八工程局、中国水利水电第一工程局安装分局和中国水利水电第四工程局。通过认真评标和决标，选择中标单位为：葛洲坝集团公司、中国水利水电第八工程局、中国水利水电第四工程局。2001年7月23日，三峡左岸电站机电设备安装与调试工程合同正式签订。选定的安装承包商均具有大型水轮发电机组及水电站机组设备安装的丰富经验。

2001年11月22日，三峡左岸电站首台2[#]发电机定子机座(VGS)吊入机坑，12月11日5[#]机定子机座开始安装。至年底完成500t安装任务，占计划的120%。

(三)三峡左岸电站厂房1200/125t桥机安装

三峡左岸电站1200/125t桥机由太原重型机械(集团)有限公司制造，是世界上单钩起重量最大、国内水电行业最先进的桥式起重机。机械方面采用行星齿轮减速器及安全制动装置；电气方面采用"上位机＋PLC＋基础变频传动"组成三级系统。同时大车行走机构安装有纠偏防摆装置，起吊物件时有红外线实时检测桥架的绕度及三维定位系统。桥机安装工作由中国水利水电第八工程局承担。

2001年7月16日开始对所有桥机设备进行开箱验货，7月25日开始在重件码头安装，8月15日设备在左岸厂房正式安装，10月1日设备安装基本完成进入机电联合调试阶段。在调试阶段曾发生轴承损坏、减速机行星包声音异常等问题。项目管理、安装单位、太原重型机械有限公司对发生的问题非常重视，及时分析和处理问题，厂方将损坏的轴承更换为SKF高速轴承，对行星轮进行实配加工，调整电机的接线等，问题得到解决。

二、机电项目管理及监理工作

(一)项目现场管理

2001年在现场工作关系理顺，工作程序建立的基础上，进一步加大管理协调力度。坚持各种例会制度，及时获得并提供图纸、施工程序、出厂记录等技术文件。及时协调现场出现的问题，提出处理方案。坚决制止现场出现的不严格遵守安装规程的情况，经过各方的共同努力，一些不规范行为得到扭转。加强文明安全施工管理，多次召开会议督促文明安全施工，现场文明施工局面良好。

质量控制是一切工作的中心环节，通过对现场施工的规范组织，保证施工质量。现场施工人员的认证制度得到落实，在组织和程序上认真进行施工准备，开工前进行资源检查确认，组织技术交底，加强过程管理，重视工序衔接，对存在的问题及时研究处理，做到不留隐患。

(二)监理工作

机电设备安装项目的监理工作始于2001年8月。项目监理人员首先进行认真细致的监理工作准备，整理各类文件资料，并根据合同、设计文件和设备制造厂家安装说明指导书，进行质量与进度控制点的设置，编写制定监理工作细则。还着手整理和录入TGPMS质量、进度控制数据。

三、水轮发电机组安装技术规范修订及三峡机组安装规范编写

《水轮发电机组安装技术规范》的修订工作需要结合三峡机组的特点进行，为使三峡机组安装工作有章可循，三峡机组的安装规范也在此过程中完成。该项工作于2001年启动，预计2002年完成。

(机电安装项目部)

三峡左岸电站永久机电设备到货情况

2001年三峡左岸电站永久机电设备大批量到货，同时550kVGIS及辅助设备陆续到货。截至12月31日，机组设备到货12158t，开箱检验78次。其中VGS到货7414t，开箱检验40次；ALSTOM到货4744t，开箱检验38次；国外进口26批次，金额4866万美元，交纳进口税费约92万元。GIS设备到货102t，辅助设备到货5092台套、共计1515t，金额7732万元。具体到货情况见表1、表2。

表 1 三峡左岸电站水轮发电机组设备到货情况一览表

类别	机组号	1	2	3	4	5	6	7	8	9	10	11	12	13	14
水轮机	尾水管里衬及埋件	√	√	√	√	√	√	√	√	√	√	√	√	√	√
	蜗壳及附件	√	√	√	√	√	√	√	√	√	√	√	√	√	√
	机坑里衬	√	√	√	√	√	√	√	√	√	√	√	√	√	√
	基础环及附件	√	√	√	√	√	√	√	√	√	√	√	√	√	√
	座环及附件	√	√	√	√	√	√	√	√	√	√	√	√	√	
	导叶、控制环、接力器及附件			√	√										
	底环及附件			√	√										
	顶盖及附件			√	√										
	主轴密封、导轴承			√	√										
	转轮			√											
	主轴			√	√										
	备品备件			√	√										
发电机	基础埋件	√	√	√	√	√	√	√	√	√	√	√	√		
	定子铁芯（含专用工具）			√	√	√	√								
	定子线圈（含专用工具）			√	√										
	定子机座（含专用工具）			√	√	√	√								
	接线设备及材料			√	√										
	转子中心体、支臂			√	√										
	转子磁轭			√	√										
	下机架			√											
	发电机轴、上端轴			√	√										
	转子磁极			√											

表 2　三峡左岸电站辅助设备到货情况一览表

合同名称	设备名称	合同数（个、台、套）	到货未开箱验收			设备仓库已开箱验收			设备仓库已发出数			供货商
			大坝	厂房	永船	大坝	厂房	永船	大坝	厂房	永船	
厂房、大坝及永久船闸排水系统及其附属设备	深井水泵	81						54	16	11	大部分	上海深井泵有限公司 南京古尔兹制泵有限公司
	潜水排污泵	52					2	50			大部分	南京兰深制泵公司
厂房、大坝、永久船闸排水系统控制设备	启动柜、控制柜	113		15	80		15		18			西安航天自动化股份有限公司
	电缆(m)			1235	9491					793.5		
永久船闸 0.4kV 开关柜	0.4kV 低压柜	63			43						20	厦门电控设备厂
厂房、大坝 0.4kV 开关柜	0.4kV 低压柜	277	22									江苏华鹏集团
厂房、大坝、永久船闸 10kV 开关柜	10kV 高压柜	203	13		29	3			3		4	厦门 ABB 开关有限公司
厂房、大坝、永久船闸 10kV 干式变压器	变压器	66	4		6						2	顺德特种变压器厂
厂房 20kV 干式变压器	变压器	18										许继变压器有限责任公司
机组辅助设备	滤水器	74		32								自贡式滤油机厂
	减压阀	29		13								上海伯尔梅特
厂房、大坝、永久船闸用水控阀组	水控阀组	357				105	52	152	48			武汉大禹阀门制造有限公司
电站压力变送器	压力变送器	591					367					宝鸡麦克传感器有限公司
	压力表	539				122	297	120				
	投入式液位计	10					10					
电站电动双向供水转阀	电动双向供水转阀	14		6								西安江河电站技术开发有限责任公司
电站机组辅助设备电磁流量计	电磁流量计	201		97								上海光华·L美特仪器有限公司
电站辅助设备蝶、闸阀	蝶阀	1302				39	854	2				天津塘沽瓦特斯阀门有限公司
	闸阀	1490				209	220	933	48			

续表 2

电站、大坝和永久船闸用泄压/持压阀、止回阀和水控式减压阀	泄压/持压阀	28					28					上海冠龙阀门机械有限公司
	减压阀	292				44	45	203				
	自动排气阀	24				6	6	11				
	浮球阀	1					1					
	静音式止回阀	74					74					
	旋启式止回阀	12					12					
电站辅助设备系统截止阀	不锈钢截止阀	664				73	504	8				苏州高中压阀门厂
	复合式排气阀	44						44				
电站主厂房桥机滑接输电装置	小桥机滑接输电装置	安 1#～14#								1～14#		武汉汉发工业移动供电系统有限公司
	大桥机滑接输电装置	安 1#～14#								1～7#		
左岸电站排沙洞放空阀	盘形阀	3								3		德阳东方电机厂
左岸电站机组辅助设备低压空压机	低压空压机及配套设备	6										阿特拉斯·科普柯(上海)贸易有限公司
长江三峡梯级水库调度自动化系统												南京南瑞集团公司
机组蓄电池设备	OGiv 192Ah	7										
500kV 蓄电池设备	OGiv 128Ah	1										
公用蓄电池设备	OPzv 800Ah	1										
泄水闸蓄电池设备	Usvdry/60Ah	1										
永久船闸蓄电池设备	Usvdry/60Ah	1			二批							
透平油系统	齿轮油泵	3										自贡滤油机厂
	压力滤油机	4										
	透平油过滤机	2										
	烘箱	3										

续表 2

绝缘油系统	齿轮油泵	6										
	压力滤油机	4										
	烘箱	3										
550kV GIS 室桥机滑接输电装置	滑触线	1		一批								武汉汉发工业移动供电系统有限公司
火灾自动报警系统	消防工作站	3										北京首安工业消防有限公司
	火灾报警控制主机	3										
	报警探测设备	3										
	网络设备	3										
	控制电缆	3										
	系统元件及应用元件	3										

（吴启仁）

永久船闸金属结构和机电设备安装施工

一、项目概况

三峡枢纽永久船闸为双线五级连续船闸，布置在左岸坛子岭左侧深切的岩槽中。每线船闸由6个闸首和5个闸室组成，自上而下依次布置有输水廊道和进口拦污栅，第一闸首事故检修门与叠梁门，第一至第六闸首人字门，第六闸首浮式检修门。各级闸室中又设有输水廊道工作阀门以及上、下游检修闸门，第六闸首设有辅助泄水廊道工作阀门和上游检修闸门。

永久船闸金属结构和机电设备安装与调试工程由葛洲坝集团公司总承包，武警水电部队安能公司和三七八联营总公司分包，合同总价21999.74万元。

永久船闸金属结构及埋件合同总安装量3.88万t，各类液压启闭机械54台套，大型桥机2台，排水泵组84台，变电所4个，电缆桥架700t及相应的集中控制、调度以及电控、通信、供电暖通、消防系统等。

二、施工进展情况

（一）实物工程量

永久船闸金属结构和机电设备安装施工标于2000年6月开始六闸首人字闸门埋件安装，至2001年底，完成金属结构设备及埋件安装25839.09t，占合同工程量的66.48%；完成二期混凝土浇筑19117.45 m^3，占合同工程量的35.48%；检修排水泵组54台套，占合同工程量的64%；防腐涂装面积6764 m^2，占合同工程量的1.8%。其中武警水电部队承担的永久船闸北线一、二闸首及闸室金结安装工程完成金结、机电、水机管路安装4488t，包含一期埋件工程制作400t、安装1165t、产值763万元；二期安装工程完成金结安装3233t、二期混凝土浇筑1550 m^3。

（二）工程形象面貌

地面部分：随着土建工程的陆续交面，地面设备安装相继开工，至2001年底地面安装工程全面开工。一闸首事故检修门、挡水门槽安装完成并验收；桥机排架柱南侧8根钢梁安装完成，具备桥机安装条件；第一、二、三、四、六闸首人字闸门吊装焊接完毕，第五闸首人字门吊装完成。液压启闭机埋件均已安装，28座水泵房设备安装完成18座；各闸首电缆桥架开始施工。

地下输水廊道部分：因输水廊道内土建交面推迟，致使金属结构设备安装工期相应推后，至2001年底，工作阀门井吊入8扇反弧门，工作门井内埋件完成13孔，上、下游检修门门楣以下埋件安装完成20孔。

三、主要施工措施

人字闸门安装：永久船闸人字闸门共24扇，分节制造后运至施工现场，在现场拼装焊接成整体。每扇门体分为12节，最大吊装节重93t。施工中按吊装、调节、焊接、加固的顺序逐节安装上升，严格控制焊接变形，采用局部热处理工艺对焊接进行消应处理。2001年6月，在永久船闸北二闸首人字门单节调装施工中，武警水电部队创造性地运用改装吊耳、卸扣和两节连续吊装方案，既保安全又节省一半时间。

输水廊道反弧门安装：输水廊道反弧门设计为全包式整体结构，最大吊装单元重104t，最大吊装深度87m，支铰底座浇巴氏合金，反弧门安装先装底坎，再将埋件吊装牵引到位，二期混凝土浇筑完毕后吊装反弧门。

二期混凝土施工：永久船闸金属结构工序复杂、二期混凝土施工场地狭窄、设备布置困难，各部位施工针对性地制定详细措施，对人字门埋件部位进行施工混凝土分层，在高温和低温季节采取有效温控措施；对输水廊道竖井内的二期混凝土，选用MY－B0X管垂直输料，克服竖井浇筑骨料分离问题。

四、工程质量

2001年，葛洲坝集团永久船闸项目部及分包单位进一步建立健全质量管理机构和质量体系，落实项目经理及各级质量管理人员责任制，围绕“质量零事故”目标，开展质量培训教育，严格施工过程控制。同时，广泛开展全面质量管理活动，以“三控制”（事前预控、过程监控、事后签认）为重点，对照质量目标，贯彻落实三峡建委质量专家组及业主、监理等有关方面的意见，使施工质量得到可靠保证。

截至2001年，永久船闸金结和机电设备安装完成单元工程352个，一检合格率100%，优良率96%。

（赵传明 魏胜华）

永久船闸、厂坝二期金属结构及启闭机设备的制造

一、合同执行情况

截至2001年12月26日，永久船闸、厂坝二期金属结构及启闭机设备全年累计到货4.3万t。金结及启闭机设备组织出厂验收233次（其中永久船闸金结64次，厂坝二期金结101次，液压启闭机65次，门、桥式启闭机3次）；到货69个项目419批次（其中永久船闸金结28个项目66批次，厂坝二期金结8个项目101批次，液压启闭机28个项目226批次，门、桥式启闭机5个项目26批次）；电缆及桥架到货446t。设备到货情况详见表1。

表 1 金属结构及启闭机设备到货情况汇总表

工程项目	总工程量(t)	2000 年到货(t)	2001 年到货			截至 2001 年 12 月底累计到货	
			计划到货(t)	实际到货(t)	占年计划%	重量(t)	占总量%
泄洪坝段	38017.20	19518.57	9385.00	9951.63	106.04	29470.20	77.52
厂房坝段	20803.20	2811.80	8721.80	5435.34	62.32	8247.14	39.64
永久船闸	37668.10	10856.70	21172.30	21572.10	101.89	32428.80	86.09
液压启闭机	6997.60	1.90	6350.03	3760.22	59.22	3762.12	53.76
门桥机	7127.39	51.44	4685.23	1760.61	37.58	1812.05	25.42
临时船闸	2499.24	0	0	0	0	0	0
电缆桥架	873.00	0	446	446	100	446	51.09
总计	113985.73	33240.41	50760.36	42925.90	84.57	76166.31	66.82

2001 年，中国三峡总公司设备部组织召开设计审查会、验收大纲审查会及设计联络会共 9 次，督导组对重点制造厂及监造单位督导巡检 29 厂次。

(一)永久船闸金属结构设备制造

永久船闸金属结构设备总工程量 37668.10t，截至 2001 年 12 月设备到货 32428.80t，到货量占总工程量的 86.09%。武昌造船厂、江南造船厂完成永久船闸南北两线各 6 个闸首人字门的制造任务，夹江水工机械厂完成永久船闸南北两线输水廊道反弧门的制造任务，葛洲坝机电建设公司将于 2002 年 3 月完成南北两线输水廊道上、下游检修门及六闸首辅助泄水廊道工作门、检修门的制造任务，中国水利水电第八工程局三峡机电项目部将于 2002 年 6 月完成南北两线第一闸首事故检修门及检修叠梁门的制造任务。武昌造船厂将于 2002 年 10 月完成第六闸首浮式检修门的制造任务。

(二)厂坝二期工程金属结构设备制造

厂坝二期工程金属结构设备制造总工程量 58820.40t，截至 12 月底累计到货 37717.34t，占合同总工程量的 64.12%。其中泄洪坝段累计到货 29470.20t，占合同总工程量的 77.50%；电站厂房坝段累计到货 8247.14t，占合同总工程量的 39.64%。

(三)启闭机设备制造

启闭机设备制造总工程量 14124.99t，截至 2001 年 12 月，累计到货 5574.17t，占合同总工程量的 39.46%。其中液压启闭机设备累计到货 3762.12t，占合同总工程量的 53.76%；门桥机已进行 4500kN(Ⅰ型)坝顶门机、4500kN(Ⅱ型)坝顶门机、2×1250kN(Ⅰ型)尾水门机门架的出厂验收工作，累计交货设备 1812.05t，占合同总工程量的 25.42%。

(四)电缆及桥架制造

电缆及桥架制造于 2001 年 8 月 3 日签订合同。2001 年 9 月 15 日第一批供货到达三峡工地。截至 2001 年 12 月底桥架到货 446t，电缆到货 0.4kV 的 55263m、10kV 的 9830m。

三、各制造厂现场服务工作

中国三峡总公司设备部组织监造部、制造厂现场服务人员积极参加施工现场协调会，了解安装情况，理顺各方关系，满足安装需要。并结合现场交接验收及安装过程中发现的与制造有关的问题，要求现场技术服务人员及时提出处理办法，并协助尽快解决。

四、设备制造合同支付

2001 年金属结构及启闭机设备合同总计支付 169 次，支付总金额 3.54 亿元人民币，其中永久船闸金结支付 39 次 1.04 亿元，厂坝二期金结支付 73 次 1.25 亿元，启闭机支付 52 次 1.07 亿元，临时船闸封堵叠梁门支付 1 次 0.11 亿元，电缆桥架支付 4 次 0.07 亿元。

(戴海蓉)

永久船闸、厂坝二期金属结构及启闭机设备的监造

一、加强金结和启闭机设备的监督控制

2001 年，永久船闸、厂坝二期金属结构及启闭机设备的大部分合同项目进入制造交货高峰期，中国三峡总公司设备部通过多渠道多场合对各制造和监造人员进行质量意识教育，进一步明确目标，统一思想，增强质量意识和责任心。

为了进一步强化和激励监造人员的质量意识和责任感，经中国三峡总公司同意，设备部制定“金结设备监造工作督导及考核办法”，并设立“监造季度奖”和“监造年度奖”，每季度对各监造部进行量化考核和排序，并以此作为季度奖励和年度奖励的标准，形成激励机制和竞争机制。

针对各制造厂家和监造单位的薄弱环节，根据不

同时段的工作重心提出具体要求。2001 年，设备部重点抓 90m 高程以下的设备制造进度，确保二期工程总工期，同时抓紧液压启闭机机、电、液联调这一阶段性重点协调工作。为确保设备制造高峰期的质量与工期要求，进一步加强信息沟通，原每月组织召开的总监工作例会，改为每半月召开一次，及时了解监造工作中存在的问题，提出对监造工作的各项要求。

2001 年，中国三峡总公司设备部会同质量总监办公室、质检中心等部门制定《三峡工程金属结构及启闭机设备制造质量问题分类暂行规定》。并要求各制造厂和各监造单位进一步检查自身质量保证体系的健全和完善性，狠抓标准、程序、制度和各种措施的贯彻落实力度，让质量保证体系落到实处。

在强调质量的同时，根据合同文件和调整计划加强进度目标的控制，把工程关键性进度、关键线路、关键工期列为控制、督导检查的重点，经常了解土建进度和金结机电安装计划与进度，使制造进度与安装进度有机地结合，不影响工程整体进度。

充分发挥专业总监的作用，请焊接专业总监到各厂检查焊接质量，对专业总监发现的问题，要求制造厂及时认真地加以整改。焊接质量总监到工厂十多次，促进焊接质量水平提高。

加强制造厂现场技术服务的管理，集中安排交通，以便即时协调处理安装中出现的问题。

二、加强监造管理工作和监造督导工作

严格按合同文件和规定程序全面开展金结设备制造，抓住设计审查（联络）、出厂验收等重点环节，针对个别厂出现的突出问题，重点解决。对于设备制造过程中反映出来的共性和突出问题，及时组织专题会，研究协调处理，带动全局工作，把握全局、抓住重点、及时协调，强化设备制造全过程的控制管理。

2001 年召开总监月协调会和季度协调会 14 次，监造督导工作会议 1 次，组织到大连大起集团等制造厂及监造单位督导巡查 40 多次，针对制造过程中反映出的技术问题召开专题讨论会 17 次。为充分调动监造的积极性，加强对监造工作的检查监督和考核，完善激励机制，在充分依靠监造、加强监控工作的同时，对监造人员严格管理，严格考核。

三、监造合同支付

截至 2001 年底，监造合同支付总计 2141.65 万元人民币，其中中南勘测设计研究院监造部 592.58 万元，长江水利委员会监造部 702.33 万元，西北勘测设计研究院监造部 531.73 万元，郑州机械设计研究所监造部 138.78 万元，北京起重运输机械研究所监造部 176.23 万元。详见表 1。

表 1 **金属结构及启闭机设备监造支付情况汇总表**

单位名称	合同名称	合同总价（万元）	支付金额（万元）			支付总计（万元）
			1999 年	2000 年	2001 年	
中南院监造部	长江三峡水利枢纽永久船闸金属结构设备制造监理合同书	739.76	217.86	193.70	181.02	592.58
长江委监造处	长江三峡水利枢纽大坝和电站厂房二期工程金属结构设备制造（第一、二、三标段）监理合同书	837.99	183.64	271.78	246.91	702.33
西北院监造部	长江三峡水利枢纽大坝和电站厂房二期工程金属结构设备制造（第四、五标段）监理合同书	677.22	200.00	172.93	158.81	531.73
郑机所监造部	长江三峡水利枢纽永久船闸、厂坝二期工程液压启闭机设备监造合同书	292.00	—	86.31	52.47	138.78
北起所监造部	长江三峡水利枢纽永久船闸、厂坝二期工程门机设备监造合同书	265.15	—	88.24	88.98	176.23
总 计		2812.12	664.77	723.82	753.06	2141.65

（戴海蓉）

监　理

主要监理单位

一、长江水利委员会三峡工程监理部

（一）监理工程项目及完成情况

2001年长江水利委员会（以下简称长江委）三峡工程建设监理部继续承担三峡二期工程泄洪坝及左岸11#～14#机组厂房坝段土建与金结安装工程；高程79m、高程90m混凝土生产系统以及6台塔（顶）带机和供料线系统等工程施工设备安装与运行管理；左岸厂坝工程金属结构设备制造；茅坪溪防护土石坝第一标段尾工及右岸地下电站厂房进水口开挖和三峡二期围堰拆除等7个合同工程项目的建设监理工作。另外还有一期工程项目的尾工和竣工验收工作。

2001年长江委监理的工程项目混凝土浇筑完成181.85万m^3，实现施工进度调整计划目标；基础帷幕灌浆完成3.71万m；完成坝体接缝灌浆9.38万m^2；金结及机电埋件挂装量2.12万t，底孔弧门已安装调试，完成2001年施工计划。

茅坪溪防护土石坝第一标段合同项目完成，并经验收签证。

工程设备监理项目：高程79m、高程90m混凝土系统，二期厂坝工程6台塔（顶）带机及其与之配套的混凝土供料线皮带机，高程79m混凝土系统场外骨料供料线的生产运行监理，实现定期维护保养，设备运行完好率90%以上，保证了混凝土浇筑。

金属结构设备监造项目：导流底孔弧门及埋件全部验收交货；导流底孔进出口封堵门及导流底孔平板事故门及埋件全部交货；泄洪坝段深孔检修门平板事故门埋件全部交货，弧形工作门全部交货；二个排漂孔弧形工作门埋件及门体全部交货；泄洪表孔平板事故门和工作门及埋件交货并投入安装。

（二）监理机构

长江委三峡工程监理部实行总监负责制。总监理工程师杨浦生，副总监理工程师张小厅、许春云、杨天民、林水生、张良骞，总经济师林斌。依据合同要求和规定，结合监理工作特点，监理部下设八处一室：大坝工程监理处、机电与金结工程监理处、金属结构设备制造监理处、工程设备监理处、施工企业与交通工程监理处、右岸工程监理处、二期围堰拆除工程监理处、工程检测与测量监理处、办公室。根据2001年工作实际情况，长江委监理部撤销原来的综合技术处，成立工程技术与施工质量控制组、工程进度与信息管理组、合同商务管理组、施工安全与文明施工管理组。运作机制为矩阵式，即纵向控制横向展开的工作控制方式。

（三）监理投入

长江委监理部2001年末监理人员总数291人，其中教授级高级工程师12人，高级工程师72人，工程师、经济师124人，助理工程师34人，技术员38人，其他11人。监理资质：有总监证12人，监理工程师证70人，监理培训证89人，监理员证、技术岗位证120人。

长江委监理部工程检测与测量监理处在高程79m、高程90m混凝土系统分别建立监理检验试验室，在左岸十四小区建立监理测量队。根据工作需要，配备压力试验机、混凝土振动台、混凝土搅拌机、混凝土调度仪、回弹仪等混凝土检测机械仪器、设备190余台（套）。另外还拥有全站仪、水准仪、HP绘图仪各1台。

二、西北勘测设计研究院三峡工程监理中心

2001年，西北勘测设计研究院（以下简称西北院）三峡建设监理中心继续履行三峡二期工程左非12#坝段至左岸10#机组厂房坝段标和左岸电站厂房标的建设监理合同，上述标段的施工分别由青云水利水电联营公司和三七八联营总公司承担。

2001年，按中国三峡总公司工程建设部的要求，根据监理工程进展，西北院监理中心对组织结构作了适当调整。调整后，西北院三峡工程监理中心下设设备监造部、机电工程部、土建工程部、技术质量安全部、计划信息合同部、竣工验收办公室、综合部等7部9室。

2001年10月以前西北院总监理工程师吴继飞，副总监理工程师崔陇天、冀培民、赵民伟，顾问郑建波、秦湘；2001年10月以后西北院总监理工程师崔陇天，副总监理工程师冀培民、赵民伟、闫胜利，总工程师吴继飞，顾问郑建波、秦湘。

西北院监理中心2001年平均在岗人数178人，各月在岗人数满足合同要求，到位率102%。高、中、初级技术人员比例38.2∶35.3∶26.5，持有总监理工程师资格证书的6人，有监理资质证书的93人。

2001年,根据上述两标段监理工作需要西北院监理中心配备各类监理检测、测量、试验、办公、交通、行政、通信设备338台(套),资产总值350万元。

三、中南勘测设计研究院三峡建设监理中心

(一)监理工程项目

2001年中南勘测设计研究院(以下简称中南院)三峡建设监理中心承担三峡永久船闸工程监理合同项目18项,其中主体工程15项,包括建安合同8项、设备制造合同7项。所监理项目2001年完成投资16.5亿元。承担开挖、锚护、混凝土及钢筋混凝土、各类灌浆工程、设备制造、金属结构机电设备安装及调试等永久船闸建设全过程的施工监理。

(二)监理机构

根据永久船闸工程标段多、施工单位多、专业多、范围广、施工环境复杂等特点,中南院监理机构按“三级管理,组为基础”的原则设置。中南院监理中心实行总监理工程师负责制,下设地面工程、地下工程、金结机电安装、金结设备制造、合同管理、质量安全管理、综合管理等7个监理部,各部共下设27个项目监理组。形成各标段、各专业既有分工、又互相支持的监理网络,监理人员分布在各施工部位和制造厂家。机构设置与中国三峡总公司工程建设部对应,职责明确,运行有效。

中南院监理中心总监理工程师李振明,副总监理工程师杨文汉、薛瑞宝、杨少春、邵国维,总工程师张桂生。

(三)监理投入

2001年中南院监理中心高峰人数277人,折合325人·年,人员到位率100%。具备监理工程师资质或取得监理工程师培训证的156人,占74.3%;按职称结构统计,中级以上技术职务人员占60.2%;按年龄结构统计,35岁以下人员占45 %,35岁以上人员占55 %。一年的监理实践证明,人员配备能满足繁重的监理工作要求,人员结构基本合理。

根据监理工作需要,2001年配备各类监理设备370台(套),其中监理独立试验室检测及测量设备71台(套),计算机、影视、通信设备、交通工具等299台。所投入的设备基本满足监理工作要求。

四、东北勘测设计研究院三峡工程监理中心

(一)监理项目

东北勘测设计研究院(以下简称东北院)三峡工程建设监理中心2001年承担三峡工程右岸5个项目的施工监理任务,即茅坪溪防护土石坝二期工程项目;地下电站进水口开挖工程项目(与责任方长江水利委员会三峡工程建设监理部联合监理);地下电站进水口洞挖工程项目;地下电站进水口混凝土及金属结构安装工程项目;茅坪溪泄水建筑物固结灌浆加固补强工程项目。

(二)监理机构设置

东北院三峡监理中心下设三部一站:茅坪溪防护土石坝二期工程项目监理部;右岸地下电站进水口混凝土工程项目监理部;综合部;右岸地下电站进水口开挖工程项目监理站。

(三)监理人员投入

东北院三峡工程监理中心总监理工程师胡东,副总监理工程师郭锋、林清奇。东北院三峡监理中心至2001年底在册监理人员48人,其中高级工程师15人(教授级高工3人)占31.3%;工程师与经济师20人,占41.7%;助理工程师5人,占10.4%;技术员4人,占8.3%;其他人员4人,占8.3%。监理人员持证上岗:持总监证2人,持监理工程师证18人,持监理工程师培训证12人,持技术岗位证9人。

监理人员的专业配置涵盖水工、施工、金结、地质、测绘、试验、预算、信息管理与档案资料管理等9个专业。

(四)监理设施投入

2001年配备自动化办公设备13台,通信设备19台,影像设备5台。另建独立试验室一座,承担茅坪溪防护土石坝的土工试验与沥青混凝土试验,设全自动沥青混合料抽提仪、马歇尔稳定仪、沥青混凝土渗透仪、电热鼓风干燥箱、电液式压力试验机、土工试验渗透仪、干燥箱、标准筛等40台套。

五、华东勘测设计研究院三峡工程监理中心

2001年华东勘测设计研究院(以下简称华东院)三峡工程监理中心主要承担临时船闸及升船机第二阶段工程、左非9#～11#坝段剩余混凝土浇筑工程、通航建筑物上游隔流堤主体段工程以及坝苏路两侧边坡整修护坡工程等项目的建设监理任务,相应工程项目的主要施工单位有葛洲坝集团公司三峡工程指挥部、青云水利水电联营公司、武警水电部队三峡指挥部等。

根据2001年的监理工作任务与特点,华东院监理中心对原有的监理组织机构和部门职责及其成员、负责人作了适当调整。充实合同管理部,将负责试验、信息的人员由原来施工监理部划归合同管理部,其职责范围在原有的合同管理、变更审查、物资核销的基础上,增加工程信息、进度计划、试验检测等职责。第三,重新调整后的施工监理部主要负责各合同项目施工过程控制、技术方案审批、工程计量以及已完工程资料审核、签证、整理等竣工验收准备工作。调整后的监理机构按照总监理工程师负责制原则,副总监理工程师协助总监工作,实行分项目分专业管理,下设二部一室:施工监理部、合同管理部、办公室。

华东院三峡工程监理中心总监理工程师陈志明,副总监理工程师叶锦锋。

2001年华东院监理中心实际到场总人数38人，期间退场6人，新进场10人，到场人员中参加过监理培训的31人，占总人数的81.6%，取得监理工程师资格证书的19人，占总人数的50%；教授级高级工程师6人，高级工程师5人，工程师15人，助理工程师及技术员7人，工人5人，高、中、低职称比例高于监理工作协议的要求。为满足现场监理工作的需要，华东院监理中心配备办公自动化设备25台套、测量及试验仪器设备16台套、摄像通信设备21台套。

六、葛洲坝水电建设监理公司

葛洲坝水电建设监理公司（以下简称葛电监理公司）2001年继续履行三峡工程左岸电站机组水轮机埋件、泄洪坝段和厂坝段金属结构及机电设备埋件、三峡左岸电站厂房和大坝及永久船闸排水系统设备等的监造任务，并逐渐参与左岸电站机电设备安装与调试工程的监理。另外，还承担4项施工供水供电项目的监理工作。

葛电监理公司于2001年7月与原葛洲坝电厂建筑咨询公司合并，合并后葛电监理公司分为三峡和葛洲坝两个监理中心，下设综合部、财务部、经营部、技术部、监理一部、监理二部、监造部和建筑设计事务所。总在册人数109人。

葛电监理公司总监理工程师王天宇，副总监理工程师李峡、罗立华、王立军。

葛电监理公司三峡工程监理中心2001年末在岗人数70人。监理人员中，参加过监理培训的占81.1%；有监理工程师资质证书的占41.5%。按学历统计，本科以上学历占60.4%，大专学历占12.2%，中专学历占20.8%；按职称结构统计，教授级高级工程师及高级工程师占52.8%，工程师占30.2%，助理工程师占11.3%。葛电监理中心2001年投入计算机35台（其中新增20台）。在独立检测及测量设备方面，除投入超声波探伤仪、涂层测厚仪、红外测温仪、钳形电流表、智能型测温测湿表、回弹仪等设备86台（套）外，还依靠葛洲坝水力发电厂检修公司试验中心各种高压、油化、机械试验设备和标准室检定装置来完成监理复验工作。还与上海金属材料研究所建立业务往来，委托其进行材料检测。

（牟慧　崔陇天　李振明　胡东　叶锦锋　翦健）

监理工作管理

一、三峡建安工程监理工作

2001年，各监理单位根据年度工程特点和中国三峡总公司年初提出的“零质量事故、零安全事故”管理目标要求，精简监理人员数量，提高监理人员素质，规范和审查混凝土浇筑仓面工艺设计，加强与质量总监的配合，加强技术管理，设置一定数量的专职安全监理工程师以加强安全监督，加大旁站监理力度，对监理工程项目实施全过程全方位的控制，监理工作取得明显成效。

（一）精简人员，提高效率

2001年，各单位根据各自监理项目特点和业主项目管理要求，对不称职、素质较低、年龄偏大且不能胜任现场工作的监理人员进行清理，进一步明确监理岗位职责，细化奖罚规定。2001年建安工程监理人员基本情况见表1。

表1　2001年建安工程监理人员基本情况统计表

单位	人员结构				职称结构		监理人员资质	
	总数	专业人员结构			高级	中级	取得监理工程师资格证	取得监理工程师培训证
		人数	大专以上	外聘				
长江委	245	218	159 72.9%	106 48.6%	55 25.2%	84 38.5%	82 37.6%	58 26.6%
西北院	173	163	133 81.6%	76 46.6%	39 23.9%	51 31.3%	30 18.4%	50 30.7%
中南院	201	185	135 73.0%	116 62.7%	40 21.6%	61 33.0%	37 20.0%	95 51.4%
华东院	31	27	24 88.9%	12 44.4%	7 25.9%	11 40.7%	11 40.7%	8 29.6%
东北院	48	41	36 87.8%	16 39.0%	15 36.6%	16 39.0%	20 48.8%	10 24.4%

三峡发展	41	36	26 72.2%	22 61.1%	8 22.2%	9 25.0%	10 27.8%	15 41.7%
小计	739	670	513 76.6%	348 51.9%	164 24.5%	232 34.6%	190 28.4%	236 35.2%

注:1.人员职称比例和持证率以专业监理人员数量为基数计算;

2.取得监理培训证的人员数不包括取得监理工程师资格证书的人员数量。

从表1中可以看出:各监理单位进场人员数量即为业主年初核定的人员数,稍有变动,到位率均在95%以上,人员数量满足监理工作需要。进场专业人员职称结构,与合同规定比例数3∶5∶2(年度协议规定2∶4∶4)略有差距,比例数为24.5∶34.6∶40.9,中级职称人员偏少,但基本满足工作需要。专业监理人员持证比例逐年提高,2001年持证率达到63.6%,比2000年高出9.7%。监理人员专业配备基本合理,满足工作需要。初步建立比较完整的业务培训体系,通过中国三峡总公司和各监理单位内部组织的各项监理培训,监理人员业务素质明显提高。同时,监理单位通过制定和落实各项内部管理制度,监理人员责任素质和政治素质得到良好保证。

(二)继续修订和完善监理工作制度

各监理单位根据工程进展需要和中国三峡总公司项目管理要求,先后修订和完善监理内外部工作制度。根据工程进展补充监理实施细则,编制现场工作规程和值班制度,制定监理质量责任制和奖罚措施,促进监理工作进一步规范化。各单位编制、完善监理工作制度情况详见表2。

表2 各单位编制、完善监理工作制度情况

单位 制度建设	长江委	中南院	西北院	华东院	东北院	三峡发展
全年新编监理工作制度、工作细则等	12	19	14	12	19	12

各单位还制定监理人员考核制度,对所有监理人员按照考核要求进行定期和不定期考核,并与奖罚挂钩,清退考核不合格的人员,及时补充高素质的监理人员,促进监理队伍素质的不断提高,从而也提高监理人员的敬业精神,监理工作更加规范。

(三)加强旁站监理,做好平行检测工作

2001年,各监理单位继续抓紧现场旁站监理工作,加强现场人员的培训,人员整体素质较2000年有所提高,旁站监理更加规范。通过旁站监理形式,工程质量事故和缺陷明显减少。另外,各单位继续开展混凝土及其他项目的平行检验工作,其检验项目及频次满足监理工作及其控制工程施工质量的需要。如中南院钢筋外观检测15次、力学性能检测5次、混凝土强度检测40组;西北院力学性能检测55次,混凝土强度检测350组。

(四)监理工作成效

2001年,三峡工程各合同项目完成年度计划,施工质量满足设计要求,工程造价也控制在年度投资计划内。

1.质量控制

各监理单位继续按监理合同要求的监理工作内容开展质量控制,严格监督检查施工单位质量保证体系的组成及其运作情况,完善和落实三级检查制度,坚决执行以单元工程和工序过程为基础,对工程质量进行程序化、量化、细化的全过程全面的质量控制,严格审查施工单位提交的混凝土浇筑仓面工艺设计,积极配合质量检查专家组和专业质量总监的工作,及时组织质量事故、质量缺陷的分析及处理。主体工程合同项目质量检测及评定情况见表3。

表3 主体工程合同项目质量检测及评定情况

单位 质量控制	长江委	中南院	西北院	华东院	东北院	多能公司
单元工程评定	8975	7250	3006	2209	518	
优良率		88.1%		90.5%	87.3%	
发出停工、返工次数	74	9		20		26
发出违规警告次数	22	7				
审批施工组织设计、技术措施、施工方案等份数	317	456	501	218		70
质量安全专题会议	44	35		24		

2.进度控制

各单位采取各种措施,如通过监理月报、周报、每季度的监理自查报告等形式，从工程量和工程形象的角度及时对工程的实际进展情况进行跟踪分析；利用P3软件对工程的进度计划进行跟踪、分析、预测，及时提出时段性计划安排意见，并对重点施工部位及影响进度较大的施工方案进行专题研究；对进度计划的实施情况进行逐日、逐周、逐月检查并详细做好记录，对进度实施情况及时认真检查和统计；对影响工程进度的各种因素进行分析和预测，每周召开业主、设计、施工、监理等单位参加的四方现场协调会，并于下周检查监督协调会纪要的落实工作，收到较好效果。

表4　主体工程监理单位有关进度控制的统计数据

单位 进度控制	长江委	中南院	西北院	华东院	东北院	多能公司
发出进度控制计划及文函份数	3	81		21		12
编制监理进度控制计划份数	1	99		32		2
审批施工单位进度计划次数	13	84	34	62	10	10

3.造价控制

各单位监理人员充分了解和掌握合同文件、设计文件和施工现场实际情况，本着认真、实事求是的态度严格控制计量支付，认真审核合同变更，合理处理索赔事宜，按时进行物资核销，有效地控制各合同项目的工程造价。

表5　主体工程监理单位关于造价控制的有关统计数据

单位 造价控制	长江委	中南院	西北院	华东院	东北院	三峡发展
处理变更及索赔次数	131	239	114	8	6	3
审查变更金额(万元)	19340.36	25347	571.75	3853.25	26.09	
核减金额(万元)	10832.49	43335	1246.42	1897.76	1071.08	635

4.信息管理

各单位积极派人参加业主组织的有关信息方面的培训，并安排专职人员按业主要求及时填报TGPMS质量安全管理子系统和文件管理子系统、NOTES日报系统等资料，确保三峡工程管理系统的推广应用，信息管理工作更加规范。

5.安全管理

各单位为实现业主提出的“零安全事故”目标，及时调整安全生产管理机构，增加专职安全管理人员，明确安全生产责任制，分区分片管理，并落实到人，督促施工单位加强安全考核培训，加强基层班组和民工的管理，积极推行班前会制度，作业程序书制度，及时处理安全隐患，杜绝安全事故的发生。安全事故发生率及人员伤亡率是三峡工程开工建设以来最低的一年。

(六)监理工作中存在的主要问题

各监理单位按业主要求对现场机构做了相应调整，职责也做了进一步明确，个别单位负责人对此调整重视不够，对业主意图理解不深，工作程序和做法仍是老一套，没有明显改进，工作效率得不到相应提高。

现场监理人员整体素质下降，仍是影响三峡工程监理工作质量和监理成效的主要因素。各单位业务骨干流失严重，监理持证上岗比例数低于60%，职称结构比例不尽合理，个别单位外聘专业人员比例过大，达到60%以上，极少数监理人员业务水平低下、责任心差，专业配备仍不够合理，一些主体工程监理单位缺乏合同管理和预算管理方面的专业人员。

2001年三峡工程施工质量总体上进一步提高，但工程质量仍出现了一些事故和缺陷，如：泄洪坝段及左厂坝段上下游坝面混凝土裂缝质量事故，左厂尾水管内裂缝事故，永久船闸输水廊道反弧门段侧墙裂缝和渗水事故，永久船闸混凝土内部架空事故和缺陷，永久船闸输水系统过流表面不平整事故，压力钢管凑合节安装事故，等等。监理单位在质量控制方面存在的主要问题是：岗位责任制不够明确，质量责任还没有完全落实到人，在质量管理方面缺乏激励机制和约束机制；仓面工艺设计等规章制度不够严密，执行过程不够严格，没有得到有效落实；有的单位贯彻三峡建委九、十次全会精神和枢纽工程质量检查专家组的意见不力，质量意识没有提高到应有的高度；有的单位现场旁站监理流于形式，旁站时应该做什么，缺乏规范的程序和要求，有的单位缺少对现场旁站监理人员及其工作制度的检查监督。在进度控制方面，有的单位控制工作不够细化，进度计划检查监督措施不落实，协调工作力度不大，造成不均衡生产和资源浪费现象，许多部位出现赶工局面并造成索赔情况。还有的单位对工程质量和支付审核不够严格，预控预测工作不到位，原始记录不详尽，处理工程索赔和工程变更时与承包单位和业主、设计沟通不够。

监理表报质量普遍不高，表报内容不全面，重点不突出，内容不深刻，而且时效性差；有的单位进度日报系统填报不及时，有的进度数据不准确；大多数单位在TGPMS质量安全子系统反映质量问题和安全问题不够及时。

技术管理方面，各单位提前研究技术问题少，对设计文件、图纸及施工措施的审核流于形式。

二、三峡工程金属结构及机电设备监造、机组埋件监造及其施工设备监理工作

（一）三峡工程金属结构及其机电设备监造工作

三峡工程永久船闸、厂坝二期工程金属结构及其机电设备监造工作分别由中南院、长江委、西北院、郑州机械研究所和北京起重运输机械研究所等5个单位承担。

监造单位在2001年建立健全质量监控体系，对金结设备制造进行全过程全面的监督管理，对关键设备、主要或重要零部件及其关键工序采取跟踪监督方式，对主要工序质量控制点严格把关，对一般工序采取抽检方式，对发现的质量问题及时反馈督促制造厂采取措施，把质量缺陷、隐患消灭在制造过程中。

（二）机组埋件监造工作

左岸电站水轮发电机组埋件监造由葛洲坝水电建设监理公司三峡工程监理中心承担，由中国三峡总公司机电工程部归口管理。2001年机组埋件监造工作情况如下。

葛洲坝水电建设监理公司根据机组埋件特点及其年度计划要求，进一步完善质量监控体系，建立岗位责任制，将质量责任落实到每一位监造人员，并按要求进行巡视和旁站监督，从原材料质量控制开始进行全过程监控，产品质量稳定，焊缝UT检查，一次合格率高，蜗壳平均合格率99%，最高达到99.9%，三峡枢纽工程质量检查专家组对蜗壳及其它部件的制造质量比较满意。加强组织协调工作，供货进度满足现场安装需要。

（三）设备监理工作

三峡工程施工设备监理分别由中国水利水电第十三工程局、长江委、武汉水利电力大学和中南院等4个监理单位承担，中国三峡总公司设备部归口管理。2001年施工设备监理工作情况如下。

长江委监理的施工设备完好率在90%以上。长江委监理的特点是合同意识强，工作程序清晰，岗位职责明确；建立红、黄牌警告制度，强化安全监管措施；推行定期维修保养工作制度，设备检修计划完成情况得到改善；信息管理工作成绩突出。

中国水利水电第十三工程局监理的施工设备平均完好率在90%以上，其特点是工作主动、认真，深入现场，处理问题及时准确，与其他单位配合良好，信息传递快捷。强化设备安全管理，建立安全定期检查制度，保证所监理设备的安全运行。2001年下半年该单位被评为先进监理单位。

武汉水利电力大学监理的施工设备运行情况良好，设备平均完好率在90%以上。其特点是：重视现场监理，工作认真，工作热情高，人员到位情况有较大改善；加强现场管理力度，强化运行人员的岗位培训，提高定期维修保养工作质量。

中南院监理的高程98.7m拌和系统运行情况良好，设备平均完好率在92%以上。其特点是监理工作规范，工作认真负责，处理问题及时果断，推行定期维修保养制度，与有关单位配合默契，表报内容规范和统一。

（马树清）

长江水利委员会三峡工程监理工作

2001年长江水利委员会（以下简称长江委）三峡工程监理部承担泄洪坝段和左厂1#～14#挡水坝段（简称Ⅰ&ⅡB标段）的监理任务，上述标段混凝土浇筑量有所减少，但全部进入深孔、排漂孔和部分表孔及电站引水压力管道的安装阶段。这些部位结构复杂，钢筋密集，工作难度大，质量要求高。另外，大坝基础帷幕灌浆及导流底孔的金结、机电安装也全面进入施工阶段，设备监理难度大，风险大。

一、质量控制

长江委监理站质量控制措施：进一步完善施工过程中现场质量监督制度。加强施工工序各环节和作业工艺的检查和监督，制定混凝土灌浆、金结机电等专业10个现场作业指导书。制定混凝土工程七不开仓制度，即浇筑设备及其配套不到位不开仓；施工技术措施未交底不开仓；前道工序不合技术要求不开仓；灌浆前冷却系统不到位不开仓；施工质检员不到位不开仓；浇筑环境不良不开仓；仓面设计未经监理审查不开仓。除此之外，进一步加强混凝土浇筑过程中旁站监理力度，实行每日三班24小时全过程跟踪，关键部位、关键工序旁站监理。继续执行监理平行检测制度，混凝土实行每仓、每班混凝土料开拌前配合比审签及拌制过程中对出机口温度、塌落度、含气量抽测。对重要结构尺寸和金结安装位置实行旁站及校测工作。

二、进度控制

2001年进度控制重点有4个项目，即高程120m栈桥在10月底前形成；大坝基础帷幕灌浆年底完成；导流底孔一线金结机电安装完成；19#～23#坝段达到高程 185m。

帷幕灌浆是大坝基础的防渗工程,是一项隐蔽工程,关系大坝的安全运行。2001 年计划完成量 20297.5 万 m,占合同总工程量的31%。长江委监理设立灌浆站 10 余人专门负责此项工作。从孔位、占孔的孔斜控制到灌浆压力及灌浆等全过程跟踪监理。灌后检测成果表明透水率均小于 1Lu,满足设计要求。预计 2002 年 4 月全部完成,形象进度满足 2002 年 5 月破堰进水要求。

导流底孔一线的金结安装(进出口封堵门、检修门、工作门等埋件及弧形工作门安装)于 2001 年 12 月完成安装调试工作。

高程 120m 栈桥是浇筑坝体混凝土的塔带机拆除后,形成浇筑手段和运输方式转移的重要临时大型工程。土建方面,长江委监理站提出抢中下块保上块,适当加大浇筑层厚的建议,在桥梁制作安装方面采取全过程监理方式。经过各方共同努力,于 2001 年 9 月 28 日实现长 700.2m 宽 21.5m 桥面全线通车,为后期施工创造条件。

19# ～23# 坝段按施工总进度计划,要求 2001 年底达到高程 185m,为坝顶门机安装创造条件。至 12 月底实际施工达到形象高程。2001 年完成工程量见表 1。

表 1　泄洪坝段及左厂 11# ～14# 土建及金结机电完成工程量(Ⅰ&ⅡB 标段)

项目	单位	合同工程量	2001 年完成量	累计完成量	
				工程量	占合同量%
混凝土浇筑	万 m^3	768.21	181.58	605.74	86.66
钢筋制安	万 t	11.18	3.36	8.07	72.19
帷幕灌浆	万 m	6.57	3.71	6.58	103.99
接缝灌浆	万 m^2	28.29	9.38	17.51	61.91
排水孔	万 m	6.08	2.46	2.46	40.54
金结	t	70500	15283.1	23764.12	33.71
机电	t	500	110.82	231.94	46.39

除上述监理工作外,长江委监理还承担设备监理工作。2001 年塔带机及供料线全面进入超高空爬升、顶升状态;TB1# ～TB4# 塔带机主回转轴承受损先后进入监控运行状态(8 月 3 日 TB3# 主回轴承在挤出的润滑油中发现铁屑,其后各台塔带机均出现此情况);拌和楼、塔带机系统已经二年高负荷运行,设备易出现故障。面对上述形势,长江委监理站全面调整人员岗位责任,定职定责,进一步明确各责任组工作制度。制定设备管理及设备安全问题整改、跟踪、闭合管理方法。经过参建各方努力,6 台塔(顶)带机的Ⅰ类重大质量安全隐患通过改造、加固全部排除,Ⅱ、Ⅲ类安全问题整改率 95.6%。供料线顺利实现多次在高空位置爬升。主回转轴承受损严重的 TB2# 、TB3# 塔带机仍实现连续 4 个多月的安全监控运行,多浇筑混凝土 26.1 万 m^3,为 2001 年计划目标实现作出贡献。另外,拌和楼和塔带机进入拆除准备阶段,长江委监理站提出较为详细的期末交验大纲,使设备拆除、交验、退库有章可循。通过各方努力,2001 年实现“双零”(质量零事故,安全零事故)管理目标。

(许春云)

中南勘测设计研究院三峡工程监理工作

一、监理项目工程完成情况

2001 年中南勘测设计研究院(以下简称中南院)三峡工程监理中心所监理的项目工程量完成情况如下:混凝土完成 119.37 万 m^3,为计划量 112.3 万 m^3 的 106.3%,累计完成 354.23 万 m^3,为核定总量 377.29 万 m^3 的 93.88%,基本完成混凝土浇筑目标。金属结构安装完成 2.69 万 t,为上报量 2.75 万 t 的 97.8%。

工程形象进度达到计划要求,地面工程所有闸首及 76%闸室边墙达到设计高程,地下工程全部竖井和 96%的隧洞完成混凝土施工,金属结构人字门安装全部完成,反弧门安装完成 8 扇。

认真贯彻落实“质量零事故”目标,质量控制效果进一步提高,全年未发生质量事故和较大工程质量问题,年内评定混凝土质量单元 7250 个,合格率 100%,优良率 88.11%。

落实“安全零事故”目标,初步实现三个转变:从制定安全措施为主转变为现场检查落实各项安全操作规程;从被动处理安全事故转变为生产过程中主动控制安全事故的发生;从安全部门管安全转变为生产系统和安全部门融为一体管安全。全年死亡事故率和重伤事故率分别为 1.4/10000 和 0.7/10000。

2001 年工程质量检查处理工作启动早,经过试点,取得经验。全年混凝土表面、止水系统、排水系统、裂缝、内部取芯等五大类缺陷检查处理全面展开,总体完成 30%。

分部分项工程验收工作进展顺利,永久船闸划分为 80 个分部分项工程,完成 12 个分部分项工程验收,占 15%。

二、监理工作及成效

(一)进度控制

进度控制采取以日、周、月,季、年层层落实的动态控制方式,并采取与奖金和结量支付挂钩的经济手段,取得很好效果。全年8项主要工程量除金结安装基本完成外,其余7项全部超额完成年度计划,其中混凝土超额6.3%,主要形象满足计划要求。全年监理编发进度控制文件18份,审批施工单位进度文件84份。

(二)质量控制

对混凝土、灌浆、金结安装、金结制造、拌和楼运行等工程监理采取认真审批施工组织方案、工艺设计,施工过程进行旁站监理等严格的质量控制措施。全年编写监理细则、作业规程等质量控制文件19份,审批施工单位施工组织方案456份,现场签发与质量有关的联系单22406份,签发停、返工指令7份,现场检测试验21772组(次),组织设计交底会12次,审查签发设计图1164张,设计通知单617份,填写阅图卡140份。中南院监理的项目全年未发生质量事故。

(三)投资控制及合同管理

中南院三峡工程监理中心全年处理费用申报文件239份,施工单位申报计量支付、合同变更、索赔共216712万元,监理审定为152912万元,核减63800万元,占审定量的41.7%,审批设备制造支付金额11990万元。

(四)安全监督

永久船闸是三峡工程施工中条件最困难、事故隐患最集中的部位,监理始终坚持安全第一、预防为主的方针,严格做好安全监督工作,坚持周、月、季安全检查制度。配备专(兼)职安全监理工程师17人,全年组织联合大检查73次,查出隐患1502条,召开安全例会38次,审查安全措施文件15份,签发安全管理文件130份,签发安全违规警告14份。

(五)信息管理

配置信息管理人员12人,形成信息网络。全年编报设备监造简报24期,监理月报12期,设备监理月报12期,年报3期,各类周报173期。坚持发日报信息,全年发质量问题信息73条,安全事故信息47条,单元评定信息7250条,及时向有关部门反馈施工现场信息。

(六)监理协调

中南院监理中心负责永久船闸18个合同的监理工作,涉及承包商10个,涉及分包和劳务合作单位近100个。标段多,施工单位多,多专业、多工种交叉作业,协调工作量大。全年召开各类型协调例会285次,形成整个船闸施工协调意见335份,发现场协调工作联系单2101份,确保施工正常进行。

三、监理规范化管理

中南院监理中心全年新编写监理实施细则、作业规程、管理规定等19份,累计编写134份,涵盖各专业的监理工作,做到各专业监理工作岗位责任明确,专业间接口密合,规范现场监理工作。

2001年,中南院监理中心组织培训监理人员340人次,组织技术讲座5次,参加人员85人次;参加全国水电行业监理工程师培训32人;组织参加监理知识考试5次,参加考试人员698人次。

坚持现场24小时值班制度,各标段各施工部位均有监理人员24小时在场,总监及有关部门负责人轮流夜间值班,加强现场巡视。坚持内部协调例会制度,每周日下午进行,协调各标段监理工作和通报重点工作。坚持监理考核制度,每季度对监理人员进行一次考核,评定奖金和处罚,决定岗位升降,季度考核结合劳动竞赛,年终进行总结评比。

(李振明)

西北勘测设计研究院三峡工程监理工作

一、概况

西北勘测设计研究院(以下简称西北院)三峡工程监理中心2001年承担的监理项目主要有左非$12^{\#}$坝段至左岸$10^{\#}$机组厂房坝段标(以下简称ⅡA标)及左岸电站厂房标(以下简称Ⅲ标),具体情况见表1。

表1　　**西北院承担的监理项目**

项目名称	合同价	合同工期	施工项目	承建单位
左岸厂房坝段(ⅡA标)(左非$12^{\#}$～$18^{\#}$坝段至左岸$1^{\#}$～$10^{\#}$机组厂房坝段)	15.2亿元	1997.10.1～2004.3.31	土建工程、机电金属结构一期埋件及设备安装、高程120m拌和系统等临时工程	青云水利水电联营公司
左岸电站厂房(Ⅲ标)(安Ⅰ,安Ⅱ,$1^{\#}$～$6^{\#}$机组,安Ⅲ,$7^{\#}$～$14^{\#}$机组厂房段)	13.9亿元	1997.10.1～2004.4.30	土建工程,机电金属结构一期埋件及设备安装、临时工程等	三七八联营总公司

2001年西北院三峡监理中心制定《长江三峡水利枢纽左非12#坝段至左岸10#机组厂房坝段及左岸电站厂房工程监理规划》，根据实际情况对9项监理工作标准程序、施工方法、施工总进度等进行重新调整。为适应二期工程施工监理工作的实际及工程进展，在2000年以前已完成的73个监理工作实施细则和10项管理制度基础上，修订、补充和新增8项细则和5项管理制度。

2001年西北院监理中心编写监理年报、月报、周报、日报、温控周报等460期，编写进度、质量、投资和安全专题报告31份，召开各类协调会及编发纪要334次(份)，收发文件2700多件，原材料试验、混凝土试件取样约2300组，审签设计图纸500余张，验收混凝土浇筑仓号3000多个，金结、机电、消防和暖通制安或埋件验收签证14507份，现场巡视、旁站检查27900余人次。

二、进度控制

西北院监理中心2001年编制进度计划控制专题报告19份，审批施工单位进度计划27份，所监理工程项目的施工进度得到较好控制。左非12#坝段至左岸10#机组厂房坝段标及左岸电站厂房标均完成年施工计划，2001年完成主要工程量见下表：

标段	ⅡA标段		Ⅲ标段	
工程项目	完成工程量	占计划量的百分比	完成工程量	占计划量的百分比
混凝土工程	54.4万 m^3	102%	22.6万 m^3	119%
金属结构	7477t	103.8%	5168.6t	102%
机组埋件	/	/	5635t	109%
固结灌浆	10646m	137.1%	/	/
帷幕灌浆	18309m	122.1%	4956m	93%
接缝灌浆	57023m^2	114%	/	/
接触灌浆	/	/	7741 m^2	131%
排水孔	11920m	119%	/	/

施工形象满足控制性进度要求，ⅡA标三分之二的坝段按合同工期要求达到坝顶高程，Ⅲ标基本按要求完成安Ⅰ、安Ⅱ、安Ⅲ、1#～6#机组段厂房封顶和土建标向机电安装标交面工作。

三、质量控制

2001年西北院监理中心监理的工程施工重点有大坝及蜗壳二期混凝土浇筑、大坝接缝灌浆、基础帷幕灌浆、金属结构安装、水轮发电机组埋件安装，坝顶门机，厂内小桥机安装、调试，厂房屋顶网架和屋面板的制造安装及副厂房装修等。

2001年，左非12#坝段至左岸10#机组厂房坝段浇筑混凝土1346个单元，全部合格，一检合格率99.2%，优良率85.1%。为了对左安Ⅲ－2#至左厂10#坝段高程122.5m～126.0m以下部位进行混凝土密实性检查，设计布置106个检查孔。截至2001年底施工完成74个(包括14个终检孔)，进尺1572.5m。其中完成自检孔60个，进尺1251.8m，自检孔芯样采取率达到90%以上的有59个，获得率达95%的孔有58个。所获得的混凝土芯样显示，混凝土体较密实，骨料分布基本均匀，层间结合良好，总体质量较好。在混凝土原材料质量控制检测中，粗骨料超径合格率79%～95%，超标时有发生；逊径合格率较高，接近或超过95%。砂的含水率合格率95.6%。水泥、粉煤灰、外加剂检测全部合格。混凝土塌落度检测合格率95%～97%。西北院监理中心对混凝土生产拌和机口取样28天抗压强度试验取样390组，各标号混凝土抗压强度保证率接近或超过95%，不小于设计强度的百分率接近或超过95%。此外混凝土拌和物出机口温度、含气量的检测结果也都符合规定要求。

左岸电站厂房浇筑混凝土1660个单元，全部合格，一检合格率98.9%，优良率86.9%。在混凝土原材料质量控制检测中，粗、细骨料质量与大坝检测成果相近，水泥、粉煤灰、外加剂检测全部合格。混凝土塌落度检测合格率95%～100%。西北院监理中心对机口取样28天抗压强度取样303组，保证率95%以上，不小于设计强度的百分率在98%以上。此外混凝土拌和物的出机口温度、含气量检测结果也都符合规定要求。

经对数千次检测资料统计分析，混凝土浇筑温度达到设计要求，测点超温率大坝混凝土为3.5%，厂房混凝土为1.6%，均符合三峡标准要求。混凝土浇筑结束后，重视覆盖、通水冷却和养护工作的监督。

2001年坝体接缝灌浆施工完成260个灌区，面积55728m^2。经对10个灌区进行钻孔取芯检查，压水透水率均小于0.3Lu，合格率100%。已钻取的10个检查孔混凝土芯样完整、密实，取芯率92%以上，缝面水泥结石充填饱满度达90%以上。以上检测成果说明坝体接缝灌浆质量良好。

截至2001年底大坝基岩帷幕灌浆施工完成32000m，基本结束。左厂坝段布置1088个排水孔，设计工程量31690m，2001年完成各类排水孔680个，计10196m，孔径、孔斜、孔深及孔口装置的安装均被严格控制。Ⅰ、Ⅱ、Ⅲ序孔的平均单位注灰量分别为27.29 kg/m、7.28 kg/m、4.87 kg/m，已完成31个检查孔450段压水检查，大部份透水率 $q<1Lu$，符合设计要求。可初步认定帷幕灌浆质量良好。

2001年大坝金属结构、机电埋件安装完成7477t，其中压力钢管完成5210t，拦污栅埋件1770t。监理人员严格按照岗位职责、质量标准和验收程序进行质量检查，对重要工序（如伸缩节和凑合节的制造及安装过程）设立控制点，实行全过程监控。制造、安装质量满足三峡标准要求，焊缝超声波检查及射线检查一次合格率96%～100%。

2001年厂房机组埋件安装完成5168.6t，金属结构安装5635t。2001年是机组埋件安装次高峰年，金属结构埋件安装进入高峰年，吊装及安装调整工作量大且技术难度高。西北院监理中心修订和补充有关监理细则和监理作业指导书，严格按照规程规范进行监控、工序检查、质量验收签证。焊缝检查一次合格率97%。

西北院监理中心2001年发送质量指令及文函1061件，现场通知单173件。无质量事故，质量控制工作成效显著。

四、造价控制

2001年西北院监理中心承担有监理合同项目26个，分为工程项目和施工奖励协议两大类，其中工程项目合同9个，其它奖励协议17个。

2001年完成合同项目17个，全年累计完成工程价款支付7.0296亿元，核减施工单位申报1.2899亿元。其中完成合同变更索赔114项，核批变更索赔支付5717.5万元，核减变更索赔申报6756.8万元。主要工程项目均按合同要求计量支付，施工奖励协议均按实际完成情况支付，未发生超前支付及投资失控现象。

五、信息管理

2001年西北院监理中心继续完善信息管理软件，图纸、资料、报表、文件、记录等信息库，在2000年的基础上增至29个。通过调整和增加信息管理人员，西北院监理中心信息处理速度和工作质量进一步提高。全年录入质量问题信息103条，安全事故信息13条，单元评定信息3051条，试验检测信息1151条，文档管理信息9094条。2001年西北院监理中心再次荣获中国三峡总公司“工程信息上网”一等奖。

六、安全控制

西北院监理中心遵循中国三峡总公司提出的“零安全事故，零质量事故”管理目标，在业主安全总监办公室指导下，重新修编安全监理实施细则、监理人员现场工作安全规定等规章制度，进一步完善责任体系。建立以总监为第一责任人，由一名副总监分管安全工作，由19人组成的安全监理体系，设置4名专职安全监理工程师，负责审查施工单位的安全生产保证体系、人员配置、安全生产责任制及安全措施，坚持日常现场巡视、检查及阶段性的安全大检查，督促施工单位对事故隐患进行整改。2001年发现纠正违章现象近千次，发整改通知62份，督促完成整改的主要安全隐患471处，发送安全文函62份，编写安全周报52期，报送安全报表12份。

（崔陇天）

华东勘测设计研究院三峡工程监理工作

2001年华东勘测设计研究院（以下简称华东院）三峡工程监理中心主要承担临时船闸及升船机第二阶段工程、左非9#～11#坝段剩余混凝土浇筑工程、通航建筑物上游隔流堤主体段工程等项目的施工监理任务。

一、进度控制

2001年由葛洲坝集团公司三峡指挥部施工的临时船闸及升船机第二阶段工程完成混凝土浇筑3.483万m^3，接缝灌浆8711.5m^2，帷幕灌浆330m，基础排水孔690m，全面完成年度生产计划。升船机上闸首主体混凝土全部浇筑完毕，升船机坝顶临时交通桥架成通车，质量检查及缺陷处理工作进展顺利。因高程120m施工道路占压和缆机运行限制，于1999年停浇的左非9#～11#坝段剩余工程，从有利于现场设备布置和施工管理考虑，经各方协商，决定将其从临时船闸及升船机第二阶段工程划出交由青云水利水电联营公司施工，并于3月15日完成现场移交，4月正式恢复施工，至年底完成混凝土浇筑5.93万m^3，超额完成年计划。其中左非9#坝段于11月底按合同目标浇筑至坝顶高程，从而为架设临时船闸坝顶交通桥创造条件。由武警水电部队三峡指挥部施工的上游隔流堤工程完成土石方填筑155.2万m^3，混凝土浇筑8.52万m^3，堤体填筑任务基本结束，护坡护底混凝土完成大半，其中0－070～0＋600和0＋600～0＋850两个堤段施工任务完成，并顺利通过分部工程验收，整个工程施工进展较合同进度计划明显提前。

二、质量控制

为控制好工程的施工质量，华东院全体职工牢固树立“质量优先”的指导思想，根据全面质量管理要求，建立完善的监理质量控制体系，详细制定各单项工程质量检查验收办法，以单元工程（工序）为基础，对工程质量进行程序化的全面监控，坚持实行仓面工艺设计和独立平行取样试验制度，并对关键项目、关键工序（如混凝土浇筑、接缝灌浆、桥梁架设等）实施全过程、全天候的跟班旁站监理，使得施工过程中存在的问题能被及时发现、及时处理、及时得到控制。2001 年进行单元工程质量评定 2209 个,合格率 100%,优良率 90.5%;完成分部工程验收 14 个,其中 8 个合格,6 个优良;完成合同项目竣工验收 1 个。另外华东院监理中心牵头成立由业主、设计、监理、施工单位参加的CⅢ-2标混凝土全面质量检查及缺陷处理工作组,制定下发《升船机和左岸 1# ~11# 非溢流坝段混凝土工程质量问题的检查和处理监理实施细则》,明确质量检查和缺陷处理的程序、标准和相应工作制度,从而为顺利开展全面质量检查及缺陷处理工作创造条件。

三、投资控制与合同管理

华东院监理在充分了解和掌握合同文件、设计文件和施工现场实际情况的基础上,主要抓好 4 个方面的工作以做好合同管理与投资控制,即工程价款结算、合同变更与索赔、价差核定和物资核销。每月的工程结算,是投资控制工作的重要内容之一,为了使工程量正确无误,监理工程师严格进行收方复测和内业复核。2001 年各标段施工单位上报完成投资额 10691.61 万元,监理审核后的工程结算价款为 8898.68 万元,核减投资 1792.93 万元。合同变更与索赔审核,严格按业主规定的变更与索赔程序处理。2001 年华东院监理中心处理并经业主批准的变更文件 8 项,施工单位上报总金额 5751.01 万元,监理审核金额 3853.25 万元,业主批准金额 3700.09 万元。工程价差严格按合同规定和有关部门公布的调差指数进行认真核定,2001 年施工单位上报并经监理审核的价差补偿总金额478.95 万元。另外,按照业主物资部有关文件精神,华东院监理中心结合现场生产实际,对所监理的工程项目,重新进行工程所需主要物资总量的复核工作,并严格按此进行物资计划的审批与核销,对主要工程项目的物资实行计划分月审批和分月核销制度,有效防止工程物资的价差流失。

四、安全管理

2001 年华东院监理中心进一步强化各级监理人员的安全管理职责,在日常监理工作中始终坚持"安全第一、预防为主"和"以人为本,教育为先,管理从严"的方针。在中国三峡总公司安全委员会、安全总监办公室的统一领导和部署下,华东院监理中心从安全帽、安全带、安全绳、安全网等基础工作抓起,加强安全意识和安全知识教育,积极配合劳动部门督促施工单位加强对劳务协作单位的管理和特殊工种的上岗培训工作,同时严把安全施工措施审批关和开工签证权,大力推行"班前 5 分钟"、"作业程序指导书"、"预知危险活动"等各种行之有效的安全管理方法,加大现场安全巡查和纠正违章、隐患整改的力度。经参建各方共同努力,2001 年施工单位领导对安全管理工作的重视程度明显提高,现场施工人员的安全生产意识普遍加强,安全管理人员的现场检查监督力度加大,各种行之有效的安全教育、预控制度和防范措施得到逐步完善和落实,从而保证了华东院监理的各工程项目全年未发生任何人员和设备安全事故,圆满实现"零安全事故"目标。

五、信息管理

2001 年华东院监理中心编发监理月报 12 期、监理周报 52 期、监理项目质量报告 3 份、安全管理工作动态 19 期,发送各类监理文件 145 份、会议纪要 120 份。另外,根据中国三峡总公司信息中心及航建项目部的要求,切实加强 TGPMS 质量与安全及文档管理子系统、NOTES 日报系统的信息输入及周报编制报送等信息管理工作。设有专职信息员 1 人,兼职信息员 3 人,其中专职信息员负责输入安全子系统和质量子系统中与单元工程评定验收有关的信息,兼职信息员负责输入文档信息及质量子系统中与材料试验检测有关的 TGPMS 信息(包括历史信息)。2001 年新产生的 TGPMS 信息及 NOTES 信息输入工作保持与工程施工进度同步,从而确保信息资源共享的时效性。

六、监理规范化建设

2001 年华东院监理中心在已汇编的监理工作细则及管理制度基础上,修订或新编监理实施细则 2 份、工程质量检查验收办法和标准 4 份、内部管理制度和规定 6 份。通过及时补充完善,从而使已有的规章制度、岗位职责、监理实施细则等,更进一步地完整涵盖日常工作需要,从而使得每位员工都能严格按制度、程序办事,并各司其职,有计划、有步骤的进行各项监理工作,现场的监督管理和内业整理工作得到较好兼顾。

(叶锦锋)

东北勘测设计研究院三峡工程监理工作

一、概况

东北勘测设计研究院(以下简称东北院)2001 年通过招投标方式,增加 3 个标段的施工监理任务,即 A 标:茅坪溪防护土石坝二期工程坝体填筑;B 标:茅坪溪防护土石坝二期工程沥青混凝土心墙铺筑;混凝土标:右岸地下电站进水口混凝土工程及金属结构安装。原有的两个施工监理项目:右岸地下电站进水口开挖(以下简称明挖)和右岸地下电站进水口洞挖工程(以下简称洞挖)分别于 2001 年 12 月底和 2001 年 12 月初完工。

二、进度控制

在进度控制中采取科学审批计划，关键线路工序事先指导，非关键线路合理调整，协调设计、施工等措施，达到参建各方密切配合按时完成当年进度计划的目标。

（一）A、B标段

茅坪溪防护土石坝二期工程的两个标段于2001年5月8日开工，2001年计划完成坝体填筑123.61万m^3，坝体上升至148.0m高程，沥青混凝土心墙上升至148.4m高程。经过业主、设计、施工、监理等单位的共同努力，实际完成坝体填筑140.4万m^3，坝体高程达到149.8m（迎水侧）、151.6m（背水侧），沥青混凝土心墙达到149.8m高程，均超额完成年度计划。

（二）混凝土标段

右岸地下电站进水口混凝土工程于2001年8月11日开工，2001年计划完成混凝土浇筑4.26万m^3，实际完成4.16万m^3；排沙洞钢衬安装计划完成498t，实际完成355t；回填灌浆计划完成840m^2，实际完成885m^2；固结灌浆计划完成3560m，实际完成2582m；帷幕灌浆计划完成1900m，实际完成930m。

未完成进度计划的主要原因是明挖地质条件恶劣，处理时间较长，施工难度较大。从而引起洞挖工程交面滞后。另一主要原因是明挖与洞挖工程一度出现互相施工干扰等。

（三）洞挖工程

洞挖工程于2000年9月12日开工，2001年12月4日完工，总工期15个月。该工程已通过合同项目工程完工验收，并被评为优良工程。2001年完成洞挖10.1万m^3、锚杆4381根、喷混凝土867.2m^3、挂网钢筋6.53t，满足合同要求。该工程完成的主要工程量见表1。

表1　洞挖主要工程量统计表

项　目	单位	合同量	实际完成量
洞挖	m^3	121600	126282
喷混凝土	m^3	600	1193
锚　杆	根	4854	6492
挂网钢筋	t	200	8.51
排水孔	t	400	209

（四）明挖工程

该工程是东北院与长江水利委员会三峡工程监理部（责任方）联合监理的施工项目。工程于1999年8月28日开工，计划2001年2月底完工，但由于工程开挖量增加，并且与洞挖施工发生干扰，地质条件也出现始料不及的情况，高边坡作业难度大、技术处理工作繁重，使完工交面工作滞后，实际完工日期为2001年12月31日。

三、质量控制

质量控制的主要方法是应用标准准确，监理人员的岗位职责明确，与质量相关的内外协调及时，内部奖罚分明。对于施工重点部位坚持旁站监理，例如沥青混凝土心墙摊铺，锚杆、锚桩、锚索注浆，常规混凝土浇筑，地质基础处理的各种灌浆等。东北院三峡监理中心所负责的施工监理部位均无任何质量事故，而且在2001年完工的洞挖项目中实现“双零”管理目标。

（一）A、B标段

2001年，茅坪溪防护土石坝二期工程的坝体填筑（A标）评定224个单元，优良率90.2%，过渡料填筑39层，32个单元，优良率90.6%。沥青混凝土铺筑（B标）完成39层，55个单元，优良率90.9%。

（二）混凝土标段

右岸地下电站进水口混凝土和金属结构安装工程项目，2001年完成混凝土浇筑195个单元的评定，其中162个单元评定为优良，优良率83.1%。金属结构制作安装工程完成116个单节制作验收评定，合格率99.89%，安装完成38个螺节验收评定，合格率100%，优良率90%。

（三）洞挖工程

洞挖工程由6条引水洞的上平段（各94.58m长）和进水塔内汇合为一条排水总洞（长249.7m）的洞挖组成。6条引水洞的开挖洞径有15.5m、16.5m和17.5m三种。该工程分7个分部工程、14个分项工程、111个单元工程，其中优良94个，优良率84.7%；锚喷混凝土支护分项工程66个单元，其中优良58个，优良率87.9%，单位工程评为优良。

（四）明挖工程

2001年东北院三峡监理中心在右岸地下电站进水口开挖工程中主要是支护施工监理，以单元工程和工序过程为基础，对工程质量进行全过程、全方位控制。重点部位旁站或24小时值班，例如边坡支护的混凝土浇筑及锚杆、锚索注浆等。该工程于2001年12月底基本完工，剩余尾工约一个月可处理完毕。全部工程的质量评定结果见表2。

表2　明挖工程质量评定结果汇总表

分项工程	单元工程评定			
	评定数量	合格数	优良数	优良率（%）
锚杆	208	25	183	88

排水孔	198	20	179	90.4
护坡混凝土	428	63	365	85.3
喷混凝土	195	24	171	87.7
预应力锚索	5	2	3	60
排水沟	7	1	6	85.7
合计	1041	135	907	87.1

四、投资控制

投资控制以质量控制为基础，不合格的质量不支付工程款。另外，投资控制按工程计划做出全年的资金流曲线，随时可发现超常现象，及时查明原因采取应对措施。各施工监理项目的投资完成情况如下：

（一）A、B标段

表3　　A、B标段完成投资情况统计表

合同额（万元）	2001年完成额（万元）	完成投资比例（%）	剩余额（万元）
18207.5	4704	25.84	13503.5

2001年该标段发生工程保险理赔3次，监理累计批准总金额18.07万元。

（二）混凝土标段

表4　　混凝土标段完成投资情况统计表

合同额（万元）	2001年完成额（万元）	完成投资比例（%）	剩余额（万元）
29637.65	4845.79	16.35	24791.86

（三）洞挖工程

右岸地下电站进水口洞挖工程2001年计划完成投资1080.78万元，实际完成投资1263.43万元，完成计划的116.9%。该工程于2001年完工，总工期15个月，施工合同总金额1523.33万元，实际支付1615.91万元(其中包括合同变更)。另外还有待办合同变更17.78万元。

五、信息管理

东北院三峡监理中心2001年加强工程管理系统TGPMS应用和子系统NOTES日报、周报系统的信息编录工作，增加微机与应用软件，培训专业人员。4个合同共完成档案资料管理信息输入1290条，并且按业主要求补录2000年的档案资料管理信息208条；输入合同支付信息31项；输入工程质量评定信息487个单元；输入文明生产安全管理信息21条。

六、监理管理

2001年，东北院三峡监理中心的施工监理项目增加，监理人员、设备设施等随之配套，原有的各项管理措施与规章制度都做了相应的修改与完善。制定总监、项目总监等主要监理人员岗位责任制5份，制定各种内部管理制度与办法13份，修改完善监理工作细则8项，重新制定监理工作细则2项，业务学习6次。监理工程师培训6人，信息与档案资料编录培训3人。

（胡　东）

葛洲坝水电建设监理公司三峡工程监理工作

一、三峡左岸电站机电设备安装与调试工程

2001年，葛洲坝水电建设监理公司（以下简称葛电监理公司）受中国三峡总公司委托，参与三峡左岸电站机电设备安装与调试工程的施工招投标工作，并于2001年3月开始参与三峡左岸电站厂房1200/125t桥机安装与调试的监理工作。2001年9月3日，中国三峡总公司工程建设部下发三工建信息字〔2001〕第100号文《关于明确三峡左岸电站机电安装与调试工程现场监理机构的通知》，明确三峡左岸电站机电安装与调试工程的现场监理机构为葛电监理公司三峡机电安装监理部。监理部下设综合管理部、工程管理部、机械项目部、电气项目部、专家组，负责三峡左岸电站机电安装项目的进度、质量、造价控制和合同管理以及组织协调等方面的监理工作。12月24日，中国三峡总公司与葛电监理公司签订《长江三峡水利枢纽左岸电站机电设备安装与调试工程建设监理合同书》。

葛电监理公司三峡机电安装监理部依据承建合同文件规定，进行设计图纸提供、施工组织设计审批、施工控制测量成果验收、进场材料和施工设备检验等监理工作，并于2001年11月12日和11月19日分别签发第Ⅰ标段和第ⅡA标段合同工程开工令。

11月22日，三峡左岸电站首台机组（2#机组）定子吊入1#机坑进行组装，这标志着三峡左岸电站机电设备安装与调试工程拉开序幕。

二、三峡工程左岸电站机组水轮机埋件制作

三峡工程左岸电站机组水轮机埋件制作项目全年完成的制作任务主要有蜗壳4台（9#～12#机），机坑里衬4台（9#～12#机），基础环4台（9#～12#机），工程量计4045.65t，占水轮机埋件合同总量的22.48%。质量达到图纸、合同文件、技术标准的要求，较好地完成合同要求的年度计划，满足现场安装需要。

在进度控制方面，葛电监理公司严格审查制作单位年、季、月生产计划，监督计划的实施，协助制作单位协调制作场地，督促其做好各承接制作任务之间的统筹兼顾，保证设备按期交货。

在质量控制方面，葛电监理公司着力督促制作单位强化质量保证体系，加强旁站监理力度，对平板、下料切割、压头卷板、拼装、焊接、喷砂防腐等各个环节严格执行工序检查验收签证制度，并加强进场材料的平行检验，2001 年送检两批共 52 件材料试件。在制作厂家和监造人员的共同努力下，2001 年所制作部件外形尺寸、焊接和防腐质量均满足要求。7# ～12# 蜗壳焊缝超声波、射线探伤一次合格率均在 99%左右。

三、三峡左岸电站厂房、大坝及永久船闸排水系统设备制造

从 2001 年 1 月开始，监造人员进驻上海深井泵厂、南京古尔兹制泵有限公司、南京蓝深制泵集团 3 个单位，进行三峡左岸电站厂房、大坝及永久船闸排水系统设备的驻厂监造工作。9 月，该项目所有制造任务全部结束，所有部件做到按期交货。

监造人员在驻厂监造过程中，加强设计审查和开工前对制造单位质量保证体系、工艺措施、生产进度计划、质检手段和人员的审查，把好原材料和外购件进场质量检查关。同时，加强工序检测和监理的抽检工作，对重点加工和试验项目进行现场见证，并定期召开项目协调会，确保排水系统设备制造的质量。

四、施工供水供电项目

葛电监理公司 2001 年承担的施工供水供电项目主要有三峡六闸首公路桥两侧供水管网改造工程、三峡左非至永久船闸电缆廊道土建及机电埋件与安装工程、三峡厂坝安装调试供电电气设备安装与调试工程、三峡左岸管网改造工程以及 6kV 零星电气工程项目。对于以上项目，监理人员严格进行事前、事中、事后控制，加强旁站监理，认真进行每一道工序验收，坚持实行平行检测制度，从而在质量、进度、造价、安全等方面都取得了较好的监理成效。

五、现场安全监督

在安全管理方面，葛电监理公司积极落实业主关于安全管理的各项规定，采取组织、合同、技术、经济等一系列手段，促进安全工作。配备专职安全监理工程师，建立内部安全网，进一步完善安全管理体系，加强对监理人员的安全教育，加强现场安全监控力度。工程开工前，葛电监理公司加强事前控制，对安全工作进行全面分析，制定安全防范措施。同时，认真审查施工组织设计和安全技术措施，督促施工单位按合同做好安全生产投入，并要求施工单位加强对协作单位的管理。在现场监理工作中，加强安全生产现场检查与隐患整改，检查安全技术措施落实情况，制止施工现场违章作业行为。检查特种设备运行情况，检查特殊工种及全员安全教育情况，督促施工单位开班前会。2001 年，各项安全管理规章制度执行情况良好，葛电监理公司内部和所监理项目无重大人身和设备事故发生。年底，中国三峡总公司对葛电监理公司的安全考核为 98.5 分。

六、监理工作规范化

2001 年，葛电监理公司组织人员参加《水电水利工程施工监理规范》的宣传贯彻会，并根据该《规范》编写《监理工作到位情况参照表》，编制监理常用表格，开展该《规范》的答题活动；另外，参加监理工程师培训 2 人次、水电工程造价培训 2 人次，参加安全培训 1 人次，参加 TGPMS 文档管理系统培训 2 人次。

（蓟　健）

大型施工设备的监理

2001 年承担三峡二期工程设备监理任务的监理单位仍维持原来的 4 家，即：长江水利委员会三峡工程监理部、武汉大学、中国水利水电第十三工程局和中南勘测设计研究院，所承担的项目与 2000 年保持不变。设备监理到位 678.6 人·月，新增专职设备安全监理人员 4 人，新增塔带机现场监护监理人员 6 人，设备监理规模维持 2000 年的水平。中国水利水电第十三工程局和长江水利委员会三峡工程监理部被评为 2001 年下半年度设备监理先进单位。

设备监理负责对大型施工设备的交接、安装拆除、使用、保养、维修、配件供应、仓储、位置移动等设备使用管理合同进行全过程、全面的监督、管理。在设备安装、拆除阶段，主要控制安装及拆除质量、进度，并协助土建监理控制相关费用；在设备运行阶段，以安全运行管理为中心，通过定期和不定期巡视检查，监督设备运行单位严格执行定期维修保养制度，按操作规程规定进行设备的操作及维修保养，从而避免设备失修、失保或带“病”运转。此外，按合同要求设备监理向业主提交各类工作报告，如：日报、周报、月报、季报、半年报、年报、大事记、事故报告、设备使用状况分析报告、设备交接及验收报告、设备生产率统计分析报告、年度监理总结报告等，及各种工作计划，如：设备使用计划、设备操作及维修管理人员培训计划、设备保养及维修计划、配件计划等，并将其所有认为有必要提交的监理通知、情况通报、处罚决定等与受监理方及第三方的往来文件交业主备案。为完成所承担的任务，设备监理单位除在现场配备足够数量具有经验的专业技术人员外，还配备满足工作需要的设施、设备和常用仪器仪表等。

设备监理单位通过合理运用业主赋予的监督、检查、协调、审批、处置、调查、裁决、建议等各项权利，有效的履行其安全管理、合同管理、组织协调、信息管理、质量及进度控制、经济管理的职责，从而保证监理任务的完成。

（刘　军）

设　计

三峡枢纽工程设计

一、单项技术设计及重大技术专题研究

2001年长江水利委员会（以下简称长江委）设计院继续深入进行第八项单项技术设计工作和科研攻关工作，编制完成《葛洲坝下河道壅水工程方案研究》、《葛洲坝枢纽航运问题综合治理方案研究》、《三峡工程施工期运用初期葛洲坝通航影响及船闸优化调度研究》。对三峡工程施工期通航问题和135m水位（围堰期）航运补偿调度及船闸优化调度进行深入研究。进行三峡—葛洲坝梯级调度规程编制、三峡防洪调度专题研究、电站调峰专题研究、三峡动库容研究、三峡梯级自动化调度系统设计。

根据工程进展，长江委进行一系列专题研究工作。如三峡梯调中心规划设计、导流孔施工期及运行期温度控制专题研究、导流底孔封堵专题研究、三峡三期导流明渠提前截流专题研究、电源电站可行性研究、电源电站总体布置优化设计、三峡右岸电站水轮发电机组额定水头选择研究、左岸电站6#机组夏季保压保温浇筑蜗壳二期混凝土专题研究、三峡枢纽消防工程设计补充研究、三峡升船机上游浮堤长度优化研究、三峡二期工程泄洪坝段上下游面裂缝成因初步分析及处理措施研究、右岸24#～26#厂坝段深层抗滑稳定专题研究等。

二、招标设计及招标文件编制

2001年主要开展三峡枢纽三峡—葛洲坝梯级调度中心招标设计、三峡二期上下游围堰拆除招标设计、三峡电源电站招标设计、三峡三期RCC围堰招标设计、三峡三期工程上下游土石围堰及明渠截流招标设计工作。长江委设计院除完成各单项工程招标设计和承担大部分项目的招标文件编制工作外，还投入大量专业技术力量，协助、配合中国三峡总公司开展有关评标、合同技术谈判及设计联络工作。2001年完成的招标文件编制项目如下：右岸施工场地平整及右岸24#～26#机组段提前开挖施工招标文件；左岸电站机电设备安装与调试工程招标文件；茅坪溪防护土石坝二期工程安全监测施工招标文件；右岸地下电站进水口混凝土和金属结构安装工程招标文件；三峡工程梯调中心改建装修设计和施工招标文件；左非至永久船闸电缆廊道土建及机电埋件与安装工程招标文件；梯调中心及左岸电站计算机监控系统招标文件；厂房顶500kV电压互感器、阻波器、避雷器招标文件；辅助设备桥机招标文件；GIS室桥机招标文件；油系统设备招标文件；35kV永久变电所改造主变压器招标文件；左岸电站、大坝和永久船闸直流电源设备采购招标文件；左岸电站、大坝和永久船闸排水系统控制设备采购招标文件；永久通信设备采购招标文件；临时供电设备招标设计及招标文件；大坝、永久船闸动力电缆及附件设备采购招标文件；大坝、永久船闸现地控制柜采购招标文件；闸坝管线廊道施工招标文件；电源电站土建与安装工程施工招标文件；二期围堰拆除施工招标文件；厂坝机电安装临时电源安装及调试采购招标文件；二期主体工程电缆桥架采购招标文件；大象溪油库改建施工招标文件；坛子岭变电所变压器采购招标文件；消防报警及消防设备招标文件；暖通设计招标文件；高压空压机国际招标文件。

三、施工详图设计

2001年三峡工程设计工作的总目标是：确保当年三峡工程建设计划安排的施工项目所需设计图纸及技术文件供应，确保当年三峡工程招标项目所需的招标设计及招标文件编制，为实现三峡工程建设目标提供优质技术服务。2001年完成三峡二期工程泄洪大坝、左厂坝段、左非坝段、永久船闸、左岸电站厂房土建的施工详图设计工作，完成二期工程机电、金属结构全部埋件的施工图，完成茅坪二期工程的施工详图设计、右岸地下电站引水隧洞进口段及进水塔的施工详图设

计、上游引航道全包隔流堤施工详图设计、右岸临建工程的场平、排水及混凝土系统等项目的施工详图设计。2001 年长江委设计院提交施工详图 2500 多张，专题报告 35 份，招标设计报告及招标文件 37 份，生产协调会纪要 157 份，设计评审会纪要 15 份。

四、现场技术服务

长江委设计院做好现场技术服务工作及采购项目的评议标工作，同时，根据 2001 年的施工任务和特点，有针对性地加强金属结构、机电专业的设代力量，保证及时解决现场施工中的有关技术问题。其次是积极配合有关单位，加强对各主要建筑物的施工质量缺陷检查和处理工作，确保不给三峡工程留下任何质量隐患。另外，根据三期工程导截流和通航发电及竣工验收要求，进一步加强水文水情观测、地质资料编录、坝区环境监测等现场服务工作。2001 年完成设计通知、工作联系单、处置单近 800 份，设计文件和技术要求近 700 份。

五、设计成果质量管理及控制

2001 年长江委设计院及时对业主、施工、监理单位进行设计回访和设计质量检查，对质量检查中的优秀设计成果和存在的主要问题分别进行展览和剖析。

2001 年 9 月 24～26 日，北京中设质量体系认证中心一行 6 人，对长江委设计院设计质量管理和控制体系进行第三次审核和复评。重点对以三峡枢纽工程设计为代表的有关设计过程控制、设计输入控制、成果交付、现场服务、顾客反馈意见等方面的质量管理体系进行审核和复评。审核组认为：长江委设计院的设计质量管理体系运行持续有效，自我改进机制建立并运行有效，认证证书和标志的使用符合规定，顾客对产品实物质量和服务满意，同意向北京中设质量体系认证中心推荐保持认证注册并换发认证证书。

（龚国文）

三峡通航建筑物设计

一、双线五级船闸

（一）上游浮式导航墙设计优化

永久船闸为适应上游最大 40m 水位变幅的要求，在单项技术设计阶段，上游导航墙的型式，经对重力式和浮式两种方案比较，采用浮式导航墙。导航墙由钢筋混凝土墩子加钢筋混凝土浮箱组成，分别布置在南线船闸的南侧和北线船闸的北侧。每侧导航墙为 2 跨，每跨布置 2 节浮箱，浮箱的外形尺寸 56m×10m×4.5m，吃水深度 2.5m，两节浮箱之间用螺栓接头连接，另两端为钢质铰接接头，分别设在上闸首上游面和两个墩子侧面的导槽内，随水位变化上下浮动。

永久船闸导航墙布置长度长，浮箱的吃水深，浮箱结构主要受浪压力控制，工作荷载大。这种两端铰接中间为弹性软连接的结构，尚无现成的计算方法。设计人员通过一些假定，采用近似方法进行力学分析后，从结构受力明确、可靠和较好地控制变形的要求考虑，决定将原来每跨用弹性连接的两个浮箱改为每跨一个预应力结构的整体长浮箱。经计算分析表明，结构在采用预应力方案后，可以较好地满足设计要求。但采用这种结构方案，施工难度大。从工程运行安全可靠、施工简单方便考虑，最后决定改在跨中加设墩子，将导航墙由原来的两跨改为 4 跨。新的布置方案大大简化浮箱结构的受力条件，降低施工难度，设计和施工均有较成熟的经验。鉴于与导航墙相邻的船闸进水口已经施工，受现场布置条件限制，优化后的导航墙采用 56m 和 52m 两种跨度的不等跨布置。浮箱支墩采用现浇，浮箱采用普通钢筋混凝土结构，箱体的顶甲板和纵横隔板采用预制，舷板和底板采用现浇。三峡施工现场已按此设计方案进行实施。

（二）上游隔流堤设计

永久船闸上游隔流堤根据大量泥沙水工模型试验成果，并按照工程投入运行后 30～50 年内，可以满足通航水流条件和泥沙无碍航淤积的要求，在初步设计和单项技术设计报告中，均推荐采用在工程运行初期，上游引航道不建隔流堤的布置方案。至几十年后，随着泥沙淤积的不断增加，根据工程运行的实际需要，再在永久船闸右侧建设隔流堤的方案，即所谓“小包”布置缓建方案。初步设计审查对该方案基本表示认可。单项技术设计阶段对隔流堤的布置和建设时间重新进行审查，最后决定隔流堤布置采用连升船机和临时船闸都包在里面的所谓“全包”方案，并与枢纽工程同时建成。因此，需将隔流堤作为近期工程进行设计，并在水库蓄水前基本建成。

上游隔流堤总长约 2700m，堤项高程 150m，分为 3 段，上段从堤头至临时船闸引航道左侧的黎其金弯，为一般填筑段，填筑高度 20m 左右，中段由黎其金弯斜穿临时船闸上游引航道至左岸非溢流坝上游，为深填筑段，填筑高度约 90m，下段从左非 15# 坝段中间，向上与中段相接，为混凝土直立墙结构，最大高度 45m。上游隔流堤主要工程量：土石方填筑约 1300 万 m^3，下段直立墙和各填筑段护坡混凝土浇筑约 22 万 m^3。2001 年，上段填筑段已利用开挖弃渣填筑大部分堤身。下段直立墙已按设计浇筑大部分混凝土，中段处于设计阶段。隔流堤提前兴建，设计工作遇到两个难题。一是按照施工总进度安排，该堤段在 2003 年 4

月 10 日临时船闸停航后才能开始施工，但必须至 6 月 15 日以前填筑至高程 135m 以上，水下清淤约 800 万 m^3，土石方填筑等施工时间只有 46 天，工期紧。二是该段施工所需石料，在隔流堤方案决策时估计的开挖利用料和二期围堰拆除料的数量，与实际可能提供的数量之间出入较大。因此，该段隔流堤施工方法和可能使用的石料的材质，对断面设计参数和填方工程量影响较大，尚待具体落实。

二、垂直升船机

（一）升船机型式研究

三峡垂直升船机在初步设计阶段审定的型式，为全平衡钢丝绳卷扬提升式。单项技术设计阶段，有关方面提出，出于对升船机运行的安全可靠性考虑，要求再次对采用齿轮爬升长螺母短螺杆事故安全装置型式升船机的可行性进行研究。中国三峡总公司委托德国交通部航道工程研究院（简称 BAW）进行可行性研究以后，进一步委托长江水利委员会（以下简称长江委）研究提出可行性报告。对升船机的爬升和事故安全装置部分，要求达到初步设计深度，以满足可将这种方案与初步设计审查方案进一步进行比选的要求。长江委设计院在过去对这种垂直升船机进行设计、研究和对 BAW 提交的《三峡升船机主体部分可行性研究报告》进行深入复核、分析的基础上，通过赴德国进一步考察和较全面深入的分析论证，于 2001 年 12 月向中国三峡总公司正式提出《长江三峡水利枢纽齿轮齿条爬升式升船机主体部分设计研究报告》。报告认为，这种升船机型式，在原理方面早已在德国得到实际工程的验证，将这种型式的升船机应用于三峡工程，主要差别是三峡升船机的规模远大于德国已建升船机，承船厢带水的重量约为德国同类升船机的 2 倍，提升高度约为德国同类升船机的 3 倍。经深入进行设计研究，报告在对升船机的结构和设备进行深化和优化的同时，对升船机能否用于三峡工程的基本结论是：将这种型式的升船机应用于三峡工程，在设计方面未发现不可克服的困难问题，升船机能否建成和正常投入运行，取决于设备制造、安装和土建工程施工的精度。

（二）上游浮式导航墙布置优化

单项技术设计阶段，升船机布置在隔流堤外侧，上游采用浮式导航墙。导航墙长度根据挡浪以满足船舶进出升船机时引航道的航行条件要求定为 250m，采用浮式钢筋混凝土箱型结构，宽度 12m，型深 4.5m，吃水 3.0m。浮箱由 4 节组成，节间采用螺栓刚性连接。浮箱的下游端与设在闸首上的导槽铰接，上游端用可以收放的交叉锚链锚系在锚墩上。

单项技术设计对通航建筑物上游引航道进行审查确定，上游引航道采用将升船机和临时船闸均包进隔流堤的所谓“全包”方案后，升船机导航墙的运行条件发生变化，导航墙在汛期已无挡浪的要求，为此，重新进行导航墙布置设计优化研究。根据实体模型试验成果，提出研究报告，决定将导航墙的长度由原来的 250m，缩短至 120m，浮箱改为两节，中间为弹性连接，两端的连接方式不变，简化结构，节省投资。

（宋维邦）

三峡工程建筑规划设计

一、建筑规划方案设计

1984 年和 1992 年长江水利委员会（以下简称长江委）邀请清华大学建筑系对三峡工程坝区规划和主体工程建筑进行初步方案设计工作。

1996 年长江委根据工程建设要求，明确由长江委设计院牵头，国内众多专家参与研究论证，系统地对三峡工程的环境建筑艺术及旅游等进行规划，提出建设一流工程环境的总体目标。同年 5 月，长江委设计院组织参加该项工作的有关单位人员，对丹江口水利枢纽、葛洲坝水利枢纽、清江隔河岩水利枢纽及三峡工程现场进行查勘和探讨，确立工作目标分为枢纽区规划——形成工程的美丽环境和主体建筑物建筑设计——创造雄伟美观的工程主体两个部分进行工作。

专题研究中配合工程主要技术论证，分别对电站厂房下游墙结构方案和厂房屋盖结构型式进行论证。

1996 年 10 月提出“枢纽区规划纲要”及“主体建筑物建筑方案设计”初步成果，长江委对成果进行审查。1997 年 10 月完成《长江三峡水利枢纽建筑规划方案设计报告》，报送中国三峡总公司和国务院三峡工程建设委员会。

1998 年 1 月，长江委设计院组织力量进行审查前的准备工作，完成枢纽区三维建模和动画制作，经过配乐、解说、合成等编辑后，形成约 15 分钟的动画，演示效果良好。同时准备审查会的多媒体汇报材料。

1998 年 6 月 6～8 日，中国三峡总公司技术委员会在三峡坝区召开《长江三峡水利枢纽建筑规划方案设计报告》审查会，参加会议的建筑专家和特邀专家 18 人，包括两院院士张光斗、潘家铮、吴良镛、周干峙及工程院士莫伯治、钟训正、彭一刚、张锦秋、文伏波、郑守仁等。潘家铮、吴良镛院士作了专题发言，与会专家和代表一致认为：三峡水利枢纽是举世瞩目的伟大工程，一流工程要求一流的规划和建筑设计。因此，做好三峡水利枢纽建筑规划是一项意义重大的工作。由于三峡工程规模巨大，以及水利枢纽特定的环境条件和较长的建设周期等特点，其建筑规划技术难度大。会议认为长江委多年来考察国内外著名的水利水电工程，聘请国内著名专家进行多次咨询，根据长期的水利工程实践，在总结国内外大型水利枢纽工程建设经验教训的基础上，结合三峡工程的功能要求和环境条件，作了大量工作，取得较好成果，较一般水利工程的建筑物设计有较大的充实和提高。会议纪要还提出进一步深化和提高的具体意见。

1. 将三峡枢纽工程作为整体进行建筑方案研究，在风格和空间处理手法及材料、色彩等方面，要强调整体性，所有建筑物构成一个有机联系的整体。宜将整个工程作为置身大自然的巨大雕塑进行建筑艺术处理。

2. 应强调水工建筑物的固有特征和力度，避免用一般城市建筑设计手法，尽量体现建筑物的结构美、整体美、简洁美。利用主体工程混凝土结构宏大、粗犷、简洁来表现整体的气势和力度。

3. 大坝、厂房、升船机、船闸四大主体建筑物要求风格统一协调，特别是要突出大坝的建筑形象。与大坝关系密切的厂房和升船机建筑形象设计，充分运用对立统一规律，创造出统一协调的整体形象，减少零乱无序的建筑物。

4. 单体建筑要有特色、有内涵，要求形象生动，具有艺术性和标志性。

5. 对附属建筑物要弱化处理，不能喧宾夺主，能隐蔽的尽量隐蔽。

6. 注重建筑与环境的相辅相成关系，不仅要改造自然，更要保护自然。设计中采用可持续发展的技术手段，妥善设计处理好建筑外部环境和内部工作环境。

7. 要注意建筑材料和色彩的整体协调。

8. 在满足泄洪、发电、航运主体功能条件下，组织安全的参观路线，设置必要的管理、服务设施和设备。

9. 尽量应用新材料、新技术，以进一步提高枢纽区建筑效果。如采用先进的照明技术以满足枢纽工程日常照明和节日照明需要，并突出重点，运用激光技术等重点渲染泄洪景象，丰富夜景效果。

根据中国三峡总公司正式批转的审查会议纪要精神，长江委作了进一步的补充研究工作，于 1999 年 6 月完成《长江三峡水利枢纽建筑规划补充报告》。中国三峡总公司于 11 月邀请大坝、厂房专家组部分专家和特邀专家对该报告进行审查。审查意见认为长江委认真贯彻了上次专家审查会议纪要的精神，作了大量补充修改工作，成绩明显，对报告内容基本满意。审查会议纪要提出进一步深化规划设计的具体要求。

长江委于 1999 年 12 月提出《长江三峡水利枢纽建筑规划专题报告》。2000 年 6 月中国三峡总公司召开三峡水利枢纽建筑规划设计讨论会，并就当时施工进度密切相关的建筑设计问题提出明确意见，保证工程建设的顺利进行。

根据上述 3 个阶段工作成果及历次审查会精神，长江委设计院对三峡水利枢纽工程区规划和建筑设计进行大量深化、细化和优化工作，特别是在三峡二期工程建设过程中，结合现场条件和有关方面意见对原定方案又进行必要的调整和修改，对电站厂房立面处理、永久船闸总调楼方案、升船机上闸首交通桥布置和照明设计等开展专题研究。期间又多次邀请国内外著名建筑专家进行现场咨询指导。在此基础上长江委设计院于 2002 年 3 月编制完成《长江三峡水利枢纽规划及建筑设计》专项设计报告，进一步明确工程区的环境建设规划和主体建筑物的建筑设计方案。

二、招标设计

(一)大坝及电站厂房二期工程招标设计

1996 年分别完成大坝及电站厂房二期工程招标设计文件中规划及建筑设计内容，包括工程环境设计，大坝及电站厂房形式，装修设计。

(二)大坝和电站厂房二期工程土建与安装施工招标文件

1997 年完成大坝和电站厂房二期工程土建与安装施工招标文件建筑与装修部分编写，包括商务部分和技术规范两部分内容。

(三)三期工程大坝及电站厂房招标设计

2001 年根据《长江三峡水利枢纽建筑规划设计专题报告》所确定的方案及二期工程有关设计文件及报告，完成建筑专业招标设计工作，主要内容包括：大坝、电站厂房、厂前区建筑设计及周边环境规划与设计。

(四)梯调中心改建装修施工招标文件

三峡—葛洲坝梯级调度中心设在左岸三峡工程建设管理中心大楼内，根据功能要求在原办公建筑基础上改造装修。2001 年完成建筑装修方案设计，结构改造、加固设计及招标文件编制工作。

(五)电源电站土建与安装工程施工招标文件

2001 年完成电源电站建筑及装饰文件编制工作。

三、施工详图设计

自 1997 年开始，三峡工程一、二期工程各建筑物的施工详图设计工作全面展开，根据工程进度及业主要求分部位完成专业施工详图设计。

1997 年，主体工程专业设计工作展开及专业协调配合工作展开。完成右岸消防站设计。

1998 年完成大坝室内标准楼梯栏杆详图，2# 电梯玻璃罩埋件图，升船机上闸首第四段左右侧交通楼梯栏杆图，左厂前区自计水位计设计，左厂前区尾水渠栏杆设计，左厂前广场规划方案设计，左岸电站厂房定位轴线图和室内标准楼梯栏杆图。

1999 年完成电站厂房下游副厂房及主厂房安Ⅰ坝段高程 72.60m 层坝后栏杆施工详图设计，同时对厂房的立面、主厂房屋顶结构及屋面板材料、天窗布置等技术问题进行多方案的比较论证，制定主厂房内外墙混凝土大模板施工技术要求。

完成升船机交通桥方案研究及永久船闸保护网方案研究，提出专题研究报告。

2000 年完成下游副厂房、上游副厂房高程 82m 以下各层设计，调整左厂前广场布局，取消管理楼及绝缘油库，在主厂房左端增设监测楼。

协调各专业确定大坝坝面布置，完成船闸布置及总调楼高层方案研究。

2001 年完成大坝泄 1# ～23# 深孔操作室、油泵层、集控室建筑图，左导墙坝段和右纵 1# 坝段高程 116.50m 变电所建筑图，大坝高程 170.0m500kV 导线挂线梁栏杆设计图和坝顶公路检修栈桥栏杆设计图。主厂房屋面设计图，上游副厂房高程 82.0m，高程 89.25m，高程 87.8m各层建筑平面图。永久船闸各级闸面栏杆布置图，垂直交通楼梯设计，闸首启闭机层设计，总调楼（低层）设计，梯调中心招标设计编制，电源电站招标文件编制，大象溪油库招标文件编制。

（吴建军）

三峡工程技术设计审查

一、升船机

根据德国联邦航道工程研究院（BAW）针对三峡工程完成的《三峡升船机主体部分可行性研究报告（简写本）》。中国三峡总公司委托长江水利委员会（以下简称长江委）对“长螺母柱短螺杆安全保障机构、齿轮齿条驱动式方案”进行复核、深化设计，要求设计深度达到初步设计阶段，以便于与“钢丝绳卷扬方案”进行比选。2001 年 7 月长江委就该方案的中间成果与业主进行讨论。经过一年多的设计工作，该方案的主要部分设计基本达到初步设计阶段的深度，技术上是可行的，设计方面不存在难以解决的问题，升船机能否安全运行，取决于土建的施工质量和设备的制造、安装精度。在国内外还没有同等规模的升船机，缺乏可借鉴实践经验的条件下，必须把安全可靠运行放在首位，做到万无一失。根据三峡工程的进度要求和设计工作的实际进展情况，要求 2001 年底完成两个方案的设计，2002 年一季度完成两个方案的比选工作，二季度由中国三峡总公司组织审查比选报告。

二、泥沙

根据三峡工程单项技术设计第八专题第一阶段的工作进展，中国三峡总公司会同长江委就《葛洲坝下通航问题综合治理方案研究》和《葛洲坝下至杨家脑河段浅滩整治措施研究》的研究成果进行讨论。三峡工程运行初期，葛洲坝枢纽下游河段河床长距离冲刷下切的现象必然出现。三峡水库蓄水运用后因坝下冲刷、水位下降所引起的碍航问题可能影响的范围主要是葛洲坝三江下引航道，影响通航的时段主要是 135m 水位运用后的特枯水期。156m、175m 水位运行期，因调节流量增加，三江下引航道水深逐步增加，并补偿因河床下切造成的不利影响。葛洲坝枢纽通航的近期治理目标应为葛洲坝三江下引航道水深不小于 3.5m，或者枯水期水位不低于 38.0m。长江委在前段研究成果基础上，提出 4 种综合治理方案，即船闸优化调度结合三峡水库调度方案；船闸优化调度结合三江下引航道开挖方案；船闸优化调度结合下游河道整治方案；船闸优化调度结合经济补偿方案。长江委推荐第四种方案。经讨论后认为，应以优化船闸调度作为基本方案，可适当考虑三峡水库调度加以辅助。在三峡三期围堰设计保持基本不变的前提下，适当提高运行水位，增加特枯水期调节流量，是有可能的，要进一步深入研究。由于大江航道不受河床下切的影响，在枯水期三江下引航道水深不足时，将吃水较深的大型船舶（队）安排从大江 1 号船闸通过，吃水较浅的小型船舶（队）走三江 2、3 号船闸，可以基本解决三江下引航道水深不足的问题。葛洲坝下游宜都至江口河段主要有 4 处碍航的浅滩，即宜都、芦家河、枝江、江口浅滩。芦家河浅滩虽历经数次工程维护措施，但都没有从根本上解决浅滩碍航问题。三峡工程运行后，芦家河浅滩演变趋势和治理方案各研究单位尚没有统一的认识，在近期不宜采用大规模的工程措施，应以维护性疏浚措施为主，同时要特别加强河道水沙及航道观测和分析研究。

（李　军）

三峡导流明渠截流设计方案简述

三峡工程采用“三期导流、明渠通航”方案。三期截流期间，左岸泄洪坝段施工完成，位于泄洪坝段内的 22 个导流底孔具备泄流条件，江水从导流底孔宣泄。三峡三期截流在导流明渠内进行，工程有如下显著特点：截流落差高、流量大，龙口单宽水流能量居世界之最；左岸为孤岛，备料数量有限，以右岸端进抛投为主，龙口段适当辅以左岸进占，单堤头抛投强度高；导流明渠属人工河道，基面平整光滑(部分区域为混凝土护底)，不利于抛投料的稳定，但截流龙口段基础均为岩石或混凝土护砌，不会因截流水流而产生大的冲刷；枯水期导流明渠为施工通航的主要通道，截流需兼顾通航。针对上述特点，在导流明渠截流设计过程中，主要对以下问题进行深入研究。

一、截流方案选择

三峡导流明渠截流工程施工强度高、工期紧迫。考虑到三峡工地所存在的大型装运设备可以满足连续高强度的抛投进占施工，另外，为避免龙口段河床的冲刷，上游戗堤龙口段已预先采用现浇混凝土护底，下游戗堤基础为弱微风化岩石，不存在河床冲刷问题，采用立堵截流方案，可以充分发挥其施工组织简单、快速、经济等优点。对于立堵截流方式，国内外成功经验很多。鉴于三峡三期明渠截流落差高、流量大，一般单戗立堵截流难度太高，经综合分析，三期导流明渠截流采用双戗立堵截流方式。

二、导流明渠截流时段选择

三峡工程三期截流时间确定为2002年11月下半月，同初步设计相比，提前10～15天实施截流，具体截流合龙时间届时根据洪水预报相机确定。

三、截流流量标准

考虑到三峡工程三期截流提前的艰巨性与风险度，以及截流工程实施的可行性与投资等原因，拟定截流设计流量9010～10300m^3/s(其中10300m^3/s约相当于5年一遇11月下旬最大日平均流量)。

截流非龙口段进占过程中及裹头防冲流量标准分别按5%当旬旬平均流量与5%当旬最大日平均流量选取，如表1。

表1 三期截流流量标准

时段 流量标准	非龙口段		龙口段
	11月上旬	11月11～15日	11月下半月
戗堤进占施工(m^3/s)	14800	12200	9010～10300
裹头防冲与戗堤顶高程控制(m^3/s)	21900	19400	/

四、截流戗堤布置及龙口位置与宽度

三峡工程三期截流采用双戗堤截流方案，上戗堤设置在上游围堰背水侧，戗堤轴线呈折线布置，长378.41m，堤顶高程72m。下戗堤设置在下游围堰迎水侧，戗堤轴线呈折线布置，长393.15m，堤顶高程69m。上、下游截流戗堤设计断面均为梯形，上游边坡1∶1.1，下游边坡1∶1.3，堤顶宽度按满足4～5辆40～77t自卸汽车同时卸料的要求，均确定为25m。

截流龙口位置及宽度的确定与分流条件、通航要求、备料情况和地形地质条件等密切相关。截流戗堤位于导流明渠内，为了降低龙口合龙抛投强度，在混凝土纵向围堰头部分别预留截流基地，形成双向进占条件。上游截流龙口距混凝土纵向围堰上纵段右边线以右30m布置；下游截流龙口布置在距混凝土纵向围堰下纵段右边线以右20m的导流明渠低渠部位。上、下戗龙口段进占时以右岸进占为主，左岸为辅。龙口宽度主要受进占束窄口门水流条件和截流抛投强度等因素的制约，经计算和水工模型试验确定上游围堰截流龙口宽度150m，下游围堰截流龙口宽度140m。

五、截流戗堤进占

(一)非龙口段进占

上游围堰截流戗堤轴线长度378.41m，非龙口段长228.41m，龙口段长150m。非龙口段从2002年11月初开始进占，11月上旬右岸进占128.41m，左岸进占30m，束窄口门宽度220m，抛投材料工程量14.05万m^3，按抛投进占10天时间计算，日均抛投强度1.405万m^3；11月11～15日右岸进占60m，左岸进占10m，抛投材料工程量7.95万m^3，按抛投进占5天时间计算，日均抛投强度1.59万m^3。下游围堰截流戗堤轴线长度393.15m，非龙口段长253.15m，龙口段长140m。考虑到下游围堰截流戗堤工程量大，工期紧，在上游围堰截流戗堤非龙口段进占的同时，下游围堰戗堤非龙口段尾随进占，进占束窄口门宽度以控制下戗堤基本不承担落差为原则。计划11月上旬右岸进占163.15m，左岸进占20m，束窄口门宽度210m，抛投材料工程量14.45万m^3，按抛投进占10天时间计算，日均抛投强度1.445万m^3；11月11～15日抛投材料工程量9.05万m^3，按抛投进占5天时间计算，日均抛投强度1.81万m^3。

11月上旬上戗堤口门宽220m时，下戗堤尾随进占束窄口门至210m，11月15日上戗堤形成150m截流龙口时，下戗堤形成140m截流龙口，上下游截流戗堤非龙口段进占水力学指标见表2。

表 2　上下游截流戗堤非龙口段进占主要水力学指标表(计算)

施工时段	右岸进占长度(m)		左岸进占长度(m)		束窄口门宽度(m)		进占水力学指标						抗冲水力学指标					
							口门平均流速(m/s)		堤头流速(m/s)		落差(m)		口门平均流速(m/s)		堤头流速(m/s)		落差(m)	
	下戗	上戗	下戗	上戗	下戗	上戗	下戗	上戗	下戗	上戗	下戗	上戗	下戗	上戗	下戗	上戗	下戗	上戗
11月上旬	163.1	128.4	20	20	21	22	2.80	3.52	3.08	3.87	0.28	0.70	3.85	4.79	4.24	5.27	0.82	1.33
11月11～15日	70	60	0	10	14	15	3.10	3.81	3.41	4.19	0.67	0.99	4.61	5.52	5.07	6.07	1.50	2.10

注:在抗冲水力学计算时,下戗堤非龙口进占时考虑上戗堤作用。

(二)龙口段进占

2002年11月下半月龙口段从左右岸双向抛投进占,根据口门流速、落差等水力学指标,将上、下游截流龙口段均分为3个区段。

上游截流龙口:第一区段口门宽150～100m,采用大石、中石及石渣全断面进占。第二区段口门宽100～50m,采用大块石、特大块石(串)及20t混凝土四面体从上游进占形成挑角,用中石及石渣尾随进占。第三区段口门宽50～0m,为合龙区段,采用20t混凝土四面体(串)、特大块石(串)及大块石从上游进占形成挑角,用中石及石渣尾随进占。

下游截流龙口:第一区段口门宽140～95m,采用大石、中石及石渣全断面进占。第二区段口门宽95～52m,采用大块石、合金钢网石兜从上游进占形成挑角,用中石及石渣尾随进占。第三区段口门宽52～0m,为合龙区段,采用合金钢网石兜及大块石从上游进占形成挑角,用中石及石渣尾随进占。

上、下游截流戗堤龙口段进占水力学指标见表3和表4。

表 3　上游截流戗堤龙口合龙进占计算水力学指标表

截流流量(m^3/s)	指　标	龙口口门宽度(m)						
		150	120	100	70	50	30	0
10300	龙口泄流量(m^3/s)	5898	4870	4128	2728	1449	353	0
	上游水位(m)	67.52	67.88	68.20	68.93	69.43	69.98	70.49
	下游水位(m)	66.40	66.40	66.40	66.40	66.40	66.40	66.40
	总落差(m)	1.12	1.48	1.80	2.53	3.03	3.58	4.09
	中间水位(m)	66.80	66.96	67.12	67.35	67.49	67.64	67.76
	上戗分担落差(m)	0.72	0.92	1.08	1.58	1.94	2.34	2.73
	龙口水深(m)	16.80	16.96	17.12	17.35	14.72	7.60	
	龙口平均流速(m/s)	3.04	3.34	3.63	4.20	5.14	4.70	
	单宽流量($m^3/s·m$)	51.03	56.60	62.11	72.92	75.72	35.73	
	单宽功率(t·m/s·m)	36.74	52.07	67.08	115.22	146.89	83.61	

表 4 下游截流戗堤龙口合龙进占计算水力学指标表

截流流量(m^3/s)	指 标	龙口口门宽度(m)						
		140	115	95	70	52	29	0
10300	龙口泄流量(m^3/s)	5896	4872	4130	2740	1458	382	0
	上游水位(m)	67.52	67.88	68.20	68.93	69.43	69.98	70.49
	中间水位(m)	66.80	66.96	67.12	67.35	67.49	67.64	67.73
	下游水位(m)	66.40	66.40	66.40	66.40	66.40	66.40	66.40
	总落差(m)	1.12	1.48	1.80	2.53	3.03	3.58	4.09
	落差(m)	0.40	0.56	0.72	0.95	1.09	1.24	1.36
	龙口水深(m)	21.40	21.40	21.40	21.40	17.40	8.55	
	龙口平均流速(m/s)	2.60	2.81	3.15	3.49	4.01	3.91	
	单宽流量($m^3/s·m$)	55.65	60.04	67.31	74.75	64.46	34.35	
	单宽功率(t·m/s·m)	22.26	33.62	48.46	71.01	70.26	42.60	

六、截流关键技术问题研究

(一)龙口段设置加糙拦石坎

三期截流采用上下戗堤分担落差的双戗截流方案，从模型试验成果分析，上下戗堤进占配合不良将引起口门水流流速等指标的急剧恶化，加大截流难度，风险很高；且深水抛投材料稳定性复杂，模型的缩尺效应对成果也有一定的影响。因此，为确保明渠提前封堵截流的进度和可靠性，有效减少抛投材料的流失、降低龙口合龙过程大粒径石料的用量，考虑在上、下游戗堤龙口部位设置加糙拦石坎。

(二)创造双向进占抛投截流条件

三期提前截流工期紧，自非龙口段进占至戗堤合龙截流仅约 20 天时间，完成戗堤抛投量达 74.23 万 m^3(未包括垫底加糙工程量)，日平均抛投强度 3.7115 万 m^3/天(综合抛投强度)。其中龙口段戗堤抛投量 28.73 万 m^3，若按单向进占，3 天合龙考虑，龙口段单堤头最大日平均抛投强度达 4.96 万 m^3(下游戗堤)，施工压力大。需研究双向进占抛投的施工措施，以降低单堤头截流施工强度。

为此，在二期上、下游土石围堰与混凝土纵向围堰结合部位布置三期截流左岸基地，预先备料，创造上、下游双向进占抛投截流条件。由于在上游设置截流基地对导流底孔运行有一定影响，通过开展多种组合的水工模型试验，确定上游设置流线型小基地(上游基地备料 1 万 m^3)，并采取适当保护措施，配备交通浮桥，形成双向进占条件。下游截流基地备料 8 万 m^3，可在导流明渠截流后拆除，对枢纽运行无影响。

通过反复研究论证，三峡导流明渠提前截流采用双戗双向进占，辅以垫底加糙措施的综合方案。从研究成果分析，可以实现安全截流。

(周良景 詹金环)

三峡工程机电设计

2001 年三峡工程机电设计任务繁重，长江水利委员会(以下简称长江委)设计院承担专题设计、合同执行、国内外机电设备采购(标书编制及招标评标)和右岸三期工程招标设计、二期工程机电施工图设计、现场施工技术配合等各项工作，除此之外还有三峡工程“九五”、“十五”科研攻关项目和三峡工程重点科研工作。

全年完成工程专题研究报告 15 份，其中《三峡工程机电设备概算分析专题报告》涉及初步设计、技术设计和招标设计各阶段，既要统计各阶段的工程量，又要明确工程量的变化原因。《三峡左岸电站夏季保温保压浇筑蜗壳二期混凝土专题报告》解决三峡大型蜗壳夏季浇筑混凝土的技术难题，以压力的变化适应温度的变化，降低夏季工程制冷水的压力，节约投资。《三峡永久船闸过闸工艺》是三峡永久船闸投入运行的关键程序，直接关系到永久船闸的使用安全，该专题的完成为 2003 年永久船闸投入运行奠定基础。

《三峡右岸工程机电招标设计》吸取左岸工程设计经验，在机电设备选型、布置和工程进度研究上精益求精，做了大量研究工作，确定的装机进度 3 台、4 台、5 台方案，为右岸电站取得最大的经济效益创造条件。

《三峡梯调中心招标设计报告》确定梯调中心的机电设备配置和布置规模，为2003年三峡梯调中心投入运行打下基础。2001年完成招标设计工作3项。

2001年参加机组、主变、GIS计算机监控、励磁、调速器、供电设备(盘柜)及其他设备的设计联络会、培训以及设备出厂验收等，共计33个项目、1400人日。在合同执行过程中，本着对工程负责的原则，长江委设计院派出人员按合同要求，从设计流程、工艺、结构到设备布置型式试验、例行试验严格把关。

2001年完成机电设备采购招标文件及招标评标项目38项，累计完成招标文件编制205万字，附图350张。

全年出施工图521张，审查厂家图纸1800张，设计修改通知(含联系单)69份，参加施工技术交底15次，现场设代173人次1637人日，确保工程顺利实施。

在完成上述设计任务的同时，长江委设计院还承担“九五”科研攻关及三峡重点科研项目，全年完成技术设计科研结题6项，“九五”科研攻关项目结题7项，三峡重点科研阶段验收审查一项。在三峡重点科研项目“三峡右岸电站水轮发电机组参数选择”中，为保证三峡右岸电站机组的安全稳定性，对三峡左岸电站机组招投标进行总结，并在左岸电站水轮机模型试验结果基础上，对三峡右岸电站机组参数选择进行20多个方案分析比较，同时组织国内有关制造厂、科研单位和大专院校联合科研攻关，系统进行理论分析和新转轮的模型试验，对三峡右岸电站机组参数的选择提供有价值的建议和依据。

(刘景旺　刘茂祥)

三峡工程三期RCC围堰设计

三峡工程RCC围堰包括RCC纵向围堰及三期RCC横向围堰。RCC纵向围堰已于1997年建成，三期RCC围堰将于2003年1～6月施工，2001年完成三期RCC围堰结构设计优化专题研究、快速施工专题研究及围堰招标设计。

三期RCC围堰为重力式，平行于大坝布置，围堰轴线位于大坝轴线上游114m，轴线全长580m，堰顶高程140m，顶宽8m，最大底宽107m，最大堰高115m，混凝土总量167.36万m^3，设计最高挡水水头110.4m，拦蓄库容147亿m^3。围堰按Ⅰ级临时建筑物设计，设计洪水标准为5%频率最大日平均流量72300m^3/s，相应水位135.4m；保坝洪水标准按1%频率最大日平均流量83700m^3/s时洪水不漫顶，相应水位139.8m。

三期RCC围堰分二个阶段施工，第一阶段完成基础部位高程50～58m以下混凝土及左右堰肩混凝土施工，混凝土量56.70万m^3。剩余110.66万m^3在第二阶段2003年1～6月施工。2001年1月长江水利委员会(以下简称长江委)完成《长江三峡水利枢纽三期RCC围堰结构设计优化专题报告》，在校核围堰结构稳定的基础上重点对RCC围堰细部结构进行优化。8月完成《长江三峡水利枢纽三期上游RCC围堰专题研究》，11月完成《长江三峡水利枢纽三期上游RCC围堰招标设计》。在上述两份报告中，对RCC围堰结构、温控措施、RCC快速施工措施、围堰拆除等均进行研究。中国三峡总公司对三期RCC围堰施工也非常重视，成立由业主、设计及日本前田公司组成的研究小组，对围堰结构、RCC快速施工方法及施工组织、RCC围堰拆除方法等进行研究，并在专题研究基础上将三期截流时段由2002年12月上旬提前到2002年11月下半月，相应截流流量10300m^3/s，采用上下游双戗堤立堵截流方式，三期RCC围堰相应可提前10～15天施工。

通过上述各项研究及设计工作，降低三期RCC围堰混凝土最大月浇筑强度，初步设计中仅考虑第一阶段基础高程50～58m以下部位混凝土浇筑及导流底孔当年5月封堵等条件下，混凝土月最大浇筑强度39.8万m^3/月。在导流底孔改为弧门控制、围堰两堰肩混凝土提前浇筑、三期工程导流明渠提前截流等条件下混凝土月最大浇筑强度约35万m^3/月。如果考虑土石围堰防渗墙完成前基坑抽水至高程58m，导流明渠高渠部位混凝土在元月初开始浇筑，则月最大浇筑强度可降至32万m^3/月左右，实际施工按1月初开始浇筑混凝土安排施工进度。同时，为便于围堰快速施工，采用全断面三级配RCC(减少大石含量)，取消上游二级配RCC；廊道及下游斜坡面采用混凝土预制模板；简化温控措施，4～6月采用预冷混凝土，下游面混凝土预制模板作为保温层等。围堰下部采用汽车运送混凝土直接入仓，上部皮带机转料入仓，大仓面通仓连续浇筑上升。围堰结构设计及施工措施等方面适应RCC快速施工。

(范五一)

三峡工程验收

三峡二期工程阶段验收

一、验收工作是工程基建程序中的一项重要内容

国家有关验收规程明确指出："当工程具备验收条件时，应及时组织验收。未经验收或验收不合格的工程不得交付使用或进行后续工程施工"(《水利水电建设工程验收规程》)。根据三峡工程特点，三峡工程验收分两个层次进行。

(一) 合同项目工程验收

三峡工程规模宏大，主体工程根据总体建设规划划分为若干个合同项目工程，每一个合同项目工程按其内容划分为单元、分项、分部和单位工程。在工程建设过程中，中国三峡总公司委托监理单位在单元验收基础上，组织分部分项工程验收，并配合阶段验收进行合同工程中间验收，合同项目工程完工后由中国三峡总公司组织合同项目工程的完工验收。

(二)国家组织的枢纽工程阶段验收和竣工验收

三峡工程划分为3个建设阶段，在工程建设达到一定阶段的时候，都要由国务院组成的验收委员会组织验收，通过验收后才能进行下一阶段的工程建设和投产运行。

一期工程阶段验收：1997年以导流明渠进水、大江截流为标志。一期工程结束之前，1997年9月国务院三峡工程建设委员会(以下简称三峡建委)大江截流前验收领导小组对一期工程进行验收，向三峡建委提交《长江三峡工程大江截流前验收报告》。

二期工程阶段验收：1997～2003年，以左岸大坝初期蓄水(高程135m)，双线五级船闸通航和首批机组发电为标志的左岸工程即将完成，由国务院组织三峡二期工程验收委员会对枢纽工程进行阶段验收。

二、三峡二期工程验收

三峡二期工程阶段验收包括以下6项：上游基坑进水前验收，2002年4月进行；下游基坑进水前验收，2002年6月进行；双线五级船闸下游引航道围堰破堰进水前验收，2002年8月进行；导流明渠截流前验收，2002年10月进行；左岸挡水大坝及船闸初期蓄水、双线五级船闸试通航前验收，2003年5月进行；左岸电站首批机组发电验收，2003年10月进行。

以上阶段验收中，后三项验收由国务院验收委员会组织，其余几项由国务院验收委员会委托中国三峡总公司主持验收。

三、三峡工程验收规程和验收工作大纲

(一)三峡工程合同项目工程验收规程

2001年3月中国三峡总公司编制《长江三峡工程合同项目工程验收规程》，在三峡工程发布执行。

(二)三峡二期枢纽工程验收工作大纲

2001年6月国务院三峡建委第十次会议明确国务院将成立三峡二期工程验收委员会，对三峡二期工程进行验收。

三峡建委为落实第十次全体会议精神，6月21～22日在三峡坝区召开验收工作准备座谈会，国家电力公司、水利部、三峡建委移民开发局、重庆市移民局、湖北省移民办，长江水利委员会和中国三峡总公司的代表参加会议。会议决定三峡工程需要编制更加细化的验收工作大纲，验收工作大纲分为长江三峡二期"枢纽工程验收工作大纲"、"移民工程验收工作大纲"、"输变电工程验收工作大纲"。并决定"枢纽工程验收工作大纲"由中国三峡总公司负责，长江水利委员会和交通部参加编写，2001年11月国务院三峡建委通过验收工作大纲，作为三峡二期工程验收的规范性文件正式颁布。

四、验收工作启动

(一)验收工作组织机构

2001年随着整个三峡工程的不断进展，以阶段验收为目标的验收工作被提上议程，为加强验收工作的领导，中国三峡总公司于6月18日以三峡建字114号行文成立三峡工程验收工作领导小组，负责整个三峡工程的验收工作。

三峡工程验收工作领导小组组长由总经理陆佑楣担任，副组长李永安、贺恭(常务副组长)、王家柱、杨清、张超然、彭启友，各二级单位负责人为验收领导小组成员。

三峡工程验收工作领导小组下设工程验收办公室，办公室主任薛砺生，副主任王忠诚。验收办公室具体负责验收领导小组交办的各项任务，组织协调各参建单位的验收工作。

三峡工程各参建单位都成立相应的验收机构，在常设的竣工资料整编工作部门基础上，增加配合阶段验收的工作人员，并添置必要的办公设备。

(二)三峡二期工程安全鉴定

国家验收规程规定,水电工程在水库蓄水和竣工前都要进行安全鉴定工作。承担安全鉴定单位应具备国家批准的鉴定资格,安全鉴定工作要由专家组成专家组,经过现场查勘、审查设计、监理、施工单位的自检报告资料,最后对大坝等永久工程的设计和施工质量提出能否安全运行和同意蓄水验收的鉴定意见。根据《长江三峡二期枢纽工程验收工作大纲》的要求,在初期蓄水前的安全鉴定工作要与各阶段验收工作相适应,提交相应阶段的安全鉴定意见。

2001 年 9 月 1 日三峡建委以国办发技字 83 号文明确三峡枢纽工程安全鉴定工作委托国家电力公司水利水电规划设计总院承担。第一批 30 位安全鉴定专家组成的专家组于 10 月底进入三峡工地,开展上游基坑进水前的安全鉴定工作,11 月中旬安全鉴定专家组结束第一阶段现场调查工作,12 月安全鉴定单位正式向三峡建委和中国三峡总公司提出《三峡二期工程枢纽工程安全鉴定工作大纲》,为 2002 年各项工程验收的安全鉴定提出具体要求。

(王忠诚　刘玉山)

三峡工程通航管理

三峡工程通航管理

长江三峡通航管理局(以下简称三峡通航局),于 1998 年经交通部批准成立,隶属于交通部长江航务管理局,属行政事业管理单位。成立三峡通航局是为了适应三峡工程建设的需要,进一步搞好三峡、葛洲坝枢纽及其河段的通航管理。三峡通航局的主要职责和工作任务是:负责长江上游庙河至中水门 59km 河段内通航建筑物的运行维护、航道养护、水工项目审批、水上安全监督、治安消防和三峡永久通航筹备等工作。

一、三峡、葛洲坝枢纽通航管理

三峡通航局坚持抓好"四闸一渠"(葛洲坝 3 座船闸、三峡临时船闸和导流明渠)的运行维护,发挥葛洲坝枢纽的通航效益,保证三峡大坝施工、通航两不误。1998～2001 年,葛洲坝船闸共运行 49700 闸次,通过船舶 282646 艘次、客运 1144.1 万人次、货运 4820.5 万 t。三峡临时船闸运行 3794 闸次,通过船舶 22491 艘次、客运 33.81 万人次、货运 348.3 万 t。

认真抓好船闸日常维护和修理。建立并初步完善船闸设备日常维护保养、故障排查修理和大中型修理制度。4 年来,完成设备自修 420 余项,按年度完成由葛洲坝工程运行领导小组安排的专项修理计划。在中国三峡总公司大力支持下,于 1999 年、2001 年分别完成葛洲坝 1 号船闸、2 号船闸计划性大修工程。2000 年还完成临时船闸抽干闸室检修。通过实施有效的设备管理和大修工程,提高设备的技术性能和运行可行性,船闸设备平均完好率和 4 座船闸通航率均达到 98%以上,通航率超过设计标准。平均设备故障率控制在 1%以下,设备故障碍航率控制在 0.1%以下,运行事故为零。

抓好船舶调度和三峡坝区安全管理。几年来,船舶过闸及时率和危险品船舶过闸准点率达到 95%以上,平均闸室利用率超过 60%,调度计划统计准确率达到 100%。除抓好日常调度业务外,还重点抓春运、汛期安全调度和船舶安全过坝管理工作,每年春运和汛期前,均召开船舶单位联席会议,通报情况,研究、布置工作。重点实施两坝统一调度,对通过两坝的船舶实行统一计划安排和调整。

二、辖区安全通航保障工作

一是航道养护。几年来维护航道 10.3 万天公里,维护航标 24.6 万座天,信号台开班 5980 台天,完成航道疏浚 626.5 万 m^3,航道测量 3829 换算平方公里。加强航道演变分析,在三峡临时船闸和葛洲坝船闸引航道共完成 140 次水下地形测量。坚持收集有关测量资料和重庆至宜昌每日水情,针对枢纽航道特点,分析不同流量时期、不同水沙情况下的资料,计算河床泥沙变化速度,探索河床演变规律,并根据演变情况采取有效的防治措施。加强航道建设,全面更换信号灯座,改造 4 座信号台,设置枢纽航道里程牌。加强航道行政管理,积极贯彻执行国家有关航道养护的政策、法规和技术标准,依法对拦河、跨河、临河建筑物的建设和运行进行审批和监督。实现航道工作保深、保标、保畅通的目标。

二是水上航行监督。几年来监督艇巡航 13.15 万 km，维护船舶 12.93 万艘次，现场检查船舶 4851 艘次，巡查锚地、码头、渡口 480 处次，纠正违章船 1576 艘次，救助遇险船舶 75 艘，办理水工审批 83 项。认真执行水上安全管理法规，不断强化安全管理，开展水上运输安全管理年、安全生产周、百日安全无事故、统一执法等系列活动，适时开办船员安全知识培训班，增强船员安全意识。坚持依法行政，重点搞好无名称、无牌照、超载航行、违章航行船舶的整治，督促抓好隐患整改，果断取缔一批不具备水上运输条件的船舶。不断加大对滚装船航行的整治力度，成立川江滚装船整顿基地，开展 4 次大型集中治理。几年来，辖区船舶航行事故逐年减少，通航形势日趋稳定。为保护好水资源，成立三峡污染源监测站，开展污染源防治和保护水资源工作。

三是治安消防工作。几年来，在辖区开展打击“江盗水匪”、“扫黄打非”、“严打整治”、“缉枪治爆”、“网上追逃”等专项斗争，认真开展刑事案件侦破和治安案件查处，努力排除不安全隐患。加强闸区等要害部位、重大节假日和敏感时期的安全保卫工作，完善辖区巡查和值班制度，还成立长江鄂西段 110 水上报警服务中心。4 年来共受理报警 1522 起，处警率 100%；侦破刑事案件 64 起，破案率 87%；查处治安案件 1234 起，查处率 100%。完成和协助完成中央领导同志考察三峡通航和三峡坝区的警卫任务 44 批次。认真抓好消防检查和整改，完成葛洲坝 2 号船闸消防工程等一批大中型消防工程建设，三峡通航局管辖设施无火灾事故。

三、永久船闸通航准备工作

应业主、设计、施工、制造单位的邀请，三峡通航局参与永久船闸有关项目的审查、验收工作，如现地子站、液压系统、桥机系统设计方案审查和部分人字门、反弧门门体及埋件的验收工作等。应邀常年派工程技术人员到中国三峡总公司工程建设部和设备部协助工作，派监理工程师到永久船闸施工现场和制造公司参与施工监理与设备监造。参与中国三峡总公司和有关研究机构的专题研究工作，如“永久船闸全包正向取水方案坝区泥沙淤积和通航水流条件试验”、“永久船闸液压系统防漂移技术讨论”、“500kV 电缆跨越永久船闸闸室的抗干扰研究”以及断航期翻坝运输研究等，提交有关研究报告。多次参与中国三峡总公司组织的有关招议标工作。

开展永久通航管理研究和相关准备工作。成立永久通航领导小组和工作专班，开展永久通航管理研究和对外联系沟通，向上级部门提交初步方案。组织开展中(国)德(国)通航设施管理技术交流活动，每年有计划地组织工程技术人员和管理人员到国内其它较大型水利枢纽考察多级船闸运行管理，安排高级技术人员到国外考察枢纽船闸，做好人员储备工作。协助国务院三峡建委、国家经贸委、国务院发展研究中心、国务院参事室开展调研，促进永久通航管理体制的初步明确。

认真开展三峡工程通航配套设施建设。配套设施是永久通航主体工程以外的管理设施和辅助设施，由中国三峡总公司和交通部共同投资。几年来，按照设计要求和实际管理需要，相继建成宜昌——坝河口光缆通信、工作船码头、信号台站、锚地、坝河口及有关办公基地等工程建设，完成相关船艇及趸船的建造，二期配套设施建设任务基本完成。同时，积极开展三峡三期通航配套设施建设的前期工作，组织开展大量的现场踏勘、专题讨论和可行性研究等工作，编制《三峡枢纽坝区航运配套设施建设预可性研究的补充报告》和《三峡枢纽坝区航运配套设施工程可行性研究报告(135m 水位运行期)》。开始部分项目的初步设计。

四、科教工作

三峡通航局几年来取得一批有影响的技术成果。通过攻关，基本解决葛洲坝船闸反弧门空化及声振问题，阀门井的空化及声振曾给葛洲坝 3 座船闸输水阀门造成严重损坏，通过实施门楣补气方案，攻克这一国际性的技术难题，这一成果被永久船闸建设所采用。完成《葛洲坝船闸检修规程》的编纂，规程总结了葛洲坝船闸历次大修、检修的经验并参照国家有关技术标准，规范船闸检修计划编制、修理工艺方案确定、施工组织、质量监督和费用预算使用的技术管理标准，填补国内大型船闸检修规程的空白。完成 4 座船闸控制系统技术改造，引进先进的监控设施，通过改造，船闸自动化控制水平提高，安全运行可靠性增强，提高管理效率，值班形式已由专人值守机房过渡到无人值守、少量人员巡查，运行值班人员减少 20～30%。完成一批技术难度大、施工条件复杂的大型水工处理工程，如葛洲坝 3 号船闸基础廊道底板结构性漏水处理、1 号船闸下左Ⅱ块裂缝补强工程等，排除影响船闸运行和大坝安全的重大隐患。建成优化调度辅助决策系统，初步实现调度信息采集、传递加工和决策的自动化、智能化。开展信息系统工程建设。在技术方面，承接国内有关大型枢纽通航设施修理工程的技术咨询服务工作。

三峡通航局被中国三峡总公司授予 1997～1999 年坝区精神文明建设先进单位，每年被长江航务管理局授予双文明建设先进单位，所管辖的河段被长江航务管理局授予长江文明样板航道，葛洲坝 1 号船闸集控室被团中央授予全国青年文明号称号。

(金升德)

输变电工程 Ⅵ

崛起的新城——丰都新县城一角

输 变 电 工 程

工程建设进展情况

2001年是三峡输变电工程建设的第三个持续高峰年。全国联网工程建设全面展开,"西电东送"工程建设全面启动。国家电力公司电网建设分公司(以下简称电网公司)继续以电网工程建设为中心,以直流工程、联网工程和年内竣工投产的工程建设为重点,以优质、高效、全面完成年度工作计划为目标,抓工程建设管理,抓达标投产,开展优质工程评选。在建工程质量实现"双百"目标,安全和造价处于受控状态。

一、电网工程建设

截至2001年,三峡输变电工程开工建设500kV交流线路18条,线路全长2558km,占总规模6900km的37%,投产线路10条,全长1565km,占总规模的23%;开工建设变电站12座,变电容量925万kV·A,占总规模2475万kV·A的37%,投产变电站6座,变电容量450万kV·A,占总规模的18%。开工500kV间隔5个,投产5个;开工建设直流线路2条、1865km,占总规模2965km的63%,开工建设直流换流站4个,换流容量1200万kW,占总换流容量1800万kW的67%,直流工程没有投产项目。按总体计划执行情况,三峡输变电工程建设完全可以保证三峡电站2003年首批机组发出的电力电量可靠送出。

2001年在建29个单项工程,按里程建设计划进展顺利,基本正点运行。

(一)三峡—广东直流工程

三峡(华中)—广东±500kV直流输电工程,是国家"西电东送"第二批项目中重要组成部分之一,由电网公司代表业主国家电力公司负责工程建设管理,该工程包括送端换流站工程、线路工程、受端换流站工程。工程西起湖北省荆州市马山镇的荆州换流站,途经湖南省,东至广东省惠州市博罗县响水镇的惠州换流站,线路全长973km,额定直流电压±500kV,额定直流电流3000A,输送容量300万kW。全线架设地线复合通信光缆。

该工程总投资73.8亿元人民币(1999年价格水平),资金来源为三峡建设基金。

工程特点:工程要穿越高山区、覆冰区,跨越长江、湘江、沅水等。工期紧,建设任务重,技术含量高,是第一次国内自主进行成套设计。

工程计划2001年底开工,2004年2月单极投运,同年6月双极投运。计划进度安排如下:

换流站:2002年2月完成中外联络设计;3月15日完成换流站初步设计审查;5月1日换流站建筑主体工程开工;2003年2月开始设备安装;11月开始极Ⅰ设备调试;2004年2月极Ⅰ投运;4月开始极Ⅱ调试和双极调试;6月双极带电。

线路工程(含OPGW):2002年7月底完成基础施工;2003年初完成组塔;7月完成放线;底线路完工。

通信工程:2001年10月完成初步设计审查;2003年11月完成中继站设备安装;12月底完成中继站调试。

(二)龙泉—政平直流工程

龙泉—政平直流输电工程即三峡—华东第Ⅰ回±500kV直流输电工程,包括龙泉换流站工程(包含接地极及接地极线路工程)、龙泉—政平输电线路工程、政平换流站工程。工程总概算:静态投资(1993年5月价格)500585万元,其中线路部分143653万元,换流站部分356932万元。线路全长859.685km,额定直流电压±500kV,额定直流电流3000A,输送容量300万kW。全线架设地线复合通信光缆。

工程于2000年7月27日正式开工,原计划2002年7月31日单极投运,2003年5月31日双极投运。2001年工期调整为2002年12月底单极投运,2003年5月31日双极投运。

2001年完成土建施工。龙泉换流站极Ⅰ开始进行阀体安装,极Ⅱ完成建筑装修,控制楼进入装修阶段,换流变压器安装就位8台,平波电抗器到货2台并就位。政平换流站极Ⅰ、极Ⅱ阀厅和直流场建筑处于装修阶段,换流变压器安装完成6台,平波电抗器到货3台并就位。两站的500kV交流场开关设备安装调试工作完成,设备试验分别完成50%。交流滤波器全部安装完成,继电器室开始设备安装。调试、启动与验收的前期准备工作完成《验收规程》的编写并提出《验收大纲》的报批稿,基本确定调试分工中中方调试委托合同框架。线路工程除大跨越外的一般线路全线组塔完成,大导线放线试验成功,放线施工全面展开。

二、联网工程

（一）东北与华北联网工程

即迁绥500kV输变电工程，包括河北迁西变电站至辽宁绥中电厂线路工程及两端间隔扩建。500kV输电线路全长166.627km，基础及铁塔354基。工程于1999年9月正式开工建设，计划于2000年年内投产，但由于系统稳定问题，需增加一些辅助设备，推迟到2001年5月投产。经对系统稳定方面进一步完善、消缺，工程于2001年5月18日正式投运，实现东北与华北两大电网联网运行。

（二）福建与华东联网工程

即福金输变电工程，包括福州北郊500kV变电所构架至浙江金华双龙变电站输电线路工程及两端扩建间隔，线路全长350.95km，基础及铁塔718基，分福建、浙江两段。

福建段设计范围由福州北郊500kV变电所构架（简称福州北）至闽浙省界（J73）止，全长164.654km，基础及铁塔310基。途经福州市晋安区、连江县、罗源县、宁德市、福安市、寿宁县。该工程单回路直线塔除ZMS6为猫型塔外，其余均采用导线水平排列的杯形塔。所有单回路塔型均设计有四腿不等长塔腿。铁塔310基，塔重5928t。全线基础310基，主要有二种型式：斜柱基础和钢筋混凝土重力式基础，ZB1A（B）～ZB4A（B）、ZTS1～ZTS4八种直线塔采用斜柱插入式基础，其余塔型采用斜柱地脚螺栓。

浙江段线路全长186.3km，根据气象区不同，采用两种型号的导线：钢芯铝绞线和钢芯铝合金绞线，两种型号的地线，一根采用钢芯铝绞线地线，另一根为OPGW。全线采用自立式铁塔，共408基，塔重6498t。基础408基，主要为平板式及嵌固式两种基础型式。

名 称	闽1标段	闽2标段	浙1A标	浙1B标	浙2标段
线路长度	90.614km	74.044km	55.965km	50.8km	77.749km
基 数	164	146	123	114	171
设计	福建电力设计院		华东电力设计院		浙江电力设计院
监理	浙江电力工程建设监理公司		安徽省电力工程监理公司		
施工	福建	湖南	甘肃	广东	浙江

注：施工单位均为相应省份送变电有限公司，以下各表相同。

工程建设资金为国家电力公司自有资金和银行贷款。工程于2000年12月29日正式开工，2001年10月22日竣工，11月7日一次启运成功并通过24小时试运行，移交并投入商业运行。该工程从实质性开工建设到投入运行只有10个月的时间，电网公司克服资金严重不到位和设计失误频出等重重困难，确保工程质量达到“双百”目标并按期投运。福建电网并入华东电网运行，结束福建“电力孤岛”的历史。

（三）西北与华中联网工程

西北与华中联网工程即西北与华中±500kV直流背靠背换流站工程及其线路工程。该工程系统额定容量为36万kW，额定直流电压120kV，额定直流电流3000A。换流站站址在河南省三门峡市，占地6.8公顷，投资5.7亿元。

2001年完成功能规范书的编制与审查，委托北京网联直流咨询有限责任公司设计，确定工程建设及成套设备国产化的进度，确定工程建设管理模式，完成工程监理招标。

三、“川电东送”临时通道工程

该工程是西电东送与全国电网互联工程的重要组成部分，是二滩电力电量经华中外送华东的唯一临时通道，工程早日建成投产具有重大的经济、社会效益和政治意义。该工程涉及面广，协调工作量大，技术难度大，系统情况繁杂。其通道是：二滩发电站—昭觉变电站—洪沟变电站—陈家桥变电站—长寿变电站—万县变电站—三峡左一电厂—龙泉换流站—荆门开关站—双河变电站—南阳变电站，从荆门开关站接入华中电网后经葛洲坝换流站通过葛南直流输电线路工程送电到华东电网。其中新建工程有陈家桥—长寿500kV输变电工程、长寿—万县500kV输变电工程、三峡—万县（Ⅰ回）500kV输电线路工程、三峡左一电厂—龙泉（Ⅱ回）500kV输电线路工程、龙泉—荆门（Ⅱ回）500kV输电线路工程、荆门—双河—南阳500kV输变电工程等。为早日实现川电外送、解决二滩电量消纳问题，国家电力公司果断决定将原本非常紧迫的工期再压缩2个月，要求于2002年4月底前投产。为克服三峡—万县的线路工程穿越无人区和原始森林，且交通条件、人文环境恶劣和两次跨越长江，工艺条件苛刻，施工难度大等困难，工程各参建单位创造性地应用架设临时索道等施工工艺，开创送电线路施工的新方法，经各方努力，工程建设按计划进展顺利。

陈家桥—长寿Ⅱ回：线路全长约90km，由西南电力设计院负责设计，通过招标确定监理和施工单位。监理单位是青海智鑫电力建设监理有限公司，施工单位是四川送变电建设公司和黑龙江送变电工程公司。

工程于2001年12月28日开工，并将于2002年8月底具备投运条件。

（一）长寿—万县工程

1. 长寿间隔扩建工程：从原220kV扩建至500kV。

2. 长万线改造工程：约180km，施工工期2001年

8～12月底。工程于1998年6月中旬降压为220kV运行，升压前的改造工作于2001年12月20日完成，主要包括长寿侧5G塔，万县侧4G塔，全线普通地线换成OPGW及相关铁塔改造工作。2001年年底进行升压500kV启动验收。

3. 万县变：位于万州市天城区高梁镇。本期扩建容量25万kV·A的单相自耦变压器3台，500kV出线2回，220kV出线3回，60万kvar的500kV高压电抗器一组。工程于2001年4月1日开工，2001年12月31日竣工。

（二）三峡—万州工程

施工工期为2000年10月18日～2001年3月31日，后调整为2001年12月31竣工，年底基本具备带电条件。线路全长311km。其中湖北地区106km，由中南电力设计院设计，重庆地区205km，由西南电力设计院设计。

全线分为5个施工段，其中湖北地区2段（鄂1—上海、鄂2—湖北），重庆地区3段（渝1—宁夏、渝2—云南、渝3—四川）。以省为界分为两个监理标段（湖北段—江西、重庆段—湖南）。

该工程除个别地段外导线采用4×LGJ－400/35钢芯铝绞线，避雷线一根采用普通地线，另一根为架空地线复合光缆OPGW（24芯）。

与三峡出口跨接部分：川电东送临时过渡方案将由三峡—万州线通过三峡出线外八的9#塔跨接到三峡左岸—龙泉（以下简称左龙）Ⅱ回线路部分。9#塔（共2基）已组立完毕。跨接部分（160m）进行相关材料的采购及施工准备工作，于2002年2月具备带电条件。

该工程由中南电力设计院设计，湖北输变电工程公司负责施工，工程业主兼监理为中国超高压输变电建设公司。

左龙Ⅰ、Ⅱ、Ⅲ回：其中Ⅱ回为川电东送通道。Ⅰ、Ⅲ回分别为60km，分4个施工标段（左龙ⅠA－黑龙江、左龙ⅠB－北京，左龙ⅢA－山西、左龙ⅢB－内蒙古），工期计划2001年7月～2002年4月30日。Ⅱ回约65km，为1个施工标段，施工单位为湖北输变电工程公司，将于2002年2月28日具备带电条件。截至2001年年底，Ⅰ、Ⅲ回铁塔组立完成并转入架线工序；Ⅱ回架线工程完成60%。

该工程在三峡工程中首次采用4分裂630mm²截面导线，克服一系列技术问题，并在设计中对出线走廊合理规划，在保证将来运行安全的同时，节约走廊。

龙泉—荆州Ⅰ、Ⅱ回：其中Ⅱ回为川电外送通道。Ⅰ回约78km，Ⅱ回约79km。各分为两个施工标段（龙荆ⅠA－湖南、ⅠB湖北，ⅡA－青海、ⅡB辽宁），四川电力建设监理有限公司监理。计划工期2001年7月～2002年2月。

四、其他在建三峡输变电工程

（一）双河—荆门—南阳线

双河—荆门—南阳500kV输变电工程位于湖北省中部和河南省西南部，共分鄂1、鄂2、鄂3、鄂4、鄂5、豫1、豫2七个施工标段。双河—荆门段导线采用4×LGJ－400/35钢芯铝绞线，长度约45km；荆门—南阳段采用4×LGJ－300/40钢芯铝绞线，长度约274km。从荆门变至南阳变一根为普通地线，一根为复合光缆（OPGW）。全线基础754基，铁塔754基，塔重约7972.27t。

1998年11月经招标，确定工程设计、监理、施工单位，并分别于1998年底签订合同，同年12月底工程开工，2001年4月竣工。10月22日通过24小时试运行。

名称	鄂1	鄂2	鄂3	鄂4	鄂5	豫1	豫2
长度	43.158km	42.4	41.683	45.893	45.435	44.08	46.27
基数	109	99	102	113	115	106	110
设计	中南电力设计院				河南电力设计院		
监理	山东诚信监理公司				北京燕东监理公司		
施工	北京	青海	湖北	宁夏	江西	浙江	河南

（二）南阳—郑州线

南阳—郑州500kV输电线路工程起点为河南省南阳500kV变电所，终点为郑州市小刘500kV变电所。线路总长约202km，线路导线采用4×LGJ－300/40钢芯铝绞线，地线为一根普通地线，另一根为架空地线复合光缆（OPGW），南阳变和小刘变进出线段采用钢芯铝绞线LGJ－95/55。全线基础469基，铁塔469基，塔重5304t。

1999年经招标，确定工程设计、监理、施工单位，并分别于1999年11月签订合同，同年11月底工程开工，2001年3月竣工验收，10月22日通过24小时带电试运行。

名　称	1标段	2标段	3标段	4标段
线路长度	48.96km	48.94km	52.57km	51.84km
基　数	108	111	130	120
设计	河南电力设计院			
监理	山东诚信监理公司			
施工	陕西	安徽	华东	黑龙江

(三)郑州—新乡线

郑州—新乡(以下简称郑新线)500kV输电线路工程从郑州西500kV变电所至新乡500kV变电所,新建线路全长约54km(黄河跨越段约5km已建成),线路为同塔双回,导线采用LGJ－400/35钢芯铝绞线,地线一根为普通地线,一根为架空地线复合光缆。全线基础135基,铁塔135基,塔重5304.7t。

1999年经招标,确定工程设计、监理、施工单位,并分别于1999年12月签订合同,2000年3月15日工程开工,2001年9月底竣工。

名称	1标段	2标段
线路长度	25.4km	27.7+0.9km
基　　数	67	68
设计	河南电力设计院	
监理	湖南电力建设监理公司	
施工	山东	河南

郑新线工程在施工过程中注重过程控制、文明施工,对施工质量精益求精,受到运行和质检部门的一致好评,在质检中心站对工程所作的评价中建议申报国家优质工程,郑新线于2001年11月底通过24小时带电试运行。

(四)郑州—开封线

郑州—开封500kV输电线路工程从小刘500kV变电所起,至开封500kV变电所止。线路全长约79km,为单回路。导线采用4×LGJ－300/40钢芯铝绞线,地线一根为普通地线,另一根为架空地线复合光缆(OPGW)。该工程全线基础168基,铁塔168基,塔重1836t。地形平地92%,丘陵8%。

2000年经电网公司工程部组织招标,9月签订合同,2001年6月竣工,7月10日降压运行。

(五)孝感—汉阳线

孝感—汉阳500kV输电线路工程从孝感500kV变电所起,至玉贤500kV变电所止,线路全长约64km,其中玉贤变出线段为双回路,约4.5km。导线采用4×LGJ－400/35钢芯铝绞线,地线一根为普通地线,另一根为架空电线复合光缆(OPGW16芯)。该工程全线基础158基,铁塔158基,塔重2191.66t。

2000年8月招标,10月开工,2001年11月竣工,12月底通过24小时带电试运行。

(六)荆门—荆州Ⅰ回

荆门—荆州500kV输变电工程始于荆门500kV变电所,至荆州500kV变电所止,线路全长约60km。导线采用4×LGJ－400/35钢芯铝绞线,地线一根为普通地线,另一根为架空电线复合光缆(OPGW/48芯)。该工程全线基础150基,铁塔150基,塔重1889.7t。

该工程沿途经过湖北省荆门市、荆州市,地势平坦,人口密集,农田以水田为主,沟渠纵横,池塘较多,交通条件较好。

2001年7月招标,11月开工,计划2002年10月竣工。

由于该线路路径变化,致使开工相应后延,但监理、施工单位克服地方关系难协调等困难,在确保质量的前提下,抓紧时间施工,年底完成基础20%。

(七)岗市—长沙线

岗市—长沙500kV输电线路工程起点为岗市500kV变电所,终点为长沙市双湖500kV变电所。线路全长约183km,普通线路导线采用4×LGJ－300/40钢芯铝绞线,沅水、资水跨越及湘江大跨越采用4×LHBGJ－300/70镀锌铝合金绞线,地线一根为普通地线,另一根为架空地线复合光缆(OPGW),全线基础469基,铁塔469基。

1999年10月招标,并分别于11月签订合同,同年11月底工程开工,2001年6月底竣工验收,11月4日通过24小时带电试运行。

名称	1标段	2标段	3标段	4标段
线路长度	47.886km	48.909km	45.549km	38.405km
基　　数	136	129	123	104
设计	湖南电力设计院			
监理	江西省电力建设监理有限责任公司			
施工	广西	湖南	贵州	湖南

(八)长沙—云田线

长沙—云田500kV输电线路工程始于长沙市双湖500kV变电所,至云田500kV变电所止,线路全长约43km。导线采用4×LGJ－300/40钢芯铝绞线,地线为普通地线。该工程全线基础121基,铁塔121基,塔重1322.748t。

2000年11月招标,并于12月底开工,2001年10月底竣工。

(九)益阳变电站

500kV益阳变电站是将来湖南500kV电网的枢纽变电所,华中500kV电网的重要组成部分之一。站址位于益阳市赫山区谢林港镇复兴村蔡家湾,益阳市西南约13km处,谢林港镇至新市渡公路在站址西侧经过,交通运输便利,地震基本裂度为6度。变电站站址总占地面积7.3109万m^2(不包括生活福利工程占地)。主变压器设计规模75万kV·A2组,本期安装1组;500kV出线设计规模10回,本期2回;220kV出线设计规模10回,本期6回。该工程于2000年3月30日开工,2001年11月10日竣工。

(十)长沙变电站

500kV长沙变电站是将来湖南500kV电网的枢纽变电所,华中500kV电网的重要组成部分之一。站址位于长沙市三环线以北2.1km处,捞刀河镇东北方向约10km,站址东侧1.6km处为107国道,交通便利,地震基本裂度为6度。变电站总占地面积为6.3671万m^2(不包括生活福利工程占地)。500kV长沙变电站为新建变电站,主变压器设计规模75万kV·A2组,本期安装1组;500kV出线设计规模6回,本期2回;220kV出线设计规模12回,本期7回。该工程于2000年3月20日开工,2001年11月10日竣工。

(十一)孝感变电站

500kV孝感变电站工程本期建设规模为75万kV·A主变压器一组,远景规模为75万kV·A主变压器2组。500kV出线本期2回,远期8回;220kV出线本期6回,远期12回。主变35kV侧本期安装2组6万kvar并联电抗器;远期每组主变35kV侧安装2组6万kvar并联电抗器、2组6万kvar并联电容器。该工程于2000年3月30日开工,2001年12月28日竣工投产。

(十二)新乡变电站

500kV新乡变电站工程位于新乡获嘉县黄堤西南500m处,距狮子营火车站1.2km。该工程规划容量75万kV·A变压器2组,本期安装1组;500kV出线规划10回,本期3回;220kV出线规划10回,本期5回。该工程于2000年3月30日开工,2001年12月3日竣工投产。

(十三)开封变电站

500kV开封变电站工程位于河南省开封市东南9km开封县兴隆乡太平岗村及张楼村之间。该工程规划容量2组75万kV·A变压器,本期安装1组75万kV·A变压器;500kV出线规划6回,本期1回;220kV出线规划10回,本期5回。该工程于2001年6月1日开工,计划2002年8月15日竣工。截至2001年底,静压桩(1600根)施工完成,1#主变及架构基础完成,220kV架构基础完成,500kV架构基础完成,330m深井完成凿井。

(十四)荆门变电站

500kV荆门变电站工程远景规模为75万kV·A主变压器2组,500kV出线10回,220kV出线10回;本期暂为开关站运行,500kV出线7回,15万kvar高压并联电抗器2组,12万kvar高压并联电抗器1组。该工程于2001年2月1日开工,计划2002年3月31日竣工。截至12月底,主控楼装饰完成75%,35kV配电室装饰完成75%,电缆沟内粉刷完成,保护小室基础完成,电抗器安装就位。

(十五)双河变电站扩建

500kV双河变电站扩建500kV出线间隔工程,扩建1回500kV南阳间隔,此间隔直接进入变电站第四串,装设一台15万kvar高压并联电抗器,布置在变电站第四串出线处,将原有出线设备进行搬迁安装。

(十六)郑州变电站扩建

500kV郑州变电站扩建500kV出线间隔工程位于郑州市南郊。该工程扩建1回500kV配电装置出线。2000年10月23日开工,2001年10月22日竣工。

(十七)玉贤变电站扩建

500kV玉贤变电站,扩建500kV出线间隔工程,扩建1回500kV间隔,改建两回500kV间隔。2001年5月31日开工,2001年12月28日竣工。

(十八)武南—繁昌线

武南—繁昌500kV输电线路工程起点常州武南变电所,终点繁昌变电所,中间开断环入东善桥变电所。线路途经江苏省的武进、宜兴、溧阳、溧水、江宁区,安徽省的马鞍山、当涂、芜湖、繁昌各县市。线路总长259.684km,安徽省境内线路长度83.23km,江苏省境内线路长176.454km。

该工程导线采用LGJ－400/35钢芯铝绞线,每相四分裂,地线:一根为36芯OPGW,另一根部分采用LGJ－95/55良导体地线,部分采用GJ－80钢绞线。基础606基,铁塔606基,塔重7764t。地形基本为平地、泥沼与河网。

1999年、2000年招标,确定工程设计、监理、施工单位,并分别于1999年12月、2000年12月签订合同,同年12月底工程开工,计划2002年3月竣工。

名称	1标段	2标段	3标段	4标段
线路长度	64.496km	57.053km	54.905km	83.23km
基　　数	149	126	133	198
设计单位	华东电力设计院			
监理单位	江苏宏源监理公司			
施工单位	华东送变电	东电送变电	湖北输变电	安徽送变电

(十九)武南—瓶窑线

武南—瓶窑500kV输电线路工程从500kV瓶斗输电线路开口环入武南变的双回路，分支塔起于500kV瓶窑变电站输电线路工程的本体设计。线路全长149.998km，其中利用瓶斗开口环入武南变双回路长度5.822km，新建单回路线路长度144.176km(浙江段87.740km、江苏段56.436km)。该工程全线铁塔330基，导线采用4×LGJ－400/35，地线中一根为LGJ－95/55，另一根采用24芯OPGW，工程采用耐张塔换位，共两次。

该工程路径的基本走向由北向南。江苏段及浙江长兴段地处河网泥沼地区，沿线植被以水田为主，其余为山区，主要集中在浙江瓶窑变电站进线段，山区植被以毛竹林、灌木为主。

1999年、2000年经电网公司工程部组织招标，招标领导小组批准，确定工程设计、监理、施工单位，并分别于1999年11月、2000年12月签订合同，同年12月底工程开工，计划2002年3月竣工。

2001年完成基础、组塔施工，导地线架通。

(二十)阜阳—洛河线

阜阳—洛河500kV输电线路工程于2001年招标，计划2002年3月竣工。该工程从500kV阜东变电所起，至洛河电厂止，途经阜阳市、利辛县、凤台县、淮南市等4个县市。线路全长128.503km(含已建淮河大跨越长度2.408km)，全线为单回路交流输电线路。该工程全线使用铁塔306基，平均每公里2.42基。该工程导线为4×LGJ－400/35钢芯铝绞线，全线采用2根地线，其中一根为24芯OPGW，另一根12km采用LGJ－95/55钢芯铝绞线，其余采用GJ－80钢绞线。该工程采用耐张塔换位，全线共3处。

该工程路径的基本走向由西向东，全线基本为平原及圩区，沿线植被基本为麦田或麦稻双季田。

2001年经招标，确定工程监理、施工单位，3月签订合同，计划2002年3月竣工。

(二十一)武南—政平线

武南—政平500kV输电线路工程从500kV武南变电所起，至政平换流站止，地处江苏省武进市，线路路径全长2×6.153km，全线为双回路同塔交流输电线路。该工程全线使用铁塔18基。导线为2×4×ACSR－720/50钢芯铝绞线，全线采用2根地线，都为16芯OPGW。

由于该工程为政平换流站的电源线，工期要求紧，经电网公司研究决定该工程进行议标，确定工程监理、施工单位，并于2001年9月份开工，计划2002年3月竣工。

(二十二)阜东变电站

500kV阜东变电站工程位于阜阳市东北13.5km处的姚后营，该处有3km泥结碎石公路与阜(阳)——涡(阳)公路相连。该站址地势平坦，地形开阔，进出线方便，无房屋拆迁。主变压器设计规模75万kV·A二组，本期安装ODFPS－250000/500型单相自耦变压器3台；500kV出线设计规模4回，本期1回；220kV出线设计规模16回，本期8回。该工程于2001年2月10日开工，计划于2002年5月31日竣工。截至2001年底，主控通信综合楼内外墙粉刷结束，外墙装饰基本完成。所用电室、雨水泵房、事故油池、雨淋阀室土建完成，综合泵房在砌墙。220kV构架完成吊装，软母线开始施工。500kV构架吊装完成。

(二十三)杭东变电站扩建

500kV杭东变电站扩建500kV变电站工程本期扩建容量100万kV·A的2#主变一组，220kV出线间隔2回，建设220kV第二个分段断路器，完善双母线双分段接线，以及6万kvar的35kV低压电抗器3组。主要构筑物有500kV、220kV、35kV设备支架及基础，主变压器构架及基础，电抗器基础以及电缆沟道等。该工程于2001年12月8日开工，计划2002年12月竣工，工程施工准备工作完成。

(刘　博)

工程建设管理

2001年是电网公司计划完成情况较好的一年，在建工程数量创历史最高记录，投产工程数量也创历史最高纪录，工程建设时间紧迫，同时，工程建设质量不同程度的有所提高。电网公司内部管理及计划、资金、设计、施工、物资设备材料供应等方面的管理更加规范、科学、合理。

一、加强计划的严肃性

电网公司在2001年计划管理方面，首先加强对计划的认识，视工程建设计划如“军令”。上、下半年两次召开计划工作会议，集中检查计划执行情况，研究、解决计划执行中的问题，在保证工程质量的前提下，合理安排、组织实施工程设计、施工、竣工验收等各个建设环节的计划。每月一次的工程调度会上，对照各单项工程计划安排进行进度监督，适时进行局部调整，以满足总体工期要求。

二、提高工程建设管理水平

输变电工程建设实行的是项目法人责任制，电网公司作为项目的代业主，主要职责是“四控制两管理一协调”，安全上不可推卸责任，质量上要创精品工程，工期上要服从三峡工程总体工期要求，资金使用要经得起各方稽察，工程造价要努力降低。按照这一精神，电网公司在2001年度从抓安全、保质量入手，促进了工程建设管理水平的全面提高。

(一)安全工作

电网公司成立安全生产委员会，建立健全各项安全制度。多次开会强调安全工作，开展两次规模较大的安全大检查。对长江大跨越等重点项目的关键性环节，牢牢抓住组织措施、安全措施、技术措施的落实，使安全工作始终处于受控状态。电网公司直接建设的输变电工程项目中没有发生重大人身、设备安全责任事故，安全状况良好。

(二)工程质量

工程建设质量按“工程验收合格率和分项工程验收优良率百分之百，力争国际一流水平”的目标严格控制，2001年计划竣工的三峡输变电工程“6线5变”和2000年计划投产因故推迟到2001年投产的3线，及全国联网工程的迁西—绥中输变电工程、福州—金华输变电工程共计16个单项工程，全部一次启动带电成功，顺利移交生产，把“百年大计、质量第一”的要求落到了实处。

(三)工程管理

按照“集体领导、民主决策、分工负责、监督实施”方针办事，并有严格的会议制度作保证，修订招评标管理办法，吸收国家电力公司法律事务部、监察局的同志参加招标领导小组，采取“邀、评、定标”分离且规避的措施，规定施工、监理队伍，主要设备、材料采购等必须公开招标，增加招评标工作的透明度和公开、公平、公正度。合同管理增加按授权权限签署合同内容，细化合同审批程序和相应职责，提高法律意识，加强合同执行的监督制约机制。合同管理清楚，没有发生任何合同纠分。建立完善的工程结算程序和管理办法并提出具体要求，使工程结算工作得到彻底改善。在职责调整上建立强有力的制约机制，使工作人员既能各司其职，又能各负其责。

三、调整机构职责，加大改革力度

2001年是电网公司本部化改革的关键时期，为适应新形势，电网公司不失时机地进行深化改革和机构职责调整。

在对“公司本部、工程建设项目部、监理兼业主工程师”三级管理模式和“小业主、大监理”管理模式研究和探讨的基础上，进行职责界面的划分研究，管理工作做到既各司其职，又互有监督。同时，完成电网公司领导班子的充实、调整，增加领导班子的凝聚力和战斗力；完成电网公司内部机构职责的局部调整，完成中层干部和专业系列干部的考核、聘用，中层干部年内全部到位，充实中坚力量。

完成国家电力公司的股权上划和资金清退工作，理顺物资部与物资公司、电网公司与咨询公司的关系。

对电网公司内部管理办法、规章制度等进行修改、充实和完善。建立健全总经理会议、总经理办公会议、工程调度会、内部情况通报会、公司全体员工大会等会议制度。顺利完成电网公司办公地的两次搬迁工作，及时调整公司后勤管理模式和相关管理办法。严格执行会议审批制度和预算管理制度。

严格执行预算管理，资产状况、财务状况良好，没有发生挤占、挪用资金现象发生，资金运作规范、合理。

四、电网公司组织机构建设

电网公司与国家电力公司电网建设部合署办公，负责三峡输变电工程和跨大区、跨独立省网的联网工程以及关系到全国联网的大型送出工程的建设管理，负责国家电力公司系统内电网建设的管理。公司本部设6部(总经理工作部、计划部、工程部、直流部、财务部、物资部)18处(办公室、人力资源处、外事办公室、行政管理处、审计处、计划统计处、设计计划处、变电处、送电处、合同处、工程概预算处、直流项目一处、直流项目二处、会计核算处、工程财务处、物资综合管理处、工程物资处、产品开发处)。电网公司北京以外设3个工程建设部(武汉工程建设部、宜昌工程建设部、常州工程建设部)，每个工程建设部下设3个处(综合处、计划财务处、工程处)。

电网公司主要领导成员如下：

王禹民：电网部主任、电网公司总经理

孙家骏：电网部副主任、电网公司副总经理

李文毅：电网部副主任、电网公司副总经理

舒印彪：电网部副主任、电网公司副总经理
兼电网部、电网公司总工程师

孙竹森：电网部副主任、电网公司副总经理

龙文明：电网部、电网公司总经济师。

(刘　博)

资金计划执行情况

一、资金计划执行情况

2001年国家电力公司下达电网公司资金计划63亿元(2001年第四季度将计划从年初下达的68.7亿元调整为63亿元)，全年实际完成资金58亿元，为年度计划的92%；投资计划63亿元，实际完成52.5亿元，为年度计划的83%。截至12月末资金缺口6.7亿元。

三峡输变电工程资金计划56.5亿元(实际到位

52.5 亿元，缺 5.9 亿元)，实际完成 52.7 亿元，为年计划的 93%；投资计划为 56.5 亿元，实际完成 47 亿元(现价)，为年计划的 84%，实现年初确定的目标。未完成的主要原因，一是原计划中龙泉—政平直流线路安排架线施工完成 50%，2001 年初调整为完成架线 20%，但国家电力公司下达的计划未作相应调整；二是原计划是按概算价(1993 年价格)加预测价差编制的，而完成数为实际支出数，其中有价差和量差上的统计误差。

全国联网工程资金、投资计划均为 6.5 亿元，资金、投资实际均完成 5.5 亿元，为年计划的 84.6%。计划未完成的主要原因：一是资金到位不及时，福建华东联网资金 1.9 亿于 12 月 28 日到位，已经延误履行付款时间。华北华中联网工程与川电东送工程四季度资金 7537 万元于 2002 年 1 月 8 日到位；二是福建与华东联网工程尾款 5268 万元应在工程竣工一年后，即 2002 年支付，没有统计在内；三是华北与华中联网工程资金需求 2000 万元，国家电力公司计划下达 7000 万元(计划多列 5000 万元)。

二、建设计划执行情况

2001 年在建项目 29 项，其中包括三峡输变电工程 25 项，即“13 线 10 变 2 直流”(新开工“6 线 4 变”)；全国联网工程 3 项，即“2 线 2 站(1 个开关站、1 个背靠背换流站)”；川电东送工程 1 项。

三、投产情况

三峡输变电工程按计划投产“6 线 5 变”，即岗市—长沙线 187km、长沙—云田线 46km、孝感—汉阳线 66km、郑州—新乡线 110km、长寿—万州线 168km、小流—开封线 79km，共计 656km；长沙变电站、益阳变电站、孝感变电站、新乡变电站、万县变电站各 75 万 kV·A，共计 375 万 kV·A。上述工程全部实现一次启动成功，按计划投运并顺利移交运营。万县变、长万线于 12 月 30 日完成升压改造并一次送电成功，为 2002 年川电东送工程全面启动创造良好条件。全国联网工程中福建与华东联网的福州—金华输变电工程 2001 年开工并按计划于 10 月投产。

(刘　博)

科研与应用

2001 年，电网公司在科研管理工作方面，以改造传统技术为起点，以研究、开发高新技术项目为方向，以研究解决全国联网的关键技术问题、大功率、超高压交直流输电国产化技术为重点，以开放型、高水平技术队伍为基础，集中精力组织重点项目攻关。

成立电网公司科学技术委员会，加强公司科研管理，制定科技攻关方向，规定科研立项程序，加强科研资料、档案的管理，开展科研项目新的科研工作，举办学术报告、优秀科技论文评选等活动，4 人获优秀论文奖，4 人获优秀论文评选纪念奖。

P3 和 EXP 工程建设管理软件完成培训和试用工作，在公司内部和三峡输变电工程、全国联网工程、西电东送工程建设的管理中全面推广应用，促进工程建设管理现代化水平的提高。

紧凑型输电线路完成试验论证工作，完成带电作业、防雷、参数计算、电磁场计算研究工作；完成塔型优化设计和技术试验，紧凑型输电技术即将在政平—宜兴的输电线路工程中进行工业试验性应用。

组织开展施工技术、工艺研究，为保证工程建设质量和提高输变电施工工艺水平做出贡献。

通过龙泉—政平直流、三峡—广东直流工程的设备和技术引进工作，直流输电控制保护成套技术引进工作付诸实施，为西北与华中直流背靠背工程建设全面实现国产化打下基础。

采用 VPN 网络技术，开通电网公司本部、学院南路与武汉、宜昌、常州 3 个工程建设部之间的计算机网络，实现 5 个局域网构成的广域网，为公司自动化办公提供支持平台。

(刘　博)

移民开发 Ⅶ

崛起的新城——万州龙宝区移民新城

概　况

三峡工程移民工作综述

一、国务院三峡工程移民暨对口支援工作会议在宜昌召开

7月16～18日，国务院三峡工程移民暨对口支援工作会议在三峡坝区召开。国务院总理、国务院三峡工程建设委员会主任朱镕基在会上作了重要讲话。国务院副总理、国务院三峡工程建设委员会副主任吴邦国代表国务院作工作报告。

朱镕基总理在讲话中说：目前距三峡水库蓄水不到两年时间，三峡二期工程移民工作已进入倒计时阶段，任务十分繁重和紧迫。各有关部门要认真贯彻“两个调整”方针，加快库区移民外迁安置步伐，加大库区搬迁工矿企业结构调整力度，千方百计完成移民和企业搬迁任务，千方百计确保三峡工程按时蓄水、发电和通航。

会议表彰了自1997年三峡工程大江截流以来，在移民工作和对口支援工作中做出突出贡献的先进单位和先进个人。

中共中央、国务院有关部门和有关省、自治区、直辖市、中国三峡总公司的负责同志，三峡库区涉及的21个市、区、县的负责同志等参加了会议。

二、加强移民计划管理，确保移民搬迁整体进度

2001年是移民资金投入较多的一年，在年初确定的52.35亿元的基础上，年末又追加12亿元，全年共安排资金64.35亿元。在计划安排上，三峡建委移民局以135m水位线下移民搬迁安置为重点，认真贯彻“两个调整”方针，合理安排资金计划，加快移民工程进度。全年各类移民工程项目完成投资64.81亿元，占当年项目资金计划的101%。其中农村移民安置完成投资21.80亿元，复建房屋198.08万 m^2，搬迁安置77087人；城集镇迁建完成投资20.80亿元，复建居民住房187.64万 m^2，搬迁安置67830人；工矿企业迁建完成投资11.06亿元，完成迁建及关破企业261家；专业设施项目复建完成投资6.31亿元，复建公路71.60km，邮电通信线路1482km，广播通信线路295.8km；环境保护完成投资0.26亿元。移民项目各大类任务基本或超额完成当年计划。

三、农村移民外迁和工矿企业结构调整进展顺利

2001年，重庆库区农村移民出市外迁计划40000人。为做好这项工作，三峡建委移民局提出一系列政策建议，并加强对移民外迁工作的协调、指导，先后3次召开专题协调会，及时解决各方存在的分歧。通过迁入、迁出地各级党委、政府的共同努力，2001年出市外迁安置移民43481人，为原计划的108%。

为使搬迁企业结构调整工作全面实施，三峡建委移民局会同三峡建委办公室、财政部、劳动和社会保障部，对关闭破产企业职工一次性安置费、职工权益资金、欠缴社保费、欠发离退休职工养老金等资金缺口问题进行调查研究，并在此基础上，与财政部联合印发《关于三峡库区135m水位线以下国有搬迁工矿企业关闭破产有关问题的通知》，及时提出有关资金缺口补助的政策建议。为推动破产关闭搬迁企业呆坏账核销和财政转移支付工作，三峡建委移民局组织召开三峡工程库区搬迁企业兼并破产关闭工作小组会议，对湖北省、重庆市《搬迁企业兼并破产关闭职工安置工作年度计划》进行审查，并下达220个破产关闭项目计划，涉及搬迁企业225户。对当前搬迁企业兼并过程中存在的一些不规范行为，提出相应的处理对策，确保搬迁企业结构调整工作的顺利进行。

四、加强库区环境保护和移民科研管理

为推进三峡库区地质灾害防治工作的实施，经反复调研、论证，三峡建委移民局及时上报《受蓄水影响滑坡治理总体规划》，并于2月由三峡建委批准实施，使滑坡治理工作由原定蓄水后实施提前两年启动。对21处受135m蓄水影响的崩滑体治理工程项目，预安排前期工作经费，部分崩滑体已开始实施工程治理。

为进一步促进三峡库区的生态建设和环境保护工作，三峡建委移民局参加有关部门组织的《三峡库区环境保护和生态建设规划》、《三峡库区水污染防治规划》的编制工作。

三峡库区文物保护工作按计划要求实施，涉及135m水位12个县（区）的地下文物发掘任务完成过半，地面文物留取资料工作基本完成，原地保护项目有序进行，地面搬迁保护项目的选址、征地工作正常进行。涪陵白鹤梁等三大项目的保护工作进展顺利，三峡工程库区淹没区及迁建区文物保护规划实施总经费按指数比较法测算的工作即将完成。

在移民科研工作管理方面，2001年调整移民科研项目管理体制。严把移民科研立项选题关，重点安排实用技术的研究，对涉及移民安置区种植结构、生产方式的改变，以及移民群众生活水平提高等方面的项目给予重点支持，加快库区科研成果的转化，使科研项目充分发挥移民效益、经济效益、生态效益和社会效益，促进移民安置工作和当地经济的发展。

五、加强移民工程建设的监督管理

在2000年对移民资金的使用管理和移民工程建设进度、质量以及移民工程建设实施全面稽察的基础上，2001年初三峡建委移民局及时召开三峡移民工程稽察总结会，并向国务院提交全面系统的《三峡移民工程稽察报告》，为国务院以及三峡建委领导对移民工作的一些重大问题科学决策提供可靠依据；对三峡工程移民工作中存在的问题，提出整改意见和措施，促进移民工作的开展。

为确保移民工程建设质量，三峡建委移民局组织开展三峡库区移民工程建设质量检查，并按照国务院关于整顿建筑市场秩序的部署，对三峡库区建筑市场秩序进行调研。为提高移民综合监理工作质量，推广使用移民综合监理成果，2001年，三峡建委移民局先后3次召开移民综合监理专题工作会议，并印发《关于进一步加强移民综合监理工作的意见》，促进综合监理成果在移民工作中的应用，对提高移民工程质量起积极作用。

六、拓宽对口支援渠道，促进库区经济发展

2001年，对口支援工作紧紧围绕“两个调整”方针和三峡工程二期移民总目标，立足于库区经济社会发展，突出引进名优企业和名牌产品，发展高效生态农业，推进农业产业化进程，加快库区基础设施建设和旅游资源开发，打破行政区域和所有制界限，按照市场经济规律，拓宽对口支援的渠道和方式，取得新的进展。全年引进外来资金18.72亿元，新增经济合作项目193个，对口支援项目实际安置移民28405人。截至2001年，三峡工程移民对口支援共为三峡库区引入外来资金112.3亿元，经济合作类项目2191个。

七、移民宣传工作

一是会同中央宣传部、重庆市委，联合组织移民先进人物冉绍之同志先进事迹巡回报告会，先后在北京、山东、福建、湖北、重庆等地举办5场先进事迹报告会，进一步树立移民干部的良好形象。二是及时编印和出版新修订的《长江三峡工程建设移民条例》（以下简称《移民条例》）和《移民条例修订说明》，以及《移民条例》宣传画，并协同湖北省、重庆市移民局在三峡库区大力开展宣传活动，有力地促进《移民条例》的贯彻实施。三是组织新华社、人民日报社、经济日报社、中央电视台等新闻单位的记者，深入山东、上海、江苏、浙江等省市实地采访报道接收和安置三峡移民的情况。四是加强对外宣传工作，协助国务院新闻办、三峡建委办公室组织中国长江三峡工程采访活动，进一步宣传三峡工程建设和移民工作情况。

八、移民干部培训和移民信访工作

2001年，三峡建委移民局围绕二期移民工作的中心任务，结合移民外迁、工程建设质量和企业结构调整等重点工作，积极开展移民干部的培训工作，印发《2001～2002年三峡工程库区移民培训工作规划（纲要）》，召开三峡库区移民培训工作座谈会，加强对湖北省、重庆市移民培训工作的指导。全年共举办各类培训班6期，培训各类移民干部460人次。

根据三峡移民信访工作的特点，三峡建委移民局印发《关于开展集中排查处理移民信访积案的通知》，加大对信访积案排查处理的力度。2001年，库区各级移民信访部门共处理信访积案100余件。全年县以上移民管理部门共受理移民群众信访6340件（次）。

（王理平）

三峡库区移民外迁工作

为缓解三峡库区农村土地容量不足的矛盾，从三峡库区生态环境保护的需要出发，1999年国务院三峡移民工作会议做出三峡库区移民外迁安置的重要决策。按照规划，三峡工程库区共有农村移民12.5万人将外迁安置。重庆市外迁农村移民10万人，其中在重庆市非库区县安置2万人；移民投亲靠友、自主外迁安置1万人；政府组织出重庆市安置7万人。湖北省2.5万外迁移民全部在本省非库区安置。按照国务院的部署，沿江、沿海11个省市负责接收安置重庆库区出市外迁农村移民70000人：四川省安置9000人，江苏、浙江、山东、湖北、广东省各安置7000人，上海市、福建省各安置5500人，安徽、江西、湖南省各安置5000人。按照会议的布置，11个迁入省市2000年各接收600人进行外迁安置试点，2001年开始大规模实施，在2003年以前全部完成三峡外迁移民安置工作。

一、概况

2001年，国务院三峡建委下达重庆库区农村移民出市外迁计划40000人。11个省市接收安置移民的任务是：山东、浙江、江苏、湖北4省各4000人，上海、江西、湖南、福建4省市各3000人，广东省3600人，安徽省3400人，四川省5000人；重庆库区5个迁出县的任务是：巫山、奉节、忠县各8000人，云阳11000人，开县 5000 人。

2001 年三峡工程库区农村移民外迁安置县达 103 个，移民搬迁动用汽车 7500 多辆次、火车专列 16 列 160 多节车厢(车皮)，轮船 118 艘次；另外移民搬迁工作牵涉面也广，涉及到移民、公安、交通、铁路、民政、农业、国土、卫生、计生、宣传等各级党政部门，还有各地驻军及社会团体。在各方面努力下，2001 年重庆库区农村移民出市外迁共安置移民 43707 人。

二、提高认识，加强组织领导，落实责任

迁出、迁入地各级政府按照国务院的部署，把做好移民外迁安置工作作为巩固“三讲”教育成果和实践“三个代表”重要思想的实际行动。11 个迁入省市的领导同志亲自主持制定移民安置方案，研究解决移民工作中重大问题，协调解决工作中的矛盾和问题。重庆市进一步强化党政领导要对移民工作负总责，对外迁移民安置工作实行“一票否决”责任制，推行落实县(市)、乡(镇)领导和各级移民干部分片包干、内联外挂全程负责制。5 个迁出县调整充实了有外迁任务的乡(镇)党委、政府班子，并抽调 1330 名干部充实外迁工作队伍，确保外迁移民工作任务和责任的落实。

三、完善移民外迁安置配套政策

根据 2000 年 9 月三峡建委外迁移民工作会议上的部署，各地在编制安置方案时，吸取了试点期间的成功经验，坚持以土为本、以大农业为主的安置原则；坚持相对集中到县乡、分散安置到村组的安置方式。重庆市 5 个迁出县在制定实施方案时，充分考虑了工作中的各环节，同时把各阶段目标细化落实到具体单位和责任人。三峡建委办公室、移民局及时出台一系列移民外迁工作配套政策。下发《关于三峡工程重庆库区农村移民出市外迁安置资金构成和发放使用的通告》；针对迁入地普遍反映的随迁问题，制定《三峡工程重庆库区农村移民出市外迁安置随迁人口的规定》；为规范移民住宅建设，印制下发《三峡工程重庆库区外迁移民住宅建设委托合同示范文本》。移民外迁安置工作相关制度进一步完善，管理进一步规范。

四、有序推进移民外迁工作

2001 年，外迁工作立足于“早”：部署早、安排早、动员早、对接早、建房早、搬迁早；突出质量和安全两个重点。三峡建委办公室、移民局要求各地牢固树立“质量第一、安全第一”的观念，强调移民工作的进度和外迁移民数量都必须服从质量、确保安全，并着力抓好宣传动员、考察选点、移民对接、房屋建设、搬迁运输等关键环节，有序推进外迁工作，有效保证 40000 移民安置任务按时超额完成。

五、加大协调力度，打好移民外迁总体战

移民外迁安置是一项复杂的系统工程，需各部门通力协作，迁出、迁入地密切配合，全社会积极参与。为完成 2001 年移民外迁安置任务，三峡建委办公室、移民局进一步发挥协调、督办职能，召开 3 次外迁协调会，并多次深入有关省市及库区调查研究，积极协调解决迁出、迁入双方工作中出现的矛盾和问题。迁出、迁入方互相理解、互相支持，使外迁工作得以健康有序地进行。在移民外迁工作中更加注重部门配合，从中央到地方的党政机关各部门，以及各地驻军、武警、社会团体都主动配合支持，形成移民外迁总体战略格局。

(苏　莉)

三峡工程移民资金管理工作

一、计划安排情况

2001 年三峡工程移民资金计划总额为637020.53万元，其中湖北省62636.98万元，重庆市562940.74万元，中国船舶重工集团公司、中国核工业集团公司、中国兵器工业集团公司(以下简称集团公司)共 7530 万元。分大类计划为：农村移民安置 195550.42 万元、城镇迁建 162122.76 万元、集镇迁建 29332.05 万元、工矿企业迁建 133966.76 万元、专项设施复建70451.01万元、环境保护费 2528 万元、滑坡监测处理费 7375 万元、勘测设计费 7730 万元、勘测规划费 1280 万元、监理费 3291 万元、移民职工培训费 4095.90 万元、耕地占用税 4700 万元、行政管理费 12857.63 万元、科研经费 1064.40 万元、对口支援经费 675.60 万元。

截至 2001 年，三峡工程移民资金累计计划总额为 2940931.30 万元，其中湖北省 622847.89 万元，重庆市 2228212.33 万元，集团公司 34180 万元。分大类计划为：农村移民安置 607133.11 万元、城镇迁建 910234.95万元、集镇迁建 200999.49 万元、工矿企业迁建 606755.83 万元、专项设施复建 341829.98 万元、环境保护费 7934.54 万元、滑坡监测处理费 11958.38 万元、勘测计划费 38949.94 万元、勘测规划费 49430.44万元、监理费 19507.30 万元、移民职业培训费21915.87万元、耕地占用税 32380 万元、行政管理费 83171.68万元、科研经费 5107.38 万元、对口支援经费 2886.30万元。

二、资金到位情况

2001 年，国家安排三峡工程移民资金计划 64.353 亿元，其中：第四季度追加投资 12 亿元。中国三峡总公司累计拨入移民资金 64.353 亿元，资金到位率 100%。资金分季度到位情况为：第一季度到位资金 6 亿元，占全年到位资金的 9.3%；第二季度到位资金 18

亿元，占全年到位资金的28%；第三季度到位资金14.1亿元，占全年到位资金的21.9%；第四季度到位资金26.253亿元，占全年到位资金的40.8%。

三、资金拨付情况

2001年，按照年度资金计划，三峡建委移民局及时足额地完成向湖北省、重庆市、集团公司等单位的拨款工作，并按照《三峡工程重庆库区农村移民出市外迁安置资金管理办法》，代重庆市拨付外迁移民资金，保证移民搬迁安置工作顺利进行。

四、投资完成情况

（一）2001年投资完成情况

2001年，三峡工程移民投资完成677177.37万元，占本年计划637020.53万元的106.3%，较2000年投资完成率99.2%提高7.1%。

1.大类投资完成情况

（1）移民迁建投资完成638226.3万元，占计划591423万元的107.9%，比2000年投资完成率99.6%增加8.3%。其中：农村移民投资完成252495.66万元，占计划195550.42万元的129.1%；城镇迁建投资完成189138.87万元，占计划162122.76万元的116.7%；集镇迁建投资完成37740.25万元，占计划29332.05万元的128.7%；工矿企业迁建投资完成93629.8万元，占计划133966.76万元的69.9%；专项设施复建投资完成65221.72万元，占计划70451.01万元的92.6%。

（2）移民迁建其它支出38951.07万元，占计划45597.53万元的85.4%。其中：环境保护费支出1671.75万元，占计划2528万元的66.1%；滑坡监测处理费支出3420.52万元，占计划7375万元的46.4%；勘测设计费支出7108.40万元，占计划7730万元的92%；监理费支出3847.31万元，占计划3291万元的116.9%；移民职业培训费支出3037.19万元，占计划4095.9万元的74.2%；耕地占用税支出1200万元，占计划4700万元的25.2%；行政管理费支出13185.89万元，占计划12857.63万元的102.6%；科研费支出1371.89万元，占计划1064.4万元的128.9%；对口支援经费支出712.95万元，占计划675.60万元的105.5%。

2.地区投资完成情况

湖北省投资完成70325.86万元，占计划62636.98万元的112.3%；重庆市投资完成599383.00万元，占计划562940.74万元的106.5%；集团公司投资完成3865.7万元，占计划7530万元的51.34%。

（二）累计投资完成情况

截至2001年，累计投资完成2737358.62万元，占累计计划2940931.30万元的93.1%，比2000年底的90.1%提高3%。

1.大类投资完成情况

（1）移民迁建累计投资完成2493880.88万元，占计划2666953.36万元的93.5%，比2000年90.2%提高3.3%。其中搬迁销号资产及交付使用资产130306.85万元，占迁建项目投资完成额的52.3%，比2000年底42.4%提高9.9%。农村移民安置投资累计完成590799.34万元，占计划607133.11万元的97.3%；城镇迁建投资累计完成924764.87万元，占计划910234.95万元的101.6%；集镇迁建投资累计完成178838.36万元，占计划200999.49万元的89.0%；工矿企业迁建投资累计完成520400.27万元，占计划606755.83万元的85.8%；专项设施复建投资累计完成279078.04万元，占计划341829.98万元的81.6%。

（2）移民迁建其它累计支出243477.74万元，占计划273977.94万元的88.9%。其中：环境保护费累计支出4237.89万元，占计划7934.54万元的53.4%；滑坡监测处理费累计支出5395.95万元，占计划11958.38万元的45.1%；勘测设计费累计支出37660.89万元，占计划38949.94万元的96.7%；监理费累计支出14774.53万元，占计划19507.30万元的75.7%；移民职业培训费累计支出14303.55万元，占计划21915.87万元的65.3%；耕地占用税累计支出为29099.76万元，占计划32380万元的89.9%；行政管理费累计支出78080.98万元，占计划支出83171.68万元的93.9%；科研费累计支出4977.1万元，占计划支出5107.38万元的97.4%；对口支援经费累计支出2931.14万元，占计划2886.30万元的101.6%。

2.地区投资完成情况

湖北省投资累计完成547800.90万元，占计划622847.89万元的88%；重庆市投资累计完成2112433.34万元，占计划2228212.33万元的94.8%；集团公司投资累计完成21433.3万元，占计划34180万元的62.7%。

（三）2001年三峡工程移民投资完成的特点

1.2001年移民迁建工作进度比往年明显加快，特别是搬迁销号资产及交付使用资产所占比率上升较快，这为顺利完成二期移民任务奠定良好的基础。

2.五大类迁建项目的投资完成进度不平衡，农村移民安置和城镇迁建完成较好，接近或超过计划；集镇迁建2001年投资完成率超过100%，如果继续保持这一势头，将改变集镇迁建一直进度较慢的状况；工矿企业迁建和专业设施复建完成不理想，都未达到90%，这两大类的迁建工作在2002年度需要加快进度。

3.环境保护费支出、滑坡监测处理费支出在以往年度投资完成率不高的情况下，本年仍然没能加快，这势必影响库区的环境治理和滑坡监测处理等工作。若不加大投资力度,有些问题将会影响二期蓄水的整个库区环境,增加以后的治理成本。

4. 行政管理费和对口支援经费在本年计划比上年增加的前提下,其支出比率仍比上年增加,这是因为库区接待任务和对口支援工作呈上升趋势,接待费用和对口支援费用也相应增加的原因。

5. 从地区投资完成情况看,重庆市投资完成情况较好,比去年提高 2.9%;湖北省 2001 年投资完成率超过了 100%,迁建速度明显加快,但从累计投资完成率来看,还不到 90%,2002 年还需继续加强;集团公司投资完成情况很不理想,累计投资完成率尚不到 65%,特别是中国兵器工业集团公司,累计投资完成率只有 4%,迁建速度亟待加快。

五、资金管理措施

(一)严格资金拨付管理,保证资金及时到位

全面强化移民资金拨付和使用的全过程管理,做到移民资金源头拨付与计划核实相衔接,移民资金使用与工程内容、形象进度相一致,保证移民资金的正常使用。在资金拨付管理中,通过采取多种监督手段相结合,有力地制止一些挤占挪用情况的发生,移民资金的使用效果明显提高。

(二)加强移民工程造价审查工作

根据移民工作中出现的新情况,三峡建委移民局下发《关于进一步加强三峡工程库区移民建设项目工程造价审查的通知》,对移民工程审价范围、原则、中介机构、收费标准等内容作了新的规定,使三峡库区移民项目工程造价审查工作得到进一步规范和发展。

(三)适应移民资金管理新情况,修订会计制度

随着三峡移民工作的逐步推进,移民资金管理的加强,对会计核算工作提出更高的要求,根据移民政策调整和移民资金管理中出现的新情况和新问题,三峡建委移民局联合财政部对该制度进行全面的修订,使之更有利于国家对三峡工程移民工作的宏观指导,更有利于移民管理机构和移民迁建单位对移民资金管理和使用的需要。

(四)加强移民资金财务决算审查签证工作

移民资金年度财务决算审查签证是管理移民资金的一项重要手段。2001 年,三峡库区各级移民管理部门进一步扩大了移民资金审查签证面,并对审查签证过程中发现的问题及时进行纠正,提高了移民资金管理水平。

(徐　洪)

三峡移民工程稽察工作

移民工作稽察组对 2000 年 6 月底以前的移民工程进行了现场核查,对移民工程的“双包干”执行情况、移民资金使用管理情况;移民工程进度、移民工程质量(含移民安置质量)、移民工程和工作的合规性,进行定量分析。摸清八年来移民工程建设的家底,对存在的主要问题如占地移民数量、特困居民的安置、高边坡及超深基础等,提出了切实可行的建议。通过评价、分析,总结编写《三峡移民工程稽察报告》及其附件。提交国务院三峡工程建设委员会第十次会议审查并获得批准。

国务院三峡工程建设委员会按照《三峡移民工程稽察办法》的规定,将《三峡移民工程稽察报告》的相关附件发湖北省、重庆市人民政府。请两省、市要求各县(区、市)对稽察报告中提出的问题,采取有效措施进行整改。各县(区、市)对稽察报告中提出的问题采取措施,加强领导、建立专班、落实责任、制定办法、改善管理。通过稽察整改,解决稽察之前存在的有关问题。

2000 年的稽察工作结束之后,移民工程稽察组办公室进行资料整理和归档工作。形成《三峡移民工程稽察工作文件选编》、《1993～2000 年三峡移民工程稽察报告》、《1999～2000 年三峡移民工程稽察现场核查成果汇编》、《1999～2000 年三峡移民工程稽察基础材料表分析汇总》。

(段志德)

三峡工程移民信访工作

2001 年,三峡建委移民局和相关省、市、县级以上移民管理部门共受理移民群众信访 6340 件次,其中来信 2954 件次,占信访总量的 46.59%。在来信中重复和联名来信分别为 1743 件次、24964 人次。来访 3386 批次,占信访总量的 53.41%。在来访中重复上访和集访上访分别为 1136 批次和 12183 人次,信访总量同比虽有所减少,但集体访、异常访和突发群体事件增长近 30%,并呈继续增长趋势。

一、移民信访形势严峻

一是信访源扩大。移民信访由库区两省(市)和个别外迁省(市)扩大到全国 16 个省(市);由原相对单一、集中的农村扩展到城镇机关,企事业单位、工矿企业、商业企业、医院、学院等等,涵盖三峡移民工作的各

个方面，涉及到各个社会层面和角落。二是群体性事件突出，集体访、异常访明显增多。反映群体性问题的人民来信、签名者多达数百人。集体访、异常访的规模和上升比例越来越大。三是移民信访组织化程度高。凡是集体访、异常访、突发事件都有幕后组织者和策划者，并募集资金、详细分工，对不愿参加者进行威胁，向政府施加压力。四是国内外敌对势力插手，蓄意破坏三峡工程建设和社会稳定。

二、移民信访上升趋势明显

移民任务十分繁重。三峡移民最终将搬迁 113 万人，1599 家企业，5 个县城，2 个城市，这是三峡工程库区社会的再造和重组，是艰苦细致的系统工程。三峡工程库区移民搬迁的过程，就是各种经济利益、社会矛盾重新取得平衡的过程。这种社会政治经济利益的激烈碰撞，造成部分移民群众心理失衡，从而产生尖锐、复杂的各种矛盾，使移民信访上升趋势明显。

三、2001 年移民信访的主要原因

一是个别移民群众存在严重的“特殊公民”、“等、靠、要”、“绝对平均主义”等思想认识和复杂心态。稍有不顺就情绪波动，从而引发聚众上访。另外，把各级党委、政府提倡的“以移民为先、以移民为重”的工作指导方针，错误地、片面地理解为“移民为大”“移民为上”，对搬迁安置补偿期望值过高，对优惠政策期望值过高，希望得到更多的回报、更好的安排，一旦要求得不到满足就上访，有的甚至采取极端办法，集体闹事、阻断公路交通、冲击地方政府和移民管理部门。

二是在移民工作中，存在移民政策法规宣传不到位、不深入，对移民思想政治教育工作不扎实、不细致，解决移民群众的困难和问题不及时、不落实，少数部门和干部素质不高，工作作风漂浮不实，群众观念淡薄，全心全意为移民群众服务的意识不强，处理问题方法简单、态度粗暴、官僚主义作风严重，个别部门和干部与移民群众争利益，极个别的甚至侵占移民群众的利益等问题，这也是移民群众信访的重要原因之一。

（李微微）

三峡库区移民科研工作

一、加强科研管理工作

2001 年 4 月，三峡建委移民开发局对《三峡工程建设移民科研项目管理暂行办法》进行修订，印发新的《三峡工程建设移民科研项目管理办法》，加强移民科研管理。

二、结合移民实际，严把立项选题关

2001 年受理项目申请 78 项，批准立项并下达计划 10 项。在审查科研项目时，坚持紧密结合移民管理、宣传、安置的需要筛选、审核项目，就突出问题及时安排移民科研课题。重点安排实用技术的研究，特别是对移民安置区种植结构改变、生产方式改变、移民群众生活水平提高等方面的项目给予重点支持，强调项目实施中的移民效益、经济效益与生态效益的结合。

（一）高效生态农业研究项目

由重庆华阳三峡经济发展有限公司与宜昌市移民局联合申报的“湖北省宜昌市高效农业生态农业示范项目”2001 年 5 月立项。该项目是在“重庆库区移民安置新垦地实施高效生态农业的开发研究”最终成果通过专家评审，根据专家建议，认为应予以扩大示范范围的基础上立项的。其主要内容是采用窝穴快速改土技术、精品果树栽培技术、科学配方施肥及无公害果品生产技术在湖北省兴山县、远安县计划示范各 500 亩，在示范期内培训 40 名种养殖技术管理人员。

（二）人权问题研究项目

2001 年 4 月批准由三峡建委办公室、三峡建委移民局和中国社会科学院领导牵头并组织的“中国三峡工程人权实证研究”，对三峡移民人权保障作出实事求是的实证分析，以回击敌对势力对三峡移民人权问题的非难，澄清某些人士在三峡移民人权问题上的模糊认识。主要研究内容：中国人权的基本价值走向、三峡移民权利的得与失、三峡移民权利和义务的统一、三峡移民财产权的保障、三峡移民就业权和劳动权的保障、三峡移民文化权和受教育权的保障、三峡移民特殊人群的权利保障、三峡移民人权的前景等。通过对三峡移民人权状况的多视角、全方位的客观分析，以确凿的事实来证明三峡工程由于开发性移民政策的贯彻和实施，明显改善了三峡库区的生产和生活条件，不仅为移民的生存权和发展权提供更强有力的保障，而且也为移民的政治权利、社会文化权利以及妇女、儿童、残疾人等社会群体人权的明显改善提供契机。

（三）外迁问题研究项目

移民外迁是三峡工程移民工作中一个重要的内容，大规模移民外迁，必将带来一系列的社会、经济和环境问题，根据三峡外迁移民的特点，研究实施外迁的政策措施，妥善协调处理好三峡移民外迁安置中各种矛盾和问题，制定符合本地区特色的三峡外迁移民安置政策，研究如何通过一系列的整合措施，使移民尽快适应迁入地的环境，对外迁移民安置至关重要。2001 年 5 月，批准实施“上海市安置三峡外迁移民的社会经济和环境问题的研究”（上海市移民办、上海交通大学）、“三峡库区农村移民迁至沿海较发达地区后整合问题的研究”（浙江省移民办）项目。

（四）工程防护相关问题研究项目

三峡水库建成后，库区内（包括小江河道）将发生泥沙淤积，库区回水线抬高，事关防护工程的安全。长江水利委员会（以下简称长江委）长江科学院申报的“小江防护工程中的泥沙问题研究”项目，拟从小江修建防护工程后对小江水位的影响、防护工程内的泥沙问题等方面进行研究，在技术方案和实施计划中，提出在掌握小江流域来水条件及流域泥沙侵蚀情况的基础上，采用数学模型和实体模型研究防护工程有关河道的泥沙冲淤部位和数量，相应的水位、流速、流态及河势变化，为防护工程提供科学依据。2001 年 5 月批准该项目实施。

（五）地质灾害监测研究项目

由中国地震局地壳应力研究所与万州移民局联合申报的“三峡工程万州库区全球定位系统（GPS）滑坡监测示范研究”课题，于 2001 年 7 月 20 日通过可行性研究报告专家论证，2001 年 8 月批准立项实施。重庆市万州区是三峡工程库区滑坡灾害严重的地区，已圈定的崩滑体与变形体 186 处，在水库蓄水后，滑坡体变形破坏将加剧。该课题将在 40 多处滑坡及不稳定库岸段建立 150 余处标志，把 GPS 与常规监测技术结合起来，建立万州 GPS 滑坡监测预警系统，使有关部门及时掌握滑坡变形动态。地壳所与万州区移民局已合作开发了“万州移民地理信息系统”，并进行万州 GPS 滑坡监测系统建设的预研究，已建成 100 多个 GPS 监测桩的滑坡监测试验网，覆盖 30 余处滑坡变形体，初步测量结果表明：监测的滑坡多数处于基本稳定状态，年变化均在几个毫米以内；部分滑坡体出现较大的滑移变形，年变化超过 84mm。

三、中间成果和最终成果验收

（一）由重庆华阳三峡经济发展有限公司承担的“重庆库区移民安置新垦地实施高效生态农业的开发研究”项目最终成果通过验收。

该项目在巫山县七星村荒芜的土地上，以高新农业技术为依托，以生物法和化学法相结合的窝穴改土技术为核心，引进适宜库区种植的各类进口替代型精品水果种类和品种、良种畜禽和优质并能防止水土流失及增加土壤有机质含量的牧草，形成以精品水果、优质畜禽、优良牧草所组成的精品生态食物链。该项目自实施以来取得显著成果：一是土壤质量提高，土壤结构明显改善；二是有效实现水土保持，生态效果明显；三是土地产出率大幅提高，原亩农业产值 300～800 元，试验田每亩产值 2900 元，并有效地进行了移民安置。专家评审组认为，该项目的研究内容符合库区农业和农村经济发展以及农业开发性移民的实际情况，具有可操作性，对库区农业结构调整，发展库区高效生态农业，提高库区移民安置质量，改善和维护库区生态环境，培养和造就一代新型的农村劳动力，实现农业和农村经济可持续发展都具有一定的示范作用。涪陵、宜昌等地组织有关人员前往巫山七星村学习参观。7 月，巫山县人民政府向重庆市政府请示，要求将华阳公司在七星开展的科研示范项目扩大 1000 亩，说明当地对科研示范项目的成果是肯定的。

（二）由武汉大学承担的“三峡移民区水环境变化预测及污染防治对策研究”项目最终成果通过验收。该项目以三峡移民区的香溪河回水段（库湾）为重点，在广泛调查收集自然地理、水文气象、环境监测、国民经济发展等资料和实验基础上，就负荷计算、库湾水环境变化预测和污染防治对策进行深入系统的研究，表明磷是造成香溪河流域水污染的主要问题。成果对库区水质计算、环境保护和可持续发展具有重要意义。

（三）三峡建委移民局根据三峡移民工程的实际对由中科院地理所牵头，北京大学、中国人民大学、中科院等 8 个单位参加的“三峡库区移民开发与可持续发展研究”项目的研究内容及经费进行调整，并对 4 个专题进行了验收。“三峡库区农村移民安置与农业和农村经济的持续发展”专题提出三峡库区淹没外迁和退耕异地安置人口总计 17.1 万人，通过实地调查，总结出农村移民安置的 8 种模式；提出实现农业与农村经济可持续发展的思路、途径、重点与对策。

“库区工矿企业迁建与库区工业的持续发展和工业的合理布局”专题深入分析库区工矿企业迁建中存在的问题，提出迁建企业的重组模式、库区各县（区）搬迁企业的关停比例；探讨三峡库区工业经济长远发展战略中的结构调整与布局优化思路。

“库区移民安置与开发中的对口支援和经济技术合作研究”专题提出近中期三峡库区对口支援与经济技术合作的切入点与重点项目规划，编制对口支援的项目库及重点项目评估的指标体系，提出今后进一步发展的方向与对策。

“三峡库区人口增长与剩余劳动力安置研究”专题预测 2000～2030 年分县（区）的人口发展规模、库区农村剩余劳动力总量及今后 20 年的变化趋势，提出同市场经济相接轨的“新兼业安置”对策、以教育促进移民和“户籍移民”等对策建议。

（四）由中科院环境生态研究中心负责，中科院水生所、北京林业大学等 6 个单位参加的“三峡移民工程生态环境保护的研究”项目，研究重点包括：三峡库区淹没区固体废弃物现状调查和现有固体废弃物处理概况调查、三峡库区水环境现状评价及水质改善的关键技术分析、三峡库区生活环境综合评价研究、三峡移民安置区农田水土保持技术等 7 个专题，已有 3 个专题结题验收，其成果为三峡库区生态环境管理及三峡库区固体废弃物处理和水体污染防治提供参考依据。

（五）由中国地质环境监测院牵头，中国地质科学院、中国科学院山地灾害与环境研究所、长江委科学院、中国地质大学等12个单位参加的“长江三峡库区移民工作重大地质灾害防治研究”项目，是针对库区地质灾害防治工程的需要，总结地质灾害防治工程经验，引进高新技术，建立地质灾害防治研究示范区。包括：重点城镇地质灾害防治和开发利用可行性研究；人工高边坡和弃渣稳定性及地质环境影响评价；地质灾害勘察、监测、防治高新技术方法推广试验等课题，分15个专题，已有6个专题结题验收，已在巫山和巴东建立了地质灾害防治研究示范工程。

（六）由北京国土遥感公司负责，北京大学、中国地质大学、中国农业大学、国土资源部遥感中心、地科院力学所等6个单位参加的“长江三峡库区移民工程遥感动态监测”项目，已通过第一期成果验收。该课题把遥感技术应用于三峡移民工程迁建区，把新技术方法与常规技术方法紧密结合，突出移民工程动态变化信息的提取以及定性、定量和定位分析，是全面、准确、及时掌握三峡库区移民迁建区进展情况的有效方法。

（耿明山）

三峡库区移民价差管理工作

一、价格指数编制

2001年7月，三峡建委移民局在北京主持召开2000年度三峡库区移民补偿投资价格指数专家评审会。通过中国价格信息中心提交会议审查的价格指数编制成果。8月，报经三峡建委批准，2000年度三峡库区移民补偿投资价格指数及价差计算结果正式颁布。

为进一步提高价格指数编制成果质量，2001年对价格指数编制中遇到的有关难题进行专题研究：委托中国价格信息中心开展《引进权数计算商品平均价格可行性专题研究》工作；委托北京峡光经济技术咨询有限责任公司承担《权重对指数编制成果影响研究》工作；委托中国价格信息中心，就指数编制中人工费测算方法问题开展专题研究的前期准备工作。

二、价差计算与管理

为巩固已搬迁安置移民成果，维护三峡库区的社会稳定，促进价差计算与管理工作沿着规范、有序的轨道向前发展，2001年第一季度，三峡建委移民局计划财务司组织调查组，深入三峡库区对价差计算及移民项目销号情况进行专题调研。4月，针对价差计算及移民项目销号工作中存在的问题，下发《关于三峡库区移民补偿投资价差计算和对具备销号条件的移民项目及时进行补偿销号的通知》。11月，三峡建委移民局在成都主持召开《三峡库区移民补偿投资价差计算与管理工作》会议。会上，代表们交流总结价差计算与管理工作的经验，对工作中遇到的难题及存在的问题，集思广益，研究解决办法。其次，采取以会代训的方式，对具体从事价差计算与管理的工作人员及其分管领导进行业务培训。

（赵文生）

三峡库区移民培训工作

一、完成年度培训任务

2001年，三峡移民培训工作紧紧围绕三峡移民工作实际，抓重点、促搬迁，不断加大培训力度，强化移民教育管理。移民培训中心全年共举办移民管理干部培训班6期，培训各级各类移民干部460人次。

一是配合三峡建委移民局规划司举办“三峡库区移民工作建设管理干部培训班”；二是会同三峡建委移民局监理咨询中心举办“三峡库区移民工程监理干部培训班”；三是配合三峡建委移民局计划财务司举办“三峡移民资金新会计制度培训班”；四是协助三峡建委移民局外迁协调司举办“三峡移民迁入地移民管理干部培训班”；五是配合三峡建委移民局经合司举办“三峡库区淹没搬迁企业结构调整培训班”；六是第二次协助三峡建委移民局外迁协调司举办“三峡库区外迁移民政策研讨班”。这些培训班，紧密配合三峡移民中心工作，收到预期效果。

二、加强对库区移民培训工作的指导

三峡建委移民局制定下发《2001～2003年三峡工程库区移民培训工作规划（纲要）》，明确三峡移民培训工作的指导思想、基本原则、培训任务、目标措施及考核奖惩办法等，使库区各级的移民培训工作有章可循。为总结交流近几年库区移民培训工作情况，10月召开“三峡库区移民培训工作座谈会”，总结工作，交流经验，解决库区移民培训的组织机构、培训基地建设、培训运行机制和培训经费拨付渠道等问题。

三、强化培训中心机构的内部建设

为适应移民培训工作需要，加强中心机构的内部管理，重新修订和完善中心的财务、物资、车辆、行政及岗位考核等11项规章制度；同时，建立健全北戴河培训基地人事管理、客房管理、餐饮管理、安全保卫、经营创收奖励办法等8项管理制度，逐步理顺三峡建委移民局机关与中心、中心与基地的各种工作关系，使中心和北戴河基地的管理逐步走上正轨，形成比较规范的管理格局。

（高兰生）

三峡移民工程监理咨询工作

一、基本情况

三峡移民工程监理咨询中心（以下简称“咨询中心”）是经中央机构编制委员会办公室批准，在原移民局驻宜昌办事处、监理中心、咨询中心3个机构基础上，于2000年4月组建的国务院三峡建委移民局直属事业单位。咨询中心的主要职能是：贯彻执行三峡库区移民监理、咨询有关规定和办法，提出有关建章立制的建议，并报三峡建委移民局审批；具体负责移民综合管理工作的组织实施，综合分析三峡库区综合监理报告，并向三峡建委移民局提交综合分析报告；组织或承担三峡库区有关移民安置规划、设计成果、跨行政区域移民工程及1000万元以上单项工程的评估或评审，并接受有关单位委托的评估、评审和单项工程的规划、设计的技术咨询服务工作；负责对三峡库区移民资质和移民监理工程师认证管理；对移民系统的监理单位乙级资质审查验证、登记颁证，推荐甲级移民监理单位；组织对三峡移民监理工程师进行考试、验发证和注册申报工作；承担库区移民监理、咨询业务培训工作；承担三峡移民工程重大项目的评估工作，并开展移民工程实施中的重大技术、经济问题调研及技术咨询活动；参与对三峡库区移民工程项目的招、投标工作的监督；参与移民迁建安置重大项目的竣工验收；考核库区移民监理有关单位的工作情况以及经费使用情况。

中编办〔1999〕134号文件对咨询中心定编为40人，内设办公室、监理处、咨询处、财务处、服务处，现由黄喜洋同志主持工作。

咨询中心在职24名工作人员，大专以上文化程度18人，占在职人员数的75%；高中级技术职称人员17人，占在职人员数的71%；副处级以上干部10人，占在职工人员数的42%；正副科级干部7人，占在职人员数的29%。绝大部分职工都从事本职工作10多年，对各个阶段的库区移民工作情况较为熟悉。

咨询中心固定资产总额近300万元，现有事业发展基金和专用基金200多万元。

咨询中心具有三峡库区唯一的甲级移民工程咨询资质证书，其业务范围主要是规划咨询、编制项目建议书、评估咨询和招标咨询等。2000年4月20日又加入国际菲迪克中国咨询工程协会和中国建设监理协会。2001年2月在国家事业单位登记管理局注册领取事业单位法人证书。咨询中心通过历年来参与对库区移民工作各阶段的勘测、规划、设计、管理等方面的工作，建立一些技术档案资料，同时，还与库区单项监理单位和综合监理单位建立工作信息联系。咨询中心还建立百名专家、学者的移民监理咨询业务专家库，同时还与全国20多所大学院校、科研机构及甲级或乙级勘测设计研究院所建立业务协作关系。

二、2001年完成的主要工作

（一）高质量地完成上级交办的各项工作。咨询中心组织召开十多次监理管理工作有关会议，开展移民监理市场的调研；举办4期监理业务培训班；组织240多人的移民监理工程师资格考试；办理注册监理工程师85人；审核30多个单位的移民监理资质；提出进一步加强监理工作的意见，加强对综合监理报告的研究，不断地改进评价工作，围绕宏观决策指导所关注的重大事项和库区移民迁建安置中的突出问题提出建议，推进综合监理成果的研究与运用。

（二）承担30多项三峡建委移民局委托的调研任务。提交“三峡库区占地移民安置情况”、“三峡重庆库区移民迁校有关问题”、“三峡移民建筑市场”、“移民工程质量检查”、“文物保护实施检查”、“移民工程核查”、“重大遗留问题核查”、“国营农场安置三峡移民有关问题”等调研报告。

（三）出版《三峡工程移民监理读本》、《三峡移民综合监理工作模型和指标体系科研》等专业理论书籍。

（四）完成《长江三峡工程建设移民监理规定（试行）》等4个监理规定的修改。

（五）组织《重庆库区淹没区原貌纪实录》电视片的拍摄、制作。

（六）开展3次移民监理工作检查，4项重大项目跟踪调查。

（七）承揽库区移民工程评审、评估等业务工作70多项，合同金额近500万元。为库区有关区、县的重大移民工程优化设计，节约移民投资。

（黄喜洋）

开发与规划

三峡工程移民安置规划工作

随着三峡工程库区移民安置工作的深入开展和国家有关法规、政策的修改、完善，库区淹没实物指标调查和移民安置规划在执行中反映出一些新问题，必须予以及时解决。2000年，三峡建委移民局委托长江水利委员会开展长江三峡库区城镇移民迁建新址占地人口及土地调查工作。2001年，三峡建委移民局对提交的《长江三峡库区城镇移民迁建新址占地人口及土地调查报告》组织专家进行审查，报经三峡建委批准。新增库区迁建新址占地人口移民安置补偿投资13156.8万元，专项用于占地人口的生产生活安置，有效缓解了库区占地移民生产生活安置中存在的矛盾。同时，在分批研究解决湖北库区各县移民安置中存在的重大个案问题基础上，组织专家对重庆市人民政府上报移民实物指标调查和规划第一批遗留问题进行现场核查，经三峡建委批准，增加重庆库区移民安置补偿投资16797.49万元。

三峡建委移民局针对征地工作中的新情况，及时委托长江水利委员会依据1999年1月1日实行的新《土地管理法》有关规定，对三峡库区1998年12月31日后未征用土地，需新增移民安置补偿投资进行测算，2001年经三峡建委批准，新增三峡工程库区移民征地补偿投资42290.77万元。

为满足三峡工程二期蓄水需要，保证枢纽工程及水库运行安全，防止水质污染，保护库周及下游人群健康，为水库防洪、发电、通航、供水、旅游等综合开发利用创造有利条件，在原水利电力部制定的《水库库底清理办法》基础上，参照国家在环保、卫生防疫等方面现行的法规和技术标准，结合三峡工程库区实际，会同卫生部、国家环保总局、长江水利委员会等部门和单位，组织有关专业人员调研并编制《长江三峡工程二期蓄水库底清理规定（试行）》、《长江三峡工程水库库底卫生清理技术规范（试行）》、《长江三峡工程水库库底固体废物清理技术规范（试行）》、《长江三峡工程二期蓄水建（构）筑物、林木清理技术要求（试行）》。为指导和推进库底卫生、固体废物、建筑物及林木清理方案的制定，以及所需库底清理经费的测算奠定了基础。

（刘　真）

三峡库区企业迁建工作

一、概况

根据湖北省、重庆市分县移民安置规划，三峡库区搬迁企业共有1623户，核定移民补偿资金67.11亿元。截至2001年底，已累计下达移民资金计划56.88亿元，折合静态资金约46.41亿元，占搬迁企业包干资金总额的69.16%，静态包干资金余额20.70亿元；累计到位资金54.61亿元，占计划的96.01%；完成投资54.27亿元，占计划的95.41%，占到位资金的99.38%；计划涉及搬迁企业1303户，占全库区搬迁企业总数的80.28%，其中已完工企业942户，占列入计划数的72.29%，占全库区搬迁企业总数的58.04%，在建企业361户，占列入计划数的27.71%，占全库区搬迁企业总数的22.24%；尚未列入计划的搬迁企业320户，占全库区搬迁企业总数的19.72%；累计竣工房屋面积377.88万m^2，占搬迁企业淹没房屋总面积720.47万m^2的52.45%。

135m水位线下共有搬迁企业820户，核定移民补偿资金39.01亿元。截至2001年底，已累计下达计划39.97亿元，折合静态资金约32.64亿元，占包干资金的83.67%，静态包干资金余额6.37亿元；计划涉及搬迁企业817户，其中已完工企业681户，占列入计划数的83.35%，占135m水位线下全部应搬迁企业总数的83.05%，在建企业136户，占计划数的16.65%，占135m水位线下全部应搬迁企业总数的16.59%；尚未列入计划的搬迁企业3户，占135m水位线下全部应搬迁企业总数的0.37%；累计竣工房屋面积270.86万m^2，其中职工住房面积72.27万m^2，占135m水位线下全部搬迁企业淹没职工住房总面积131.54万m^2的54.94%。

根据两省市批准的搬迁企业结构调整规划，三峡库区135m水位线下有820户搬迁企业，规划破产关闭440户，其中湖北库区132户、重庆库区308户。截至2001年底，已破产关闭终结262户，其中，湖北省96户，重庆市166户，占规划破产关闭企业总数的59.55%；已进入关闭破产程序的160户，其中，湖北省34户，重庆市126户，占规划破产关闭企业总数的

36.36%；尚未进入破产关闭程序的18户，其中，湖北省2户，重庆市16户，占规划破产关闭企业总数的4.09%。

二、存在的主要问题

（一）搬迁企业职工住房复建进度滞后，资金缺口较大。根据2001年综合监理报告，三峡库区135m水位线下需复建职工住房131.54万 m^2。截至2001年底，累计完成职工住房面积72.27万 m^2，余下59.27万 m^2，需在2002年完成，其中有11.7万 m^2 尚未动工。

（二）破产关闭集体企业职工安置资金缺口大，难以自求平衡。据重庆市测算，135m水位线下破产关闭城镇集体企业147户，有职工安置资金缺口的106户，职工18525人，按当地上年企平工资3倍测算的职工一次性安置费为27187万元，可用资金11277万元，缺口15910万元。

（三）搬迁企业职工安置和再就业困难。重庆市库区三大弱势群体总人数达40万人，一是搬迁企业的下岗职工和富余人员20万人（工矿企业10万人、商业企业5万人、交通水运企业5万人）；二是因迁建占地丧失生产资料的进城农民7万人；三是因迁建丧失原来临街摊位、门面的纯居民13万人。湖北库区搬迁企业下岗失业职工25610人，实现再就业的不足三分之一。

（杭世勇）

重庆市三峡库区移民工作

一、移民工作整体推进，计划执行情况良好

2001年，重庆市完成移民投资50.2亿元；完成建房安置移民12.1万余人，实迁移民11.6万人；复建各类房屋380万 m^2；完成210户淹没工矿企业结构调整，2001年移民工作各项计划任务全面完成。

截至2001年，重庆市175m水位累计完成移民投资167.3亿元（动态208亿元），占移民包干总投资315.5亿元的53%；还建城乡各类淹没房屋1505万 m^2，占还建总任务3133万 m^2 的48%；完成建房安置移民43.3万人，实迁人口33万人，占移民总任务103万人的42%，其中，累计完成出县外迁安置农村移民91128人；实施淹没工矿企业结构调整728户，占淹没迁建总任务1379户的52.1%。坝前135m水位移民任务完成情况良好，已累计建设各类房屋900万 m^2，占135m水位任务1272万 m^2 的71%；实迁移民19.7万人，占135m水位任务29.3万人的67.2%；实施工矿企业结构调整573户，占135m水位任务677户的84.6%；城市迁建进度加快，巫山、奉节、云阳、丰都县及万州区天城、五桥、龙宝的党政机关已迁至新城办公；65个集镇已全部开工建设，其中有40个集镇已完成迁建任务；必须建设的78个港口泊位已开工建设59个。文物保护工作进展顺利，库区地质灾害治理、生态环境保护建设正加快实施。

二、农村移民安置进展顺利，外迁工作取得成效

2001年，国务院三峡建委下达重庆市农村移民外迁安置任务50000人，其中市外安置40000人，市内安置10000人，涉及11个省的108个安置县（市、场），511个安置乡镇，2083个安置村、3968个安置点。全年完成农村移民外迁安置任务56143人，占计划的112.3%，其中：出市外迁43843人，占计划的109.6%；出县重庆市内外迁12300人，占计划123%。截至2001年，已累计完成农村移民安置18.4万人，占规划安置35万人的52.6%，其中完成二期水位移民安置8.5万人，占二线水位任务11.22万人的76%，已累计完成农村移民外迁安置91128人。

三、城镇迁建进度加快，库区基础设施得到改善

重庆库区城镇迁建突出抓好水、电、路、通信等基础设施配套建设，加快学校、医院、车站、市场等公用服务设施迁建进度，重点小区建设和居民搬迁都有长足进展，进入大规模搬迁安置阶段。截至2001年，已累计完成建房681万 m^2，其中二线水位以下的房屋已复建306万 m^2，占二线水位任务的60%。

四、工矿企业迁建有序，结构调整稳步推进

重庆市始终把库区企业迁建工作重点放在调整结构、改进质量、提高效益上，有序推进企业迁建。截至2001年，已累计完成728户淹没工矿企业的迁建调整，135m水位以下已完成573户。

五、重视生态环境保护，启动“青山绿水工程”

重庆市制定《三峡工程重庆生态环境保护建设规划》和《重庆库区环境保护行动计划》，选定万州区、涪陵区、巫山、奉节、云阳、开县、忠县、丰都、长寿等县为移民环保基础设施重点县。迁建新城实行“雨污分流，进行城市污水、垃圾无害化处理，库区农村停止开垦荒地，实行退耕还林，加强库区山水田林路综合治理，地质灾害治理，关闭污染严重的工矿企业，启动“青山绿水工程”。

六、移民管理工作得到深化和完善

重庆库区坚持强化管理，加大移民监管力度。一方面，在不断总结多年来移民工作实践经验的基础上，为2001年2月国务院修改出台《长江三峡工程建设移民条例》提出重要意见和建议。按照重庆市人大议定和重庆市政府安排，重庆市移民局从3月开始着手起草《重庆市实施〈长江三峡工程建设移民条例〉办法》。

另一方面，按照重庆市政府制定出台的一系列移民规范性文件，不断规范移民管理，做到移民工作有序开展。规划管理、计划管理、资金管理和地质管理、质量管理等方面进一步加强和深化。

七、移民宣传工作成效显著

一是重庆市配合中宣部把移民工作先进人物冉绍之同志作为新世纪第一个重大典型向全国推出，中央各大新闻媒体和全国各省、区、市新闻媒体进行充分报道。二是自2000年外迁移民开始试点启动到2001年开始全面推进，重庆市组织外迁移民工作的系列宣传活动，全国各主要新闻单位和各省市电视台、报刊都纷纷把焦点集中到重庆库区。三是结合2001年3月1日《长江三峡工程建设移民条例》（以下简称《移民条例》）的正式实施，库区各地深入移民重点乡镇、村和搬迁单位，开展《移民条例》的宣讲。重庆市移民局还组织新闻单位开展对《移民条例》颁布实施的意义和影响的宣传报道。四是由重庆市宣传部、移民局、电视台策划创作的五集电视政论片《三峡大移民》，于4月底摄制完成并开播。经报送中宣部参评，荣获2001年全国“五个一”工程奖。五是1月7日，中央电视台“心连心”艺术团赴重庆库区（万州）进行大型慰问演出。六是由国务院新闻办公室、三峡建委办公室牵头，重庆市委宣传部、市移民局等单位配合，从11月28日至12月2日组织美联社、美联环球电视、日本产经新闻、加拿大多伦多星报、韩国广播公司、新加坡电视机构等8家外国媒体18名驻京记者及中央电视台等5家国内主要媒体集体采访三峡库区、坝区的活动。在重庆市库区主要采访涪陵、忠县、万州、巫山的移民迁建和环境保护、文物保护等情况。

八、做好移民信访工作，库区社会基本稳定

一是库区各级政府认真贯彻全市移民信访工作会议精神，将移民信访工作纳入库区稳定的重要内容，党政领导亲自抓，相关部门齐抓共管移民信访工作的局面基本形成。二是认真推行移民信访首问责任制、矛盾纠纷排查制、集访事件预案制和领导公开接待日制度，市、区、县移民局局长都坚持做到重要信件亲自阅批，集访事件亲自到场做工作，把问题解决在基层，处理在萌芽状态。三是坚持标本兼治，从根本上减少移民信访。在确保移民政策落实到位的同时，积极宣传移民政策，帮助移民群众解惑释疑。库区各地印发移民政策宣传资料51.8万份，广播电视讲话近6000次，召开各种移民群众大会11000多次，让移民政策家喻户晓，入脑入心。四是认真办理移民群众来信来访。全年共受理移民来信来访3425件（次）16333人（次），分别比2000年下降48.3%和64.2%，已办结3233件，办结率94.4%。五是认真搞好信访案件初查初核工作，维护移民群众的合法权益，确保库区社会稳定。

（郎 诚）

湖北省三峡库区移民工作

2001年，三峡建委移民局下达湖北省三峡工程库区移民投资计划58846.84万元，完成农村移民搬迁安置4200人（省内外迁2500人），复建房屋13.73万m^2，接收安置重庆市外迁移民4000人，城集镇搬迁7300人，复建房屋26.83万m^2，复建公路11.5km。全年完成投资61699.93万元，完成年计划的105%；农村移民搬迁4653人，建房9.73万m^2，分别完成年计划的116%和71%；接收安置重庆市外迁移民5307人，完成年计划的133%，城集镇搬迁2909人，建房33.01万m^2，分别完成年计划的40%和123%；复建公路11km，完成年计划的96%。

一、农村移民外迁安置

2001年，湖北省农村移民共外迁4100人，超年计划1600人，累计完成21000人，完成计划外迁总数的85%。一是接收重庆市外迁移民任务超额完成。2001年，湖北省接收重庆市外迁移民5307人，超年计划1307人。加上2000年试点，累计已接收安置重庆市外迁移民5934人，完成总任务的85%。各移民安置点水电路基础设施配套，移民人均土地1.53亩，人均住房27.3m^2；已迁移民就医、子女上学等问题得到妥善解决。二是重庆自主外迁移民管理逐步规范，重庆市农村移民自主外迁到湖北省安置18000人，由于没有完成与重庆市的对接，移民补偿资金没有到位，仍存在许多不稳定因素，吴邦国副总理专门就此作重要批示。三峡建委移民局在反复征求湖北省和重庆市的意见后，制定下发《关于处理三峡工程重庆库区农村移民自主外迁湖北省的若干政策意见》，为解决自主外迁移民问题提供政策依据和经费来源。

二、工矿企业迁建

一是积极指导推动结构调整工作。按照工矿企业结构调整工作的总体部署，湖北省经贸委、移民局对《湖北省三峡库区搬迁工矿企业结构调整工作规划实施方案》进行进一步调整，原淹没区的232家工矿企业调整为保留16家，关闭84家，破产132家。规划保留的16家通过资产重组，对口支援，嫁接改造，扶强壮大，成为库区经济支柱。规划关闭破产的企业进展顺利。截至2001年底，已关闭企业49家，进入关闭程序34家，剩余1家。规划破产企业已终结28家，进入破产程序47家，剩余16家，其中135m水位线以下1家。

关闭破产企业职工按照国家有关规定，作了一次性安置补偿。二是解决安置职工资金缺口。湖北省逐户核实企业职工安置资金缺口，积极向上反映困难，请求国家有关部门给予解决。国务院关于职工安置资金缺口分级按比例分担及欠发的养老金由中央财政一次性解决的政策出台后，湖北省及时向三峡建委请示，中央财政、移民预备费各应承担的2000万元已落实，湖北省分担的1000万元已到位。

三、移民管理工作

一是严格计划管理，严控随意调项。湖北省认真解决计划执行出现的问题，减少计划擅自调项，维护计划的严肃性。2001年，三峡库区移民完成投资61699.93万元，为年计划的105%。二是加强资金管理，充分发挥效益。湖北省制定下发《湖北省检察机关与三峡工程移民管理机构关于加强移民资金管理惩治预防职务犯罪的协调工作制度》；针对审计查出的1999年违纪违规资金4125.2万元的问题，湖北省督促各地整改到位，整改到位率达到100%，确保移民资金的安全有效使用。三是全面落实"四制"，强化质量管理。湖北省积极开展移民工程质量监督网工作，督促库区认真落实"项目法人制、招标投标制、合同管理制和建设监理制"。湖北省库区移民工程优良工程占11%，30万元以上的新建移民工程招投标率、50万元以上新建移民工程单项监理率分别达到96%和95%。

四、地质灾害治理、环境保护和文物保护

一是重点实施地质灾害治理工程。对移民系统管理实施的部分滑坡体，明确项目法人，落实防治责任，前期工作全面完成。兴山县彭家槽滑坡体、秭归县前山坡、泄滩、邓家坡、陶家坡和巴东县红石包、潭家坪、白岩沟滑坡体治理经国土资源部和国家发展计划委员会核定概算。国家已核定湖北省近期治理库区地质灾害55处，另有27处正在争取之中。二是全面启动库区环保前期工作。积极配合国家有关部门编审和修改《三峡库区及库区重点城镇固体废弃物综合治理规划》和《三峡库区及其上游水污染防治规划》。湖北省争取国家库区环保资金24.3亿元，落实水污染处理厂项目20个，垃圾处理厂项目15个，重点工业污染治理项目51个，生态环境项目8个。三是加快文物保护工作步伐。湖北省文物部门加快地下文物发掘和地面文物搬迁进度，扭转文物保护工作相对滞后的局面。截至2001年底，库区135m水位线下地下文物发掘已完成70%以上，大部分地面文物完成搬迁。

（荣以红）

对　口　支　援

三峡工程移民对口支援工作

2001年三峡工程移民对口支援新引入外来资金18.72亿元，其中，支援方在经济合作类项目中实际到位资金15.31亿元，公益类项目到位资金3.41亿元。新增经济合作项目193个，对口支援项目实际安置移民28405人。截至2001年底，三峡工程移民对口支援共为三峡库区引入外来资金112.3亿元，其中经济合作类项目资金99.8亿元，公益类项目资金12.5亿元，经济合作类项目已达2191个。

一、有关省市推动对口支援工作

2001年7月，国务院三峡工程移民暨对口支援工作会议召开后，全国各有关省市落实朱镕基总理关于对口支援的指示，加强对口支援工作。广东省常务副省长欧广源、山东省副省长赵克志、辽宁省省长助理杨宝善、天津市常务副市长杨新成等省市领导同志到本省市重点对口支援的区县检查对口支援工作，并召开会议进行落实。湖北省、福建省则采取召开座谈会或电视电话会议方式，浙江省、上海市等召开全省（市）对口支援工作会议，进一步提高认识，明确任务，将对口支援任务层层分解，落实责任制。上海市还召开高规格的对口支援会议，落实对口支援工作会议精神。

二、国务院各有关部门积极响应对口支援

2001年，三峡建委移民局通过走访、高层会议等方式，与有关部委联合，共同从宏观层面推动对口支援工作。为深入贯彻朱镕基总理提出的对口支援工作"只能加强，不能削弱"的指示，三峡建委移民局主动同各有关部委沟通情况，把对口支援与西部大开发联系起来，从宏观角度共同帮助三峡库区，筹划对口支援规划，使纵向对口支援工作有较大突破。科技部、农业部、国家旅游局、林业局等单位根据三峡库区的实际，探讨在三峡库区重点发展科技、农业、旅游等特色经济的思路，帮助三峡库区从宏观角度规划未来经济发展框架。还有一些原来没有明确对口支援任务的国务院有关部门，如国家体育总局、国家计生委、国家外专局等部门也先后召开全系统对口支援会或积极帮助引进好项目等，主动参与对口支援。

三、"光彩事业三峡行"活动

"光彩事业"是民营企业家响应国家号召，为帮助贫困地区发展经济而开展的活动。2001 年，三峡建委移民局与中国光彩事业促进会联合开展"光彩事业三峡行"活动。通过三峡建委移民局与中国光彩事业促进会协调，在各有关省(自治区、直辖市)及沿海大城市三峡办以及三峡库区各级政府的密切配合，"光彩事业三峡行"活动取得圆满成功。这次活动作为 2001 年 7 月国务院三峡工程移民暨对口支援工作会议的一项议程，有关民营企业家举行全国对口支援三峡库区经济合作项目签字仪式。这次活动共签约对口支援经济合作项目 54 个，其中湖北省 37 个，重庆市 17 个，支援方为民营企业的项目 32 个，协议投资总额为 38.61 亿元。这是在对口支援工作中经济合作项目集中签约规模最大，项目最多的一次，不仅带动了库区民营经济大发展，而且促进了库区企业所有制结构的调整。

四、三峡建委移民局发挥桥梁作用

2001 年，三峡建委移民局同国家经贸委、外经贸部、国家计委、科技部、教育部、国家民委、农业部、国家中医药管理局、国家体育总局、中国石油天然气集团总公司、卫生部、最高检察院等部委衔接政策性较强的项目，帮助三峡库区了解国家现行政策、管理措施，把握今后政策趋势。还同北京、辽宁、山西、上海、江苏、浙江、广东、宁波、天津、云南等省市对口办，全国大部分省市区光彩事业促进会或统战部及许多在对口支援工作中已经或有望成为领头羊的企业包括均瑶集团、光明乳业、蒙牛乳业、伊利集团、华旗公司等衔接具体经济合作项目，宣传对口支援工作的意义，帮助三峡库区协调解决项目运作过程中出现的困难和一些具体问题。

五、2001 年对口支援工作的特点

一是领导重视，措施得力，横向与纵向对口支援工作均有较大突破。二是对口支援领域与内容方面有新突破，高效生态农业及旅游成为对口支援的重点内容。三是项目引进速度快、规模大、起点高，对库区经济拉动作用明显。四是经济合作项目合作主体趋于多元化、合作形式趋于单一化，政府行为逐步过渡为市场行为，由单纯追求社会效益过渡到经济效益与移民效益并举。五是受援环境得到进一步改善，协调力度进一步加大，"人人都是投资环境"已深入人心。

(周秋君)

湖北省三峡移民对口支援工作

2001 年，湖北省紧紧围绕支援服务三峡工程建设和库区二期移民搬迁、经济发展两大任务，突出库区搬迁企业结构调整、基本设施、高效生态农业、旅游业和社会事业发展 5 个重点，进一步加大对口支援三峡工程移民工作力度，努力为库区办实事。全年共落实省内外对口支援项目 315 项，到位资金 56235.96 万元，比 2000 年增长 33%。其中，引进经济合作项目 131 项，引进资金 44892.16 万元；落实社会公益项目 184 项，到位资金 11343.80 万元。

一、引进名优企业和产品

2001 年，湖北省新引进项目 9 项，即宁波洛兹衬衣、均瑶奶牛养殖、均瑶奶制品加工当阳分厂、台湾和园茶业阿里山乌龙茶、武汉人福科技小针剂、湖北美力集团开发泗溪、山东鲁能环保节能变压器、山东平邑蒙阳红石榴基地、恒安制药。新开工项目 12 项，除上述 9 个项目开工外，还有广东中山裕隆制品公司、福建富峰摩芋厂、无锡洪程包装材料厂等 3 个项目开工。新投产项目 7 项，即海南椰风食品饮料、宁波洛兹衬衣、山东鲁能环保节能变压器、均瑶奶牛养殖、台湾和园茶业阿里山乌龙茶、兴发集团碳酸二钾脂、次磷酸钠等项目。至 2001 年，湖北省库区共引进名优企业和产品项目 35 个。

二、落户三峡库区企业滚动配套发展

2001 年，宜昌娃哈哈、汇源、均瑶、华阳、森达、维维、AB 集团等企业进一步扩大生产规模和品种，经济效益进一步提高，逐步发展成为当地经济的支柱企业和龙头企业。同时，库区市县(区)结合资源优势，大力发展与之配套的畜牧养殖、水果、蔬菜、中药材等基地，形成龙头企业联基地、基地联农户的库区高效生态农业的发展思路。

三、旅游业发展迅速

旅游业是湖北省三峡库区的优势资源。2001 年，湖北省库区通过对口支援，加强内引外联，大力拓展旅游业，签订和实施一批旅游开发项目。巴东县与北京市旅游局签订的合作项目、秭归县与湖北美力集团签订的开发泗溪项目、神农架林区与武汉三特索道集团签订的整体开发神农顶风景区项目正在实施。库区有关县还与浙江雁荡山森林公园、中国泛旅集团、深圳锦绣中华发展有限公司等知名企业签订旅游开发合作项目协议。

四、库区社会公益事业对口支援

2001 年，湖北省在社会公益方面共落实对口支援项目 184 项，到位资金 11343.80 万元。其中，落实希望工程项目 9 项，资金 196 万元。教育、卫生、体育、广电、民政、文化等社会公益事业得到各级政府和社会各届的大力支持，库区社会事业得到全面发展。

五、支援库区二期移民搬迁

2001 年，湖北省三峡库区 4 县(区)争取省内外对口支援搬迁资金 1.5 亿元，缓解了移民搬迁中的困难。国家体育总局支援库区体育设施搬迁资金 1050 万元；省直有关部门支持库区机关搬迁资金 7000 多万元；宜昌市动员市直各部门支援兴山县部门搬迁资金 3518 万元。全年对口支援经济合作项目安置移民 903 人。

(戴业富)

重庆市三峡移民对口支援工作

2001 年，重庆库区共接待支援方来访 325 个团组 3179 人次，回访 225 团组 1599 人次；引进对口支援资金 13.09 亿元，其中社会公益性项目资金 2.31 亿元，经济合作类项目资金 10.77 亿元，引进经济合作类项目 253 个。在宜昌召开的国务院三峡工程移民暨对口支援会议上签约的 17 个项目，已正式开工 9 个，其余 8 个正在抓紧做项目前期准备工作。

一、引进名优企业、名牌产品和先进管理经验

一是认真抓好涪陵会议签约项目的跟踪服务，11 个在建项目全部竣工投产。2000 年已建成投产的上海汇丽建材、四川迪康制药、重庆奔腾水润滑复合塑胶、江苏江阴兰陵瓶塞、辽宁丹东嘉和金属硅、成都太安铝材等项目正在为库区经济发展和移民工作作出贡献。2001 年，娃哈哈涪陵公司投资 2 亿元的二期扩建工程、河北正邦 2 万桶天然肠衣、浙江浦峰 600t 土工布 3 个项目已陆续建成投产。二是精心组织实施 2000 年引进的 12 个重点项目。对 2000 年引进的重庆信谊东方制药股份有限公司等 12 个重点项目重点抓，重点促，积极为项目建设创造有利条件，确保其顺利实施。三是狠抓新项目的引进和实施。2001 年新引进经济合作项目 253 个，其中重点项目 20 个。20 个重点项目总投资 16.31 亿元，其中支援方投资 11.5 亿元，投资上亿元的项目有 7 个，支援方有 5 家上市公司，受援方有 9 家是淹没搬迁企业。项目涉及农业、建材、医药、化工、商贸、服装、食品等领域。

二、争取国家有关部委对口支援

2001 年，重庆市移民局积极争取国家有关部委在政策倾斜、项目安排等方面支持库区社会经济发展，进一步加大争取各部委对库区所属系统机关搬迁重建工作的支持。国家体育总局采取一对一的形式，动员各省市安排 3600 万元支援重庆库区体育、文化、教育等系统的对口支援。粮食和外经贸等系统也在启动本行业的对口支援工作。

三、抓住西部大开发机遇，积极开展招商引资

2001 年，重庆市移民局抓住西部大开发机遇，以对口支援为基础，加大招商引资力度。一是主动与支援省市加强联系，引进各种项目、资金、技术、管理经验落户库区。全年各支援省市来访 325 个团组 3179 人次，组织库区 225 个团组 1599 人次到各省市寻求合作，开展招商引资活动。二是积极参加三峡建委办公室、移民局、中央统战部和中国光彩事业促进会组织的上海、江苏、浙江、广东、宁波等省市的对口支援工作调研和项目推介洽谈活动，与雅戈尔集团、均瑶集团、广州天福农业公司等企业洽谈项目 51 个，为 2001 年 7 月国务院三峡工程移民暨对口支援工作会议上项目签约成功打下较好的基础。三是动员库区各地积极配合重庆市组团参加“广交会”、“厦门’98 招商会”、重庆国际贸易洽谈会、长江沿岸城市投资项目推介会，举办各种形式的招商引资活动，广泛宣传库区的资源优势和优惠政策，引进大批新的项目进入库区。

四、采取有力措施，改善投资软环境

一是强化投资环境综合整治工作，认真按照重庆市委、市政府《关于全面落实发展环境综合整治行动的措施》要求，继续推进规范政务管理，改善投资环境的综合整治工作。二是规范对口支援管理和加大资金使用监督力度，按照重庆市政府办公厅发出的《关于加强对口支援移民资金和物资管理的通知》，要求库区各级对对口支援资金和物资实行分类管理，建立专门的无偿援助资金账户和物资设备台账，确保对口支援物资和资金不受损失。三是认真履行职责，积极作好协调服务，帮助对口支援企业与有关部门和区县之间的协调，解决项目实施中遇到的困难。

(郭雪梅)

宜昌市三峡移民对口支援工作

2001 年，宜昌市累计落实对口支援项目 185 个，到位资金 35094.3 万元。其中，落实对口支援经济合作项目 30 个，到位资金 19058.5 万元；落实经济支持项目 41 个，到位资金 10092 万元；无偿援助项目 114 个，到位资金 5832.8 万元；援建希望工程到位资金 111 万元；通过对口支援安置移民 1800 人。

一、确立重点目标，落实领导项目责任制

2001 年，宜昌市确立“引进 10 家名优企业或名牌产品落户宜昌；引进兴办社会事业发展项目 10 个，争取到位资金 2 亿元”的目标。按照“一个领导牵头抓一个重点项目”的要求，层层建立领导联系重点项目责任制，加大领导协调力度。2001 年全市新引进项目 10 个，主要有河南双汇、山东鲁能、宁波洛兹、武汉人福科技、宁波隆华、中山裕隆、温州均瑶、泗溪风景区建设、山东蒙阳红项目。同时，引进社会发展项目和到位资金的目标任务都全面完成。

二、引进知名民营企业

2001 年 6 月，国务院三峡建委移民开发局、中国光彩事业促进会联合在宜昌召开“三峡库区经济合作项目对接会”。7 月，国务院在宜昌召开三峡工程移民暨对口支援工作会议。宜昌市紧紧抓住这个机遇，把引进民营企业落户宜昌作为全年对口支援工作的重中之重，加大招商引资工作力度。在“对接会”期间，与参会的 43 家民营企业进行项目对接洽谈，共签订书面协议项目 25 个，总投资 11.43 亿元。在对口支援会上共签约 31 个项目，协议投资总额 25.8 亿元，其中引进民营企业项目 27 个，占签约项目的 87％，项目涉及全国 15 个省市（区）及较大城市。其中温州均瑶、宁波洛兹、山东蒙阳红、武汉人福科技等知名民营企业已落户宜昌。

三、促进企业发展，扶持龙头企业

宜昌市把狠抓落户企业的滚动发展作为对口支援工作的重点内容。一是帮助 10 多家重点企业制定滚动发展规划；二是加强当地政府在政策、资金、人才、环境等方面的支持；三是积极帮助落户企业解决生产经营中遇到的困难和问题。落户宜昌市娃哈哈宜昌分公司、汇源集团宜昌分公司、均瑶宜昌乳制品公司、森达集团、宜昌维维食品有限公司、青岛澳柯玛集团等 6 个重点企业不仅增加了生产装备、扩大了规模，而且提高了市场竞争能力。为壮大“龙头”企业，宜昌市坚持加大协调服务工作力度，狠抓原料基地建设，带动农业产业化的发展。以娃哈哈、均瑶、维维集团为龙头的奶牛养殖和牧草种植基地正在形成；以汇源集团为龙头的水果种植基地已初具规模；以际天时集团为龙头的蔬菜基地已初见成效。枝江市、猇亭区、夷陵区等县市（区）为与龙头企业配套，已兴建具有一定规模的猕猴桃、草莓、洲梨、蔬菜等农产品基地。

四、促进三峡库区基础设施建设

2001 年，宜昌市引进 20 万元以上的库区社会发展项目共 15 个。主要有：上海静安区及卫生系统捐资 30 万元分别支援夷陵区广播电视“乡乡通”工程和卫生院“远程教育系统”；广东省、湖南省、湖北省、大连市援助兴山县城搬迁资金 319 万元；武汉市援助秭归 50 万元兴建“武汉路”；国家体育总局捐助 750 万元分配给库区 3 县兴建体育场馆；江苏省援助秭归 200 万元在工业园兴建“江苏路”。为确保兴山县城 2002 年整体搬迁，宜昌市委、市政府于 8 月 23～24 日在兴山县召开宜昌市直机关对口支援兴山县城搬迁动员大会，宜昌市直 24 个单位在会上现场捐款 1054 万元。会后宜昌市直 72 个单位制定书面承诺计划，共承诺计划资金 17366.4 万元，其中支援县城搬迁资金 4063.5 万元。截至 12 月底，共有 46 个单位已兑现落实支援兴山县机关搬迁资金 3518.1 万元，占承诺计划资金的 86.6％。

（杨宣英）

万州区三峡移民对口支援工作

一、概况

2001 年，万州区实施对口支援和经济技术协作项目 71 个，到位资金 51003 万元，为年计划的149.56％。其中：实施对口支援项目 66 个，支援方到位资金 49621 万元，为年计划的 145.51％。在对口支援项目中，经济合作项目 61 个，支援方到位资金 38583 万元；支持项目 5 个，到位资金 8505 万元；接收社会公益资金 2533 万元。干部交流、职工培训 25 人。对口支援企业直接安置上岗人员 974 人，推动相关产业发展创造就业机会 483 个。

二、对口支援合作

一是加快农业结构调整的步伐。上海、天津、重庆、福建、四川等省市从名贵花卉、优质蔬菜水果、复烤烟叶、中药材种植、食品加工、良种兔鸽等种养业入手，采取“科研院所＋公司＋农户”的模式，积极调整万州农业结构，先后援建青龙高效农业示范园、津援农业综合开发示范区、天兴农业技术开发中心、五桥农业科技推广示范基地、中药材种植开发与移民安置等高效生态农业开发项目。项目总投资 19905 万元，区外到位资金 5867 万元。二是提高工矿企业搬迁的质量。在对口支援合作项目中，与淹没搬迁工矿企业直接合作的有 9 家，间接合作的有 32 家，通过兼并、收购等方式，盘活工矿企业搬迁后继续亏损的企业的不良资产。上海信谊药业与万州区荣高东方药业的合作，不仅实现低成本资金扩张，而且进驻西部抢占了市场，还给万州带来知名品牌和先进管理机制，取得较好的经济、社会效益。三是推进社会事业的发展。2001年4月，上海市委常委、副市长蒋以任率对口支援代表团来万州区考察移民对口支援工作，考察期间签订11个援建合作协议，五桥移民开发区接收无偿援助1534万元。全年天津市、南京市、厦门市无偿援助龙宝区517万元；福建省无偿援助天城区309万元，援建希望小学4所、福利院1所，促进了行政事业单位搬迁。四是加快基础设施建设。为加快万州车站、港口码头复建工程进度，确保三峡工程二期正常蓄水，万州区移民局争取交通部门及有关部门支持，到位资金7290万元，使1500万t深水港码头加快建设进度，鞍子坝客运中心开工建设。五是促成地方名优产品拓展中部市场。积极组织诗仙太白酒、鱼泉榨菜、万光电池等地方名优产品赴鄂拓展市场，参与对川、渝、鄂、湘、陕5省市周边26个地、市、县的考察邀请，接待32个党政代表团2000多人次。

三、项目推介

一是认真贯彻国务院三峡移民工程暨对口支援工作会议精神，抓紧落实5个签约项目。5个项目总投资27325.89万元，其中：支援方投资23875.44万元，到位资金710万元。二是全力做好“光彩事业三峡行”活动，万州区筛选出39个项目，并印发《光彩事业三峡行活动招商项目》200册。三是组团参加由三峡建委办公室副主任高金榜和国家移民局局长漆林带队，分赴上海、浙江、广东进行对口支援工作调研和项目推介洽谈活动。先后共洽谈项目34个，其中8个达成初步合作意向。四是将全区10户外来企业列入区委、区政府盘大盘强的工作计划，为重庆白猫有限公司、万柴油机有限公司、重庆万家乐燃气具有限公司、重庆信谊东方药业股份有限公司等企业解决贴息贷款；解决万家乐、信谊东方等企业担保贷款和万美铝业再投资3966万元扩建新工艺车间的有关问题。

四、经贸协作

万州区参加在陕西商洛地区举行的中国中西部经济技术协作区第十六届协调委员会一次工作会议和襄樊市举行的中西部协作区第十六届协调委员会会议。应邀参加长江沿岸城市投资项目推介会，会上发放项目介绍资料15800多份，推出基础设施、农业、工业、旅游等方面项目92个，其中9个项目达成初步合作意向，协议合作项目总投资9.79亿元，客商投资4.8亿元。组织参加重庆2001年国际贸易洽谈会，天城区推出25个项目，签约9个项目，协议引资1.9亿元；落实荣高生化制药、三峡果业浓缩果汁、不锈钢超维丝3个项目，总投资5000万元。9月16日，万州区企业参加湖北襄樊市“一会一节”商品贸易洽谈。万州区重点企业的拳头产品太白酒、万光电池、鱼泉榨菜参与展销，收效显著。

五、改善投资软环境

外来企业一站式服务办公室和外来企业投诉中心在规定的时限解决25个外来企业的投诉问题，办结38件排忧解难问题，接待咨询服务305起、430人次。外来企业管理办公室审查颁发证书63家。外来企业联谊会全年发展会员17家。坚持区委、区政府主要领导对重点外来企业联系和现场办公制度，以举办外来企业中秋茶话会、座谈会等形式与外来企业建立多种对话渠道，及时协调处理一些重大问题，使万州的投资软环境有根本性转变。

（刘发国　李志政）

涪陵区三峡移民对口支援工作

2001年，涪陵区全年共签订对口支援协议10个，协议资金3.79亿元，已实施项目7个，到位资金15695万元。截至2001年，全区累计实施对口支援项目118个，组建对口支援企业47户，安置移民8155人（其中企业职工6352人），引进区外资金27.46亿元。2001年7月国务院三峡工程移民暨对口支援工作会议期间签订的2个项目，已全部正式实施。其中重庆大自然化工公司与浙江纳爱斯股份公司联合投资200万元，技改加工“雕牌”洗衣粉项目，从厂房改建、设备配置、调试安装、上岗职工培训到出合格产品投放市场，仅用了1个多月时间。该项目将形成年产“雕牌”洗衣粉3.5万t，产值1亿元的规模。加工“雕牌”洗衣粉1.6万t，实现产值3500万元，利税351万元。浙江飞渡泉凌公司与龙桥镇的葛根开发项目正在实施，种植葛根1000亩，育苗300亩。浙江台州已经分别向李渡、新妙、马武、中丰的希望工程捐款103万元。国家体育总局对口支援涪陵体委300万元，用于发展涪陵体育事业。

（夏　晖）

市、县移民工作

秭归县移民工作

【外迁移民】 2001年，秭归县外迁移民计划1500人，实际完成移民外迁2457人，超计划957人，占计划的164%，拆除房屋面积9.3万 m^2。全县库区8个乡镇二期移民外迁基本结束。泄滩乡、周坪乡在三峡库区率先完成移民整体搬迁任务。全县累计完成移民搬迁72209人，其中农村移民29304人（移民外迁16325人），城镇居民35199人，占地移民5689人，坝区移民2017人，累计拆除房屋面积158.6万 m^2。

【后靠移民】 2001年，秭归县对二期水位线（以下简称二线）以下的农村后靠移民全面开展划地建房。70%后靠农村移民宅基地基本划块到户。规划已完成的屈原镇龙马溪、长江村、归州镇贾家店、八字门、向家店村，水田坝上坝村，周坪乡九畹溪村，沙镇溪香炉山村，后靠搬迁建房全面展开。2001年完成后靠搬迁885人，移民后靠建房4.9万 m^2。

【城镇迁建】 秭归县城完成污水处理厂、垃圾填埋场、三水厂的规划设计，归州商贸街一期工程、滨湖盆景苑、庙嘴私营经济园3个项目整体推进，广电大楼等工程相继开工、屈原路、平湖大道、长宁大道绿化改造工程基本结束，新增绿地面积2万 m^2。库区7个迁建集镇已有6个迁建基本结束。城镇居民完成搬迁2187人，占计划的109%，完成建房10.5万 m^2。

【专项设施复建】 2001年，全县累计开工公路里程200多km，完成170km，桥梁99座，隧道6座，矸石发电厂、升坪电站二期工程全面推进；电力迁建有19125kW的水电站先后并网发电，3座容量为27000kVA的变电站投入运行，架设10kV以上的输电线路237杆km，邮电通信已开通县城13000门数字程控电话及7个支局3020门数字程控电话，县城和库区乡镇全面开通了无线集群电话夷陵通，架设通信线路560杆km，广电中心大楼主体工程已竣工，库区乡镇已实现广播电视"村村通"，广播电视覆盖率达90%以上。

【企业迁建】 全县采取依法破产、关闭清算、减员增效、租赁经营、出售产权等形式，共完成破产关闭企业70家，安置职工5800人，其中安置农村移民460人。

【移民安置】 2001年，全县累计开发土地1.34万亩、调整土地3773亩，兴修水池500口11.7万 m^3，架设水管13.6万m，建水渠40条5.2万m，新修维修机耕路366km，已有效安置农村移民2.7万人，其中后靠安置1.1万人，后靠移民建房49.84万 m^2。

（王海群）

兴山县移民工作

【移民安置】 一是移民生产安置，全年计划完成600人，实际完成837人，占计划的139.5%，挂钩土地576亩。其中：移民外迁安置333人，占计划300人的111%；后靠安置完成498人，占计划300人的166%。占地移民安置28人，其中招工安置4人，自谋职业安置24人。二是搬迁安置，2001年计划搬迁安置400人，实际完成145户437人，占计划的109.25%。开工建房145户2万 m^2，已竣工107户1.49万 m^2，拆除房屋1.38万 m^2。

【二线水位移民】 完成移民搬迁179户733人。其中：农村移民179户536人，企业21人，镇直单位176人。二线水位线下拆房149户22350m^2。集镇单位搬迁应建房33家，其中竣工17家，面积30001m^2；在建单位16家，面积17900m^2。工矿企业应搬迁8家，已关闭破产5家，待关闭2家，正在迁建1家，应搬迁的21人已搬迁安置结束；二线水位应复建输变电线路30km，广播线路24杆km，通信线路23杆km，已全部复建结束。

【城镇建设】 新县城中心区主干道完成混凝土路面12.44万 m^2，占总量17.18万 m^2 的72.43%；中心区主干道供水管网全部形成，3个居住小区和5个移民小区供水主干网安装结束，给排水功能形成；中心区电力、电信、广播电视"三线"入地工程完成工程总量的70%以上；中心区干道植树59444株，铺草坪2500m^2。新县城申请建房78.24万 m^2，累计开工建房64.77万 m^2，占应建房的82.8%。峡口集镇综合功能全部形成。全长900m的主街道路面硬化竣工；集镇供水设施完成；电力改造工程结束；集镇通信、电视管网地埋工程结束；集镇绿化工程基本竣工。

【专业项目复建】 完成宜秭公路石峡段、高古公路丰柚段、坑白段全长14km的油路铺设并投入使用；古界公路灾害恢复工程完成工程量的40%；李家沟大桥于12月下旬竣工，昭君大桥完成工程量的50%；峡口码头建设征地88.37亩，进港公路于7月开工，11月18日码头一期工程正式开工建设。

【工矿企业搬迁】 2001年进入关闭破产程序31家，其中，关闭企业9家，破产19家。尚未进入关闭破产程序的26家企业纳入2002年关闭破产计划。争取资金计划1135万元，拨付资金1903万元，支持在建项目建设。

（兴山县移民局）

巴东县移民工作

【概况】 2001年，巴东县完成三峡库区移民投资1.7亿元，占计划投资的221%；完成搬迁安置4114人，占计划的119%；完成生产安置1589人，占计划的80%；竣工房屋面积9.2万m^2，占计划的382%。

【农村移民外迁】 三峡库区先后于4月和12月两次集中外迁389户1586人到范家台农场和总口农场，为计划的5倍。特别是7月国务院三峡工程移民暨对口支援工作会议召开后，巴东县主动对楠木园等村部分土地不足的农村移民实行外迁安置的作法，得到湖北省政府的充分肯定。

【搬迁企业改制】 全年完成34家企业破产预案编制、改制方案编制工作，巴东县化肥厂、巴东县鞋厂等6家企业职工安置工作结束，其中县化肥厂破产终结。

【居民搬迁】 拖延年余的居民点征地及用地手续在4月中旬获湖北省国土资源厅批准。完成云沱居民小区基础设施建设，调整老城居民建房规划，将有门面的移民户安排到新城黄金地段建房，共落实宅基地137处，统筹安排老城特困企业职工和居民133户以优惠价格购买黄土坡二次搬迁后的空房。

【项目建设】 全年新开工移民项目18个，续建移民工程项目51个，竣工25个。完成县城云沱连接线路面硬化，云西连接线道路开工，广场挡土墙全部完成，县城道路街道绿化工程基本结束，10kV高压地埋工程即将验收。209国道改线方案完成可行性研究，巴秭南线路面油路铺筑工程竣工并交付使用，柚子树大桥桥面板吊装完毕。西壤坡地方客运码头和水陆客运中心相继于10月、12月正式开工建设。

【移民管理工作】 一是计划管理进一步强化，随意调项行为基本杜绝。二是资金管理进一步规范。加强行政经费管理，落实会计委派制。以稽察整改和审计整改为着力点，抓整改、促规范、保安全。

【对口支援工作】 巴东县紧紧抓住北京市组团考察库区的机遇，本着“优势互补，互惠互利，长期合作，共同发展”的原则，主动出击。全年接待来访团组48批240人次，落实各类项目32个，到位资金4923万元，其中北京市到位资金1717万元（含物资折款）。通过对口支援，在卷烟、白酒等工业项目和旅游、中药材项目方面取得良好的经济效益，促进了巴东县经济发展。

（巴东县移民局）

涪陵区移民工作

【概况】 全年落实移民投资6.5亿元，占原计划4.1亿元的158%。当年完成投资7.4亿元，占原计划4.1亿元的180%。其中：农村移民完成投资4843万元，集镇迁建完成投资4057万元，城市迁建完成投资24726万元，企业迁建完成投资27160万元，专业设施复建完成投资12712万元，环境保护完成投资111万元。搬迁移民7472人，生产安置移民3120人，分别占原计划的115%和272%。建房43.87万m^2，占原计划的103%。截至2001年，累计完成二线移民投资12.34亿元，占二线总数的60%；完成农村移民生产安置8702人，搬迁移民14767人，分别占二线任务总数的87%和53%；建房69万m^2，占二线任务总数的52%。

【城市迁建】 全年完成城市动迁人口4657人，建房12.4万m^2。截至2001年，全区累计完成二线城市迁建投资41380万元，搬迁移民6668人，建房20.9万m^2。防护大堤二期工程基本建成，三期工程全线开工。大堤片区完成3861户14672人和123个单位的移民拆迁，实施货币安置移民384户1980人，过渡安置涉及66个迁建单位和敦仁、崇义街道的纯居民2468户，共拆迁移民房屋33.67万m^2。董家湾、顺江2个移民迁建小区的9条道路、3条主排水涵洞相继开工建设，继顺江小区A号路一期工程、B号路、C号路和董家湾小区Ⅰ号路后，顺江小区A号路二期工程、B号路拓宽工程建设已形成泥结石路面，顺江小区主排水涵洞一期工程建成并投入使用。

【农村移民安置】 全年完成生产安置移民3120人，生活安置移民1603人，建房5.8万m^2。截至2001年底，全区累计完成二线农村移民安置投资2954万元，搬迁移民2630人，建房8.5万m^2。5个重点村社的移民安置工作、龙桥镇齐心村一社、李渡示范区东堡村和珍溪镇麻柳村已基本完成移民生活安置任务，荔枝街道黄旗居委二、四组和南沱镇坪西村的移民安置规划方案已经确定，现正在组织实施。

【集镇迁建】 全年完成集镇迁建人口 1212 人，建房 4.48 万 m^2。截至 2001 年底，全区累计完成二线集镇迁建投资 7596 万元，搬迁移民 1619 人，建房 7.2 万 m^2。南沱、焦岩完成搬迁任务，龙驹、百汇、清溪 3 个集镇正在开展大规模建房，河岸、珍溪、李渡 3 个集镇基本完成征地及基础设施建设，具备建房条件。

【企业迁建】 全年实施工矿企业结构调整 70 户，其中：实施项目迁建企业 20 户、关闭企业 38 户、一次性补偿销号企业 12 户。截至 2001 年底，全区累计完成二线企业迁建投资 53085 万元，终结销号企业 90 户。涪陵化工公司四环路移民小区、东升铝业公司电解车间、阳极组装车间和海陵厂办公楼、联合厂房等重点项目相继竣工。

【专业设施复建】 全年完成公路复建 13.7km，开工复建城市港口码头泊位 10 个，竣工集镇码头 5 个。截至 2001 年，全区累计完成二线专业设施复建投资 18109 万元，全面完成输变电线路、通信线路、广播线路、燃气管道的复建任务。完成公路复建 66km，占二线总数的 78%；两蔺公路完成路基建设、涪丰公路北线完成黄点路段建设，完成珍溪下河路、龙驹路、渠溪路建设。完成二线集镇码头 5 个，占二线总数的 50%；港务局糠壳湾港区等 8 个城市港口码头泊位完成水工建筑，陆域工程建设开工。

【地质、环境和文物保护】 乌江渡口滑坡体等 23 个地质灾害治理项目纳入国家总体规划。涪陵城区污水处理厂和垃圾处理场等生态环境建设项目相继开工建设。白鹤梁题刻、蔺市龙门大桥等文物的保护方案基本确定，处于报审阶段。

【移民监督管理】 涪陵区认真开展移民规划用地及土地出让金清理、对口支援捐赠资金清理、移民工程招投标等 10 项移民工作专项监督检查，深入贯彻落实移民工程质量责任制，进一步加强对移民工程质量、安全、地质的管理。全年新开工项目 46 个，竣工项目 12 个，工程质量监督率、投资 50 万元以上的工程监理率、投资 30 万元以上的工程招投标率、已竣工移民工程合格率均为 100%，无一起安全质量事故发生。按照重庆市审计局的审计决定，涪陵区 1999 年度违规违纪使用移民资金共计 210.35 万元，按照审计意见书要求，涪陵区 1999 年度违规违纪使用移民资金共计 332.38 万元，均未超过当年投资总额的 2%。按审计整改的要求，全部整改到位。

（夏 晖）

万州区移民工作

【概况】 2001 年，万州区全年共完成移民投资 11.2 亿元，完成农村移民生产安置 6216 人，建成城乡房屋 110.71 万 m^2，搬迁城乡人口 23920 人，有 70 户二线企业具备销号条件；建成城镇道路 4.3km，大中型桥梁 2 座 1629.8m，复建专项公路 12.95km，开工复建 87 个城镇港口码头作业区 10 个泊位；实施对口支援项目 66 个，到位各类资金 4.9 亿元。

【“一包两挂”帮促工作】 为加速推进二线移民进程，进一步深化机关干部包移民户、城市居民与房屋挂钩、农村移民与土地挂钩的移民迁建“一包两挂”帮促工作。万州区和龙宝、天城、五桥 3 个开发区 130 名领导，54 个移民牵头单位，190 个责任单位组成的 27 个帮促团和 135 个帮促工作组，近 5000 名机关干部深入到 27 个二线移民重点乡镇、街道进行结对帮促，广泛开展人房挂钩、人地挂钩和搬迁安置销号工作。实现移民工作由部门行为向政府行为、由移民干部单线出击向全民攻坚、由被动移民向主动移民、由零散移民向规模搬迁的四大转变。截至 2001 年 12 月底，全区签订二线城市居民人房挂钩销号合同 1045 个 3186 人，安置房屋 52163 万 m^2；完成农村移民人地挂钩安置 2350 人，挂钩土地 1648 亩。

【农村移民搬迁安置】 在继续推行以大农业安置为主，兼以投亲靠友、自谋职业等多种形式安置的同时，坚持以二线移民任务为中心，人地挂钩和生活安置为重点，安稳工程为核心的安置方针，提高农村移民安置质量。一是实施“安稳工程”，对农业人均耕园地未达安置质量标准的农村移民，就近调整补足面积和适度改造耕园地质量，确保对 25 度坡度以上开发的土地在实现人地挂钩后，纳入退耕还林还草计划；对后靠安置容量不足的农村移民，实行出组、出村、出乡镇、出移民开发区安置，或多渠道、多形式地改造改良土地，进行高效生态农业安置；严格控制农村移民二三产业安置比例，对以前已安置但存在不稳定隐患的移民，提出补救措施。二是狠抓生活安置。确保农村移民生产生活安置同步。建成农村移民房屋 20.52 万 m^2，改变了以前生产安置超前，生活安置相对滞后的情况。三是狠抓重点集镇迁建。长坪、燕山、溪口、拖路口、杨河溪、新田、武陵集镇迁建工作进展顺利，基础设施建设、单位、居民房屋建设和搬迁进度加快，完成集镇受淹房屋 6.68 万 m^2，搬迁集镇移民 1573 人。

【城市迁建】 一是城市单位、居民搬迁步伐加快。全年建成城市房屋 56.93 万 m^2，搬迁城市移民 16948

人，搬迁单位 234 个。二是移民新区功能日趋完善，具备大规模搬迁条件。进一步完善了新区水、电、路、通信、天然气、学校、医院、商业网点、公益设施等基础设施和市政设施建设。三是移民重点工程建设稳步推进。万州大桥、万安大桥建成通车，鞍子坝客运中心、红溪沟深水码头、红花地货运港区、龙宝河治理等重点工程建设进展顺利；开工建设长江二桥、石宝嘴大桥和滨江路；鞍子坝、驷马桥等 7 个码头作业区已开工建设；大周、黄柏集镇滑坡治理和申明坝、明镜滩污水处理厂相继开工。

【淹没企业结构调整】 按照中央关于三峡移民工作"两个调整完善"的要求，坚持以结构调整为主线，以破产关闭为手段，以盘大盘强为着力点，加大淹没工矿企业所有制结构、组织结构、产品结构的调整力度。一是突出企业职工宿舍迁建。采取自建、货币补偿、购商品房相结合的办法，多渠道解决二线企业职工的宿舍。累计竣工房屋 15.9 万 m^2。二是全面启动二线企业搬迁。保留发展企业除汽车 49 队等 3 家企业以外，二线企业绝大部分已开工建房。三是培育优势迁建企业。着力支持太白酒厂、三牧集团、鱼泉榨菜、万光电池、信谊东方药业、三峡果业、迪康长江药业、飞亚实业、汇丽建材等企业的迁建技改和结构调整项目，形成万州区新的经济增长点。

【移民工作监督管理】 一是狠抓八大专项检查。以移民工作监督网络单位为依托，组织 30 多个部门 140 名干部重点检查移民迁建用地、移民工程招投标、对口支援资金、移民门面清理、淹没企业兼并、审计整改、移民间接费、乡镇移民"五公开"等专项，对发现的问题及时提出整改措施，并督查督办整改落实，整改率达到重庆市的统一要求。二是狠抓移民计划财务管理。健全计划拨款台账，提高计划编制的科学性、合理性和严肃性。进一步完善各项财务规章制度，加快财务电算化步伐，规范账务处理。三是狠抓移民规划管理。认真进行长江二桥、滨江路等移民重点工程的可行性研究报告、立项、地质勘察、初步设计、施工图设计的审查、审批。审查全额移民资金设计项目 80 个，建筑面积 41 万 m^2，办理 81 个单位、企业土地划拨手续。四是狠抓移民资金管理及审计整改。召开全区移民工作监督网络成员单位联系会 4 次，初查涉及移民工程质量和移民资金的案件线索 35 件，审查项目 30 个。根据《审计决定》，整改 948.69 万元，整改率 100%。根据《审计意见》，整改 8600.65 万元，整改率96.46%。同时严肃追究违纪违规责任，全年收到举报线索 110 件，办结 108 件，办结率 98%。配合纪检监察部门、检察院等单位查处案件 4 件，结案 1 件，党纪政纪处分 2 人，刑事处理 3 人，挽回移民资金损失 37.1 万元。五是狠抓移民工程质量及监理管理。开展两次拉网式检查和移民工程质量安全检查，全年未发生重大质量安全事故，移民工程验收合格率 100%。在建的城镇基础设施、集中公建房及单位、工矿企业的监理面达 100%，农村移民工作的监理面达 100%。进入有形市场的移民工程项目 70 个，招投标率为 100%。

【移民信访工作】 一是落实移民信访责任。万州区移民局领导亲自处理 5 人以上来访 23 件，占全年集访案件的 100%。全年受理来信来访 654 件，办结 654 件，办结率 100%。与去年同期相比，净减 181 件，减幅 28%。二是完善信访制度。健全逐级信访、态势分析、要情通报、分类调处、纵向联系等"五制"。三是妥善处理多起移民信访和突发事件，开展案件排查工作。对 13 件重要信访案件，全部按政策给予回复，息诉罢访率 100%；全年没有发生 20 人以上移民集访和群体性突发事件。四是大力实施"下访工程"，举办 150 人参加的移民信访业务培训，在 20 个集镇、街办广泛开展移民信访、移民文艺、移民政策等"三下乡"活动，发放宣传资料 24000 余册，接待移民群众咨询 2000 人次，受理移民来访 70 件次。

（刘发国　余成明）

万州五桥区移民工作

【概况】 2001 年，五桥移民开发区全年完成移民投资 16022.27 万元，占年度计划 8526.536 万元的187.91%。完成农村移民安置投资 6421.69 万元，生产安置农村移民 3081 人，生活安置农村移民 2972 人，迁建农村移民房屋面积 11 万 m^2；完成集镇迁建投资141.99万元，迁建集镇房屋面积2.09万 m^2；完成新城建设投资 4906.27 万元，搬迁城市单位 17 家，安置城市居民 272 户 812 人，安置划转居民 330 户 1152 人，办理百安坝占地移民一次性货币安置销号 3768 人，迁建城市房屋面积 4.65 万 m^2；完成企业迁建投资2406.03万元，完成 2 个企业迁建的结构调整，关闭 1 个企业，迁建企业房屋面积 2.18万 m^2；完成其它投资146.29万元。

【农村移民安置工作】 2001 年，五桥移民开发区农村移民安置工作在继续推行以大农业为主兼以多形式安置的同时，重点在搬得出，安得稳上加大工作力度。一是摸清家底，分级分水位对农村移民的任务目标进行彻底清理，并根据摸底清理情况明确界定农村移民的身份。二是落实目标责任，将二线水位移民任务落实到人头，将生活安置落实到户头，并将完成任务目标的时间细化到月，使每个移民都有明确的安置去向；三是争取政策解决过去农村移民安置中存在的遗留问题，如二三产业安置不稳定的移民，符合政策条件的进行重新安置，对25度以上开发的坡地在实现人地挂钩后，纳入退耕还林还草计划，享受退耕还林政策等。同时严格控制非农安置条件，对就近后靠安置容量不足的予以出组、出村、出乡镇、出区安置。

【集镇迁建工作】 五桥区集镇迁建重点突出，全面推进。首先简化办事程序，加快集镇迁建的前期准备工作，使五桥区的7个全淹集镇实现全部开工迁建；其次，争取政策，加强协调，解决黄柏集镇因地质滑坡而带来的超支问题；第三，积极向上呼吁，争取多渠道、多办法解决新乡集镇迁建总体超支和新田集镇个别项目超支严重的问题。

【城市迁建工作】 2001年，五桥区城市迁建工作的重点是突出城市功能配套、城市居民整体搬迁和城区占地移民的生产安置。继续抓紧抓好城区学校、医院、水电、人行道、绿化配套建设工作，同时争取政策，加快城市居民和单位整体搬迁步伐，对城区占地移民实行一次性货币生产安置。

【工矿企业迁建工作】 五桥区工矿企业迁建继续以结构调整为主线，以破产关闭为手段。一方面积极为企业出主意想办法寻找最佳项目；另一方面加大"关破"力度。同时，对个别暂时未寻找到项目的企业，加紧安排企业职工生活用房的建设进度，确保2003年6月底以前二线水位下没有受淹企业的职工住房。

【对口支援工作】 2001年，五桥移民开发区共实施对口支援项目41个。累计到位资金10489万元，其中，无偿支援资金1534万元，经济合作项目资金8955万元。接待各类考察团24个214人次；派出考察团16个130人次。

【移民管理工作】 首先，强化移民工作项目及投资的监管工作。一是加强资金管理，建立以纪委、监察局、财政局、审计局、移民局、建设银行等部门参与的移民资金监督网络；二是加强安全、质量管理，对五桥辖区内所有在建的移民工程项目的安全、质量问题进行拉网式检查，并将安全、质量责任落实到单位，落实到人；三是在严格资金计划管理，财务会计管理，工程质量管理，用地规划管理的同时，主动配合上级部门开展专项检查工作。其次，加大移民政策宣传培训和移民信访工作力度。共发放移民政策和各类科技书籍19500多册，宣传资料20000多份；举办移民干部培训班21期，培训移民干部1090人次，举办移民技能技巧培训班18期，培训移民1500人次；组织专门人员在百安坝、陈家坝、新田镇、大龙镇、长岭镇、黄柏乡开展移民信访下乡活动，变移民上访为干部下访，确保社会稳定。

（张定权）

万州龙宝区移民工作

【计划执行情况】 2001年，龙宝区移民投资计划为15722万元，实际完成17859.76万元，占计划的113.6%。其中：农村移民安置完成1177万元，占计划536.4万元的219.43%；城市迁建完成7379.74万元，占计划5307.34万元的139.05%；集镇迁建完成2155万元，占计划1560.8万元的138.1%；工矿企业完成6929.15万元，占计划8172.97万元的84.78%；综合监理完成139.01万元，占计划90万元的154.5%；环境保护、移民培训当年均未下达计划，实际完成环保投资43.17万元，移民培训支出36.69万元。

【农村移民】 完成生产安置1483人，占年计划1315人的113%；完成生活安置658人，占年计划643人的102%；完成农房建设28800m^2，占年计划20000m^2的144%；完成人地挂钩508.3亩598人，分别占年计划476亩595人的107%和101%；实现二线水位整社销号89个，占年计划二线水位总任务的81%，超年度计划11%。完成高峰高效生态农业示范区项目的验收；积极引进并配合绿色农业土壤激活剂项目落户并初见成效。

【集镇搬迁】 完成迁建人口848人，占年计划840人的101%；完成建房3.75万m^2，占年计划3.63万m^2的103%；杨河集镇二线水位房屋建设已全面动工。武陵集镇的基础设施及配套建设近尾声。当年完成占地移民安置559人，迁建人口634人，建房3.44万m^2，拆除淹没单位15个，居民67户，拆房面积3.44万m^2。让渡集镇已搬迁销号，完成后评估工作。杨河集镇因原规划建设中心村存在地质灾害隐患的影响，又重新调整，全部迁入河口场，当年完成迁建人口201人，建房0.31万m^2。

【城市迁建】 完成岩上村行政中心路网1、2、3、4线路基土石方排水、部分路基结构层，双河口中心梯道工程，岩上村行政中心路网A、B线路灯、人行道工程及行道树，双河组团A区室外工程，粮油收储公司排水涵及青鹰路左侧人行道，双河口农贸市场及梯道工程，双河小学田径场挡墙加固。完成绿化面积49000m^2，其中龙都广场绿化5000m^2，双河组团A区绿化4000m^2，龙宝河堤岸绿化40000m^2。龙宝河整治工程完成河道整治1.5km，砌筑7.7万m^2，路基回填1.65km，土石方3.5万m^3；中型桥梁3座。

【占地移民安置】 当年完成占地移民安置550人。新开工统建房19.72万m^2，实际完成6.52万m^2，完成城市居民搬迁1120户3508人，分别占年计划919户

2525 人的 122%和 139%;销号房屋 50665m²,安置房屋 41812m²,拆除房屋 35388m²。

【单位搬迁】 当年完成建房 7.51 万 m²,占年计划7.4 万 m² 的 101%;累计完成 77 户单位的搬迁,办理销号手续 62 户,占年计划的 100%;完成东方广场和鞍子坝以及牌楼至驷马桥段沿江路等重点工程建设涉及的单位搬迁;拆除房屋面积 2.89 万 m²。

【工矿企业搬迁】 当年完成企业销号 12 户,占年计划 11 户的 109%,有 10 户进入关闭破产程序;完成建房 3.75 万 m²,占年计划 3.7 万 m² 的 101%;搬迁人口 340 人,占年计划 311 人的 109%。完成厂房及职工住房拆除 10.7 万 m²。

【移民管理】 为确保移民工程质量,龙宝区移民局对移民工程项目严格按基本建设程序规范管理。全年新开工项目 97 个,合同面达 100%。30 万元以上项目 12 个,全部实行招投标,招投标率 100%,质检率 100%,监理率 100%。全额移民资金项目预决算审查面达 100%。当年竣工项目 55 个,验收合格率 100%。其中优良工程 19 个,优良率 35%。房屋竣工验收 22 个项目,全部合格。其中优良 19 个,优良率 86.4%。对移民资金的管理:一是认真贯彻《三峡移民资金管理暂行办法》和《三峡移民资金会计制度》;二是加强对移民资金监督检查力度;三是借助专项监督检查,把深度扩展到每一个项目,及时查处资金使用中的不规范和违法行为,限期予以纠正和整改;四是落实移民资金审计整改责任制。1999 年度前审计有问题资金283.19 万元,已全部整改到位,整改率 100%。1999 年度审计有问题资金 514.12 万元,也全部整改,整改率 100%。

【移民信访工作】 龙宝区对重大移民信访案件,坚持一把手亲自阅办,确保移民信访工作的力度。全年共受理移民来信 75 件,办结 75 件,办结率 100%;接待移民来访 112 人次;受理移民举报案件 17 件,办结 17 件,办结率 100%。其中转办 6 件,自查 11 件,涉及金额 26 万元,挽回经济损失 26 万元。

(张慧胜)

万州天城区移民工作

【计划执行情况】 2001 年,天城区移民投资计划 15887.1万元,到位资金 15930 万元,占年计划的 103.1%;实际拨付 16600 万元,占到位资金的 104.2%;实际完成投资 16957.2 万元,占年计划的 110.1%。农村移民完成投资 2108.54 万元,占计划 575.6 万元的366.3%;城市迁建完成投资 5123.9 万元,占计划 5058.3 万元的 101.3%;企业迁建完成投资 8721.3 万元,占计划 9521.8 万元的 91.6%。二期移民静态总任务为 45481.3 万元(不含城市基础设施),累计完成移民投资 38587.66 万元,占二期总任务的 84.8%。

【新城建设】 一是路桥建设进展顺利。万州大桥、万安大桥分别于 4 月 28 日、7 月 18 日建成通车,石宝大桥于 10 月 15 日开工建设。天高路于 12 月 30 日竣工通车,实施枇杷坪干道、滨江路中段、健身路、护附路部分路段硬化 7km。二是新城配套设施日趋完善。完成新城彩砖铺设 4.3 万 m²,埋设污水管 5000m,设置垃圾箱 162 个,开放公厕 5 座,垃圾站 4 座,种植草坪 1.8 万 m²,行道树 1600 棵,实现新城周家坝区域排水系统雨污分流,亮化沙塘路老虎嘴至塘坊路段和天龙路,“心连心”艺术广场和升旗台梯道广场项目于 12 月 28 日开工建设,周家坝灯饰工程开始启动。

【农村移民安置】 累计完成农村移民生产安置 3508 人,占规划任务 4808 人的 73%;其中当年完成 1193 人,占任务的 119.3%,占万州区考核任务的 222.2%;完成生活安置 2817 人,占清库任务 3419 人的 82.4%,其中当年完成 1137 人,占万州区考核任务的210.2%;建房 91044m²,占清库任务 10.58 万 m² 的 86.1%,其中当年完成 35826m²,占万州区考核任务的 338%。出镇安置 440 人,占任务的 120%,挂钩土地面积 204.2亩。集镇建房 0.84 万 m²,占区级考核任务 0.22 万 m² 的 381.8%。大周、小周 2 个场镇单位、居民混居农户整体搬迁拆房工作全部完毕。累计拆房 401 户 47684 万 m²,占应拆任务 903 户 10.58 万 m² 的 44.4%和 45%。

【城市搬迁】 累计完成二线单位搬迁 47 个,建房18.3 万 m²,分别占清库任务 100 个 24.5 万 m² 的 40%和 74.7%。2001 年完成单位搬迁 45 个,建房7.87万 m²,办理销号手续 15 个,其中当年完成 14 个,拆除旧房的 7 个,拆房面积 0.53 万 m²。累计完成二线居民搬迁 1153 户 3355 人,其中,当年完成 796 户 2359 人,分别占二线清库任务 3099 户 8211 人的 37%和 41%,占万州区下达任务 2520 户的 46%。统建房累计完成 30.53万 m²,当年完建 5.5 万 m²,在建 6.16 万 m²。

【工矿企业搬迁】 累计完成二线工矿企业搬迁 54 户,其中:关闭破产 41 户、补偿销号 1 户、迁建 12 户,建房 20.53 万 m²,分别占总任务 68 家建房 27.7 万 m² 的 79.4%和 74.1%。其中 2001 年完成二线工矿企业搬迁 16 户,关破 27 户。办理销号手续 45 户,其中 2001 年完成销号手续 24 户,占万州区考核任务计划 10 户的 240%;完成企业职工宿舍 3.02 万 m²,占万州区考核任务 2.38 万 m² 的 126.9%。实施对口支援项目 2

个。

【移民管理工作】 天城区严格实行移民系统党风廉政建设责任制和分工包项责任制，重点强化移民资金、工程质量、招投标管理。对移民资金和工程进行强有力的监督管理。对乡镇移民资金进行专项检查，建立和完善镇、街办移民统计台账，并对各街道办事处土地统征费、征地拆迁费使用情况进行清理，当年未发现挤占、挪用、截留移民资金的现象。对移民工程按基本程序办事，杜绝边勘察、边设计、边施工的“三边”工程和无计划、无报建、无开工许可、无招投标、无工程监理、无竣工验收的“六无”工程。21 个全额移民工程全部进入公开招投标，招投标率 100%。审计决定书中的问题资金 47.02 万元，已通过调账整改到位，整改率为 100%。审计意见书中的问题资金 5382 万元，已全部整改到位，整改率为 100%。以前年度应整改资金为 228.76 万元，2001 年整改到位 4.6 万元。

【移民信访工作】 2001 年，天城区移民局共受理来信来访 90 件次，其中处理来信 48 件(次)，接待来访 42 批(次)，办结率 100%。全年共查处移民案件 22 件，涉及金额 207.8 万元，挽回经济损失 11.1 万元。

（胡一帆）

奉节县移民工作

【投资计划执行情况】 2001 年，奉节县移民投资计划 76811.92 万元，实际完成移民投资 111988.32 万元，占计划的 145.8%。其中县城迁建完成投资 47590 万元，占计划的 200.6%；农村移民安置完成投资 40346 万元，占计划的 114%；集镇迁建完成投资 1896 万元，占计划的 167.5%；工矿企业迁建完成投资 13690 万元，占计划的 126.6%；专业设施复建完成投资 5766 万元，占计划的 141.2%。截至 2001 年底，奉节县已累计完成移民投资 313237.35 万元，占计划的 113%。各大类进展基本平衡，项目投资均完成计划的 90%以上，整体进度与移民投资相匹配，达到移民规划进度要求。

【县城迁建】 2001 年，奉节县新开工城市道路7.5km，各小区连接道基本贯通，累计建设城市道路 68km。梅溪河、李家沟、白依庵等几座控制性特大桥梁基本建成，梅溪河、李家沟大桥通过初步验收并通车。铺设城市给排水管网 12km，完成冲沟涵洞 1500m。动工治理高边坡 7 处 8500m^2。二期线下的 178 个单位均已进场建设，其中 105 个单位完成房建任务，78 个单位搬迁到新址办公。全年复建竣工淹没房屋 29.5 万 m^2。居民统建房进入大规模建设阶段，累计实现 2475 户 8663 人居民“人房挂钩”。二期水位线以下房屋拆除工作开始启动，已拆除房屋 6 万 m^2，库区地质灾害防治申报立项 26 个，其中有 12 个项目通过重庆市组织的可行性研究评审，2 个项目通过初设评审并下达了投资计划。

【农村移民安置】 2001 年，奉节县完成农村移民生产安置 12780 人、生活安置 13199 人，分别占计划的 122%、126%。其中政府组织外迁 2523 户 11454 人。实现外迁移民按时到安置地入户、入住、入学、入耕和搬迁运送不伤、不掉、不亡一人的目标要求。组织编制完成农村移民安置销号及二期水位清库实施方案，对尚未安置的二期线下农村移民明确安置去向及安置时限。对以前年度自主外迁安置的 5281 名农村移民进行全面清理，完善相关手续。全面开展二期水位线下已补偿房屋拆除工作，共拆除房屋 9.5 万 m^2。建设集镇房屋 2.14 万 m^2，有二期集镇搬迁任务的乡镇政府均已到新址办公，康乐、新城集镇基本实现销号。

【工矿企业迁建】 全年完成二期线下企业结构调整 34 户。7 户企业已建成搬迁，7 户企业完善补偿销号。对资源枯竭、污染严重、产品无市场、扭亏无望的 20 户企业实施关闭破产。开工建设职工住房 8.3 万 m^2。

【专业设施复建】 2001 年，奉节县完成公路复建 4km，开工桥梁 5 座，竣工 1 座。复建邮电通信线路 40km。复建广播电视线路 120km。架设输变电线路 30km，三马山 110kV 变电站竣工投入运行。电信、广播、输变电主干线基本恢复功能。新县城中心港区码头复建工程开工建设。

【对口支援】 2001 年，奉节县争取对口支援项目 45 个，签订正式合作协议和得到支援省市正式承诺的项目 16 个，其中无偿援助资金 6921 万元。在全面落实辽宁省对口支援 2200 万元资金到位的基础上，与辽宁省签署《2001～2003 年辽宁省对口支援奉节县规划》，确定在 2001～2003 年再无偿援助资金 3500 万元，并承诺每年促成 1～2 个投资 1000 万元以上的对口支援项目落户奉节，其中“奉节县辽宁大市场”项目基本完成前期工作。

（傅兵军）

开县移民工作

【投资计划完成情况】 2001 年，开县移民项目投资计划 29279.7 万元，实际完成移民投资 38520.99 万元，占下达计划的 131.56%。其中，农村移民安置完成投资 27091.41 万元、集镇迁建完成投资 892.5 万元、城市迁建完成投资 6581.23 万元、工矿企业迁建完成投资 2183.66 万元、专业设施复建完成投资 1528 万元、环境保护完成投资 182 万元、勘测设计完成投资 62.1 万元，实现了当年计划当年完成的目标。

【农村移民安置】 2001 年，开县农村移民外迁计划 5000 人，安置地涉及四川省绵阳、内江、自贡、泸州、资阳、眉山、雅安等 7 个地(市)27 个区(县)90 个乡镇 289 个村组。全年完成农村移民外迁安置 1492 户 5820 人，超计划 16.4%。在搬迁运输过程中，实现“不伤、不掉、不亡一人，安全事故为零”的目标。开县坚持以内安促外迁，积极开展农村移民人地挂钩试点工作。全年对调整的土地全部落实了安置对象，对改造、开发可直接安置移民的 1023 亩土地落实人地挂钩。

【集镇迁建】 全年完成集镇征地 36.2 亩，投资 769 万元，占计划的 100%。完成集镇建房 1.38 万 m^2、占计划的 81.7%。

【城市迁建】 全年完成新城建设投资 6581.23 万元，单位建房 12.53 万 m^2，占计划的 135.6%。新城基础设施建设全年完成土石方开挖 15 万 m^3，道路硬化 4.62km，铺设给水管 1.21km，排水管 2.18km，人行道地面砖铺设 1.5km，整治驷马河沟 0.2km，两座桥已经竣工，架设广播线路 3.78km，地埋管道 6.79km，电力设施、电信工程、园林绿化等配套建设进展顺利。

【占地移民安置】 全年完成拆迁农房 116 户 1.81 万 m^2。落实占地移民联户自建 872 户，其中竣工搬迁入住 308 户，在建 264 户。落实自建用地 195 户，初审自建资格 105 户。发放生活费 7248 人。

【工矿企业迁建】 举债 2100 万元解决 7 户在建企业和 4 户关破企业搬迁的急需资金。开县一机厂、国营印刷厂、胜利印刷厂、开县绸厂等 4 户关破企业已按法律程序实施关破，完善销号手续。对海康集团开县织造厂、调味品公司、开县鱼种站等在建企业预安排资金 1600 万元，解决企业搬迁中的急需资金。年底补充下达工矿企业投资计划 2100 万元。

【对口支援】 2001 年，开县对口支援工作坚持以经济建设为中心，以外迁工作为契机，积极争取对口支援项目和进行招商引资工作，扩大了对口支援合作领域。全年共到位对口支援资金 2150.92 万元；物资 166.22 万元；借(贷)款 140 万元，并争取到天然气加气站，天然气储气罐、厚坝镇搬迁等 3 个项目。

【专业设施复建】 全年完成江、东、浦 3 条广播线路复建共 50 杆 km，占计划 49.17 杆 km 的 101.7%。南河大桥工程建设进展顺利，主体工程基本完工。开工建设东河大桥，万开路、开云路、渝巫路完成开工前的各项准备工作。开县新城垃圾处理场、开县城市污水处理厂建设已经启动，全县库区地质灾害、滑坡防治工作完成申报。

（江　中）

云阳县移民工作

【概况】 2001 年，云阳县移民项目投资计划 87676.24 万元，实际完成移民投资 89344.85 万元，占计划的 101.9%。其中，完成农村移民安置投资 55945.55 万元、集镇迁建投资 6264.29 万元、城镇迁建投资 13830.11万元、工矿企业迁建投资 5774.95 万元、专业设施复建投资 6367.45 万元。实现当年计划当年完成的目标和由搬迁安置向二线清库的重心转移。

【移民安置】 2001 年，云阳县农村移民外迁任务 15000 人，其中出县市外安置 11000 人，出县市内安置 4000 人。云阳县制定周密的实施方案，采取“六动”的工作措施：一是抓早争主动，做到“八早四定”，即方案早制定、班子早落实、人员早到位、宣传早发动、政策早公开、对接早实施、建房早启动、移民早搬迁和定任务、定时间、定职责、定奖惩。二是领导促动，成立 5 个外迁工作指导小组，由 119 名干部组成，5 名县级领导任小组长。三是责任驱动，云阳县政府与 25 个外迁乡镇签订《2001 年外迁工作目标责任书》，全面实施“两包一挂”双向帮迁责任制。27 名县级领导和 88 个县属部门分别联系、帮促 25 个乡镇的外迁工作，对有关人员实行风险抵押，严格考核，奖惩过硬。四是宣传推动，县领导带头深入乡镇宣传外迁政策，深入细致地做好移民的思想政治工作。五是党员带动，充分发挥党员干部在外迁工作中的先锋模范作用。六是配合联动，该县与各迁入省市开展互访工作，推动移民外迁。

2001 年，该县实际外迁安置 4281 户 17984 人，占任务的 120%。其中出市外迁上海、江苏、江西、湖北 3105 户 12270 人，占任务的 112%；出县市内外迁江津、铜梁 1476 户 5714 人，占任务的 142%。全县累计外迁移民 27007 人。云阳县在抓外迁的同时，对不符合外迁条件的二线农村移民及时进行县内安置，确保二线清库。全年实际完成二线农村移民县内生产安置 812 人，占计划 500 人的 162%；生活安置 887 人，占计划 500 人的 177%；完成二线农村移民人地挂钩 5647 亩，占计划的 100%。莲花、人和、宝塔、九龙、宝坪、凤鸣、水磨、黄石等 8 个乡镇完成二线农村移民安置任务。

【集镇迁建】 全县动工的 14 个集镇中有 13 个集镇实现水、电、路、信“四通”，其中龙洞、故陵等 10 个乡镇政府机关和部分单位、居民已迁到新集镇生活。龙洞、新津、双梅、东洋子、巴阳5个集镇完成二线搬迁任务，其中搬迁单位53个，搬迁居民44户。全年集镇迁建完成房屋建设10.87万m^2，占计划的108.7%。

【新县城建设】 全年建设路基工程项目15个5500m，其中完工6个1900m。硬化道路9400m。全年新安装雨水、污水管道各9500m，给水管道10600m，建成排洪沟涵800m。动工建设公厕6个，其中完工3个，建设垃圾库2个，完工2个。投资1.2亿元的污水处理厂开工。全年移栽珍稀大树、古树400多株，新增绿化面积4万m^2。县直机关和大部分县属部门迁到新城办公，居民累计动工建设2383户7434人。

【工矿企业搬迁】 云阳县二线下企业54家，完善补偿终结销号手续33家，其中销号与拆房同步18家。全年完成二线企业结构调整20家，还建二线企业职工住房6.3万m^2，分别占计划的111%和105%。

【专业设施复建】 全年完成公路复建34km，占计划的131%；完成广播电视线路复建119杆km，占计划的121%；完成通信线路复建87杆km，占计划的436%；完成10kV输电线路复建44km，占计划的100%；完成港口码头6个泊位的建设，占计划的100%。

【移民管理工作】 一是狠抓移民审计问题资金的整改。国家审计署驻武汉特派员办事处对云阳县1999年度移民资金管理和使用情况进行审计，涉及整改的问题资金6271.31万元，其中《审计决定书》中涉及1020.55万元，《审计意见书》中涉及5258.76万元。2001年底整改资金5231.37万元，其中《审计决定书》中已整改到位1020.55万元，整改率为100%；《审计意见书》中已整改到位4962.5万元，整改率为94.6%。二是加强移民工程质量和安全管理，杜绝“豆腐渣”工程。三是认真开展移民迁建用地、新县城门面、外迁移民资金、工程招投标、乡镇和村社移民工作“五公开”等十项专项监督检查和党的作风建设整顿活动，进一步加大对移民工作的监督力度。

（向荣兵）

石柱土家族自治县移民工作

【投资计划完成情况】 2001年，石柱土家族自治县（以下简称石柱县）完成移民投资3146.2万元，占计划2017.94万元的155.91%。其中：农村移民完成770万元，占计划172万元的447.67%；集镇迁建完成906.7万元，占计划768万元的118.06%；企业迁建完成385.89万元，占计划454.94万元的84.82%；专业设施复建完成1019.9万元，占计划587万元的173.75%。1993～2001年移民资金累计完成14037万元，占计划的98.69%，其中：农村移民累计完成4887万元，占计划的105.7%；集镇迁建累计完成5005.5万元，占计划的99.85%；工矿企业累计完成1298.8万元，占计划的87.85%；专业设施累计完成2242.3万元，占计划的99.3%。

【农村移民安置】 2001年完成生产安置639人，其中二期水位线下（以下简称二线）429人，是计划279人的153.76%；1998～2001年累计完成二线任务1154人，占二线任务1244人的92.77%。完成生活安置560人，其中二线323人，是计划237人的136.29%。1998～2001年累计完成二线清库安置任务804人，占二线移民818人的98.28%，还剩3户14人未搬迁。全年搬迁淹没房屋面积2.09万m^2，是计划1.46万m^2的141.49%。

【集镇迁建】 全年完成沿溪集镇二线搬迁41户123人，搬迁淹没房屋面积4500m^2。西沱、沿溪两个集镇二线水位应搬迁72户228人，已搬迁63户196人，还剩余9户32人未搬迁。完成西沱石油批发部、西沱农资转运站、西沱航导段、沿溪供销社、沿溪综合店、长航通信巡房、临溪转运站、朱家槽煤矿、黎场长航通信段、沿溪食品站单位的搬迁工作。

【企业迁建】 全县共有淹没工矿企业16户，其中二线10户。全年完成西沱砂砖厂、沿溪酿造厂、竹木加工厂、铁器社、榨油厂、榨菜厂等6家企业的关闭安置和西沱轮船公司的破产安置工作。

【专业设施复建】 沿溪大桥建设完成主体工程量的50%，西沱长航码头复建已开工建设。乡镇移民公路黎场至石坪段竣工8.5km。

【对口支援】 全年共接待支援方来访团组31批196人，其中云南省来访10批30人，重庆市来访21批166人；受援方出访团组37批190人，其中出访云南省7批40人，出访重庆市30批150人。全年共引入对口支援到位资金7975万元。其中经济合作类项目2个，到位资金7825万元；无偿援助项目5个，到位资金150万元。全年共落实云南省第二批无偿援助的公益事业项目8个，资金470万元，已到位资金150万元，其中黎场乡砖瓦小学、沿溪乡政府礼堂、西沱中学、西沱镇水磨小学已竣工投入使用。

（李智勇）

忠县移民工作

【概况】 2001年，忠县全年完成移民投资58401万元，占计划投资54521万元的107%；完成建房安置移民13297人，其中二线水位以下4780人；还建淹没房屋面积61.39万m^2，其中二线以下32.43万m^2；实施淹没工矿企业结构调整13户。

【农村移民安置】 全年完成投资35800万元，占计划投资32300万元的111%。县内生产安置农村移民1323人，占计划任务500人的265%，二线以下和二线以上人地挂钩分别达到100%和80%以上。外迁安置农村移民10646人，占计划10000人的106.5%，其中出市外迁安置8517人，出县市内外迁安置2129人。实现“不伤、不掉、不亡一人，安全事故为零”的目标。对自主外迁去湖北省的2000余农村移民安置情况再次进行复核、清理，并与对方政府完备各项手续。

【县城迁建】 全年完成投资8063万元，占计划投资7350万元的109.7%。全年完成建房8.67万m^2。二线以下居民324户1496人，已完备销号手续。县城二线水位淹没涉及单位60家，3136人。已完成二线任务房屋迁建的单位20家，还建房屋面积3.95万m^2。渝东商贸公司、盐业公司等40家单位全面开工建设。

【企业迁建】 全年完成投资4237万元，占计划投资5635万元的75%。忠县自来水厂、忠县乌杨酒厂搬迁完毕；粮油航贸公司、大杨运业有限公司、长通公司、土产公司等8户企业搬迁顺利；忠县肉联厂、日用修造厂等7户企业破产关闭和忠县服装厂、复兴建材厂等4户企业补偿销号工作如期完成。复建生活用房4.17万m^2。

【集镇迁建】 全年完成投资4453万元，占计划投资3137万元的142%。石宝、新生、复兴、㽏井具备二线清库销号条件，东溪、乌杨、洋渡的基础设施已具备大规模建房条件。

【专业设施复建】 全年完成投资5848万元，占计划投资6099万元的96%。复建公路12.7km，占目标任务12.68km的100%。二线水位桥梁竣工3座，在建8座，正在办前期手续5座。㽏井集镇码头已竣工；县城长航红星客运港、航务所苏家件杂码头和乌杨、洋渡集镇码头正在建设；电力复建完成35kV石宝变电站，完成35kV龙翠线、龙城线、石宝35kV进站线共4.543km。完成电信线路73.19皮长km、64.44杆km。广播电视完成忠县——复兴——东溪等光纤干线杆路42.38km。天然气复建任务全部完成。

【对口支援工作】 全年接待来访代表团(组)12个，组织代表团(组)13个跟踪出访。签订经济类合作项目3个，计划总投资9200万元，协议引进资金8540万元，社会事业公益类项目协议14项，已落实13项。全年共引进资金7528万元，完成年度计划的85.5%。其中：引进对口支援项目到位资金2330万元。接受对口支援省市、国务院有关部委援助社会事业公益类项目13项，到位资金849万元，落实纵向对口支援重点项目13项，专项资金4349万元。建成投产经营的7个企业实现年销售收入4000万元，年税利200万元。

(赵厚祥)

丰都县移民工作

【概况】 2001年，丰都县完成移民投资49582.52万元，占重庆市下达计划40164.1万元的123.45%。其中：县城迁建完成24335.61万元，占重庆市下达计划15966万元的152.42%；农村移民完成3959.84万元，占重庆市下达计划385万元的1029%；集镇迁建完成3171.2万元，占重庆市下达计划2802万元的113.18%；企业迁建完成10219.74万元，占重庆市下达计划14388.11万元的71.03%；专业设施复建完成6844.56万元，占重庆市下达计划5956万元的114.92%；勘测设计完成1011.57万元，占重庆市下达计划667万元的150%；环境保护完成40万元。

【县城迁建】 一是基础设施建设加快。王家渡中心区3.34km^2征地拆迁基本结束，完成场平24.97万m^2、土石方开挖及回填146.54万m^3、路基工程9.98km、路面硬化5.5km、电力管网81.7km、弱电管网165.84km、给水管网16.36km、燃气管网13.68km；朝华公园、污水处理厂等一批重大项目已开工。二是建房进度加快。全年新县城开工建房91.9万m^2。绝大多数县级部门于10月1日入住新县城办公。三是“三民”搬迁安置步出困境。名山镇11个街道全面开工，完工房屋3.78万m^2，一次性销号352户679人。丰稳坝、九龙二三社完成生活安置销号127户573人，生产安置销号564人，销号房屋9280.45m^2；三合镇完成占地移民房屋复建2.73万m^2，生活安置268户1072人，生产安置268户1055人，货币安置422人。四是学校迁建快速推进。丰都中学、平都中学、实验小学、城一校已开工建房，共完成建房面积4.68万m^2。

【农村移民】 一是采取开发、改造、调整、有偿划拨土地等形式，做好2051名农村移民的人地挂钩。二是突出人房挂钩，全年完成房屋复建5.53万m^2，是重庆市下达计划2.79万m^2的198%；完成生活安置2311人，是重庆市下达计划587人的393%。三是采取县内出组、投亲靠友、自谋职业等形式，加大自主安置力度，完成生产安置2800人，是重庆市下达计划1850人的151%。四是积极发展高效生态农业和特色农业，为提高就地后靠农村移民的生活安置质量提供有力保证。

【企业迁建】 一是完成企业关闭破产13家，9家一次性销号企业正在完善有关手续，有3家已进入销号阶段。二是完成企业迁建10家。三是启动企业职工住房还建工作，全年复建房屋6.81万 m^2。

【集镇迁建】 全年5个迁建集镇共复建房屋7.33万 m^2，动迁人口1007人。高家镇完成房屋复建6.08万 m^2，兴义、立石、湛普完成销号的准备工作，镇江完成二线迁建任务。

【专业设施复建】 全年完成复建公路13.3km、输变电线路55杆 km、邮电通信线路75杆 km、广播电视线路575杆 km，完工天然气配气站2个，王家渡客运码头、丁庄溪货运码头和高镇、镇江、湛普、兴兴码头已开工建设，共完成土石方开挖24.6万 m^3、砌体1.31万 m^3、混凝土1000万 m^3。

【对口支援】 全年共接待各类对口支援考察团（组）22批138人次，外派出市考察团（组）19批98人次，达成意向性合作协议65个，签订正式合作协议42个，启动实施项目46个。合作项目总投资10.75亿元，其中支援方投资7.52亿元，已到位资金9414万元（含无偿支援7259.4万元）。

【移民管理】 一是加大移民工作领导力度。二是加大移民政策调研和移民管理体系的健全力度。三是加大移民监督管理力度。四是加大宣传培训和信访工作力度。

（丰都县移民局）

长寿县移民工作

【概况】 2001年，长寿县移民投资计划544.9万元，其中农村移民138.85万元，城市迁建3.75万元，集镇迁建26.3万元，专项设施复建297万元，综合监理费8万元，行管费71万元。实际完成投资1885.45万元，占年度计划的346.02%；累计完成移民项目投资14885万元，占1993～2001年移民工程项目累计投资计划14670万元的101.47%。

【农村移民安置】 2001年，长寿县完成农村生产安置429人，占年度计划98人的437.70%；完成生活安置119人，占年度计划79人的150.6%；落实人地挂钩5061人，完成生产安置规划人口6268人的80.7%。

【对口支援】 2001年，国务院三峡工程移民暨对口支援工作会议签订对口支援项目协议2个，已开始实施。其中重庆东亚药业有限公司项目已完成设备订购，并付设备款204万元；重庆三新食品有限公司前期工作已启动。

【专业设备复建】 长寿县专业设施复建计划为297万元，主要用于建新电站复建、水轮泵站复建和白沙湾码头前期工作，2001年完成投资296.66万元，占年初计划的99.89%。

（唐建平）

合作与交流 Ⅷ

崛起的新城——万州五桥区大河移民新村一角

国际合作与交流

【概况】 2001年，中国三峡总公司派出团组59个，出访292人次，出访团组的任务重心是执行合同和通过与外国技术人员的交流汲取先进经验。其中技术培训、执行合同团组占50%。

在向外派出团组的同时，中国三峡总公司在监理、机组安装等方面引进外国专家38人次，涉及16个国家。

2001年有来自39个国家和地区的境外团组165批2712人次访问中国三峡总公司。

（杨洪斌）

【技术合作】 2001年，三峡工程执行的技术合作项目5项，分别为美国哈扎公司混凝土质量总监合同、奥地利专家焊接总监合同、日本前田公司安全总监合同、日本前田公司三期碾压混凝土围堰咨询合同、法国EDF三峡左岸电站和梯调监控系统标书审查合同，合同总价108.41万美元，总计57人·月。

（程雪源）

【混凝土质量总监咨询项目】 该项目于2001年1月8日开始实施，Earnest Mitchell受美国哈扎公司派遣到三峡工地执行合同。Earnest Mitchell对三峡工程质量控制、施工技术及工艺提出意见与建议，提交数十万字的工作报告和美国的有关技术标准、规范，并在质量总监办安排下，对现场施工人员进行培训。

（程雪源）

【安全总监咨询项目】 该项目于2001年2月开始实施，日本前田建设株式会社派遣一名土建专家和一名机电专家参与安全总监办工作，对三峡工程施工安全进行权威性的监督，并将前田建设株式会社的安全管理方法、理念引进到三峡工程施工安全管理中。

（程雪源）

【焊接质量总监咨询合同项目】 该项目于2000年10月开始实施，奥地利焊接专家Robert Mossgoeller作为焊接质量总监，为三峡工程金属结构焊接质量把关。在他的监督指导下，装运到三峡工地的人字门焊接工艺质量良好；蜗壳的焊接缺陷得到纠正，没有发现任何重大系统性的焊接缺陷，小问题的出现频率也有所下降；蜗壳弯管段预制车间不再出现焊接部位未预热，使用冷焊条等问题；底孔、中孔弧形门的焊接外观及修整工作有了实质性的改善；尾水门焊接缺陷都按照批准的规程进行修补。

（程雪源）

【机电招标项目】 通过国际公开招标竞争，2001年4月，中国三峡总公司分别与法国阿尔斯通（ALSTOM）公司和瑞士ABB公司签订三峡工程左岸电站计算机监控系统合同、三峡工程梯调中心计算机监控系统合同。2001年11月，二个合同都在境外召开第一次设计联络会。至此，三峡工程二期工程机电设备国际招标采购工作全部完成。

其他已签订的国际采购机电设备合同都进入不同的执行阶段。2001年10月8～30日VGS和ALSTOM二个供货集团同时在上海组织召开机组第五次（最后一次）设计联络会。2001年3月9日～4月6日变压器合同第三次设计联络会在德国纽伦堡召开，2001年5月GIS合同第三次设计联络会在三峡工地召开。调速和励磁系统按合同规定也召开设计联络会，并且在厂家进行技术转让培训。

（路玉美）

【重要出访情况】 2001年6月，中国三峡总公司副总经理王家柱随国务院副总理吴邦国出访欧洲，9月赴德国参加国际大坝委员会第六十九届年会。2001年9月，中国三峡总公司总经理陆佑楣应邀赴马来西亚参加纪念“秦方金教授”工程演讲会，在会上作了关于三峡工程的专题演讲，并与马来西亚工程科学院签署互派工程师协议。会议结束后，陆佑楣又率团访问巴西伊泰普电站及ABB、VOITH－SIENENS在巴西的水轮发电机组生产工厂。该工厂是三峡左岸电站大型水轮发电机组及辅机的主要制造商之一。2001年9月，中国三峡总公司副总经理郭涛赴加拿大参加中加大学工业合作伙伴(CCUIPP)指导委员会会议。2001年11月，中国三峡总公司副总经理贺恭赴阿根廷参加第八届世界能源大会。

为了保证三峡工程重点项目的顺利实施，2001年，中国三峡总公司多次组团赴国外进行专项技术考察。3月，总工程师张超然率团赴法国、德国进行升船机和三期围堰技术考察。此外，还派出合同执行团组23个，涉及到机电设备试验见证、机电设备安装、设计联络会等，为三峡工程未来安全高效运行提供保证；派出多批人员赴德国、瑞士、加拿大等国家进行机组的安装、维护、运行培训，为三峡电站顺利投产发电培养技术骨干。

（吴笑敏　王　云）

【重要来访情况】 2001年12月23日，巴基斯坦总统佩尔韦兹·穆沙拉夫一行专程到三峡工地参观考察，中国三峡总公司总经理陆佑楣等向穆沙拉夫介绍三峡工程的情况，当谈到三峡工程的建设吸取了巴基斯坦的曼格拉电站和塔贝拉电站的建设经验时，陆佑楣表示愿意与巴基斯坦的水电工程师多做一些技术交流。2001年8月28～29日，越南国会副主席武庭炬率越南国会议员考察团一行访问中国三峡总公司并参观三峡工地。此外，前来三峡工地参观考察的还有印度电力部长普拉胡、越南工业部长邓武诸、奥地利国防后勤部长科利爱里、俄罗斯原国防部副部长科科申、韩国国会事务总长金炳午、菲律宾首席大法官小希拉里奥·达维德、美国国会高级助手代表团等。

除了各国高层代表团访问中国三峡总公司外，世界著名的厂商也纷纷前来寻求商机，如：瑞典ABB、瑞典ALSTOM、VOITH－SIMENS等。

（葛玉蓉）

【国际会议】 2001年10月，TCDPAP、FIDIC亚太分会全体会议暨“开拓亚太地区工程咨询合作的新世纪”国际论坛在三峡工地召开。来自世界21个国家和地区的300多位中外工程咨询专家参加会议。专家们就国际工程咨询最新问题、信息和经验，进行广泛讨论和交流。

（杨洪斌）

与台、港、澳的合作与交流

【概况】 为进一步加强两岸三地的相互交流和学习，增强中华民族凝聚力，共同建好三峡工程，2001年中国三峡总公司加强与港澳台地区的合作与交流。

2001年6月，中国三峡总公司副总经理李永安率团赴台湾进行交流访问。在台期间，代表团就三峡工程建设相关的技术问题、财务、融资及电站运行维护等问题作了专题演讲和学术交流，并与台湾中兴工程顾问公司签订在台湾地区推广使用TGPMS信息管理系统意向书。

2001年10月，台湾前行政院长、原国民党副主席、一级上将郝柏村一行28人参观考察三峡工地，并在三峡工程展览馆题词。2001年8月20日，在台湾主要从事交通、水电等工程建设的台湾中华顾问工程公司董事长许瑞峰来三峡考察，旨在推进海峡两岸水电工程技术的相互交流与共同发展。2001年7月，香港大学及香港理工大学组织学生来三峡工地实习并与中国三峡总公司探讨进一步拓展合作领域的事宜。

除此之外，中国三峡总公司协助湖北省台办组织“高峡出平湖”活动，该活动被国务院台办认定为2001年对台工作重要活动。

（陈　俊）

海外人士谈三峡

【中国阔步迈向未来】 今天的中国是建筑工程师的天堂，几乎在任何时间任何地方都可以看到人们正以狂热的速度兴建桥梁、公路、机场、水利工程、摩天大楼和工厂，以适应中国在过去10年来城市化的快速发展。

没有什么地方能比在长江上兴建的三峡工程更好地体现这一点。该工程的目标是在一个风景极其秀丽的地方驯服世界第三大河流。三峡工程的主要作用是防洪，还可以提高通往繁荣的重庆市的航运能力(重庆由此可能成为世界上最大的内河港口)，并为将水调往中国首都和北方干旱地区创造条件。三峡水电站所提供的清洁能源相当于南非国家电力公司所有电站发电量的总和，每年可以减少燃煤约1亿t，使环境免受二氧化碳气体排放的危害。三峡水库的库容是390亿m^3(南非所有水库的总库容才270亿m^3)。工程总投资为270亿美元，这将是中国修建长城以来最大的人造工程。三峡工程必将推动中国进入世界一流经济强国的行列。

如果说没有任何其他工程的规模可以与三峡相比，那么也没有多少工程会在社会问题和环境问题上面临三峡工程那样的挑战。陕西省一个普通农民在打井时的发现富有寓意地突显了大坝所面临的争议，在本文结尾我将继续讲述这个故事。一些环境主义者表达了迫切的关注。他们关注的问题包括涉及百万人的移民安置，数千公顷的肥沃耕地和数以千计的世界最伟大文明之一的文化和历史古迹将被水库淹没，以及三峡工程对长江这样一条大河所带来的巨大环境变化。

为了更好地处理这个问题，我们的视野需要更开阔一些。

首先是规模的问题，中国有三十几个省区，平均每个省所拥有的人口都和南非一样大，因此其面临的挑战也同样巨大。长江的洪水灾害在上个世纪夺去了30万人的生命，有9亿人长期面临洪水的威胁，而1998年的大洪水迫使1300万人紧急搬迁，整个武汉市处在洪水边缘，洪水造成数十亿美元的经济损失。

其次，中国的发展选择必须反映她在环境方面所受的制约。在中国的很多地方，农民户均土地不足半公顷，他们的生产热情来自于包产到户。中国的农民每年可以收获两到三季，他们还为城市居民养鱼、种菜并在一个显然很有效率的市场上进行交易。但是在干旱地区或坡地上，土地过度利用对环境所造成的影响，每一个见过北京的沙尘和很多地方山体滑坡的人都可以感受得到，这样的密集型农业生产方式在很多地方是难以持续的。而且随着经济的发展，农村居民点也在增加，从飞机上可以清楚地看到村庄向外扩展，这进一步减少了可用土地的面积。

因此，我们关于发展战略的结论就不难理解了。也就是说，如果中国要保持经济的持续发展，必须加快从农业社会向城市化社会的过渡，从农业经济向工业经济的过渡。

为了实现这一目标，必须建设更多的城镇、创造就业机会并为城镇提供设施和服务。另外，使用清洁的能源对目前以燃煤为动力的工业经济是一个巨大挑战；与分散的农业社区相比，可靠的供水和防洪能力对于人口密集的城市化工业社会具有更重要的意义；高效的内陆交通将有助于经济发展向内地延伸；水资源的开发也被中国政府列为头等重要的任务。

但是，三峡工程上百万的移民能得到公平的对待吗？

其实这个问题已经部分得到了答复，在库区600km范围内到处都是新城镇和基础设施的大规模建设，在城里打工得到的报酬表明这并不是天上的馅饼。另外一些移民将搬迁到有剩余土地的省份。移民安置是与新的机会联系在一起的，移民意味着经济发展和就业培训。移民安置费约占三峡工程总投资的45%。我们曾经访问过一个移民新城，我对移民的充满自信和勇于接受生活挑战留下了深刻的印象。街头的老百姓多次告诉我说尽管老一辈人仍然有些遗憾，但是年青人欢迎这些变化和生活条件的改善。

当然，还有很多持怀疑态度的人，主要来自西方和环保主义者。

他们指出的最严重问题之一就是泥沙的高度淤积，大坝建成后泥沙不断淤积抬高会带来危险。尽管可以采取汛期泄洪排沙的措施，但是可以预料，大量泥沙仍然会淤积下来，一些专家认为这会影响三峡工程的运行，特别是水利发电过程。

然而，也许对工程最重要的检验——对发展中国家来说也是最重要的教训——是规模如此巨大的基础设施工程只有在符合国家最高社会和经济发展目标的情况下才是切实可行的。

除了中国，在世界上其他任何地方三峡工程都会由于其巨大的规模和目标的遥不可及而被放弃，但是中国人却能用他们的历史来说明问题。中国的历史包括一些建于2000年前，至今仍运行良好的大型水利工程。中国的历史还包括历代的一些国家级的建设工程，也许有过一些偏差，但总体来说大大推动了社会和经济的发展。

让我们回到这位陕西农民在打井时的发现，他没有找到水，却发现了一些破碎的陶片。他无意中发现了秦始皇的陵寝，有6000多兵马俑在另一个世界里。然而，兵马俑随即遭到了破坏，被人遗忘，埋葬在关中平原的流沙之中。秦始皇兵马俑说明的问题是深刻的，我们可以修建一个杰出的工程，但是如果不能代表未来发展的方向，迟早会化为尘土。大型水坝曾经是经济发展的代名词，但是今天它们的效率受到了严重质疑，一些人甚至会说它们的结果会像秦始皇的兵马俑一样。

人类总是希望有驾驭自然的力量，其中的利弊要很好地审视，中国对此已经进行了慎重的思考。

中国已经制定了自己的发展战略，三峡工程的建设就是服务于这一目标。工程建设正在按计划实施，2003年水位达到135m时，水库开始蓄水，一切已无可逆转。三峡工程将于2009年完工，水位将达到175m，形成一个相当于苏必利尔湖的水库，回水可以到达上游660km的重庆市。考古工作者在争分夺秒地抢救文物古迹，包括埋藏在长江泥沙之下的财富。

不管存在多少遗憾，中国的领导人坚信三峡工程一定会取得成功，因为它是中国整体发展战略的组成部分。这才是中国考虑的主要问题，而不是工程的规模和大小问题。没有人能对此作出评判，我们只能在此祝福中国。

（摘自2001年7月28日《参考消息》，作者为南非水利和森林部长卡斯里尔斯）

【中国的巨无霸工程】

（一）百万人口大移民

到2009年，中国南方的重庆市和湖北省将有百万以上的人口永远离开养育自己的土地，搬到遥远的异乡。他们所做的一切，都是为了实现一个中国人七十多年的梦想——在长江上兴建三峡水利枢纽工程。

与中国三峡工程相伴而生的是一个世界级的难题——百万大移民。根据中国官方的统计数字，在三峡工程最终完工前，将有近120万人需要迁移。数量如此巨大的移民在世界水库移民史上是史无前例的，即使放在西方发达国家这也是一个令人头疼的问题。中国政府改变了在过去水库移民中一次性补偿的惯例，在三峡库区推行开发性移民的方针，政府以经济开发为目标，为移民开辟可靠的生产门路，并不断调整和完善移民搬迁政策，使这项巨大的移民工程得以顺利进行。例如，中国政府鼓励和引导更多的农村移民迁出库区。12万农村移民将在3年内外迁到上海等11个省市以及重庆市、湖北省的非库区地区。目前，已有26万三峡移民让出家园，拉家带口踏上异乡的土地，开始了崭新的生活。按照中国官员的话说，他们的政府有信心，也有能力最终圆满解决百万大移民这道世界超级难题。

（二）大河上的巨无霸电站

长江是世界第三大河，仅次于非洲的尼罗河和南美洲的亚马逊河。在长江上游的三斗坪镇大型工地上，中国三峡工程建设工作已经进行了8年半。按照计划，三峡工程建设总工期为17年，分为三个阶段。在1997年顺利实现大江截流后，第一阶段工程便宣告结束。第二阶段是从1998年至2003年，目标是首批4台机组发电，永久船闸建成。2001年是工程难度较大的一年，除了要完成7万多t金属结构的任务外，水轮发电机的主机安装也将同步进行。需要特别指出的是，每台主机的重量是70万t。如果您到过巴黎，我可以形象地告诉你，这相当于一座埃菲尔铁塔的重量！

按照三峡工程的设计，工程最终建成后，长江上将出现一个总装机容量1820万kW，年发电量847亿kW·h的巨无霸般的水电站，它可以向中国的7个省市供应充足的电力，缓解这一地区能源紧张的状况。在航运方面，它可以让长江成为中国乃至世界的一条最重要的运输通道，长江沿岸将出现40个新港口，其年运输量将是欧洲多瑙河水系的好几倍。

建设一个如此浩大的工程自然是要耗费巨额资金的，但由聪明的中国人建造的三峡工程却是一个比较“经济”的项目。目前世界上最大的水电站巴西伊泰普电站，总装机1260万kW，总投资为250亿美元；而总装机为1820万kW的三峡工程预计总投资仅为240亿美元。此外，三峡工程在防洪、航运和环保方面的效益将远远高于伊泰普工程。不过，也有部分西方水利专家认为，三峡工程的最终投资将超过700亿美元。

还有一些外国科学家担心，在三峡水库下闸蓄水后，有可能诱发大地震，给中国造成巨大的灾难。中国国家地震局的专家们在经过30多年的研究后认为，这种可能性的确存在，但震级不会很大，而且三峡工程已经建立了很先进的水库地震监测系统。看来，中国人对三峡工程的安全运行是有把握的。

（三）用大坝锁住洪水

三峡工程是一项有多种效益的庞大工程。它在发电、航运等方面有着显著的作用，但中国兴建三峡工程的最主要目的，是为了解决防洪问题。了解中国的人都知道，在历史上，这个东方大国因洪水灾害造成的损失十分惨重，其中长江流域，特别是中下游地区是中国洪灾最严重的区域之一。从有历史记载的中国汉王朝到现在，长江曾发生大洪灾 215 次，夺走了数百万人的生命，造成的经济损失难以计数。因此，如何防治长江中下游的洪水，不仅是现在中国政府工作的一个重点，也是几千年来困扰中国人的一大难题。三峡工程的兴建，则可以在很大程度上解决这一难题。当洪水发生时，三峡工程可以大量削减下泄洪量，使广袤、富庶的中国长江中下游地区不再受洪水的威胁，曾经桀骜不驯的世界第三大河长江将被中国人牢牢控制住。

值得称道的是，三峡工程位于举世闻名的中国长江三峡风景区内，中国人为了避免破坏周围环境，他们把工程建设与环境保护、旅游资源开发结合起来。三峡工程的主体建筑物将突出其结构美和整体美，并采用先进的灯光技术，衬托出三峡工程磅礴的气势，使人工奇迹与天然美景、历史遗迹融为一体。看起来，三峡工程不仅要成为现代化中国的象征，而且将是一幅美丽画卷，定会吸引世界上更多的游客前往观看。

（摘自 2001 年 5 月 11 日《环球时报》，作者为南斯拉夫的佩塔尔·米奇科维奇）

【中国人民能够顺利的建好三峡工程】 在中国生活的两年多时间里，我对中国及中国人民有了更加深刻的了解。令我吃惊的是，外界对中国这个美好的国度知之甚少，我也曾经是这些人中的一员，甚至到现在，我仍感到我对这个有着灿烂文化和悠久历史的国度不甚了解。中国这片神秘的土地等待着人们去探索了解她过去历史的种种线索，预测它的美好未来。在我的中国旅行中，我有幸参观了统治中国数千年的一些王朝的古都。

在北京和西安，我看到了中国人民在重新展现其悠久历史方面所做的不懈努力。对于我们这些想对世界历史长河中几乎被遗忘的岁月有更多了解的人们，他们发掘和保护的历史奇迹充满着吸引力，参观中国历史文化中心是值得我永远珍藏的一次经历。

你能感觉到吗？中国举国上下呈现出勃勃的生机和活力。我能感觉到中国人民心中对于现在和将来乐观向上的心态，到处呈现出蓬勃发展的繁荣景象。美好的前景、加入世界贸易组织、中国被选做奥林匹克运动会的东道国，又有谁能忘记中国足球冲出亚洲走向世界那激动人心的时刻，你能从年轻人的目光中看到燃烧着的激情和热望。

我很高兴能在中国取得伟大成就的时刻来到中国，三峡大坝是其中一项举世瞩目的最伟大创举。我对这项宏伟工程充满敬畏，谁能想象出移动高山，驯服长江带给 13 亿中国人民的巨大效益。中国人民似乎没有克服不了的困难，他们创造自己的未来，满足人民不断增长的需要。如果谁能真正地了解满足中国人民的需求需要付出多么大的努力，他们就不会对这项工程产生非议。在每个工业化国家发展的历史进程中，都会有这样一个很长的历史阶段进行大规模的基础设施建设造福于民。中国目前正处于这样一个历史阶段，并且面临比所有其它国家更加艰巨的任务。

可以肯定地说，中国人民能够顺利地建好三峡工程，很多人曾经告诉我中国发生变化是很困难的。我说他们的想法是不正确的，变化是始终存在的，只是中华民族是一个审慎和务实的民族，中国只是想使变化更加趋于正确和合理。“实践出真知”这是很多西方人很难理解的一点，三峡工程的可行性研究和设计审查过程长达 70 多年，世界上许多最先进的理念已经溶入三峡工程的设计方案中。

我很荣幸地受到中国人民的邀请，为三峡工程的施工贡献一点微薄之力。我发现工人们很愿意听取改进质量的建议，也很愿意学习新技术并应用于施工中。我的个人目标之一是在三峡工作期间向质量监控人员灌输更强的职业责任感和自豪感。我可以很高兴地说，我的鼓励和支持在这些重要工程人员中产生了很好的反响，他们的质量意识非常好，并且感受到了高级管理层对他们的支持，他们完全有能力确保达到一流质量。中国三峡总公司将我视为其管理人员之一，希望我能协助他们达到一流质量。即使我即将离开三峡工程，但我仍然坚信中国三峡总公司的管理层会继续提高三峡工程的质量和安全标准。

我的最大收获就是中国人民对我的友谊，我会永远记住这份深情，把他们当作我最亲密的朋友。

（作者为三峡工程混凝土质量总监，美国哈扎公司混凝土专家欧内斯特·米切尔）

移民小区绿化之三

北京机械工业自动化研究所

现代物流仓储解决方案

自动化物流系统
自动化立体仓库
机器人自动码跺工作站

水利水电自动化解决方案

大坝泄洪闸门液压启闭机电控系统
船闸监控系统
电站监控系统
水利枢组综合计算机监控管理系统

自动生产线解决方案

生产线计算机监控与管理系统
条码物流信息采集与跟踪管理系统
LED条屏现场显示系统
工业电视监视系统

供水与污水处理自动控制解决方案

水厂计算机监控管理系统
供水管网运行监测与调度系统
源水配水泵房智能变频供水系统
污水处理过程控制及计算机管理系统

北京机械工业自动化研究所
BEIJING RESEARCH INSTITUTE OF AUTOMATION FOR MACHINERY INDUSTRY
自动控制与物流技术工程研究中心
ENGINEERING RESEARCH CENTER FOR AUTOMATIC CONTROL AND LOGISTIC TECHNOLOGY
地址（ADD）：北京德胜门外教场口街一号3号楼
NO.1 Jiaochangkou Street, Deshengmenwai, Beijing, PRC
邮编（PC）：（100011）
电话：（TEL）：010-62034537 62050831 62050835 62050839 62381543 62032255-8101,8102,8109
传真：（FAX）：010-62050838
网址：http://www.riamb.ac.cn

中国太平洋财产保险股份有限公司

太保集团董事长王国良（前右二）、太保产险总公司总经理张俊才（前右一）和三峡总公司党组书记、副总经理李永安（前右三）视察三峡工地。

武汉分公司总经理徐志坚（左）与三峡总公司授权代表朱和（右）代表双方签订三峡雇主责任险合同。

中国太平洋财产保险股份有限公司是我国最早设立的国有股份制商业保险公司，是我国最大的三家保险公司之一，注册资本人民币20亿元。总公司设在上海，在全国各地设有877个分支机构，纽约、伦敦及香港等地也设有分支机构和代表处。在境外100多个国家和地区的170多个主要港口城市聘请了保险检验、理赔、追偿代理人，形成比较完整的业务网络，在国内外树立了良好的知名度和企业形象。2000年被国际著名的资信评估公司——标准普尔公司评定为世界保险公司200强，名列第45位。并被总部设在西班牙的“商业创新方向”国际组织授予“国质量金星奖”，2001年又被授予“国际质量白奖”。

太保产险武汉分公司和宜昌中心支公司分别总公司设在湖北省和宜昌市的经营管理机构。公把为三峡工程服务看作是工作的重中之重，在三坝区专门设立了咨询服务部，直接进行查勘理赔防灾防损等服务工作。武汉分公司和宜昌中支公为三峡工程承保了89项建筑安装工程险，43项备、器材、船舶险，机车险等，总保险金额达到1多亿元。2001年又承保了全体三峡建设者的雇主任险，最高赔偿限额50亿元人民币，为该险种全之最。在理赔服务中热情周到、认真负责、迅速时，最大限度地维护了被保险人的利益，为三峡设者解除了后顾之忧，受到业主和施工单位的好评并且多次与三峡总公司联合开展保险标的风险防和安全教育活动。

我公司将进一步提高服务质量和工作效率，更地为三峡工程服务。

地址：湖北宜昌市二马路30号
电话：0717-6242441
传真：0717-6242485
邮编：443000

太保产险宜昌中心支公司办公大楼。太保宜昌中心支公司总经理：黄发

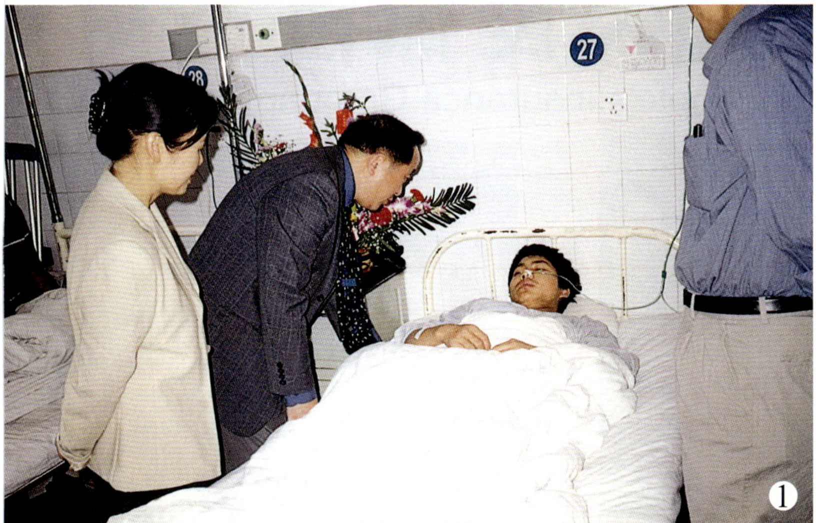

① 太保武汉分公司总经理徐志坚（中）和宜昌分公司总经理黄发敏（左一）到医院亲切探望因公受伤的三峡建设者。

② 太保宜昌中心支公司承保三峡厂房坝段的大型施工机械——MQ2000 高架门机

③ 厂坝二期工程及大型施工机械由太平洋保险公司承保

④ 下岸溪人工砂石系统由太平洋保险公司承保

⑤ 茅坪防护坝工程（一、二期）由太平洋保险公司承保

中国平安保险公司

中国平安保险公司是金融体制改革后，中国人民银行批准成立的第一家股份制企业。公司注册地为北京，总部设在深圳。公司主要股东包括招商局、中国远洋运输(集团)总公司、深圳市财政局、摩根·士丹利和高盛财团等。平安保险公司成立后，第一次将竞争引进保险领域，在竞争中求生存，在创新中求发展，遵循“信誉第一，客户至上”的宗旨，竭诚为广大客户服务，赢得了保户的信誉。在十年中，保险业务迅速增长，成为以保险业为主，集金融、证券、投资、实业等为一体的综合性跨国集团公司。

中国平安保险公司在经营方针上强化管理，规范经营。逐步在保险行业中形成了鲜明的特点：

1、第一家股份制保险企业。公司内部人员结构合理，讲究办事效率。承保、理赔程序简便、快捷。尤其对大型项目的保险，各级公司有专门的承保、理赔服务小组，建立相应的“快速通道”，以达到最好的服务效果。

2、平安正朝着强化技术性风险管理的方向努力，也是国内第一家采用国际通行的核保、核赔、风险查勘制度进行业务管理的保险公司。

3、聘用安达信会计师(Andersen)审计年度会计报表，成为国内第一家聘用国际会计师事务所的保险公司。1998年平安专门聘请了美国麦肯锡咨询顾问公司(Mckinsey & Company,Inc.)对平安的销售、核保、核赔、人力资源和内控制度进行了全面改革。一系列的改革使公司经营更加规范，体制充满活力，显示平安瞄准世界先进水平的信心。

4、总公司设于深圳特区，市场和竞争意识强烈。特别是透过香港市场紧跟国际市场的变化，能及时灵活地应变，按国际惯例处理承保、理赔及纠纷等事务。

5、平安强调企业文化建设，以儒家思想为基石构筑平安企业文化的大厦。

6、中国第一家开通覆盖全系统的卫星多媒体系统的保险公司，在全国范围内形成全方位、双向式的双星多媒体网络，

宜昌支公司庆祝平安保险公司成立十二周年特别晨会，团结协作的宜昌支公司集体。

促进了公司内部信息交流和员工培训。

7、中国第一家国内金融企业斥巨资收购并经营深圳足球俱乐部，并且多年位居甲A队列。

8、中国第一家获AAA级信用等级的金融企业。

经过十三年多的经营和不断的改革，平安日益壮大，承保能力发展迅速，近年来承保了一系列重大标的，在国际国内市场上确立了应有的地位。如在国内，平安承保了东方红三号卫星、亚太IA卫星、秦山核电站、南海油田、上海杨浦大桥、仪征化纤、南京扬子石化公司、苏州格兰素制药等大型项目及化工(医药)行业；在湖北，平安承保了三峡工程、湖北天河机场、华中电网局等大型项目。

平安宜昌市支公司作为保险监督管理委员会核定在宜昌经营财产保险的三家机构之一，成功参与了中国最大的水电工程项目——三峡工程的保险服务。此外，还承保了宜昌市许多大中型企业，如葛州坝电厂、宜昌三峡机场、湖北宜化化工集团、湖北昌丰化纤工业有限公司、宜昌化纤厂、宜昌热电厂及湖北开关厂等大型企业的企财险和机损险业务。

为更好地给三峡工程提供完善的保险服务，2000年底我公司在三峡坝区成立了专门的三峡坝区服务部，直接为中国长江三峡开发总公司及三峡坝区各个施工单位服务。在三峡坝区，我公司承保了三峡坝区永久船闸、三七八联营总公司、青云公司、武警水电部队等单位的车险及财产险业务，并与他们建立了亲密、良好的协作关系。

1998年因洪水影响我市，近10家保户因洪水遭受损失达100余万元人民币，平安宜昌市支公司在短时间内迅速赔付，显示了我公司有足够的赔偿实力。

平安加强对外联络，注重吸收外国的先进经验，加强与先进企业的合作。现已与国外160多家保险公司建立友好往来，在国外500多个城市设立了理赔、检验代理网点。

中国平安保险股份有限公司
宜昌市支公司

电话：0717-6230490、6230714
地址：湖北省宜昌市培心路1号华银大厦A座11楼

2002年12月22日，中国平安保险公司独家承保三峡工程永久船闸金结安装工程一切险签字仪式在西坝接待中心举行。

平安保险公司与三峡总公司一起对三峡工程建设工地进行实地风险查勘。

平安保险公司与三峡总公司共同印制的警示牌。

宜昌三峡工程专用港口码头管理处

宜昌三峡工程专用港口码头管理处（以下简称三峡码头管理处）组建于1997年11月28日。是葛洲坝电厂所属二级单位。1999年2月10日，三峡码头管理处与三峡总公司设备部签订合同，正式接管三峡坝河口左岸重件码头。1999年4月8日，三峡码头管理处正式在宜昌市工商局三峡分局登记注册，是依法自主经营、独立核算、自负盈亏的经济实体。

主任：张水平

书记：关洪道

三峡坝河口重件码头位于长江三峡左岸，距西陵长江大桥3000m，与三峡保税库相连。码头于1996年5月动工兴建，1998年8月全部竣工。码头占地面积为42741m^2，设计年通过能力34万吨，能停靠1000吨级船舶，能通行各种重型运输车辆及贮放各类大型设备，功能齐全，拥有一次性起吊重量为300+300T货物的能力，它以重件运输为主（如三峡主体工程大坝、电站、通航建筑物等所需的全部重大件），兼有集装箱、粉煤灰、水泥等散杂货运输功能，是长江流域起吊货物最大的直接为三峡工程建设服务的专用码头。

三峡码头管理处接管重件码头以来，树立“安全高效、服务一流、团结协作、共创辉煌”的思想，以“管好重件码头、服务三峡工程”为宗旨，永远兢兢业业，永远如履薄冰，建立健全了各项管理规章制度，为安全吊装作业打下了坚实基础。三年来，已安全起吊三峡工程设备61916.73吨，共4153件。其中最长部件：长36m的厂房1200T桥机大梁；最宽部件：直径12.8m的蜗壳保压闷头；最高、最重部件：高5.98m，重430吨的机组转轮体等。“三最”任务的顺利完成，反映出三峡码头管理处安全、优质、高效的服务质量和一流的管理水平，赢得了业主及客户的一致好评。

三峡工程最长件（左岸厂房1200T桥机大梁，全长36m，重140T）安全起吊上岸。

三峡码头管理处励精图治，开拓进取，两个文明建设取得丰硕成果。截至2002年5月31日，实现连续安全生产1247天。1999年被三峡总公司直属单位党委评为“先进党支部”；2000年度被葛洲坝电厂评为“先进党支部”；2001年被三峡总公司评为安全生产“先进集体”。三峡工程建设“先进集体”，2000年、2001年连续两年被葛洲坝电厂评为“文明单位”，被三峡坝区社会治安综合治理领导小组评为三峡坝区“安全文明单位”。

三峡工程最宽件（蜗壳保压闷头，直径12.8m，重70T）在三峡码头安全起吊上岸。

三峡工程最重件：三峡机组转轮体（高5.98米，重430吨）

三峡工程专用港口码头

宜昌九州置业有限公司

YICHANG JIUZHOU ZHIYE CO.,LTD

总经理: 朱 健

宜昌九州置业有限公司创立于1998年10月，是宜昌市颇具规模且资历较深的专业化物业管理公司，具有物业管理一级资质。是中国物业管理协会理事单位，湖北省物业管理专业委员会副主任单位，宜昌市物业管理协会常务副会长单位。2000年12月3日公司ISO9002质量体系在宜昌市物业管理行业首家通过长城（天津）质量保证中心和英国AJA国际认证服务有限公司双重认证。

公司以“为业主着想，让业主满意”为宗旨，倡导“全心全意为顾客服务”的核心价值观，以创建整洁、文明、高雅、安全、方便、舒适的人居、办公和生产环境为奋斗目标。

公司物业管理面积已达100多万平方米。管理楼宇71栋。其中有被国家建设部评定为“全国城市物业管理优秀示范住宅小区”的葛洲坝电厂紫阳二生活区，有被湖北省建设厅评定为“湖北省城市物业管理文明住宅小区”的葛洲坝电厂紫阳一生活区，有被湖北省建设厅评定为“湖北省物业管理优秀大厦”的星座大厦和九州大厦。公司物业管理范围已从原来单一的生活小区延伸至生产区、办公区。目前，已承接了葛洲坝电厂生产区和办公区物业管理，并积累了较为丰富的管理经验。公司所属空调分公司、通信分公司、园林绿化分公司和保洁中心具备承接大型空调工程、通信工程、园林绿化工程和高层楼外墙清洗及家政服务的资质和实力。

在新的世纪里，公司将凭借九州品牌和丰富的管理经验，竭力为业主提供尽善尽美、至诚至真的物业管理服务。为业主营造理想的生活空间。

葛洲坝电厂生产调度大楼的物业管理

获全国城市物业管理优秀示范住宅小区的葛洲坝电厂紫阳二生活区

宜昌能达通用电气股份合作公司
YICHANG LAND GENERAL ELECTRIC COOPERATION COMPANY

宜昌市能达通用电气股份合作公司是中国长江三峡开发总公司所属的葛洲坝水力发电厂创办的一个高新技术企业，也是葛洲坝水力发电厂自动化研究所的研究机构。

总经理: 顾

经过十年的不断努力，能达公司由单一的小作坊式简单生产的公司，逐步发展成为拥有六个系列二十多个品种的企业。公司的六大系列产品经过公司不断开发、研制，其功能不断完善，工艺不断改进，性能不断提高，产品向多样化方向发展。在公司的六项主导产品中，调速、励磁、保护、直流充电装置、直流电流互感器五项产品获得国家经贸委新产品证书。1997年后，公司不断加大科技投入，短短几年取得较好的成果和业绩。LDS-100分布式泵站集控系统通过省级鉴定；八侧差动保护开发为国家攻关计划项目；步进式调速器被列为国家级“火炬计划项目”；WZCF微机直流充电装置，1999年被评为国家级新产品；水电厂智能控制－维护－管理集成自动化装置列入1999年国家技术创新项目计划；大型电厂新型LCU装置的研制和6.3MPa主配压阀研制已列入三峡工程“九五”攻关项目中；步进式水轮机调速器被评为2001年宜昌市名牌产品；1999年4月公司被中国电气工业协会接纳为会员；1999年6月公司被认定为“湖北省高新技术企业”；2002年3月12日高新技术企业通过复审；2000年公司的“调速器微机电气械、励磁装置、继电保护（元件保护）设备被国家电力公司水电水利规划设计总院和国家电力公司成套设备部列入（2000年版）水电工程主导机电设备推荐厂家名录；1999年3月公司研制的调速、励磁、保护等主导产品的设计、生产、制造通过了ISO9001质量体系认证。2001年12月在涵盖面扩大的情况下，一次通过北京9000质量认证中心2000版的9000体系监督审核复评工作。

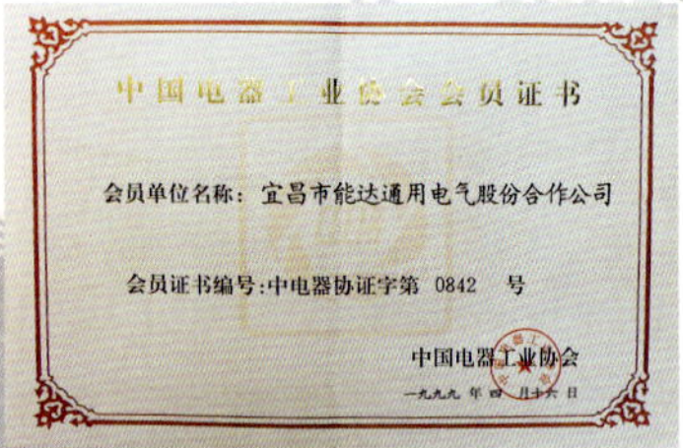
中国电器工业协会会员证书

会员单位名称：宜昌市能达通用电气股份合作公司

会员证书编号:中电器协证字第 0842 号

中国电器工业协会

技术创新为企业拓宽了生存空间，为企业的发展提供了强大的后劲，同时公司不断扩大在自动化领域的技术成果，研制开发出用于油田、冶金、仓库等多用途安全保卫的监测及报警系统，多年的技术创新为公司的发展带来了良好的外部环境，众多的国家级新产品，国家技术创新项目得到国家雄厚的资金支持，已先后得到用于科技开发的银行贷款一仟万，支助款九十三万，新产品奖励三项累计达九十万元。贷款贴息补助四十万，为公司规模化经营提供了资金保证。公司连续三年被宜昌市授予纳税先进单位，2000年被市工商局确定为免检企业。公司的技术创新始终得到三峡开发总公司、葛洲坝电厂的大力支持。在资金、人力、技术等的大力支持下，成为新产品的试验基地。

能达公司大楼

宜昌葛电旅行社有限责任公司

宜昌葛电旅行社有限责任公司隶属中国长江三峡工程开发总公司葛洲坝力发电厂，是全国电力旅游服务网络成员单位，宜昌市旅游协会副会长单，宜昌市旅游行业"十佳"之一。是一家集旅游、餐饮、住宿、娱乐、会、客货运输、汽车维修为一体的综合性企业。

公司注册资本金500万元。公司实行董事会领导下的总经理负责制，下办公室、财务部、质安部、接待中心四个管理机构和旅游分公司、运输分司、葛电宾馆、汽车维修中心、三峡商务活动中心（筹）等五个经营分公。

公司长期奉行"信誉就是生命、质量就是效益"的宗旨，为广大客户提优质优价的服务。风光旖旎的三峡自然风光和雄伟壮观的葛洲坝水利枢纽程、三峡工程交相辉映，浑然一体。游览祖国大好河山，了解中国水电最成就，接受最好的礼遇，到葛电旅行社是您最佳的选择。

团结、廉洁、务实的领导班子(左起毛小波、黄三清、周德训、刘讯)

法定代表人、总经理：周德训　副总经理：刘　汛　毛小波　黄三清　袁小平
联系电话：(0717)6953971　　联系人：杨少勇

旅游分公司

公司独家拥有"全国四十佳旅游景点之一"、"湖北青少年爱国主义教育基"的葛洲坝水利枢纽景区。景区包括葛洲坝电厂、葛洲坝泄洪闸、葛洲坝坝、全国最大民用沙盘模型——"葛洲坝——三峡水利枢纽仿真动态实物沙盘型"景点。公司还拥有一座占地2000平方米的装有中央空调的展览大厅；一多次接待中央和国家领导人的豪华旅游船；一支稳定、富有敬业精神、训练素的导游服务队伍。

参观模型

承办长江三峡、神农架、张家界等宜昌一地游、湖北区域游、全国长线游。多次成功举办大型会议团、疗养考察团及青少年夏令营等。

代理航空、陆路、水陆等交通票务。中高档空调旅游车为客人提供安全、快的旅游交通服务。

经　　理：秦青松　　　　联系电话：(0717) 6953618

葛电宾馆

经营住宿和餐饮业务。典雅别致、设施齐全的豪华单间、豪华双人间、双标间、三人普间为客人提供舒适的住宿服务。风格各异的大小餐厅及可口的食、饮品为客人提供优质的餐饮服务。承办各类大小会议服务。

经　　理：张建平　　　　联系电话：(0717) 6953285

装饰一新的葛电宾馆

汽车维修中心

厂房占地面积3700平方米，拥有车身手术台、恒温烤漆房、发动机分析仪、轮定位仪等各类先进维修设备20余套，是一类汽车维修企业。主营：豪华大车、各种小轿车及各种工程机械和特种车辆的大、小修。兼营：各类汽车零件。

经　　理：王谊峰　　　　联系电话：(0717) 6953530

运输分公司

拥有豪华大客车（大宇、金龙）20余辆，从事汽车客货运输、100吨平板输、40吨以下系列吊车对外承租等业务。

经　　理：陈建国　　　　联系电话：(0717) 6953550

三峡商务活动中心

星级会议厅提供大、小会议服务。多功能厅提供各类展示服务。豪华套房、准客房提供俯视服务。商务部提供多种服务。中餐厅、西餐厅、咖啡厅、酒提供饮食服务。夜总会、舞厅、理疗中心、电子游戏室、健身房提供休闲、乐服务。

经　　理：吴加文　　　　联系电话：(0717) 6332441

豪华大客车队

奋进中的中国水电八局机电制造安装分局

中国水利水电第八工程局始建于1952年，是集设计、科研、施工、制造、安装于一体，具有对外经济技术合作权的工程施工总承包特级资质的国有大型综合施工企业。

机电制造安装分局是水电八局一支集机电安装、金属结构制造安装、输变电工程安装、成套设备供应等于一体的技术密集型专业化分局。该分局现有员工1400多人。拥有包括140mm卷板机、150T龙门吊、800T压力机、12m刨边机、100T拖车、5.5m数控切割机、数字脉冲全自动焊机、半自动焊机、高新检测设备等各类施工设备1000多台(套)。机电制造安装分局在几十年的发展中，承建的大中小型水电站总装机容量达600余万千瓦，500kV以下输变电工程项目100多个，变电站30余座，高压输电线路600余公里。各电站机组和水工金结设备投产后运行状况良好，为安装分局赢得了良好的信誉，同时也为安装分局赢得了市场。特别是自1997年进入三峡以来，分局抓住机遇，发扬“团结、拼搏、奉献、开拓”的企业精神，在三峡干出了卓越的业绩，是目前国内水电行业金结制安和机电安装实力最强的单位之一。

1997年，经过国际公开竞标，水电八局机电制造安装分局中标了三峡左岸电站14台机组的水轮机埋件制造工程。于1999年和2000年相继创下了三峡工地月金结成品制造超过1000吨和1500吨的最高记录。随后水电八局机电制造安装分局又通过公平竞争承担了三峡工地60kg级压力钢管的制造安装；世界最大的1+1波纹管伸缩节（Φ 12.4M）的制造安装；世界上最大的检修闸门制造（永久船闸检修门全套2105吨，最大单节260吨,36.22m × 3.8m × 6.34m）；国内水电最大钢梁的制造（40m × 17m × 25.2m）；6台套水轮机埋件的安装；永久船闸四、五闸首的设备安装；世界最大单钩起重量1200吨桥机的安装。分局承担制造的水轮机组埋件制造荣获了美国GE公司授予的“亚洲地区最佳供应商”的称号。吴邦国、钱正英等国家领导人曾亲临制造厂视察工作，国务院三峡枢纽工程质量检查专家组数次到车间及安装现场检查，均对分局的工作给予了充分的肯定。

目前分局承担了国内首批单机70万千瓦机组——三峡左岸电站VGS 6台套机组的安装任务，以及三峡左岸电站全部500kV电压等级的GIS安装。在机遇与挑战面前，水电八局机电制造分局乘风破浪探索出一条新的成功之路，在技术和管理等方面都将跃上新的台阶。

三峡左岸电站首台机组带铁芯定子机座吊装

现场制造的三峡永久船闸一闸首检修叠梁门

水电八局机电制造安装分局制造安装的三峡电站蜗壳

现场制造的三峡电站波纹管伸缩节

地　址：湖南省长沙市暮云镇南托　　邮编：410118
湖北省宜昌市三峡坝区西陵桥头　　邮编：443133
电　话：0731-6904480(长沙办)　0717-6765899（三峡办）
传　真：0731-6901891(长沙办)　0717-6763783（三峡办）

安装的三峡永久船闸人字门

三峡左岸电站厂房1200t/125t特大型桥机安装

宜昌三峡工程设备有限公司

宜昌三峡工程设备有限公司是三峡总
司控股公司，成立于2000年9月，对“宜
三峡工程设备修配有限公司”、“宜昌大
机械电子有限公司”、“宜昌峡润合作有
公司”实行控股经营。
设备有限公司愿以优异的质量、优惠的
务、良好的售后服务立足三峡，面向国内
建筑市场，利用国际领先的施工设备，广
泛参与水电站、港口、地铁、矿山、公路等
程项目的施工以及机电贸易。

代表：赵泽黎 总经理：戴野 副总经理：卢正在
湖北宜昌市三峡坝区田秋渔 邮编：443133
0717-6763674 传真：0717-6763828

三峡水轮机转轮运输

宜昌峡润合作有限公司

宜昌峡润合作有限公司依托三峡保税库，主要从事保税仓储、承接保税库内小型来料、来件加工及组装进出口业务，经营机电设备维修以及与保税库业务有关的运输和技术咨询服务。公司现代化仓储管理手段先进，海关专项监管优质高效。

峡润公司暨三峡保税库竭诚为三峡工程建设服务，竭诚为中外客商服务。

金属构件制作

宜昌三峡工程设备修配有限公司

宜昌三峡工程设备修配有限公司主营机电设备、汽车和工程机械维修，相关零配件供应、金属结构加工、仓储以及技术咨询服务等。

修配公司愿以优质的服务、一流的技术、科学的管理、良好的信誉服务社会各界。

仓储管理

宜昌大禹机械电子有限公司

宜昌大禹机械电子有限公司主要业务为代理销售国内外机电设备、工程机械配件、润滑油、建材及化工产品及自动化办公用品，承接金属加工、机电设备仓储、维修、租赁、机电监造。

大禹公司愿以优质的服务为顾客创造价值。

交通银行

杜静行长在交行大厦开业典礼上致辞

交通银行宜昌分行成立于1994年12月，伴随着三峡工程的兴建而诞生。宜昌分行自成立之初就将自己的发展与三峡工程建设紧紧地联系在一起，竭诚为三峡工程建设和长江经济发展提供高效、优质的金融服务。几年来与三峡开发总公司、三峡财务公司等相关企业建立和发展了良好的银企合作关系。宜昌分行依靠自身优势，集中资金向三峡工程累计发放贷款12亿元。

召开2002年工作会议

交通银行宜昌分行位于宜昌市胜利四路22号，是川东鄂西第一家国有股份制商业银行。秉承“一流的银行信誉，一流的服务质量，一流的工作效益”的办行宗旨，有着一支年轻向上的职工队伍，凭借科学的管理，优质的服务，先进的网络设施，已经在宜昌三峡地区树立起了良好的信誉，受到广大市民、企业的青睐。

交通银行宜昌分行业务品种齐全，网点布局合理，办理存款、贷款、结算、代理等业务，在市内率先推出

交行个人汽车消费贷款特约商户签字仪式

与有关企业签订银企合作协议

宜昌分行

与葛洲坝水利水电工程集团公司签订相互合作协议

汽车按揭贷款、个人住房贷款、24小时自助银行服务等新业务的金融服务。交行的太平洋卡以其“全国通”、“理财通”的特性，正深入广大市民心中，发行量逐月上升。

交通银行宜昌分行以诚信为本、不断优化资产负债结构，是宜昌三峡地区资产质量最好的银行之一，2001年被交行总行内部评级评为一等行。到2001年宜昌分行的总资产已愈20亿。

交通银行宜昌分行的广大职工将在总行的领导下，发挥服务优势和资金优势，积极支持宜昌三峡地区的经济发展，积极参与三峡工程建设，在“建设新宜昌，服务大三峡”的伟大事业中作出更大的贡献。

地址：宜昌市胜利四路22号
服务电话：(0717) 6450888
电话银行：95559
网址：http://www.ycjh.net
邮编:443000

交行大厦外景

交行人风采

荆门万里交通建设有限公司

董事长、总经理　李年有

荆门万里交通建设有限公司属湖北省交通系统重点企业，近年来荣获“全国重合同、守信用企业”、“全国道路运输起重装运优秀企业”、“湖北省文明单位”、“湖北省交通系统先进集体”、“湖北省交通系统五好企业”等五十多项荣誉称号。企业具备我国公路大件运输最高类别四类企业资质，同时通过了国际ISO9000质量体系认证。

公司现拥有资产过两亿元，各类工程技术人才180余人；拥有国内外8至400吨级系列全路面汽车吊50多台套，30吨至650吨级平板车及组合式平板车80多台套，20英尺、40英尺系列集卡车和散装水泥运输车120多台套，可承担各类单件或批量设备物件的吊装运输，总运力近万吨。此外，公司还经营客运、汽车销售维修、路桥工程、建筑安装等二十多项业务，是一家集交、建、工、贸于一体的专业交通运输集团。

荆门万里交通建设有限公司以诚信为立业之本，以“干，就要争第一”为企业精神，真诚愿意以一流的设备、一流的队伍，为广大客户提供一流的服务。

地址：湖北省荆门市月亮湖北路35号
邮编：448000
电话（传真）：0724—2349698
联系人：李年有　0724—2349888
张　鸣　13908699990
陈志悦　13908698536

公司中标三峡二期工程散装水泥运输

公司大型集装箱运输车队整装待发

运输三峡电站金属结构单件最重的260T叠梁门

公司成功完成“天下第一门”—永船人字闸门部分水陆运输任务

公司拥有成套系列世界一流吊装设备

宜昌市石油公司三峡工程大象溪代管库

三峡工程大象溪油库，座落在三峡坝区江峡大道入口处，拥有柴油区、汽油区、加油站、滑油仓库及油囤码头，占地面积47194平方米，库容量5800立方米，年吞吐量七万吨左右。油库是三峡工程建设施工的机械设备、车辆、船舶等的重要用油供应基地，直接为三峡工程建设服务。

为了保证油库的安全运行，三峡总公司物资部将油库委托给具有专业管理经验的宜昌市石油公司代管。宜昌市石油公司为中国石油化工集团公司直属全资分公司，主营石油产品批零业务、成品油仓储管理及危险品货物运输。宜昌市石油公司接手后，既感到融入三峡工程建设之中的荣耀，同时也肩负着驾驭油老虎，确保油库安全运行的重要责任。他们积极组织精兵强将，设置成立了专业管理机构——三峡工程大象溪油库代管处。挑选委派油库职工40名，其中管理人员5人，技术人员12人，专业技能合格率100%。并选派了具有丰富油库管理经验和扎实技术能力的姚庆华同志担任油库主任。

油库1997年10月正式投产使用至2001年底收发油料260936吨，加油站加注油料25000吨。大江截流期间日均发油量200吨，油库充足的油料资源和优质的油品质量保证了三峡工程顺利进行。

油库自运行5年来，以确保安全无事故为重点，设备完好率达100%。大象溪油库始终遵循”规范、严谨、诚信”的经营准则。先后获得了“先进集体”、“消防工作先进单位”、“防火先进单位”、“最佳安全文明单位”和“三峡工程安全生产先进集体”等荣誉称号。2001年11月8日，在三峡工程总公司举办的首届消防运动会上，油库职工凭着扎实的技能和过硬的作风，奋力拼搏，取得了麻袋灭火，水带连接，徒手救人一、二、三名的好成绩，并作为物资部代表队的主力成员，取得团体总分第二名的好成绩。

地址：宜昌市三峡坝区大象溪

电话：0717-6765942 6764056

物资部领导检查指导加油站工作

物资部领导检查指导消防安全工作

油库领导亲自参与维护、保养油库设备

大象溪加油站为大型车辆加油

大象溪油库监控报警系统

三峡工程参建单位名录

五 强

浙江龙游五强混

董事长、总经理：陈自森

国家副主席胡锦涛与荣获“中国杰出青年科技创新奖”的获奖者陈自森亲切握手。

本公司地处浙江西部，钱塘江上游，是我国最早专业生产建筑用化学外加剂的企业之一。年生产能力7万吨，企业从原材料的化学分析、检验到产品的性能试验，都配备了高素质的人才和先进的仪器设备。集科研、开发、生产、销售、服务于一体，并已取得了ISO9001的国际质量体系认证，通过了中国进出口商品质量认证单位CQC认证及贝尔国际验证机构BQR认证。

公司在陈自森董事长的带领下，以高起点、高标准逐步研制成功了减水率高，品质优良的“五强”牌ZB系列混凝土外加剂。该系列混凝土外加剂有ZB-1、ZB-1A、ZB-1Rcc15等十多个品种。可用以配制贫混凝土、富混凝土，高强混凝土、高抗冲耐磨混凝土以及高温季节下施工的碾压混凝土等，该系列产品具有优越的减水（减水率高达25～30%），调节凝结时间，提高混凝土强度和耐久性能。在保持混凝土强度和耐久性等基准混凝土相同的前提下，可节约水泥用量30%左右，为工程项目节约大量投资。因此“五强”牌ZB系列混凝土外加剂被中华人民共和国建设部、中国混凝土外加剂协会列为重点推广产品，并被浙江省科委认定为浙江省首批高新技术产品之一，公司也被列为浙江省混凝土外加剂唯一基地。

五强牌系列混凝土外加剂在全国大中型水利水电工程中得到广泛的应用，浇筑混凝土约3500万立

土外加剂有限责任公司

二滩水电站

方米。在三峡工程二期混凝土施工中，zb—1A 缓凝高效减水剂总共使用2万吨，浇筑混凝土约2千万立方米，占整个二期混凝土施工的65%。为施工单位改善混凝土施工条件，提高施工质量，加快施工进度提供了可靠保证。

公司的经营理念是：取科技之精华，创产品之前茅，我们产品在哪里，我们的技术服务就到哪里。

公司一直秉持“市场的竞争就是人才的竞争，管理的竞争，质量的竞争，服务的竞争，诚信联真情于用户”的原则，依靠科技不断开拓，奋发进取。随着经济浪潮的涌动，在WTO市场环境中，公司正以全新的产品，全新经营理念欢迎新老用户莅临指导，惠顾。

zb—1A缓凝高效减水剂在三峡工地中使用

董事长、总经理：陈自森
地址：浙江省龙游县衢龙路138号
邮编：324400
电话：0570—7024698 7029751
传真：0570—7024698
网址： http://www.5qiang.com
E—mail:master@5qiang.com

“五强”牌ZB系列混凝土外加剂

宜昌市地方税务局三峡分局

分局荣获“全国税务系统文明单位”

分局狠抓党风廉政建设，深受纳税人一致好评

开展警民共建活动“八一”建军节到工地看望武警官兵

分局开展“1+1”扶贫助学活动。

宜昌市地方税务局三峡分局始建于1994年，是伴随着三峡工程兴建而设立的一个基层分局，现有干部职工26人，承担着三峡工程施工区300多家施工单位和管理部门、2万多个纳税人的各项地方税收征管任务。

分局成立8年来，始终以“服务人民，奉献社会”为宗旨，积极投身创建文明行业活动，坚持税收征管与文明创建两手抓，把诚实守信的道德规范贯穿于各项业务工作的始终，以创建促征管，以创新促服务，推行了独具特色的税收评议制、税务行政公示制、错案责任追究制三项制度，开展“个性化”、“贴近式”、“零距离”服务三项优质服务，取得文明创建、税收征管双丰收。去年，该局征收1.99亿元，以人均征收730多万元的优异成绩，第7次蝉联全省第一名。8年中，共组织税收收入10多亿元，有力地支持了地方经济发展。分局先后获得省级文明单位、省级最佳文明单位、全国税务系统文明单位等称号。今年5月，又被中央文明委和国务院纠风办命名为“全国创建文明行业活动示范点”。

分局被中央文明委，国务院纠风办授于“全国创建文明行业示范点”

中国三峡总公司 Ⅸ

崛起的新城——巫山新县城

概　　况

中国三峡总公司概况

一、简介

为开发长江，兴建三峡工程，经国务院批准，中国长江三峡工程开发总公司(简称中国三峡总公司，英文名称 China Three Gorges Project Corporation，英文缩写 CTGPC)于 1993 年 9 月 27 日正式成立。

中国三峡总公司是中央管理的特大型国有企业，独立核算，计划单列，自主经营，自负盈亏。中国三峡总公司作为三峡工程项目的业主，全面负责工程建设的组织实施和所需资金的筹集、使用、偿还以及工程建成后的经营管理。葛洲坝水力发电厂是中国三峡总公司的全资子公司。三峡工程建成后，中国三峡总公司将拥有 2091.5 万 kW 发电能力，年发电量约 1000 亿 kW·h。中国三峡总公司还将利用其经济实力和技术能力继续开发长江上游干支流的水力资源，并开展水电科学研究、技术咨询及其它多种经营活动。

中国三峡总公司总经理、副总经理由国务院任命，现任总经理为水电专家陆佑楣。公司实行总经理负责制，副总经理、总经理助理及总工程师、总经济师、总会计师协助总经理工作；公司设立技术委员会，由国内著名工程专家组成，中国科学院、中国工程院两院院士潘家铮任主任，负责重大工程技术问题的研究和审查。公司目前的管理机构设置以三峡工程建设为重点，职能部门归口管理同工程建设项目管理有机结合，除在本部设立职能机构和工程项目管理机构外，在大坝施工区设立工程建设部，对工程施工进行总体协调。

中国三峡总公司按照社会主义市场经济原则管理三峡工程建设，实行项目法人负责制、招标投标制、建设监理制、合同管理制。在工程施工及项目所需物资、设备采购中充分引入竞争机制，尽量采用公开招标方式；在建设过程中严格合同管理，实行工程建设监理制，严格控制工程质量、建设进度和成本，同参与工程建设的设计、施工、监理单位一道，确保三峡工程“一流的工程质量，一流的现代化管理，一流的文明施工”。

中国三峡总公司在北京设有代表处，在上海、武汉、重庆设有办事处。公司还全资拥有或控股、参股三峡实业总公司、三峡财务有限责任公司、三峡国际招标有限责任公司、三峡高科信息技术有限责任公司、北京峡光经济技术咨询有限责任公司、长江三峡技术经济发展有限责任公司等经营性单位以及三峡水力发电厂筹建处、梯调中心等机构。为宣传三峡工程，公司创办了全国统一发行的《中国三峡工程报》，定期出版《中国三峡建设》杂志和《中国三峡建设年鉴》。

二、组织机构框图(见附表)

三、组织机构职责划分

(一)办公室职责

办公室是中国三峡总公司党组和行政办事机构，归口管理中国三峡总公司行政事务；负责总经理办公会和中国三峡总公司重要活动的组织、协调；负责文秘、公文处理、综合信息、会议组织协调与管理；负责中国三峡总公司政务的综合协调、督办和检查；负责中国三峡总公司发展战略的研究、法律事务处理、参与起草审核总公司重要的规章制度；负责机关事务管理；负责三峡工程和中国三峡总公司档案管理；负责中国三峡总公司对外公关、联络；负责中国三峡总公司基地建设管理；负责中国三峡总公司保密工作的归口管理；负责中国三峡总公司计划生育的归口管理；负责中国三峡总公司爱国卫生运动的归口管理；负责中国三峡总公司机动车辆的归口管理；负责中国三峡总公司通信工具的归口管理；代管信息中心、上海办事处、保卫部；负责驻外机构代办中国三峡总公司业务的监督与管理。

(二)计划合同部职责

负责三峡工程的计划、投资、概算、合同的归口管理，负责制定相关管理制度办法并监督实施；负责中国三峡总公司年度及中、长期基本建设投资计划和固定资产统计年(月)报表的编报和管理；负责三峡工程初设总概算、执行概算、价差结算的控制与管理；负责三峡工程有关项目和费用的立项审查；负责限额以上招标(采购)项目的标底编制和管理，参加主要工程(采购)项目招标文件的审查和评标工作；负责三峡工程各类合同管理并分类、汇总和存档，组织审查和办理工程重大合同变更、索赔；负责工程造价信息的收集、整理、发布；负责金沙江上游开发项目前期准备工作；负责中国三峡总公司中长期计划和发展规划的研究和制定。

(三)财务部职责

综合管理中国三峡总公司财务会计工作，统筹协调并指导中国三峡总公司所属单位的财务会计业务，

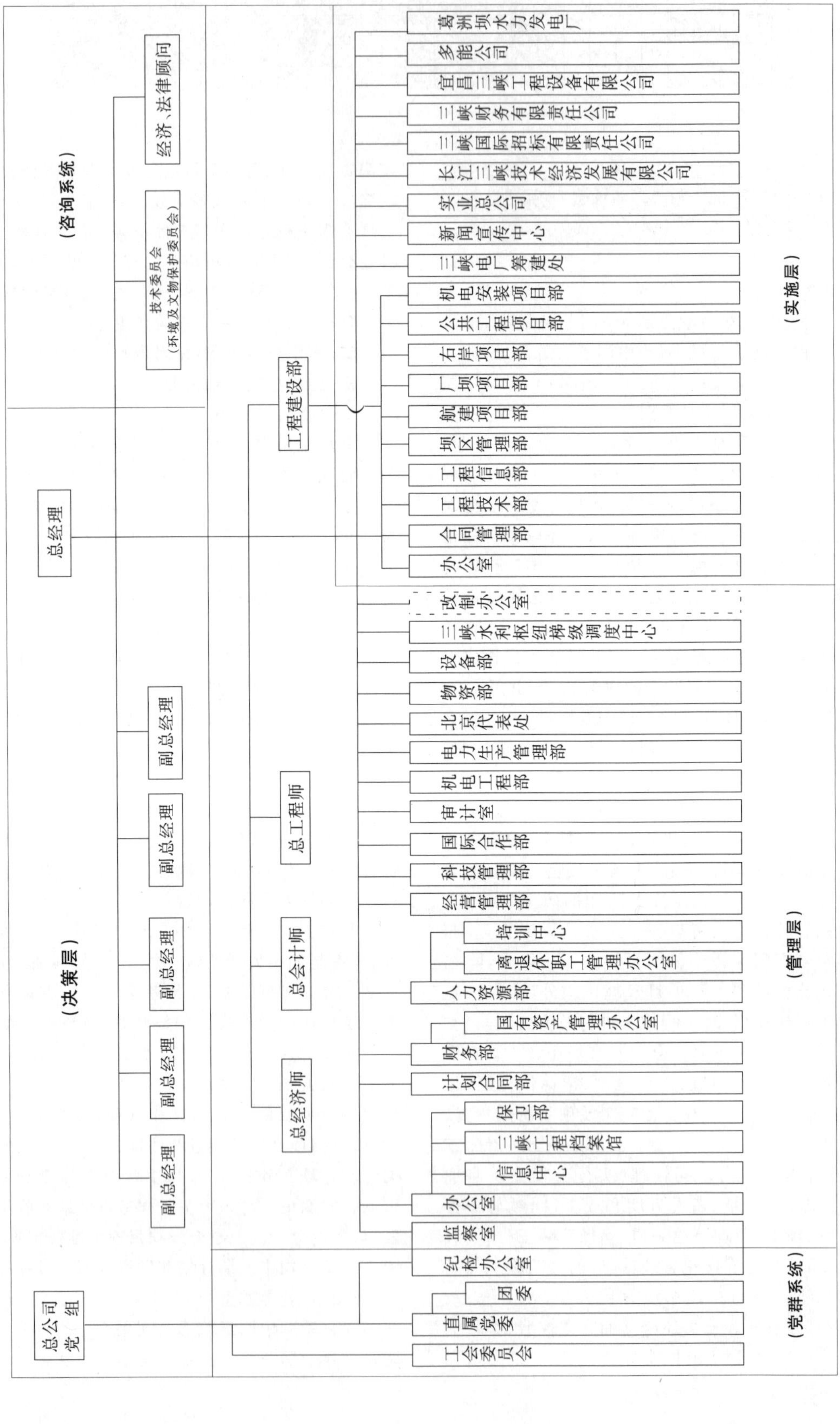

中国长江三峡工程开发总公司组织机构框图

依法进行财务监督；负责中国三峡总公司财务会计管理办法、制度的制定和组织实施；负责工程建设资金的筹集、调度、结算支付和债务偿还及管理；负责中国三峡总公司财务收支计划编制、执行、控制、核算、分析和考核；负责三峡工程各项投资的核算和管理，负责三峡工程竣工决算的编制；负责组织中国三峡总公司所属生产经营企业的会计核算和财务管理；负责中国三峡总公司外汇资金的筹措、支付和偿还；负责中国三峡总公司机关财务管理；负责中国三峡总公司工程保险业务的管理；负责中国三峡总公司固定资产的价值管理和核算；负责对中国三峡总公司所属财务人员的业务培训和业务指导；负责三峡工程纳税管理；负责三峡工程建设预提投资节余资金、中国三峡总公司公益金等自有资金及中国三峡总公司预算外资金的管理，负责职工养老保险基金和职工下岗待业基金等基金的财务管理；负责中国三峡总公司总机构有关费用的提取和管理，归口管理中国三峡总公司经常费支出。负责三峡工程阶段性竣工财务决算的编制工作。

（四）科技管理部职责

组织编制中国三峡总公司的科技发展规划和实施方案，积极推广新技术，促进中国三峡总公司科技进步；负责为总工程师处理技术问题提供技术支持和服务，并完成总工程师安排的其他有关工作；负责组织和参与中国三峡总公司在工程中存在的和前瞻性的重大技术问题的研究和审查，参与重大的设计变更的技术审查；负责中国三峡总公司组织的科研成果的评审验收，参与中国三峡总公司下属单位组织的科研成果的评审验收，负责向国家有关部门推荐科研成果评奖项目；搜集和归口管理工程设计、实验、施工、管理和运行的规程、规范和技术标准，建立资料库；负责中国三峡总公司及下属部门科研项目的立项审查及科研归口管理；负责中国三峡总公司科研成果管理，并定期整理向档案部门移交归档；负责归口管理科研成果鉴定及奖励事宜；组织编制中国三峡总公司技术管理制度，完善技术管理体系；搜集国内外有关水利水电的信息和发展趋势，做好科技信息工作，为工程建设服务；归口管理中国三峡总公司自然科学学会工作，组织学术和技术交流；开办科技图书和科技刊物阅览室，为职工提供借阅服务；协助人事管理部门做好科技人才开发和培训工作。

（五）机电工程部职责

归口管理永久性机电设备的技术、设计、招标工作；承担中国三峡总公司永久机电设备的设计和招标工作中的技术管理及支持；组织设备采购标书编制及审查，组织合同技术谈判并参与合同签约；为采购、监造、交付、安装、调试和验收机电设备提供技术服务；负责对机电设备供应商的资格审查；机电设备的科研；编制机电工程 EPC 总体计划。

（六）人力资源部职责

负责拟订中国三峡总公司人事制度改革方案，建立科学化、规范化的人事管理制度并组织实施和监督检查；负责拟订中国三峡总公司劳动和社会保险制度改革方案、制度和办法并组织实施和监督检查；归口管理中国三峡总公司机构设置、职责划分、岗位责任制定和人员编制；归口管理中国三峡总公司员工职务任免、内外调配、考核、奖惩、解聘；负责中国三峡总公司员工的录用、职称评定、出国政审、办理退休手续；负责中国三峡总公司人事档案管理；归口管理中国三峡总公司工资计划、工资总额、工资分配；归口管理中国三峡总公司员工劳动合同及其它劳动用工的合同；归口管理中国三峡总公司员工劳动保护、养老保险、失业保险和其他劳动保险；归口管理中国三峡总公司员工培训及继续教育；代管中国三峡总公司培训中心；代管中国三峡总公司离退休职工管理办公室。

（七）国际合作部（台港澳办公室）职责

归口管理中国三峡总公司外事工作和台、港、澳事务工作；归口管理并负责办理出国（境）事项和邀请国（境）外人员来访事项；归口管理并配合有关部门做好对外经贸、科技合作工作，参与协议与合同的签订和执行，提供外事服务；负责组织和协调中国三峡总公司主持召开或参加的国际会议工作；归口管理并负责办理中国三峡总公司引进智力工作，负责管理并办理出国（境）培训工作；归口管理中国三峡总公司进出口贸易工作，包括对外承包工程、外派劳务，技术进出口等业务，负责对外联系、外事服务，参与立项审查，参与成立中外合资（合作）企业相关工作和外资项目审查；负责涉外保密工作，归口管理中国三峡总公司外事经费的使用；负责来访团组的联系，安排计划、组织协调和翻译；配合新闻宣传中心做好对外宣传工作。

（八）新闻宣传中心职责

归口管理三峡工程新闻宣传工作，包括：对外新闻宣传、新闻检查监督、接待记者采访、相互合作宣传、办好内外各类展览、编辑宣传材料、制作各类宣传品、组织新闻发布会，统一宣传口径，及时准确地宣传贯彻党中央国务院有关三峡工程建设和移民工作的方针、政策和重要指示，为建好三峡工程，做好移民工作当好舆论先导；办好《中国三峡工程报》、《中国三峡建设》杂志、《中国三峡建设年鉴》、做好影视宣传工作；管理三峡展览馆。

（九）审计室职责

财务计划、预算和财务决算审计；财务收支及有关的经济活动审计；内部财务会计控制制度审计；经济效益审计；国有资产保值增值审计；承包、租赁经营和厂长(经理)任期经济责任审计;工程项目的预(概)算、决算审计;国家财经法规和部门、单位规章制度的执行情况审计;与境内、外经济组织举办合资、合作经营企业以及合作项目等的合同执行情况审计;投资项目审计;配合国家审计对三峡工程的审计;委托社会审计对三峡工程的审计;专项审计调查;中国三峡总公司领导交办的其他审计事项。

(十)监察室职责

检查中国三峡总公司下属部门、单位遵守和执行法律、法规和本公司各项规定中的问题;受理对中国三峡总公司员工违纪行为的检举和控告;调查处理中国三峡总公司员工的违纪行为;受理中国三峡总公司员工不服纪律处分的申诉及其他有关的申诉;其他监察事项。

(十一)工程建设部职责

是中国三峡总公司对三峡工程建设管理的现场代表;负责设计、监理、承包单位及中国三峡总公司各个部门现场施工的总体组织和协调;负责处理与地方关系的办理与协调;负责施工区范围内社会治安管理,坝区交通及施工安全的组织管理;负责施工区内的环境保护和改善;负责坝区范围营地、供水、供电、通信等建设、管理与维护;负责施工区域水域总体协调;负责材料、设备供应仓库建设及供应计划的组织与协调;主持三峡工程主体工程合同谈判,签约并组织设计、监理和承包商执行合同,办理合同变更审定、报批;负责工程临时设施的规划、设计、招标、定标、签约和执行;以合同为基础,实现工程质量、进度和成本的控制,办理合同变更和索赔,履行合同条款中甲方的各项义务;以合同工期为基础代表中国三峡总公司编制年、季、月度工程控制性计划,检查实施结果和适时有效调整,实现工程总进度目标;参加技术设计审查、重大技术措施研究、重要合同文件审查、招标工作;主持施工设计审查、施工技术方案研究调整、质量控制、工程量控制、工程安全控制及与工程有关的全部技术事宜;加强三峡工程安全生产的监督与管理;做好三峡工程验收各项工作。

(十二)物资部职责

代表中国三峡总公司全面负责三峡工程建设所需的钢材、木材、水泥、油料、炸药、粉煤灰(简称六大材)的供应管理工作;制定采购对策,优化资源配置和物流系统,努力降低采购成本;建立六大材采购、运输、仓储、供应全过程质量保证体系。

(十三)设备部职责

代表中国三峡总公司负责发电和输变电设备、金属结构、大型和特大型施工机械采购、监造、运输、仓储、租赁等管理;负责中国三峡总公司自用设备的采购、归口管理中国三峡总公司设备固定资产;负责组织施工机械设备的安装调试及设备监理的管理。

(十四)电力生产管理部职责

1. 电力生产管理部的职责

是中国三峡总公司管理电力生产的职能部门;参与电力建设项目的设计、规划及可行性研究;负责在建电力项目生产准备,并参与筹组电力生产及调度机构的工作;对已经建成的电力项目,负责生产技术的管理和安全生产的考核监督;参与电力企业的改组、改制等工作,负责电力生产企业的发展规划的审核;负责与国家和流域防洪指挥机关、国家电力公司以及与三峡电力系统有关的网省电力公司及其调度机构的联系与协商,负责协调电力生产企业和相关单位的内外关系;研究电力市场电价的发展变化,为中国三峡总公司领导决策提供参考意见;负责三峡电厂、三峡——葛洲坝梯级调度中心筹备的前期工作;组织审核电力企业对外签署的售电协议、并网协议和并网调度协议的工作;负责电力企业的生产技术和安全监督管理工作(包括防汛、大坝安全及环保);负责审查电力企业的发展规划、重大生产技术措施、重大更新改造和动用大坝加固金项目;负责协调电力企业和相关单位与航运部门的关系。

2. 三峡电厂职责

具体负责按照批准的发电计划,组织安全发电;负责三峡工程防洪和发电设施、设备的运行、维护、小修、事故抢修、二次设备检修工作;负责组织水工建筑物、金结、机械、电气一次设备的大修、技改、重措项目的实施;负责组织发电生产、泄洪设施所需的物资;负责发电生产成本的核算;对所辖设施、设备的安全负责。

3. 三峡梯调中心职责

全面负责中国三峡总公司所属电厂的水库运行、电力生产以及航运设施的运行调度;统一接受上级调度部门的调度指令,全面协调梯级枢纽在防洪、发电、航运等各方面工作;负责编制和实施枢纽优化调度方案;负责编制梯级枢纽的度汛方案;负责制作和发布梯级枢纽内部的水文气象预报;督促和检查梯级电厂的有关专业管理工作;负责梯级电力营销有关技术工作;负责生产调度通信系统的有关技术管理工作;承办上级部门交给的其它任务。

(十五)经营管理部职责

负责研究中国三峡总公司综合经营的发展战略、规划、目标、产业布局,汇编年度经营计划;对中国三峡总公司所属的多种经营企业的深化改革、资产经营、改组改造、项目开发及企业管理提出指导性意见;会同中国三峡总公司有关部门对下属企业年度经营目标进行制定、下达和考核;配合人事部参与推荐下属企业的董事、监事、经理人选,对下属企业中由中国三峡总公司派出或推荐的董事、监事、经理人员进行考核;会同人事部编制企业经营管理人员的工商管理培训和相关的专业培训计划；参与促进国际经贸业务的开展；提出对下属公司进行清理整顿的指导意见，由中国三峡总公司审定执行；对中国三峡总公司拟开发的大项目组织调查、评审和报批立项工作；做好二级公司开发100万元以下项目的收阅备案和100万元以上项目的呈报备案工作；对中国三峡总公司下属企业的规章制度，法人资本监督管理体系，企业的激励与约束机制和法人治理结构，提出指导性意见，供二级公司决策参考；为下属企业的发展提供力所能及的支持和服务；编发多种经营简报，开展经营管理方面的经验交流活动；配合中国三峡总公司参加对下属多种经营企业进行审计和有关情况的调查。

（十六）北京代表处职责

代表中国三峡总公司与国家有关部委及三峡建委进行工作联系；代理代办中国三峡总公司在京地区的各项业务；协助做好三峡工程宣传工作；负责国际互联网中国三峡总公司站点的日常维护和管理并会同有关部门共同做好在国际互联网上的信息发布工作；收集、汇总有关的信息，供中国三峡总公司领导和有关部门参考；做好中国三峡总公司领导、顾问、有关专家及在京的离退休职工的后勤服务工作；为中国三峡总公司所属公司提供服务；负责中国三峡总公司在京地区的内外接待工作；负责中国三峡总公司在京单位党委、纪委的日常工作；办理中国三峡总公司领导交办的各项工作。

（十六）改制办公室职责

负责研究制定中国三峡总公司整体改制方案；负责拟订中国三峡总公司电力企业改制重组、资产债务剥离等有关方案；组织各中介机构开展工作，检验成果，控制进程；协调各中介机构与葛洲坝电厂、中国三峡总公司各有关职能部门的工作配合；负责中国三峡总公司改制和电力股份公司设立过程中各类申报材料的起草和报批；负责股份公司共同发起人的有关事宜；负责改制过程中有关政策的争取，包括授权经营、电价、财政税收等；负责研究拟订股份公司治理结构、公司章程、关联交易、机构设置框架、薪酬福利制度等；改制领导小组交办的其它任务。

四、主要领导任职情况

陆佑楣	总经理，教授级高工
李永安	副总经理，高级经济师
贺　恭	副总经理，教授级高工
袁国林	高级咨询，教授级高工
王家柱	副总经理，教授级高工
郭　涛	副总经理，教授
杨　清	副总经理，高级工程师
张超然	总工程师，教授级高工
陈文斌	总经济师，教授级高工
刘匡华	总会计师，高级会计师
黄源芳	副总工程师，教授级高工
秦锡翔	副总工程师，教授级高工
薛砺生	副总工程师，教授级高工
史振宇	副总经济师，高级经济师
赵泽黎（女）	副总会计师，高级会计师
寇日明	改制办公室主任，高级工程师
刘洪泰	三峡经济发展公司董事长，教授级高工
闫于信	人力资源部主任，高级政工师
甘　伍	办公室副主任，高级经济师
彭启友	工程建设部主任，教授级高工
汪先绪	工程建设部副主任，教授级高工
曹广晶	工程建设部副主任，教授级高工
潘大中	工程建设部副主任，高级经济师
王湘潭	工程建设部副主任，高级经济师
王永栏	工程建设部办公室主任，高级工程师
柳定祥	新闻宣传中心主任，副研究员
於崇东	物资部主任，教授级高工
蔡定国	审计室主任，教授级高工
戴　野	设备公司总经理，高级工程师
肖崇乾	设备部主任，高级工程师
张　诚	三峡电厂筹建处副主任，教授级高工
陈大林	三峡财务公司总经理，高级经济师
史振寰	科技管理部主任，教授级高工
王树凯	监察室主任，高级政工师
李惠敏（女）	计划合同部主任，高级经济师
饶道群	机电工程部主任，教授级高工
于　滨（女）	国际招标公司总经理，高级经济师
于文星	国际合作部主任，教授级高工
袁如德	工会副主席，工程师
刘利人	电力生产部主任，教授级高工
杨　亚	财务部主任，高级会计师
陶楚才	北京代表处主任，高级工程师
张建国	实业总公司经理，经济师
刘纪胜	三峡经济发展公司经理，高级工程师
姚海清	三峡电厂筹建处主任，教授级高工
金和平	信息中心主任，高级工程师
毕亚雄	葛洲坝电厂厂长，教授级高工
谭德骏	葛洲坝电厂党委书记，工程师

（刘　宇）

中国三峡总公司办公室工作

一、文秘工作

(一)公文处理做到及时、准确、安全、保密。全年办理中国三峡总公司各类公文486件,共收发各类(种)文件、内部刊物17081份,立卷、归档2000年的文件63卷。完成《2001年中国三峡总公司工作会议文件汇编》和《2000年三峡工程文件汇编》的编辑出书工作。

全年编发总经理办公会议纪要9期,中国三峡总公司专题会议纪要154期,中国三峡总公司文件272个,三峡工程简报6期,三峡工程信息10期,《一周工作安排》48期。

(二)健全、完善中国三峡总公司会议制度。

(三)起草三峡工程建设和中国三峡总公司建设重要汇报材料20余份。

(四)完成稽察基础材料的填报工作,配合完成三峡建委稽察组实地稽察的各项工作。

(五)进一步加强中国三峡总公司信息工作和督办工作。

二、接待工作

(一)全年接待来宾627批29565人次,比去年增长21.8%。副部级以上来宾164批490人次,比去年增长39.2%。接待党和国家领导人14批。

(二)承担国务院三峡工程移民暨对口支援工作会议、中国能源研究会“减缓二氧化碳排放”研讨会、水利部“十五”期间厅局长座谈会等会务工作。

三、档案工作

第一阶段工程竣工档案通过验收;完成20家设备制造厂商竣工档案的审查、验收工作;深入各参建单位,熟悉施工管理流程,修订档案管理办法;验收50多个合同项目的竣工资料;参加三峡工程标准TGPS档案管理条款的编写工作;及时与国家档案局汇报、协调二期工程竣工档案验收工作;配合稽察工作、编制阶段性竣工决算、清产核资、编写筹建处史志及日常档案利用,为300多人次提供服务;组织、协调有关部门TG-PMS文档子系统的运行、管理。处理资料数据443盒、图纸数据2867份;获得省级优秀集体称号。

四、安全保卫工作

(一)加强中国三峡总公司办公区、生活区治安防范工作,全年生活区未发生刑事案件。

(二)坚持每月一次的消防安全例检,不定期地在夜间、双休日进行消防安全检查,重大节日前进行专项大检查,检查出火险隐患25处,及时督促落实整改。

(三)及时办理户证。

(四)负责总公司国家安全领导小组的日常工作。

五、综合行政工作

贯彻国家房改政策,改善职工居住条件;加强交通费用管理;抓好计划生育管理工作和爱委会工作。中国三峡总公司被中央宣传部、国家计生委授予“婚育新风进万家”先进单位。

六、政策研究与法律事务工作

参与中国三峡总公司的重大经营活动;参与2001年三峡企业债券的发行、上市工作,按律师要求及时起草及提供所需要的法律文件;参与中国水电科技股份公司的设立过程,对有关协议文本、公司章程提出修改意见,并起草了发起人协议、公司章程的最后文本;参与电解铝项目谈判;参与三峡发展公司和多能公司的清算工作,并提出相应的法律意见;办理诉讼及非诉讼法律事务;提供法律咨询服务。

七、保密工作

召开第四次保密委员会扩大会议,讨论审定2001年保密工作要点。会同中国三峡总公司信息中心研究加强完善计算机保密技术监测、检查手段和防泄密的管理措施,并对中国三峡总公司涉密计算机情况进行初步摸底。完善定密工作。完成保密文件制度修订汇编工作。落实保密责任制和机要文档目标管理。完成保密日常工作。

八、楼宇管理

中国三峡总公司总部大楼获《全国优秀物业管理示范大厦》证书。

九、驻外机构

各驻外机构除认真做好信息、代办、接待、宣传等服务工作外,上海办事处协助机电工程部成功地组织了三峡工程机组合同执行第五次设计联络会;重庆办事处协助计划合同部圆满地组织了金沙江前期工作会议;武汉办事处围绕汉办新址的比选、购买、验收、装修等作了大量工作。

(万启洲)

队伍建设

人事劳动工作概况

一、员工队伍情况

截至2001年底，中国三峡总公司共有职工3900人（不含二级单位自聘人员），比上年4041人减少141人。其中正式职工3455人，借聘职工445人。正式职工中，本部为609人，两筹机构（三峡电厂筹建处、三峡梯调中心筹建处）137人，葛洲坝电厂2709人。员工队伍情况见附表。

二、完成的主要工作

（一）加强人事、员工培训、劳动工资、社会保险等工作的日常管理

组织开展2000、2001两个年度专业技术资格评审工作，153人取得所申报的专业技术资格。完成中央管理干部的培训及为领导干部制作的动态多媒体资料的报送工作。配合中组部开展中国三峡总公司领导班子后备人选的考察工作。办理人才引进23人，内部流动30人，员工退休4人，员工调出或辞职8人。

8月，完成博士后工作站申报工作，10月通过审查，年底得到批准。起草相关制度、文件，为建站工作打基础。与有关部门共同开展计算机软件P3培训、金属结构制造、档案资料整编培训等8类培训工作，培训员工400余人次。全年派出二级部门领导6人参加国家经贸委举办的工商管理培训班。从1999年开始的CCUIPP（中国与加拿大联合举办的“大学企业合作培训”）项目培训工作，到2001年有14人完成课程教学任务，进入论文写作阶段。通过公开考试，录取40人参加与中南财经政法大学联合举办的财会研究生班学习，26人从天津大学研究生班毕业。全年完成送培任务178人次，经费控制在预算之内。

（二）完成年度中国三峡总公司内部改革任务

抓方案研制、宣传疏导、组织实施等主要环节，按照用工制度改革的精神完善劳动合同管理制度。

按照“效率优先、兼顾公平”的原则和实现“两挂钩”（奖金分配同工程任务完成情况、同员工年度考核结果挂钩）的工作思路，改革和完善职工收入分配制度。实现中国三峡总公司工资总额计划的归并，办理葛洲坝电厂工资总额计划的划转，为统一中国三峡总公司基本工资制度奠定基础。

推进职工养老、医疗保险制度改革。实现养老保险缴费方式由差额缴拨向全额缴拨的转变；实现离退休职工基本养老金发放由企业发放向社会化发放的转变。

组织研制并实施员工年度绩效考核方案。按照“全员参与、全方位评价、全过程指导”的工作思路，抓好各环节人员工作责任的落实。

坚持“公开、公正、公平”原则，组织实施新闻宣传中心、荆当公司、三峡电厂筹建处、办公室、国际合作部等部门16个三峡企业七级以上管理岗位员工的竞聘工作。在总结试点单位经验的基础上，出台《中国三峡总公司管理人员竞聘上岗试行办法》。

协助三峡电厂筹建处、梯调中心筹建处、招标公司、设备公司、实业公司、葛洲坝电厂等单位开展员工及大学生招聘工作。

贯彻中共中央下发的《2001～2005年全国干部教育培训规划》和中组部《2001～2005年全国干部教育培训规划实施方案》，结合中国三峡总公司改革和发展的实际，开展调查研究，总结“九五”工作，研制中国三峡总公司“十五”干部教育培训规划。

为配合中国三峡总公司的改制，参与组织四个职能部门职能转变的研究。经党组批准，人事劳动部更名为人力资源部。新设立改制办公室、三峡工程验收办公室。

（三）离退休职工管理工作

2001年，离退职工管理办公室围绕“六个老有”（老有所养，老有所医，老有所教，老有所学，老有所乐，老有所为），做到“三个加强”（即加强组织建设、加强思想工作，加强日常管理）。为丰富老同志的休养生活，全年组织市郊游览活动2次，钓鱼活动及象棋友谊赛等活动8次。

（四）三峡培训中心工作

2001年，培训中心遵循一个宗旨（建坝育人、回报社会），开发三种教育资源（公司教育资源、工程教育资源、社会教育资源），实现了“双超一争（经济效益超计划、社会效益超历史最好水平、争创坝区最佳文明单位）”的目标。全年实现收入600万元，为年度计划的127.7%，比上年增长62%；超额完成年收入计划，节余294万元；全年接待大学生教学实习和社会实践4771人次。

（刘 宇）

附表

中国三峡总公司职工情况统计

单位：人

项目	职工总数	性别		学历						年龄										政治面貌			技术职务		
		男	女	博士	硕士	本科	专科	中专	高中及技校	初中以下	25岁以下	26岁30岁	31岁35岁	36岁40岁	41岁45岁	46岁50岁	51岁55岁	56岁60岁	61岁以上	平均年龄	中共党员	共青团员	民主党派	高级	中级	初级
合计	609	492	117	7	110	316	114	33	20	9	2	94	97	212	53	53	45	42	11	40	345	68	3	288	204	78
比例（%）	100	80.8	19.2	1.1	18.1	51.9	18.7	5.4	3.3	1.5	0.3	15.4	15.9	34.8	8.7	8.7	7.4	6.9	1.8		56.7	11.2	0.5	47.3	41.5	12.8
正副总经理	7	7			2	4	1							1	1		2	1	2	54.6	7			7		
三总师	8	7	1			6	1	1							1		1	1	5	58.3	8			8		
高级咨询	1	1				1													1	65	1			1		
二级部门正职	25	23	2	2	1	19	3						1	2	2	5	2	10	3	52.3	25			23	2	
二级部门副职	45	42	3	1	13	24	7							21	5	5	6	8		45.6	42		1	43	2	
行政6级（正处级）	118	112	6	2	33	47	31	4	1				5	56	16	17	12	12		43.6	92		1	90	25	1
行政7级（副处级）	134	103	31	2	31	75	15	8	3			4	27	64	11	12	10	6		39.8	77		1	73	52	8
行政8～9级（正、副科级）	220	164	63		30	124	47	17	9			79	60	60	8	10	8	2		34.6	84	65		38	108	64
10级以下	44	33	11			16	9	3	7	9	2	11	4	8	9	4	4	2		39	9	3		5	15	5

注：一、离退休职工、葛洲坝电厂在册正式职工和离退休职工未统计在内。

二、二级部门正职包括总公司各二级部门正职；二级公司正职；工程建设部主任；北京代表处主任；直属党委副书记。

二级部门副职包括总公司各二级部门副职；二级公司副职；工程建设部副主任及各职能部门正职；大型项目部正副职，中型项目部正职；北京代表处副职；上海办事处正职。

机构设置及干部调整情况

一、机构调整

根据三峡工程建设的进展和中国三峡总公司发展的需要，2001 年中国三峡总公司对部分机构进行调整。新设立与调整的机构有：

1 月，三峡人字〔2001〕第 9 号文决定：成立安全总监办公室。安全总监办公室设在工程建设部，受三峡工程安全生产委员会和工程建设部的双重领导。

4 月，三峡人字〔2001〕第 61 号文决定：增设新闻宣传中心影视工作部。

7 月，三峡人字〔2001〕第 130 号文决定：撤销北京三峡长江水电技术发展中心。

9 月，三峡人字〔2001〕第 188 号文决定：人事劳动部更名为人力资源部。

10 月，三峡人字〔2001〕第 205 号文决定：成立中国三峡总公司三峡工程验收工作领导小组办公室（简称中国三峡总公司三峡工程验收办公室），为中国三峡总公司常设二级部门（三峡企业四级）。

12 月，三峡人字〔2001〕第 236 号文决定：成立三峡工程阶段性竣工财务决算领导小组，下设办公室。

12 月，三峡人字〔2001〕第 239 号文决定：成立中国三峡总公司改制领导小组，改制领导小组在中国三峡总公司党组领导下工作，下设办公室（简称改制办）。

二、干部调整

3 月，三峡人字〔2001〕第 48 号文决定：聘任黄宏勇为工程建设部机电安装项目部主任（三峡企业四级）。

4 月，三峡人字〔2001〕第 77 号文决定：任命赵文杰为实业总公司党委副书记，任职期间职级为三峡企业五级。

9 月，三峡人字〔2001〕第 184 号文决定：聘任胡伟明为机电工程部副主任（三峡企业五级）。

12 月，三峡人字〔2001〕第 251 号文决定：聘任寇日明为中国三峡总公司改制领导小组办公室（简称改制办）主任（三峡企业三级）。

三、制度改革

印发《中国长江三峡工程开发总公司劳动合同管理暂行规定》、《中国三峡总公司管理人员竞聘上岗试行办法》、《中国三峡总公司员工年度考核试行方案》、《中国长江三峡工程开发总公司机关员工奖金管理暂行办法》、《中国长江三峡工程开发总公司总经理奖励基金管理暂行办法》、《中国三峡总公司电力生产绩效考核与奖励暂行办法》。

（刘 宇）

驻 外 机 构

一、北京代表处

2001 年中国三峡总公司北京代表处履行“代办、联络、信息、宣传、接待”的工作职能，努力为中国三峡总公司服务、为三峡工程服务，完成各项工作。

（一）代办中国三峡总公司在北京有关业务

确保中央、国务院的机要文件极其各部门的机要和业务文件在时限要求内送达中国三峡总公司领导和有关部门。全年收发各类文件逾千件。

协助中国三峡总公司财务部催办三峡建设基金 60 亿元。办理三峡基金增值税退库 5 亿元；办理三峡工程贷款贴息 3.7 亿元。代办中国三峡总公司 17 个部门和单位在北京有关财务会计业务，发生款项 700 余万元。代办三峡工程捐款在北京的管理工作。

代办“九五”攻关、“十五”攻关项目管理工作，办理中国三峡总公司在北京部分外事服务工作，为国务院三峡工程质量检查专家组提供全面的运行服务。代办中国三峡总公司人力资源部、机电工程部、电力生产部、科技管理部、信息中心等部门在北京的部分业务。

密切与中央企业工委、中共中央办公厅机要局和国务院机要交通局、中共中央组织部及北京市崇文区政府等在北京有关部门和单位的联络工作，创造顺畅的外部工作渠道。受中国三峡总公司委托承担并完成有关工程项目的实施。

（二）信息服务工作

编辑发行综合经济信息周刊《北京信息》46 期，向中国三峡总公司领导和各部门单位主要负责人发送 2852 份。在中国三峡总公司互联网站上实时刊登《中国三峡工程报》网络版 100 余期。为中国三峡总公司在北京有关单位和个人提供电话拔号接入并承担各类信息技术支持逾 100 人次。

（三）接待服务工作

全年安全行车 362780km，出车 4332 次。接送中国三峡总公司来京人员逾万人次。经争取在北京铁路局客段建立了火车票订购户头，保证热线车票的购买。改善招待所服务条件。承接中国三峡总公司部分中型会议的住宿接待工作。

（四）为中国三峡总公司在北京单位和有关人员提供后勤服务

为招标公司、技术委员会、长江三峡水电发展公司、财务公司、金沙江项目前期处、新闻宣传中心等单位在北京工作的人员提供办公、食宿、物业等后勤服务。为中国三峡总公司在北京的重大活动提供人员、车辆、联络等配合工作。为中国三峡总公司所有家住北京的职工及离退休人员提供各项服务。

二、上海办事处

(一)承办三峡机组设计第五次联络会议

10月9～24日,三峡机组设计第五次联络会议在上海召开。参加会议的有法国、加拿大、瑞士、德国、巴西、美国及中国专家约40人。由于此会议规格高、会期长,且正逢上海召开APEC会议,给会议的组织增添了相当的难度。上海办事处于5月定出会务方案,经过长达半年的精心准备,会议如期召开并于10月24日圆满结束。此会议的筹办受到与会专家及中国三峡总公司领导的高度评价。

(二)调研电力市场

随着国家电力体制改革的加快,为做好三峡电力参与"厂网分开竞价上网"的市场竞争,上海办事处主动及时地对华东、华中的两大区域性电力市场和广东省级电力市场进行调研。2001年3～12月,写出电力市场专题简报13期,报告内容前瞻、详实、准确、可靠,受到中国三峡总公司有关部门和领导的好评。

(三)为中国三峡总公司改革、改制搜集资料

围绕中国三峡总公司国有资产授权经营和未来三峡电力股份有限公司上市等内容,组织力量搜集有关政策信息,向中国三峡总公司提供资料。

(四)做好联络工作

1.联络接待上海市数批高规格考察团考察三峡工程:上海市委常委、副市长蒋以任一行34人,宝钢集团公司董事长徐大铨、总经理谢企华一行16人,上海市副市长冯国勤、市政府副秘书长蒋光裕一行6人,上海市委常委、副市长韩正一行14人访问考察中国三峡总公司和三峡工程。

2.联系陪同中国三峡总公司有关领导考察上海及华东地区:中国三峡总公司副总经理王家柱一行考察上海港机厂、希科公司、江南造船厂、740所及江苏常州武进液压启闭机厂;副总经理郭涛一行出席河海大学合作发展委员会会议;总会计师刘匡华一行考察上海市仪电集团公司;副总经济师史振宇一行考察上海泰登公司;机电部主任饶道群一行考察上海及江苏3家设备制造企业。

三、武汉办事处

2001年,武汉办事处较好地完成中国三峡总公司交办的对外联络、信息反馈、内外接待、代理代办、内部管理、汉办新址建设等各项任务。

(一)按《会计法》及中国三峡总公司有关规定,加强财务、接待费用支出的管理,全年经费略有节余。

(二)完成中国三峡总公司和有关部门委托参加省、市有关会议,办公物品购置等代理代办工作。加强与省、市有关部委联系。协助三峡财务公司做好工程贷款及电费收转工作,计37亿元。

(三)按中国三峡总公司领导指示,在汉办新址建设中对卖方房屋建设的合法性进行调查、了解。配合项目组和计划合同部,采取招标形式签订了二次装修合同。

2001年实现营业收入31.1万元,上交地税2.18万元,代购飞机、车票220余张,全年联系安排入院检查、治疗、手术的病人36人次。

四、重庆办事处

2001年重庆办事处共有员工6人(正式职工3人,聘用1人,自聘2人)。12月,中国三峡总公司以三峡人干字〔2001〕24号文决定:聘任张延孟同志为重庆办事处主任(三峡企业六级)。

进行党员民主评议,学习江泽民总书记"三个代表"重要讲话等有关文件,完成稽察材料填报工作。3月,中国三峡总公司审计室对重庆办事处自设立以来的财务情况进行全面审计。8月,中国三峡总公司财务部对办事处进行《会计法》执行情况专项检查。

编报《重庆信息》21期,不定期报送专项重要信息,努力做好宣传三峡工程、宣传中国三峡总公司的工作。

为中国三峡总公司各部门做了大量的服务代办工作。全年接待67批920人(天)。

(杨 祎 戴瑞林 储成海 韩永娟 张延孟)

多 产 业 经 营

一、概况

2001年中国三峡总公司多种经营工作按照2001年度中国三峡总公司工作会议提出的指导方针和要求，以规范经营管理工作、促进多种经营企业规范经营和持续稳定发展为目标，以清理整顿、资产重组和资源优势的合理分配和利用项目开发为手段，多种经营企业的改革和发展取得一定的成绩。2001年，中国三峡总公司多种经营实现销售收入26990万元，利润991.6万元，人均生产率6.7138万元，净资产利润率2.9%。亏损的多种经营企业由2000年的3家减少到2家。至2001年底，在中国三峡总公司直接投资、控股和管理的经济实体中，法人企业34家，其中：二级企业10家，三级企业20家，四级企业4家，非法人经济实体19家。法人企业中按经济类型划分，全民所有制企业9家，集体所有制企业6家，股份制企业19家。中国三峡总公司多种经营企业中的从业人员总数为4746人，其中全民职工968人（其中葛洲坝电厂856人），集体职工488人（其中葛洲坝电厂486人），外聘职工3290人（其中葛洲坝电厂1304人）。

二、2001年的主要工作

（一）继续坚持多种经营企业的清理整顿。组建三峡发展公司，注消三峡发展中心，清理原利源、利能公司的资产，对多能公司资产规模、结构、职能进行调整，归口债权债务和清收不良资产。分离经营职能与服务职能，三峡图片社与新闻宣传中心脱钩。依托品牌优势盘活企业资源，组建三峡高科电子信息技术公司。拓展设备租赁公司业务。

（二）依据优化资源配置的原则，制定中国三峡总公司多种经营企业重组规划方案并进入实施阶段。初步完成三峡发展公司与葛洲坝电厂咨询公司、监理公司的重组整合工作。进行三峡旅游公司的整合组建工作，为开发坝区旅游和组建股份制的三峡旅游公司奠定基础。

（三）依靠规章制度和科学方法加强多种经营企业管理。制定《多种经营计划统计管理办法》和《规范内部关联交易规定》等制度，计划统计工作整体质量有所提高，关联交易得到初步规范。出台《中国三峡总公司下属企业绩效考核评价办法》，规范对下属企业及其经营者的业绩评价。加强对下属经营企业的成本费用管理。

（四）深化多种经营企业改革。随着企业产权关系逐步清晰、法人治理结构日趋完善，在企业中稳步推行劳动用工、劳动分配制度改革和经营管理者竞争上岗等改革举措。实业公司、设备公司和荆当公路公司均实行管理人员竞争上岗。企业“员工能进能出、干部能上能下、收入能增能减”等新机制不断建立和完善。

（五）积极稳妥地推进优势资源的项目开发。以三峡旅游、高耗电能、工程咨询、电力高科技产品和盘活工程闲置设备为重点的中国三峡总公司多种经营五大产业格局初步形成。

（六）配合完成三峡建委的稽察工作。完成所属企业及驻外公司稽察材料的填报、审核、上报和中国三峡总公司关联方关系和关联交易的统计、上报工作；针对存在问题制定整改方案并督办落实。

（七）加强信息采集并建立项目信息发布制度。参加部分多种经营企业的内部审计和清算工作，组织部分企业经营者学习和专业培训，提高其对现代化企业制度、产权管理关系和法人治理结构的认识水平。

（杨　俊）

党 群 工 作

党 建 工 作

2001年，中国三峡总公司直属单位党委紧紧围绕三峡工程建设的中心工作，以邓小平理论和“三个代表”的重要思想为指导，深入学习江泽民总书记“七一”重要讲话，切实贯彻十五届五中、六中全会精神，以纪念建党80周年为契机，强化传统教育，深化理论学习，加强基层组织建设，努力转变作风，为工程建设提供思想政治保证。

一、加强党的思想建设

（一）组织高质量辅导报告，提高理论学习效果

聘请中央党校教授作“关于台海形势与中美关系”的专题报告。通过报告会，加深对邓小平关于“一国两制”思想重要性的认识，进一步理解和平与发展依然是今后一个时期世界的发展主题。8月，举办学习江泽民“七一”讲话辅导班。聘请武汉大学、省委党校的教授对“七一”讲话进行重点辅导。11月，组织“三个代表”学习辅导报告。中央党校教授从“三个代表”提出的国际、国内政治背景为切入点，结合近年国有企业改革的难点问题，对“三个代表”进行全面系统的阐述，使广大党员干部进一步提高对学习“三个代表”重要性的认识。

（二）多形式开展理论学习

召开学习江泽民总书记“七一”讲话座谈会。各支部负责人、政工干部、年轻党团员等50余位代表参加。党组书记陆佑楣、副书记李永安参加座谈会并作重要发言。召开各基层党组织宣传委员会议，就深入学习“七一”讲话精神进行再部署、再动员。及时下发“关于深入学习贯彻《中共中央关于加强和改进党的作风建设的决定》（以下简称《决定》）的通知”，并在《中国三峡工程报》开辟专栏，重点刊登领导干部学习体会文章，深入宣传《决定》的重要精神。召开学习汇报会。各基层党委、总支直属支部介绍学习情况，交流学习体会。组织40余名政工干部和部分党员考察河南南街村。通过考察大家体会到，改革开放需要解放思想、实事求是的求真意识，需要积极进取的探索精神。

（三）严格理论学习制度，把理论学习落到实处

下发资料、制定学习内容，认真做好学前准备工作，学习中突出重点、联系实际。大多数党组织坚持每月集中学习一次的学习制度。

二、加强党的组织建设

先后对13个直属党支部的工作进行检查。同时抽查5个基层党支部的工作，并与基层党支部的同志进行座谈。检查结果反映出大部分党组织能够较好地履行自己的职责。

针对组织工作检查发现的问题，根据中国三峡总公司党员队伍现状，调整组织发展计划；按照“坚持标准、保证质量、改善结构、慎重发展”的方针，制定“党员发展补充规定”，各基层党组织能严格执行这一补充规定，保证新党员发展质量；及时调整成立设备部、设备有限公司、荆当公路有限公司等直属支部和三峡电厂筹建处党总支，进一步完善组织建设。

结合学习“七一”讲话，通过民主生活会找到问题和不足，加强领导班子成员间、干部群众间彼此的理解，促进班子团结，增加凝聚力。在民主评议的基础上，开展“双先一优”评比活动。通过民主推选，表彰财务部党支部等13个先进党支部、葛洲坝电厂大江分厂运行车间第三党小组等17个先进党小组和王世平等89名优秀共产党员。2个基层党组织获湖北省企业工委“先进基层党组织”称号，7名党员分别获得湖北省优秀共产党员、省企业工委优秀共产党员和优秀党务干部称号。开除违纪违法的不合格党员2名。

三、弘扬党的优良传统

制定“我为党旗添光彩”为主题的系列纪念活动方案，在《中国三峡工程报》上刊登纪念建党80周年征文启事和知识竞赛题，共收到征文250余篇、竞赛答卷1800多份。举行5场团体抢答知识竞赛，26支代表队参加角逐，中国三峡总公司办公室党总支代表队获第一名。举行“党在我心中”演讲比赛，葛洲坝电厂青年党员赵蕊，在演讲比赛中荣登榜首，在被团委选送参加中央企业团工委举办的演讲比赛中，又获第一名。“七一”前夕，三峡建设者中的258名新党员，在三峡大坝前举行宣誓仪式，《人民日报》头版以“工地先锋”为题刊登宣誓仪式大幅照片，其他媒体也相继作了报道。举办“世纪三峡”中国当代著名书画家作品展和三峡建设者书画摄影作品展，共展出作品200余幅，参展作品以歌颂祖国、歌颂改革开放、歌颂中国共产党、歌颂三峡建设成就为主题，体现了较高的艺术水平，促进了三

峡工程的文化建设。举行“三峡建设者歌咏晚会”，三峡参建单位的15支代表队，1700余名党团员组成的演员阵营参加了大合唱。

四、转变工作作风，狠抓工作落实

开展职工思想动态调查。通过与职工座谈和个别交谈，写出有深度的调查报告，从不同侧面收集职工的意见，了解职工关心的热点问题，为党组加强和改进工作作风提供有参考价值的意见。

结合工程建设实际，服务三峡参建单位。从三峡建设的大局出发，在搞好中国三峡总公司党员教育的同时，力所能及地为参建单位的党员教育服务，在坝区组织了多场学习辅导报告。

“八一”期间，组织中国三峡总公司50余名转业军人慰问武警交通部队。通过慰问活动增进友谊，密切关系，增强共建三峡的责任感和使命感。

五、以党建带团建，推进共青团工作。

（江长青）

纪检监察工作

一、贯彻中央纪委五次全会精神，促进领导干部廉洁自律

根据中央纪委五次全会关于从源头上治理腐败的要求，中国三峡总公司制定《中国三峡总公司副处级以上干部的配偶、子女从业规定》，转发中央纪委、监察部《关于中央纪委第四次全会重申和提出的国有企业领导人员廉洁自律有关规定的解释的通知》、中央纪委《关于各级领导干部接受和赠送现金、有价证券和支付凭证的处分决定的通知》以及中纪办第9期通报《关于领导干部收受“红包”问题的调研报告》。党组要求各部门、各单位必须严格执行以上各项规定，认真抓好落实，按时开展检查。7月，国务院三峡建设委员会监察局在中国三峡总公司召开系统内党风廉政建设工作座谈会，进一步学习中纪委五次全会精神和江泽民同志“七一”重要讲话，促进中国三峡总公司党风廉政建设工作的全面开展。

2001年，中国三峡总公司41名干部和职工上交在工作中收受的各种礼金和有价证券，折合人民币22800余元。在清理领导干部持有的因私护照和本人及其配偶办理的前往港澳通行证、外国居留证的工作中，没有发现违规情况。也未发现党组成员及各二级领导班子成员的配偶、子女有违反从业规定和经商办企业的情况。

二、处理群众来信，查处违法违纪案件

2001年收到群众来信来访33件，其中：检举控告类30件，批评建议类3件。信访中反映失实或反映问题不构成违纪的14件，转办的5件，作案件线索受理的7件，因内容不详等存档的7件。对群众从不同侧面反映的问题，纪检监察部门都进行认真分析、排查、处理。

全年初核案件线索7件，其中：了结处理3件，转立案3件，未了结1件。立案案件中，违反财经纪律1件1人，侵占1件3人，骗取银行贷款1件1人。移送三峡坝区人民检察院处理1件3人。被西陵区人民检察院以私分国有资产罪直接立案查处1件1人。

2001年立案查处的3起案件中，2人被开除党籍，1人受到党内严重警告处分。

三、强化纪检监察监督职能，加强建筑市场的监管

2001年，监察室先后参加5次中国三峡总公司员工竞聘上岗和42次有关工程建设、设备安装、物资采购等项目招标工作的监督。除科研、设计、续签等合同不进行招标外，其余的都进行了公开招标，其公开招标所签订的合同金额占总金额数的80.95%，询价所签订的合同金额仅占总金额数的0.01%。在招标过程中加强对执行保密纪律的监督检查，对两起评标过程中反映的问题进行核查，并视情节轻重进行处理。

在对三峡工程建筑市场开展阶段性的专项检查中，清理外来施工队伍163家、外来务工人员5232人。

四、开展宣传教育，落实党风廉政建设责任制

5月，中国三峡总公司党组纪检组发出《关于认真开展2001年“党风廉政建设宣传教育月”活动的通知》。各单位党组织及时召开学习座谈会和经验交流会，教育广大党员、干部要以“三个代表”重要思想为指导，正确分析和把握反腐败的形势，正确看待反腐败斗争所取得的成绩和存在的问题。“教育月”活动期间制定了七级以上干部廉洁自律有关情况登记表，按照“配偶、子女从业情况”、“接受和赠送现金、有价证券和支付凭证的情况”分别进行填写。填写结果显示，绝大多数干部能够认真执行廉洁自律有关规定。

坚持抓好每季度一次的警示“教育日”活动。结合身边的案例组织3次974人次副处级以上干部参加了“以案说纪”的教育活动。47个党委、总支、直属党支部召开廉洁自律专题民主生活会。纪检监察室每季度按时出版“党风党纪宣传专栏”并及时将反腐败录象片（或VCD光盘）发送到各单位巡回播放。

10月，监察室会同坝区检察院在参建单位和中国三峡总公司七级以上干部范围内开展预防职务犯罪知识学习和竞赛活动。发放《预防职务犯罪知识手册》450册，竞赛试卷550份，收回试卷650份（部分单位复印试卷鼓励一般职工参加）。

3～4月，纪检监察室会同直属单位党委对基层党委和直属党支部开展一次党风廉政建设责任制落实情况的检查。共计检查22家单位，被检查单位均建立党风廉政建设责任制度，执行情况较好。

（夏其华）

工会工作

一、学习江泽民总书记“三个代表”的重要思想，发挥工会组织的桥梁纽带作用。组织学习和宣传修改后的《工会法》，为依法维权、推进工会工作的法制化奠定基础。

二、加强工会组织建设

重建、新建企业工会。荆当公路有限公司、三峡运输有限公司、三峡设备有限公司及时组建工会组织，重建实业公司所属单位工会组织，加强会员会籍管理。

三、继续开展三峡工程劳动竞赛活动

4月底，劳动竞赛委员会召开总结表彰大会，为评选出的4个先进单位、7个先进集体、23个先进班组和20名优秀建设者颁发证书和奖金。

编印4期《三峡工程劳动竞赛简报》，评选推荐2名全国五一劳动奖章先进个人（张超然、桂根生）、1个全国五一劳动奖状先进集体（三七八联营总公司98.7拌合项目部），2名湖北省重点工程建设先进个人（郑守仁、杨南安），1个湖北省重点工程建设先进集体（工程建设部导流项目部）。并在《中国三峡工程报》上对劳模、优秀建设者和先进单位（集体、班组）进行宣传报道。

调研各参建单位劳动竞赛情况，并于12月召开劳动竞赛经验交流会。会上，中国三峡总公司副总经理贺恭作重要讲话，6个参赛单位代表作大会发言，13个单位提交书面交流材料。

组织职工广泛开展合理化建议和节水发电一条龙竞赛活动，全年职工提出合理化建议2221条，采纳646条，节水增发电量8.67亿kW·h。

四、履行维护职能，职工民主管理工作取得进展

代中国三峡总公司党组起草并下发《总公司全面推行厂务公开的实施意见》，中国三峡总公司凡需公开的事项都需通过文件、会议、内部局域网等形式予以公开。结合中国三峡总公司实际，建立职工代表会议制度，对涉及职工切身利益的劳动合同管理办法、工资奖金分配、绩效考核办法、医疗改革办法、住宅小区装修以及对违纪职工的处分等方案提交职工代表会进行讨论，并根据职工代表的意见进行修改完善。

五、做好女工工作，维护女工合法权益和特殊利益

葛洲坝电厂三峡供电局龚兰芝获“全国先进女职工”称号。各级女工组织通过举办小型文体活动、讲座、知识竞赛、培训班等形式，广泛开展女职工素质达标活动、新婚姻法宣传教育活动。组织女职工体检、办理防癌保险、普及生理保健知识等，为女职工办实事、办好事，切实维护女职工的合法权益和特殊利益。

六、开展文体活动，丰富三峡建设者业余文化生活

组织各参建单位开展三峡建设者“支持申奥、科学健身、反对邪教”体育活动月活动；组织龙舟队参加三峡国际龙舟拉力赛获得冠军；组织冬泳队参加首届全国冬泳横渡长江比赛获团体第三名。先后举办中国三峡总公司第二届职工棋牌赛、第二届职工乒乓球比赛、第三届职工男子篮球赛以及三峡建设者第二届羽毛球比赛、第二届乒乓球比赛、第二届棋牌赛等系列文体活动，丰富广大建设者的业余文化生活，促进坝区精神文明建设。

七、开展送温暖活动，为困难职工办实事

动员职工发扬团结友爱、扶贫帮困精神，开展爱心捐助活动，收到捐款22万元。组织有关部门对历年来的工伤进行鉴定，解决历史遗留问题，对因工负伤的职工按政策规定给予一定的经济补偿。各基层工会继续做好职工疗休养工作，及时慰问住院职工，走访困难职工。

（裴成新）

共青团工作

2001年中国三峡总公司贯彻“建坝育人”思想，按照“服务工程建设、服务公司建设、服务团员青年”工作思路，开展一系列活动。

一、以纪念建党80周年为契机，开展团员青年的思想教育工作

组织三峡建设者开展“我身边的共产党员”演讲比赛。为了用优秀三峡建设者和优秀共产党员的先进事迹，来教育和激励广大青年建设者，打好工程建设的攻坚战，“五四”期间，中国三峡总公司团委会同各参建单位团组织主办“我身边的共产党员”演讲比赛，各单位以演讲比赛为契机，在青年中广泛开展“学先进、比贡献、爱岗敬业、争创‘双零’（质量、安全零事故）”的教育活动。

派选手参加中央企业工委主办的“心中的旗帜”演进比赛。在包括国家煤炭总公司、国家电力公司、中国石油总公司、中国石化集团、首钢集团、宝钢集团等特大企业在内的180家中央企业参赛和演讲好手云集的情况下，中国三峡总公司选手赵蕊获决赛一等奖。

启动“三峡青年新世纪读书活动”。为提高三峡建设者的综合素质，更好地服务三峡工程建设。中国三峡总公司团委启动“三峡青年新世纪读书活动”，按照会员制的管理办法，制定俱乐部章程、分类建立俱乐分部，开展分阶段有主题的读书活动。

组织学习江泽民总书记“七一讲话”和党的十五届六中全中精神。

二、围绕“双零”管理目标，开展青年文明号各项活动

开展青年文明号检查、观摩和经验交流活动。青年文明号、青年文明岗和青年岗位能手活动，在调动青年建设者的积极性，促进工程建设方面发挥着积极作用。4 月，中国三峡总公司团委牵头对坝区各参建单位的创建集体，进行交叉式观摩、检查，进一步规范青年文明号的创建管理、突出青年文明号在服务工程建设中的作用。

青年文明号评选表彰活动评选出三峡工程十大优秀青年文明号、十大优秀青年岗位能手、十大优秀青年突击队队长和十大杰出青年岗位能手。

主办三峡建设者首届青工技能大赛。为了给青年三峡建设者搭建一个互相学习、互相交流的舞台，共同提高技术水平，中国三峡总公司团委联合三峡工程劳动竞赛委员会办公室主办“三峡建设者首届青工技能大赛”。比赛结合三峡工程建设的实际开展，包括金结电焊工、浇筑工、模板工和钢筋工 4 个项目。比赛全部模拟施工现场进行，其中浇筑工的竞赛直接在各单位仓号中现场进行，由各监理单位专家组成的评判组在评判的过程中，现场指出参赛单位的施工过程中技术、工艺、安全等方面存在的问题，并及时与参赛单位交换意见，使比赛的评判过程成为三峡工程内部的专家组进行现场施工指导、督导过程。技能大赛受到监理单位、施工单位和广大青年建设者的欢迎。

三、以创建五四红旗团支部为载体，加强团组织自身建设

按照创建全国五四红旗团委的标准和要求，积极加强中国三峡总公司团委的各项基础工作，制定和完善各种规章制度。在基层团委和团支部，开展“五四红旗团委”、“五四红旗团支部”的创建活动。两个团委、5 个团支部和 93 名团员分别被授予中国三峡总公司“五四红旗团委”、“五四红旗团支部”和“优秀共青团员”称号。选派 2 名团干参加中央企业团工委包括参建单位在内的团干参加中央企业团工委创新创效培训，专程赴全国首批五四红旗团委标兵单位——上海宝钢集团团委学习考察。

四、极开展精神文明创建活动，丰富职工文化生活

为丰富中国三峡总公司职工的文化生活，促进员工间的交流，中国三峡总公司团委与直属单位党委、工会一起组织大型娱乐活动“欢乐总动员”。协助直属单位党委举办庆祝建党 80 周年“歌咏比赛”，负责具体组织工作，14 个参建单位的 1500 多各三峡建设者参加歌咏比赛。

五、关心社会公益活动，资助库区贫困学生

中国三峡总公司团委在团员青年中开展捐款活动，并建立救助账户。10 月 8 日在秭归新城举行现场捐助仪式，与 3 名贫困学生签订捐助协议，资助他们完成高中学业。

六、加大共青团工作宣传力度

积极宣传并向上级团组织推荐中国三峡总公司的优秀青年。2 名中国三峡总公司青年被授予湖北省“五四”奖章；首次评选三峡建设者十大杰出青年岗位能手和十大优秀青年突击队长，并进行相应宣传，为广大三峡青年建设者树立榜样。

（袁英平）

改　制　工　作

改制工作进展情况

2 月 12 日，中国三峡总公司 2001 年工作会议召开。李永安副总经理在工作报告中要求抓紧进行股份制改造的可行性研究，并提出改制的基本思路：首先以葛洲坝电厂现有资产和收益为基础，通过重组改制，引进战略投资者，发起设立电力股份有限公司，逐步收购三峡电厂增量资产。

根据年初工作会议精神，中国三峡总公司聘请多家投资银行对公司改制问题进行深入的可行性研究，研究报告的基本结论是：以葛洲坝电厂资产为基础设立中国三峡电力股份公司，以上市募集资金逐步收购三峡电站投产的机组是较好的改制方案；2002年改制、2003年上市是较好的时间选择；在国内市场发行A股是较好的地点选择。

2001年11月，中国三峡总公司领导向吴邦国副总理正式汇报了改制上市的基本思路和时间安排。朱镕基总理、吴邦国副总理随后在陆佑楣总经理关于中国三峡总公司进行改制上市的信件上作了重要批示，同意中国三峡总公司提出的结合三峡电厂的筹备，先以葛洲坝电厂为基础于2002年6月组建三峡电力股份公司，并在2003年三峡首批机组发电期间上市的方案，要求中国三峡总公司规范改制，一步到位，不留存续企业。

2001年12月3日，中国三峡总公司正式成立改制领导小组和改制办公室，开始紧张筹备改制上市工作。在不到一个月时间里，改制办公室会同聘请的财务顾问，完成《中国三峡总公司整体改制思路》和《中国三峡总公司电力企业改制重组及上市初步设想》。国家经贸委于12月26日召开专题会议进行审查，原则同意上述两个报告，要求中国三峡总公司正式启动股份公司设立的前期工作。并对中国三峡总公司改制工作寄予厚望。

（金才玖）

改制总体目标、基本思路和实施步骤

一、总体目标

（一）将中国三峡总公司改制为国家授权的投资机构、以水力资源开发和经营为主的大型企业集团，实现“建设三峡、开发长江”的战略目标。

（二）建立现代企业制度，转换经营机制，完善公司法人治理结构，通过制度创新、管理创新和技术创新，实现电力生产信息化管理，提高企业核心竞争力。

（三）通过设立股份公司并发行股票上市，在资本市场建立持续融资的载体和资本运营的载体，为三峡工程的建设和滚动开发金沙江水力资源开辟多元化的融资渠道。

（四）建立适应中国电力体制改革要求的市场化经营机制，引进先进管理经验，建立科学的管理制度，使葛洲坝电厂和三峡电厂的生产经营水平达到国际一流标准。

二、基本思路

在公司性质上，中国三峡总公司将改制成为国家授权的投资机构，代表国家行使出资人的权利，依法享有资本收益权、经营权、资产处置权、重大事项的决策权和选择管理者的权力，同时可以对其他大型项目进行投资和建设。

在产业结构上，中国三峡总公司将继续坚持以长江中上游水力资源开发和经营为主导。同时，根据自身的优势和相关多元化的发展方针，促进优势产业的发展，不断开辟新的增长点，把中国三峡总公司建设成为具有核心竞争力和国际影响力的集团公司。

在组织结构和管理方式上，中国三峡总公司将逐步向集团化方向发展，作为集团的母公司将逐步从目前的工程建设和电力生产为主过渡到以战略决策和资本运营为主，并按照控股公司的模式重新构造中国三峡总公司和各子公司的组织架构。项目开发和产品经营都将以组建有限责任公司或股份有限公司的方式进行管理。中国三峡总公司与所属企业之间将真正建立起以产权为纽带的母子公司体制。

三、实施步骤

中国三峡总公司的改制工作将统筹规划，分步骤实施：

（一）结合三峡电厂的筹备，以葛洲坝电厂为基础，于2002年改制设立中国三峡电力股份公司（暂定名），并于2003年三峡首批机组投产发电期间择机发行A股上市，此后将三峡投产机组逐步注入股份公司。股份公司将作为中国三峡总公司的电力生产主体，发展成为拥有葛洲坝电厂、三峡电厂及其它电厂的大型独立发电企业。

（二）三峡工程进入第三阶段建设后，将本着积极稳妥的原则整合现有的工程建设管理职能部门，组建工程建设管理公司和工程咨询公司，负责三峡工程第三阶段建设，滚动开发金沙江水力资源。

（三）在股份公司设立过程中，从葛洲坝电厂主业分离的多经企业按资产和业务属性，逐步与中国三峡总公司多经企业进行整合，优化产业结构，规范关联交易，深化内部改革，强化科学管理，提高整体竞争力。

（四）中国总公司以组建电力股份公司为示范，转换经营机制，按集团公司模式转变职能，精简管理层次，加快人事、劳动、分配制度的改革，建立有效的激励机制和约束机制，全面建立现代企业制度。

（金才玖）

下属独资、控股、参股企业

葛洲坝水力发电厂

一、概况

2001年，是葛洲坝电厂来水偏枯年份，水库进水总量4218.22亿m^3，全年没有发生洪峰流量大于45000m^3/s的洪水，只出现过4次超过35000m^3/s的洪水过程，年内出现的最大洪峰流量41300m^3/s。全年发电量162.9093亿kW·h(其中大江电厂年发电量为103.2345亿kW·h，二江电厂年发电量为59.6748亿kW·h)，是该厂建厂以来年发电量超过160亿kW·h的第五个年度，且列居第三位，超过年度计划153亿kW·h的6.5%，与上年同比增发电量7000万kW·h，连续第18年居全国发电厂年发电量之冠；8月，全厂发电量第一次达到20.1319亿kW·h，创造机组投产以来单月发电量的最高历史记录，可相当于一个中型发电厂全年的发电量；年内安全生产记录创造了3个安全100天，达到当年制定的安全生产年度目标，年底安全生产记录为259天；年内的4月15日连续安全生产记录达到1296天，创造建厂21年以来安全生产的最高历史记录，在同类大型水电厂中处于领先水平。

2001年，葛洲坝电厂向三峡电厂和三峡梯调中心两个筹建处输送骨干人员86名(累计132人)。全年向三峡工程施工区供电3.52亿kW·h，线路损失在4%以下，功率因数在0.9以上；优质供水586.4万t，水质合格率在99.5%以上；三峡水情预报精度有所提高，预见期达48小时，区间定量降水预报准确率92%，均高于国家规定；重件码头吊装量为29739.77t，创历年最高水平；接管三峡永久船闸和升船机二期工程的安全监测工作、三峡左岸电厂大型桥式起重机的运行维护工作；负责三峡左岸电厂前几台机组的安装监理工作、永久船闸水工管理的工作范围较2000年大；通信、仓库储备管理的工作量进一步加大。

2001年，葛洲坝电厂销售电量162.2亿kW·h，比上年增长0.48%；实现含税销售收入16.54亿元，不含税销售净收入14.14亿元，比上年增长0.48%；实现利税总额91630万元，利润总额66036万元，净利润44615万元。实现7.28亿元的总成本控制目标，上缴三峡工程建设基金5.20亿元，完成年度计划，累计上缴三峡工程建设基金42.86亿元；归还葛洲坝水利枢纽二期工程基建贷款本息1.23亿元，累计归还贷款本息32.1亿元；多种经营实现销售收入18097万元，比上年增长14.54%，利润减少为197万元。到2001年底，葛洲坝电厂主业资产总额达到64.32亿元，其中流动资产14.97亿元，长期投资3.52亿元，固定资产44.08亿元，无形及递延资产1.70亿元；流动负债8.86亿元，长期负债7.67亿元，所有者权益47.74亿元；资本保值增值率101.77%，实现国有资产保值增值的目标。

2001年，葛洲坝电厂被评为“湖北省最佳文明单位”和“湖北省思想政治工作优秀企业”。

二、葛洲坝工程发电通航20周年

葛洲坝水利枢纽自1981年6月27日通航、7月30日发电，至2001年达20年。11月27日，来自中国水利学会、中国水力发电工程学会、中国电机工程学会、长江水利委员会、中国三峡总公司的专家、学者，在葛洲坝电厂以科技成果交流的形式，纪念葛洲坝水利枢纽发电通航20周年。专家、学者一致肯定其20年来所取得的科技成果，称赞工程发生的巨大经济效益和社会效益：一是科学发电成果显著。截至2001年底，葛洲坝电厂是中国装机台数最多、电压等级最高的电厂，总装机容量271.5万kW，设计年发电量153.8 kW·h。由于科学管理、科学调度、科学运行、精心观测、精心维护，使机组设备年平均利用小时多年保持在6509小时以上，全厂实际最大出力达到289.8万kW，创造年、月、日发电量分别达到166.15亿kW·h、20.13亿kW·h、6884万kW·h的全国最高记录。截至2001年底，累计发电2646.28亿kW·h，创造社会经济效益超2万亿元人民币。二是通航效果比预计要好。葛洲坝工程建成后，坝址以上约200km航道得到不同程度改善，奉节至南津关全河段平均比降减少12%～60%，19处险滩基本消失或明显减弱，提高三峡河段的航行安全度，结束了川江自古以来不夜航的历史。自通航到2000年底，1#、2#、3#三座船闸累计客运6041.67万人次，货运16953.31万t。年平均客运400万人次，货运1000万t。1996年客运483万人次，货运1591万t，创历史最高记录，三峡航道成为“黄金水道”。三是为三峡工程积累科技、施工、管理经验。

葛洲坝工程是中国自己勘测设计、施工安装、运行管理的工程，在水工技术、机电设备、泥沙研究、大型船闸建设和复杂水流条件下的通航、大规模高强度施工等方面，都为三峡工程积累了经验，培养了人才。到2001年底，葛洲坝电厂累计上缴三峡工程建设基金43.13亿元。葛洲坝工程发电通航的20年，是为三峡工程作实战准备的20年，成为三峡工程不可分割的一部分，被湖北省企业评价协会刊入《2001年度湖北省企业界20件大事》。

三、二江泄洪闸完成20次护坦岁修

二江泄洪闸是葛洲坝工程的心脏，其护坦起着防冲消能的作用，由于水力冲刷磨损，自1981年始每年都要进行岁修。2000年11月25日至2001年2月28日，进行第20次岁修。此次岁修，采用浮式检修门进行闸室检修、平盾底气压沉柜进行护坦检修、潜水员进行人工水下修补三种方式，选择环氧金刚砂、PBM聚合物砂浆、环氧砂浆和速凝水泥铸石砂浆四种修补材料，完成检查面积1397.3m²，修补面积281m²。

四、企地合作建设市政工程

宜昌市西坝建设路暨桥南路，是20世纪70年代在兴建葛洲坝工程时修建的，因年久失修，坑洼不平，影响车辆和行人通行。2001年初，中国三峡总公司、葛洲坝电厂、葛洲坝集团公司、三峡通航管理局等企业与宜昌市政府联合投资改建西坝建设路暨桥南路。改建工程全长1.375km，改造后路面宽25m，其中机动车道11m，非机动车道5m，人行道9m。工程由葛洲坝集团公司负责施工，葛洲坝电厂监理公司进行监理，2月28日动工，5月28日按期竣工，工期100天，总投资903万元人民币。

五、设备整改和环境整治的力度加大

1996年葛洲坝电厂从体制上划归中国三峡总公司，2003年三峡电厂首批机组发电后，三峡和葛洲坝两坝将实行梯级调度、联合运行。按要求，中国三峡总公司2001年提高葛洲坝电厂的折旧率，使葛洲坝电厂设备整改和环境整治的资金充足，2001年安排设备技术改造资金1.14亿元，大修理费用1.32亿元，完成2台机组扩大性大修、2台机组大修和36台机组小修，完成二江泄洪闸第20次岁修和15个排砂底孔（洞）水下检修工作，完成大江500kV开关站的构架改造等重大措施项目17项，完成50.63m高程电缆桥架改造等一般技术改造项目105项，发现并处理葛岗线500kV电抗器C相内部故障、220kV开关站母线支柱根部断裂等9项重大缺陷。全年主设备完好率100%，一类率98.3%；机组平均可用小时数7585.3小时，平均运行小时数6132小时，可靠性指标较好，等效可用系数94.63%，等效可用系数定额完成率109.60%，非计划停运22次，达到国家电力公司一流企业标准。

六、国产机组新型监控装置通过验收

6月20日，国产新型Sj600型智能分布式现地控制装置，经过葛洲坝电厂大江电厂12#机组两个多月的运行试验后，通过专家验收，将陆续取代原从加拿大进口的监控设备。这套由国家电力公司电力自动化研究院科研人员和葛洲坝电厂大江电厂技术人员联合开发，由南京南瑞集团自动化控制公司生产的新一代现地控制装置，共有4个盘柜，由微机控制装置、手动操作按钮、辅助设备PLC组成，具有数据采集与处理功能，能将数据送至厂级计算机主站，能接受主站下达的各种指令，实现对机组的远方控制。大江电厂12#机组至21#机组的微机监控装置，原是从加拿大CAE公司进口的产品，由于超过运行周期，模件老化严重，不能满足机组控制的要求。2000年葛洲坝电厂与国家电力公司南瑞集团公司签订《葛洲坝电厂大江电厂12#机组RTU装置改造技术协议》。2001年初新装置运抵大江电厂随即进行安装调试，4月3日正式投入运行。投入运行后，该装置运行稳定，功能发挥正常，维护量小，满足葛洲坝电厂“无人值班（少人值守）”对计算机监控系统的要求。

七、更换220kV开关站Ⅰ号母线支持瓷瓶及全部隔离刀闸

二江电厂220kV开关站自建站投运以来，经过20年运行、其绝缘子出现不同程度的老化，瓷体出现分层脆化现象，加之绝缘子在制造中的局部缺陷，因此曾出现几次断裂故障，严重威胁电力系统的安全运行。

2000年，葛洲坝电厂将二江220kV开关站母线支持瓷瓶及全部隔离刀闸更换改造列入3年滚动重点技改项目。2000年底，完成10组220kV隔离刀闸的更换改造工作。

2001年12月26日，历时19天的二江电厂220kV开关站Ⅰ号母线检修工程在检修和运行人员的通力合作下顺利结束。共完成220kV开关站Ⅰ号母线刀闸更换（共10组刀闸），Ⅰ号母线15组支持瓷瓶更换以及Ⅰ号母线3组地刀改造等工作，比计划工期提前3天完成。

八、大江分厂安全生产

2001年12月31日，葛洲坝电厂大江分厂实现安全生产3个100天的目标，发电量103.22亿kW·h。

2001年，大江分厂围绕“安全第一、预防为主”这一电力生产方针，扎实做好基础工作，严格执行各种安全规章制度。制定《大江分厂2001年安全目标管理奖惩办法》及特殊时期安全保卫措施。运行人员累计操作71800项，办理一种工作票308份，二种工作票3453份，操作正确率、两票合格率100%。全年发现设备缺陷 2065 项，其中重大缺陷 71 项，避免 2 起火灾事故，1 起水淹厂房事故，3 次 500kV 系统事故、7 起机组停机事故的发生。

九、完成大江、二江电厂、500kV 开关站电缆桥架整治工程

厂房原电缆桥架采用的是防火功能较差的梯级式桥架，机组设备经过多年改造，部分电缆走向极不规范，空中飞线、墙上临时线很多，不符合创一流环境整治的要求，也对安全生产造成了隐患。新电缆桥架采用 1.5～3.0mm 的优质精装冷轧钢板制作，立柱吊线；水平钢槽等其他附件采用 2.5～4.0mm 厚优质钢板制作，所有材料表面防腐方式均采用先镀锌、再喷塑的双层防护方式，再加上加装一定数量的防火封堵，为电缆的安全运行提供了可靠的保证。

该工程是规范生产现场管理，美化厂区环境的重要工程之一。工程由葛电监理公司负责监理，大江、二江分厂作为业主负责现场协调和监护，湖南长沙电缆桥架有限公司负责施工。

大江电厂电缆桥架整治 6 月 23 日开工，分两个阶段进行。第一阶段为大江厂房 8F～21F 高程 50.63m 层动力盘、励磁盘、机旁盘、上游到下游电缆桥架及发电机中性点电缆桥架的改造；第二阶段为大江 500kV 开关站 1# ～7# 电缆廊道内电缆桥架整治及廊道内通风、照明灯具的改造。为确保施工顺利进行，大江分厂从 3 个相关班组先后抽派 7 人参与监护，此项工程于 11 月 8 日通过验收。期间共开出动火工作票 38 张，Ⅰ种工作票 14 张，Ⅱ种工作票 26 张，高质按期完成此项工作。对施工中需要停机进行的工作，如发电机中性点桥架改造、励磁盘封堵等，由于合理安排运行方式，尽量利用机组零点消缺的机会进行，此一项为葛洲坝电厂减少电量损失 1600 万 kW·h，创直接经济效益约 160 万元。

二江电厂50.63m 高程电缆桥架整治及防火封堵工程 11 月 1 日正式动工。为保证施工人员和电厂设备的安全，二江分厂从组织上和技术上做了充分准备，成立电缆桥架工程质量监控小组，制定《二江电厂 50.63m高程电缆桥架整改工程管理规定》，该规定包括“电缆桥架整改施工质量管理规定”，“电缆桥架施工工作票临时管理规定”，“电缆桥架施工安全措施”，并在施工过程中严格执行以上管理规定，厂各职能部门及相关单位在整个施工过程中严把材料入厂关、施工安全监护关、工程质量监理关。为使该工程保质保量如期完工，分厂组织机关全体工作人员利用周末休息日对二江中控室电缆夹层的废旧电缆进行清理，共清理出废旧电缆 100 多根。二江电厂电缆桥架整改工程，共签出二种工作票 21 张、一种工作票 10 张，动火工作票 10 张，纠正各种违章现象 10 多起，清除废旧电缆 63 根。处理各种飞线 19 根，更换破损电缆一根。在本次电缆桥架整改工程中，机组串联变电缆桥架、发电机出口母线过桥桥架、机组调速器下端过桥桥架，施工难度大，工艺要求高，对以上几处桥架，施工中根据现场的实际以及电缆走向，反复修改方案，特别是机组串联变电缆桥架的整改方案，经过四次修订，二次返工，一次整改，最后达到电缆便于散热、消除涡流、安全美观的效果。工程被评为合格。

500kV 开关站电缆廊道桥架改造工程 9 月 28 日开工，年底通过验收，期间共开出动火工作票 7 张，Ⅱ种工作票 8 张。退除各种废旧电缆 251 根，重约 15t。改造后的 500kV 开关站电缆廊道面貌焕然一新。

十、处理大江分厂 12F、20F、21F 漏油问题

大江电厂 12F、20F、21F 大修中更换轮叶密封后，不同程度地存在漏油问题。2000 年，大江运行人员通过仔细观察和漏油量计算，首先发现了这一重大缺陷。2001 年上半年，运行人员发现 3 台机组的漏油量越来越大。因当时漏油原因不清，加之又是大发电季节，盲目停机检查势必造成电量损失。因此，厂部决定机组边运行边查找原因。通过不断调整机组工况，找出了 3 台机组在不同水头下的最小漏油点。2001 年 7 月，运行人员通过不断调整轮叶角度，保证了 3 台机组始终在最小漏油工况下运行，调整工况后的漏油量大幅减少。从 7 月份定浆运行开始到停机处理为止，3 台机总共减少漏油 2084m^3，减少经济损失 990 万元。

十一、安全监测

2001 年，葛洲坝电厂执行新修编的《葛洲坝水力发电厂水工建筑物观测规程》(以下简称《观测规程》)并建立了信息管理系统。

新《观测规程》对大坝水平位移、大坝垂直位移、大坝基础渗压排水、坝体内部埋设仪器等观测项目应遵循的原则、测点分类与测次、现场数据采集与计算方法、巡视检查的内容及要求、观测资料整理和分析等各工序的作业方法和责任均作了祥尽的规定，使日常的监测与维护工作有章可循。截至 2001 年底，葛洲坝水利枢纽有 3 套监测自动化系统和 16 台自动巡视检查集线箱投入运行，共有 1058 支仪器(测点)的数据是自动采集的。

2001 年葛洲坝电厂完成变形监测基点的大修和二江泄水闸安全监测综合自动化系统的更新改造工程。2001 年的监测结果表明：葛洲坝水利枢纽的水工建筑物经过 20 多年的运行，已趋于稳定。基础地质、水位、时效等影响因素逐年减弱，温度变化是其主要的影响因素。

附表　葛洲坝水力发电厂上缴三峡建设基金和归还贷款情况统计表(万元)

年份	销售收入	实现利税	上缴三峡建设基金	归还葛洲坝基建贷款(本息)
1981	798	590		
1982	11632	6391		
1983	21428	13990		
1984	25422	17051	4611	35245
1985	26300	17290	2372	7331
1986	32960	22954	4045	8013
1987	45992	32151	4159	16076
1988	55375	37566	8121	20297
1989	61848	40859	11992	21204
1990	64678	39721	12076	22700
1991	65648	38707	10335	17903
1992	69542	41588	11631	19463
1993	81721	38235	23103	16760
1994	82776	54262	32803	18119
1995	85866	53987	34310	17500
1996	96689	65499	42548	18000
1997	103271	69749	45134	18000
1998	92758	41889	22438	24100
1999	124556	75772	46337	12523
2000	140729	94321	60577	15448
2001	141405	91630	52000	
合计	1431394	894202	428592	308682

(谢兴发　胡　滨　纪　浩　周诗涛)

宜昌三峡工程设备有限公司

2001年,宜昌三峡工程设备有限公司(以下简称设备公司)盘活三峡工程退场土石方施工设备21台套,全年累计实现营业收入5074万元,上缴中国三峡总公司设备租金383万元,实现利润总额522万元(合并会计报表数),股东投资分红比率超过5%,完成年度经营目标。

一、突出设备租赁主业,积极开拓设备租赁市场

设备公司成立的主要经营方向是盘活三峡工程退场的土石方施工设备。2001年,设备公司一方面利用地理优势,稳步开展三峡坝区设备租赁业务;另一方面,积极开拓设备租赁市场,先后在陕西金堆城、江苏镇江润扬大桥、三峡茅坪等地达成设备租赁项目5个,实现设备租赁收入551万元。

在管理好议定合同项目的同时,设备公司先后派人到国内潜在设备租赁市场进行市场调查。至年底,设备公司与陕西金堆城钼业总公司签订为期2年5个月的运输合同,与海南三亚块石开挖运输工程项目签订了合作意向。

二、开拓配件销售渠道,促进市场营销工作

配件销售是设备公司本部和控股公司共同经营的项目,各销售部门一方面继续加强同三峡工程主要施工单位的联系,建立设备配件营销网络数据库,一方面采取灵活多变的营销方式,以优异的质量、优惠的价格、良好的售后服务赢得客户的信任。2001年实现销售收入536万元,完成设备公司下达的年度目标。

三、控股公司经营状况

2001年,修配公司、大禹公司、峡润公司及时调整经营思路,稳定主业,拓展副业,理顺投资关系,加强经营管理,努力开源节流,3个控股公司分别实现经营收入1707万元、1227万元和1052万元,实现利润181万元、103万元和262万元。峡润公司再度荣获湖北省人民政府颁发的"湖北省外商投资百优企业"称号。

在突出主业上,大禹公司和峡润公司对作为主业的仓储业务,加大仓储管理力度,逐步完善仓库管理规章,加大仓储投入,培训调整仓储工作人员,严格履行仓储合同,积极拓展仓储管理业务,顺利完成全年经营目标。大禹公司加大机电产品销售工作力度,在稳定现有客户的基础上,积极开拓新市场,取得良好效益。峡润公司在稳固与原有合同的基础上,主动承揽坝区施工单位的起重运输业务,年内签订对外运输合同12份。

与设备公司联合管理陕西华县金堆城钼矿运输项目是修配公司2001年的主要业务,修配公司专门成立金堆城运输项目管理部,实行项目经理负责制,强化单位成本核算,提前完成合同任务。

控股公司的机械设备修理、配件销售、会务展销、文化用品销售、打印、传真、刻录等业务2001年得到不同程度的发展。大禹公司进一步完善投资项目的经营机制。

四、强化内部管理,加强精神文明建设,积极开展改革探索

(一)设置机构,招聘人员,理顺公司内外关系

2001年,设备公司推行全员竞聘上岗制度,开展员工招聘工作。经资格审查、笔试、计算机测试、面试、竞职演说和公示几个阶段的筛选,招用各类员工13名,保证员工队伍的素质。

根据控股管理的原则，设备公司进一步理顺内外工作关系。3个控股公司先后召开董事会议，完成换届选举工作。

（二）理顺业务流程

设备公司以加强资金管理为中心，逐步建立设备租赁管理、物资管理、营销业务管理及合同管理的有关业务程序，建立合同管理台账、仓储物资管理台账等，同时加强合同价款的及时清收工作。

（三）建立健全规章制度

设备公司先后出台《印章管理办法》、《通信工具及费用管理办法》、《薪酬管理办法》、《员工工作、休假与考勤管理办法》、《员工社会保险与福利管理办法》、《财务收支管理暂行办法》、《员工年度考核办法》等制度和办法，所辖控股公司也相继出台相关管理制度。

（四）执行《会计法》，推进会计电算化

根据设备公司业务特点，一方面逐步理顺内部业务运作程序，规范业务核算流程，保证设备公司会计核算的需要；另一方面，加强控股公司管理，逐步建立和完善下属控股公司定期会计例会制度和会计报表报送制度，强化控股公司财务核算与监管。同时积极推行会计电算化，利用计算机技术促进财务管理水平的提高。

所辖控股公司的财务管理在2001年有新举措。峡润公司在物资采购管理上实施“阳光操作”、将闲置资金投资于三峡债券；大禹公司完善经济责任考核制度；修配公司根据项目实际制定项目财务管理办法等。

（五）强化安全管理，完善安全保证体系

完善安全生产管理制度，坚持安全例会制度，强化安全保障措施，坚持在作业现场设安全监理，加强设备（包括车辆、防火、防盗装置等）的日常维护保养，加强仓库防火防盗。全年未发生人身安全、仓储安全事故和大的设备安全事故。

（六）坚持两手抓，加强精神文明建设

设备公司党支部、工会、共青团等基层组织在2001年内相继成立。系统学习“三个代表”、江总书记“七一”讲话和十五届六中全会精神，用先进的政治思想理论指导设备公司经营活动。参加社会治安综合治理和最佳安全文明单位评选活动，组织员工开展丰富多彩的文体活动和资助捐款活动，全年未发生火灾和刑事案件，未查出吸毒、贩毒和法轮功人员，所在小区被评为社会治安综合治理先进单位。

（七）积极开展改革探索

设备公司员工招聘采取全员竞聘上岗方式。制定实施《“厂务公开”实施细则》，调动员工参与企业管理的积极性；积极探索分配方式改革，制定实施《员工年度考核办法》，将员工的收入与绩效考评相挂钩。

（李　涛）

宜昌三峡工程实业总公司

宜昌三峡工程实业总公司（以下简称实业总公司）成立于1993年3月，原名中国长江三峡工程开发总公司实业总公司，1997年更名为宜昌三峡工程实业总公司。公司法人代表张建国。2001年实业总公司实现主营业务收入7286.23万元，实现利润1120.31万元；年末注册资金5666万元，总资产11333万元，所有者权益5714万元。实业总公司现有在册员工1573人，其中管理人员235人。

2001年，实业总公司根据中国三峡总公司改革和发展要求及三峡坝区旅游发展新形势，提出“抓住机遇，面向市场，实现二次创业”战略发展目标，将2001年定为实业总公司管理年，实业总公司按照“精干高效”的原则，归并整合原有14个子公司（项目部），5个机关职能处室（总经理办公室、资产财务处、经营发展处、人力资源处、党群办公室）和5个子公司——宜昌大三峡国际旅行社、宜昌三峡工程大酒店、宜昌三峡工程实业总公司房产物业公司、宜昌三峡工程运输有限责任公司、宜昌三峡工程文化广告公司（其中宜昌三峡工程运输公司为控股子公司，其余均为全资子公司）。在中国三峡总公司内部公开招聘运输公司经理，面向社会公开招聘7名具有会计师资格的财务人员；管理岗位实行以岗定薪、岗变薪变；为714名劳动关系明晰的员工办理5项保险。共出台《重大事项决策管理办法》、《招标管理办法》、《物资采购管理办法》等各种规章制度和管理办法。全面清理实业总公司银行账户，将货币资金集中存储管理。外包工程预决算采取复审制，物资采购采取定价权、采购权、质量认可权分离制，从制度上加强廉政建设。

1月，大三峡国际旅行社管理的坛子岭景点，被国家旅游局授予首批“AAAA级旅游景区（点）”。10月，旅行社在重庆成立分支机构——重庆大三峡旅行社。旅行社全年接待接待各类游客50万人次，接待外宾12万人次。

8月，三峡工程大酒店拿云楼被国家旅游局授予四星级旅游涉外饭店。2001年酒店客房住宿及餐饮共接待35万人次，接待各种会议旅游团队370个，其中百人以上会议团队25个。

房产物业公司按照ISO9002标准建立质量保证体系，2001年取得长城（天津）质量认证中心和英国AJA两个质量认证机构的认证。2001年房产物业公司承接物业管理面积54.53万m^2，绿化面积93.74万m^2，道路绿化长度23.85km，环卫面积623万m^2。

运输公司按照现代企业制度的要求规范企业运作，经董事会决策，针对三峡坝区旅游客运市场开发出租车业务和旅游运输业务。全年累计发车12万班次，安全行驶400万km。

文化广告公司坚持用健康向上的文化生活丰富三峡建设者的精神生活，占领坝区社会主义文化阵地，被评为三峡坝区2000～2001年度精神文明先进集体。

3月，实业总公司党委召开第二次党员大会，选举产生实业总公司第二届党委。新一届党委认真贯彻江总书记"七一"重要讲话和十五届六中全会精神；及时建立健全包括五个子公司和机关在内的6个党支部；举办支部书记培训班，加强党务干部的培训。根据实业总公司服务经营的特点，提出"用一流的服务，创三峡工程坝区文明服务窗口"的精神文明创建目标。2001年实业总公司各单位全部进入安全文明单位的行列，田秋渔小区被评为三峡工程坝区最佳安全文明小区，实业总公司被评为三峡工程坝区社会治安综合治理优胜单位和宜昌市综合治理工作先进单位。

（何国樵）

长江三峡技术经济发展有限公司

一、概况

2001年完成北京三峡长江水电技术发展中心（下称水电中心）"多能公司"资产清算和长江三峡技术经济发展有限公司（以下简称三峡发展公司）资产重组工作。重组后的三峡发展公司实行总经理负责制下的项目经理责任制。三峡发展公司设有综合处、计财处、科技贸易项目部、物业管理项目部、三峡监理项目部、宝兴河监理项目部、物资运输项目部、投资管理项目部、广州三峡科技公司、宜昌经营部和分支机构宜昌分公司。项目部为动态管理机构。截至2001年底，三峡发展公司共有员工97人，累计资产总额5244.85万元，完成产值1184万元，实现利润53万元。

二、完成的主要工作

（一）工程监理

1.三峡工程监理工作

右岸24#～26#厂坝基础开挖及场平工程；下岸溪人工砂石料开采系统；右岸EL84m高程拌和系统；右岸地下电站进水口金结制安及金属结构预埋工程；荆当公路2001年度大修及维护项目、办公楼装修工程等；三峡对外专用公路维护；三峡场内公路维护修理；三峡专用桥梁维护；物资公司所属仓库、设备维护、修理；电信线路安装、调试、三峡红线围墙维护工程，中国三峡总公司建设部大楼装修、建设者餐厅维修、泵船防腐等其它较小工程项目。

2001年三峡监理部所监理的各项目没有发生质量及安全事故，完成工程投资总额17000万元。

2.宝兴河小关子电站监理

小关子电站2001年3月最后一台机组投产发电，7月底全面完成竣工决算。电站综合评定为优良，单元工程综合优良率81.65%，总工期提前6个月，发电工期提前5个月，节约概算投资2亿元，顺利通过达标验收。

3.办理十三陵抽水蓄能电站工程竣工结算手续，监理费用全部结回。

（二）国外工程承包与项目咨询工作

伊朗MEIJARAN大坝沥青混凝土芯墙咨询项目。2000年三峡发展公司同伊朗SES公司签订咨询合同，2001年组织中国三峡总公司的咨询专家，赴伊朗进行现场指导。

柬埔寨暹粒小水电项目。2001年3月，三峡发展公司与湖北省多人多集团共同组团出访柬埔寨，就联合开发暹粒省小水电项目签署合作协议，并与柬埔寨万隆国际公司、湖北省水利水电设计院四方共同在柬组建开发公司。2001年项目的设计工作结束，完成在柬公司的注册手续。

印度纳尔莫达（Narmada）水电站项目。三峡发展公司与中国水电总公司、天津勘测设计院组成联合体，由中国水电公司牵头，三峡发展公司作为技术支持单位，于11月21日正式递交投标文件。

（三）科技开发与经贸工作

2001年，三峡发展公司利用在俄罗斯弹性金属塑料轴瓦引进方面的技术优势，先后为引子渡水电站4台套、上海希科公司7台套机组提供配套进口轴瓦的报价和选型设计；完成木材、钢材等销售合同和仪器仪表合同额194万元。

（四）运输项目

由于三峡发展公司资产重组等原因，年度预算亏损10万元。三峡发展公司在力保有限的水泥、粉煤灰运输合同指标的同时，积极开拓新业务，2001年完成产值259万元。

（五）配合中国三峡总公司清算组做好资产清理工作

2001年，中国三峡总公司成立"水电中心"、"多能公司"资产清算领导小组。为做好清产核资工作，三峡发展公司组成专班，积极配合中国三峡总公司清算组，逐一对"水电中心"（含原利源公司）、"多能公司"（含原利能公司）、三峡发展公司资产进行清查登记，核对查实，列出财产清单，由中国三峡总公司清算组提出资产处理和重组方案，并以专题会议形式向中国三峡总公司领导汇报。

（六）完善制度、规范管理

为规范经营管理，三峡发展公司出台《项目管理办法》、《办公管理规定》、《机动车辆交通安全、使用管理办法》、《会议管理规定》、《通信工具及费用管理办法》、《员工年度绩效考核试行方案》、《员工培训管理暂行规定》。

（七）加强思想建设，丰富员工文化生活

2001 年，三峡发展公司开展多种形式的学习、教育活动：学习《中共中央关于加强和改进党的作风建设的决定》；组织全体员工参观中共中央暨解放军总部旧址—河北平山县西柏坡和中宣部主办的《肩负人民的希望—纪念中国共产党成立 80 周年图片展》等展览。

（八）员工业务培训

为适应新形势发展的需要，2001 年三峡发展公司加强员工业务培训工作，全年参加培训人员 31 人次。通过学习，更新业务知识，激发员工的创造力和潜能，提高三峡发展公司的凝聚力。

（居郁莉）

三峡国际招标有限责任公司

一、概况

2001 年是三峡国际招标有限责任公司（以下简称招标公司）开拓业务、人员调整、管理到位、素质提高的一年。招标公司全面完成 2001 年招标工作及合同执行的各项任务。2001 年招标公司实现全年营业收入 1594 万元目标计划。

二、主要工作

（一）合同执行工作

截至 2001 年底，招标公司共承担三峡工程水轮发电机组合同、左岸电站压力钢管 60kgf 级高强度钢板采购合同、高压电气设备合同、励磁调速合同、梯调中心计算机监控系统合同、左岸电站计算机监控系统合同、发电机气隙监测系统、发电机局部放电检测系统等 18 项国际合同、35 项国内合同的执行工作（不含配套运输合同）。

2001 年，招标公司累计完成对外支付 5478.08 万美元。2001 年度，合同执行过程中多次参加合同设备开箱检验，参与合同执行的各项重要会议，特别是主要机电设备合同的设计联络会。及时协调合同执行过程中的交货、验收、支付、原产地变更、补充采购、索赔等各项商务问题。没有发生因招标公司过失引致的合同索赔或其他对业主和买方不利的事件，因卖方或其他原因导致的合同责任问题也经协商得到解决，保证了三峡工程建设进度。

为便于合同索赔管理的规范化，招标公司起草《合同索赔管理规定》。

（二）招标工作

2001 年，招标公司完成招标及询价项目 49 个，招标项目合同总金额 155314.36 万元，49 个项目中，机电项目 36 个，合同金额 31461.43 万元；物资项目 5 个，合同金额 22458.3 万元；建安项目 8 个，合同金额 101394.62 万元。通过“公开、公平、公正”的招标方式使所有的企业和供货商进行公开有序的竞争，保证了中标者向三峡工程提供优质的货物和服务，同时使有实力的企业参加工程建设，以规模和技术优势大大降低了工程成本，为工程建设节约了大量资金。

招标公司在招标过程中严格按照国家有关法律法规规范操作，所完成的招标项目未收到任何关于违规操作的投诉。

（三）市场开拓工作

2001 年，招标公司在前期工作的基础上共进行了 14 个项目的市场开拓工作，其中大中型水利水电工程招标代理项目 4 项、国家大型能源综合项目招标代理 1 项、贸易及相关项目 3 项、培训项目 2 项、投资经营类项目 4 项。

（四）财务管理和资本运营

财务工作围绕公司 2001 年工作计划，加强制度建设，深化财务管理，强化会计监督，规范财务行为。在确保公司各项工作顺利开展的情况下，实现营业收入 1595 万元，成本费用共计支出 1050 万元，营业税金及附加 87.76 万元，实现利润 560 万元，缴纳所得税 235 万元。在完成日常财务管理工作的同时，为充分发挥公司闲置资金利用效率，积极盘活现有存量资金，寻找风险小、收益稳定可靠的投资渠道，全年共实现投资收益 32 万元（其中收回 1999 年 500 万元国债投资利息 4.2 万元）。

（五）公司建设和综合管理工作

2001 年招标公司在公司建设和综合管理工作上做了调整和改革：编印公司规章制度，对年、月、周计划等加强了目标管理和监督考核，设置专业技术部门，通过人员招聘充实员工队伍并对员工实施全方位的培训、优化人力资源知识结构，逐步完善员工绩效考核制度，积极参加总公司 TGPMS 信息管理系统建设。2001 年，招标公司与《经济日报》、《中国水利报》等媒体签订一系列合同，发布招标公司的有关宣传报道。取得建设部颁发的工程招标代理甲级资质。

（吴　淳）

三峡财务有限责任公司

一、概况

2001年，三峡财务有限责任公司(以下简称财务公司)资产总额45.6亿元，比上年底增加13.4亿元；全年资产平均规模25.6亿元，比年计划28亿元减少8.9%。总存款39.1亿元(其中一般性存款38.5亿元，委托存款0.6亿元)，一般性存款比上年末净增17.7亿元；全年一般性存款平均余额16亿元，比年计划17.5亿元减少8.6%。全年实现总收入1.14亿元(其中含投资收益180万元)，利润总额6769万元，股红分配率达到7.1%。资产质量继续保持优良，不良资产率为0，收息率为100%，全年无安全事故发生。完成董事会下达的经营计划。

二、内部控制

贯彻落实《企业集团财务公司管理办法》，认真开展规范调整工作。一是明确新的业务范围，允许财务公司进行有价证券、金融机构股权及成员单位股权投资等。二是健全法人治理结构。按有关程序选举监事长，并作为财务公司高级管理人员报请人民银行进行任职资格审查。三是重新申办内部结算业务。作为规范调整工作的成果，新的金融许可证已下发。

提出《关于进一步加强制度建设的意见》，对现有内控制度进行增补、修订和完善。一方面根据拟开办的新业务制定相应的制度和操作规程，另一方面对原有的制度体系对照新规定的要求进行修订与补充。2001年新制定制度10个，修订制度26个，并将这些制度汇编成册。财务公司内控工作受到各级人民银行等监管单位的肯定，被确定为一类金融机构。

2001年，财务公司采取"节、减、压"等措施，进一步加强费用管理。贯彻执行《会计法》，接受三峡建委稽察办、财政专员办、税务及中国三峡总公司财务部等单位、部门的财会检查，对检查中存在的问题及时、坚决进行整改，并在此基础上举一反三，进行财务开支全面自查，进一步增强全员的财务守法意识。信贷业务重点从规模管理转向风险管理，密切关注逐步显现的贷款风险，确保信贷资产运行安全。

三、金融服务

协助葛洲坝电厂回笼电费；针对三峡基金到位不理想的情况，积极配合中国三峡总公司财务部等有关部门对2001年度三峡基金拨付情况进行调查了解，为进一步做好存款工作提供信息；以方便、快捷、高效的柜面服务稳定和争取存款。2001年办理资金结算约700亿元，达到准确、及时、安全的要求。

财务公司适时拓展信贷服务范围，将三峡工程设备供应商列为信贷对象，累计向设备供应商发放贷款5850万元，回收3400万元，年末余额为2500万元。一如既往地支持施工企业，及时解决施工企业临时资金周转困难问题，2001年先后向三七八联营总公司、青云公司等单位发放贷款4850万元。2001年施工企业和设备供应商的贷款余额为23550万元。

2001年三峡债券发行工作任务重、时间紧，财务公司迅速组成专班，实施倒计时工作法，按预定进度推进每一个环节。首先是完成发行方案制定和承销团组成工作。确定12家券商组成的承销团，发行两个品种的债券(20亿元10年期浮息和30亿元15年期定息)。并以较快的速度取得发行的审批文件。50亿元债券一周时间就销售告罄，财务公司承担的3.5亿元额度也迅速完成。债券上市的申报材料随即报送上海和深圳证券交易所，为加快债券上市进程赢得时间。

四、经营管理

财务公司加强对银行间债券市场和同业拆借市场的研究与运用，积极参与货币市场，调整财务公司资产结构，提高资金利用效率，增加短期套利机会。购入国债现券5000万元；场内发生拆借5次，累计金额3.6亿元，回购5次融入资金2.5亿元，并在证交所市场回购融出，平均利差在1.2个百分点以上。财务公司计划部门加快资金调拨频度，尽可能地挤出资金用于回购。全年累计调拨资金145亿元，平均2.42天调一次资金，比上年同期3.1天加快0.68天。采取多种措施运作好短期资金，全年累计拆借资金4.4亿元。

财务公司发挥规模优势，捕捉市场机会，利用国债交易提高资金收益。全年累计交易量117.9亿元，(其中回购104.7亿元，现券13.2亿元)，平均规模2.93亿元，综合收益率4.68%(现券收益率6.68%，回购收益率3.86%)。长期债券投资规模5.5亿元，实现投资收益4625万元，收益率8%。

财务公司对外股权投资和证券投资基础性工作顺利推进。拟出资2500万元人民币与长江证券公司等单位共同发起成立基金管理公司，并以占股25%取得第二大股东地位。在证券投资方面，根据市场情况和财务公司资金状况，财务公司将基金投资作为进入资本市场的首选品种，加强研究，模拟跟踪，寻机介入。为更好地开展以上新业务，新成立了投资银行部。

网上银行项目进入正式开发、测试和试运行阶段。12月，聘请清华大学、中国三峡总公司信息中心等单位的计算机专家组成验收组，对网上银行项目进行阶段性验收。验收结论表明，网上银行项目思想超前、技术先进、安全可靠，可以进行下一阶段推广应用。

五、精神文明建设

财务公司坚持一手抓物质文明建设，一手抓精神文明建设和思想政治工作。通过集中学习、组织参观、专题讨论、听讲座等多种形式，认真学习江泽民总书记“七一”重要讲话和党的十五届六中全会精神，以《关于进一步加强党的作风建设的决定》为指导，抓好财务公司自身党组织建设，进一步改进和加强政治思想工作，提高党员和全体员工的战斗力。

（谢　峰）

荆当公司

一、概况

宜昌荆当公路建设有限责任公司（以下简称荆当公司）由中国三峡总公司、宜昌市原交通委员会和荆门市交通局三方共同投资成立，中国三峡总公司控股。荆当公司权力机构为股东大会，并设立董事会、监事会。荆当公司经营范围为公路经营管理，2001 年主要承担荆当公路路产、路权管理和征收过往车辆通行费。至年底，荆当公路累计过往交通量 320 万车次，为三峡工程供应物资 300 余万 t，已成为荆门、当阳经济发展的主动脉，并成为全省“大三角”公路主骨架网络的有机组成部分。兴建荆当公路的宗旨是服务三峡工程，繁荣地方区域经济。

原荆当公路为四级公路，等级低、路况差。三峡工程全面开工后，工程所需的水泥、粉煤灰等建筑材料，无法通过该路运输，物资运输必须绕道荆州市走汉宜高速公路，增加行程 53km。从荆门运往三峡的水泥等建筑材料 400 万 t，须增加绕道运费 1.6 亿元。1995 年 11 月 8 日，中国三峡总公司物资公司、宜昌市原交通委员会、荆门市交通局，根据《中华人民共和国公路法》的有关精神，在宜昌签署《建设经营皂当公路荆当段合同书》，共同投资经营荆当公路。荆当公路按平丘二级公路标准兴建，路基宽 15m，路面宽 12m，工程于 1995 年 11 月开工，1997 年 6 月 28 日竣工，工程总支出 8660 万元。1997 年 8 月 28 日，经省人民政府办公厅鄂政办函〔1997〕65 号文批准设立荆门市谢花桥收费站，按省物价局、省财政厅鄂价费字〔1997〕269 号文批准收取过往车辆通行费。

二、完成的主要工作

（一）超额完成费收任务

全年实现通行费收入 1048 万元，较年度预算收入 950 万元超收 98 万元，比年度收入预算增长 10.3%，与 2000 年比较，增收 288 万元，增长了 38%。首次实现收支平衡，盈利 76 万元，归还股东借款 400 万元。

（二）成本费用控制在预算内，并有节余

2001 年营业成本、税金、管理费用和财务费用预算合计 988.6 万元，实际发生 969.2 万元，节约 19.4 万元，内部消化 9 万元成本费用，其中荆门大修延长 50m（3 万元），监理、审计费预算估计少 3 万元，税金增加 3 万元。顺利完成公路养护、大修、防护工程和收费站改造任务，管理费用和财务费用较预算减少 21%。

（三）成立党、团、工会组织

12 月 7 日，荆当公司召开党、团、工会组织成立大会，党、团、工会组织挂靠中国三峡总公司管理。

（四）引入竞争机制，建立员工绩效考核体系

荆当公司对每个员工按照岗位指标、民主评价和直线领导打分 3 个层次进行考核，量化工作质量和数量，改变以往平均主义发放办法，适当拉开收入分配档次，年终奖最低与最高相差 400 元。对员工实行动态管理，年底因绩效考核成绩不佳流动 4 名员工。

（五）路权管理体制进一步规范

通过与宜昌市、荆门市的交通部门和公路部门共同探讨、研究，荆当公路除路政管理以外，养护、大中修、防护工程将作为一个有机整体统筹管理，按照市场经济规律进一步规范各项管理体制，明确合同主体，减少中间环节，理顺责权利关系，调动施工单位的积极性，提高好路率。

（六）工作重点前移，基础设施进一步完善

收费站办公楼阳台封闭工程竣工，完成工程量 $400m^2$；监控系统改造效果明显，排除了故障，增强了摄像、录像功能；食堂、储藏室、配电房和门房屋顶漏雨问题得到根本改变，防漏处理 $100m^2$；修建民警值班室。基础设施建设资金控制在批准的预算内，质量可靠，经济实用。

（七）健全荆当公司规章制度

出台《荆当公司劳动人事管理暂行办法》、《荆当公司票证管理办法》、《荆当公司资金管理办法》、《荆当公司财务管理制度》、《荆当公司岗位责任制度》和《荆当公司员工绩效考核试行办法》。通过完善各项规章制度，使管理工作逐步规范化、制度化和程序化，为荆当公司的深度发展奠定基础。

（八）营造良好的收费环境

教育员工共同塑造“文明窗口”形象，文明用语，规范站位，宣传费收政策，灵活处理各种矛盾；建立监控报表制度；与交警、公安部门共同探讨警民共建值班制度的方式、经费及管理机制问题，并取得共识；谢花桥村车辆通行费问题取得实质性进展。

（陈书圣）

移民小区绿化之四

先进集体与个人 X

崛起的新城——双江镇移民小区

先进集体与个人

全国五一劳动奖状获得单位

三七八联营总公司高程 98.7m 拌和项目部

三七八联营总公司高程 98.7m 拌和项目部(以下简称项目部)主要承担三峡航建工程的混凝土生产供应任务,总量为 609.3 万 m^3,系统设计最高月强度 13 万 m^3。项目部组建于 1995 年 6 月,拥有职工 310 人,其中党员 38 人,团员 100 人。项目部自组建以来,多次受到各级组织的表彰。1997 年,项目部青年突击队被共青团中央、国家计委、建设部命名为“青年文明号”;1997～1999 年,被评为三峡工程劳动竞赛“先进集体”、三峡坝区社会治安综合治理“安全文明单位”和“最佳安全文明单位”称号;1997～2000 年,连续 4 年被三七八联营总公司评为“先进党支部”。

一、建筑安装创奇迹

1995 年 7 月 1 日,高程 98.7m 拌和系统正式开工,按合同要求,建安工程只有 3 个月时间,外国专家称此项工程至少要半年时间。面对关系到大江截流的关键工程,项目部全体职工冒着三峡四十多度的高温,按照施工网络计划的保证措施,开展劳动竞赛,顽强拼搏,89 天实现投产目标,被外国专家称为“奇迹”。

二、服务工程为己任

项目部牢固树立“为下一道工序服务”的宗旨,以优质塑形象,强化质量检测,成立混凝土试验室,对关键部位的运行人员明确质量责任以提高工序质量。为提高制冷混凝土的产量,对原无法生产低温混凝土的 4×3m^3 拌和楼进行改建,使低温混凝土从原来的 6.5 万 m^3/月提高到 10 万 m^3/月以上。改善生产调度和运行管理的灵活性、互补性,大大提高设备利用率,为三峡工程高温季节的施工提供可靠的保证。项目部顾大局,识大体,急工程所急,确保混凝土供应畅通无阻。截至 2000 年该系统已为三峡工程生产优质混凝土近 400 万 m^3。所生产的混凝土抗压、抗冻、抗拉合格率分别为 92.8%、100%、100%。2000 年,项目部混凝土年产量达 144 万 m^3,创历年最高纪录。

三、科技进步出成果

三峡工程“一流施工、一流质量、一流管理”,需要有一流的科技保证。项目部在开展社会主义劳动竞赛中动员和组织全体职工学习新技术、新工艺和新材料应用,先后取得近 20 项科技成果。其中突出项目有:率先在三峡工程实施“二次风冷”骨料加片冰生产 7℃低温混凝土,创造国内新纪录,此项新成果受到水电专家很高的评价,并在三峡二期工程中推广应用;在国内唯一实现混凝土生产与运行车辆定位系统自动控制,实现计算机及光电识别现代化管理,大大缩短出料时间,使生产管理清晰、合理、高效,数据记录完备;改 NYL—2000D 型压力试验机为电脑自动控制,压力机力值精度由原来的±2%提高到±1%,真正做到恒速加荷,减少由人工操作所带来的影响和波动,使试验数据更加接近真实值,提高混凝土强度检测试验资料的准确性和可靠性。项目部通过应用新技术、新工艺,对系统设计不合理的部分进行技术革新改造,不仅建成三峡工程自动化程度高、功能完备的最先进混凝土生产系统,而且为传统的劳动竞赛增强新的生命力。

四、强化管理有特色

项目部按合同要求,制定和完善《混凝土生产管理实施细则》、《混凝土原材料质量控制与检测实施细则》、《设备管理实施细则》、《安全文明施工管理实施细则》和《劳动竞赛实施办法》及文明施工奖惩办法、安全生产奖惩办法、混凝土生产质量奖惩办法、设备管理奖惩办法、成本考核奖惩办法和民主评议干部办法。项目部坚持周考核、月评定,月末按得分多少奖惩兑现。对干部实行民主监督,由职工代表参加考评,凡达不到最低考核标准者,取消其任职资格。对职工实行动态管理,达不到上岗要求者就地下岗。这些制度的显著特点是:通过加强内部管理,理顺关系,由过去人管人转变为制度化的规范管理。

葛洲坝集团三峡建设公司 401# 电铲组

葛洲坝集团 401# 电铲组(以下简称电铲组)组建于 1971 年 10 月,现有组员 7 人,其中党员 3 人、团员 2 人。电铲组 1972～1974 年连续 3 年被水电部授予“模范机车”称号。该组还多次被葛洲坝集团公司评为“先进班组”和“安全机车”等荣誉称号。

401# 电铲是七十年代进场的设备,先后在葛洲坝、西北口、深圳机场、海南大广坝工地服役。该机组发扬“创优质、高产、保安全”的工作作风，使该车的完好率始终保持在85%以上，利用率在80%以上。

随着三峡施工项目的开工，电铲组于1994年11月由海南大广坝转战三峡工地，负责导流明渠开挖。当时，正值导流明渠开挖的紧要关头，时间紧，任务重，难度大。为确保机车正常运行，电铲机组人员日夜三班驻守在工地，24小时全力进行抢修，紧固，加焊，清洁机车。经过8个月的苦战，提前完成中堡岛及导流明渠的开挖任务，得到各方好评。1997年5月，三峡右岸导流明渠通航以后，又奉命转战到右侧厂坝段的开挖施工中。由于基面松软，电铲组首先规定每班的带班司机为安全责任人，班前认真检查四周施工环境，做到心中有数，发现问题及时停车处理，坚持不开有事故隐患的车，不进行有事故隐患的操作作业。机组全体职工采用灵活的方式，仅用9个台班就打开施工场面，为其他机械设备进入作业部位，掀起开挖高峰奠定基础。1999年8月，葛洲坝集团三峡建设公司承接三峡右岸进水口工程的开挖任务。由于是高边坡作业，加之施工单位多，立体交叉作业，施工环境十分复杂。根据施工要求，全机组职工克服各种困难，从185m高程下挖到108m高程，垂直下降77m。

2000年，三峡右岸进水口进入攻坚阶段，为确保生产的安全与高效，电铲组把操作规程、安全、质量标准贴在机车上，落实到行动上。自2000年8月以来，电铲组月月超额完成开挖任务，与其它几台电铲相比，401#电铲开挖的速度最快，产量最高，共计开挖土石方45万m^3，占葛洲坝集团公司第一工程公司开挖任务的60%以上，做到安全生产无事故。在现场施工中，严格按ISO9000系列标准进行过程控制，严格按施工技术要求和作业指导书进行作业，不超挖，不欠挖，被有关部门称为“质量信得过机组”。

2001年度长江三峡工程建设先进集体、先进班组和三峡工程优秀建设者名单

2002年4月11日，长江三峡工程劳动竞赛委员会和中国三峡总公司以三峡劳竞字〔2002〕第2号文颁发《关于表彰2001年度长江三峡工程建设先进集体、先进班组和三峡工程优秀建设者的决定》，决定内容如下：

三峡工程各参建单位：

2001年是三峡第二阶段工程三年攻坚战的第一年，在这一年中，各参建单位按照质量零事故和安全零事故的“双零”管理目标，开展了形式多样的劳动竞赛活动，充分调动了广大三峡建设者的积极性和创造性，有力地促进了各参建单位提高管理水平和劳动生产率，出色地完成了2001年的各项任务。主要工程形象达到了预计的目标，若干工程难点有了重大突破，工程质量和安全生产有了较大的进步，工程建设取得了阶段性的丰硕成果。同时，三峡工地也涌现出了一大批先进集体、先进班组和先进个人。为弘扬他们的先进思想和模范事迹，进一步激发广大三峡建设者的积极性和创造性，长江三峡工程劳动竞赛委员会与三峡总公司决定：授予葛洲坝集团三峡指挥部厂坝三部等15个集体为“2001年度长江三峡工程建设先进集体”称号，授予三七八联营总公司第一工程工区安装公司安装队等24个班组为“2001年度长江三峡工程建设先进班组”称号，授予杨忠义等20名同志为“2001年度三峡工程优秀建设者”称号。

2002年是三年攻坚战的第二年，大坝开始挡水，船闸进行调试，发电机开始安装，导流明渠截流，一环紧扣一环，任务十分艰巨。希望广大三峡建设者要以先进人物为榜样，学习他们爱岗敬业、勇于创新的工作精神，学习他们艰苦创业、无私奉献的高尚品质，发扬工人阶级主人翁精神，继续坚持“双零”管理目标，按照江泽民总书记“三个代表”的要求，为三峡工程建设作出更大贡献，以优异的成绩迎接党的十六大召开。

先进集体：

葛洲坝集团三峡指挥部厂坝三部
葛洲坝集团机电建设公司三峡泄洪坝段项目部
武警水电第四支队
三七八联营总公司第二工程工区
青云公司浇筑二大队
三联总公司混凝土五大队
长江委三峡勘测研究院
长江委三峡工程监理部工程设备监理处
中南院三峡监理中心永久船闸金结机电安装监理部
三峡总公司工程建设部航建项目部
三峡总公司工程建设部厂坝项目部
三峡坝区急救中心
宜昌市公安局交警支队三峡坝区交警大队
武警交通五支队五中队
宜昌三峡工程专用港口码头管理处

先进班组：

葛洲坝集团三峡指挥部厂坝一部综合一队
葛洲坝集团三峡指挥部厂坝二部浇筑二队
葛洲坝集团电力公司三峡建设公司配电运行工区
武警水电第四支队三中队

武警水电第八支队三中队
三七八联营总公司第一工程工区安装公司安装队
三七八联营总公司第三工程工区土木二队
青云公司浇筑一大队混凝土中队
青云公司调度室
三联总公司混凝土六大队二中队
长江委三峡工程代表局枢纽设代处基础处理设计专业三峡项目组
长江委设计院枢纽处电站室三峡组
长江委三峡工程监理部120m栈桥监理站
西北院三峡监理中心土建工程部
中南院三峡监理中心混凝土质量检查监理项目组
华东院三峡监理中心上游隔流堤项目监理组
东北院三峡监理中心右岸地下电站进水口洞挖项目监理部
三峡总公司设备部金属结构处
三峡总公司三峡工程安全总监办公室
宜昌供电局三峡分局用电经营科
长江三峡通航管理局三峡调度值班组
武警交通五支队六中队维修巡逻班
三峡工程水厂鹰子嘴分厂机电班
二峡工程施工供电局高试班

三峡工程优秀建设者：

吴森康　葛洲坝集团三峡指挥部副指挥长
张为民　葛洲坝集团机电建设公司三峡泄洪坝段项目部副经理
王跃辉　葛洲坝集团三峡指挥部厂坝一部综合一队队长
杨忠义　武警水电一总队三峡永久船闸南线混凝土项目部主任
吴国如　武警水电二总队三峡永久船闸北线混凝土项目部主任
王宏民　三七八联营总公司一工区副主任
连普选　三七八联营总公司下岸溪砂石项目部经理
王争鸣　青云公司总经理
郝　镇　青云公司右岸项目部建工一大队大队长
郭启军　三联总公司总经济师
刘　宁　长江水利委员会副总工程师
杨丹汉　长江委三峡监理部副处长
崔陇天　西北院三峡监理中心总监
李振明　中南院三峡监理中心总监
叶锦锋　华东院三峡监理中心副总监
樊启祥　三峡总公司工程建设部航建项目部主任
华　勇　宜昌市公安局三峡坝区分局局长
王向东　三峡通航管理局临时船闸处副主任
刘俊盈　武警交通部队第五支队战士
张水平　三峡工程重件码头管理处主任

三峡工程移民和对口支援工作先进单位和个人

2001年7月11日，国务院三峡建委关于对三峡工程移民和对口支援工作先进单位和个人进行表彰的决定：

北京、天津、河北、辽宁、吉林、黑龙江、上海、江苏、浙江、安徽、江西、山东、河南、湖北、湖南、广东、广西、重庆、四川、云南等省(自治区、直辖市)人民政府，国务院有关部门：

自1998年三峡工程二期移民工作开展以来，各有关政府、部门和单位，以及广大移民工作和对口支援工作者，认真贯彻执行开发性移民方针，发扬社会主义大协作精神，全心全意为移民群众服务，在移民工作和对口支援工作中取得很大成绩，并涌现出一批先进单位和先进个人，他们勇于开拓，不断创新，工作扎实，讲求实效，为三峡工程移民和对口支援工作做出了突出贡献。

经各省市、各部门认真评选，国务院三峡工程建设委员会审定，共评出秭归县人民政府等34个单位为移民工作先进单位、李德刚等41名同志为移民工作先进个人，北京市人民政府等32个单位为对口支援先进单位、范书辉等33名同志为对口支援工作先进个人。现决定予以表彰。

希望被评为先进的单位和个人再接再厉，为今后移民和对口支援工作做出更大贡献。同时也希望大家以他们为榜样，认真学习他们的先进事迹，按照江泽民同志“三个代表”的要求，努力做好移民和对口支援工作，确保三峡工程移民工作顺利进行。

三峡工程移民工作先进单位

湖北省秭归县人民政府
湖北省监察厅
湖北省审计厅
湖北省荆州市民政局
湖北省远安县移民办公室
湖北省兴发集团
重庆市奉节县人民政府
重庆市云阳县人民政府
重庆市江津市人民政府
重庆市万州区溪口乡人民政府
重庆市长寿县朱家镇人民政府

重庆市移民局
重庆市移民局信访处
重庆市监察局执法监察室
重庆市巫山县移民局
重庆市云阳县人民检察院
重庆市忠县审计局
重庆市合川市移民局
重庆市天城区钟鼓楼办事处移民办公室
重庆市万光实业有限公司
重庆市涪陵区金帝集团有限公司
重庆市丰都县燃气有限公司
长江水利委员会长江移民监理有限公司兴山县移民单项工程监理站
上海市崇明县人民政府
江苏省三峡移民安置办公室
浙江省三峡库区移民安置工作领导小组办公室
浙江省嘉善县人民政府
安徽省农垦集团公司
福建省晋江市三峡移民安置办公室
江西省靖安县人民政府
山东省广饶县人民政府
湖南省移民开发局
广东省博罗县人民政府
四川省移民办公室

三峡工程移民工作先进个人

李德刚　湖北省宜昌市移民局局长
杜远州　湖北省宜昌县移民局副局长
向伦昌　湖北省秭归县移民局副局长
冀学枝　湖北省秭归县移民局信访员
王宗明　湖北省兴山县人民政府副县长
于德海　湖北省巴东县人民政府县长
梁今辉　湖北省三峡工程移民局副处长
伊金旺　湖北省人民检察院反贪污贿赂局副处级检察员
王凤竹　湖北省文物局三峡办副主任
郑昌省　重庆市巫山县大昌镇党委副书记兼洋河村党支部书记
冉绍之　重庆市奉节县城关区工委副书记、主任
黄　波　重庆市云阳县县委书记
欧阳祖辉　重庆市万州区人民政府副区长
沈诗正　重庆市开县渠口镇党委书记
廖觉超　重庆市忠县县委书记
敖茂林　重庆市丰都县龙孔乡党委书记
冯光锌　重庆市巫山县移民局信访科科长
刘洪文　重庆市万州区龙宝移民局企迁科科长
刘发国　重庆市万州区移民局信访科副科长
陈能文　重庆市开县移民局党组书记、副局长
曾志权　重庆市丰都县移民局信访科科长
张能玖　重庆市铜梁县人民政府移民办公室主任
董世祥　重庆市第二检察院检察长
罗明泽　重庆市经济委员会副处长
刘豫川　重庆市博物馆馆长、三峡文物保护工作领导小组办公室主任
殷跃平　国土资源部地质灾害监测总院副总工程师
王　华　国家审计署农业与资源环保审计司处长
崔政权　长江水利委员会综合勘察局教授级高工、地质大师
袁永源　长江水利委员会长江勘测规划设计研究院库区处总工程师
彭茂林　长江水利委员会长江移民监理有限公司丰都单项监理站站长
章增荣　三峡移民稽察组第三小组副组长
张祥明　上海市安置三峡库区移民工作领导小组办公室主任、中共上海市郊区党委副书记
洪维新　江苏省大丰市三峡移民安置办公室主任
朱声庚　浙江省长兴县政府副县长
甄圣堂　安徽省长丰县水湖镇副镇长
胡元書　福建省政府水电站库区移民开发局副局长
龙小文　江西省靖安县移民办公室主任
顾焕斌　山东省发展计划委员会对口支援处调研员
曾凡平　湖南省郴州市苏仙区塘溪乡副乡长
吴军雄　广东省对口支援三峡库区工作办公室主任
邓紫东　四川省广汉市三峡移民办公室主任

对口支援三峡库区移民先进单位

北京市人民政府
上海市人民政府
江苏省人民政府
浙江省人民政府
湖南省人民政府
广东省人民政府
宁波市人民政府
青岛市人民政府
安徽省合肥市对口支援三峡领导小组办公室
福建省人民政府对口支援办公室
云南省经济技术协作办公室
南京市对口支援与扶贫领导小组办公室
武汉市对口支援三峡库区移民办公室
铁道部发展计划司
交通部综合规划司
水利部扶贫领导小组办公室
中国地质环境监测院三峡地质灾害监测中心
中国光彩事业促进会办公室

中国工商银行项目信贷部
中国农业银行三峡分行
中国银行重庆市万州分行
中国建设银行重庆市分行
华中农业大学
西南农业大学
北汽福田车辆股份有限公司
河北正邦集团公司
江苏森达集团公司
湖北省支援三峡工程建设委员会办公室
湖北省宜昌市人民政府
重庆市万州区五桥移民开发区管委会
重庆市涪陵区人民政府
重庆市万州区对口支援办公室

对口支援三峡库区移民先进个人

范书辉　河北省人民政府开放办公室副主任
周伟民　上海市对口支援三峡工程领导小组办公室副主任
刘国华　上海市卫生局副局长
许善平　江苏省三峡办副处长
梁月荣　浙江大学农业与生物技术学院副院长、茶学系主任(教授)
李建一　福建省人民政府对口支援办公室助理调研员
邵　伟　山东省人民政府对口支援办公室副处长
孟　斌　湖北省气象局对口支援三峡库区台站工作领导小组办公室主任
谢海珍　湖南省经济协作办对口支援处处长
徐天才　云南省经济技术协作办公室区域处处长
魏　克　南京市经济协作办公室、对口支援办公室主任
赵力峰　深圳市基金管委会办公室主任
王学勤　科学技术部中国农村技术开发中心
李天碧　水利部扶贫办主任
潘牧旭　外经贸部计财司副处长
李革新　中国工商银行项目信贷部处长
屈耀军　中国建设银行三峡分行信贷经营部党支部组织委员
袁明杰　中国农业银行重庆分行行长
宗庆后　杭州娃哈哈集团有限公司董事长兼总经理
朱新礼　北京汇源果汁饮料集团总公司总裁
张永定　上海汇丽集团有限公司董事长
陈金义　浙江金义集团有限公司董事长
王廷江　山东华盛集团总公司董事长
侯永生　北京涪陵长江博华电缆有限公司董事长
谈荣兴　AB三峡针织有限公司总经理
王均瑶　均瑶集团公司董事长
魏北华　湖北省三峡办助理调研员
易行运　湖北省宜昌市人民政府市长助理
武序忠　宜昌县三峡办主任
刘　熙　重庆市万州区对口支援工作办公室主任
罗　敏　重庆市涪陵区移民局局长
陈孝来　重庆市奉节县人民政府县长
张正海　重庆市万州区五桥管委会主任

全国五一劳动奖章获得者简介

张超然(中国三峡总公司)

男,1940年8月出生,浙江温州人。中国共产党党员。大学文化,教授级高级工程师。国家有突出贡献中青年专家。1966～1996年在电力部成都勘测设计研究院工作,曾任总工程师、副院长、院技委会主任等职;主持二滩等大型水电站的设计工作,任设计总工程师、代表处处长等职。1996年起在中国三峡总公司工作,现任中国三峡总公司总工程师。1981年和1986年被成都市人民政府授予成都市先进工作者称号;1990年被中共成都市委授予成都市优秀共产党员称号,被中共四川省委、四川省人民政府授予四川省自然科学界精神文明标兵称号。1998年被评为中国三峡总公司先进工作者、优秀共产党员;1999年被评为三峡工程优秀建设者;2000年评选为湖北省劳动模范。

三峡工程质量是“千年大计,国运所系”,张超然作为三峡工程质量管理委员会常务副主任,为确保工程质量,他认真贯彻中央领导同志一系列指示,健全质量管理体系,完善质量管理办法和规章制度,主持编制原材料、岩石基础开挖和处理、混凝土浇筑、金属结构和机电设备制造安装等70多项三峡工程质量检测标准;实事求是地向三峡建委质量专家组汇报质量情况,积极贯彻落实专家组检查意见,研究解决许多质量缺陷和问题,为提高三峡工程的建设质量作出积极贡献。作为总工程师,他全身心地投入三峡工程建设和管理,深入现场,深入基层,了解情况,解决问题;他坚持技术进步,依靠科技创新,协助领导解决重大技术难题,如永久船闸高边坡开挖、锚固、稳定与结构优化的研究施

工;大江截流和二期深水围堰施工、厂坝工程左岸导墙优化施工;混凝土原材料和配合比试验研究与优化、大型施工设备运行和混凝土高强度施工;大坝混凝土温度控制;大型压力钢管设计和厂坝间伸缩节设计优化、蜗壳的制作安装以及茅坪沥青混凝土心墙防渗新技术的应用等,这些技术难题的解决,带来了可观的经济效益,同时也保证了工程的质量和进度。他"严"字当头,深入施工第一线,虚心听取参建单位意见,少走弯路,减少失误,逐步使技术决策科学化、民主化。因此得到设计、监理、施工单位的广泛理解和支持,各方面关系融洽,配合默契。他倡导并实践科研成果与现场设计施工紧密结合,促进科技成果尽快地转化为生产力,为工程建设服务,并取得显著的经济效益,有利于缩短工期和保证质量。

桂根生(葛洲坝集团公司)

男,1966 年 11 月生,湖北武汉人。中国共产党党员。大学文化,高级工程师。1988 年 7 月,西北工业大学毕业后被分配到葛洲坝压力容器厂工作。先后参加过隔河岩、天生桥、漫湾、二滩和三峡等大型水利枢纽建设。现任葛洲坝集团机电建设有限公司三峡金结厂副总工程师兼质检部副部长。1998 年 3 月,被电力部授予电力工业无损检测敬业银质奖章;2000 年 2 月,被机电建设有限公司授予"最佳文明职工"称号;2000 年 3 月,被葛洲坝集团公司授予"最佳文明职工"称号,2000 年荣获湖北省"劳动模范"称号。

桂根生大学毕业后,在基层无损检测岗位上工作 11 年。1998 年 3 月起,主管三峡工程部分金结设备制造埋件质量检查,其过硬的质检业务水平,大胆管理的工作作风,受到业主、监理、设计和安装单位一致好评。他勤于实践,善于总结,掌握实际操作技能,取得射线探伤、渗透探伤、磁粉探伤、超声波探伤等高级资格证书。先后编制《三峡金结厂产品质量考核细则》、《质检员职责》、《三峡金结厂产品质量管理补充规定》等一系列规章制度。在三峡工程高程 45m 栈桥、三峡大坝和电站厂房二期工程金结设备制造Ⅰ标埋件制作、三峡永久船闸金结设备Ⅳ标埋件制作等大项目的实施中取得突出成绩。

2000 年是机电建设公司三峡金结厂最繁忙的一年,全年完成三峡工程金结制作 8000t。作为质量管理及检验工作的主要负责人,桂根生发挥劳动模范在生产经营中的模范带头作用,为全厂完成 8000t 的金结制作任务作出贡献。为提高产品质量,他主持制定《三峡金结厂金属结构产品安装及吊装规定》,并坚持质量"三检"制,一旦产品完成三检合格后,检验记录 12 小时内报监理验收,提高质检人员的工作效率。对加快验收进度,顺利完成金属结构制作提供保障。2000 年,该厂生产的三峡金属结构没有一例被业主及监理要求返修或退回的。

三峡工程优秀建设者简介

吴森康(葛洲坝集团公司)

男,1946 年 1 月生,安徽枞阳人。中国共产党党员。大专文化,高级工程师。1970 年 2 月～1971 年 11 月,在中国水利水电第十工程局工作;1971 年 12 月～1973 年 12 月,在三三 O 指挥部一团任秘书;1974 年 1 月～1981 年 7 月,在葛洲坝工程局机械分局任秘书;1982 年 12 月～1984 年 4 月,在葛洲坝工程局机械分局组干科任科长;1984 年 5 月～1984 年 10 月,在葛洲坝工程局任机械分局党委副书记兼三峡指挥部指挥长;1986 年 8 月～1996 年 11 月,在葛洲坝工程局任机械分局局长、葛洲坝集团公司二公司经理;现任葛洲坝集团公司三峡指挥部副指挥长。1986～1996 年先后 6 次被葛洲坝工程局评为优秀工程质量第一责任人,1996 年获葛洲坝集团公司混凝土面板堆石坝施工技术科技一等奖,1998 年被国家电力公司评为抗洪抢险先进个人,1999 年获湖北省五一劳动奖章。

古树岭人工碎石系统是三峡大坝的"粮仓"。为确保该系统的持续、高效运行,作为该系统的主要负责人,吴森康严格管理,认真执行设备计划检修制度,加大设备安全隐患的整改,提高设备完好率,严格质量标准,有效遏制骨料"超径"、"逊径"现象,为三峡工程连续 3 年混凝土浇筑突破 400 万 m^3 作出突出贡献。2001 年,他根据二期围堰进水和三期截流的总进度要求,把施工形象作为全年施工的重中之重,切实贯彻以厂坝挡水一线、导流底孔一线、左厂压力钢管安装和灌浆施工为突破口，全面展开攻坚战的施工指导方针，科学制定方案，明确各个阶段的灌浆施工重点，对施工过程中的各道工序进行严格监控。帷幕灌浆攻克基岩涌水、高压灌浆深孔精度等多项难关，全年完成接缝灌浆12.07万m^2，帷幕灌浆3.79万m。

张为明（葛洲坝集团公司）

男，1966年9月生，湖北潜江人。中国共产党党员。研究生学历，高级工程师。1988年7月～1989年10月，在葛洲坝压力容器厂任技术员；1989年10月～1990年8月，在葛洲坝机电建设公司质检科工作；1990年9月～1992年12月，在河南板桥水库复建工程工地任专业技术负责人；1993年1月～1995年11月，在云南漫湾水电站先后任队技术副负责人、运行队队长、调度室副主任，葛洲坝集团公司二处副总工程师、副处长。1995年11月～1998年10月，在四川二滩水电站先后任葛洲坝集团公司二处副总工程师、副处长兼Ⅱ标项目副经理、副处长兼Ⅰ标项目经理；1998年10月起，在三峡工地先后任副总工程师兼葛洲坝集团公司三峡建设公司副经理和总工程师、葛洲坝集团公司副总经理兼三峡建设公司经理。1998年被评为葛洲坝集团公司十大杰出青年，1999年被选为葛洲坝集团公司百年跨世纪杰出技术人才，2000年获三峡工程青年岗位能手称号，2001年获湖北省青年岗位能手称号、湖北省五四青年奖章，并被葛洲坝集团公司评为有突出贡献的专家。

2001年，葛洲坝集团机电建设公司三峡泄洪坝段项目部面临底孔、深孔闸门和启闭机安装，跨缝板、事故门槽安装等施工高峰，安装手段有限，施工协调难度大，技术和质量要求高，设备到货滞后，设备缺陷多等压力。张为明迎难而上，利用扁平"金字塔"管理模式，以科技创新为先导，以人为本全面提高职工素质，带领广大员工创造日安装240t、月安装2500t、年安装18200t国内行业新纪录。23扇深孔弧门全部安全稳妥吊装到位。比预定工期提前3个月完成底孔22扇弧型工作门的无水调试工作，使之具备挡水条件，顺利实现"质量零缺陷"、"安全零事故"的质量管理目标。张为明在抓技术管理上，始终以优良的施工组织设计为先导，不断优化施工技术方案，围绕施工中的重点难点，发动广大职工和技术干部开展工艺创新和技术创新活动，并制定《工艺创新、技术创新奖励办法》，大力开展全面质量管理小组活动，收到显著成效。

王跃辉（葛洲坝集团公司）

男，1963年7月生，云南祥山人。中国共产党党员。大专文化。1980年12月～1988年5月，在葛洲坝工程局浇筑一分局木工二队任团支部书记；1990年2月～1997年11月，在葛洲坝工程局任一公司广海公司综合一队队长；1997年12月～2000年5月，在高坝洲清江施工局二分局任综合一队队长；现任葛洲坝集团公司三峡指挥部厂坝一部综合一队队长兼书记。

王跃辉以工地为家，深入生产第一线。在工作中，他主要突出一个"严"字，大力开展劳动竞赛，调动职工的积极性。2001年，综合一队面临施工手段紧张、施工环境复杂、安全隐患突出等重重困难。他把压力变动力，制定一系列质量生产责任制，层层把关，把每一道细致的工作抓实抓好，通过一系列提高质量方法和措施的实施，2001年完成施工仓位387个，拆立模板95312m^2，钢筋制安3817.5t，预埋冷却管143821.5m，合格率100%，优良率85.2%，实现2001年度安全无事故、质量创全优的好成绩。

杨忠义（武警水电三峡指挥部）

男，1963年12月生，山东苍山人。中国共产党党员。大专文化。1981年10月入伍，历任排长、副连长、连长、指导员、警务股副股长、股长、支队副参谋长，现为武警水电三峡指挥部第一支队参谋长。先后参加过河北省潘家口水库大坝建设、河北省潘家口水库下池抽水蓄能电站建设，河北省桃林口水库大坝建设和三峡水利枢纽建设。先后获得嘉奖22次。1988年荣立三等功一次，1992年被评为优秀党员和优秀基层干部，1997年荣立三等功一次，2000年和2001

年被评为三峡坝区社会治安综合治理先进个人。

杨忠义负责武警水电一支队三峡指挥所永久船闸南线项目部的全面工作。他狠抓工程质量、安全和进度，精心研究制定一系列科学合理的施工方案。做到优质高效，统筹兼顾，既不留隐患，也不拖工期。2001年计划完成混凝土浇筑16万m^3，实际完成混凝土浇筑19万m^3，合格率100%，优良率92.8%。南线一、二级闸室边墙提前2个月浇筑到顶，是船闸率先到顶的单位。在南线一闸室底板输水廊道混凝土表面缺陷修补中，严格管理，责任到人，科学施工，缺陷修补质量优良，受到通报表彰，并颁发优质施工专项质量特别奖。他坚持从严治警，大胆管理，注重实效。2001年，他负责的指挥所被中国三峡总公司评为社会治安综合治理先进单位，企地共建先进单位，安全生产先进集体。他本人被评为社会治安综合治理先进个人。

吴国如（武警水电三峡指挥部）

男，1961年2月生，江西崇仁人。中国共产党党员。大学文化。1983年7月～1985年1月，在基建工程兵622团任技术员；1985年1月～1991年7月，在武警水电第八支队任助理工程师、质安股副股长；1991年7月～1994年11月，在武警水电第二总队技术处任工程师、副总工程师；1994年11月～1997年8月，在武警水电第八支队任副支队长；1997年8月～1998年6月，在武警水电三峡指挥部技术处任处长；1998年6月～2000年10月，在武警水电第二总队任技术处处长、副参谋长；现任武警水电第二总队总工程师兼三峡指挥所主任。

吴国如是2000年10月走上三峡永久船闸北线混凝土项目部主任这个岗位的，上任后立即进行大刀阔斧的改革，落实责任制，理顺各级关系，使部队的行政管理、施工管理、质量管理步入正轨，并带领部队打了一个又一个漂亮仗，彻底改变施工被动局面。2001年，为打好二闸首交面这场歼灭战，吴国如精心组织，周密安排，定人定仓。为确保万无一失，他深入仓位，手把手教战士们如何下料，如何振捣。正是他的认真负责感动了大家，提高部队的战斗力，最终啃下这块硬骨头，如期向金结交面。为扭转形象面貌滞后的不利局面，他提出"决不浇船闸最后一方混凝土"的口号。于8月底向部队发出"大干四个月，确保船闸混凝土如期封顶"的号召，并重点组织滑模施工，12月29日，所有边墙滑模块全部到顶，充分体现部队"特别能吃苦，特别能战斗，特别能奉献"的优良作风。

王宏民（三七八联营总公司）

男，1963年12月生，陕西富平人。中国共产党党员。大学文化。1984年8月～1987年10月，在中国水利水电第三工程局（以下简称水电三局）三处任技术员；1987年11月～1990年6月，在四川螺丝池电航工程任综合队副队长；1990年7月～1992年1月，在水电三局三处一队任副队长；1992年2月～1999年1月，在甘肃大峡水电站建设中，先后任水电三局三分公司调度室主任、一公司经理、副分局长兼项目经理；1999年2月～2000年6月，在三峡任三七八联营总公司一工区副主任、三分局副分局长；现任三七八联营总公司一工区副主任、三分局分局长。1996年荣获陕西省青年岗位能手称号，1999年被评为三七八联营总公司先进工作者，2000年被中国三峡总公司团委授予优秀突击队长称号。

王宏民按质量、安全零事故的"双零"目标要求，针对土建、金结预埋、机电安装同步交叉作业，相互干扰大，制约条件多的实际现状，提出"以抓好三峡工程建设为中心，加强内部经营管理，落实质量安全工作保障措施，树立企业信誉"的工作目标，努力培养和提高全员质量意识，积极健全完善内部质量考核措施，考评结果与经济分配挂钩，设立专职监仓员，加强对工程施工各道工序的监督检查。由于职责明确，措施到位，施工质量得到保证。2001年三分局以其信得过的质量，得到各方的肯定，质量数控优良率90.21%，量控优良率90.42%。在安全方面他舍得投入，积极落实预防措施，认真开展"班前会"活动，坚持抓经常性的业务检查工作，把一切事故隐患都消灭在萌芽状态。在他的带领下，三分局实现"双零"目标，提前完成年度任务。

连普选(三七八联营总公司)

男,1954 年 2 月生,河南汝州人。中国共产党党员。大专学历。1971 年 10 月～1983 年 10 月,在中国水利水电第八工程局(以下简称水电八局)厂房支队任副队长;1983 年 10 月～1986 年 10 月,在水电八局任二处土建施工党支部书记;1986 年 10 月～1992 年 7 月,在水电八局二处任副处长;1992 年 7 月～1995 年 8 月,在水电八局白石窑施工局任副局长;1995 年 8 月～1998 年 7 月,在水电八局大朝山八三联营体任副经理;1998 年 7～12 月,在水电八局机械化分局任副局长;1999 年 1 月～2001 年 2 月,在三七八联营总公司任下岸溪砂石项目部副经理;现任三七八联营总公司下岸溪砂石项目部经理。

下岸溪人工砂石系统是三峡工程所需人工砂石料的主要生产供应基地,是目前世界上规模最大的人工砂石料加工系统,点多、线长、面广。为确保人工砂石料的生产供应,连普选制定合理的施工计划,力求使资源配置有利于提高生产效率,对整个生产加工系统的资源进行统一调度指挥,严格落实和执行管理规章制度,奖罚兑现。通过一系列措施,实现均衡生产目标,确保三峡工程混凝土浇筑高峰期所需的人工砂石料供应。在设备管理方面,他通过强化现场设备管理,落实管理责任,进行设备考核,实行机长负责制,推行设备督察制度,使设备利用率和完好率保持在 90%以上。

王争鸣(青云公司)

男,1961 年 3 月生,陕西神木人。中国共产党党员。大学文化。1983 年 8 月～1987 年 3 月,在中国水利水电第四工程局(以下简称水电四局)龙羊峡计划处工作;1987 年 3 月～1988 年 7 月,在水电四局华田公司工作;1988 年 8 月～1992 年 12 月,在水电四局技术处工作;1993 年 1 月～1997 年 12 月,在水电四局万家寨施工局任总经济师;1997 年 10 月～2001 年 1 月,在水电四局任总经济师兼青云公司总经济师;2000 年 1 月～2001 年 1 月,在水电四局任总经济师兼青云公司党委书记;现任水电四局总经济师兼青云公司总经理。2000 年被评为水电四局优秀项目经理、水电四局优秀共产党员、青云公司优秀共产党员。

王争鸣主持建立以目标管理和成本管理为主线的内部管理体系,将设备、物资、人事管理纳入集约化管理轨道,建立内部模拟市场系统,为青云公司制度化、规范化管理奠定基础。他积极支持技术革新和技术攻关活动,制定项目和计划,并拨出专项资金用于这项工作。2001 年青云公司共开展引水压力钢管纵缝自动焊接、引水压力钢管环缝自动焊接、高流态混凝土配合比以及混凝土级配实验等技术攻关。他在施工中积极推广钢筋墩粗直罗纹联结工艺,加快施工进度,提高工效,保证质量。通过开展科技创新活动,使青云公司的技术进步得以发展,也使工程质量、工作效率和工程进度得到极大提高。他组建安全管理办公室,制定《安全管理办法》,加强现场巡查力度,有力推动青云公司质量和安全管理水平,在 2001 年中没有发生质量事故和重大安全事故。

郝　镇(青云公司)

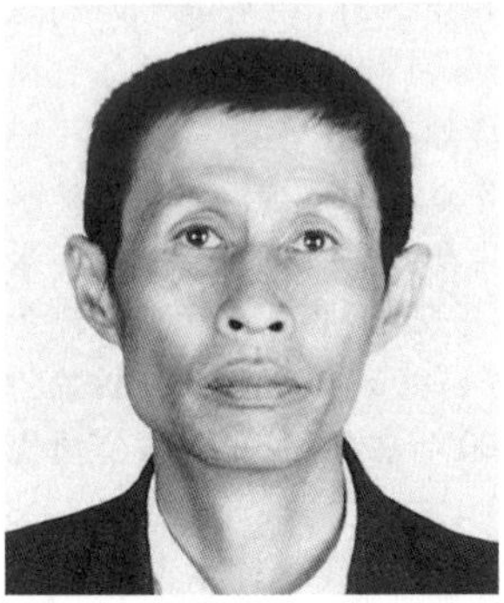

男,1960 年 10 月生,陕西横山人。中国共产党党员。高中文化。1979 年 10 月～1985 年 1 月,在 00121 部队服役;1985 年 4 月～1988 年 9 月,在中国水利水电第四工程局(以下简称水电四局)龙羊峡施工局五处综合中队先后任班长、副书记;1988 年 9 月～1998 年 3 月,在水电四局李家峡施工局建工大队先后任副中队长、中队长、副大队长;1998 年 3 月～1999 年 3 月,在青云公司浇筑一大队任副大队长;1999 年 3 月～2001 年 7 月,在青云公司浇筑二大队任党支部书记;现任青云公司建工一大队大队长兼党支部书记。1981 年荣立三等功,1993～1995 年连续三年被李家峡施工局评为先进工作者,1993 年被水电四局评为优秀共产党员,1996～1998 年连续三年被李家峡施工局评为先进个人,2001 年被水电四局评为先进思想工作者。

郝镇主要负责右岸电站地下厂房进水口 2P—6F 的混凝土工程施工及其它临建项目。针对右岸新开工工作面难度大，基础面岩石破碎，结构复杂、交叉作业多、质量要求高等特点，他在施工中不断总结经验并积极促进技术创新，其中在进水口圆弧采用翻模抹面新工艺，取得良好效果。针对队内职工文化层次不齐的现状，他积极投入人力物力加强质量、安全知识教育，为青云公司实现安全质量事故“双零”目标作出贡献，被青云公司评为安全先进单位。在保证质量的前提下，他严格控制成本，杜绝施工中的浪费现象和不良工作作风。在他的带领下，建工一大队2001年下半年完成投资831.54万元，混凝土浇筑合格率100%，优良率78%，主体2P—6F坝段平均形象达到111m高程。

郭启军（三联总公司）

男，1962年7月生，贵州兴义人。中国共产党党员。大专文化，高级经济师。1983年8月～1994年8月，在中国水利水电第十四工程局（以下简称水电十四局）四公司计划科工作，历任科员、副科长和科长；1994年4月～1996年3月，在水电十四局三公司计划科任科长；1996年4月～2001年3月任宜昌三峡工程三联总公司总经济师，现任宜昌三峡工程三联总公司副总经理兼总经济师。1984年、1987年被水电十四局四公司评为优秀共青团员，1993年被评为水电十四局新长征突击手，并被云南省曲靖市政府评为先进生产（工作）者，1997年、1998年被评为三联总公司先进工作者，1996年、2000年被评为三联总公司优秀共产党员。

作为总经济师，郭启军配合总经理探索并完善一系列的项目管理办法，制定出“两级管理、一级核算、队为基础”的管理模式。同时就劳务管理、设备租赁以及内部经营核算方面进行具体的管理操作，这些管理方法极大地丰富了项目法管理的内涵。郭启军还负责三联总公司对内对外的索赔工作，仅2001年就发出合同变更及索赔报告92个，办理34个，保证施工的顺利进行。郭启军始终坚持规范经营、守法经营，严于律己，从不接受他人送的财物，表现了一名共产党员的高风亮节。

刘　宁（长江水利委员会）

男，1962年1月生，辽宁丹东人。中国共产党党员。工学博士，教授级高级工程师。1983年7月～1996年10月在长江水利委员会（以下简称长江委）枢纽处工作，先后任通航建筑物设计专业组长、设计室副主任、设计室主任、副处长、总工程师助理、副总工程师等职，参加并主持江西万安水利枢纽船闸、清江隔河岩水利枢纽、三峡水利枢纽、清江高坝洲水利枢纽、清江水布垭水利枢纽、重庆江口水电站、湖北五峰锁金山电站和皂市水库等工程的论证、设计工作；1996年被授予“全国水利系统科技英才”、“长江水利委员会十佳青年”称号，1997年获长江委劳动模范、湖北省有突出贡献的中青年专家称号，2000年获湖北省五四青年奖章，并作为国家防汛总指挥部专家组组长赴西藏易贡抢险，荣立一等功，享受国家政府特殊津贴。

2001年，刘宁主持三峡水利枢纽大坝设计及专业协调工作，主持三峡工程临时船闸改建冲沙闸、导流底孔封堵等多个攻关或重大课题的研究，参与主持三峡工程左岸高程45m和120m施工栈桥方案设计和优化，积极配合国务院三峡枢纽工程质量专家组工作，贯彻落实专家组的意见和建议，主持各阶段、各部位施工质量缺陷的补强处理。他经常深入工地解决工程设计和现场技术服务中重大技术问题，参加三峡建委组织的质量专家组及业主组织的专家咨询活动。他工作上精益求精，严谨求实，由他主持的多个科研课题成果已在三峡工程建设中推广应用。他承担的三峡电站厂房压力管道设计及伸缩节设置的研究成果，荣获长江委科技进步一等奖和湖北省科技进步二等奖。他主持的临时船闸改建冲沙闸和导流底孔封堵等专题科研成果已在该项设计工作中应用。

杨丹汉（长江水利委员会）

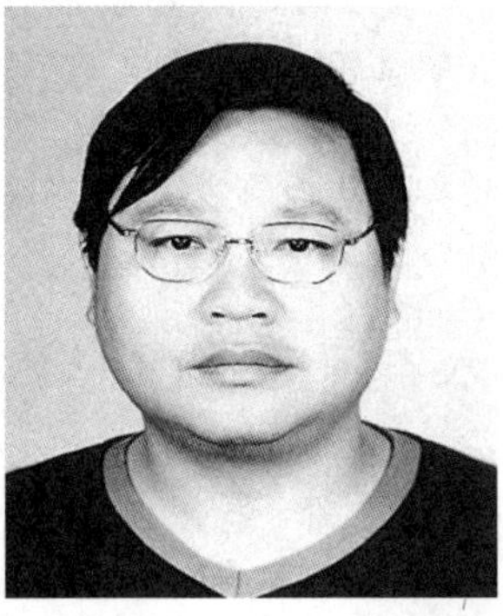

男，1966年5月生，江西九江人。中国共产党党员。硕士研究生，高级工程师。1985年在长江水利委员会（以下简称长江委）设计院施工设计处参加工作，从事大中型水利工程附属施工设施的工艺、机械设计工作，参加过三峡、隔河岩、高坝洲、江垭、万安、江口等水电站及孟加拉国恒河工程的附属设施的工艺设计、科研和开发等工作。现任长江委三峡工程建设监理部机械设备处主管副处长。从参加工作起年年被评为先进工作者，1994年和1997年荣立长江委设计院二等功。

1998年起，杨丹汉担任长江委三峡工程建设监理部工程设备监理处副处长，主持大坝混凝土生产、浇筑系统TB1#～TB6#塔（顶）带机，高程79m、高程90m混凝土生产系统及MD900塔机的设备监理工作。杨丹汉有着强烈的事业心和责任感，他深入施工现场，掌握第一手数据，加班加点查阅各类设备技术、管理资料，很快成为设备运行管理的行家，曾多次发现重大设备安全隐患，有效避免机毁线垮的重大恶性事故的发生，为二期工程设备安全隐患预防工作做出突出贡献。长期坚守工地，曾连续4个春节在工地度过。他牢固树立为工程服务的思想，坚持原则，敢抓敢管，对重大问题判断准确，处理果断。他率先在工地现场设立安全警示牌，将监理在巡查中发现的安全问题用红、黄、绿牌警示，督促责任单位整改，全年提出各类问题1244条，整改率98%，消灭一类安全问题，实现质量、安全零事故的"双零"目标。

崔陇天（西北院三峡监理中心）

男，1952年8月生，山东曲阜人。中国共产党党员。工学硕士，高级工程师，高级经济师。1968年参加工作，先后参加过湖北葛洲坝、河北潘家口和陕西石头河水利枢纽的工程施工，江西万安、湖北隔河岩和三峡、四川宝珠寺、青海龙羊峡和李家峡、甘肃大峡水利枢纽的科研工作，以及陕西数个中小水电站的前期设计工作。曾任国家电力公司西北勘测设计研究院科研所总工程师、所长、科技处处长等职。现任西北院副总工程师兼三峡工程建设监理中心总监。

崔陇天工作勤奋，认真负责，经常深入到施工现场，和员工们一道爬钢筋，钻仓号，检查施工质量，处理和解决施工中的技术问题，及时协调业主和施工单位的关系。他注重加强施工现场的管理力度，建立健全各项监理规章制度，在以往制定的32个监理实施细则基础上，又主持制定19个补充监理实施细则，进一步完善监理制度，使监理工作更加制度化、规范化。他认真落实中国三峡总公司提出的"双零"目标，认真贯彻落实质量专家组意见，及时提出整改措施，领导全体职工圆满完成各项监理任务，从未发生质量责任事故。

李振明（中南院三峡监理中心）

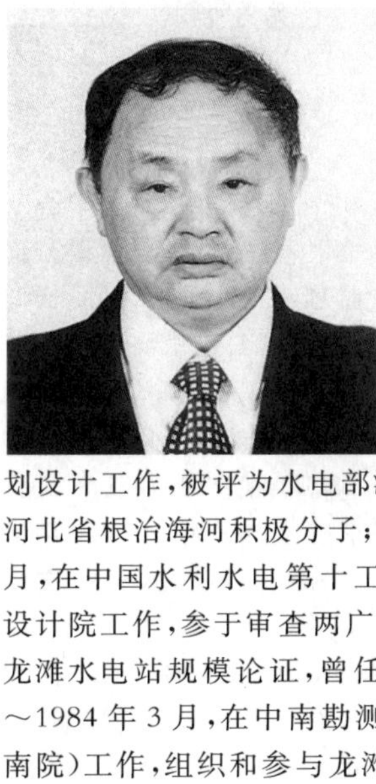

男，1941年1月生，湖南长沙人。中国共产党党员。大学文化，教授级高级工程师。1964年8月～1970年10月，在水电部海河勘测设计院任团委委员、工程组长，参与根治海河的子牙新河工程的规划设计工作，被评为水电部海河勘测设计院五好职工、河北省根治海河积极分子；1970年11月～1978年10月，在中国水利水电第十工程局勘测设计团、三三O设计院工作，参于审查两广11座大型水库加固设计、龙滩水电站规模论证，曾任工程组长。1978年10月～1984年3月，在中南勘测设计研究院（以下简称中南院）工作，组织和参与龙滩水电站规划设计、潘口水电站设计，历任工程组长、设计副总工程师。1984年4月～1999年4月，在中南院工作，历任副处长、处长、设计总工程师、中南院宜昌设计院院长等职，组织和参与潘口、黄龙滩扩建、古洞口、白水屿、鲤鱼塘、尼泊尔波迪科西等20余项中型电站的规划设计工作。1995年被评为湖北省有突出贡献的中青年专家、中南院"十佳职工"，现任中南院三峡建设监理中心总监理工程师。

李振明对待工作严肃认真，一丝不苟。为加强工程管理和监理内部管理，他主持编制30多份监理实施细则和监理管理内部规定等文件，使中南院监理中心的工程管理和监理内部管理规范化程度大大提高。为保证各项管理办法的落实，李振明非常重视平时的工作检查，他经常深入施工现场，检查现场监理人员的工作，看监理人员是否真正履行自己的职责，是否真正发挥监理人员的作用。他有时深更半夜来到混凝土浇筑仓位，掌握第一手资料，了解最基层的情况，解决存在的问题。他还要求总监和各部主任参加零点班值大班制度。他亲自参加，始终如一。由于总监的表率作用，领导核心团结一致，职工奋发向上。中南院监理的工程质量总体良好，未发生质量事故，安全监督工作成效显著，永久船闸施工死亡率和重伤率首次控制在国家要求标准以内。

叶锦锋(华东院三峡监理中心)

男，1971 年 10 月生，安徽东至人。中国共产党党员，大学文化。1994 年 7 月在华东勘测设计研究院(以下简称华东院)参加工作。1994 年 9 月起，在华东院三峡建设监理中心从事三峡工程建设监理工作，历任华东院三峡建设监理中心监理二部部长助理、副部长，监理部副部长、部长，华东院三峡建设监理中心副总监理工程师等职。1998 年被评为三峡工程抗洪度汛先进个人、华东院先进个人、十佳青年。1999 年被评为华东院先进个人。2000 年被评为三峡工程十大杰出青年岗位能手、华东院十佳青年。2001 年被评为三峡工程安全管理先进个人、三峡坝区精神文明建设先进个人。

叶锦锋以身作则，经常深入现场，了解各施工部位的质量动态，及时协调解决施工过程中出现的问题，并多次推动设计优化，保证工程施工的有序开展。在他的带领下，升船机上闸首及左非 9# ～11# 坝段混凝土浇筑、帷幕灌浆、接逢灌浆、临时交通桥的制造安装以及上游隔流堤工程各道工序施工质量均受到监理严格控制，仓面工艺设计制度得到全面实行，并对关键项目工序坚持进行全过程全天候现场旁站监理，从而有效保证各工程项目的施工质量，全年未发生任何质量事故。他大力推广“班前会”、“预知危险”及“作业程序指导书”等活动，要求各级监理人员注重加大安全巡视检查力度。并根据工程施工特点，积极寻找安全生产的薄弱环节，严把安全措施审批关和开工前安全防护措施验收签证权，为实现质量、安全零事故的“双零”目标管理做出贡献。他还结合三峡工程监理实践完成《科学合理地开展监理工作，有效促进三峡工程建设》、《临时船闸及升船机工程监理工作的体会与建议》等多篇论文。

樊启祥(中国三峡总公司)

男，1963 年 12 月生，湖北仙桃人。中国共产党党员。研究生学历，教授级高级工程师。1984 年 7 月在中国三峡总公司筹建处参加工作。先后参加陕西安康水电站、广西岩滩水电站、北京十三陵抽水蓄能电站的建设。1994 年 9 月参加三峡工程建设，历任施工技术员、助理工程师、施工监理工程师代表、监理工程师、监理工程师组组长、副处长、处长、副主任。现任中国三峡总公司工程建设部永久船闸项目部主任。1997 年被中国三峡总公司评为先进工作者，1998 年被评为优秀共产党员和抗洪抢险先进个人。

樊启祥自参加永久船闸项目建设以来，面对高陡边坡大型块体安全支护、永久船闸开挖锚固向混凝土浇筑转变、地下输水系统斜井竖井与平洞混凝土衬砌、大型人字门安装等问题，他以科学求实、严谨认真、团结协作的精神与作风，运用系统工程、网络计划技术和现代化管理手段与工具，组织建设各方及有关科研机构进行技术攻关突破上述重大技术难题，有力地推动永久船闸项目的建设。他充分挖掘各方管理人员的潜力，优化组织结构，简化管理层次，促进项目管理规范化、制度化和条埋化。在工程建设中，他积极支持采用新技术。其中地面薄壁衬砌墙不对称滑模技术、薄壁墙内埋冷却水管技术、地下输水系统斜井全断面变径滑模技术、竖井与直立边墙垂直入仓 MY—BOX 防分离、防冲击技术等属于国内首次应用。这些技术的应用，大大提高了工效，加快了工程进度。航建项目的年计划，自 1999 年以来，由基本完成到较好完成再到超额完成，每年都有大幅度的提高。2001 年开挖完成计划的 102.6%，混凝土浇筑完成计划的 108.2%，并保证质量和安全。

华　勇(宜昌市公安局三峡坝区分局)

男,1958年5月生,湖北宜昌人。中国共产党党员。大学文化。1975年9月~1977年9月,在湖北省枝江县新场公社胜利4队插队;1977年9月~1980年1月,在宜昌市公安局万寿桥派出所任民警;1980年1月~1990年5月,在宜昌市公安局一科工作,1988年任副科长;1990年5月~1993年5月,在宜昌市公安局国家安全科任科长;1993年5月~1998年11月,在宜昌市公安局出入境管理科任科长;1998年11月至今,在宜昌市公安局三峡坝区分局任局长、党委书记。1992年、1995年、1998年三次荣立个人三等功,2000年被评为优秀共产党员和党风廉政建设先进典型,2001年被评为宜昌市三峡坝区工作委员会劳动竞赛优秀建设者。

为保卫一流工程,创造一流的治安环境,华勇不计个人得失,乐于奉献,深入调研,采取各种行之有效的教育管理措施,制定处置突发事件预案,较好地维护坝区政治稳定。三年多来,三峡坝区分局破获各类刑事案件355起,查处各类治安案件403起,摧毁各类犯罪团伙48个,成员188人,缴获赃物赃款数百万元。特别是2001年全国开展严打斗争以来,全年摧毁各类犯罪团伙9个,成员40人(其中带黑恶势力团伙1个,成员6人),收缴各类枪支14支,子弹852发,炸药435kg。与有关部门联合召开2次声势浩大的公处会,依法逮捕22人,强制戒毒8人,公开宣判23人,较好完成了严打斗争的各项任务。为维护坝区社会治安稳定,确保三峡工程顺利进行作出突出贡献。

王向东(三峡通航管理局)

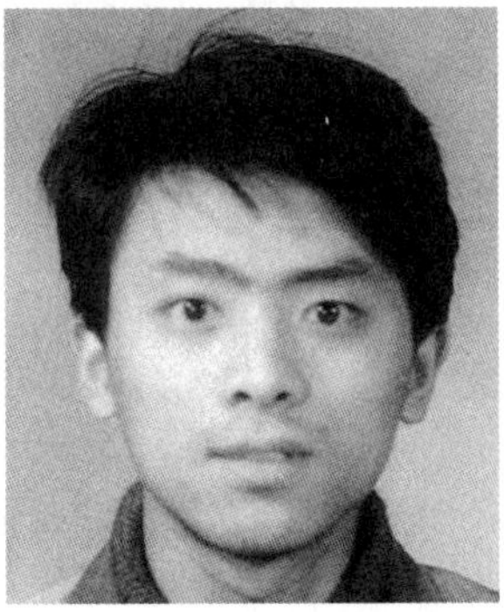

男,1967年8月生,山东省高密人。中国共产党党员。大学文化,高级工程师。1989年7月~1996年11月,在葛洲坝船闸管理局任工程师;1996年11月至今,在三峡通航管理局临时船闸处工作,任副主任,主管设备管理。

王向东勇于开拓,努力探索管理新思路。他针对临时船闸设备运行的特点,制定《临时船闸汛期运行保障方案》、《临时船闸设备定检管理考核细则》。认真组织进行各类设备的保养,通过抢修、预修、检修消除临时船闸人字门漂移和锁定油缸保持不住的故障现象,使设备完好率呈上升趋势,设备碍航率明显下降。设备完好率99.23%,主要设备完好率99.36%。他努力提高自身素质,开展多方面科技攻关项目工作,撰写出具有实用价值的《临时船闸人字门漂移故障浅析》和《临时船闸人字门漂移初探》二篇论文。他积极开展形式多样的职工培训工作,提高职工整体素质,造就一批优秀职工。

刘俊盈(武警交通五支队)

男,1974年7月生,陕西澄城人。中国共产党党员。高中文化。1991年12月在新建托克逊武警交通五支队入伍;1993年5~11月在交通二总队工作;1994年在武警交通五支队荣获优秀士兵称号;1995年10月~1996年12月,在六盘山五支队汽车连工作;1996年12月~1997年10月,在三峡坝区武警交通五支队宜昌指挥所工作;1997年10月至今,在三峡坝区从事特种车辆驾驶工作。

刘俊盈是三峡专用公路清障车驾驶员,负责专用公路的清障工作。驾驶道路清障车和其它工作不同,上班没有准点,随机性很大,只要求助电话一响,就得出车,有时白天黑夜连着干,很少有休息时间。由于专用公路隧道多,三峡气候潮湿,隧道内外温差较大,隧道里总是很湿滑,加上外地司机不明路况,极易发生交通事故。每次发生事故后,刘俊盈总是在最短的时间内赶到现场疏通道路,从没有一次因清理误时而影响正常通车。为了干好本职工作,他经常向有经验的师傅请教技术问题和处理事故现场的技巧,不断积累工作经验,练就一身过硬本领。他在平凡的岗位上忠于职守,凭着勤恳、踏实的工作作风,确保三峡专用公路的畅通。

张水平(三峡工程专用港口码头管理处)

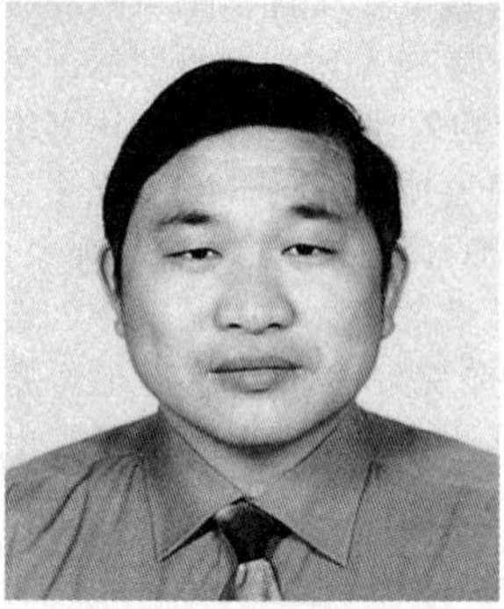

男,1962年3月生,湖北汉川人。中国共产党党员。研究生学历。1983年7月～1984年4月,在葛洲坝水力发电厂(以下简称葛电厂)二江机修发电机班工作;1984年4月～1988年12月,在葛电厂大江机修发电机班工作;1988年12月～1990年10月,在葛电厂劳动服务公司任办公室秘书、团委书记;1990年10月～1993年9月,在葛电厂企业总公司经营科任科长;1993年9月～1995年6月,在重庆大学工商管理学院学习;1994年8月～1995年12月,在葛电厂企业总公司防腐安装公司任经理;1996年1月～1997年11月,在宜昌光耀实业股份合作公司任副总经济师;1997年11月至今,任葛电厂三峡工程专用港口码头管理处主任。

为确保码头生产万无一失,张水平带领全处员工狠抓制度建设,抓安全管理,先后制定《重件码头桥机、变电所运行管理维护规程》、《码头现场作业安全规程》。建立设备台账,每周至少一次设备巡检,加强设备日常维护保养,及时消除设备隐患。为充分调动全处员工的工作热情,增强员工的主动性、积极性,张水平结合码头工作特点,以绩效考核为契机,以"一条龙"竞赛为载体,组织开展"建设放心码头一条龙竞赛"活动,切实调动职工的积极性,提高生产效率,起到奖勤罚懒的作用,实现质量、安全无事故的"双零"目标,被中国三峡总公司设备部誉为"放心码头",先后收到上海江南造船厂、武汉造船厂、夹江水工机械厂等单位送来的锦旗。他还充分发挥码头管理处的优势和潜能,与有关单位组建联营体,积极开展码头二次转运业务,为码头管理处减亏70多万元。

统计资料 XI

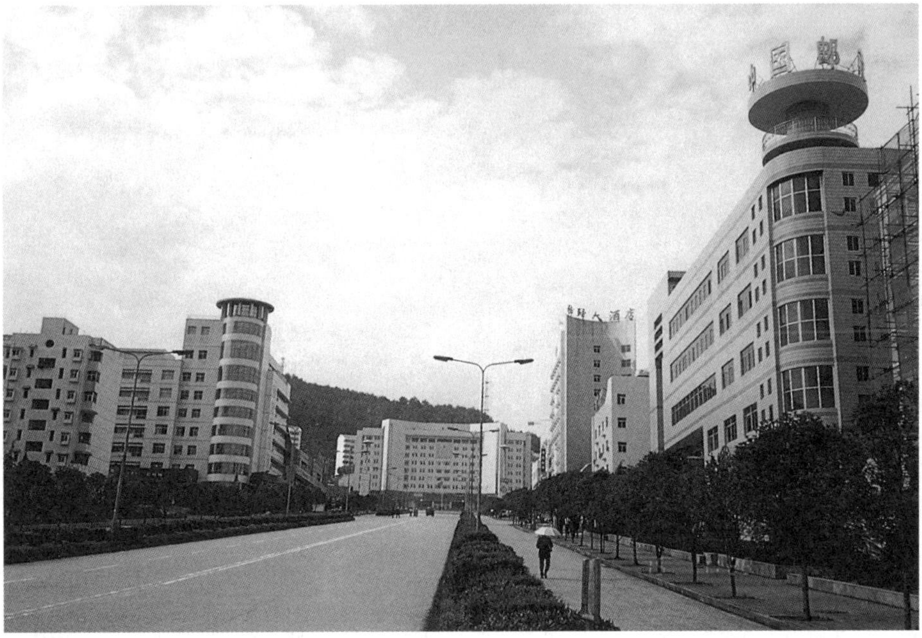

崛起的新城——秭归新县城

三峡工程固定资产投资完成情况

三峡工程固定资产投资完成情况汇总表

表 1　　　　单位:万元

工程项目或费用名称	至2001年末完成投资	其中	
		2001年完成投资	完成投资占计划%
总　计	7370585.26	1414487.58	98.49
(一)三峡工程投资合计	7313810.63	1403159.28	98.29
1.三峡工程静态投资合计	5092642.92	909951.58	103.65
①枢纽工程静态投资	2887038.33	431485.66	103.72
建安工程	2277418.95	316595.85	114.67
永久设备	250776.00	75684.91	85.62
其它费用	312580.36	25005.37	112.64
基本预备费	46263.02	14199.53	48.46
②水库淹没处理补偿费	2205604.59	478465.92	103.59
2.价差预备费	1308210.91	287058.15	94.23
①枢纽工程价差	640345.50	141994.07	99.30
②水库淹没处理补偿价差	667865.41	145064.08	89.75
3.贷款利息	892956.80	186149.55	82.73
库区移民包干外补偿费	20000.00	20000.00	100.00
(二)概算外项目	56774.63	11328.30	130.21

三峡工程固定资产投资完成情况分项表

表 2　　　　单位:万元

工程项目或费用名称	至2001年末完成投资	其中	
		2001年完成投资	完成投资占计划%
三峡工程投资合计	7313810.63	1403159.28	99.69
第一部分　建筑工程	1516194.64	259162.42	110.87
挡水工程	487150.95	129279.40	104.97
左岸非溢流坝段	32572.62	4060.80	126.90
临时船闸坝段	—		
左岸厂房坝段	177777.59	42137.88	110.86
左导墙坝段及导墙	28724.02	5872.80	77.27
溢流坝段	212306.90	72436.32	100.82

工程项目或费用名称	至2001年末完成投资	其中	
		2001年完成投资	完成投资占计划%
纵向围堰坝段	21412.69	1876.65	75.07
右岸厂房坝段	3632.48	2721.37	
右岸非溢流坝段	10724.65	173.58	
发电厂工程	164131.80	37080.25	147.67
左岸厂房及尾水渠、厂前区等	138604.67	29584.38	184.90
右岸厂房及尾水渠、厂前区等	13033.78	2372.69	
地下厂房进水口预建	12493.35	5123.18	56.24
航运工程	619871.49	88031.24	114.27
永久船闸	520234.95	85323.18	115.29
上游航道工程	39463.05	2495.65	118.84
船闸工程	398511.56	72731.07	113.70
下航道工程	82260.34	10096.46	127.16
升船机工程	55023.98	1038.31	49.21
上游航道工程	2260.41		
升船机闸室段工程	45896.83	1038.31	49.21
下航道工程	6866.74		
航道整治及通航配套设施	44612.56	1669.75	181.49
航道整治工程	6870.50	920.00	100.00
通航配套设施	17540.00		
连接河段及口门区清淤及炸礁	14786.45	749.75	
助航设施	5415.61		
交通工程	205748.43	1211.08	59.08
公路工程	141894.94	80.60	
公路专用线	118398.86		
江峡大道	11757.65		
西陵大道	5225.05		
左右岸上坝公路	3098.21	80.60	
宜莲路局部改造加固	1119.71		
荆当公路	2295.46		
桥梁工程	44517.47	36.28	3.63
西陵长江大桥	39901.59		
船闸升船机下航道桥	4615.88	36.28	3.63
码头工程	14169.01	19.52	
右岸码头	9964.30	7.74	
左岸码头	4204.71	11.78	
夜明珠中转站	70.30		
交通设施运行维护费	5096.71	1074.68	102.35
公路运行维护费	3975.39	763.46	109.07
桥梁运行维护费	1121.32	311.22	88.92
房屋建筑	12368.63	77.40	7.74
办公室、调度通信管理大楼	7846.57	64.28	
北京三峡大厦	—		

工程项目或费用名称	至2001年末完成投资	其　中	
		2001年完成投资	完成投资占计划%
北京广渠门大厦	4508.94		
梯调中心前期规划	13.12	13.12	
其他工程	26923.34	3483.05	64.50
厂外输变电工程	4690.19		
220kV变电站	2314.77		
220kV供电线路	1751.90		
110kV供电线路	623.52		
安全监测工程	13121.71	1938.70	43.08
枢纽安全监测工程	8723.21	992.87	66.19
内部观测工程	724.74	231.76	11.59
水情预报保障服务系统	725.52	286.81	35.85
水库淤积及下游冲刷观测服务	—		
地震及区域地质监测	2948.24	427.26	427.26
消防工程	76.44		
环保设施	782.17	127.76	127.76
厂坝生活区一次性绿化	4716.29	224.88	112.44
工程整理	24.08		
公共设施运行维护费	3512.46	1191.71	198.62
第二部分　机电设备及安装	163401.10	46571.21	83.24
设备费	156328.88	43313.62	83.62
安装费	7072.22	3257.59	78.50
发电设备及安装工程	133392.31	36768.79	73.61
设备费	127139.45	33668.86	73.51
安装费	6252.86	3099.93	74.70
左岸14台水轮机发电机设备及安装	123918.93	30270.48	64.41
设备费	119973.15	28322.81	65.87
安装费	3945.78	1947.67	48.69
起重设备	1553.96	639.63	67.33
设备费	1356.51	442.18	55.27
安装费	197.45	197.45	131.63
水力辅助机械设备及安装	3929.35	3539.31	
设备费	3687.59	3481.65	
安装费	241.76	57.66	
电气设备	2269.62	1569.77	156.98
安装费	212.03	212.03	
设备费	2057.59	1357.74	135.77
通信设备及安装	11.39	11.08	1.11
安装费	6.87	6.69	
设备费	4.52	4.39	0.44
调度通信设备及安装	11.39	11.08	1.11
安装费	6.87	6.69	
设备费	4.52	4.39	0.44

工程项目或费用名称	至2001年末完成投资	其中	
		2001年完成投资	完成投资占计划%
通风采暖	118.88	118.88	
安装费	58.79	58.79	
设备费	60.09	60.09	
机电一期埋件	1590.18	619.64	
安装费	1590.18	619.64	
升压变电设备及安装工程	8560.29	8279.98	306.67
设备费	8500.82	8220.51	304.46
安装费	59.47	59.47	
主变压器设备及安装	975.62	975.62	51.35
设备费	935.22	935.22	49.22
安装费	40.40	40.40	
高压设备及安装(GIS)	7584.47	7304.16	913.02
设备费	7565.60	7285.29	910.66
安装费	18.87	18.87	
一次拉线及避雷线	0.20	0.20	
设备费	—		
安装费	0.20	0.20	
其它设备及安装工程	20991.84	1065.78	32.30
设备费	20231.95	967.59	29.32
安装费	759.89	98.19	
电梯	348.71	2.34	1.17
安装费	0.17	0.17	
设备费	348.54	2.17	1.09
坝区馈电设备及安装	23.55	23.55	
设备费	—		
安装费	23.55	23.55	
厂坝区供水供热设备及安装	26.86	12.96	
安装费	31.07	7.73	
设备费	5.81	5.23	
安全监测设备及安装	3586.39	372.99	13.32
设备费	3586.39	372.99	13.32
交通及消防设备	275.80	78.56	
设备费	12.37	12.37	
安装费	263.43	66.19	
全厂接地	0.55	0.55	
安装费	0.55	0.55	
220kV变电站	2877.29		
设备费	2436.17		
安装费	441.12		
三峡计算机系统	13842.67	574.83	191.61
设备费	13842.67	574.83	191.61
设备监造费	456.66	456.66	

工程项目或费用名称	至2001年末完成投资	其中	
		2001年完成投资	完成投资占计划%
第三部分　金属结构设备及安装	125416.79	50930.29	93.88
安装费	30969.67	18559.00	105.15
设备费	94447.12	32371.29	88.45
挡水工程	28833.65	8725.84	81.55
闸门设备及安装	23641.25	6224.92	91.01
安装费	1661.95	686.92	29.87
设备费	21979.30	5538.00	121.98
启闭设备及安装	4701.20	2172.24	76.22
安装费	286.26	63.02	18.01
设备费	4414.94	2109.92	84.37
闸门喷锌费	67.99	67.99	10.46
安装费	67.99	67.99	22.66
设备费	—		
电力拖动及控制	423.21	260.69	72.41
安装费	33.03	3.62	
设备费	390.18	257.07	71.41
发电厂工程	40322.84	19021.69	82.34
闸门设备及安装	36734.84	15572.81	82.34
安装费	17557.45	9512.41	86.48
设备费	19177.39	6060.40	80.81
启闭设备及安装	2194.88	2055.76	66.31
安装费	117.71	116.82	38.94
设备费	4930.98	1938.94	69.25
闸门喷锌费	3.41	3.41	0.23
安装费	3.41	3.41	
设备费	—		
地下厂房进水口预建	1389.71	1389.71	
安装费	1389.71	1389.71	
设备费	—		
航运工程	52658.10	23182.76	119.50
船闸工程	50647.06	21184.90	109.20
闸门设备	36582.61	13891.01	93.86
安装费	4520.21	4113.68	146.92
设备费	32062.40	9777.33	81.48
启闭设备及安装	8787.75	4605.11	100.11
安装费	920.46	880.82	146.80
设备费	7867.29	3724.29	93.11
闸门喷锌费	—		
安装费	—		
设备费	—		
电力拖动及控制	1997.86	1997.86	665.95
安装费	215.16	126.40	

工程项目或费用名称	至2001年末完成投资	其中	
		2001年完成投资	完成投资占计划%
设备费	2526.68	1871.46	623.82
埋件及其他安装	2973.44	385.52	
安装费	2973.44	385.52	
永久船闸埋件工程	1208.68	1208.68	
安装费	1208.68	1208.68	
管子、附件及阀门	713.73	713.73	
设备费	713.73	713.73	
永久船闸给排水工程	363.14	363.14	
设备费	363.14	363.14	
永久船闸金结设备备品备件	17.71	17.71	
设备费	17.71	17.71	
升船机工程	13.18		
闸门设备及安装	17.59		
安装费	14.21		
设备费	3.38		
第四部分 临时工程	667011.74	27914.18	181.97
导流工程	238352.43	10954.50	103.44
导流明渠	68308.11	2819.39	
一期土石围堰	24906.55		
二期围堰工程	52801.92	2053.77	71.06
三期围堰工程	16931.05	163.61	
纵向混凝土围堰	48606.65	300.16	
导流底孔及防冲保护	15318.14	5624.34	73.04
底孔上下导渠	—		
通航建筑物上下航道围堰	11480.01	−6.77	
临时船闸围堰	716.37		
航运工程下围堰	10763.64	−6.77	
交通工程	101906.69	8639.49	1151.93
公路	36079.47	398.12	79.62
左岸施工道路	23114.99	337.82	
右岸施工道路	12962.36	60.30	
其它交通工程	2.12		
桥梁	1880.07		
临时公路桥	1880.07		
混凝土系统公路立交桥	—		
码头	156.10		
临时码头	156.10		
施工支洞	2177.00		
临时船闸工程	45213.56	670.34	
上游引航道工程	11117.01	−48.08	
船闸闸室段工程	20875.23	12.92	
船闸工程	12650.21		

工程项目或费用名称	至 2001 年末完成投资	其　中	
		2001 年完成投资	完成投资占计划%
临时船闸坝段	7654.56		
临时船闸坝段	(241.31)	−241.31	
金属结构设备及安装	4923.62	917.00	
下游引航道工程	8539.01	29.81	
施工栈桥	16265.49	7571.03	3028.41
翻坝措施费	135.00		
房建工程	106376.79	1779.27	177.93
办公、生活文化福利建筑	96733.54	1779.27	
工地房建	43335.19	317.69	
宜昌本部房建	35484.58	1743.50	
驻外机构房建	9611.91	−455.10	
三峡建委办公室房建	2301.86	173.18	
长江水利委员会房建	6000.00		
仓库	9222.36		
其他房建	420.89		
其它临时工程	220375.83	6540.92	218.03
供水工程	18609.75	293.68	
供电工程	12009.30	576.90	
通信工程	8555.35	500.64	
砂石料系统	40337.24	599.15	
混凝土拌和制冷系统	29978.83	1129.05	
场地平整	37984.59	1480.12	
排水工程	6194.18		
护岸工程	21885.78		
其它(含大型设备安拆费)	43022.99	1951.51	
附属企业	1797.82	9.87	
第五部分　水库淹没处理补偿	2,205,604.59	478465.92	103.59
库区征地移民费	2189,038.67	461900.00	100.00
调整 2000 年库区征地移民费	16565.92	16565.92	
第六部分　其他费用	312580.36	25005.37	112.64
建设管理费	160978.51	14885.10	107.86
建设单位开办费	5663.04	0.93	
建设单位经常费	54641.17	8466.00	126.36
建设单位管理费	20980.86	1900.00	95.00
监理费	28798.75	5346.69	118.82
执行概算及招标费用	4861.56	1219.31	609.66
三峡建委办公室开办费	798.39		
三峡建委办公室经常费	3731.38		
坝区综合管理费	9467.45	1678.81	111.92
建设及施工场地征用费	43297.00		
其它专项费	43410.08	4739.36	84.63
施工及临时通航管理费	11438.96	1322.40	110.20

工程项目或费用名称	至2001年末完成投资	其 中	
		2001年完成投资	完成投资占计划%
咨询论证费	12258.44	1753.07	116.87
特殊专项科研费	13430.94	545.82	38.99
生态环境补偿费	6281.74	1118.07	74.54
生产准备费	2762.53	1578.69	87.71
科研勘设费	129442.75	6313.75	125.77
科学研究试验费	8568.05	1321.75	120.16
前期勘设统筹费	20516.00		
勘测设计费	100358.70	4992.00	127.35
其他	19396.57	2227.83	141.00
预算定额编制管理费	406.72	20.94	26.18
工程保险费	11356.18	1863.06	124.20
其他	7633.67	343.83	
第七部分 茅坪溪防护工程	56170.68	7702.66	148.13
基本预备费	46263.02	14199.53	48.46
右岸地下厂房洞挖工程	1357.19	1114.93	
上游隔流堤	10437.14	5958.95	112.43
钢筋接头	143.40	143.40	
翻坝措施费	143.24	126.03	
砂石料系统	282.15	44.50	
对外交通征地费	3.06	3.06	
三峡建委办公室房建费	2784.93		
对外交通及坝区征地费	11678.13	603.83	
特殊宣传费	7219.07	831.51	
设计单位(长江水利委员会)	6880.00		
预备费其它	5334.71	5373.32	22.39
质量特别奖	5026.62	4698.42	
左非至永久船闸电缆廊道土建及埋件安装	248.80	248.80	
档案管理费	8.29	8.29	
其它	51.00	417.81	
价差	1308210.91	287058.15	94.23
枢纽工程	640345.50	141994.07	99.30
水库淹没处理补偿	667865.41	145064.08	89.75
贷款利息	892956.80	186149.55	82.73
水库淹没处理补偿费包干外补偿	20000.00	20000.00	
概算外项目	56774.63	11328.30	130.21
三峡地下厂房前期设计费	5114.34		
金沙江开发前期工作	38209.29	11328.30	130.21
重庆变压器有限公司	5000.00		
葛洲坝电厂小型基建	8451.00		

说明:根据财政部"财经字〔1999〕396号"文,"关于同意中国长江三峡开发总公司对三峡航空实业开发公司投入的资本金划给宜昌市的函",2001年将原列入概算外项目的黄龙寺机场投资1亿元在自开工累计完成投资中予以冲减。

三峡工程主要工程量完成情况汇总表

表 3

项目名称	单位	其中		
		至 2001 年末累计完成工程量	2001 年完成	完成年计划(%)
土石方开挖	万 m^3	17905.89	587.24	158.71
其中　主体工程	万 m^3	12242.01	450.53	
其中　淤沙开挖	万 m^3	2205.33	0.00	
土石方回填	万 m^3	7658.21	330.56	113.99
其中　主体工程	万 m^3	2960.78	212.08	
混凝土浇筑	万 m^3	2010.67	406.38	101.60
其中　主体工程	万 m^3	1879.80	405.85	
钢筋	万 t	39.55	12.58	110.35
其中　主体工程	万 t	36.50	12.58	
防渗工程(含摆喷、旋喷)	万 m^2	24.65	0.55	110.00
灌浆工程	万 m	44.98	15.72	
固结灌浆	万 m	26.64	8.76	194.67
帷幕灌浆	万 m	18.34	6.96	99.43
金属结构设备安装	万 t	8.87	5.81	96.83
机电设备安装	万 t	1.53	0.57	100.00

项目合同统计

已签合同分类汇总表（含非招标项目）

表 1

项目内容	2001 年		1993～2001 年	
	数量(项)	合同金额(亿元)	数量(项)	合同金额(亿元)
建安工程合同	228	125289.75	1679	214.41
机电设备合同	31	28251.62	52	81.72
金属结构设备采购合同	1	2455.37	29	15.26
金属结构设备安装合同			1	2.20
机电设备安装合同	6	17556.62	6	1.76
勘察设计合同	20	7879.17	320	16.39
工程监测、科研、工程咨询、技术服务合同	113	4360.30	1515	10.90

监理合同	31	2993.64	171	3.40
征地移民合同	5	517.35	116	8.30
施工设备及其他设备采购合同	21	1870.05	1286	24.06
物资采购合同				
其它合同	73	4217.83	313	7.10
合　计	529	195391.70	5488	385.48

主要项目招议标汇总表

表 2

项　目	2001年		1993～2001年	
	项目数量	合同金额（万元）	项目数量	合同金额（万元）
建安工程合同	20	88028.16	221	174.29
机电设备采购合同	28	27805.62	54	82.12
金属结构采购合同			22	14.53
金属结构设备安装项目	0	0.00	1	2.20
机电设备安装合同	5	17495.58	5	1.75
工程安全监测合同	2	810.36	15	0.44
监理合同	3	808.67	18	1.15
施工设备招标项目(国际)			19	10.51
施工设备及其它设备采购合同(国内)	10	1607.59	74	5.44
物资采购合同	6	21627.54	6	2.16
其它合同			1	0.03
合　计	74	158183.52	436	294.63

注:议标项目均在2001年以前实施。

2001年已签科研项目名称

表 1

合同名称	承担单位
三峡工程八个单项技术设计审查科研成果汇编	《中国农村水利水电》编辑部
三峡大坝上游迎水面裂缝成因分析研究	长江水利委员会
三峡二期工程泄洪坝段裂缝和温度监测的分布式光纤传感技术现场试验研究	葛洲坝水利水电学院
编辑出版《苏联钢衬钢筋混凝土压力管道设计与施工》	北京金五环出版服务部
编辑技委会历次会议电子文档	北京同和伟业信息技术有限责任公司
三峡升船机德国(BAW)方案三维动画制作	北京老科学技术工作者总会
寸滩、武隆中长期水文预报方案研究	四川大学
三峡工程泥沙信息与决策支持系统研究	四川大学
三峡电站钢衬——预应混凝土联合受力压力管道补充设计方案及论证	华北水利水电学院

三峡工程三期导截流关键技术研究	武汉大学
三峡永久船闸工程变形和稳定性论评	中国岩石力学与工程学会
三峡工程新型纤维高性能常规混凝土研究	中国葛洲坝集团公司三峡指挥部
三峡工程三期截流戗堤轴线外移方案水工模型试验研究	长江科学院
三峡左岸电厂技术供水减压阀性能试验	宜昌市葛洲坝志发电力公司
社区医疗保健管理系统(His)	三峡电子信息技术有限责任公司
三峡工程三期提前截流水文及施工风险分析	武汉大学
电子化培训系统开发与研制	北京学富科技有限公司
降低三峡截流难度工程技术措施研究	长江科学院
三峡工程永久船闸地下输水系统斜井全断面变径滑模研制与应用	宜昌市三峡工程三联总公司
三峡工程施工期漂污物治理水工模型试验研究	长江科学院
三峡水电站厂房“完全联合承载”蜗壳结构形式研究	武汉大学
寸滩、武隆短期洪水预报方案研究	长江水利委员会长江上游水文预报中心
水利水电工程施工情报调研及组织施工手册审稿	“水利水电施工”编辑部
三峡大坝持高强度混凝土设计施工和温控关键技术研究成果总报告的组织编写出印刷	宜昌天宇科技有限公司
三峡工程二期围堰拆除代化设计及试验研究	长江勘测规划设计研究院
三峡工程混凝土耐久性评估基础研究	同济大学
永久船闸二、三闸室岩体变形监测研究	国家电力公司中南勘测设计研究院
三峡坝区清漂船技术方案研究	中国船舶重工集团第 7 研究院 701 研究所
三峡三期工程 RCC 围堰拆除方案设计研究	长江科学院
三峡三期 RCC 围堰施工过程应力仿真分析	武汉大学
缆索起重机承码位移故障检测装置开发研制	葛洲坝水利水电学院高科技开发公司
三峡水利枢纽工程机组安装过程多媒体演示系统	三峡大学
茅坪溪土石坝安全复核验算	河海大学
江口镇上下浅滩演变与整治研究	长江航道局
宜昌至杨家脑河段综合治理措施研究	长江航道局
上游修建骨干水库对三峡水库入库水沙条件的影响	中国水利水电科学研知院
重庆主城区河段泥沙冲淤变化对防洪、航运影响及对策研究	交通部西南水运工程科学研究院
重庆主城区河道泥沙专题研究	清华大学
2003 年蓄水后回水末端冲淤变化与航道条件调查研究及对比分析	长江航道局
重庆河段走沙过程规律研究	长江航道局
三峡水轮发电机组推力轴承方式研究	武汉迈科机电技术开发公司
三峡水轮机特性分析	武汉迈科机电技术开发公司
三峡模型水轮机技术研究	武汉迈科机电技术开发公司
三峡枢纽通信网监测管理系统研究	武汉迈科机电技术开发公司
首端交直站站址选择中技术问题研究	武汉迈科机电技术开发公司
三峡泄洪深孔弧门止水布置研究	武汉江岸科技三室开发公司
三峡水电站水轮发电机设置大容量可行性分析	武汉迈科机电技术开发公司
三峡工程五级船闸水位监测系统调查研究	水利部机电研究所
三峡五级船闸人字门快速调整和改装方案调查研究、多级船闸运行经验调研	天津经技建源经贸有限公司
三峡及大型混流式水轮机稳定性研究咨询	天津经技建源经贸有限公司
三峡永久船闸闸室防淤、减淤、清淤措施的研究	武汉通达工程技术开发公司
三峡水利枢纽通航建筑物布置方案优化设计	北京科技咨询中心
三峡工程通航建筑物上游引航道运行后期采用大包或全包方案的比选研究	武汉通达工程技术开发公司
长江三峡工程船闸和升船机上游引航道口门区安全通航专家系统的研究	华中理工大学

三峡工程通航建筑物上游弓航道通航条件数学模型分析	上海交通大学
三峡大坝坝区滚动大气预报方法研究	武汉中心气象台
梯调中心专业气象台业务体系的研究	武汉中心气象台
三峡水库汛后提前蓄水可行性研究	武汉大学
茅坪溪土石坝沥青混凝土心墙施工配合比优化	葛洲坝集团试验中心
葛洲坝电厂接入三峡梯调系统方案研究	宜昌市能达通用电气股份合作公司
三峡水电站坝前漂浮物清除措施研究方案	华源水利水电工程咨询公司
三峡工程水电站压力管道取消伸缩节复核计算	长江科学院
三峡工程右岸地下电站进水口卸荷边坡稳定分析及加固优化研究	三峡大学
三峡工程高性能抗冲磨混凝土研究	武汉大学
ROTEC塔带机、供料线消化吸收研究	华中理工大学
三峡永久船闸输水系统水力学计算机仿真研究	河海大学
三峡水电站漂浮物治理方案研究	三峡大学
斜井全断面变径滑模研制与应用	三联总公司永久船闸项目经理部

2001年验收科研项目统计

表2

项目名称	承担单位
三峡大坝泄洪深孔及引水管道孔口配筋方案	水利水电科学研究院
三峡工程碱一骨料活性检验	水利水电科学研究院
三峡工程大坝孔洞配筋设计的理论与试验研究	北京清华华源工程技术开发公司
三峡3#坝段坝体和地基联合抗剪稳定分析	水利水电科学研究院
三峡大坝厂3#坝段深层抗滑稳定平面有限元分析	北京斯泰岩土工程技术开发公司
左岸3#厂房坝段节理网络分析及有限元计算	清华华同科技开发咨询公司
三峡工程深孔短管出口突扩掺气水工模型试验研究	清华大学
三峡大坝1#～5#坝段基础岩体微结构面分布及其力学参数计算	中科院计算数学与工程计算所
三峡三期围堰爆破拆除方案设计	中科院力学所
三峡水电站1#～5#坝段抗滑稳定、电厂厂房结构孔口应力及进水口试验小结	清华华同科技开发咨询公司
三峡工程厂房3#坝段深层抗滑稳定综合分析	北京斯泰岩土工程技术开发公司
三峡工程左岸3#厂房坝段抗滑稳定安全度分析	华北水院北京研究所
三峡大坝安全监测试点葛洲坝枢纽坝顶真空激光位移监测系统关键技术问题研究	宜昌科技咨询中心葛电分部
三峡左右岸坝段岩体节理三维网络模拟和连通率研究	水利水电科学研究院
三峡工程电站进水口(单孔、双孔口)对比试验研究	武汉市大才科技公司
三峡工程左岸厂房坝段中缓倾角结构面连通率研究	水利水电科学研究院
三峡水电站厂房建筑与结构设计方案	清华大学
三峡工程3#坝段岩体中、缓倾角结构面连通率补充研究	水利水电科学研究院
三峡水电站水轮机蜗壳充水加压方案专题研究	武汉市通达工程技术开发公司
三峡水电站厂房充水加压蜗壳外围硅结构优化及仿真材料结构模型试验研究	武汉水利水电大学
三峡厂房蜗壳充水打压方案仿真模型试验研究	长江科学院
三峡工程右岸24#～26#机组半地下式厂房方案地质专题研究	长江委三峡勘测研究院
三峡工程永久船闸高边坡稳定性地质专题研究	长江水利委员会
三峡永久船闸输水遂洞施工支洞利用研究	武汉通达工程技术公司

三峡水利枢纽永久船闸混凝土衬砌墙优化数学模型分析	武汉通达工程技术公司
三峡水利枢纽通航水流条件和引航道布置尺度分析研究	武汉通达工程技术公司
永久船闸中隔墩输水主廊道施工方案及结构优化研究	武汉通达工程技术公司
永久船闸闸室停泊条件研究	武汉通达工程技术公司
永久船闸衬砌式闸前结构非线性有限元分析	武汉通达工程技术公司
永久船闸衬砌式墙后排水措施综合研究	武汉通达工程技术公司
三峡船闸高边坡稳定分析	水利水电科学研究院
三峡工程岩石边坡予应力锚索工艺和机理研究	水利水电科学研究院
三峡工程永久船闸高边坡稳定性地质专题研究	长江水利委员会
三峡工程永久船闸高边坡二维有限元分析	水利水电科学研究院
三峡工程船闸高边坡及1#～5#厂房坝段稳定可靠度分析	华北水院北京研究生部
三峡船闸边坡稳定的随机可靠度分析	水利水电科学研究院
三峡船闸高边坡分析软件的引进与开发	清华华同科技开发咨询公司
升船机上闸首结构三维有限元静力稳定分析研究	水利水电科学研究院
三峡工程升船机承船厢提高误载水深措施的可行性研究	北京技术咨询中心
三峡工程升船机上闸首基岩中、缓倾角结构面连通研究	水利水电科学研究院
三峡工程升船机上闸首抗滑稳定极限平衡法分析	北京斯泰岩土工程技术开发公司
三峡升船机基础断层和节理岩体化灌加固浆材试验研究	水利水电科学研究院
三峡升船机基础断层和节理岩体化灌加固浆材试验研究(续签合同)	水利水电科学研究院

征地移民情况

三峡库区移民统计编表说明：

(一)资金到位情况

2001年国家安排三峡库区移民资金643530万元。其中湖北省59346.84万元，重庆市573620.38万元(含外迁)，中央直属军工企业7530万元，中央统筹经费2989.4万元。截至2001年12月31日，中国三峡总公司拨入移民资金643530万元，资金到位率为计划的100%。三峡建委移民开发局下拨移民资金643732.25万元。其中湖北省59370.54万元，重庆市572918.9万元(含外迁)，军工企业7530万元。均分别占其当年计划的100%。总体上看，2001年三峡工程库区移民资金拨付到位及时，保证了移民资金按计划、有重点用于移民工程建设。

(二)投资完成情况

2001年，三峡库区共完成移民项目投资648060.39万元(不含上年结转53457.33万元)，占当年项目计划的101%。分大类完成情况如下：

1. 农村移民安置完成移民资金218002.97万元(不含上年结转34861万元)，占当年计划资金的112%，其中外迁11个省(市)完成移民资金83192.51万元，占当年计划资金的91%。土地开发面积0.15万亩，新建水塘水池311个，水渠21条，农村道路69条186.44km，农村建房198.08万m^2，其中移民住房197.92万m^2。接收三峡库区移民外迁11个省(市)承包土地3639.64万m^2，建房129.62万m^2，修建道路1561.43km，水利配套4761.97万m^2，铺设生活供水管网68.69万m，输电线路97.87万m，通信线路158.61万m。

2. 城市迁建完成移民资金207981.86万元(不含上年结转3762.70万元)，占当年计划资金的116%。城市平整场地137.08万m^2，道路28条19.42km，新建大中型桥梁470m，完成给水工程4座，供水能力12.5万t，铺设输变电线路24.13万m，广播电视线路6.02万m，城市建房285.15万m^2，其中居民住房

187.64 万 m^2。

3. 集镇迁建完成移民资金 32078.26 万元(不含上年结转 2366 万元),占当年计划资金的 112%。集镇建房 57.21 万 m^2,其中居民住房 42.24 万 m^2。

4. 工矿企业迁建完成移民资金 110645.55 万元(不含上年结转 4373.05 万元),占当年计划资金的 81%。其中中央直属军工企业完成移民资金 2046.16 万元(不含上年结转 1465.44 万元),占当年计划资金的 40%。261 个工矿企业完成了迁建任务。

5. 专项设施复建完成移民资金 63099.31 万元(不含上年结转 8021.24 万元),占当年计划资金的 88%。复建公路 9 条 71.6km,复建大中型桥梁 4242.6m,新建码头 21 座,水电站 9 座,铺设输变电线路 44.78 万 m,通信线路 16.17 万 m,广播电视线路 29.58 万 m,新建邮电局(所)15 个,广播电视中转站 5 座。

6. 环境保护完成移民资金 2582.49 万元(不含上年结转 73.34 万元),占当年计划资金的 99%。垃圾处理能力达到每日 300t。

分省情况:湖北省 2001 年完成项目投资51579.33 万元(不含上年结转 22626.58 万元),占当年项目计划资金的 94%;重庆市 2001 年完成项目投资 594434.9 万元(不含上年结转 29365.31 万元),占当年项目计划资金的 107%。重庆市移民任务较重的万州区、云阳县、奉节县、巫山县 2001 年完成项目投资分别为 112659.08 万元、97005.99 万元、115080.6 万元、65032.71 万元,分别占当年项目计划的 112%、105%、150%和 126%,均全面超额完成全年计划任务。

总体来讲,2001 年各大类计划完成情况又创 1993 年移民工作以来新高。农村移民安置、城(集)镇迁建均全面和超额完成全年任务。工矿企业迁建和专项设施复建完成比例也达到 80%以上,特别是专项设施复建摆脱了前期工作和施工质量影响的因素,完成比例是移民工作以来最好的一年。环境保护完成比例创历史新高,也达到 99%,原因主要是湖北省对年初计划进行调整,环境保护计划由年初的 500 万元调减为 100 万元,实际完成额却达到 446 万元,故与调整计划比,比例很高。仍存在区域间完成计划情况不均衡的现象,如湖北省夷陵区和重庆市长寿县、江津市、渝北区、石柱县只完成计划的 67%、64%、35%、61%、73%。特别是中国船舶重工集团公司、中国兵器装备集团公司和中国核工业集团公司计划完成比例仍然很低,仅为 56%、5%和 12%。但从整体来看,库区大部分区县完成额均在 100%以上,原因是由于地方移民搬迁进度较快,移民资金不能满足搬迁要求,在年底没有追加移民投资之前,由地方政府协调,移民部门贷款 6 亿多元作为预安排计划先行安排二线移民搬迁单位及基础设施建设。从重庆二线水位投资完成情况统计表中看,重庆市累计完成二线投资占二线总投资的 70%;从重庆二线实物量完成情况统计表中看,重庆市复建房屋面积占二线任务总量的 63%,集镇居民建房进度过缓,仅为 36%。2002 年一定要狠抓建房进度,特别是移民住房。二期移民阶段是整个移民搬迁极为关键的攻坚阶段,从 2001 年计划执行情况来看,该年度资金投入强度略少于移民工程建设的需要,迁建任务完成进度与计划投资完成进度基本匹配。

(三)移民搬迁安置情况

2001 年,三峡工程库区搬迁安置移民(实迁)145017 人,占当年任务目标的 127%。其中城市居民 49851 人,集镇居民 18079 人,农村移民 77087 人,分别占当年任务目标的 132%、108%和 130%。农村生产安置移民 77285 人,占当年任务目标的 131%。

湖北省 2001 年搬迁安置移民(实迁)13877 人,占当年任务目标的 121%。其中城市居民 2702 人,集镇居民 5299 人,农村移民 5876 人。分别占当年任务目标的 57%、204%和 140%。农村生产安置移民 5288 人,占当年任务目标的 126%。

重庆市 2001 年搬迁安置移民(实迁)131140 人,占当年任务目标的 128%。其中城市居民 47149 人,集镇居民 12780 人,农村移民 71211 人,分别占当年任务目标的 142%、90%和 129%。出市外迁 11 个省(市)安置移民 43737 人,占年初计划的 109%。农村生产安置移民 71997 人,占当年任务目标的 131%。

从以上数据看,2001 年三峡工程库区湖北省和重庆市搬迁安置进度基本一致。由于农村外迁政策出台,改善了三峡库区后靠移民的安置条件,积极探索发展高效生态农业和旅游农业安置农村移民的路子,扩大了移民的安置环境,多种形式安置,农村搬迁安置进度加快。但从累计搬迁安置进度看,135m 水位线以下实迁人口 23 万人,加上可迁人口 5.4 万人,共 28.4 万人,仅占二线规划搬迁人口 55 万人的 52%。2002 年和 2003 年搬迁任务仍然十分艰巨。

三峡库区移民统计主要指标完成情况

表 1

(一)移民人口搬迁安置情况	单位	1985～2001年累计	2001年
安置人口	人	458418	145017
其中:城镇	人	52363	18079
农村	人	231959	77087
其中:省外	人	70547	44256
(二)移民项目大类投资完成情况	亿元		
合　计	亿元		
农村移民安置	亿元	60.90	25.29
城市迁建	亿元	95.52	21.17
城(集)镇迁建	亿元	18.95	3.47
工矿企业迁建	亿元	55.91	11.50
专项设施改复建	亿元	29.57	7.11
环境保护	亿元	0.53	0.26
勘测设计	亿元	4.45	0.95
监　理	亿元	1.01	0.39
总　计	亿元	266.85	70.15
湖北库区	亿元	53.55	7.42
重庆库区	亿元	210.83	62.38
军工企业	亿元	2.47	0.35
(三)实物量完成情况			
1.农村移民安置情况			
土地开发	万 m^2	21147.18	97.36
农村道路	km	2144.88	186.44
农村建房	万 m^2	640.93	198.08
其中:移民住房	万 m^2	633.71	197.92
2.城市迁建			
征地及场平	万 m^2	5323.94	452.82
道路	km	386.19	19.42
大中型桥梁	m	7179.86	470
居民住房	万 m^2	710.50	187.64
3.集镇迁建			
居民住房	万 m^2	188.27	42.24
4.工矿企业迁建	个	941	261
5.专项设施复建			
公路	km	808.14	71.60
大中型桥梁	m	11053.48	4242.60
港口码头	座	42	21
水电站	座	34	9
输变电线路	万 m	141.66	44.78
邮电局(所)	个	34	15
广播电视线路	万 m	166.34	29.58
6.环境保护			
垃圾处理	t/d	300	300
7.移民工程开挖量			
土石方工程	亿 m^3	2.39	0.33
砌筑工程	亿 m^3	0.29	0.05
混凝土工程	亿 m^3	0.12	0.02
8.移民工程房屋建筑面积			
各类房屋	万 m^2	2366.80	618.58
其中:厂房	万 m^2	277.32	39.44
住宅	万 m^2	1691.18	466.50
办公用房	万 m^2	190.57	63.21

三峡库区城乡人口迁移情况统计综合表

表 2 单位：人

	实迁人口									
	2001 年	累计	城镇		乡村					
			2001 年	累计	2001 年	累计	县内		县外	
							2001 年	累计	2001 年	累计
搬迁总人数	145017	458418	67930	226459	77087	231959	18343	112857	58744	119102
90m 以下	0	36591	0	24316	0	12275	0	9679	0	2596
90～135m	72398	193839	51733	108224	20665	85615	10684	45926	9981	39689
135～156m	51518	139698	9632	46539	41886	93159	5552	39142	36334	54017
156～175m	21101	88290	6565	47380	14536	40910	2107	18110	12429	22800

三峡库区农村生产安置人口统计综合表(2001 年)

表 3 单位：人

	应迁人口	合 计	县内安置				县外安置	
			小计	农业安置	二、三产业安置	其它	小计	其中：省外安置
搬迁总人数	54119	77285	22808	14915	3747	4146	54477	42124
90m 以下	0	0	0	0	0	0	0	0
90～135m	37447	35850	13158	10056	525	2577	22692	9258
135～156m	9051	27039	6470	2683	2676	1111	20569	22470
156～175m	7621	14396	3180	2176	546	458	11216	10396

三峡库区农村生产安置人口统计综合表(2001 年累计表)

表 4 单位：人

	应迁人口	合 计	县内安置				县外安置	
			小计	农业安置	二、三产业安置	其它	小计	其中：省外安置
搬迁总人数	380493	265253	150575	98459	21014	31102	1114678	71240
90m 以下	48570	28752	25030	19413	3438	2179	3722	708
90～135m	150656	104850	51605	33937	5139	12529	53245	22430
135～156m	123913	74861	38494	26132	5374	6988	36367	31221
156～175m	57354	56790	35446	18977	7063	9406	21344	16881

三峡库区移民工程投资完成情况

表 5　　单位：万元

	工程设计总投资	其中：移民资金（静态）	移民资金累计计划	累计完成投资	其中：移民资金	本年计划投资	其中：移民资金	本期完成投资	其中：移民资金	其中：上年结转资金
合计	3168572.70	2188476.39	2656530.91	3697098.45	2668566.65	692960.12	588048.45	960550.57	701517.72	53457.33
(一)农村移民安置		346632.13	574785.27	633516.65	608988.93	193455.21	192798.46	253148.04	252863.97	34861.00
内迁生产安置		138685.92	168986.20	130747.61	123524.97	4649.72	4547.72	18337.57	18648.84	16218.29
土地开发		12435.65	147626.76	110143.54	102658.36	4204.31	4102.36	15739.79	15709.22	16113.14
小型水利设施		5491.47	14586.48	9857.31	9778.01	292.00	292.00	710.65	710.65	105.15
过渡期生活补助		8558.80	6772.96	10746.76	11088.60	153.41	153.41	1887.13	2228.97	
内迁生产安置		165680.09	150474.34	197568.93	180263.85	7838.37	7283.62	34953.82	34358.48	7042.71
基础设施		19926.58	16881.22	24584.81	22961.32	337.00	260.00	4230.35	4230.35	92.85
农村道路		12424.31	9753.25	19840.34	15577.52	626.00	693.02	2858.36	2927.33	1973.12
农村建房		84886.15	103058.30	103034.09	95800.45	5961.68	5416.91	18914.04	18249.73	4668.56
村组副业		3929.47	5258.24	5959.09	4175.24	200.00	200.00	443.47	443.47	39.98
搬迁补偿		653.30	42.18	516.31	516.31	12.75	12.75	434.94	434.94	
学校搬迁补偿		4.66	84.00	74.00	74.00					
其他		43855.62	15397.15	43560.29	41159.01	700.94	700.94	8072.66	8072.66	268.20
外迁生产安置		21940.86	164209.92	203004.06	203004.06	125508.47	125508.47	142674.77	142674.77	4600.00
外迁生活安置		20325.26	91114.81	102196.05	102196.05	55458.65	55458.65	57181.88	57181.88	7000.00
(二)城市迁建	1219400.52	787182.61	879863.99	1263067.28	955202.20	210239.92	146976.55	311703.13	211744.56	3762.70
基础设施	628781.19	448271.99	557204.65	701802.04	613003.50	95726.55	63480.40	155966.02	119784.39	2445.95
征地	124381.29	100258.72	145774.97	164486.14	162163.56	11229.03	11229.03	21983.36	21983.36	258.94
场地平整	98783.68	74938.51	71295.89	79308.08	69600.79	7712.00	6597.00	19067.91	16036.59	87.32
道路	173967.77	123335.67	197610.10	246350.17	215529.92	39420.87	25020.87	57459.54	42985.98	2099.69
大中型桥梁	30765.98	24540.29	29028.14	33432.91	27993.91	1100.00	1100.00	2018.00	2018.00	
给排水	81300.36	58113.59	56650.68	74454.69	68091.26	6478.17	5768.00	12867.06	12044.31	
邮电通信	3633.58	1639.07	7300.03	8602.25	7875.95	2150.00	2150.00	3045.00	2645.00	
广播电视	2581.09	2433.09	650.00	1443.33	1094.23	225.98	180.00	711.98	545.98	
防洪护岸	79247.69	47555.50	24776.88	58963.95	31576.35	22000.00	6025.00	26115.82	9954.82	
输气管道	11096.46	1179.46	690.00	6483.54	2093.54			755.60	755.60	
输变电	19620.29	11078.25	12135.46	12666.04	11373.05	1373.00	1373.00	5556.00	4429.00	
绿化	1340.00	1136.84	2882.00	2278.21	2278.21	2092.00	2092.00	1452.00	1452.00	
其他	2063.00	2063.00	8410.50	13332.73	13332.73	1945.50	1945.50	4933.75	4933.75	
城市建房	590619.33	338910.62	322659.34	561265.24	342198.70	114513.37	83496.15	155737.11	91960.17	1316.75
(三)集镇迁建	204881.24	172913.04	201244.91	226091.64	189521.93	30276.03	29254.19	37398.47	34666.93	2366.00

	工程设计总投资	其中：移民资金（静态）	移民资金累计计划	累 计 完成投资	其中：移民资金	本 年 计划投资	其中：移民资金	本 期 完成投资	其中：移民资金	其中：上年结转资金
基础设施	71106.84	61039.91	88213.11	90712.56	83266.82	10279.19	10279.19	12655.94	12580.53	684.37
集镇建房	110014.67	87165.31	91440.46	112834.27	82701.82	17314.14	16292.30	20894.28	17691.67	774.72
道路	23759.73	24707.82	21591.34	22544.81	23553.29	2682.70	2682.70	3848.25	4394.73	906.91
(四)工矿企业迁建	1182487.29	603573.30	595917.55	838341.61	559152.47	153635.86	133197.44	130792.83	115018.60	4373.05
(五)专项设施复建	525692.58	267440.24	334875.78	675980.97	295723.82	89170.10	69638.81	211404.99	71120.55	8021.24
公路	165862.78	91397.82	131459.21	198868.53	120163.95	34912.70	22336.60	66881.30	28051.45	281.09
大中型桥梁	36548.25	28503.14	49183.41	57016.96	52655.00	15066.50	8898.50	12781.71	8865.93	
港口码头	94238.80	47556.50	43006.82	77875.13	30358.59	16413.75	16110.56	22275.34	14258.20	3030.75
港口	12935.65	12935.65	16409.25	19756.51	8007.80	7147.41	7147.41	5396.36	2396.65	
码头	80979.47	34297.17	26407.57	58118.62	22350.78	9076.34	8773.15	16878.98	11861.55	3030.75
停靠站	323.68	323.68	190.00			190.00	190.00			
水电站	122138.24	20520.34	25488.81	246509.39	24312.94	2211.44	2211.44	87857.77	2161.70	212.97
抽水站	265.54	236.28	714.00	196.29	196.29	80.00	80.00	89.69	89.69	
输变电	22171.43	17483.46	21972.09	29038.64	21694.54	2969.59	2765.59	5872.40	5704.90	418.08
110kV 变电站	3055.20	825.53	1098.29	3463.25	2716.31			708.56	708.56	
110kV 输电线路	8481.00	7266.00	5009.47	9203.86	5192.86	1605.00	1401.00	1921.26	1921.26	296.00
35kV 及以下变电站	4589.62	4424.32	7249.08	6456.28	5286.71	815.18	815.18	1179.00	1086.73	
35kV 及以下输电线路	6045.61	7967.61	8615.25	9915.25	8498.66	549.41	549.41	2063.58	1988.35	122.08
广播电视	6786.11	3612.18	7501.44	9739.46	6803.72	3022.21	3022.21	2644.72	2464.72	63.04
中转站	697.80	692.48	1288.40	1243.78	1243.78	278.09	278.09	471.22	471.22	
线路	6088.31	2919.70	6213.04	8495.68	5559.94	2744.12	2744.12	2173.50	1993.50	63.04
输气管道	6813.00	4110.00	5715.31	11108.00	5638.00	1000.31	1000.31	4228.40	1348.40	245.40
汛后工程										
库底清理	2987.86	3059.74	793.59	598.53	598.53	394.50	394.50	250.01	250.01	
邮政通信	36170.57	19250.78	17735.03	27952.10	16224.32	3595.25	3315.25	4914.69	4316.59	1050.09
文物古迹	27100.00	27100.00	22200.07	9582.30	9582.30	8783.85	8783.85	3109.47	3109.47	2620.33
水文网站	3900.00	3900.00	3553.00	2088.07	2088.07	320.00	320.00	99.49	99.49	99.49
汽渡										
航道设施	710.00	710.00	5553.00	5407.57	5407.57	400.00	400.00	400.00	400.00	
(六)环境保护	36111.07	10735.07	7934.54	5460.20	5337.20	2528.00	2528.00	2655.83	2655.83	73.34
水土保持	65.60	65.60	74.40	74.40	74.40			10.00	10.00	
城集镇迁建	29298.27	4012.27	3120.54	2320.51	2197.51	1264.00	1264.00	937.13	937.13	41.34
污水治理	28366.39	3202.39	1944.00	1232.00	1232.00	1002.00	1002.00	480.00	480.00	40.00
垃圾处理	931.88	809.88	1176.54	1088.51	965.51	262.00	262.00	457.13	457.13	1.34
其他	6747.20	6657.20	4739.60	3065.29	3065.29	1264.00	1264.00	1708.70	1708.70	32.00

	工程设计总投资	其中：移民资金（静态）	移民资金累计计划	累计完成投资	其中：移民资金	本年计划投资	其中：移民资金	本期完成投资	其中：移民资金	其中：上年结转资金
(七)勘测设计费			44116.58	44540.83	44540.83	8506.00	8506.00	9527.39	9527.30	
监理费			14821.60	10099.27	10099.27	4059.00	4059.00	3919.89	3919.89	
单项监理			4888.30	2358.98	2358.98	1910.80	1910.80	1383.81	1383.81	
综合监理			9933.30	7740.29	7740.29	2148.20	2148.20	2536.08	2536.08	
滑坡治理			2970.69			1090.00	1090.00			

三峡库区移民工程成果及形成生产能力

表 6

项目名称	计量单位	建设规模	累计完成规模	累计计划规模	本年计划规模	本期完成规模	其中：上年结转规模
(一)农村移民安置							
1.土地开发面积	万 m^2		21147.18	22952.91	10.24	97.36	
开垦	万 m^2		5037.03	5088.35		5.56	
改土	万 m^2		6965.35	7359.72		0.96	
防护	万 m^2		17.12	42.12			
调整	万 m^2		8712.32	10195.94	10.24	55.16	
买土	万 m^2		415.36	266.78		35.68	
2.水利设施							
水池	m^3/个		3422627.75/2749	2715474.50/2864	25933.00/253	35419.00/311	
水渠	m/个		647972.80/5924	401712.00/430	17000.00/7	14698.80/21	
3.农村道路	km/条		2144.88/799	1489.69/548	135.11/48	186.44/69	
机耕道路	km/条		1675.28/624	1254.57/519	135.11/48	167.04/63	
库周道路	km/条		469.60/175	235.12/29		19.40/6	
4.农村建房	万 m^2	610.16	640.93	451.82	126.08	198.08	0.03
移民住房	万 m^2	604.33	633.71	446.12	125.92	197.92	0.03
其它用房	万 m^2	5.83	7.22	5.70	0.16	0.16	
5.还建	万 m^2		520.13			161.92	
其中：住房	万 m^2		517.28			160.71	
(二)城市迁建							
征地	万 m^2	3329.39	4119.00	3777.16	482.65	315.74	2.10
场平	万 m^2	1341.09	1204.94	1364.43	214.95	137.08	0.45
道路	km/条	331.50/208	386.19/243	339.53/229	－1.39/16	19.42/28	

项目名称	计量单位	建设规模	累计完成规模	累计计划规模	本年计划规模	本期完成规模	其中:上年结转规模
大中型桥梁	m/座	7864.14/35	7179.86/37	6720.14/26		470.00/2	
给水	t/座	570950.00/23	445880.00/25	377950.00/21	20000.00/1	125550.00/4	
排水	t/座	25000.00/2	33000.40/3	25000.00/2		8000.40/1	
输气管道	万 m	13.42	14.75	13.42		1.33	
输变电线路	万 m	82.93	69.70	37.09	1.05	24.13	
变电站	座	47.00	20.00	21.00	16.00	16.00	
通信线路	万 m	93.62	88.28	57.15	6.87	38.36	
广播电视	万 m/座	38.99/72	34.40/37	32.50/3	4.62/1	6.02/35	4.50/1
防洪护岸	万 m^2	232.08	230.53	19.30	2.05	0.50	
绿化	万 m^2	138.14	12.05	11.47	3.00	3.58	
城镇建房	万 m^2	1005.83	1014.80	713.27	159.47	285.15	0.44
居民住房	万 m^2	670.37	710.50	483.78	110.77	187.64	0.44
办公用房	万 m^2	166.76	148.52	148.45	29.05	55.03	
商业、居民服务业用房	万 m^2	85.06	75.28	43.09	10.89	19.53	
文化教育用房	万 m^2	53.26	41.02	19.40	6.84	11.31	
医疗用房	万 m^2	17.57	10.28	5.61	1.29	3.79	
科研用房	万 m^2	0.08	0.23	0.15		0.10	
其他用房	万 m^2	12.73	27.77	11.58	0.63	7.75	
还建	万 m^2		675.37			193.20	
其中:住房	万 m^2		463.73			117.04	
(三)集镇迁建							
集镇建房	万 m^2	278.53	276.25	251.85	45.83	57.21	
居民住房	万 m^2	203.47	188.27	179.72	30.51	42.24	
办公用房	万 m^2	38.74	42.05	47.10	9.31	8.18	
商业、居民服务业用房	万 m^2	17.10	18.01	11.42	2.11	−2.78	
文化教育用房	万 m^2	11.03	14.31	8.64	3.13	6.04	
医疗用房	万 m^2	4.06	4.25	2.03	0.77	1.64	
科研用房	万 m^2						
其他用房	万 m^2	4.13	9.36	2.94		1.89	
还建	万 m^2		182.52			65.64	
其中:住房	万 m^2		136.31			42.65	
(四)工矿企业迁建	个	1303.00	941.00	1187.00	145.00	261.00	10.00
工矿企业建房	万 m^2	441.08	433.93	331.20	53.69	78.13	
厂房	万 m^2	275.16	275.23	216.74	30.40	39.44	
住房	万 m^2	165.93	158.70	114.48	23.30	38.70	

项目名称	计量单位	建设规模	累计完成规模	累计计划规模	本年计划规模	本期完成规模	其中:上年结转规模
还建	万 m^2		373.24			98.29	
其中:住房	万 m^2		120.79			31.29	
(五)专项设施复建							
公路	km/条	1020.22/127	808.14/76	1019.40/89	100.08/16	71.60/9	
汽渡	处						
大中型桥梁	m/座	13517.86/104	11053.48/82	12958.96/89	3078.10/25	4242.60/18	
港口	座	8.00	1.00	6.00			
码头	座	85.00	41.00	80.00	26.00	21.00	3.00
停靠站	座	1.00		1.00	1.00		
航道设施	处	3.00		1.00			2.00
水电站	座	52.00	34.00	50.00	8.00	9.00	1.00
抽水站	座	9.00	4.00	6.00	2.00	1.00	1.00
输变电线路		127.15	141.66	111.94	5.58	44.78	
110kV 输电线路	万 m	30.74	33.74	8.70		27.26	
35kV 及以下输电线路	万 m	96.41	107.92	103.24	5.58	17.52	
输变电站		35.00	24.00	32.00	7.00	6.00	1.00
110kV 变电站	座	10.00	10.00	8.00	5.00	6.00	
35kV 及以下变电站	座	25.00	14.00	24.00	2.00		1.00
输气管道	万 m	2.24	19.78	19.78	17.54	18.39	
通信线路	万 m	835.65	384.40	454.82	80.50	148.23	
邮电局(所)	个	28.00	34.00	23.00	3.00	15.00	
广播电视							
线路	万 m	130.97	166.34	171.14	17.63	29.58	
中转站	座	17.00	21.00	25.00	5.00	5.00	
水文站网	处	47.00		46.00			
文物古迹	处	2.00		1.00			
库底清理	万 m^2	154.00	154.00	154.00			
(六)环境保护							
污水治理	t/d						
垃圾处理	t/d	320.00/1	300.00	300.00		300.00	300.00
(七)滑坡治理	处	1.00		1.00			

三峡库区移民工程房屋建筑面积情况

表 7

	设计总面积（万 m^2）	累计竣工建设面积（万 m^2）	本年计划竣工面积（万 m^2）	本年施工面积（万 m^2）	本年竣工面积（万 m^2）	本年竣工房屋价值（万元）	本年竣工房屋平均造价（元/m^2）
合 计	2534.82	2366.8	385.08	640.31	618.58	231543.29	374.31
厂房	297.43	277.32	30.40	36.94	39.44	20274.19	514.05
住宅	1716.83	1691.18	290.50	475.76	466.50	160381.15	343.80
农村住房	519.57	633.71	125.92	166.20	197.92	45500.13	229.89
城市住房	828.67	710.50	110.77	229.13	187.64	80725.19	430.21
集镇住房	176.93	188.27	30.51	40.13	42.24	15646.08	370.41
工矿企业住房	191.66	158.70	23.30	40.30	38.70	18509.75	478.29
办公用房	235.06	190.57	38.36	72.10	63.21	27214.66	430.54
商业、居民服务业用房	134.37	93.29	13.00	21.97	16.75	10382.74	619.87
文化教育用房	83.65	55.33	9.97	17.91	17.35	5747.91	331.29
医疗用房	26.63	14.53	2.06	7.52	5.43	2740.98	504.78
科研用房	0.49	0.23		0.36	0.10	110.00	1100.00
其他用房	40.36	44.35	0.79	7.75	9.80	4691.66	478.74
还建		1751.26			519.05		
其中：住房		1238.11			351.69		

三峡库区移民工程资金来源情况（2001 年）

表 8 单位：万元

工程类别	合 计	国家移民资金	银行贷款	对口支援				利用外资	财政补助	自有资金	其它
				合计	中央	省外	省内				
合 计	886805.78	643925.11	18231.23	4327.00	710.00	2850.00	767.00		110.50	38246.44	71888.71
农村移民安置	232842.67	232544.13								296.73	1.81
城市迁建	296252.39	201337.59	3953.31	3330.00	190.00	2850.00	290.00		110.50	35752.75	50498.24
集镇迁建	38508.36	32795.00	12.00	10.00			10.00			−11.38	3508.30
工矿企业迁建	119431.51	100648.88	11490.92	467.00			467.00			919.00	5390.82
专项设施复建	184519.26	61355.92	2775.00	520.00	520.00					1289.34	12481.54
环境保护	1877.74	1877.74									
勘测设计费	9760.77	9760.77									
监理费	3613.08	3605.08									8.00
滑坡治理											

三峡库区移民工程资金来源情况（2001年累计表）

表 9　单位：万元

工程类别	合　计	国　家 移民资金	银行贷款	对口支援				利用外资	财政补助	自有资金	其它
				合计	中央	省外	省内				
合　计	3627559.16	2634274.64	320116.34	67520.30	6218.70	30634.12	30667.48	1125.00	7497.63	161020.00	325928.46
农村移民安置	604392.46	581671.72								3062.09	19658.65
城市迁建	1227560.48	936195.39	21365.75	29931.06	3004.00	11825.12	15101.94	500.00	4586.63	76422.75	157288.90
集镇迁建	215190.19	188411.54	897.96	1747.71		120.00	1627.71			3984.60	17953.94
工矿企业迁建	865781.27	569294.31	156993.13	27131.51	694.70	16969.00	9467.81	625.00	2409.00	50790.34	58023.09
专项设施复建	654443.78	298518.70	140859.50	8710.02	2520.00	1720.00	4470.02		502.00	26760.22	72995.88
环境保护	4746.26	4746.26									
勘测设计费	45286.97	45286.97									
监理费	10157.75	10149.75									8.00
滑坡治理											

三峡库区移民工程资金收支情况

表 10　单位：万元

项目名称	2001年计划投资额	实际支出额	
		累计支出	2001年支出
合　计	643541.32	2887491.53	734065.36
农村移民安置费	194643.26	616363.40	253328.34
城镇迁建费	179043.88	961683.70	225453.97
集(场)镇迁建费	28664.18	186565.06	31671.87
工矿企业迁建费	137251.31	568299.30	110033.34
专项设施复建费	71748.59	309279.89	74295.89
环境保护费	2600.00	4237.88	1671.75
滑坡监测处理费	7605.00	5395.95	3420.51
勘测规划设计费	506.00	87417.47	10503.58
耕地占用税	4700.00	29099.76	1200.00
其它费用	16779.10	119149.12	22486.11
综合监理费	0.00	14774.53	3984.33
移民职业培训费	3314.70	14303.55	3037.18
行政管理费	12400.00	80272.17	13425.12
科研费	1064.40	4814.43	1371.90
对口支援费	0.00	2725.07	667.58
以工代赈管理费	0.00	2259.37	0.00

外 迁 统 计

三峡工程重庆库区农村移民出市外迁人口安置统计表

表 1 单位:人

	规划外迁人口	计划外迁人口	实迁人口	劳动力
国务院三峡办	70000	42983	43737	24435
江苏省	7000	4312	4312	2439
浙江省	7000	4489	4488	2502
安徽省	5000	3560	3560	2049
福建省	5500	3065	3065	1576
江西省	5000	3467	3467	1984
山东省	7000	4090	4089	2374
湖北省	7000	5307	5245	3111
湖南省	5000	3069	3067	1878
广东省	7000	3617	3617	1977
四川省	9000	5000	5820	2905
上海市	5500	3007	3007	1640

补充指标:随迁人口 176 人。

三峡工程重庆库区农村移民出市外迁安置投资完成统计表

表 2 单位:元

	规划投资	计划移民投资	完成投资	到位资金	地方配套资金
国务院三峡办	1421693100	913947300	831925093	965981200	322172015
江苏省	146265000	90099240	51340562	90099240	
上海市	73965600	62831265	28647995	62831265	76530636
浙江省	146265000	93797655	89621073	93797655	22433850
安徽省	104475000	74386200	68638844	74386200	22270000
福建省	114922500	64043175	63420747	64043175	34407499
江西省	104475000	72442965	48564270	72442965	608000
山东省	146265000	85460550	70343139	85460550	40151698
湖北省	146265000	126707280	123753221	126707280	

湖南省		104475000	64126755	58835990	64126755	17719116
广东省		146265000	75577215	72250352	75577215	89851216
四川省		188055000	104475000	156508900	156508900	18200000
合　计		1421693100	913947300	831925093	965981200	322172015
集体	小计	1099716300	707144577	663390441	755301517	306891344
	生产安置费	711576900	457039260	389971392	465607440	158252486
	基础设施费	341862000	219574800	211460411	223691200	135305774
	管理补助费	46277400	30530520	61958638	66002880	13333084
个人	小计	321976800	206802720	168534652	210679680	15280671
	过渡期生活补助费	117458000	64060560	35138848	64823160	7240986
	生产资料购置补助费	146429500	105431940	106687991	107846840	1259685
	困难户补助费	58089300	37310220	26707813	38009680	6780000

三峡工程重庆库区农村移民出市外迁实物量统计表

表 3

	承包土地(m^2)	建房面积(m^2)	道路建设 km	水利配套(m^2)	生活供水管网(m)	输电线路(m)	通信线路(m)
国务院三峡办	36396452	1296275	1561.43	47619674	686872	978737	1586061
江苏省	4812232	113162	432.36	30382133	107979	95240	212020
上海市	2421433	125133	152.12	1183147	72368	125935	106922
浙江省	3332955	155666	173.14	666455	118616	124994	151206
安徽省	3323620	69897	21.99	858187	21160	11368	35020
福建省	1895156	79753	27.00	1663825	54577	34905	31427
江西省	4223989	92966	39.23	2815670	7728	32185	38910
山东省	3128098	119323	412.29	1993187	136224	168017	136959
湖北省	5578714	135632	122.30	6555730	58200	152385	26350
湖南省	3260687	75634	78.09	1147830	22250	62030	31120
广东省	1736598	71100	39.91	329710	54570	160078	741627
四川省	2682970	258009	63.00	23800	33200	11600	74500

对口支援及工矿企业统计

对口支援统计说明:2001 年,对口支援共为三峡库区引入外来资金 18.72 亿元,其中公益类项目资金 3.41 亿元,经济合作类项目 193 个 15.31 亿元。2001 年,三峡库区共接待来访对口支援团组 325 个 3179 人次。截至 2001 年 12 月底,对口支援工作 10 年来,共为三峡库区引入外来资金 112.31 亿元,其中公益类项目资金 12.53 亿元,经济合作类项目 2191 个,支援方到位资金 99.78 亿元。

工矿企业编表说明:该统计报表不含中央直属企业数据。

完工企业数 942 户比资金计划司统计多 1 户,其原因是统计口径不一致。

已完成搬迁任务的 942 户企业中,135m 水位线下的企业 680 户,占该水位线下应搬迁企业总数 820 户的82.93%。其中湖北库区 107 户,占 74.83%;重庆库区 573 户,占 84.64%。

对口支援项目引入资金统计表

表 1　　单位:万元、个

	对口支援项目引入资金总额		社会公益类项目						经济合作类项目			
			资金合计		无偿援助资金额		希望工程资金额		项目个数		到位资金数	
	累计	2001 年	累计	2001 年	累计	2001 年	累计	2001 年	累计	2001 年	累计	2001 年
合　计	1123051.5	187180.96	125285.73	34088.10	110171.27	33701.10	15114.46	387	2191	193	997765.77	153092.36
湖北省库区	277938.5	56235.96	45798.73	10920.10	40142.27	10809.10	5656.46	111	455	75	232139.77	45315.36
重庆市库区	845113	130945	79487	23168	70029	22892	9458	276	1736	118	765626	107777

三峡工程库区
已完成迁建任务企业情况

表 2　　单位:万元、m^2、个

名称	处置方式			涉及淹没企业		对口支援项目	项目总投资		已下达计划		
	迁建形成新企业数	项目数	破产关闭淹没企业数	数量	核定补偿		合计	其中移民资金	合计	其中移民资金	折静态
合计	448	455	522	942	303827.96	49	537391	282084.96	440032	349550.06	285305.48
湖北	120	120	131	138	23957.96	1	45144	23957.96	57769	27813.06	22961.48
重庆	328	335	391	804	279870	48	492247	258127	382263	321737	262344

续表 2

单位：万元、m^2、个

名称	到位资金		完成投资		竣工房屋面积	职工人数	安置移民	经营状况		
	小计	其中移民资金	小计	其中移民资金				盈利	持平	亏损
合计	459044	337199.24	463610	335581.25	2855128	116870	20169			
湖北	57841	26689.24	56764	25906.25	298549	12631	76			
重庆	401203	310510	406846	309675	2556579	104239	20093	123	83	129

国民经济和社会发展统计

2001 年三峡库区国民经济和社会发展主要指标

表 1

指标名称	计量单位	数量	指标名称	计量单位	数量
(一)社区基本情况			财政总收入	万元	415185.00
乡(镇)个数	个	843.00	其中：地方财政收入	万元	310998.00
(二)人口、劳动力情况			财政总支出	万元	543771.00
年末总人口	万人	1687.51	**(五)人民生活**		
其中：乡村人口	万人	1373.74	城镇职工工资总额	万元	505354.16
年末全部从业人数	万人	827.71	农村居民人均纯收入	元	1797.23
其中：城镇职工	万人	118.85	**(六)运输邮电交通**		
(三)综合经济			公路货运量	万 t	31023.10
1. 国内生产总值(当年价格)	万元	7265726.00	公路客运量	万人	42500.20
第一产业	万元	2293430.05	境内公路里程	km	32031.64
第二产业	万元	2728904.67	邮电业务总量(当年价)	万元	164156.60
第三产业	万元	2243393.13	电话交换机容量	门	1083303.00
2. 主要农产品产量			**(七)教育、科技、文化和卫生**		
粮食	t	5672370.92	成人高中等专业学校在校学生数	人	36047.00
猪牛羊肉	t	1758509.00	普通中学在校学生数	人	663174.00
水果	t	1894876.30	小学在校学生数	人	1168134.00
3. 工业总产值(现价)	万元	6532076.70	适龄儿童入学率	%	99.49
4. 全社会固定资产投资完成额	万元	2837651.00	医院、卫生技术人员数	人	49383.00
5. 社会消费品零售额	万元	3027560.00	医院、卫生院床位数	床	32216.00
批发零售贸易业商品销售总额	万元	1229442.00	**(八)自然资源**		
出口总额	万元	115093.84	行政区域土地面积	公顷	8039152.70
(四)财政、金融			耕地面积	公顷	1203627.00
			林地面积	公顷	1053832.30

2001 年湖北省库区国民经济和社会发展主要指标

表 2

指标名称	计量单位	数量	指标名称	计量单位	数量
(一)社区基本情况			财政总收入	万元	61845.00
乡(镇)个数	个	64.00	其中:地方财政收入	万元	41298.00
(二)人口、劳动力情况			财政总支出	万元	65680.00
年末总人口	万人	164.71	**(五)人民生活**		
其中:乡村人口	万人	139.62	城镇职工工资总额	万元	52947.90
年末全部从业人数	万人	59.06	农村居民人均纯收入	元	1775.00
其中:城镇职工	万人	7.64	**(六)运输邮电交通**		
(三)综合经济			公路货运量	万 t	633.20
1.国内生产总值(当年价格)	万元	1237229.00	公路客运量	万人	1719.40
第一产业	万元	257602.00	境内公路里程	km	7525.64
第二产业	万元	633584.00	邮电业务总量(当年价)	万元	11568.80
第三产业	万元	346043.00	电话交换机容量	门	106460.00
2.主要农产品产量			**(七)教育、科技、文化和卫生**		
粮食	t	701455.00	成人高中等专业学校在校学生数	人	7170.00
猪牛羊肉	t	458648.00	普通中学在校学生数	人	92613.00
水果	t	107964.00	小学在校学生数	人	145751.00
3.工业总产值(现价)	万元	1382136.70	适龄儿童入学率	%	99.27
4.全社会固定资产投资完成额	万元	191515.00	医院、卫生技术人员数	人	4593.00
5.社会消费品零售额	万元	254004.00	医院、卫生院床位数	床	3008.00
批发零售贸易业商品销售总额	万元	250763.00	**(八)自然资源**		
出口总额	万元	18470.20	行政区域土地面积	公顷	1197378.70
(四)财政、金融			耕地面积	公顷	486169.00
			林地面积	公顷	423959.30

2001年重庆市库区国民经济和社会发展主要指标

表3

指标名称	计量单位	数量	指标名称	计量单位	数量
(一)社区基本情况			财政总收入	万元	353340.00
乡(镇)个数	个	779.00	其中:地方财政收入	万元	269700.00
(二)人口、劳动力情况			财政总支出	万元	478091.00
年末总人口	万人	1522.80	**(五)人民生活**		
其中:乡村人口	万人	1234.12	城镇职工工资总额	万元	452406.26
年末全部从业人数	万人	768.65	农村居民人均纯收入	元	1819.46
其中:城镇职工	万人	111.21	**(六)运输邮电交通**		
(三)综合经济			公路货运量	万t	30389.90
1.国内生产总值(当年价格)	万元	6028497.00	公路客运量	万人	40780.80
第一产业	万元	2035828.05	境内公路里程	km	24506.00
第二产业	万元	2095320.67	邮电业务总量(当年价)	万元	152587.80
第三产业	万元	1897350.13	电话交换机容量	门	976843.00
2.主要农产品产量			**(七)教育、科技、文化和卫生**		
粮食	t	4970915.92	成人高中等专业学校在校学生数	人	28877.00
猪牛羊肉	t	1299861.00	普通中学在校学生数	人	570561.00
水果	t	1786912.30	小学在校学生数	人	1022383.00
3.工业总产值(现价)	万元	5149940.00	适龄儿童入学率	%	99.70
4.全社会固定资产投资完成额	万元	2646136.00	医院、卫生技术人员数	人	44790.00
5.社会消费品零售额	万元	2773556.00	医院、卫生院床位数	床	29208.00
批发零售贸易业商品销售总额	万元	978679.00	**(八)自然资源**		
出口总额	万元	96623.64	行政区域土地面积	公顷	6841774.00
(四)财政、金融			耕地面积	公顷	717458.00
			林地面积	公顷	629873.00

移民小区绿化之五

大 事 记 Ⅻ

崛起的新城——秭归屈原镇

2001大事记

1　月

1日　中国三峡总公司通过公开询价的方式，确定由中国太平洋保险公司武汉分公司对三峡工程雇主责任保险进行承保，被保单位是正在执行2000年年底以前签订的三峡二期工程施工合同的主要施工单位。雇主责任保险总金额为700万元，承保时间为2001年1月1日至12月31日，惠及人员还包括短期工、临时工、季节工和学徒工。中国三峡总公司副总经理李永安出席签字仪式。

1日　三峡工程管理系统（TGPMS）物资域正式全面启用，标志着继TGPMS资金与成本控制、合同管理、财务会计等系统投入使用并逐渐发挥效益后，工程物流管理系统也开始运作，并开始与价值流集成。

4日　中国三峡总公司召开干部大会，李永安副总经理传达江泽民总书记在中央纪委第五次全体会议上的重要讲话和中央纪委五次全会精神，要求全体干部按照“三个代表”的思想，推动党风廉正建设和反腐败斗争的深入开展。

5日　“长江三峡工程淹没及迁建区文物古迹保护规划报告”正式通过审查。

8日　三峡工程2001年计划会议在三峡坝区召开。计划全年完成混凝土浇筑410.3万m^3，金结机电埋件及安装68753t，机组埋件5211t，机组安装200t，固结灌浆88922m，帷幕灌浆56689m，接缝灌浆160500m^2，土石方开挖646万m^3。

8日　因“九三”事故而更换新购布料皮带机的3#塔带机通过皮带机安装验收，设备恢复正常运行。

11日　三峡工程坝区精神文明建设指导委员会召开全委会，安排部署2001年工作，中国三峡总公司副总经理、指导委员会主任贺恭到会并讲话。

11日　永久船闸南线一闸室薄衬砌墙混凝土施工全线达到设计高程，为重力墙施工创造条件。该项目由武警水电部队承建。

11～13日　国务院三峡工程建设委员会（以下简称三峡建委）系统在北京召开纪检监察工作会议，总结三峡建委系统2000年党风廉政建设及反腐败斗争的情况，部署2001年的工作。三峡建委副主任郭树言、监察局局长何文彬分别讲话。

15日　中国三峡总公司召开由各参建单位参加的2001年三峡工程质量工作会议。会议结合2001年生产任务，就进一步健全质量保证体系，努力实现零质量事故作出部署。

17日　湖北省省委常委、省纪委书记黄远志、副省长张洪祥代表省委、省政府及全省人民慰问三峡建设者，并向中国三峡总公司赠送“黄鹤归来”铜牌，中国三峡总公司总经理陆佑楣表示感谢并接受铜牌。

23日　农历除夕，永久船闸六闸首完成人字门最后一节安装。

2　月

2日　国家电力公司副总经理陆延昌主持召开会议，研究讨论三峡——广东直流工程荆州换流站合并建设方式及交流设备型式，紧凑型开关设备工业性试验选站以及二峡左二——荆州交流线路建设方案问题，会议明确荆州换流站建设的主要原则、荆州换流站与变电站合并建设并拟首选GIS设备技术，另选交流变电站进行紧凑型开关设备工业性试验，三峡左二——荆州三回线路按照3个独立回路进行设计建设等。

7日　日本前田工业株式会社安全管理专家田岛信孝、广濑实夫出任三峡工程安全总监。

7日　西藏自治区副主席加保一行考察三峡工程。

9日　三峡建委副主任郭树言主持召开三峡建委办公会议，研究三峡库区搬迁企业关闭、破产和社会保障等有关问题，财政部副部长朱志刚、劳动与社会保障部副部长王建伦，三峡建委系统高金榜、漆林、迟文江、卢纯等有关司负责人出席会议。

12～14日　中国三峡总公司2001年工作会议召开。会议主题是：打好工程建设三年攻坚战，加快现代企业制度的建设。总经理陆佑楣在闭幕会上作重要讲话。副总经理李永安、贺恭代表中国三峡总公司党组，就中国三峡总公司建设及改革和三峡工程建设分别作报告。共有324名代表出席会议。会议还表彰2000年度3个先进集体、5个先进班组和84名先进个人。

15日　朱镕基总理主持国务院第35次常务会议，审议并原则通过《长江三峡工程建设移民条例（修订草案）》，这是针对1993年的条例进行修订的。《条例》结合一期移民工作实践，对移民迁建和管理的一些政策和原则进行了必要的修改、补充和完善。《条例》自 2001 年 3 月 1 日起施行。

18 日 最高人民检察院副检察长张穹一行在中国三峡总公司副总经理杨清的陪同下考察三峡工程。

20 日 三峡工程第一阶段工程档案验收会议暨三峡工程档案馆揭牌仪式举行，国家档案局副局长冯鹤旺、中国三峡总公司副总经理郭涛为三峡工程档案馆揭牌。

20～22 日 由中国三峡总公司新闻中心和湖北省记者协会共同承办的全国记者协会工作会议在三峡坝区召开，来自全国 31 个省、自治区、直辖市记者协会的负责人出席会议，研究商讨 2001 年度全国记者协会的工作安排。中共中央委员、中华全国新闻工作者协会主席、原《人民日报》社社长邵华泽出席会议并致开幕词。会后，70 余名与会代表考察三峡工程。

22 日 三峡工程左岸电站设备安装工程保险及变压器、GIS 运输保险合同在北京签署，总保险金额超过 100 亿元人民币。中国人民保险公司、中国太平洋保险公司、中国平安保险股份有限公司首次以多家共保的方式承保。按国际惯例，该单项工程还首次安排了国际分保。

23 日 湖北省新任省长张国光冒雨考察三峡工程。中国三峡总公司总经理陆佑楣、副总经理郭涛陪同客人并向客人详细介绍三峡工程建设情况。

25 日 国家开发银行行长陈元一行专程造访中国三峡总公司，表明继续加强合作的愿望。中国三峡总公司总经理陆佑楣、副总经理李永安、贺恭、郭涛、杨清与客人座谈。双方就合作领域初步交换意见，并达成共识：开展长期合作，求得银企“双赢”。

26 日 由中国科学院院士葛修润等 13 位专家组成的专家组原则同意了武汉大学提交的《白鹤梁题刻保护规划设计方案报告》。

27 日 中国三峡总公司在北京召开三峡新闻工作座谈会，通报三峡工程进展情况，征求对做好三峡工程新闻宣传工作的意见。中宣部、国务院新闻办、中央企业工委、中国记协和人民日报、新华社、中央人民广播电台等二十多家新闻媒体负责人参加座谈会。

28 日 中共中央政治局常委、中央书记处书记、中央纪律检查委员会书记、全国总工会主席尉建行视察三峡工程，并与中国三峡总公司总经理陆佑楣、副总经理李永安、贺恭、王家柱、杨清和陪同的省市领导等在现场合影留念。

3 月

8 日 中国三峡总公司举行庆祝三八国际劳动妇女节表彰大会，250 多名双文明建功立业竞赛活动的先进集体和先进个人以及女职工代表参加大会。中国三峡总公司副总会计师、女职工委员会主任赵泽黎布置女职工工作，副总经理李永安、郭涛出席会议，并对女职工工作提出要求。

9 日 国家电力公司顾问何璟，在中国三峡总公司副总经理王家柱陪同下，考察三峡工程施工进展情况。

12～20 日 三峡枢纽工程质量检查专家组工作组一行 10 人来到三峡工地开展调研活动。此次调研的主要目的是检查 2000 年 12 月以来三峡工程的施工质量，同时为 4 月份专家组来三峡工地对 2000 年三峡工程施工质量作出评价作准备。

15 日 长江三峡流动污染源三峡监测站在三峡通航管理局正式揭牌。其任务是监测三峡河段庙河至中水门 59km 水域范围内船舶的污染采样、监测、统计分析和数据上报工作，为三峡库区船舶防污染控制与管理以及保护库区水质提供基础资料。自 1999 年 7 月监测试运行以来，共监测船舶 300 艘。

15～17 日 国务院三峡建委在宜昌召开三峡移民稽察工作总结会。

16 日 国务院三峡建委在京单位召开会议传达贯彻“两会”精神，陆佑楣、蒲海清、李世忠、袁国林等 4 位三峡建委系统的九届全国人大代表和全国政协委员，分别在会上传达九届全国人大四次会议和全国政协九届四次会议精神。22 日，中国三峡总公司召开会议传达“两会”精神。

16 日 深圳市委常委、副市长王顺生一行考察三峡工程。王顺生副市长是就对口支援重庆专程到达三峡库区的。

19 日 三峡工程龙泉换流站主控楼开始安装。标志着亚洲最大的换流站开始进入第二阶段施工。

20 日 三峡工程永久船闸集中监控系统设备制造及安装调试合同签字。中国船舶重工集团第七研究院 709 研究所中标。

20 日 中国三峡总公司总经理陆佑楣、副总经理王家柱、杨清与来访的长江水利委员会（以下简称长江委）主任黎安田就如何加强工程质量控制、优化完善工程设计、加强监理工作广泛交换意见。

20 日 永久船闸北线北边墙最后一节人字门吊装就位。至此，由武警水电部队负责安装的永久船闸北线一闸首人字门吊装完成。

21～24 日　三峡输变电荆州 500kV 换流站和潜江 500kV 变电站选址工作会议分别在荆州与潜江召开。国家电力公司、电力规划设计总院、华东勘测设计研究院、中南勘测设计研究院和湖北省电力设计院、湖北省电力局、有关市区镇代表参加会议。

24 日　中共中央政治局委员、国务委员、军委副主席、国防部长迟浩田，在中国三峡总公司总经理陆佑楣、副总经理郭涛、杨清陪同下考察三峡工地，并在三峡展览馆挥毫题字："创三峡伟业，树千秋丰碑"。他对担负永久船闸施工的武警水电将士说，"你们是当代的愚公"。

24 日　三峡工程临时船闸航道汛前维护性清淤拉开序幕。

27 日　国务院三峡建委作出决定，在湖北省、重庆市及国务院三峡建委系统内，深入开展向移民工作先进典型冉绍之同志学习的活动。

28 日　中国三峡总公司总经理陆佑楣、副总经理王家柱会见日本前田株式会社社长前田又兵卫先生。

28 日　全国总工会书记处书记、三峡工程劳动竞赛委员会主任纪明波考察三峡工程劳动竞赛情况。

29 日　中国三峡总公司副总经理杨清主持召开三峡工程管理信息系统（TGPMS）机电设备管理系统实施应用协调会议，正式启动 TGPMS 机电设备物流管理系统的应用实施工作。

本月　"三峡水轮发电机组研制"课题通过评审验收。该课题是"九五"国家重大技术装备研制和国产化项目之一，包括三峡水轮机引进软件消化吸收等 9 项专题。

4　月

5 日　三峡工程二季度生产计划会议召开。二季度的工作重点是抓住"双零"管理目标，扎扎实实做好二季度各项工作。

9 日　中国三峡总公司副总经理郭涛会见尼日利亚参议院水利委员会主席穆斯塔法一行。

10 日　三峡水库分期蓄水和调度运行讨论会在北京召开，全国政协副主席钱正英，三峡建委办公室蒲海清、李世忠、高金榜、中国三峡总公司和长江水利委员会的有关负责人以及有关专家出席会议。会议由三峡建委副主任郭树言主持。

10～11 日　国务院三峡建委移民开发局会同重庆市、湖北省的移民及文物部门，在北京对前一阶段的三峡文物保护工作进行总结，按 2003 年蓄水发电要求，目前全国 70 多支文物考古队正会战在三峡库区，以倒记时方式安排工作进度，对三峡库区文物进行保护、抢救和发掘。

11 日　中国三峡总公司与日本前田建设工业株式会社在宜昌签订合同，聘请两位日本专家，担任长江三峡水利枢纽第三期工程碾压混凝土（RCC）围堰施工规划专职顾问。

14～21 日　三峡工程质量检查专家组钱正英、张光斗、潘家铮等专家深入工地调研，并听取中国三峡总公司和参建各方的汇报。这是专家组自 1999 年以来第四次对三峡工程整体质量进行检查，作出的评价是：过去一年三峡工程的成绩很大，施工质量进步明显，但与一流工程要求相比仍有差距，工程建设任务十分艰巨。

14 日　国家环保总局局长解振华一行考察三峡工程，了解三峡工程环境保护与泥沙淤积等问题。

15 日　中央纪委副书记刘锡荣造访建设中的三峡工程。

16 日　中国三峡总公司副总经理贺恭在三峡展览馆会见美国基金会总裁、美国参议院议长高级顾问理查得·奎克一行。

16～26 日　三峡建委监察局会同中央纪委研究室、执法监察室和移民开发局组织联合调查组，赴山东、江苏、福建、浙江等 4 省检查督促外迁移民资金监管工作。

17 日　国务院三峡建委移民开发局局长漆林考察重庆市涪陵区的移民工作。

20～21 日　上海宝钢集团公司董事长徐大铨，副董事长、总经理谢企华一行访问三峡工地。中国三峡总公司总经理陆佑楣、副总经理贺恭、王家柱、郭涛、杨清会见客人。陆佑楣表示，中国三峡总公司希望与宝钢集团公司建立长期的"战略合作伙伴"关系，在企业管理等方面进行交流与合作。

22 日　山东省人大常委会主任赵志浩一行考察三峡工程，中国三峡总公司总经理陆佑楣、副总经理郭涛会见来访客人。

23 日　天津市政协副主席张德全一行参观三峡工地。

24 日　庆五一暨 2000 年度三峡工程劳动竞赛表彰大会在三峡工地召开。青云水利水电联营公司等 4 个单位荣获"2000 年度长江三峡工程建设先进单位"称号，三七八联营总公司第二工程工区等 10 个集体荣获"2000 年度长江三峡工程建设先进集体"称号，武警水电一支队预制安装组等 23 个班组荣获"2000 年度长江三峡工程建设先进班组"称号，邢德勇等 20 名同志荣获"2000 年度三峡工程优秀建设者"称号。

24 日　由中华全国总工会书记处书记纪明波率

领的全国劳动模范先进事迹报告团莅临三峡工地。来自全国各条战线、各个行业的29名劳动模范代表来三峡工地传经送宝。

24日　上海市副市长蒋以任率40人考察团抵达三峡工地进行考察。

25日　湖北省常务副省长邓道坤一行来三峡工地,了解2003年发电前移民工作及2002年清库工作,以便着手做好前期准备。

25日　三峡工程左岸电站机电设备安装与调试工程公开招标开标仪式在三峡坝区举行,水电一局机电安装分局、水电八局、水电四局、水电十四局和葛洲坝集团公司等5家企业购买招标文件。

26～27日　全国政协副主席胡启立考察三峡工程,中国三峡总公司总经理陆佑楣、副总经理郭涛陪同。胡启立为三峡工程题词:"千秋功业,为民造福"。

26～28日　三峡工程永久船闸首套液压启闭机系统在中国船舶重工集团公司388厂模拟船闸运行工况进行机、电、液联动试验,并验收成功。中国船舶重工集团公司总经理黄平涛、中国三峡总公司总经理陆佑楣、副总经理杨清等负责人以及160余名专家、技术人员参加了调试验收。

27日　交通部副部长翁孟勇来三峡工地,检查三峡坝首秭归县水运设施淹没复建工作情况,中国三峡总公司副总经理杨清陪同检查工作。

27日　中国三峡总公司参与研究的国家重大科研项目——"长江流域实现可持续发展的生态环境管理系统研究"在北京通过评审验收。

28日　中国三峡总公司副总经理贺恭作为1998年"五一劳动奖章"获得者,应邀出席在中南海怀仁堂举行的全国劳动模范和五一劳动奖章获得者代表座谈会。

28日　由葛洲坝集团公司承担施工、长江委三峡工程监理部负责监理的三峡大坝2000年度接缝灌浆工程,即泄洪坝段至左厂11#～14#坝段全部完工,共完成576个灌区,总计12万m^2。

5　月

2日　全国人大教科文卫委员会委员、国家新闻出版署原署长宋木文考察三峡工地,中国三峡总公司副总经理郭涛陪同。

3日　由三联总公司设计制造的新型斜井全断面混凝土浇筑变径滑模,在三峡永久船闸地下输水系统混凝土施工中首次使用并获得成功。

3日　国家建设部副部长赵宝江在中国三峡总公司副总经理郭涛、总工程师张超然陪同下考察三峡工程。

4日　三峡工程水轮发电机组在国内分包制造的首件大型部件——左岸电站9号机组座环,安全运抵三峡坝区并顺利起吊上岸。9号机组座环直径14.7m,高4.86m,重391t,由四川东方电机股份有限公司制造。

6日　全国政协副主席王文元在中国三峡总公司副总经理郭涛陪同下考察三峡工程。

8日　茅坪溪防护坝二期工程正式开工。此项工程将从现有坝高140m填筑到185m高程,合同金额1.8亿元。此项工程由葛洲坝集团公司施工,由东北勘测设计研究院监理。

9～10日　全国水电建设管理专业委员会2001年年会在三峡工地举行。来自全国39个水电开发业主和有关单位的70余名专家、代表参加会议。

10日　中国三峡总公司团委召开2000年度三峡工程"青年文明号"立功竞赛表彰大会,一批优秀青年集体和个人受到表彰。

10～11日　江南造船厂承制的北线第五闸首人字门及埋件通过出厂验收。由江南造船厂承担的北线人字门制造全部完工。

12～13日　湖北省人民政府召开全省对口支援及服务三峡工程建设工作暨表彰会。会议由副秘书长王国耀主持,省长张国光到会并讲话。省政协副主席陶醒世、省人大副主任张洪祥出席会议。省三峡办主任陈水文作了题为"总结经验,再接再厉,努力开创全省对口支援服务三峡工程建设的工作新局面"的发言。

14日　国务院三峡建委办公室副主任蒲海清考察三峡工程,中国三峡总公司总经理陆佑楣、副总经理李永安、贺恭、王家柱,就工程建设及移民资金问题与蒲海清交换了意见。

14日　重庆库区云阳县故陵镇221户1024名移民挥手告别故园,东渡夔门,踏上远迁江苏如东县的路程。这是重庆库区2001年4万多名跨省外迁移民中的首批。

16日　中国三峡总公司就贯彻落实质量检查专家组意见召开会议,与三峡工程各参建单位交流学习专家组意见的体会,商讨贯彻落实质量专家组意见的措施。陆佑楣总经理在会上作了讲话,要求全体三峡建设者调整心态,提高认识,逐条落实三峡枢纽工程质量检查专家组的意见。

19日　三峡工程左岸厂房1号机蜗壳二期混凝土浇筑完成,这是左岸电站中最先完成二期混凝土浇筑的机组蜗壳。

21日　三峡工程"九五"泥沙研究成果汇报暨总结表彰会在北京举行。

22 日 全国政协副主席、台盟中央主席张克辉考察建设中的三峡工程。

22 日 国家科技部副部长李学勇考察三峡工程，他说，高科技是三峡工程重要的支撑，国家科技部将大力支持三峡工程建设，将把三峡工程的重大研究课题，列为国家“十五”科技规划的重要项目。

22 日 人民日报社副社长朱新民一行在中国三峡总公司副总经理郭涛和新闻中心负责人的陪同下考察三峡工程。

24 日 3 号引水压力钢管 G7 凑合节最后一片瓦顺利吊装就位。

26 日 中国三峡总公司总经理陆佑楣等领导与来访的中国国际信托投资公司董事长王军、副总经理常振明进行座谈，双方达成共识，表示要建立长期合作伙伴关系。

29 日 中共中央委员、中央党校常务副校长郑必坚考察建设中的三峡工程。

30 日 全国政协外事委员会副主任、中国原驻联合国大使秦华孙考察三峡工程，并写下了“为我中华，开发长江”的留言。

31 日 国务院三峡工程建设委员会第十次全体会议在北京召开。国务院总理、国务院三峡工程建设委员会主任朱镕基主持会议并作重要讲话。他说，质量是三峡工程的生命，要牢固树立质量第一的思想，以崇高的责任感和历史使命感，切实做好工程建设工作。吴邦国、钱正英、张光斗等出席会议并讲话，中国三峡总公司陆佑楣、李永安、贺恭、王家柱等出席会议。

31 日 天津市副市长孙海麟带领天津市水利水电界代表参观三峡工程。

6 月

1 日 由国家气象局、中国三峡总公司、宜昌市共同出资修建的多普勒天气雷达建成并投入运行。

1 日 奥地利国防部后勤与装备部部长科利爱里上将访问三峡工程，中国三峡总公司副总经理郭涛陪同客人参观施工现场。

5 日 中央统战部副部长田鹤年率中国民主建国会农业、农民、农村问题考察团参观三峡工程。

6 日 中国三峡总公司召开干部会议，陆佑楣总经理在传达国务院三峡建委第十次全会精神时指出，要站在“三个代表”的高度，建好三峡工程。

6 日 9 时 18 分，三峡工程右岸 24# ～26# 厂坝基础开挖及场平工程正式开工。

7～8 日 国务院三峡建委在北京召开三峡工程重大装备工作会议。国务院三峡建委副主任郭树言在开幕式上作工作报告。中共中央政治局委员、国务院副总理吴邦国在会议期间接见与会代表。

7 日 中共中央委员、中央台办、国务院台办主任陈云林考察三峡工程，他说，三峡工程具有巨大的感召力，对祖国统一起到很大的推动作用。

7 日 广州军区空军司令员卢登华中将参观三峡工程。

10 日 受国务院副总理吴邦国委托，三峡建委副主任郭树言主持召集关于直流输电工程换流阀晶闸管采用电触发或光触发的协调会，三峡建委办公室副主任李世忠、张德楠和国家计委副主任张国宝、国家电力公司副总经理陆延昌、西安电力电子研究所负责人以及装备司负责人参加会议。

13 日 来自国内的 13 个机电、电缆生产厂商，参加了三峡工程大坝及永久船闸电缆桥架及其附件招标采购竞标投标活动。

13 日 三峡工程首台液压启闭机油缸在泄洪坝段 18 号导流底孔吊装成功。

近日 长江委设计院抽调专家学者和工程技术人员组成的 9 个察勘组和 1 个专家组分赴库区 18 个区县的 136 座城(集)镇，开展库岸及塌岸处理察勘调查。

15 日 国务院参事周镜、吴灏铸、郭廷结一行考察三峡工程，与中国三峡总公司总经理陆佑楣、副总经理杨清及长江委有关负责人，就三峡工程建设期和运行期的通航问题举行座谈。

近日 中国三峡总公司出台三峡二期工程塔(顶)带机、供料线、缆机及门塔机“安全专项奖”管理办法。规定凡从事三峡二期主要施工设备运行维护的一线工人，只要在保证安全的前提下完成了当月的生产任务，将会获得由业主提供的平均 150 元/月·人的“设备安全专项奖”。

16 日 水利部部长汪恕诚在中国三峡总公司总经理陆佑楣、副总经理李永安的陪同下，考察三峡工地并进行座谈。汪恕诚说，中国电力体制改革的起始点是二滩水电站，希望三峡工程成为这项改革的成功点。

18 日 三峡电厂筹建处正式进入三峡坝区办公，该处职工是三峡工地的首批“永久居民”。中国三峡总公司副总经理李永安要求该厂要按照设备、管理、人员素质“三个一流”的标准加强队伍建设。

20 日 由中国工程院院士谭靖夷主持的《长江三峡工程二期上游围堰施工技术研究与工程实践》科研成果鉴定会在宜昌落幕。12 位专家学者认为，“成果总体上达到国际领先水平”。

20～21 日 国务院三峡建委组织中国三峡总公司、三峡建委移民局、重庆市、湖北省、国家电力公司、水利部及长江委等各方面代表，在三峡工地专门召开三峡二期工程验收工作座谈会。

22日 参加“全国广播电台经济宣传研讨会”的全国省级广播电台台长及代表200余人，参观访问了建设中的三峡工地。

23～24日 三峡库区经济合作项目对接会议在湖北宜昌召开。中共中央统战部副部长田鹤年，国务院三峡建委移民开发局局长漆林，国务院三峡建委办公室副主任高金榜，中国三峡总公司副总经理李永安，湖北省副省长韩忠学，全国工商联副主席、中国光彩事业促进会副会长谢伯阳等出席会议。全国31个省、市对口支援三峡库区移民工作领导小组负责人，光彩事业促进会负责人和全国80多家企业的百余名总经理参加了会议。

23日 国家审计署副审计长翟熙贵在中国三峡总公司总经理陆佑楣陪同下考察三峡工程。

26日 为加强对三峡工程验收工作的领导，中国三峡总公司成立以陆佑楣任组长，李永安、贺恭、王家柱、杨清、张超然、彭启友为副组长的工程验收领导小组。成员有总经济师陈文斌、总会计师刘匡华、副总工程师黄源芳、秦锡翔及相关二级部门负责人。下设办公室，副总工程师薛砺生任办公室主任，王忠诚任副主任。

27日 中国内河最大的水利枢纽通航建筑物——葛洲坝船闸安全运行20年。

28日 由中国三峡总公司主办的“世纪三峡”中国当代著名书画家作品邀请展、三峡建设者书法摄影作品展在三峡展览馆正式开展。总经理陆佑楣、副总经理李永安出席开展剪彩仪式。

7 月

2日 中国三峡总公司直属单位党委召开座谈会，组织党员代表学习江泽民总书记“七一”重要讲话。中国三峡总公司党组书记、总经理陆佑楣，党组副书记李永安参加座谈。

4日 中国三峡总公司召开第三季度生产计划安排会。会上，总经理陆佑楣、副总经理李永安、王家柱、杨清分别讲话，要求参建各方要坚持“双零”管理目标，全面完成第三季度工程计划，为全年生产任务圆满完成打下坚实基础。

4日 三峡枢纽工程稽察组在中国三峡总公司召开2001年度稽察工作动员大会。大会由稽察组组长石启荣主持，副组长张德楠作动员报告。中国三峡总公司总经理陆佑楣参加会议并提出具体要求。

7日 中华环保世纪行“保护长江生命河”记者采访团抵达三峡工地，中国三峡总公司副总经理贺恭会见采访团，并向采访团介绍了工程建设和环境保护的情况。采访团共有29家媒体40余名记者组成，他们将向长江源头进发。

10日 中国三峡总公司副总经理王家柱会见德国西门子公司输配电部总裁Dinandt先生。该公司通过国际公开招标单独中标三峡工程左岸15台变压器制造任务。在座谈中，双方就变压器等设备的制造、运输技术、人员培训及其它相关问题，进行了交谈。

近日 国务院三峡建委移民局批准在宜昌市建立库区移民高效生态农业示范基地，总面积1000亩，兴山、远安两县各500亩。

10～13日 国务院三峡建委副主任郭树言在重庆市委副书记、副市长甘宇平陪同下，深入涪陵、丰都、万州、云阳、奉节、巫山6个移民大区县实地考察城市搬迁工作。他要求从现在起严格实行“倒计时”工作责任制，确保二期移民任务圆满完成。

11日 湖北省支援三峡工程建设委员会第10次会议在武昌洪山宾馆召开。

14日 三峡工程安全生产委员会召开扩大会议，对上半年安全生产管理情况进行总结，并部署下半年的安全生产工作。

近日 国家计委、经贸委、科技部、财政部四部委联合表彰“九五”国家重点科技攻关优秀成果，三峡工程15项专题成果获奖。四部委向获奖者颁发了“‘九五’国家重点科技攻关计划(重大技术装备)优秀科技成果”荣誉证书。

16～18日 国务院三峡工程移民暨对口支援工作会议在三峡坝区召开，国务院总理、三峡建委主任朱镕基在会上作了重要讲话。他指出三峡工程移民工作已进入倒计时阶段，任务十分繁重和紧迫。要认真贯彻“两个调整”方针，加快库区移民外迁安置步伐，加大搬迁工矿企业结构调整力度，千方百计确保移民和企业搬迁任务，确保三峡工程按时蓄水、发电、通航。国务院副总理、三峡建委副主任吴邦国代表国务院作了工作报告。党中央、国务院有关部门和有关省、自治区、直辖市的负责同志，三峡库区涉及的20个市(州)、县(区)的负责同志参加了会议。中国三峡总公司总经理陆佑楣、副总经理李永安、贺恭、王家柱、郭涛、杨清等出席会议。

18日 三峡建委监察局局长何文彬在湖北省宜昌市主持召开三峡建委系统党风廉政建设工作座谈会。

19日 中共中央政治局委员、国务院副总理、国务院三峡建委副主任吴邦国，在三峡建委办公室主任郭树言和中国三峡总公司总经理陆佑楣、副总经理李永安陪同下，视察葛洲坝水利枢纽工程，并详细听取葛洲坝电厂的生产、设备运行及发电效益等情况。吴邦国副总理还对三峡电厂投产后，两坝可实行联合运作、集中梯级调度的方案十分关注。

23 日　三峡工程左岸厂房两台小桥机(125t)通过验收，中国三峡总公司三峡电厂筹建处正式接管三峡工程首批永久设备。制造厂家、施工单位、监理单位、中国三峡总公司工程建设部、设备部、机电工程部的代表以及三峡电厂(筹)的代表参加验收会议。

24 日　美国弗吉尼亚理工大学环境与建筑规划专业终身教授曹庆三女士参观三峡工地。中国三峡总公司总经理陆佑楣陪同参观并介绍了工程建设情况。曹庆三建议把建筑艺术与三峡工程有机结合起来。

24 日　中国三峡总公司在三峡工地召开三峡工程参建单位党政主要负责人会议，传达朱镕基总理在国务院三峡工程移民暨对口支援工作会议上的讲话精神。

26 日　三峡二期工程最后一个重大合同签约。水电八局、葛洲坝集团公司、水电四局联手承担左岸机组安装调试。本合同共分 3 个标段，第一标段为 VGS 供货机组安装工程，第二标段为 ALSTOM 供货机组安装工程，第三标段是公用系统设备安装工程。

26 日　韩国国会事务总长金炳午参观三峡工程，王家柱副总经理向客人介绍了三峡工程的建设情况。

31 日　中国三峡总公司以三峡财字〔2001〕152 号文正式下达 2001 年度三峡枢纽工程预算。三峡工程开始推行全面预算管理。

31 日～8 月 9 日　应台湾中兴工程科技研究发展基金会、中兴工程顾问社、中兴工程顾问公司的邀请，中国三峡总公司副总经理李永安一行 8 人访问台湾。访台期间，李永安作了三峡工程专题报告，并与中兴工程公司签订在台湾地区推广 TGPMS 信息管理系统的合作协议。

8　月

2 日　全国人大原副委员长王汉斌、全国人大副委员长彭珮云在中国三峡总公司副总经理贺恭、王家柱、郭涛的陪同下视察三峡工地和葛洲坝电厂，并详细听取三峡工程进展情况的汇报。在三峡工程展览馆，王汉斌同志题词勉励三峡建设者：创三峡伟业，树千秋丰碑。

2 日　中国三峡总公司招标委员会组织召开委员单位负责人参加的扩大会议，对上半年三峡工程招标工作作出整体评价。截至 6 月底，已完成招标金额 12.16 亿元，在已完成的招标项目合同金额中，公开招标和邀请招标达 99%。

近日　国家旅游局负责人对正在开发兴建的湖北宜昌生态旅游风景区作出评论：中国顶级，世界精品。该风景区地处“两坝一峡”之间，总面积 788 平方公里，规划面积 276 平方公里，是国家计划与发展委员会和国家旅游局确定的优先发展项目，属国家特大型旅游风景区，计划于 2005 年全部建成。

8 日　三峡工程梯调中心和左岸电站计算机两大监控系统国际招标合同在北京签字。瑞士 ABB 自动化股份公司、瑞士 ALSTOM 公司中标，合同总金额 1300 万美元。本次招标的两大监控系统，是确保三峡工程安全和高效运行的关键项目，共有 8 家厂商对两个标段进行激烈竞争。中国三峡总公司副总工程师黄源芳主持签字仪式，外经贸部部长助理魏建国出席签字仪式。至此，三峡左岸电站 4 次国际招标采购全部完成，总合同金额约 10 亿美元。

11 日　广西壮族自治区政协副主席邓浦东考察三峡工程，中国三峡总公司副总经理杨清陪同客人观看电视片“建设中的三峡”，并陪同客人参观施工现场。

11 日　中国三峡总公司总经理陆佑楣、副总经理贺恭、郭涛与香港《文汇报》社长张国良一行亲切会面。双方就如何正确认识和理解三峡工程，如何对海内外关心的有关三峡工程问题进行宣传，发表意见。陆佑楣说，三峡工程是一项补救长江在自然发育中已经失衡的生态环境的有效措施，本质上讲就是一项伟大而重要的生态工程。张国良社长向中国三峡总公司赠送收入吉尼斯大全的香港《文汇报》“新世纪第一天”的丝绸版。

14 日　国家电力公司副总经理陆延昌考察三峡工程，并就三峡电站调度、输变电工程建设等问题与中国三峡总公司负责人进行座谈。

15 日　世界上起重量最大的桥机在三峡左岸电站厂房内开始安装。该桥机最大起重能力 1200t，跨度 33.6m，由太原重工股份公司制造、水电八局负责安装，其控制技术处于世界领先水平。

15 日　中国人民解放军副总参谋长钱树根上将一行，在中国三峡总公司总经理陆佑楣、副总经理王家柱陪同下考察三峡工程，并接见和慰问战斗在三峡工地的武警水电官兵，还参观了葛洲坝电厂。

16 日　财政部以财企〔2001〕513 号发文“关于同意编制三峡工程阶段性竣工财务决算的复函”，以便做好三峡工程竣工决算工作。

16 日　三峡水利枢纽厂用电优化方案专家评审会在北京召开。三峡建委副主任郭树言、蒲海清，三峡建委办公室副主任张德楠、李世忠，中国三峡总公司副总经理杨清、总工程师张超然、长江委设计院副院长纽新强等，以及 10 位有关方面的专家出席会议。会议由郭树言主持。

18日 承担三峡工程永久船闸集中指挥监控系统研制的武汉709所科研人员，向中国三峡总公司副总经理贺恭一行用计算机模拟演示他们编制的集控系统。该所于2001年3月承接此项目，现已基本完成系统的初步设计，即将进入制造阶段，计划2002年2月交验设备并安装调试。

18日 三峡永久船闸（南线）人字门及其埋件制造工作汇报会在武汉造船厂召开，标志着由武汉造船厂承担的永久船闸南线人字门全部完工。湖北省副省长周坚卫、武汉市副市长张代重、中国船舶重工北方集团总经理黄平涛、国防科工委有关领导、中国三峡总公司副总经理贺恭、副总工程师秦锡翔、设备部主任肖崇乾、航建项目部主任樊启祥等领导参加会议。

18～25日 三峡枢纽工程质量检查专家组派出的工作组，在三峡工地开展质量检查调研工作。工作组特别强调监理单位要理直气壮，对于重要工序、重要部位要加强旁站监理力度，严格执行制度。厂坝调研小组关注重点是混凝土温度控制、混凝土浇筑情况、现场施工工艺措施。金结机电调研小组对航建工程和金结机电进行调研，听取汇报，查看了制造和安装现场。

20日 全国政协副主席罗豪才率全国政协严打整治斗争考察组来三峡工地考察，中国三峡总公司总经理陆佑楣、副总经理王家柱、郭涛陪同考察。

20日 中国国际信托投资公司副总经理、中信实业银行行长窦建中一行9人考察三峡工程。中国三峡总公司副总经理李永安在三峡展览馆与他们进行亲切交谈。窦建中表示，中信实业银行愿意为三峡工程在资金、理财、融资等方面提供支持，竭诚为三峡工程服务。

22日 埃塞俄比亚工程与城乡发展部部长海尔·阿塞吉德再度访问三峡工地。他说从他第一次访问三峡工程至今，工程进展非常快，给他留下深刻印象。中国三峡总公司副总经理郭涛回答了客人关于三峡工程目前施工难题、施工用电、输电方式等方面的问题。

23日 哈尔滨电机有限责任公司董事长兼总经理吴伟章率领考察团对三峡工程进行为期3天的考察。哈尔滨电机厂为三峡左岸电站4号机组分包制造的转轮，现已进入精加工阶段。中国三峡总公司总经理陆佑楣、副总经理王家柱、杨清会见考察团一行，并与其亲切交谈。

23～25日 三峡工程坝区精神文明建设指导委员会在宜昌市远安县召开精神文明建设经验交流会，三峡工程坝区19个参建单位的50余名代表在会上互相交流精神文明建设的体会，对进一步开展创建活动进行深入探讨，会议期间全体代表还参观学习了三江航天集团大力开展精神文明建设的经验。

24日 由美国国会参议院情报特别委员会副主席理查德·谢尔比率领的美国参议院代表团访问三峡工程，中国三峡总公司总经理陆佑楣、副总经理王家柱陪同参观。在观看工程展览和施工现场后，谢尔比说："三峡工程是全中国人民的希望，工程建设者担负着很大的责任。如此伟大的工程让人振奋。"

27日 薛禹胜、韩英铎、郑健超、卢强、杨奇逊等5位院士应邀在中国三峡总公司"现代电力发展技术讲座"上授课。这是三峡电厂筹建处举办的一次旨在提高中国三峡总公司电力生产员工专业水平的技术培训活动。5位院士就电力市场化、输配电技术、数字电力系统（DPS）、电力系统自动化、继电保护等方面作了学术报告。中国三峡总公司总经理陆佑楣、副总经理李永安、王家柱、杨清分别与5位院士座谈，探讨中国三峡总公司的发展前景与三峡电厂的电力生产技术支持等问题。

28～29日 越南国会副主席武廷炬率越南国会考察团一行16人考察在建的三峡工程。中国三峡总公司总经理陆佑楣、副总经理李永安、王家柱、郭涛、杨清会见考察团。

28日 台湾15名博士、硕士生在三峡工地见习三周后即将离开三峡工地，中国三峡总公司在三峡坝区为他们举行欢送会，副总经理李永安讲了话。博士、硕士生们留下题词："治大水于长江，兴经济于社稷，促交流于两岸，创胜基于中华"。

30日 由社会科学院和国务院三峡建委移民局承担的《中国三峡工程移民人权保障实证研究》在北京正式启动。三峡建委副主任郭树言、三峡建委办公室副主任高金榜、中国社科院原副院长龙永枢、三峡建委移民局副局长宋原生等出席开题仪式。中国人权问题研究专家喻权域、法学及社会学专家刘海年、陈吉元出席会议。

31日 三峡工程拦河大坝浇筑的最低部位达到120m高程。其中左岸非溢流坝段的一半和左岸厂坝段的四分之一部分，已浇筑到设计高程，上游面达到185m，下游面达到148.3m。

本月 经国务院领导同意，中国三峡总公司根据三峡建委办公室和财政部国三峡办发计字〔2000〕099号文"关于颁发《三峡枢纽工程建设管理绩效评价与奖励暂行办法》的通知"精神，兑现1998年度、1999年度的奖励。

9 月

月初 三峡库区水污染和地质灾害防治工作领导

小组近日成立。国家环保局局长解振华、国土资源部部长田凤山分别任三峡库区水污染和地质灾害防治领导小组组长。副组长和主要成员分别来自国家计委、财政部、建设部、三峡建委办公室和移民开发局、水利部以及重庆市、湖北省、云南省、贵州省、四川省和长江水利委员会等部门。

7 日 由中国三峡总公司出资，葛洲坝集团公司与中国三峡总公司有关部门联合开发的混凝土浇筑仓面管理系统，在宜昌通过专题验收。该系统采用“掌中宝”式的仓面记录仪，使单元作业工序模块化、剖析数据化。记录器要求管理人员不间断、准确、翔实地作出现场记录，可避免现场人员随意更改记录或发生漏记、补记现象，为真实、准确提供混凝土现场施工情况、分析混凝土浇筑质量打下基础，同时对现场质量也可起到监督作用，被誉为“数字监理”。

11 日 三峡工程左岸电站厂房首节屋架开始封顶，这标志着三峡工程左岸电站已由土建施工阶段全面转入机电安装阶段。

12～13 日 三峡建委监察局会同最高人民检察院在重庆市召开移民资金案件分析会，就三峡工程开工以来查办案件的情况，进行深入分析，从理论与实践的结合上，深刻剖析案件的成因、特点及规律，认真查找管理中存在的漏洞和薄弱环节，就如何进一步加强监管，有效遏制违纪违法案件的发生，提出对策和措施。

13 日 《三峡电厂生产管理信息系统总体规划报告》通过专家评审。武汉大学、华中科技大学管理学院及系统工程研究所、国家电力公司电源建设部、云南大朝山水电有限责任公司、湖北清江水电开发有限责任公司以及中国三峡总公司的 36 名专家和代表出席会议。

15 日 全国人大常委会《水污染防治法》执法检查组成员在全国人大常委会委员、人大环境保护委员会副主任委员白清才率领下考察三峡工程。白清才说，三峡工程环境质量总体良好，水库蓄水前一定要把两岸的垃圾清除干净，要加强执法检查力度，禁止船舶垃圾排入长江，保护好三峡水库的水质和环境。中国三峡总公司总经理陆佑楣、副总经理贺恭与检查组成员进行座谈。

18 日 三峡右岸高程 84m 混凝土拌和系统建安工程正式动工，承担施工任务的是三七八联营总公司。

20 日 三峡工程二期上、下游围堰拆除搬迁工程拉开招、投标序幕，中国三峡总公司委托三峡国际招标有限责任公司作为招标人，在全国范围内公开招标。

20 日 “十五”期间水利工作厅局长座谈会在三峡坝区召开，来自全国的 70 余名水利厅局长及专家聚会三峡工地，研讨“十五”水利工作规划，水利部部长汪恕诚主持座谈会，水利部副部长翟浩辉、索丽生出席会议。与会代表就各自管区“十五”期间的水利工作进行汇报交流。中国三峡总公司总经理陆佑楣参加会议并发表讲话。

24 日 12 时 30 分，世界上最大的伸缩节——三峡工程左岸 7# ～14# 机组中首套伸缩节顺利吊装就位。这台重达 108.669t 的伸缩节，是世界上第一台套筒式伸缩节，三峡左岸电站 7# ～14# 机组各有一套伸缩节，共计 8 套，由中国华电电站装备工程(集团)公司设计制造，西北院三峡监理中心负责监造。

25 日 中国三峡总公司向三峡建委报送《关于进行公司化改制的请示》。《请示》就中国三峡总公司拟在 2002 年以葛洲坝电厂为基础组建中国三峡电力股份有限公司，在 2003 年公开发行 A 股并上市，以募集资金等问题作了阐述。中国三峡总公司的改制工作开始启动。

27 日 中国三峡总公司成立 8 周年纪念日。

28 日 三峡库区巴东县发现大型三峡纤壁，纤壁连续长达 5km，三峡纤壁是古代水运苦难史的标志与遗存，是纤夫在三峡中拉纤时，纤绳在岩石上勒出的深深的印记。

28 日 高程 120m 栈桥提前 2 个月建成通车，栈桥全长 1228.3m，桥面宽 20.5m，可满足 20t 级载重汽车及 200t 平板拖车的通行。钢结构总量 16500t，混凝土浇筑量 11000m^3，由葛洲坝集团三峡建设公司和青云公司分段承包，中国三峡总公司副总经理贺恭、王家柱、杨清及设计、施工、监理等单位领导出席通车仪式并剪彩。

28 日 TGPMS. COM. CN 正式开通。

10 月

2 日 湖北省副省长王少阶考察三峡工程，中国三峡总公司副总经理郭涛陪同参观并向客人介绍三峡工程建设的有关情况。

6 日 全国人大常委会委员长李鹏视察三峡工程，这是他第 16 次视察三峡工程。李鹏委员长当日上午冒雨视察主要施工现场，随后听取中国三峡总公司及设计、施工、监理等参建单位负责人汇报。汇报会由中国三峡总公司副总经理李永安主持。国务院三峡建委副主任郭树言、湖北省省委书记蒋祝平、省长张国光、全国人大常委贾志杰、湖北省人大常委会主任关广富，中国三峡总公司副总经理贺恭、王家柱、郭涛及三总师等出席汇报会。李鹏委员长发表重要讲话。

7 日 李鹏委员长在三峡坝区接待中心与中国三

峡总公司副总经理李永安、贺恭、王家柱、郭涛以及总工程师张超然、长江委总工程师郑守仁座谈，听取有关三峡工程的情况汇报。

8日　中国三峡总公司在坝区召开三峡工程建设第四季度计划安排会，对完成当年三峡工程建设任务进行动员部署。

8日　长江三峡水利枢纽工程梯级水库调度自动化系统招标开标仪式在宜昌举行。国内4家水利水电科研院（所）参加投标。

10～24日　三峡水轮发电机组合同执行第五次设计联络会在上海举行，29日，在中国三峡总公司举行总纪要签字仪式。中国三峡总公司有关部门（单位）、长江委设计院、卖方及其分包商等出席会议。会议分ALSTOM组、VGS组、电气协调组、商务组等，就设计、制造、交货、安装等有关问题进行讨论和确认。中国三峡总公司副总经理王家柱出席会议。

11～12日　国家环保总局环境使者一行14人考察三峡工程。中国三峡总公司副总经理贺恭、郭涛会见环境使者并回答考察团成员关于三峡工程环保问题的提问。

12日　三峡工程永久船闸金属结构检修叠梁门第一节顺利通过出厂验收。这节由水电八局三峡机电制造项目部承制的单重257t的叠梁门，将用于三峡永久船闸的无水调试和有水调试，并在未来船闸检修时作挡水门使用。

12日　右岸高程84m系统1#拌和楼开始安装。

12日　国家电力公司在北京钓鱼台国宾馆举行"三（峡）——广（东）直流输电工程"换流站设备采购合同及"贵（州）——广（东）工程"设备采购签字仪式，国务院副总理吴邦国出席签字仪式并会见中标外商ABB集团公司代表，三峡建委副主任郭树言、三峡建委办公室副主任张德楠等负责人参加会议。

17日　三峡建委副主任郭树言主持会议，听取国家电力公司总经理助理周小谦一行关于《三峡输变电项目优化调整方案》的汇报，三峡建委副主任蒲海清、三峡建委办公室副主任张德楠和计划资金司、技术与装备司有关负责人出席会议。

17日　受国务院委托，由国务院体改办、水利部、国家计委、财政部、中编办、国家环保总局等6部委组成的联合调研小组来三峡工地调研水利工程单位和水利管理单位的体制改革情况。

18日　三峡工程茅坪溪土石防护坝工程第一标段通过完工验收。此项工程1996年1月1日开工，2000年9月28日竣工。工程由长江委设计、葛洲坝集团公司承建、长江委三峡监理部监理施工，经过近7年施工，第一标段工程形象达到140m高程。坝体填筑工程、护坡工程、交通洞及基础廊道防渗工程、安全监测土建工程的质量，均被评定为优良。

18～20日　2001年三峡工程重庆库区农村移民出市外迁工作会议在山东济南召开。会议对2001年重庆市库区农村移民出市外迁工作经验进行座谈交流，并对2002年移民外迁安置工作任务作安排部署。公安部、交通部、铁道部、国家计划生育委员会、有接受三峡工程重庆库区农村移民出市外迁安置任务的11个省（市）政府、移民安置管理机构、2002年重点安置县、重庆市政府及三峡建委系统各单位有关负责人出席会议。

21～31日　由联合国亚太经社会（ESCAP）亚太技术转让中心（APCTT）、中国工程咨询协会（CNAEC）和中国三峡总公司共同主办的工程咨询业国际会议暨"开拓亚太地区工程咨询合作的新世纪"论坛，首次在三峡工地召开。来自世界21个国家和地区的300余名中外工程咨询专家参加了会议。与会代表就国际工程咨询最新问题、信息和经验，进行广泛讨论和交流。国务院三峡建委副主任郭树言、国家计委副主任汪洋、国务院西部开发办副主任、国家计委副主任李子彬、中国工程咨询协会会长佘建明、副会长解绍章、湖北省省长张国光、常务副省长邓道坤、省计委主任翁行德、中国三峡总公司副总经理李永安、王家柱、郭涛等出席会议。

22～24日　中国三峡总公司机电工程部组织检测中心和新闻中心赴哈尔滨，对哈尔滨电机厂分包的12#机座环进行出厂检查和工厂实地新闻采访。

24～25日　三峡二期枢纽工程、输变电工程验收工作大纲审查会在北京召开。全国政协副主席钱正英，水电专家张光斗、两院院士潘家铮，中国工程院院士梁维燕、朱英浩，以及国家计委、经贸委、水利部、建设部、交通部、国土资源部、国家电力公司、中国三峡总公司、长江委和湖北省、重庆市、江苏省等42个部委、省市、大型企业、设计院所的80多位有关方面的专家、负责同志出席会议。

25日　下午4时，三峡水利枢纽图象监控系统（二期工程）招标项目在湖北宜昌公开开标。21家国内图象监控系统方面的制造厂商购买了招标文件，截至公开开标时间，有18家制造厂商提交了投标文件。

26～29日　第三次三峡工程新闻宣传座谈会在三峡坝区召开，中央各新闻单位负责人表示要发挥各自优势，更好地宣传三峡工程。参加此次座谈会的中央新闻单位有：国务院新闻办、外交部新闻司、广电总局、人民日报、新华社、中央人民广播电台、中央电视台、光明日报、经济日报、工人日报、中国新闻社、科技日报、法制日报、中国青年报、中国妇女报、中国电力报、中国水利报。中国三峡总公司总经理陆佑楣、副总经理李永安、王家柱、郭涛与参加座谈会的代表进行了深入交谈。

26～27 日 甘肃省全国政协委员代表团参观三峡工地并与中国三峡总公司总经理陆佑楣、副总经理李永安、郭涛进行座谈。陆佑楣等回答了政协委员们提出的三峡工程施工质量、移民、资金筹措与使用、环保等方面的问题。

28 日 中国三峡总公司邀请 12 位院士、教授、勘察大师、研究员对中国地震局地震研究所承担的三峡工程诱发地震监测系统进行鉴定验收。

28 日～11 月 6 日 国务院三峡建委副主任、办公室主任郭树言率队赴三峡库区，重点考察三峡库区高效生态农业的发展情况。在湖北、重庆三峡库区，湖北省副省长韩忠学、重庆市副市长甘宇平分别陪同考察。

31 日 三峡工程二期围堰拆除工程中标单位确定：武警水电部队三峡工程指挥部中标承担二期围堰上游围堰拆除工程，合同金额 8043 万元；葛洲坝集团公司中标承担二期围堰下游围堰拆除工程，合同金额 1.6 亿元。

31 日 全国人大常委会副委员长何鲁丽视察三峡工程。中国三峡总公司副总经理王家柱、郭涛陪同视察并介绍三峡工程进展情况。

11　月

4 日 以上海市政协主席王力平为团长的在沪全国政协委员考察团，在中国三峡总公司副总经理郭涛陪同下参观三峡工地。

5 日 国家统计局局长朱之鑫一行考察三峡工程。

7 日 13 时，三峡工程永久船闸首扇反弧门在 400t 和 200t 汽车吊的配合下缓缓起吊，稳稳落入六闸首中南竖井内。

7 日 中国三峡总公司副总经理贺恭、杨清到夹江水工厂视察反弧门制造情况并参加竣工大会。国务院三峡建委、中国水利水电总公司和四川省、乐山市政府的有关领导参加会议。

8 日 2001 年 50 亿元人民币三峡建设债券开始发行。该期企业债券采用 10 年期(20 亿元)和 15 年期(30 亿元)两个品种发行，还本付息方式均为每年付息一次，到期一次还本。

10 日 截至当日，湖北省秭归县泄滩乡全部完成库区 175 米水位线下的移民，提前一年完成库区移民搬迁和库区清理任务。这是三峡库区 20 个县市的 227 个移民乡镇中，首个完成移民搬迁销号任务的乡镇。

12 日 12 时，随着三峡坝区流量降低，在三峡临时船闸已安全运行 1000 多闸次后，长江三峡通航管理局宣布正式停航，所有经过坝区水域的船舶将直接从导流明渠通过，临时船闸于 19 日进入全面维修和保养阶段。

13～14 日 香港特别行政区第九届全国人大代表赴三峡工地和湖北库区考察。代表们考察了正在建设中的三峡工程，并分别听取中国三峡总公司总经理陆佑楣、副总经理李永安、王家柱关于三峡工程进展、资金管理及中国三峡总公司改制、工程技术等情况的介绍。

15～16 日 中国三峡总公司金沙江前期工作会议在四川省宜宾市召开。

18 日 由中国三峡总公司、长江委、葛洲坝集团公司等单位联合完成的“三峡工程大坝混凝土快速施工新技术的研究与实践”重大项目，在北京由水利部科技司完成鉴定，鉴定会由水利部总工程师高安泽主持，潘家铮、谭靖夷等院士、专家组成的专家评审组，一致认为该项目综合成果达国际领先水平。中国三峡总公司已将该项目推荐申报 2002 年国家科技进步奖。

19 日 中共中央委员、国土资源部部长田凤山在调查三峡库区地质灾害情况后，从重庆巴东来到三峡工地考察，中国三峡总公司总经理陆佑楣、副总经理王家柱等陪同考察。

20～23 日 由国务院三峡建委移民局主办的 2001 年度三峡工程移民资金会计决算工作会议在安徽合肥召开。移民局计财司负责人对如何用好管好三峡工程移民资金作了重要讲话并提出了具体要求。

22 日 德国伏伊特集团公司首席执行官 Kormann 博士一行 4 人拜访中国三峡总公司。伏伊特集团公司与西门子公司组成的联合体，将为三峡工程左岸电站提供发电机组设备。中国三峡总公司总经理陆佑楣、副总经理王家柱与 Kormann 博士就发电机组合同有关问题进行交谈。外商表示，将确保设备质量，按合同要求交付发电机设备。

22 日 三峡电站首台机组的 2 号机定子分瓣机座顺利吊装。

25 日 全国“西电东送”工程第二批项目全面开工。500kV 荆州换流站和三峡电力送往广东的直流输电工程同时开工。三峡电力外送工程在湖北境内建设项目 24 个，其中，500kV 直、交流线路建设总里程 1147km。

近日 国务院三峡建委第十次全体会议决定并报国务院批准，成立国务院三峡二期工程验收委员会。从 2002 年上半年开始对二期工程进行验收。国务院副总理吴邦国将出任验收委员会主任委员。本次验收属于阶段性验收,验收范围包括枢纽工程、移民工程和输变电工程三部分。三峡建委编制的验收工作大纲,已通过专家审查,验收工作至2003年底结束。

27日 国务院三峡建委三峡枢纽工程质量检查专家组组长钱正英、副组长张光斗一行来到三峡工地,对三峡工程质量进行为期一周的全方位调研。质量检查专家组分厂坝组、航建组、金结机电组3个小组。

27日 为纪念葛洲坝水利枢纽通航发电20周年,葛洲坝电厂邀请中国水利学会、中国水力发电工程学会、中国电机工程学会、长江水利委员会、中国三峡总公司的专家、学者聚会葛洲坝电厂,交流科技成果。

27日 三峡工程永久机电设备保温仓库工程招标项目开标。该仓库位于三峡坝区田秋渔保税库旁,建筑面积1280m^2。

28日 中国三峡总公司新一届环境及文物保护委员会举行第一次会议,进一步确定机构职能和当前及近期任务。副总经理、环保会主任贺恭主持会议,常务副主任汪先绪、副主任李惠敏和委员出席会议。

29日 为期4天的首届三峡青工技能大赛在三峡工地落下帷幕。三七八联营总公司代表队、葛洲坝集团三峡建设公司代表队、青云公司一队分获综合团体比赛前三名。葛洲坝集团机电安装代表队、三七八联营总公司代表队、青云公司一队、三七八联营总公司代表队分别获电焊、浇筑、模板、钢筋工单项团体第一名。金结电焊比赛个人第一、二、三名分别为葛洲坝机电项目部、葛洲坝集团三峡建设公司、水电八局的工人获得。

12 月

1日 美联社等9家外国新闻媒体近20名驻京记者和人民日报等4家国内媒体的记者到三峡工地采访。这次采访是由国务院新闻办和国务院三峡建委联合举办的。中国三峡总公司总经理陆佑楣、副总经理李永安、王家柱、郭涛等会见中外记者,并就记者们提出的三峡工程是否造成污染、重庆每年有多少污水流入长江、水库建成后对库区的影响等问题,一一作了回答。

1日 湖北省秭归县发生一处重大山体滑坡险情。滑坡体位于三峡大坝上游30km处,属秭归县郭家坝镇,滑坡体约30万m^3。有两座民房被砸毁,造成险区对外交通、通信和供水中断。险区53户居民全部安全转移,对长江航运未造成影响。

2日 经过一周调研,全国政协副主席、中国工程院院士、国务院三峡建委三峡工程质量检查专家组组长钱正英,副组长、两院院士张光斗率领的专家组,结束对2001年三峡工程质量的调研检查工作,离开工地。在专家组与中国三峡总公司和参建单位主要负责人参加的座谈会上,钱正英发表了题为《不留工程隐患是三峡工程建设的最高原则》的总结讲话。

3日 中国三峡总公司以三峡人字〔2001〕239号发文"关于成立总公司改制领导小组的通知",以加强对总公司改制工作的领导。该领导小组组长由中国三峡总公司副总经理李永安担任,领导小组下设改制办公室作为具体办事机构,负责组织实施总公司改制工作,由寇日明任主任。

4日 由三峡工程安全生产委员会办公室、中国三峡总公司安全总监办公室编印的《三峡工程参建单位安全生产管理文件汇编》印发。全书共计65万字,分业主、监理单位和施工单位三大部分。

4～5日 国务院三峡建委在北京召开《三峡工程2002～2019年泥沙原型观测计划》审查会。审查会由潘家铮院士主持。泥沙原型观测计划分两个阶段:2002～2009年(施工期)和2010～2019年(正常运行期)。

5日 国务院批准《三峡库区及其上游水污染防治规划(2001～2010年)》。该规划表明今后10年国家将投资392.2亿元,用于三峡库区及其上游水污染防治,将先后建成城镇污水处理厂和设施260余座,建成城市垃圾处理厂170座。由国家环保局牵头组成的上游库区水污染防治领导小组,负责督促规划项目的实施。

5日 总工程量为13240m的三峡大坝深槽坝段帷幕灌浆施工全部完成,该项工程由葛洲坝基础处理公司承建。

6日 9时30分,三峡工程永久船闸五闸首南线南侧第12节人字门门叶顺利吊装就位。至此,三峡永久船闸24扇人字门全部吊装结束。该门高37.5m,宽20.15m,两扇门重1508t。

6～20日 中国三峡总公司7人验收小组到达加拿大蒙特利尔市,对GE水电公司生产的三峡水轮机转轮进行出厂验收。18日,第一台重428t,直径10m,高5.6m的水轮机转轮经验收合格出厂启运。

7日 由中国工程院和国家自然科学基金委员会举办的"重大工程项目管理模式"工程科技论坛在北京举行。中国三峡总公司总经理陆佑楣等应邀出席论坛,并作了题为《三峡工程建设管理的实践》的报告。来自国家政府有关部门、企事业单位、大专院校、科研机构的数百人聆听演讲。

8日 全国人大常委、原湖北省省委书记贾志杰率领湖北省在京九届全国人大代表考察团考察三峡工程。中国三峡总公司总经理陆佑楣陪同考察团参观工地，并介绍工程建设情况。

8～11 日 三峡工程永久船闸第二闸首液压启闭机的电、液联调，在中国船舶重工集团中南光学仪器厂进行。联调共进行 6 大类、56 个项目的试验，全部通过验收。中国三峡总公司副总经理贺恭及有关部门、长江委设计院等单位的负责人和专家参加了联调验收。

9 日 全国政协副主席、全国工商联主席、民生银行董事长经叔平考察三峡工程。中国三峡总公司与中国民生银行签订合作意向书，民生银行向三峡工程提供总额不超过 10 亿元人民币的短期商业贷款授信额度。

9 日 三峡右岸地下电站进水口洞挖工程全面完成。工程超、欠挖均控制在 17cm 以内。

10 日 三峡至万州输变电工程长江第一跨区间工程全部完工。

11 日 中国三峡总公司召开三峡工程各参建单位主要负责人会议，全面贯彻落实国务院三峡枢纽工程质量检查专家组意见和建议。

11 日 三峡左岸电站 5# 机组定子机座顺利吊入 4 号机坑内进行拼装。

12 日 三峡库区最大的地面文物整体搬迁项目、已有 1700 年历史的张飞庙搬迁工程正式开工。张飞庙将溯江而上 32km，与云阳新城隔江而建。新址总面积 12 万 m^2，搬迁工程预计总投资过亿元，一年半完工。

13 日 三峡工程劳动竞赛委员会在工地举行劳动竞赛经验总结交流大会。葛洲坝集团三峡建设公司、三七八联营总公司、青云公司、西北院三峡监理中心、长江委三峡监理部、宜昌市三峡坝区工作委员会等 6 个单位，围绕劳动竞赛在工程建设中的实践成果进行经验交流。

14～16 日 中国实验室国家认可委员会根据实验室认可准则等相关文件，对中国三峡总公司试验中心进行现场评审。评审认为：试验中心所建立的质量体系符合认可准则要求。

18 日 中国三峡总公司总经理陆佑楣会见泰国上议院司法人权委员会主席卡姆努安·卡罗帕桑一行。

18 日 由葛洲坝集团机电建设公司承担施工的三峡泄洪坝段第 20 孔深孔工作弧门完成门体与支臂的联接。

19 日 中国三峡总公司召开干部大会，总经理陆佑楣、副总经理贺恭、李永安先后传达中央经济工作会议、全国计划会议、全国经贸工作会议精神，会议由陆佑楣总经理主持。

20～22 日 三峡左岸电站水轮发电机组安装技术研讨会在三峡坝区召开。会议专题讨论了水轮发电机定子现场装配的安装工艺和施工技术，具体研究安装过程中的细节问题和质量标准。来自国内的 77 名机电专家、中国三峡总公司机电安装项目部和承担三峡机组安装的有关单位代表参加了研讨会，中国三峡总公司副总经理杨清、副总工程师秦锡翔出席研讨会。

23 日 正在中国进行国事访问的巴基斯坦总统佩尔韦兹·穆沙拉夫参观三峡工程。中国三峡总公司总经理陆佑楣、副总经理李永安、贺恭会见穆沙拉夫总统及夫人，并陪同参观三峡工程。

26 日 葛洲坝机电建设公司成功完成泄洪大坝导流底孔全部 22 扇弧型工作门的无水调试工作，比预定工期提前 3 个月。

26 日 国家经贸委在北京召开会议，听取中国三峡总公司副总经理李永安及改制办公室的汇报，专题审查《三峡总公司整体改制思路》与《三峡总公司电力企业改制重组及上市初步设想》。会议由经贸委副主任蒋黔贵及国务院发展研究中心副主任、清华大学公共管理学院院长陈清泰主持，经贸委企业改革司、电力司及国务院发展研究中心企业研究所、产业经济研究部有关负责同志和专家参加会议。

27 日 永久船闸一闸首混凝土工程通过竣工验收。

30 日 三峡右岸高程 84m 拌和系统提前投入试运行，该拌和系统所生产的混凝土将用于右岸电站进水口工程混凝土浇筑中。

31 日 三峡工程混凝土浇筑全年完成 406.38 万 m^3，连续三年三破混凝土浇筑世界纪录。

31 日 三峡建设者 2002 年元旦长跑运动会在三峡工地举行。3000 多名三峡建设者组成 55 个方阵参加集体长跑，765 名建设者参加男女个人组比赛。

移民小区绿化之六

附　　录 XIII

崛起的新城——奉节新县城

三峡库区文物考

长江涪陵白鹤梁历史枯水题刻研究应用(摘要)

汪　耀　奉

三峡工程水文研究河段(四川江津至湖北宜昌)历史枯水期得天独厚,以丰富题刻文字形式遗存,经多次调查发现,积累了科学的历史资料。

该河段历史枯水题刻文字,最早见诸文献的有四川重庆朝天门灵石题刻,始于东汉光武(公元 25~27 年),以后历晋、唐、宋、明、清各代也有记载。而见诸实物的则有四川江津莲花石、涪陵白鹤梁、云阳龙脊石、奉节白帝城等地。其中涪陵白鹤梁以石鱼为水标的题刻文字堪称一绝。

一、题刻文字现况

白鹤梁石鱼题刻位于四川涪陵城北长江南岸大江之中,总长约 1600m,自西向东伸延与江流平行,形成一道天然挡冲防护堤。梁北侧水流湍急,为川江主流所在。梁南侧水流较平缓,冬春季波平如镜,称为鉴湖。1972 年调查时水位 137.58m(吴淞)。梁为水流所分,呈上、中、下三段露出江面。

石鱼水标及题刻文字,集中分布在石梁中段靠下端的斜面上。梁最高处距江西 2.12m. 平均宽约 15m。梁表层为坚硬砂岩构成,厚约 1~1.5m,其下部为软质页岩,厚度在 2m 以上。石梁岩面平整,呈 14.5°坡度向江心倾斜。

白鹤梁上镌刻的石鱼水标及题刻文字,由于常年有过半时间没入水中,利于保存。现存题刻文字 163 段,其中宋代约 100 段左右,余为元、明、清代。明代以前题刻多在石鱼水标附近,清代以后则因石鱼周围已无空隙,逐渐向石梁上端与左右发展。

白鹤梁题刻文字经历漫长时间风化冲蚀,有些字迹已模糊和残缺。石梁高起部分因下部被淘空而有的倒塌,题刻文字遭破坏,至今泥沙与浅水之中尚可见到部分题刻残迹。

二、题刻文字史籍记载

最早记载白鹤梁石鱼及题刻文字的文献为宋代乐史《太平寰宇记》:宋"开宝四年(公元 971 年),黔南上言,江心有石鱼见,上有古记云:广德元年(编者注:误,应为二年)二月,大江水退,石鱼见。"这是宋人笔下提到唐代石鱼。宋代王象之《舆地纪胜》也说:"唐大顺三年(公元 892 年),镌古今诗甚多。"清代姚观元、钱保塘《涪州石鱼文字所见录》:"涪州大江有石梁,长数十丈。上刻双鱼,一鱼三十七鳞,一含蓂叶,一含莲花。或三五年或十余年一出。"清代陆增祥《八琼室金石补正》还收录了"涪州石鱼题刻一百段"内容。新旧《涪州志》各选辑了石鱼题刻数十段。

三、题刻文字记载的唐代所见鱼水标

现存白鹤梁题刻文字中最早记载唐代有石鱼,水标为宋开宝四年(公元 971 年)谢昌瑜等题记:"大江中心石梁上,(缺字)古记及水标,有所镌石鱼两枚。古记云:唐广德(缺两字)春二月岁次甲辰(唐广德二年干支,为公元 764 年),江水退,石鱼出见,下去水四尺……自唐广德元年(作者注:误,应为二年)甲辰岁至开宝四年岁次辛未二月辛卯朔十日丙(缺字)余年,今又复见者。"宋元祐六年(公元 1091 年)杨嘉言等题记:"辛(下缺)望日,闻江水既下……至是观唐广德鱼刻并大和(公元 827~835 年)题记。"宋大观元年(公元 1107 年)庞恭孙等题记也说:"正月壬辰,水去鱼下七尺……如广德、大和所记云。"宋淳熙五年(公元 1178 年)刘师文等题记:"涪陵江心石梁刻二鱼,古今相传,水大落,鱼出见……自唐广德间,刺史郑令珪已载其事,而鱼之镌刻莫详何代。"。嗣后,宋宝祐二年(公元 1254 年)刘叔子题记:"鉴湖之石鱼,唐人所刻也。"

综观宋代史籍和题刻文字记载,白鹤梁有石鱼水标应始于唐广德二年或其前,至于出自何人之手,尚有待进一步考查研究。

四、石鱼水标的辨认和更迭

白鹤梁现存石鱼图案有 14 条,大小和高程不等的这些石鱼,成为水标辨认的重要课题。详细观读题刻,清人洛州知州肖星拱的重镌双鱼记得到解答。"涪江石鱼,镌于波底,现则岁丰,数千百年来,传为盛事。康熙乙丑(公元 1685 年)春,至水落,而鱼复出。望前二日,偕同人往观之,仿佛双鱼蓂莲隐跃。盖因岁久剥落,形质模糊,几不可问,遂命石工刻而新之,俾不至湮没无传。"

现存清康熙重刻石鱼水标,为线雕两枚。呈溯江而上姿态。在前者含蓂莲花,37 鳞,体长 1m,高0.28

m;后者含蓂芝,37 鳞,体长 1.05m,高 0.27m。

庆幸的是,清康熙重刻石鱼水标时,遗存下残迹。在两条石鱼头尾相接处,隐约能见一条较小而模糊的线雕石鱼。鱼长约 0.58m,高约 0.21m,其上部清晰可辨隶书的"石鱼"二字。"石"字在含莲花鱼尾与脊之间的上部,"鱼"字被含莲花鱼的尾部覆盖。这条隐约可见单鱼图案,应为更迭前的石鱼水标,即题刻文字史料记载和现存题刻文字记录的唐代所见鱼水标。

五、石鱼水标的高程

1972 年 2 月 1 日至 2 日,施测石鱼水标及所有题刻文字,临近引据 B. M. 248(吴淞基面 187.257m)标点,石鱼水标高程成果于下:

唐代所见鱼:脊高 137.923m,眼高 137.907m,腹高 137.862m。

清代康熙重刻鱼:

蓂芝鱼:脊高 137.972m,眼高 137.941m,腹高 137.887m。

莲花鱼:脊高 138.003m,眼高 137.953m,腹高 137.911m。

石鱼水标的镌刻,是古代劳动人民长期以来对枯水现象认识的结果。唐代所见鱼腹高,大体相当于现涪陵水位站历年枯水位平均值。清代康熙重刻鱼的眼高,又大体相当于川江航运部门当地的水位零点。

六、石鱼及题刻文字枯水计量的分类

现存石鱼题刻文字 163 段,除无年代可考及题记与石鱼不发生关系的外,尚有 103 段。石鱼及题刻文字,在计量应用上可划分为三大类型。

Ⅰ类:枯水水迹。

Ⅱ类:以石鱼为水标定量题记。(1)型:石鱼水标以下。(2)型:石鱼水标以上。

Ⅲ类:以石鱼为水标定性题记。(1)型:石鱼水标以下。(2)型:石鱼水标以上。

Ⅰ类为有"水齐至此"或标志等题刻文字。Ⅱ类的(1)型系题刻文字有"鱼出水面六尺"或"鱼下五尺";(2)型系题刻文字有"鱼在水下一尺"。Ⅲ类的(1)型系题刻文字下沿高程在石鱼水标以下;(2)型系题刻文字下沿高程在石鱼水标以上。

Ⅲ类虽然数量较多,但不能忽略其可靠性。调查时发现有的题刻文字是倒、斜或横刻,制作时是想尽量接近当时枯水水边。又如没于调查时水位下 0.63m 的宋绍兴庚申(公元 1140 年)孙仁宅题记即横刻。

七、石鱼题刻Ⅱ类枯水位高程分析处理

Ⅱ类题记古记尺度,首先用《中国度量衡史·中国历代尺度标准变迁表》换算为现今尺度。

石鱼及题刻文字是刻在 14.5°岩石斜面上,题记系平(斜)或立(垂)水相差很多,这是需要慎重研究的问题。经同一年份Ⅰ类可靠水迹与Ⅱ类题记对比分析(表 1),古记应为平水。测得垂、斜比为 0.26 : 1.00。

表 1 涪陵白鹤梁Ⅰ、Ⅱ类题记对比分析

高程(m) 项目 / 年份	斜距(Ⅱ)	水迹(Ⅰ)	立距(Ⅲ)	水斜差(Ⅰ—Ⅱ)	水立差(Ⅰ—Ⅲ)
宋熙宁七年	137.54	137.49	136.63	−0.05	0.86
宋宝庆二年	137.38	137.82	136.02	0.44	1.80
元天历三年	137.46	137.69	136.33	0.23	1.36
清嘉庆元年	137.19	137.28	135.18	0.09	2.10

注:表列数值,经古改今后加上了石鱼水标的吴淞高程。

鉴于石鱼水标有更迭,唐至清代 1685 年前题记,用唐代所见单鱼水标高程;清代 1685 年及其后题记,用康熙重刻双鱼的平均值(因两鱼同一部位高程有出入)水标高程。此外,Ⅱ类有两型,(1)型取鱼腹下沿高程基数,(2)型取鱼脊上沿高程基数处理。

据以上仔细考订分析,即经题记尺度的古改今、平改立水后的数值,加上不同时期使用不同石鱼水标部位高程的基数,可得到Ⅱ类题记枯水位定量数值,列于表 2 中。

八、石鱼题刻文字枯水发生时间处理

关于石鱼题刻文字纪录的枯水发生时间,也要作改算成公历的处理。

除了常见的干支年、月、日,季节月份的孟、仲、季、月份中的朔、望好、二十四节气日等外,尚有不常见的上(初一至十日)、中(十一日至二十日)、下(二十一日至月末)休日、念——二十天、元日——正月初一、开岁日——正月初一、人日——初七、谷日——初八、上元日——正月十五日、既望——十六日、晦——月末日、中和节——二月二日等等。然后将旧历用《两千年中西历对照表》换算为公历。

公历历史沿革也有更迭,因教皇格勒哥第十三改历,以西历 1582 年 10 月 5 日为 15 日,中间销去了 10 天。考虑水文时序连续性,以向后衔接为宜。所以,1582 年以前的石鱼题刻文字,将旧历改算成公历后,还应再加 10 天。

九、石鱼题刻文字纪录历史枯水位

涪陵白鹤梁石鱼题刻可用的 103 段文字,经过施测及多方位的工序处理,共计获得公元 764 年来 72 个年份历史枯水水文资料。将成果列于表 2。

鉴于题刻文字的风化破坏,表中补充了《涪州石鱼文字所见录》和《八琼室金石补正·涪州石鱼题刻一百段》个别题刻。同一年份有几处题记及不同类型高程时,表中仅取其最低值(Ⅰ类除外)。1877 年后宜昌有水文资料，有关题记未列入。

表 2　　涪陵白鹤梁石鱼题刻文字纪录历史枯水水位

时间(年、月、日)		高程(m)	题刻摘要	类型	附注
公　元	朝代纪元				
764.3.18～4.15	唐广德二年春二月	137.54	谢昌瑜等：江水退，石鱼出见，下去水四□(尺)	Ⅱ	
971.3.19	宋开宝四年岁次辛未二月辛卯朔十日丙子	137.54	谢昌瑜等：今又复见者	Ⅱ	以四尺计
989.2.3	朱端拱元年十二月十有四日	<137.86	朱昂诗记：去水	Ⅲ$_2$	
1049.2.26	宋皇祐元年正月十二日	<137.86	刘忠顺等诗记：七十二鳞波底镌	Ⅲ$_2$	
1057.2.24	宋嘉祐二年正月八日	<137.86	武陶等题记；游石鱼题名记	Ⅲ$_2$	
1066.2.27～3.8	宋治平丙午正月二十□日	<137.86	冯□等题记：同观石鱼	Ⅲ$_2$	
1068.3.6	宋熙宁元年正月二十日	<137.86	徐庄等题记：观石鱼题名	Ⅲ$_2$	
1074.3.4	宋熙宁七年正月十四日	<137.54	韩寰等题记：广德年鱼去水四尺，今又过之	Ⅱ	四尺以下
1074	宋熙宁七年	137.49	水齐至此	Ⅰ	
1085.2.10～3.8	宋元丰乙丑正月	<137.86	郑顗等题记；游石梁观鱼	Ⅲ$_2$	
1086.3.5	宋元丰九年丙寅二月七日	137.46	郑顗等题记；江水至此鱼下五尺	Ⅱ	
1091.3.17	宋元祐六季丰卯望日	<137.86	杨嘉言等题记：现唐广德鱼刻	Ⅲ$_2$	
1102～1103	宋崇宁元年	<137.86	杨公留题记：观鱼出水	Ⅲ$_2$	
1107.2.9	宋大观元年正月壬辰	137.30	庞恭孙等题记：水去鱼下七尺	Ⅱ	
1112.3.3	宋政和壬辰孟春二十三日	<137.86	蒲蒙亨等题记：观石鱼	Ⅲ$_2$	
1123.1.24	宋宣和四年十二月十五日	<137.86	吴革题记：今岁鱼石呈祥	Ⅲ$_2$	
1129.2.21	宋建炎已酉正月二十一日	137.38	陈似题记：时鱼去水六尺	Ⅱ	
1132.4.3	宋绍兴壬子季春初六日	<137.86	慎思题记：观石鱼	Ⅲ$_2$	
1133.2.1	宋绍兴二年十二月望	<137.86	贾公哲等题记：观石鱼	Ⅲ$_2$	
1135.2.13	宋绍兴乙卯正月十九日	<137.86	蔡兴宗等题记：观石鱼	Ⅲ$_2$	
1138.2.2～2.11	宋绍兴丁巳十二月中休日	137.46	贾思诚等题记：鱼出水面数尺	Ⅱ	以五尺计
1140.2.19	宋绍兴庚申首春乙未	<136.99	孙仁宅等题记：忽报其出，闻之欣然	Ⅲ$_1$	横刻
1144.2.13	宋绍兴十三除前二日	138.00	李景孠等题记：鱼在水	Ⅱ	
1145.3.6～3.15	宋绍兴乙丑仲春上休日	137.54	杨谔等题记：石鱼出水四尺	Ⅱ	
1148.2.29	宋绍兴戊辰正月二十八日	137.46	何宪等倡和诗：鱼出水数尺	Ⅱ	以五尺计
1155.2.20	宋绍兴乙亥人日	<137.86	张维题记：观石鱼	Ⅲ$_2$	
1156～1157	宋绍兴丙子	137.74	张松兑题记：去水无尺许	Ⅱ	以一尺五计
1167.2.16	宋乾道三年立春后一日	<137.86	向之问等题记：鱼出	Ⅲ$_2$	
1171.2.17	宋乾通辛卯元日	<137.52	谭深之等题记	Ⅲ$_1$	倒刻
1178.2.2	宋淳熙五年正月三日	137.62	陶仲卿题记：水落鱼下三尺	Ⅱ	
1179～1180	宋淳熙己亥	137.54	朱永裔题记：出水现四尺	Ⅱ	
1184.3.1	宋淳熙甲辰人日	<137.83	夏敏彦等题记	Ⅲ$_1$	
1198.3.21	宋庆元戊午中和节	<137.86	徐嘉言题记：观石鱼	Ⅲ$_2$	

<table>
<tr><td>1201</td><td>宋嘉泰元年</td><td><137.86</td><td rowspan="2">赵时儇题记;石鱼两载皆见之</td><td>Ⅲ$_2$</td><td rowspan="2">据两载</td></tr>
<tr><td>1202.3.6～4.4</td><td>宋嘉泰壬戌仲春</td><td><137.86</td><td>Ⅱ$_2$</td></tr>
<tr><td>1208.2.11</td><td>宋开禧戊辰元宵</td><td><137.86</td><td>贾涣题记:来观石鱼</td><td>Ⅲ$_2$</td><td></td></tr>
<tr><td>1226.2.16</td><td>宋宝庆丙戌谷口</td><td>137.38</td><td>李王新题记:石鱼出水六尺</td><td>Ⅱ</td><td></td></tr>
<tr><td>1226</td><td>宋宝庆丙戌</td><td>137.82</td><td>水齐△</td><td>Ⅰ</td><td>横刻</td></tr>
<tr><td>1230.2.10</td><td>宋绍定庚寅上元后一日</td><td><137.86</td><td>石鱼</td><td>Ⅲ$_2$</td><td></td></tr>
<tr><td>1243.11.24
～1244.2.19</td><td>宋淳祐癸卯冬</td><td><137.86</td><td>张霁等题记:水落而鱼复出</td><td>Ⅲ$_2$</td><td></td></tr>
<tr><td>1245.2.2</td><td>宋淳祐癸卯甲辰腊月念四日</td><td><137.86</td><td>张季和等题记:鱼出</td><td>Ⅲ$_2$</td><td></td></tr>
<tr><td>1248.2.7～3.6</td><td>宋淳祐戊申正月</td><td><137.86</td><td>邓刚等题记:石鱼呈祥</td><td>Ⅲ$_2$</td><td></td></tr>
<tr><td>1250.2.20</td><td>宋淳祐庚戌正月八日</td><td><137.86</td><td>赵汝廪石鱼诗:观石鱼</td><td>Ⅲ$_2$</td><td></td></tr>
<tr><td>1255.2.16</td><td>宋宝祐二年岁次甲寅腊月立春后一日</td><td><137.86</td><td>刘叔子诗:双鱼已见</td><td>Ⅲ$_2$</td><td></td></tr>
<tr><td>1258.3.14</td><td>宋宝祐戊午正月戊寅</td><td><137.86</td><td>何震午等题记:观石鱼</td><td>Ⅲ$_2$</td><td></td></tr>
<tr><td>1312.1.31</td><td>元至大辛亥十二月中旬三日</td><td><137.86</td><td>安固题记:观石鱼</td><td>Ⅲ$_2$</td><td></td></tr>
<tr><td>1329.2.10～5.9</td><td>元天历己巳春</td><td>137.70</td><td>宣侯题记:水去鱼下二尺</td><td>Ⅱ</td><td>横刻</td></tr>
<tr><td rowspan="2">1330.2.13</td><td rowspan="2">元天历庚午上元日</td><td>137.69</td><td rowspan="2">宣侯题记;复去五尺</td><td>Ⅰ</td><td rowspan="2">横刻</td></tr>
<tr><td>137.46</td><td>Ⅱ</td></tr>
<tr><td>1333.3.9</td><td>元至顺癸酉仲春十三日</td><td><137.86</td><td>张八□□题记:来观</td><td>Ⅲ$_2$</td><td></td></tr>
<tr><td>1384.2.8</td><td>明洪武十七年甲子正月八日</td><td><137.86</td><td>刘仲筲涛并序:水落石鱼呈瑞</td><td>Ⅲ$_2$</td><td></td></tr>
<tr><td>1405.3.12</td><td>明永乐乙酉仲春二日</td><td>137.46</td><td>雷毂题记:鱼去水五尺</td><td>Ⅱ</td><td></td></tr>
<tr><td>1453～1454</td><td>明景泰四年癸酉</td><td><137.43</td><td>□□题记</td><td>Ⅲ$_1$</td><td></td></tr>
<tr><td>1459.3.15</td><td>明天顺三年仲春月吉旦</td><td><137.56</td><td>代良军题记</td><td>Ⅲ$_1$</td><td></td></tr>
<tr><td>1506.3.20</td><td>明正德两寅仲春既望</td><td><137.86</td><td>李宽石鱼记:观石鱼</td><td>Ⅲ$_1$</td><td></td></tr>
<tr><td>1510.2.19</td><td>明正德庚午元日</td><td><137.86</td><td>黄寿诗:观石鱼</td><td>Ⅲ$_2$</td><td></td></tr>
<tr><td>1589～1590</td><td>明万历已丑</td><td>137.78</td><td>江应晓诗:白莲水戈影浮刚一尺</td><td>Ⅱ</td><td></td></tr>
<tr><td>1672～1673</td><td>清康熙十一年</td><td><137.86</td><td>王士帧石鱼诗:水落见双鱼</td><td>Ⅲ$_2$</td><td></td></tr>
<tr><td>1684.3.14</td><td>清康熙二十三年甲子春正月二十九日</td><td><137.86</td><td>肖星拱石鱼记:石鱼复出</td><td>Ⅲ$_2$</td><td></td></tr>
<tr><td>1685.2.15～4.16</td><td>清康熙乙丑春望前二日</td><td><137.72</td><td>肖星拱重镌双鱼记</td><td>Ⅲ$_2$</td><td></td></tr>
<tr><td>1695.2.19</td><td>清康熙乙亥人日</td><td><137.90</td><td>杨明时等待记:以鱼为诗</td><td>Ⅲ$_2$</td><td></td></tr>
<tr><td>1706.2.17</td><td>清康熙丙戌春至五日</td><td><137.90</td><td>黄维祺题记:百鱼报出</td><td>Ⅲ$_2$</td><td></td></tr>
<tr><td>1751.3.1</td><td>清乾隆十六年辛未二月初四日</td><td><137.90</td><td>罗克昌诗记:鱼高水面</td><td>Ⅲ$_2$</td><td></td></tr>
<tr><td>1775.2.14</td><td>清乾隆乙未上元</td><td><137.90</td><td>□□诗;不常缝</td><td>Ⅲ$_2$</td><td></td></tr>
<tr><td rowspan="2">1796.4.25</td><td rowspan="2">清嘉庆元年三月十八日</td><td>137.28</td><td rowspan="2">陈鹏翼等题:至此犹下八尺多</td><td>Ⅰ</td><td></td></tr>
<tr><td>137.19</td><td>Ⅱ</td><td>以八尺五计</td></tr>
<tr><td>1813.2.4</td><td>清嘉庆癸酉新正四日</td><td><137.90</td><td>张师范诗:鱼已见水面</td><td>Ⅲ$_2$</td><td></td></tr>
<tr><td>1875.10.29
～1876.1.25</td><td>清光绪乙亥冬</td><td><137.90</td><td>姚勤元题记:鱼出</td><td>Ⅲ$_2$</td><td></td></tr>
</table>

十、石鱼题刻文字在三峡工程中的应用

枯水资料记载不仅与江河航运、农田灌溉、城市厂矿给水等有关,重要的是与水电建设关系密切。

枯水水量的大小和持续时间的长短,直接影响电站的发电能力,特别是葛洲坝单独运用属库容较小的径流式电站。库容大的三峡电站建成后如何合理调度运用水资源,也值得研究。将石鱼题刻文字枯水水文资料,换算至长江三峡出口宜昌水文站,并与实测期(1877年迄今)系列一起以流量小大排位于表3。可知,1140年枯水为764年迄今1200余年来最枯水位;而持续时间最长的为1796年,迄4月27日才出现低值。水下碑林经长办深入研究后,为已建葛洲坝和在建三峡水利枢纽工程规划设计所应用。

表3 长江宜昌站历史和实测期枯水发生时间及其序位

序位	时间(年、月、日)	年最低日平均水位(m)	年最小日平均流量(m^3/s)
1	1140.2.21	<38.77	约2700
2	1937.4.3	38.87	2700
3	1979.3.8	38.67	2770
4	1987.3.15	38.32	2830
5	1184.3.3	<39.14	<3000
6	1978.3.14	38.84	2950
7	1960.2.9	39.26	2970
8	1796.4.27	39.14	3000
9	1963.2.12	39.23	3000
10	1973.4.1	39.17	3050
11	1909.3.9	39.17	3070
12	1915.3.19	39.20	3100
13	1952.2.20	39.33	3100

注:以流量的小大排位。水位为测站基面以上米数。

参考文献:《文物考古工作三十年》(1949～1979年),文物出版社1979年;龚廷万《四川涪陵石鱼题刻文字调查》,1963年《文物》第7期;长江流域规划办公室等《长江上游宜渝段历史枯水调查》,1974年《文物》第8期;汪耀奎:《夔门水囊重裁剪》,1986年《地理知识》第6期;长江流域考古队四川分队、重庆博物馆:《长江上游水文考古展览简介》(铅印单行本);重庆市博物馆:《略谈长江上游水文考古》,1975年《文物》第1期;谭维四《水文考石开拓了文物考古学应用的新领域(代跋)》,长江流域规划办公室库区规划设计处编,1990年《葛洲坝工程文物考古成果汇编》。

(此文摘自《长江志季刊》1997年第1期)

三峡工程历史回顾

三峡工程防洪专题论证(摘要)

彭 登 模

1986年7月,根据党中央、国务院中发〔1986〕15号文《关于长江三峡工程论证工作有关问题的通知》精神,由有关部门和地方的3名顾问、23名专家组成三峡工程防洪专题论证专家组(专家组组长及成员名单见《中国三峡建设年鉴·1994》卷),集中近两年的时间(1986年7月至1988年3月)对三峡工程防洪专题进行了以下论证工作。

一、专家组第一、二、三次会议

1986年8月25日至9月1日,在北京召开专家组第一次会议,会上由长江流域规划办公室(以下简称长办)汇报了长江中下游防洪形势和防洪要求、1949年以来的防洪治理及规划工作、1980年平原防洪方案的内容、三峡工程防洪规划的研究成果。专家组根据长江的具体情况及已有研究成果,根据论证的要求,讨论拟定了"专题论证工作纲要",确定着重论证:(1)长江中下游防洪形势和防洪要求;(2)三峡工程在长江中下游防洪的地位和作用;(3)无三峡工程长江中下游的防洪方案和措施;(4)三峡工程对上下游防洪的影响等四方面的课题。专家组还确定围绕课题的研究工作仍由长办负责按期提出研究报告交专家组审查。

1986 年 11 月 2 日至 7 日，在汉口召开专家组第二次会议，会上专家组对长办提出的长江上游干支流建库规划及其调度方式、荆江地区遭遇 1870 年洪水的溃口地点及分析方法、单纯加高加固堤防的范围及标准、分洪道方案及汉口至九江河段扩卡的分析材料、三峡水库防洪调度方式及减淹面积计算、洪灾损失调查成果等提出了肯定和补充完善意见。对于退田还湖的作用及可能性展开了讨论，经讨论分析认为，近年来围湖造田已经得到控制。但是如果大量退田还湖，并不现实可行，其主要原因是：(1)建国以后围垦的圩区有耕地 800 万亩，安置人口约 500 万，现在大都是人口密集经济发达的地区，退田还湖就需要大量移民，造成经济损失很大，安置问题很难解决；(2)已围垦的湖泊洼地，在一般年份和中小洪水时，并不需要负担分洪任务，在遇大洪水时，由于洪水主峰到来前湖泊洼地已蓄满，也不能起到有效的调蓄作用；(3)如果恢复天然湖泊通江，大部分平原圩区渍涝灾害将很难解决。通过分析研究认为，控制盲目围垦湖泊、滩地是完全必要的，但大面积退田还湖，防洪的作用不大，而且难于实现；至于圩垸以内适当退田还湖，增加涝水调蓄能力，增加水产养殖面积是合理的，应当提倡。

1987 年 3 月 5 日至 10 日，在北京召开防洪专家组第三次会议，参加这次会议的有防洪专家组顾问和专家(或代表)20 人，水文、综合经济等有关专家组代表。科委科技发展中心、三峡总公司代表、长办参加防洪论证有关人员、防洪专题工作组和联络员等共 42 人。三峡工程论证领导小组成员苏哲文和综合规划与水位专题组顾问崔宗培参加了会议。会议讨论了工作组提出的“长江三峡工程防洪专家组汇报提纲(讨论稿)”。听取了长办提出的部分专题汇报，对 1987 年论证工作作了安排。

根据三峡工程防洪论证要求和当时工作进展情况，经讨论研究，要求长办和有关单位会后着重进行下述论证工作：(1)分析研究 1980 年长江中下游防洪座谈会规划方案的实施安排问题；(2)全面分析论证三峡工程的防洪经济效益，准备在适当时间召开专门小型座谈会进行讨论；(3)进行三峡工程防洪调度运用的补充分析研究，着重对中游城陵矶站进行补偿调节和三峡工程与分蓄洪区、中游骨干水库联合调度运用方式进行研究；(4)分析研究三峡工程建成运用后对上、中、下游河道防洪除涝以及河道泥沙冲淤变化的影响，(5)研究荆江河段四口建闸与三峡工程配合运用对荆江河段和洞庭湖区的防洪作用和影响；(6)分析研究三峡工程对武汉市防洪的作用和影响；(7)进一步对水库“超蓄”问题进行调查分析。

经酝酿，初步定于 5 月份，由工作组和部分专家组成考察组，对三峡工程由于淤积回水水位抬高对于干支流防洪、排涝的影响进行现场考察，于六七月间召开第四次防洪专家会议。

1987 年 5 月，为论证三峡工程的防洪经济效益，防洪专家组和长办于 5 月 27 日至 31 日，在武汉召开了“长江中下游洪灾损失讨论会”。参加这次会议的有：湖北、湖南、安徽、江西省水利(水电)厅(局)和水利(水电)勘测设计院；武汉市水利局、防汛指挥部、陕西省安康、安徽省宣城地区水利(水电)局；湖北省荆江分洪区建工部、洪湖防洪排涝工程指挥部、湖北省洪湖县水电局、湖南省安乡县水电局、安徽省宣城县、郎溪县水电局、江汉油田、水电部长江流域规划办公室和三峡工程论证综合经济、综合水位、水文专家组等代表共 51 人。会议并收到各单位提供的交流资料 25 份。长办在会上介绍了三峡工程的防洪作用和经济效益初步分析成果。长江中下游平原区近年来受到洪灾的安康、宣城地区的代表，在大会上介绍了因洪灾造成的各种损失的情况，荆江分洪区、洪湖以及长江中下游地区的代表介绍了近年来进行的洪灾损失调查和估算成果。在大会交流的基础上，与会代表又分组，就农村、城镇和重点工业企业洪灾直接经济损失、间接经济损失的调查估算方法，损失率的分析确定，洪灾损失的综合经济指标等进行了热烈讨论。

与会代表认为，长办和各地近年对洪水灾害损失做了大量的调查研究工作，提交会议的材料是分析研究长江中下游洪灾损失、论证三峡工程防洪效益十分宝贵的成果，特别是近年来遭受洪灾的安康、郎溪、宣城等地区的调查资料，对分析研究长江中下游洪灾损失，更具有很重要的参考价值。对洪灾损失进行调查研究，是近年来才开始开展的，由于问题比较复杂，又没有成熟的经验和统一的办法，因此，现有资料中调查估算方法、损失率的取值等，都还存在一些问题。会议建议各单位在现有资料的基础上，结合统计部门的资料，根据这次会议讨论意见和各地经验，继续进行调查分析和研究，使估算成果更接近实际，这不但可为论证三峡工程防洪效益提供科学依据，对论证评价各地区防洪工程的合理性、可行性和了解洪灾可能造成的损失情况，也具有重要的参考作用。

洪灾造成的经济损失不仅与防洪工程有关，而且随社会、经济发展状况和价格水平而变化。经过讨论，为与三峡工程论证有关专家组协调一致，希长办统一以 1986 年作为基准年，并用该年的社会、经济状况和价格水平，作为分析估算现状洪灾经济损失的基础。引用各年的统计资料时，应进行换算，使其统一在 1986 年水平上。关于价格问题，代表们认为这是一个较难确定的问题。目前主要是为配合三峡的防洪经济论证，原则上可暂时根据各地具体情况，采用现行价格计算。关于理论价格问题，由于国家未作统一规定，有待今后进一步研究。

会议对长办和长江中下游各地区提出的洪灾损失调查估算成果，进行了分析和讨论，一致认为，现有资料内容丰富，反映了中下游不同地区的情况，洪灾损失估算方法基本可行，对某些数值进行分析和适当调整修改后，其成果可作为论证三峡工程防洪经济效益的依据。

长江中下游平原区地域辽阔，对各地区的洪灾损失，都进行同等的调查研究，工作量大，困难多，也无必要。代表们认为，以典型地区的综合指标结合各地区的具体情况进行估算是合理可行的，长办将中下游圩垸和洲滩民垸分为三种类型，分别综合确定各类型区的洪灾损失综合指标（人均、亩均）是可取的。为使所定的综合指标更具有代表性，更接近各类型区的平均情况，希长办在现有的基础上，更广泛地利用各地区的调查估算成果，进行综合分析，作适当的调整。

根据长江中下游的情况，希进一步搜集京广、汉丹铁路；江汉油田和长江航运方面的有关资料，研究铁路中断、航运受阻、油田被淹造成的损失的估算方法和指标。

二、替代方案第一、二次讨论会

1987年6月25日至7月1日，根据三峡工程论证领导小组第四次扩大会议要求，在北京召开了三峡工程防洪替代方案第一次讨论会。参加这次会议的有：防洪和综合水位组的顾问、专家、工作组成员、联络员；水文、泥沙、经济综合评价组的部分专家和顾问；同时还邀请了长江流域内的四川、重庆、湖北、武汉、湖南、安徽、江西、江苏和上海等省市水利部门的有关领导和专家参加了讨论研究。领导小组成员、特邀顾问和有关学会的理事长也都出席了会议，对会议进行了具体指导。

这次会议主要目的是在三峡工程初选水位方案后，对比三峡工程的防洪作用，研究不建或缓建三峡工程的情况下，长江中下游平原地区的防洪替代方案，为全面比较论证三峡工程的技术经济可行性作必要的准备。长办为会议作了《三峡工程防洪替代方案的研究报告》，并对几个主要问题进行了补充说明。

这次会议，主要有三方面的收获：

（一）分析了长江流域的防洪形势存在的问题和解决长江中下游防洪问题的方向

与会代表根据各个地方的防洪工程设施现状和存在的问题，普遍认为长江中下游平原地区人口密集、经济发展速度很快，又是今后经济建设的重点地区，当前沿江大中城市、平原、湖区的防洪能力远远不能适应这些地区社会经济发展的需要。堤防防洪能力有一定限度，在遭遇较大洪水时，即须利用分蓄洪区分蓄超量洪水。而这些分蓄洪区都是人口多、粮食和经济作物的高产地区，分洪后将使这些地区遭受重大损失，社会影响也很严重；特别是在遭遇历史特大洪水时，荆江河段行洪能力不足，安全没有保证，南北两岸都有漫溃危险，可能发生大量人口伤亡的巨大灾害。为了给长江中下游平原地区社会经济发展创造安全稳定的良好环境，普遍希望加快长江中下游平原地区防洪建设的步伐，尽早制定进一步提高防洪能力的规划措施方案。长江上游四川盆地洪水灾害也十分严重，也应积极研究解决办法，安排治理措施。

与会代表一致认为：1972年和1980年两次长江中下游防洪座谈会拟定的长江中下游平原地区防洪方案，是贯彻"蓄泄兼筹，以泄为主"的方针，按照经济和安全原则，经过多种方案比较研究和地区之间协商认可，并经国务院同意的方案，应当抓紧时机，加快实施，尽早达到规划要求，使中下游各段河道防洪能力有所提高，进一步减少分蓄洪区的使用机会和淹没损失。

讨论中很多同志提出：由于自然和人为的原因，河道行洪障碍日渐增多，行洪能力普遍下降，通江湖泊调蓄能力继续降低，因此在研究防洪规划方案时，应考虑这一因素。同时要认真搞好河道清障工作，加强水土保持，减少河道淤积，并严禁围垦或乱占湖泊水域和行洪洲滩。要加强行洪河道管理，制定防洪法规。这些工作都是水利和防汛部门的经常性任务，建议有关部门加强这方面的工作。

（二）进一步明确三峡工程的防洪调度原则、方式和防洪作用

这次三峡工程防洪替代方案研究报告中对初选正常蓄水位175m方案的防洪调度原则、方式和对不同河段的防洪作用，作了进一步的分析研究。说明在长江中下游平原地区防洪工程体系中，三峡工程具有重要地位，不仅在特大洪水时能够有效控制上游洪水来量和保证荆江河段行洪安全，而且还有可能在一般大洪水时充分利用防洪库容，对下游控制性河段进行洪水补偿调节，在很大程度上减少了平原分蓄洪区的使用机会和淹没损失。在讨论中，要求进一步研究三峡工程与中下游分蓄洪区和支流水库联合调度运用的合理方式和水库淤积及对下游河道冲淤变化的影响。讨论中绝大多数代表认为三峡工程对武汉市的防洪作用是肯定的。由于汉口以上洪水来源组成情况和防洪控制因素复杂，情况不同，三峡工程对武汉市的防洪作用也不相同。有的同志认为，三峡工程修建后，汉口河段将发生淤积，害大利小，应当进一步研究。

（三）针对三峡工程防洪替代方案进行了广泛深入

的讨论,初步明确了替代方案的研究范围和方向

三峡工程防洪替代方案,从比较确切的意义上讲,就是要寻找一种与三峡工程防洪作用等效或接近等效的,并可与三峡工程防洪作用进行比较的方案。三峡工程的防洪作用是多方面的,但主要作用集中在两个方面,即:(1)利用三峡工程220亿m^3防洪库容的调洪作用,可以使100年一遇洪水枝城下泄流量不超过荆江河段安全泄量56700～60600m^3/s,在1000年一遇洪水或历史特大洪水(1870年洪水)时枝城流量不超过80000m^3/s,在荆江分洪区的配合运用下,荆江河段安全行洪;(2)利用三峡工程防洪库容,在大水年和特大水年减少荆江地区和城陵矶附近地区分蓄洪量。经过讨论分析,无论从蓄的方面(上游修建干支流水库)或泄的方面(扩大中下游河道泄洪能力)研究,都很难找到与三峡工程防洪作用等效或接近等效而同时又现实可行的方案。研究报告中,有的方案,如上游修建猫儿峡、温塘峡、偏窗子等水库群,可以起到接近三峡工程的防洪作用,但淹没土地和迁移人口很多,远远超过三峡工程的初选方案,现实性很小;中下游河道较大幅度的加高堤防或较大规模的开辟分洪道,虽然可能大量减少分蓄洪量,但工程量巨大,占地和迁移人口多,沿江两岸已有水利交通等工程设施改建重建任务非常艰巨,而且堤防失事风险加大,因此也非现实可行;大规模的裁弯开卡,不仅工程艰巨,作用有限,而且增加上下游矛盾,也是难以实现的。通过讨论,绝大多数的同志认为上述这类方案不必继续深入研究。

在找不到与三峡工程防洪作用等效或接近等效方案的情况下,大家认为只能集中研究不建或缓建三峡工程时长江中下游平原地区防洪措施方案。这种方案应该力求做到第四次领导小组扩大会议水位选择方案研究报告中对长江中下游平原地区的防洪要求,即:(1)荆江河段的防洪标准不低于100年一遇,并在遭遇类似1870年历史特大洪水时,保证荆江河段行洪安全,防止南北两岸发生毁灭性灾害;(2)长江中下游以防御1954年型洪水为目标,在各种防洪工程设施互相配合下,确保武汉市等大中城市和重要平原圩区的安全,随着堤防和干支流水库的建设,逐步缩小分蓄洪区的范围和损失。通过讨论,大家认为长江中下游平原地区防洪措施方案,是一个大的系统工程,这类方案在上述总的防洪要求下,还必须对长江中下游不同河段、不同地区、不同保护对象,通过分析论证,确定不同防洪标准。在工程措施方面,要采取加高加固堤防、江道整治、加固完善分蓄洪工程、修建干支流水库等综合措施,合理有机地配合使用,并考虑非工程措施的作用;这类方案是在实现1980年确定的长江中下游平原地区防洪方案基础上进行的。长办在这次会议上推荐的"中游加固堤防,扩大并完善分蓄洪区与上游水库联合运用的方案",基本上是符合上述要求的,但在研究的广度和深度方面都不够,需要以此为基础进行更广、更深和更具体的研究。

根据上述讨论精神,会议认为三峡工程防洪替代方案或不建(或缓建)三峡工程时,长江中下游平原地区防洪措施方案,应重点研究以下问题:

1.进一步分析研究1980年长江中下游平原地区防洪方案的具体工程安排,工程完成情况和今后实施方案。

2.通过分析论证,提出长江中下游平原地区不同河段、不同保护对象的防洪标准。

3.在实现1980年长江中下游平原地区防洪方案的基础上,研究荆江河段加固堤防的特别措施和进一步适当加高堤防(如0.5m左右)的可行性。

4.根据不同情况(如建三峡工程或不建三峡工程等)研究中下游分蓄洪区的加强和完善措施,如进洪退洪口内建闸、分蓄洪区的安全设施等问题。

5.研究不建三峡工程时,上游干支流水库的作用。要在原有研究基础上考虑,能否再增建一批有防洪作用的水库;水库增加防洪库容时防洪的调度运用方式和对宜昌以下的防洪作用;要研究有比较显著防洪作用的干支流水库提前兴建的规划安排;要重点研究嘉陵江洪水控制调节的工程措施。

6.中下游支流水库对本支流中下游及尾闾地区的防洪有明显作用,要作出轮廓的规划安排。

7.根据以上问题的论证研究,提出不建(或缓建)三峡工程时长江中下游平原地区防洪的综合措施方案、并分析提出相应的工程量、投资和效益。

按照论证领导小组听取汇报时的指示精神,防洪专家组将与长办共同研究提出今后防洪论证计划,并抓紧进行,希望在一个不长的时间内,能提出一个比较全面的方案,供防洪专家组和论证领导小组审议。

1987年11月18日至23日,召开了三峡工程防洪替代方案第二次讨论会。参加这次会议的有:防洪、综合规划和水位、水文、泥沙、综合经济评价等专家组的顾问、专家、工作组成员和长办联络员;四川、重庆、湖北、武汉、湖南、江西、安徽、江苏、上海等省市水利部门的领导和专家,以及水电部有关司局的同志共62人。论证领导小组特邀顾问马宾、李伯宁、胡兆森、王京、孙越崎、毕大川以及其他顾问的代表和水电学会理事长李鹗鼎等同志出席会议进行指导。

会议由论证领导小组副组长、综合规划和水位组主持人陆佑楣同志在会议开幕时讲话,说明自第一次讨论会以来各方面所做工作情况和会议安排,长办汇报了《三峡工程替代方案补充研究报告》,防洪专家工

作组对几个专题论证报告作了说明。出席会议的顾问、专家和代表进行了分组讨论和大会发言。根据会议讨论情况,防洪专家组和综合规划水位专家组的正副组长和工作组组长,综合整理了会议中各位专家、顾问和代表们的主要意见和建议,并据此研究了今后防洪论证工作的意见,在 11 月 22 日下午向论证领导小组和特邀顾问作了汇报,他们同意有关汇报内容,并对今后防洪论证工作的安排作了指示。汇报内容如下:

(一)主要意见和建议

1. 大家认为,上次会议以后,长办和防洪专家工作组对上次会议中专家代表们所提意见作了比较深入的补充论证和专题研究工作,工作是有成效的,论证工作的深度和广度有所提高和进展。

2. 专家和代表们基本同意长办在这次会议上所提《三峡工程防洪替代方案补充研究报告》中的"初步结论"。大家认为:对照三峡工程在长江中下游平原地区防洪中的作用和地位,通过各方面所进行的分析研究,找不到现实可行的等效替代方案,如果不建或缓建三峡工程,在完成 1980 年提出的《长江中下游近十年防洪部署报告》中所安排工程的基础上,长办提出"长江中游加固堤防、扩大并完善分蓄洪区与上游干支流水库联合运用的方案"是进一步改善长江中下游平原地区防洪能力的主要途径,舍此以外还找不到更好的办法。但是,长办所提方案,在近期荆江河段遭遇 100 年一遇洪水时,只是提高了按规划要求行洪、分洪的可靠性,并没有减少分蓄洪量和淹没损失,大量人口临时撤退的困难没有丝毫改变;遭遇 100 年一遇以上的特大洪水时,仍须采取较大规模的临时扒口分洪措施,荆江两岸的行洪安全缺乏保证,失事出险的可能性很大,一旦出险仍可能造成难以控制的损失和大量人口伤亡,而且在分蓄洪安排和防汛修守工作中地区之间的矛盾难以妥善解决。因此,其效能是无法与三峡工程进行比较的。即使过若干年之后,当上游干支流水库陆续建成投入运用,由于对荆江河段洪水的调蓄作用很小,减少的分蓄洪量有限,因此充分利用河道泄洪能力,配合分蓄洪区运用,将是长江中下游防洪最主要的措施,严峻的长江中下游防洪形势不能得到明显的改善。

关于长江上游干支流水库,大家普遍认为:这些水岸都具有较好的综合利用效益,是全流域水资源开发利用规划中的重要组成部份,不论三峡工程是否兴建,从解决四川盆地水旱灾害和开发水电、发展灌溉航运的角度考虑,都应该逐步兴建,而且也正在逐步兴建中。如果以防洪为主,为解决长江中下游洪水而修建这些水库,从防洪作用和经济合理性、现实可行性考虑都是难以实现的。而且危害荆江河段的特大洪水,主要来自干支流主要水库枢纽以下至宜昌区间,具有较大库容的上游干支流水库基本上难于发挥作用。因此,长江上游干支流水库的修建在经济发展中具有重要作用,但作为三峡工程防洪替代方案的主要组成部分缺乏实际意义。

3. 防洪专家组绝大多数专家和其他许多专家代表认为:这次会议长办提出的方案,无论从防洪的作用、效益、运用的可靠性等方面考虑,都无法与三峡工程进行对比,也起不了三峡工程防洪的替代作用,因此不宜称为三峡工程的"防洪替代方案",为避免引起误解,建议不称作"替代方案",改为"无三峡工程长江中下游平原地区防洪规划方案",与"有三峡工程长江中下游平原地区防洪规划方案"并列,供分析研究。大家认为:不论有无三峡工程,对长江中下游地区的防洪,都应进行全面的规划和安排,各种工程设施和上下游地区的治理措施均应互相配合,形成完整的工程体系。

4. 对无三峡工程长江中下游平原地区防洪规划方案,建议作进一步的研究和调整。

(1)在方案中提出的上游干支流水库中,碧口、洪家渡、独松、苗家坝、武都等水库防洪作用很小,可从方案中除去,其他水库的运用方式和防洪作用也应进一步落实。对已建和在建水库枢纽工程投资,应分别计算,不再作为需要增加的投资。

(2)湖南、湖北两省的专家和代表对荆江两岸分蓄洪区的安排和控制运用有不同意见,建议对新扩大的分蓄洪区和分蓄洪区的运用方式进行认真研究。

(3)分蓄洪区的安全建设是有效使用分蓄洪区的重要条件,虽然在这次会议中已经提出初步研究意见,但全面完成所需资金巨大,应按群众自力更生与国家支援相结合的原则,区别不同使用情况,提出不同要求,作出具体安排。所需国家投资应作为规划方案总投资的一个组成部分。

(4)长办所提方案中缺乏总的投资效益分析,应予分析补充。

5. 中下游沿江各省市的专家代表提出:城陵矶以下的长江中下游河段,1980 年提出的长江中下游近十年防洪部署报告"中所安排工程,不能适应按规划要求的行洪控制水位安全行洪,要求进一步做出必要的安排。

6. 许多代表和专家认为:洞庭湖是长江的重要分洪道和洪水调蓄场所,由于自然和人为原因,长期以来存在问题很多。这次会上长办提出了《洞庭湖治理方案的研究》材料,反映了洞庭湖存在问题和治理意见,是必要的。但是,分析研究还不够全面,须进一步研究提出在三峡工程兴建以前和以后现实可行的治理方案。

7. 一些专家和代表提出:根据调查,1870 年和

1981年，四川洪水灾害十分严重，不可忽视，在研究长江中下游防洪问题的同时，应研究治理解决四川洪水的办法，并有所安排。

8. 关于长江的防洪标准问题，大家认为是一个极为复杂的问题。这次会议中提出的报告拟定的防洪标准，对长江中下游平原地区总的要求来说是必要的，但对各个河段的具体要求，还有不同看法，需要进一步的分析研究。

9. 一些专家和代表提出：长江的泥沙问题十分重要，分析研究长江流域的防洪问题时必须同时考虑泥沙问题。如三峡工程建成后，由于嘉陵江水系来沙较粗，在库尾淤积后，可能影响排洪和航运。三峡建库后下泄清水，可能引起下游河道的冲刷，将带来各种新的问题，影响防洪安全，须抓紧进行分析研究。

10. 武汉市的防洪安全问题十分重要，有的专家和代表提出三峡工程对武汉市的防洪作用还不够清楚，应进一步分析研究。三峡工程对武汉市防洪的利害得失应给予比较明确的回答。

11. 由于自然和人为原因，当前长江河道水情已有变化，对防洪有一定影响。建议长办在对长江主要河段和控制站行洪能力分析研究的基础上，在研究防洪方案时，考虑这一因素。

（二）根据这次会议讨论的结果并联系6月下旬第一次“替代方案”讨论会的一些意见，对三峡工程防洪论证工作今后的要求和安排，提出以下意见：

1. 通过两次三峡工程防洪替代方案的讨论，可以认为对所谓“替代方案”的研究，虽然在具体问题上还有不同看法，方案内容也还不够完备，但在总体规划安排和工程布局方面已经取得了一致的看法。对此项工作，可以根据两次会议中所提意见进行补充修订以后，提出一项比较完整的无三峡工程长江中下游平原地区防洪规划方案，纳入防洪论证报告，供综合分析和领导部门决策参考。

2. 对于三峡工程本身的防洪调度运用方式、防洪作用、防洪效益应进一步补充整理和完善，同时还应补充研究长江中下游需要安排兴建的配套工程设施，使三峡工程能够充分发挥防洪作用。在此基础上，作出有三峡工程时长江中下游平原地区防洪体系的总体安排。

3. 要抓紧研究三峡工程建成运用后，库区和水库以下由于水沙情况的变化，对库区围边地区和中下游河道防洪的影响，要求与泥沙研究工作配合，提出专门的报告。

4. 三峡工程对武汉市的防洪作用，须进一步研究明确，在三峡工程防洪作用中作出具体论证。

5. 对长办和防洪专家工作组已经提出的各项专题研究报告，应抓紧修改补充提出成果。

6. 这次会议期间，防洪专家组专门讨论了“三峡工程论证防洪专题组论证报告编写提纲”（讨论稿），要求根据讨论意见尽快修改提纲，组织力量，起草论证报告，尽快提出讨论稿，提请防洪专家组的专家和顾问进行研究修改。

此外，这次会议中论证领导小组特邀顾问孙越崎先生和其他专家对长江流域洪水灾害的根源和防洪工作的方向原则提出了一些新的见解和建议，其中有些问题长办和有关部门已经作了研究，并在组织实施，有些问题将在今后论证工作中进一步研究。

（三）这次会议中，沿江各省的专家和代表提出：当前长江流域上、中、下游防洪问题都很严重，1980年提出的“长江中下游近十年防洪部署”还不能适应这些地区社会经济发展的需要，进度也较缓慢。要求有关部门认真研究，全面规划，进一步统筹安排，加快实施步骤，对四川盆地的水灾问题，也应安排解决。这些工作是水利部门的正常工作，我们将提请水电部规划、计划部门加紧研究，在水利建设的长远计划中进行部署调整和研究安排。有些问题涉及流域规划的问题，建议在编写《长江流域规划要点报告》中进行研究论证，提出全流域的防洪规划方案。

三、论证审议及结论

1988年3月11日至17日，防洪专家组在北京召开了专家组会议，对三峡工程防洪的主要问题进行了认真讨论，取得了基本一致的意见，并通过了提请三峡工程论证领导小组扩大会议审议的《长江三峡工程防洪专题论证报告（审议稿）》。防洪专家组的论证结论及专题报告目录列述如下：

（一）论证结论

1. 长江流域洪水灾害普遍存在，其中长江中下游平原地区洪水灾害集中频繁严重，对全流域以及全国国民经济发展有重大影响。荆江河段南为洞庭湖区，北为江汉平原，东接武汉市，洪水威胁最为严重，是长江中下游地区的防洪重点。

长江中下游防洪的突出问题是洪水来量大，河道泄洪能力不足，缺乏有效调节控制工程，广大平原地区地面都在洪水位以下，防洪标准普遍较低，遇较大洪水，防守困难，被迫采取分蓄洪措施，损失巨大。荆江河段尤为突出，一般大洪水分蓄洪淹没损失占中下游平原淹没损失的70%以上。遭遇特大洪水时，荆江南北两岸堤防存在漫溃危险，可能发生人口伤亡的毁灭性灾害，其后果难以估计；洞庭湖区河湖不断淤积，洪水威胁逐年加重，江湖行洪矛盾日趋尖锐，中下游湖区圩垸及支流尾闾防洪标准很低，有待提高。从全局考虑，提高中下游平原地区防洪标准，保证荆江河段行洪安全，防止特大洪水时发生毁灭性灾害，是长江中下游防洪的迫切任务。

2. 根据长江中下游平原地区社会经济发展水平和全国经济发展布局的要求，本地区防洪目标是：(1)荆江河段的防洪标准应不低于100年一遇，并能在遭遇类似1870年历史特大洪水时，配合分蓄洪措施，保证荆江河段行洪安全，防止南北两岸堤防漫溃发生毁灭性灾害；(2)长江中下游(荆江河段以下，包括洞庭湖区)以防御1954年型洪水为目标，在各类防洪工程设施配合运用下，确保武汉等大中城市和重要平原圩区的安全；(3)随着干支流水库和堤防的建设，逐步减少分蓄洪区的使用机会。

3. 长江中下游平原地区的洪水来源、灾害成因和灾害时空分布规律各地差异很大，解决防洪问题必须按照"蓄泄兼筹，以泄为主"的方针，采取综合措施，通过加固加高堤防、整治河道充分发挥河道泄洪能力，修建干支流水库有效控制洪水；再配合分蓄洪区的运用和非工程措施，调蓄控制超量洪水，以逐步提高江河湖区的防洪际准，减少分蓄洪区的使用机会和分蓄洪损失。依靠任何一类单一措施或某一单项工程都不能达到预期目的。

4. 根据各种增加长江中下游河道泄洪能力方案的分析比较，1980年原水利部提出的《长江中下游近十年防洪部署报告》中所定长江干流控制站行洪控制水位，已现实合理地发挥了河道泄洪能力，《报告》中所安排各项工程措施，无论是否修建三峡工程，都应尽快实施完成。长江中下游各分蓄洪区是防洪体系中的重要组成部分，无论是否兴建三峡工程也应按照使用机率和具体条件，采取政府资助与群众自力更生相结合的办法，逐步进行安全建设和必要的工程设施。

5. 长江上游结合水资源综合开发利用修建一批干支流水库，从解决四川盆地的洪水灾害、开发水电、发展灌溉航运的角度考虑，都是必要的。这些水库对中下游防洪虽然也有一定作用，但由于不能有效控制水库以下宜昌以上区间暴雨洪水，削减荆江洪峰流量作用很小，不能解决最迫切的荆江河段行洪安全问题。中下游支流控制性水库无论三峡工程是否修建，也应有计划的实施。

6. 三峡工程位置优越，能有效控制宜昌以上洪水，是长江防洪体系中不可替代的重要组成部分。

三峡工程的主要防洪作用是：使荆江河段防洪标准达到100年一遇以上，在特大洪水时(如1870年洪水)保证荆江河段行洪安全；减少平原湖区分蓄洪负担和损失；有效控制汉口以上干支流洪水，提高武汉市防洪设施可靠性和调度运用的灵活性，并为松滋口等四口建闸和洞庭湖治理创造了有利条件，使江湖矛盾得到缓解。三峡工程受防洪库容的限制，直接防洪作用主要在荆江河段，但对武汉市也能起到保障作用。

7. 三峡工程的规模和设想的防洪库容，可以初选方案，即正常蓄水位175m，防洪限制水位145m，坝顶高程185m，防洪库容221亿m^3作为可行性研究阶段的基本方案。水库防洪调度方式应在保证特大洪水时荆江河段行洪安全和不加重库区淤积的前提下，充分利用防洪库容对水库以下沙市、城陵矶河段洪水进行补偿调节，以尽可能地减少一般大洪水时的分蓄洪损失。

8. 三峡工程的防洪效益主要表现在两个方面：(1)多年平均防洪效益，用以说明工程投入产出的长期经济合理性；(2)特大洪水(主要考虑历史上曾经发生过的1870年洪水)时的防洪效益，用以说明防止特大洪水带来的巨大冲击和损失，稳定本地区社会经济发展所起到的特殊作用。多年平均效益，以平均淹没耕地面积的综合损失表示，通过各种不同方法计算为30～40万亩，按1986年水平单位面积综合损失指标折算约为6.6～8.8亿元.特大洪水防洪效益中许多方面，如免除大量人口伤亡，疾病流行，南北交通中断，生态环境破坏等所造成严重社会影响和巨大间接经济损失，难以用经济指标衡量外，仅按可计算的部分分析估计，可减少经济损失约350亿元。

9. 根据泥沙专家组论证结果，三峡工程建成后，水库淤积达到平衡时，防洪库容将仍能基本满足防洪要求，水库淤积在初期运用阶段对重庆市等沿江城市防洪影响不大，运用100年后，100年一遇洪水时，重庆朝天门最高洪水位将达199.09m。超过成渝铁路菜园坝车站控制高程，必须采取措施加以解决。在三峡工程建成后宜昌至汉口河段将普遍冲刷，长江干流河道排洪能力将有所提高，分流入洞庭湖的水沙将减少，总的来说对防洪有利。宜昌以下河道，局部河段可能刷深较大，险工护岸工程将产生局部变化，由于这种变化发展缓慢，可以及时采取措施不至造成严重局面。

10. 在不建或缓建三峡工程的情况下，尚无与三峡工程等效或接近等效的替代方案。为了改善长江中下游防洪能力，除了结合水资源综合开发利用和支流防洪需要兴建上游干支流水库外，只能在中下游现有防洪工程设施的基础上进行堤防加固、分蓄洪区进行安全建设和修建进洪泄洪闸等措施。在荆江河段使遭遇100年一遇洪水时，仍采取紧急措施，扒口扩大分洪。其它河段在遭遇1954年洪水时分蓄洪条件有所改善。这一措施，是在不建三峡工程时，不得不采取的方案，分蓄洪损失、临时人口撤退和防汛的困难形势都没有明显改变；在超过100年一遇洪水，特别是遭遇类似1870年的历史特大洪水时，则防洪形势与现状一样，荆江河段南北漫溃的可能性仍然很大，造成人口大量伤亡的毁灭性灾害的威胁依然存在。

11. 由于水土流失加剧、人为设障、盲目围垦河湖洲滩，河道行洪能力不断下降，长江流域洪水灾害有加重的趋势。必须在全流域积极推行水土保持，坚持河道清障和严禁继续围垦占用河湖洲滩，以保持河湖蓄泄能力。

12. 长江中下游防洪工程体系由江河湖区堤防，干支流水库和分蓄洪区相互配合组成，各类工程措施均有特定的防洪作用。在总体防洪规划中是没有重复和矛盾的。在国家财力安排允许的情况下，结合发电、航运的发展需要，解决长江中下游防洪，特别是荆江河段行洪安全问题，修建三峡工程是必要的和经济合理的。

（二）需要进一步研究的几个问题

1. 由于自然和人为因素，长江中下游河道泄洪能力逐年下降，今后除加强管理和积极进行河道清障外，应加强观测和分析研究，在防洪规划中应考虑这一不利因素，进行河道整治规划并对分蓄洪区进行必要的调整。

2. 干支流不同河段，不同堤防圩垸防洪标准应进一步研究论证，逐步明确。

3. 三峡工程与上中游干支流水库和中下游分蓄洪区如何进行联合调度运用，以取得最优效果，必须进行系统分析研究，协调各项防洪工程的调度运用原则，修订分蓄洪区的调度运用制度，并加强对长江上中游暴雨中长期预报的研究。

4. 三峡工程建成后，为四口建闸控制、洞庭湖区治理和解决荆江河段防洪矛盾创造了条件，今后应对调整江湖关系、洞庭湖区治理和鄱阳湖的控制和治理进行具体规划和研究。

5. 三峡工程建成后，对库区库尾淤积和宜昌以下长江河道冲淤变化及其应采取的相应措施，均须进行深入的研究做出安排。

6. 四川省的洪水灾害相当严重，但各地区情况复杂，洪灾性质和成因不同，应积极进行研究规划，建议有关部门和地方做出相应安排。

7. 在完成 1980 年确定的长江中下游近期防洪部署中所安排工程以后，长江中下游防洪薄弱环节仍然很多，需进一步研究完善防洪工程设施的有效措施，并建议有关部门和地方逐步实施。

（三）长江三峡工程防洪专题论证报告目录

专题报告一：荆江地区遭遇 1870 年洪水南岸或北岸溃决的可能性及灾害分析；

专题报告二：长江上游干支流建库对中下游防洪作用的研究；

专题报告三：有三峡工程长江中下游防洪方案研究报告；

专题报告四：无三峡工程长江中下游防洪方案研究报告；

专题报告五：洞庭湖治理方案的研究；

专题报告六：三峡工程对武汉市防洪作用的分析；

专题报告七：长江中下游的防洪标准问题；

专题报告八：长江中下游平原地区分蓄洪区的安全建设问题；

专题报告九：三峡工程防洪效益分析（一）；

专题报告十：三峡工程防洪效益分析（二）。

（四）防洪专题论证报告顾问、专家名单（略）

（五）对长江三峡工程防洪专题论证报告的意见

1. 顾问陆钦侃的书面意见

三峡工程防洪专家组、工作组和长办都做了大量工作，作了很多方案，研究得比较细致。我的意见在过去的扩大会议和小组会上提过，最近对论证报告的草稿提供了书面意见。

(1)三峡工程对长江中下游的防洪作用应当说清楚。如遇 1954 年、1931 年、1935 年、1870 年型大洪水，兴建三峡水库后能拦蓄多大洪水？中下游沙市、城陵矶、汉口、湖口的洪水位能否降低？荆江地区、洞庭湖区、洪湖区还要用多少分蓄洪区？与不建三峡工程相比可减少多少分洪量？都应用文字加以说明，给人以明确的概念。

(2)三峡水库的防洪调度究竟采用什么方式比较合理，经论证应加以明确。按枝城流量补偿调节和按城陵矶流量补偿调节，所起防洪作用差别很大。如遇 1954 年洪水，前者仅拦蓄 95～131 亿 m^3，后者可拦蓄 220 亿 m^3，对长江中游所需分洪量相差 90～125 亿 m^3。如遇 1931 和 1935 年洪水，前者还要分洪 90 多亿 m^3，而后者中游可不分洪。湖南和湖北的同志多次提出要求充分利用三峡水库对中等大洪水也起较大作用，就应考虑后者。如果按前者即枝城补偿调节，则明明看着中下游正在大量分洪，造成大量淹没损失，而对三峡水库已经移民的 175m 水位以下却还留着大量库容不去利用，这是非常不合理的，实际上是决不会这样办的，现在论证报告中，一方面仍然采用不合理的枝城补偿调节作为主要成果，另一方面则认为城陵矶补偿调节的可能性是存在的。这样做法，表面上看似乎对防洪效益留有余地；但实质上则忽视了三峡水库必然大量拦洪而导致严重的泥沙淤积，综合考虑是不安全的。

长办担心按城陵矶补偿调节，“如预报失误，突然出现特大洪水时，将承担一定的风险”。但长江发生大洪水的时间有一定规律，在七八月份已发生大洪水后，是否再会突然出现特大洪水？这种机率有多大。为此保留三峡大量库容而造成中游大量分洪损失是否合理？

(3)三峡水库蓄洪拦沙，对上游的防洪和航运影响如何？我在第七次扩大会议讨论泥沙专题论证报告时曾提出这个问题。如采用城陵矶补偿调节，遇1954、1931、1935年洪水都需要大量拦洪，而应在中下游分蓄洪区退水以后三峡水库才能放水，所以三峡拦洪时间是比较长的，泥沙淤积将是很严重的，需用物理模型试验加以验证。

还应当说明，采用长办提出的枝城补偿调节分级调度方式，泥沙淤积也是很严重的。当流量超过$51700m^3/s$或$56700m^3/s$时，三峡水库就要拦洪，则蓄洪拦沙的机会更多。查宜昌的水文资料100多年中，超过$51700m^3/s$的有53年，超过$56700m^3/s$的有33年。如果采用这种调度方式，也应将蓄洪情况告知泥沙组进行考虑。

三峡水库对上游的防洪影响，也必需考虑泥沙淤积。论证报告中所说遇100年一遇洪水，重庆朝天门水位为199.09m，不知道这个100年一遇洪水所带泥沙是多少？有没有考虑当年蓄洪拦沙的情况？建议考虑实际年份如上游大洪水年1981年和1870年，建三峡后包括蓄洪和泥沙淤积后的回水曲线，将比未建库前壅高多少？这也是三峡工程的防洪问题，希望也作物理模型试验。

(4)1972年和1980年所确定的长江中下游平原防洪方案，是长江防洪的基础，而且可以抓紧进行，及时提高长江的防洪能力，为本世纪末国民经济再翻一番作出贡献，是首先应当完成的。对此方案目前还有大量工程未做好，在此次论证期间曾作过调查，应当把中央和地方尚需完成的工程量和所需投资作一交待。为达到该方案所规定的防洪高水位，堤防加固加高工程还有多少？能否确保在此水位下不致溃决？分蓄洪区建设还有多少工程量？特别是安全设施何时能搞好？这些分蓄洪区，不仅三峡建成前要利用它们，在三峡工程建成后仍有大部分要利用。安全设施不做好，难以顺利利用这些分蓄洪区，分蓄洪区不能顺利利用，关系到广大地区和重点地区的防洪安全，需引起应有的重视。

据调查分蓄洪区的淹没损失很大，平均每亩综合损失达2200元左右。其中大部分是个人财产和集体财产的损失，随着经济发展这些财产还将增长。如果做好安全区、安全台、安全楼房后，这些财产可以保护起来，淹没损失就可大为减少。因此，做好安全设施既是对人民的生命安全负责，也是减少分洪区淹没损失的有效措施。

(5)三峡工程论证领导小组第四次扩大会议要求："提出不上或晚上三峡工程的替代方案"；防洪专家组为此专门召开了两次扩大的讨论会，所得结论(见26期简报)："如果不建或缓建三峡工程，在完成1980年提出的《长江中下游近十年防洪部署报告》中安排的工程基础上，长办提出的'长江中游加固堤防，扩大并完善分蓄洪区，与上游干支流水库联合运用'的方案，是改善长江中下游平原地区防洪能力较为现实可行的办法，应在论证报告中加以明确。"

(6)上游干支流水库对长江防洪的作用，所提13座和16座水库两个方案的有效库容共248～375亿m^3，据估算对长江100年一遇洪水仅能发挥9.4～98.5亿m^3作用，看来也像三峡水库一样，存在水库调度方法的问题。希望考虑比较合理的水库联合调度方式，并计算实际的1954年和1870年等大洪水，将起多大作用。

(7)1870年特大洪水当时的情况是，当宜昌很大的洪峰冲下来时，首先向南冲开了松滋口，大量洪水向南泄入洞庭湖，缓解了对荆江大堤的威胁。那个时候一方面松滋河刚刚冲开，泄洪状况不是很顺畅，另一方面那时的荆江大堤比目前情况也要薄弱得多。在那样的情况下，荆江大堤在监利以上者都没有溃决，仅在监利附近溃口，对荆北平原威胁不大。

现在的情况是，一方面已有现成的松滋河水系，泄洪状况比1870年时要畅顺些；另一方面荆江大堤经100余年已大大加固加高。因此，如果再遇1870年洪水，怎么会让"荆江大堤上段(郝穴以上)发生溃决"呢？为保证荆江大堤不溃决，关键问题是切实加固荆江大堤，这是最重要的。

2. 专家方宗岱的书面意见

为减轻荆江防洪威胁和葛洲坝航运安全，建议在嘉陵江兴建花滩子、亭子口水库及金沙江向家坝水库减沙拦沙。

长江洪灾的成因是：峰高量大，泥沙量多且有日增趋势，堤防薄弱，分洪蓄洪安全措施不落实，加之人口稠密，故江汉平原防洪问题成为我国的心腹之患。因对洪灾成因认识不同，必然对治河方案亦异，我是从泥沙为洪灾成因写这个报告的。

长江洪水是水沙俱下，互为因果。因水是流体易动，而泥沙是固体难于移动，以1870年洪水为例，当年来沙约10亿t〔$105000m^3/s$(1870)/$82500m^3/s$(1981)×8.37(1981年沙量)≈10亿t〕这样大量泥沙泄出峪谷，必然在峪谷出口不远处淤积，抬高水位，故当年冲开南岸松滋口。同理，1788年也是嘉陵江发水，泥沙量亦大，故在荆江大堤北岸最上端冲决消遥湖开始连决22个口，这些都属于急性型的泥沙灾害，还有荆沙河道以每年淤积0.03m的速度上抬，造成沙市低于洪水位16m。居高临下，十分危急。另外自1967年人工裁弯后，使螺山——汉口间淤积约15亿t，螺山水位抬高，目前已阻碍洞庭湖出流，将渐次迫近汉口。这类属于缓慢性型的泥沙灾害，但积年累月为害很大。综上所述，以往所提“蓄泄兼施，以泄为主”的方针是不全面的，应改为“上游减沙拦沙，中游蓄泄兼施、以泄为主”的方针，才是接近治本之策。自古以来，治水不治沙终将失败，可为诫鉴。

葛洲坝的兴建，原以发电为主，周总理审阅报告时，认为不对，应改为航运第一，还说如将来川江航道碍航，将是我党的一大罪过。李先念同志插话说：“若葛洲坝发生川江碍航，是要拆坝的。”因此之故，停工两年，做了大量模型试验，航运是以“静水通航，动水冲刷”为原则，试验是以悬沙为对象运用几年，配合挖沙尚能应付。当时我们几个人认为粗沙碎石一旦到达坝前，将是葛洲坝碍航之日。

目前葛洲坝仅运用7年。水库已被卵石碎石粉沙淤了一部分，淤积大部分在香溪地区以下，占75%。对卵石来说它尚可淤很多年，但对悬浮的粗细沙来说它已接近平衡，当1981年初蓄水时，库内曾淤1.09亿t粗沙，若嘉陵江目前发生1981、1788、1870年型洪水，其来沙约10亿t全部推到坝前，碍航可能性很大。职责所在，不应坐观成败，因此建议在嘉陵江上兴建花滩子水库、亭子口水库和金沙江向家坝水库减沙拦沙，以救所失，亡羊补牢，犹未为晚。

上游减沙措施有三：兴修三峡水库，修建支流水库和水土保持。兴建三峡水库因泥沙淤积，不利于螺山汉口的防洪，水土保持生效迟缓需大力进行，故只有兴修支流水库能较快生效，这是从机理上论证。政协经济建设组提出先支后干缓上三峡的建议是有道理的和有远见的。目前长江防洪工程主要有三项：加固堤防(用25亿元)；分洪蓄洪区安全工程(45亿元)和三个水库(约估30亿元)总共100亿元，或国力能承担，可消除巨患。

若仅仅做前两项工程，因受淤积影响，防洪能力日趋见弱，若采取支流水库拦沙方案，则对四川防洪和荆江防洪均逐渐加强，并对葛洲坝航运有利，从宏观决策考虑，孰为优劣，至为明显，故特上陈，敬希垂察。

3. 专家刘善建的书面意见

(1)三峡工程是提高荆江河段的防洪标准和减轻各分蓄洪区运用机遇的关键性措施，效益明确，同意在有条件时宜及早兴建。

(2)建议对现状条件下再发生1870年洪水时，对有无三峡水库的水情、灾情进一步落实，并在经济分析的基础上对三峡防洪具体任务作进一步论证。

(3)建议对上游干支流水库的防洪作用与效果作更全面的分析，争取做到基本可以与三峡水库对比的深度。

我认为以上两点可能是今后综合研究时的重点，希引起重视。

(六)三峡工程防洪论证中一些主要争论意见(长委谭培伦整理)

防洪是这次论证的重点专题之一。通过论证，进一步认识到长江中下游洪水灾害的严重性，特别是荆江地区的防洪形势更为严峻。三峡工程控制了长江上游100万km^2的洪水，又紧邻荆江河段，采取正常蓄水位175m、防洪限制水位145m的建设方案，具有防洪库容221.5亿m^3，利用它对防洪进行控制调节，是缓解长江中游洪水威胁、防止特大洪水再现时荆江河段发生毁灭性灾害的最有效措施。但在三峡防洪论证中有的专家提出了一些有争议的问题，现将讨论中的主要争论意见，归纳为以下六个问题，记述如下：

1. 三峡工程只能控制长江上游的洪水，其防洪作用有限，并不能解决长江防洪问题

持此种意见的人认为：三峡只控制了全江洪水一半左右，对其余一半无法控制，而这一半洪水常造成中下游的洪灾(如1980年、1983年、1988年)，兴建三峡工程对这样的洪水起不了作用；对长江上游的防洪问题，三峡起不了作用；对各支流的防洪问题，三峡无能为力。总之，三峡防洪作用有限，它不能对长江中下游防洪起关键作用。

讨论认为：兴建任一水库，都有各自的防洪有效范围，而水库工程也只是整个防洪工程体系的组成部分之一，它不可能包揽一切。我们从不认为三峡工程能解决长江的一切防洪问题。长江幅员广大，上游、中下游及一些支流均存在洪灾。但洪灾最频繁、最严重、最迫切需要解决的是长江中下游地区。这一地区的防洪问题又主要是两个方面：一是荆江地区防洪标准很低，靠堤防仅能防御10年一遇洪水，遇到特大洪水将发生大量死人的毁灭性灾害；二是中下游虽已有以堤防及分蓄洪区组成的防洪措施，但堤防的防御标准低(约10～20年一遇洪水)，遇较大洪水就要分蓄洪，而分蓄洪的损失及运用难度均很大。三峡工程兴建后，配合已有防洪工程的作用，荆江防洪问题就得到了比较彻底的解决，对1954年洪水，中下游原需分蓄洪量500亿m^3(淹没耕地800～1000万亩)，三峡工程兴建后可减少94～220亿m^3，即减少了18.8%～44%(与防洪调度方式有关)。对武汉市防洪也有很大作用(后述)。以上这些说明对长江中下游防洪起着关键作用。

对于三峡工程对洪水的控制作用，也要实事求是地进行分析，三峡控制洪水的比重，与洪水典型有关，大致是：可控制城陵矶以上来水61.4%～79.5%，可

控制汉口以上来水55.1%～76.2%。可见，三峡控制了长江中下游洪水的大部分。那么，是不是未能控制宜昌以下的洪水，就对下面发生大水时防洪无能为力呢？完全不是这样。这是由于长江河槽宣泄洪水的绝对数值还是较大的，如枝城为60000～68000m³/s，城陵矶约60000m³/s。从防洪讲，只要把超过河槽允许泄量的那一部分拦蓄起来就达到了目的。三峡工程有蓄泄自如的调节手段，完全可以根据三峡以下来水情况调控下泄量，使下游河槽实际通过的流量在允许范围内。举例来说，若某日城陵矶以上总来水量为80000m³/s，其中三峡以上及以下各40000m³/s，则只要使三峡下泄量不大于20000m³/s，城陵矶处的泄量就不大于60000m³/s，在安全范围内（当然实际上还有洪水传播问题，这里只是用直观的方式说明问题）。可见，即使在中下游来洪较大的情况下，三峡工程也能起到很好的防洪作用。通过对几个宜昌以下来水较大的典型洪水进行分析计算表明，三峡工程的防洪控制性能也是很好的，例如对1931年、1935年洪水，就可以大大减少分洪量甚至不分洪。同理，对1980、1983、1988年型的洪水（这些实际年洪水均不大，在堤防防御标准以内，这里指是放大了的情况），三峡以上洪水同样占较大比重，故三峡工程也完全能控制，决不是如某些人所说"这类洪水主要来自中下游的支流和湖区当地暴雨径流，兴建三峡工程起不了作用"。

2.现在再遇1870年型的洪水北岸荆江大堤不可能溃决

持此种意见的人认为：1870年当松滋河尚未形成的情况，荆江大堤上段都未溃决，现在荆江大堤比那时加强了很多，南堤相对较低，且已有现成的松滋河水系，因此现在发生1870年型的洪水，只能是南溃，北岸荆江大堤不可能溃。

讨论认为：这种论点，实际上是想说明荆江地区的防洪形势并不很严峻。关于1870年当年荆江大堤上段是否曾溃决，尚在考证中，但即使当年未溃，也不能说现在也不会溃。这是由于历史上长江沙市河湾上段主泓在上百里洲以南，1830年以后南汊虽逐渐萎缩，但1870年时期南汊过流比现在大得多。故更有利于南溃。且由于1870年前无松滋口分流，荆江河槽及南岸行洪能力要与洪水相适应，泄洪能力必然较大。这也可从1860年洪水（枝城的洪水痕迹和1870年相近）能通过上荆江而在藕池段出现决口得到证实。洞庭湖当时的边界在安乡、南县附近，江湖相距甚近，故一旦南溃，流量是很大的。1870年洪水枝城来量达110000m³/s，大大超过了现有堤防及分洪工程的防御能力，首当其冲的是南岸松滋老城一带堤防及上百里洲围堤。该处堤防现状在流量超过75000m³/s时就将漫溃。同时，按照目前的紧急度汛措施方案，遇到1870年这种洪水，也要求在南岸临时扒口增加分洪30000m³/s（包括荆江分洪区及涴市扩大区共分洪约50000m³/s），故向南溃决（或分洪）是肯定的。但是，由于1870年洪水涨势太猛，流量从60000m³/s上涨到100000m³/s以上仅两天，而如果要使荆江水位控制在安全范围内，分洪溃口流量要求达到50000m³/s，在这么短的时间里，要求扒口的处数甚多，整个扒口长度达数十公里，故溃口及分洪能否按期实现，口门的发展能否符合要求是很难预计的。况且南岸的地貌已远非百余年前的情况，而是堤垸林立，障碍重重，对宣泄洪水的阻力很大，入洞庭湖的洪道也已比百余年前延长了很多。因此，溃口与分洪不能及时及量的可能性很大。那时，洪水倾泄而下，必然抬高沙市水位。荆江大堤虽然历年除险加固，大堤质量有了很大改善，但历年防汛实际经验表明，堤身隐患仍然存在。因此，如果沙市水位超过大堤防御水位，就很难确保大堤安全。经研究认为在发生1870年类似洪水时，即使南溃已经发生，北岸荆江大堤仍很有可能溃决。

3.现在采取的三峡防洪调度方式不合理，合理调度后水库淤积会大大增加，从而严重抬高上游洪水位

持此种意见的人认为：三峡工程目前的防洪调度方式主要考虑荆江地区防洪要求进行补偿调节，是非常不合理的，认为实际上是决不会这样调度的，必须是以减少分洪量为主来调度，即对城陵矶进行补偿调节，而且认为三峡在大水年拦洪后必须在中下游分洪区退水后才能腾空防洪库容中所蓄水量，这样就会大大增加蓄洪时间，以致加重库区淤积，严重抬高上游水位。

讨论认为：三峡工程是综合利用的，其防洪调度方式不仅要考虑防洪方面的要求，还要综合考虑到水库的长期使用、航运、移民等方面。从防洪方面考虑，由于荆江地区遇特大洪水可能造成毁灭性灾害是最迫切需要解决的问题，三峡工程目前的防洪调度方式对解决这一问题十分有效，对减少其它地区的分洪量数量也很可观，对水库长期使用也有利，所以它是比较优越的，至少不是"非常不合理"的。且在防洪效益计算中按这种调度方式考虑，是留有余地的。如果将来研究出更为优越的防洪调度方式，当然会加以采用，但如果没有更好的，上述调度方式在实际中也完全可行，决不是不能这样调度。

关于对城陵矶进行补偿调节的调度方式，初步研究认为，对减少一般大洪水年中游分洪量的作用及防洪经济效益方面比上述调度方式更为优越，很值得进一步研究。应当探讨它是否能保证荆江防洪安全及是否会造成严重淤积从而影响到航运、移民等方面，如果问题不大，则这种调度方式当然也可采用。但即使对

城陵矶进行补偿调度，在三峡蓄洪后也不必要等到中游分蓄洪区退水后才能泄水。因为长江中下游分蓄洪区地面高程较洪水位低很多，一旦分洪以后，即使三峡不泄洪，分蓄洪区的土地一时也是退不出来的(这也是长江防洪问题的特点之一)。如果要三峡蓄洪后库水位长期不降落，对中游已分洪地区并无多大好处，但欲要冒后期可能来大洪水的风险，且明知这样做可能会加重淤积而非要这样运用，显然是不合适的。至于加重水库淤积的具体情况，经初步用数学模型计算，成果表明，在遇到大洪水的当年如果采用水库蓄了洪不泄，长期维持高水位的调度方式，则当年库区淤积量要增加，特别是滩地上的淤积增加较为明显，但增加量有限，而到了第二年，库尾就将发生冲刷，从而又逐步回到了正常的水库冲淤进程。经以106年来水来沙系列(中间包括三次1954年典型洪水)进行计算，采取这种不正常的防洪调度方式总淤积量只增加1.3%(2.1亿m^3)，对水库寿命无显著影响。

4.上游支流水库可以起到较大的防洪作用

持此种意见的人认为：长江上游可以兴建10多座大型水库，这些水库可控制上游的70%的面积，余下的30%面积所产生的洪水总是小部分，故只要搞好水库调度，就能对中下游防洪起较大的作用。现在论证中把这个作用估计过小。

讨论认为：从历年水文资料分析，长江上游的洪水，在面上的分布是很不均匀的，上述上游支流水库未能控制的30%面积，在许多增况下恰是暴雨区，能产生很大的洪水，历史上使中下游造成严重洪灾的1870年洪水，基本来自这个30%面积。因此，在这种情况下支流水库的防洪作用就受到很大限制。同时，这些水库分散在多条河流，每次暴雨不可能所有水库都在暴雨区内，例如1981年上游大水，岷江、嘉陵江洪水很大，而乌江就完全没有洪水，所以在这种情况下乌江上的水库就完全不起作用。这就可以看出，支流水库的防洪作用从宏观上来看是难以发挥的。

其次，是否可能把上游支流水库调度得很理想，使它们对中下游防洪起大的作用？应当看到，从整个国民经济的利益及开发的现实性考虑，上游支流水库只能是通过全面规划，从本流域本地区综合利用要求(主要是发电、灌溉，有些也承担当地防洪任务)出发来兴建，而不可能从长江中下游防洪为主来兴建，这就决定了它们为中下游防洪的调度只能是结合其他综合利用任务协调进行。这已从目前已建成的综合利用结合防洪的水库的调度中得到充分证明。有人主张各支流水库固定某一个时段蓄水，以期取得较大的防洪作用，这是难以行得通的，因为既然要满足综合利用各方面的要求，就要保证蓄满，而水文规律不以人的意志为转移，如果固定一个时段蓄水，此时段内无水可蓄如何办呢？再则，在上游支流水库十分分散的情况下，要实现以削减洪峰流量为目的的统一调度，是极为困难的。三峡集中控制了100万km^2来水，又距防洪保护对象很近，防洪库容集中，汛期又以防洪为主进行调度，难道其防洪作用反而不如分散控制70万km^2来水、距防洪保护对象远、防洪库容分散、以综合利用要求为主进行调度的支流水库群？两相对比，就不难看出究竟何者合理。

当然，上游支流水库根据长江整体规划是需要且可能逐步兴建的，它们与三峡工程不是替代关系，而是互相配合运用。那时，就可取得更好的防洪效果，这也是大家所期望的。

5.三峡工程对武汉市的防洪不起作用

持此种意见的人认为：三峡工程兴建后，既不能降低武汉堤防的防御水位，又不能减少武汉附近的分蓄洪量，因而三峡对武汉防洪不起作用。

讨论认为：武汉的防洪是与上游荆江、城陵矶等地区的防洪密切相关的。三峡拦蓄了上段武汉洪水主要来源的超额洪水，就减少了武汉的洪水威胁，从直观上说，当然就对武汉的防洪有作用。关于三峡工程对武汉防洪的具体作用，在防洪专题论证报告中已指出的是：“(1)由于长江上游洪水得到有效控制，避免荆江大堤溃决对武汉地区的威胁；(2)提高了城陵矶控制能力，配合丹江口水库和武汉市附近地区分蓄洪区，可避免武汉水位失去控制；(3)三峡拦蓄了一部分洪水，减少城陵矶附近的分蓄洪量，提高了武汉市防洪调度的灵活性，对武汉市防洪起到保障作用”。这里特别需要指出的是上述第(1)个作用。如前述，在现状条件下如果发生类似1870年那样的洪水，荆江地区南北均溃的局面难以避免。那时，不仅会对荆江两岸造成极为严重的毁灭性灾害，而且由于长江河道形态和地形的关系，大量的溃决水量就不通过长江干流河道而从荆江大堤后经洪湖直趋武汉，从而使武汉水位失去控制。1954年的实况就证实了这一点。当年由于北岸监利附近大量分洪，积蓄的水量于洪湖蒋家码头回吐长江，致使在城陵矶水位于8月7日出现峰值后，汉口水位继续上涨，直到8月18日才出现最高水位，据分析，由于这一情况的超常抬高汉口水位达0.5m以上，这在高水时期是很大的数值。三峡工程兴建后，有效地控制了荆江洪水，完全可以保证荆江防洪安全，从而也避免了上述情况发生，解除了武汉防洪的后顾之忧。另外，由于三峡工程有防洪库容221.5亿m^3，这样使武汉以上控制超额洪水的能力由442亿m^3(已安排的分洪蓄洪容量)，增加到663.5亿m^3(即加上了三峡的防洪库容)。这从防洪规划的基本理论上即可得知，由于三峡工程的兴建提高了武汉可抗御洪水的标准。至于武汉市防御水位不能降低的问题，乃是为了充分发挥河道的泄洪能力，在武汉堤防通过多年加固已可抗御29.73m水位的情况下，在上游还需分蓄洪时，是不应该通过进一步扩大分蓄洪来降低武汉水位的。这种充分发挥河道泄洪能力的安排，完全符合长江防洪"蓄泄兼筹，以泄为主"的总方针，也符合防洪规划的一般原则。同理，在上游还需要分蓄洪的情况下，武汉地区的分蓄洪量当然也不应减少。如要减少，必须扩大上游分洪，这也是不合理的。实际上，武汉附近的分蓄洪区主要是为了某种特殊洪水组合或武汉附近发生特大暴雨形成巨大区间洪水所准备的，使用的机遇并不多。

(六)建三峡工程来防洪是"舍上救下"

持这种意见的人认为：兴建三峡工程后，由于回水上延，大大加重了上游洪灾，是把原来下游的洪灾搬到了上游。特别是将来泥沙淤积后，回水进一步抬高，更加剧了上游的洪灾。

讨论认为：这个问题应当从整个库区来进行研究，而不能单看那一个点。三峡库区范围内现状洪灾较重，1981年实际洪水，库区受灾人口7.0万人。据研究，现在如再遇1870年那样的洪水，现状三峡库区范围内有38.3万人受淹。兴建水库后，发生了两方面的变化：一是按照20年一遇的洪水标准进行了移民，故相当数量的原来经常遭受洪灾的人民，通过移民安置，搬到了新的地方，这些地方无论后靠或外迁，在规划时已经全面考虑了防洪等各方面要求，因而由原来的经常受淹地区搬到新地，就不再受洪水的困扰，也就是说，库区一部分人民由于兴建水库而解决了防洪问题；另一方面是遇20年一遇以上洪水时，由于水库回水的影响，确有一些地区洪水位抬高了，从而使这里的人民遭受额外的洪灾。但须指出，水库的回水抬高是有一定范围的，在抬高区以外的上游河流，情况仍是原来的，不存在加剧洪灾的问题。因此，兴建三峡工程后遇20年一遇以上洪水时是否加剧了上游的洪灾，就要看以上两方面的具体情况对比。根据较详细的计算分析表明：以1870年洪水情况为例，三峡建库后，上述天然情况下受淹的38.3万人中有37.3万人已作为移民搬迁，而由于水库回水的影响，库区在移民计划外只有1.3～5.8万人(与调度方式有关)临时受淹。两相对比不难看出，三峡建库后遇1870年洪水，受淹人口大大减少。前述1981年洪水受淹的人民，则基本上已全部作为移民迁移，建库后遇1981年回水曲线在移民线以下，未增加临时淹没。因此，三峡工程从总的方面看是大大减轻了库区的洪灾。何况水库建设还为库区的发展创造了良好的条件，怎么能说是"舍上救下"呢？

至于泥沙淤积后回水抬高的问题，从定理上说，是存在的。但这个问题中不确定的因素较多，特别是上游水库的拦沙作用的确定，长江流域规划中已考虑今后几十年内上游各支流要兴建一大批水库，其拦沙作用是十分可观的，淤积对回水影响的准确计算等，均是较难取得一致意见的。从偏于不利考虑，即使不考虑上游水库的拦沙作用来进行淤积回水计算，也要在数十年以后回水才有明显的抬高。如果出现了这一问题，是应当进行妥善处理的，即进行补充移民，但那时三峡工程已运行几十年，每年可取得巨大的发电效益，补充移民的资金来源是不成问题的。或是通过改变水库的调度方式，控制淤积部位与回水上延(要适当牺牲一些效益)，也可能满足要求。因此，即使出现了淤积后回水抬高的问题，也是可以加以妥善解决的。

(本文摘自《长江志季刊》1996年第1期)

关于治江计划基本方案的报告(摘要)

(1953年6月19日)

林　一　山

一、长江洪水特点

长江流域面积广大，地跨四个雨季不同的区域，年平均流量与全年最大洪峰流量的比差最小。根据大通测站观测，它的最大洪峰流量经常在50000～80000m^3/s之间，但年平均流量往往不小于30000 m^3/s。由于这一特点的存在，它创造了并保持了经常能够容纳与安全宣泄大量洪水的巨大河槽。这是它平时较少灾害的一个重要原因。长江的主要水源是：春季枯水时期依靠经年保有极大底水量的金沙江供给水源，四五月间正是湘赣两江的最高洪水季节，七八月间的最大洪峰则来自四川暴雨区，汉江最大洪水则常常发生在九月，减少了与长江最高洪水汇合的机会。但在全江各主要雨区同时降雨如1931年的情况下，则超出安全流量的比较不大的洪水量所造成的水灾，亦需蓄纳1000至1300亿m^3(两三倍于黄河全年入海的水量)的总量才能达到根治的目标，所以长江不遇到大水年则情况尚好，如果遇到，则是非常难以收拾的！最近30多年内的1921、1931、1935、1948、1949等年的水灾惨景就是长江最大洪水年的水灾频率。

由于洪水季节含沙量一般不超过0.3‰，在一定条件下可以全部自行带走，所以它创造了一条深至数十米的河槽。由于这一特点的存在，它就非常利于航行而不利于防洪的护岸工程。

长江中下游各支流的洪水涨落变化较大，洪水量的总和超过三峡以上，它们与长江干流汇合时，才形成长江的灾害（除荆江一段），而它们自己对于沿江平原所造成的危害亦不小于干流。因此如不根治这些分散的支流，则无法彻底根除长江水患。

二、治江方针

根据上述长江洪水的几个主要特点，尤其是水量大这一突出特点，我们必须作长期的（决不是短期的）全盘计划，并兴办一系列的（决不是少数个别的）巨大工程之后，才能达到根治目的。因此拟定治江方针的原则仅就防洪阶段而论，也应该是以最为经济简单迅速有效的以逐步的分期的并以中游为重点的作法去完成全盘任务。而不能是象其他一般较小河流那样，一次就定出一个一气呵成的治理计划。

因此根治长江的防洪计划应该是分为三个阶段：

第一阶段是以修堤为主，以提高堤防防御洪水的能力的办法，达到保证长江有记录以来最高实有水位（1931、1949 两年水位）不发生溃决的目的。这一阶段主要期间是 1950、1951 两年。这一计划目标是中央水利部在第一次全国水利会议上提出通过的。这是一个切合实际的正确决定。

第二阶段是以半治本（用降低水位的办法）半治标（采用过渡性的临时措施办法）的计划为主，达到基本克服随时可能发生的意外灾难（如荆江分洪）或克服经常要发生灾害的支流湖泊（如南洞庭防浪防汛的整修计划及正在拟定中的汉水分洪计划）并达到可以蓄纳长江在 1949 年或 1931 年时的干流决口水量，以保证再有 1949、1931 年的洪水出现时，可以一面以堤防抵住当时的实际水位，一面则以蓄纳当时决口水量的办法不使干流水位继续增涨超过最高水位或超过可以防御抢护的水位，以维护堤防的安全。因 1950、1951 年中央水利部限于全国的各种具体条件，只能定出防御各河流业已发生过的实有水位，不能考虑完全防御历史上业已发生过的洪水之应有水位（即假定当时不决口的水位）。所以从 1952 年以后，我们就应该设法为处理这一部分决口水量而斗争。期限应该是在 1952 年至 1960 年间基本完成，跨着第二个五年计划的前期。

第三阶段是分别依据灾情缓急，对干流影响的大小及将来建设的新要求，决定各支流的根治序列，并从完成各该支流的根治计划中达到全部长江的安全水位。这一阶段中所涉及的各支流计划，在未作出最后肯定结论前，均系治江远景的研究对象。目前只能继续收集资料积极从事查勘测验钻探及进行水土保持试验等研究准备工作。上游各支流除与本地除害兴利有结合价值者外，均应先与三峡大坝作出比较结论后才能确定计划的程序。完成这一阶段的具体时间只有汉江治该工程应提前到第二阶段进行，其他工程只能根据未来的一切有利条件另作决定，目前不能估计出具体的时间与具体的作法。

三、几个主要防洪计划的基本方案

（一）蓄洪垦殖基本方案

1. 及时整理沿江湖泊是目前的紧急任务

蓄洪垦殖即是将现有天然湖泊加以人工控制，在长江枯水时期尽量排空（冬季江水低于湖底），当长江水位上涨至历年最高水位时即行蓄洪（夏季江水高于湖底五六米）。这样作法，在蓄洪时期可以比自然蓄洪增加数倍的蓄洪量，在不蓄洪年份，可以进行垦殖增产粮食，所得效益一般平均足以赔偿垦殖区在蓄洪年份的淹没损失。

土改以后，农民生产积极性大为提高，到处要求增加垦殖面积，要求围垦沿江湖泊洲滩，而在若干地区已形成了群众性的盲目围垦。这种情况如不加以有效制止，有可能发生象过去官僚地主与水争田类似的严重现象，那是对增加长江水灾发生极坏影响的可怕现象。

蓄洪垦殖的经营方法如能运用得当，则增垦数百万亩良田的收入对于人口稠密的沿江地带是有经济价值的。现有沿江湖泊中可以进行蓄洪垦殖者约有 6000km^2，其中按一半面积可以进行垦殖计算，估计可开垦 400～500 万亩湖田，每年可增产 20～25 亿斤粮食。

2. 蓄洪垦殖工程对长江防洪的作用

(1)水文估算

长江洪水以 1931 年为最高记录，因此，我们即应以该年洪水的实际情况为防洪的设计标准。但当时因各地决口多少，口门多大，溃水淹没面积多大，平地水深多少等均无统一的确实记载，所以无法统计出一个较为准确的数字，现在只好根据各种可用的资料推估出一个近似值，作为与灾区洪水调查互相参考的资料。

根据本会（指长江水利委员会）现已初步整编之 1931、1951、1952 三年的水文资料，以 1952 年所实测的长江河槽断面来推算 1931 年的洪水水位与流量。

根据宜昌的洪峰流量及四水洪峰流量作标准，再假定四口完全控制不相干扰，四水洪水与宜昌洪水相差一天，作为计算的基本资料。

根据长江干流及洞庭四水各重要测站在 1931 年 7 月 25 日至 8 月 15 日洪峰期间最高水位推算最大流量作出下表的基本数字：

站名	宜昌	沙市	城陵矶	汉口	湘水湘阴	资水益阳	沅水常德	澧水澧县
最大流量(m^3/s)	67400		64750	73320	6150	5077	25350	10942
最高水位(m)	55.02	43.52	33.19	28.28	33.80	35.54	39.47	41.52

根据上表作出初步估算,1931 年 7 月 25 日至 8 月 16 日洪峰总量为:长江上游来水宜昌站进水量为 792 亿 m^3,湘水进洞庭湖总量为 108 亿 m^3,资水为 59 亿 m^3,沅水为 267 亿 m^3,澧水为 56 亿 m^3,局部迳流(包括宜昌以下城陵矶以上除四水外各支流及一切涨水因素)估计约 50 亿 m^3,合计城陵矶站进水总量约为 1330 亿 m^3 左右。

以各地堤防的保证水位为安全水位,再根据 1952 年水位流量关系推出一个假定的安全流量,则监利安全流量为 24000m^3/s,岳阳安全流量为 36000m^3/s,城陵矶及汉口安全流量定为 60000m^3/s,并将多余的洪水,假定用某些极为准确的控制工程作到及时控制。

如此,以城陵矶测站的安全流量为计算标准,则 1931 年须蓄洪(即每日超过安全流量的洪水流量见下表)。

单位:m^3/s

日期	流量	日期	流量
7 月 25 日	15080	8 月 8 日	14471
26 日	10848	9 日	29030
27 日	8749	10 日	34709
28 日	14767	11 日	34770
29 日	18747	12 日	30368
30 日	9416	13 日	35025
31 日	84	14 日	29562
合计	77651	15 日	12673
		16 日	572
		合计	221180

总计 77651(m^3/s·日)+221180(m^3/s·日)×86400(s)=258.2 亿 m^3,此外须加进局部迳流 50 亿 m^3(三峡以下城陵矶以上地区向长江流水的湖泊与支流)。此一计算,说明如在城陵矶维持不超过历年最高水位,须蓄洪 308.2 亿 m^3。

(2)洪水调查

依据 1931 年时的实测地图计算,当时的洞庭湖面积约有 5000km^2,自然调节洪水的能力如以水深 1m 计算,即可蓄洪 50 亿 m^3。城陵矶以上的湖区溃垸及溃堤决口,调节洪水约 200 亿 m^3,总计约 250 亿 m^3。这就是说按照 1931 年的实际情况,将长江维持在历年最高实有水位时,须在城陵矶以上设法蓄洪 250 亿 m^3,以维持堤防不超过保证水位,不生溃决。

如以今天新的人工蓄洪条件代替 1931 年的湖泊调节作用及溃堤蓄洪作用,初步统计城陵矶以上可以 2500km^2 的蓄洪垦区蓄纳 147 亿 m^3 的洪水,以 2000km^2 的剩余湖面港汊自然调节洪水 40 亿 m^3,以荆江洲滩民垸蓄洪 10 亿 m^3,再加荆江分洪区蓄洪 52 亿 m^3,总计垦区蓄洪 249 亿 m^3,亦可接近调查所得溃垸蓄洪 250 亿 m^3 的洪量。

上述垦区蓄洪量与水文估算量两数虽相差 40～50 亿 m^3,但还可以说基本上接近,因为我们应该考虑到资料准确程度可能有很大的出入,人工控制亦不能达到十分准确,加之河槽冲淤不定与下游水位变化等影响河槽安全泄量的许多可变因素,所以我们现在即以选择较为保守的资料作为计算根据,以防可能产生数 10 亿 m^3 的误差。

(3)工程分布及汉口以下的洪峰处理办法

为了尽量利用天然湖泊分布的特点,达到规划的要求,除城陵矶以上控制 250 亿 m^3 洪水外,汉江洪水总量在 1931 年 60 天最大洪水总量约 250 亿 m^3,长江洪峰期间 25 天最大约 100 亿 m^3,可由汉口附近湖泊蓄洪 50 亿 m^3,丹江口水库蓄洪 150～200 亿 m^3。至于湖口以下由鄱阳湖多出约 100 亿 m^3 洪水,即由湖口附近湖泊蓄纳 80 亿 m^3 基本上可以解决。但鄱阳湖区的问题仍当由本区或各支流上游另找蓄洪办法,这是目前急待解决的问题。湖口以下长江再无主要支流汇合,而安庆以下各湖泊又已规定"只蓄山洪不蓄江洪"不进不出,当可维持 1931 年的水位流量不致超过。下游防洪问题则应另作专门研究,专蓄山洪的湖泊垦区,应结合保坍(保护崩岸)迟建(退一步建新堤)取土赔偿等问题拟定土地处理办法。

3.蓄洪垦区的经营方式与管理方法

(1)国营为主,民营为辅

由蓄洪垦殖工程所获得的土地,原则上应归国家所有,在垦区工程完成设计以前即与地方政府研究拟定一套处理土地问题的完整办法,由国家投资用国营水利农场的方式进行垦殖,以保证长江洪水到达一定水位时坚决蓄洪,而无所阻碍。但在国营力量不能完全使用垦区土地时,或因某些原因必须赔偿或分给农民一些土地时,可将湖区部分土地暂时分配给农民耕种,一方面不使土地荒芜,一方面可暂时解决农民土地问题。

(2)管理问题

国营区域由国家农业机关组织水利农场，由水利机关任副职参加农场管理，根据汛期特点与蓄洪要求，拟定管理办法与水利机关共同协议执行。

民营区域由地方政府与水利机关共同成立管理委员会，亦由水利机关担任副职参加管理，管理机构由群众直接选举，并组织水利公司统一处理赔偿经费的征集管理与使用等问题。

（二）汉江治本基本方案

1. 汉江治本方案的比较研究

汉江水灾是年年发生，因而治理汉江也就为各方面所密切注意，并曾提出过各种方案，归纳起来大体可分为四类。

第一类是以中游干流拦蓄洪水为主要工程的方案，如马良山遥堤水库、碾盘山水库、丹江口水库、小孤山水库等大型水库，结合整理灾害较重或作用较大的支流如唐白河等。

第二类是普遍在上游各支流修筑小水库拦洪发电，然后再在干流修筑大水库彻底解决汉江水患。这些小水库包括唐白河区鸭河口等12座水库，南河老鸦山、寺坪等水库，丹江之紫荆关、海家铺、西峡口等水库，堵河之田家坝，洵河之赵家湾，乾佑河之镇安，任河之茅坝关等水库，干流大水库包括渭门、石泉、油防坎、紫阳、安康、将军河、王宫殿、碾盘山等水库。

第三类是以下游分泄办法为主，地址在沙洋以下，有主张取道汉南经东荆河泛滥区流入长江，有主张取道汉北经天门刁汉湖于汉口以下流入长江，有主张取道牛蹄河亦有主张取道顺通河者。

第四类是在荆江汉江之间修建平原蓄洪区，连同荆江问题一起解决。

经过三年来初步研究，根据汉江洪水的特点及对各种方案的简单比较，我们定出了目前所采用的基本方案。

综合起来汉江水文有两个特点：即上中游洪水集中，水量特大；而下游安全泄量特小，仅及上中游最大洪峰流量的1/8。根据这两个特点来研究各种方案，可以明显地看出：

第一，如以1938年洪水总量推算100年一遇的洪水，则九、十两个月的洪水总量可达510亿 m^3。按下泄 $6200m^3/s$ 为安全流量计算，七、八两月内可泄洪320亿 m^3，则上游水库尚需蓄洪190亿 m^3；如在下游增辟 $2000m^3/s$ 的分洪道则可减少上游的蓄洪总量至90亿 m^3。但支流如唐白河流域的水患仍不能解决。因此以上游干流拦蓄洪水为主，以下游分洪为辅，并对灾害较大的支流（如唐白河等）分别治理，应是最为合理的作法。

第二，如果在上游各支流普遍修筑几十个拦洪发电水库，事实上既无必要，同时目前也办不到，经济上也不合算。

第三，如果单单依靠下游分泄洪水或以下游分泄为主，也是不能解决问题的，因为汉江最大洪峰流量可达 $40000m^3/s$，而下游安全泄量仅数千流量，要开辟容纳30000多 m^3/s 流量的洪道，是最不经济的也是最不利于长江中下游的一个局部作法。

第四，如果采用江汉间平原蓄洪办法，则移民100万以上的人口问题不易处理，而且山谷拦洪总是我们应该尽力争取的发展方向。但这一方案仍有继续研究比较的价值。

2. 汉江治本基本方案要点

汉江干流山谷水库较为理想的坝址约有三处，即钟祥碾盘山，均县丹江口及郧阳小孤山。

小孤山水库为最上游的一个，坝高100m，水库容量为70亿 m^3，该水库因库容太小，交通困难，在考虑过程中则予以放弃。

丹江口水库可容蓄330亿 m^3 洪水，可以完全拦蓄上游洪水。但因水库范围跨均县及淅川两个山区小平原，约30余万人口，80余万亩耕地，故淹没损失较大。

碾盘山水库可容蓄100亿 m^3 洪水，坝高30m，施工最易，但回水区有22万人口50余万亩土地，故淹没损失也较大。

在考虑以山谷拦洪为主的方案时，曾拟定丹江口、碾盘山两个水库同时并用，后来又考虑到两个水库的总容量，仍不能解决1000年一遇或更大的洪水时，就从下游分泄方向考虑问题，发现了如果下游安全泄量加大 $2000m^3/s$ 的流量，则等于上游增修一个100亿 m^3 容量的水库（1938年情况以60天总量计的1000年一遇或更大洪水时）。同时又为了考虑临时解决1954年或1955年的防汛问题，因而提出在下游仙桃镇附近辟分洪道的建议。该分洪道可分泄 $3000m^3/s$ 的流量，开始拟先通向江汉泛滥区，以后再独立入江。下游分洪办法基本上可先解决三年两遇的通常洪水。

如此则丹江口水库与碾盘山水库两者只作一个即可解决问题，达到根治汉江洪水的目的，这就发生了丹江口与碾盘山两个水库的比较与决策问题。

丹江口水库的优点是有效蓄洪量大，同时结合发电灌溉利益广溥，且不妨碍将来引汉济黄理想计划的可能性。其缺点是工程大、投资多，坝高施工较困难，技术性高。碾盘山水库的优点是工程简易，交通方便。缺点是蓄洪量及发电量均远较丹江口为小，同时淹没损失却相差不大，且不能解决襄樊一带水灾问题。初步衡量起来，作丹江口水库较为有利。但碾盘山、丹汉口、小孤山等水库的详细比较计划仍将继续研究。

丹江口水库坝址在老河口以上30km的丹江汉江汇流处，河底高程为海拔80m，可筑高坝至海拔185m，蓄水至海拔180m高程时，水库容量为330亿m^3，淹没耕地约87万亩，迁移人口约33万人。如需分期完成移民时，则可考虑先完成大坝逐步抬高水位，如需对坝高作各种比较时，则可将坝高降低为海拔160m，蓄水高程至海拔155m，有效蓄洪量可达150亿m^3，迁移人口减为20万，淹没田亩减为46万亩。这几个方案的互相比较及其对长江流域计划的利弊，或其他可能考虑到的较好方案，在最后选定前仍将继续研究。

丹江口年平均流量约1200m^3/s。今年水量约300亿m^3。占碾盘山以上洪水总量的2/3以上。

如果以1938年九、十两月洪水总量为设计洪水，下游最大安全泄洪量为9000m^3/s（干流5000m^3/s，东荆河1200m^3/s，分洪道2800m^3/s），则水库内有效蓄洪须75亿m^3，支流唐白河南河水库须蓄洪25亿m^3，如此干支流可免除灾害。如果以1935年洪峰为设计洪水，洪峰总量为170亿m^3，10日内可以安全下泄77亿m^3，水库有效蓄洪必须100亿m^3。

丹江口水库如将坝高增至185m高程，蓄水高程至180m，有效蓄洪量为240亿m^3，发电水量为90亿m^3，合计总量为330亿m^3，可发电50万kW，该处最适于作长江黄河两大水电系统的联络枢纽，灌溉唐白河流域400余万亩土地，亦对我国西部产棉区有巨大的开发意义。

将来如需将汉江的水引向黄河灌溉华北土地，改变北方大平原的情况时，可在洵阳建筑250～300m高坝，沿洵河上游开隧洞，通向西安城郊，预计至少可引出400～500m^3/s年平均流量。

3. 有关移民工程诸问题

丹江口水库移民太多，如另选其他水库，则工程投资太多，效率太小。因而完工时限工程效益与移民投资等问题就需详作比较。并须将为移民而兴办的各项工程通列为移民工程，以重视移民，明确规划范围与便于进行比较研究工作。

为了作好移民工作，最经济而有效的办法应该是首先作好移民工程，使被移群众容易得到明显的好处，使移民动员工作具有充分的物质保证，因而选择水库时，就发生了一个新的问题，例如有同等效益的两个水库，一个是水库工程投资大，另一个是移民工程投资大，则在两者投资总额相差不大的条件下，应考虑尽量多投资于移民工程方面。因水库工程造价太高则属于浪费，而移民工程投资虽多，则总是属于增产性质的一种社会建设。

在这一原则下，我们即可专门研究丹江口水库的移民工程及该移民工程的投资问题。为此，我们除将湖北平原的排水工程做得很好或部分做得很好以外，唐白河平原的防洪排渍灌溉工程亦应预先做得很好或部分做得很好，以创造移民的有利条件，并计算比较这些工程投资是否经济合理。

（三）荆江治导基本方案

1. 荆江分洪对荆江防洪作用的限度

荆江是长江全线的最大弱点，也是我们几年来防洪工作的中心环节。轰动全国的荆江分洪工程其主要目的是以紧急措施保障荆江大堤不因河槽泄量减少而发生已可料到的可能的漫决危险，并争取时间研究根治办法，因此荆江分洪不能完全解决荆江河槽及荆江大堤的一切严重隐患问题。目前荆江基本情况仍急需继续研究与继续改善，并列为我会的重点工程之一，因为荆江隐患不但是问题严重，而且问题复杂，技术性高，并非在短期内所能得出结论和依靠突击即可完成任务的一种工作，这是因为：

第一，荆江河槽极不稳定，冲淤变化相差甚大。例如观音寺测站所测河床断面在1952年7月到10月间即曾冲刷最深到10m。

第二，荆江大堤堤身太高。现在所保证的防汛水位仍高出地面十数米，如果将水位再设法降低二三米则必须再设法蓄纳数百亿m^3的洪水。目前要在荆江以上作一蓄纳数百亿m^3洪水的工程，则是非常难以解决的问题。

第三，荆江大堤若干堤段无滩无脚，直接暴露在波涛汹涌的洪水面前，形成若干可怕的险工，如观音寺、杨二月、冲和观、祁家渊、黄陵凸、郝穴等地均有随时发生意外的可能。

第四，荆江大堤本身弱点特多，如蚁穴獾洞等隐患是极为严重的，有的蚁穴在堤身内隐藏，其直径可达数米，可挖出数十担白蚁，因而越是在防汛的紧张时期就越是时常发生跌倾。

2. 彻底根除荆江大堤隐患的方案研究

为了改变荆江大堤上述的情况，必须顺序地（决不允许违反应该遵守的程序）进行改造工作，其办法是将若干没有滩地的险工堤段予以内帮式的裁直退建，造成人工滩地。这一工程估计约需1000万m^3土方即可达到目的。同时有些滩地有冲刷崩坍现象者，须加作保护工程，并择要修建较大矶头。又有个别地区既无滩地又不可退建者，则必须坚决实施重点防护。这几种石方工程所需石方尚未估算出来。对于基础不好浸漏现象严重的堤段，尤其是黄陵凸段则必须有步骤地进行细密试验研究，有步骤地进行彻底翻修，有步骤地大规模地修建压浸台以保护大堤堤脚，防止脱坡（堤防因风浪及水流的浸刷以致坡度太陡而局部滑动倒坍）以延长浸漏线（江水渗入堤身的浸漏线如不足一定标准时则将形成漏洞)到消灭浸漏,并以扩大堤身断面抽槽换土等办法,达到改善堤身质量的目的。为了消灭漏洞,现正根据初步观察所得情况,大力展开钻探,以使二三年内做到全线堵塞漏洞,改变并提高荆江大堤的质量。这就是护脚以保滩,护滩以保堤(无滩者造滩),全线照顾,重点防护的办法。

3. 健全治河工程研究机构,加强荆江测验设备

为了把上述原则办法及时地变为实施性的具体计划,主要应立即健全一套完善的治河工程研究机构,并加强荆江河槽的测验设备,前者已责成本会中游局以荆江修防处为基础加紧健全,后者已责成本会测验处添购测深仪器船只,添置水文仪器、土壤钻探机械,提高水文观测人员质量等。

(本文摘自《长江志季刊》1996 年第 1 期)

索　　引　XIV

崛起的新城——云阳新县城

索 引

说 明

1.本索引采用主题分析法编制，按索引条目第一字汉语拼音顺序排列，同音字按声调排列，声调相同按下一字音序排列。

2.栏目、分目、子目标题及人名、单位名用黑体标示，表格均注明“(表)”字样，索引标引词后“()”中的内容表示对标引词的限制。

3.标引词后的阿拉伯数字表示内容所在的页码，数字后的字母A、B分别表示左栏、右栏。

4.本索引编有附见系统和参见系统，附见款目放在主款目下行缩后两字排，索引标引词后第二个页码起为参见。

5.本年鉴的“特载”、“法规·文献”、“专论”、“大事记”、“统计资料”、“附录”、“广告”均未作索引。

A

B

C

H

J

Y

Z

英文目录

XV

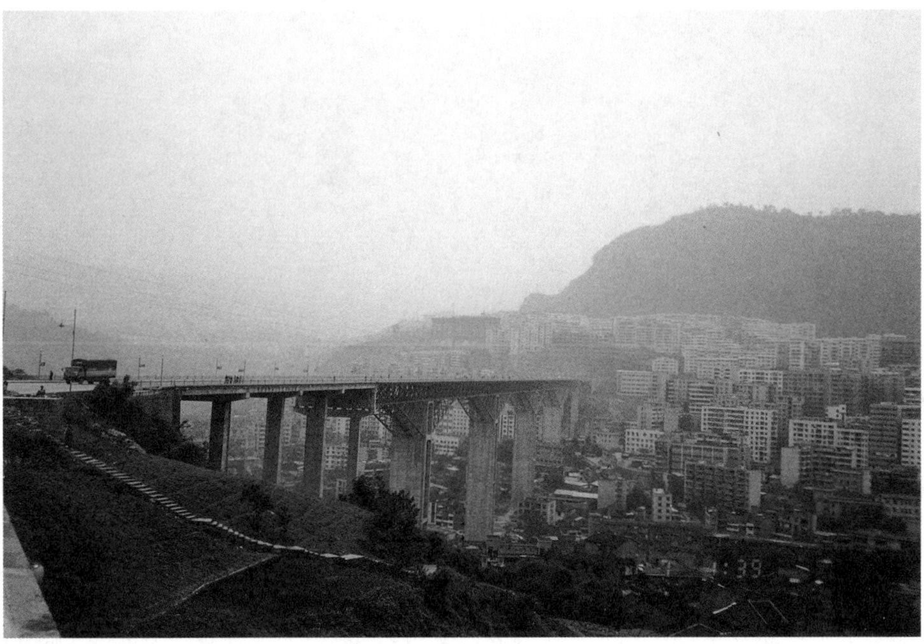

崛起的新城——万州长江大桥

CONTENTS

SPECIALS

REGULATIONS & DOCUMENTS

Regulations & Documents

Documents from CTGPC

Historical Documents

FEATURES

ROUNDUP

General

Project Management

Financial Affairs

Plans & Contracts

Auditing

Electric Production

TRANSMISSION & DISTRIBUTION WORKS

RESETTLEMENT & DEVELOPMENT

General

Development and Planning

One—to—One Assistance

Resettlement in Cities or Counties

COOPERATION & EXCHANGE

International Cooperation & Exchange

Cooperation & Exchange with Hong Kong, Macao and Taiwan

TGP in Overseas People's Eyes

CHINA THREE GORGES PROJECT COORPERATION (CTGPC)

General

Personnel

Multi—industrial Business

Party & Mass

Corporate Restructuring

Subsidiaries (solely financed, holding and joint—stock)

FIGURES

STATISTICAL DATA

Completed Investment in Fixed Assets of TGP

Contracts

Land Acquisition & Resettlement

MAJOR EVENTS

APPENDICES

INDEX

CONTENTS

中國三峡建设年鉴

邹家華

2000

中国三峡建设年鉴社

中国三峡建设年鉴

《中国三峡建设年鉴》编纂委员会

*

中国三峡建设年鉴社出版发行

（湖北省宜昌市东山大道 80 号）

全国新华书店经销

深圳雅昌彩色印刷有限公司制版印刷

2000 年 7 月第 1 版　2000 年 7 月第 1 次印刷

开本：787×1092 毫米　1/16　印张：22

字数：708 千字　印数：1－3500 册

*

刊号： ISSN1007－7650 / CN42－4004/TV

广告经营许可证（宜）**许可证号：** 2000－05

精装本定价： 人民币　100.00 元

《中国三峡建设年鉴》编纂委员会

主 任 委 员： 陆佑楣

副主任委员： 李世忠（国务院三建委办公室副主任）
张洪祥（湖北省副省长）
甘宇平（重庆市副市长）
漆　林（国务院三建委办公室副主任兼移民开发局局长）
迟文江（国务院三建委移民开发局副局长）
何文彬（国务院三建委监察局局长）
周小谦（国家电力公司电网分公司总经理）
李永安　袁国林（常务）　贺　恭
王家柱　秦中一

委　　　员：（按姓氏笔划为序）
王树凯　甘　伍　史振宇　史振寰　邓景龙　许可达
许春云（长江水利委员会）　许天孝（武警水电部队）
刘匡华　刘洪泰　刘文敏（中国三峡出版社）　刘纪胜
刘俊生（湖北省）　刘荣波　刘福银（重庆市）
刘　宁（长江水利委员会）　李惠敏　李振明（中南勘测设计研究院）
张宝声　张超然　张　诚　肖崇乾　於崇东　庞庆庄
罗世校（重庆市）　陈水文（湖北省）　陈大林　陈福厚
姜绍俊（国家电力公司电网分公司）　杨南安（三七八联营总公司）
周　宇（三联总公司）　易行运（宜昌市坝区工作委员会）　赵泽黎
柳定祥　饶道群　姚海清　郑建波（西北勘测设计研究院）
敖　麟　唐风云（三建委办公室）　殷之铬（移民开发局）
袁兴永（移民开发局）　徐美琴　席　浩（青云水利水电联营公司）
郭　涛　陶楚才　黄源芳　黄华平（葛洲坝集团公司）
曹正俊（华东勘测设计研究院）　程　山
彭启友　谭德骏

总　　　编： 刘荣波

副　总　编： 殷之铬　张松林　李　冰

中国三峡建设年鉴社

《中国三峡建设年鉴》编委成员调整名单

2000 年 8 月 15 日，国务院三峡工程建设委员会以国三峡委发办字〔2000〕29 号文印发中国长江三峡工程开发总公司：

你公司《关于调整<中国三峡建设年鉴>编委会成员的函》（三峡宣字〔2000〕172 号）已收到. 经研究并报国务院三峡工程建设委员会领导同志批准，同意调整后的《中国三峡建设年鉴》编委会成员名单。

主 任 委 员：陆佑楣

副主任委员：张德楠（国务院三建委办公室副主任）
张洪祥（湖北省副省长）
甘宇平（重庆市副市长）
漆　林（国务院三建委办公室副主任兼移民开发局局长）
迟文江（国务院三建委移民开发局副局长）
张宝欣（国务院三建委移民开发局副局长）
何文彬（国务院三建委监察局局长）
周小谦（国家电力公司总经理助理）
李永安　贺　恭　王家柱　郭　涛（常务）　杨　清

委　　员：（按姓氏笔划为序）
于文星　于　滨　王树凯　甘　伍　史振宇
史振寰　毕亚雄　冯仲凯（移民开发局）
许春云（长江水利委员会）许天孝（武警水电部队）
刘匡华　刘洪泰　刘文敏（中国三峡出版社）刘纪胜
刘金焕（葛洲坝集团公司）刘俊生（湖北省）刘福银（重庆市）
刘　宁（长江水利委员会）刘利人　汪先绪　李惠敏
李治平　李振明（中南勘测设计研究院）　张超然
肖崇乾　杨　亚　杨南安（三七八联营总公司）於崇东
罗世校（重庆市）　陈文斌　陈水文（湖北省）　陈大林
周　宇（三联总公司）易行运（宜昌市坝区工作委员会）赵泽黎
柳定祥　饶道群　姚海清　秦　湘（西北勘测设计研究院）
秦锡翔　敖　麟　唐风云（三建委办公室）　袁　杰
袁如德　袁兴永（移民开发局）　徐俊新
席　浩（青云水利水电联营公司）陶楚才　黄源芳
曹正俊（华东勘测设计研究院）　曹广晶　程　山
彭启友　谭德骏　蔡定国　薛砺生
霍继安（国家电力公司电网分公司）

总　　编：柳定祥

副 总 编：冯仲凯　张松林　李　冰（常务）

中国三峡建设年鉴社

编　辑　说　明

一、《中国三峡建设年鉴》是国务院三峡工程建设委员会主管，由中国长江三峡工程开发总公司主办并编辑出版的国内外公开发行的年刊。它逐年集中反映三峡工程建设和长江水力资源开发过程中的重要事件、技术资料、统计报表，以及总公司创建现代化企业的发展情况，是具有专业年鉴和综合年鉴特色的大型工具书。

二、《年鉴》设15个专栏，分特载、法规文献、专论、综述、枢纽工程、移民开发、电力工程、合作与交流、直属单位（企业）、新闻宣传与出版、人物、大事记、统计资料、附录、英文目录，以及三峡工程参建单位（企业）名录等。

（一）“特载”专栏选载中共中央、国务院领导同志的重要讲话，同时选载国务院三峡工程建设委员会、中国三峡总公司和移民开发局领导同志的讲话，以指导三峡工程建设。

（二）“法规·文献”专栏适当选择当年国务院及国务院各部委、国务院三峡工程建设委员会及移民开发局制定的法规和政策，以及中国三峡总公司在三峡工程建设和管理中产生的规章制度、文件和历史文献资料等。

（三）“专论”专栏选载国内专家、学者对三峡工程建设重要问题的论述与见解。

（四）“综述”专栏集中反映国务院三峡工程建设委员会和中国三峡总公司各业务部门当年情况，包括建设与管理、计划合同、财务工作、防汛工作、科研与应用、经营管理、生态环境与文物保护、队伍建设、党群工作、精神文明建设等内容。

（五）“枢纽工程”专栏以选择当年三峡工程单项工程的设计、施工和监理工作概况，经验及教训等为主要内容。

（六）“移民开发”专栏选载三峡工程开发性移民规划、实施与对口支援等情况。

（七）“电力工程”专栏选载三峡工程输变电工程、电力生产、运行与管理、水库调度等内容。

（八）“合作与交流”专栏选载国际及海峡两岸合作项目、友好往来、技术交流等信息。

（九）“直属单位（企业）”专栏分述中国三峡总公司和移民开发局下属单位或公司、企业及其自身队伍建设与经营活动等情况。

（十）“新闻宣传与出版”专栏采用二次文献选载有关国内外新闻媒介报道三峡工程摘要。

（十一）“人物”专栏旨在记录参加三峡工程建设过程中涌现出来的先进人物及其先进事迹。

（十二）“统计资料”专栏以列表形式集中反映三峡工程招投标项目、库区人口、耕地、专业项目，以及科研、资源开发等方面的统计。

（十三）“大事记”专栏按时间顺序记录党和国家领导人视察三峡工程，国务院三峡建设委员会、移民开发局、中国三峡总公司重要活动与重要会议，以及重大国际合作交流、三峡工程建设动态、科研评审等，以及三峡地区新闻要事。

（十四）“附录”专栏选载三峡工程有关的历史资料、文献和专题论述，以及一些可比性资料等。

（十五）“英文目录”专栏主要为国外读者提供目录索引。

三、《年鉴》以“四项基本原则”为指导，实行文责自负，编辑部一般情况只作技术性处理，对文稿的内容、数据，及保密等问题均由撰稿人所在单位部门把关审定。

四、《年鉴》一律用法定统计计量单位。数字的用法遵从国家《关于出版物上数字用法的试行规定》，技术术语、专业名词、符号等力求符合规范要求或约定俗成。

五、《年鉴·2000》卷，是根据“年鉴编纂委员会第四次会议”精神，在编委充分讨论的基础上，对年鉴总框架作了部分调整。由于三峡工程从设想到实施，历史跨度长，所涉及的历史资料、文献，既广泛又珍贵，因此《年鉴》将逐年选载三峡工程历史资料、文献，并固定在“附录”专栏，逐步追溯反映出来。

六、限于编辑水平和经验，加之专业知识浅薄，因此难免出现缺点和错误，我们热忱希望各级领导和广大读者提出宝贵意见，以便改进工作。

中国三峡建设年鉴社

2000年7月

《中国三峡建设年鉴》
荣获首届中央级年鉴评比二等奖，
同时获美术装帧优秀奖
和框架设计优秀奖。

目　录

特　载

重要讲话

法规·文献

法规·文件

公司文件

历史文献

专 论

综 述

建设与管理

财务工作

计划·合同

审计工作

防汛工作

科技攻关

生态环境与文物保护

经营管理

队伍建设

党群工作

精神文明建设

枢纽工程

施工与监理

规划·设计

机电设备

移民开发

概　　况

开发与规划

对口支援

市、县移民工作

电力工程

输变电工程

电力生产

运行与管理

水库调度

合作与交流

国际合作与交流

与港、台、澳的合作与交流

海外人士谈三峡

著名厂商简介

直属单位

中国三峡总公司直属单位

移民开发局直属单位

新闻宣传与出版

新闻·宣传

文　摘

出　版

人　物

先进人物

老水电工作者

统计资料

三峡工程固定资产投资完成情况

项目合同统计

征地移民情况

对口支援及工矿企业统计

国民经济和社会发展统计

大事记

附　录

长江三峡工程历史回顾

三峡库区文物考

三峡移民试点回顾

英文目录

李鹏委员长视察三峡工程

中共中央政治局常委、中央书记处书记尉健行参观三峡展览

原中央政治局常委宋平考察三峡工程

国务院副总理吴邦国视察三峡工地

全国人大副委员长、农工民主党中央主席蒋正华在三峡工地

全国政协副主席张思卿(左四)在三峡工地留影

中央政治局委员、中国社科院院长李铁映参观三峡展览

全国政协副主席周铁农考察三峡工程

1

2

3

4

5

1.武警水电部队司令杨国屏(前排左三)考察三峡工程
2.重庆市副市长甘宇平(中)在三峡工地
3.国务院三建委移民开发局局长漆林(左三)参观三峡工
4.国家广电总局局长田聪明(中)、副局长张海涛(右)考
三峡工地
5.全国政协副主席钱正英率三建委质量检查专家组赴三
工地

国家监察部副部长左连璧(右三)参观三峡展览

中央扶贫领导小组常务副组长胡富国考察三峡工地

央统战部副部长胡德平(前排中)
非公有制经济代表人士赴三峡工地考察

最高人民检察院副检查长胡克惠(右)考察三峡工程

1.中国航天机电集团公司副总经理薛莉(左二)参观三峡展览
2.文化部副部长艾青春(右三)在三峡工地
3.国家经贸委副主任王万宾在三峡工地留影
4.国务院三建委副主任郭树言考察三峡工地
5.浙江省省长柴松岳考察三峡工程
6.中央“三讲”巡视组组长刘广才(左二)在三峡工地与施工人员亲切交谈
7.三峡枢纽工程稽查组在三峡工地

1.全国人大农业与农村工作专委会副主任杨振怀考察三峡工程
2.三峡工程质量检查专家组在三峡工地考察
3.湖北省委常委、省军区政委吴凤龙考察三峡工程
4.中国人民银行副行长史纪良(左一)、国家交通部副部长洪善祥(右二)、国家财政部副部长高强(右一)在三峡坛子岭留影
5.湖北省委、省政府、省人大、省政协的副省级老同志参观三峡工地
6.中国人民保险公司副总经理唐若昕(右)参观三峡展览
7.中国太平洋保险(集团)公司总经理王国良(右二)在三峡工地

三峡大坝坝体施工

左岸厂坝段施工

左岸厂房坝段施工

泄洪坝段施工

建设中的三峡大坝

左岸1~6#厂房坝段施工

永久船闸地下隧洞施工

永久船闸高强锚杆施工

茅坪防护坝

钢铁大坝

永久船闸进入混凝土浇筑阶段

双线五级船闸开挖完工

进水钢管施工

混凝土浇筑与振捣

施工机械

永久船闸喷锚支护

混凝土浇筑系统已经形成并投入使用

首台机组座环运抵三峡工地

三峡混凝土浇筑设备缆机

钢管安装

先进的混凝土浇筑设备塔带机

▼79m 拌和系统及供料线

环境监测

在砂石系统取砂样进行污染物排放测定

导流明渠正常通航

混凝土浇筑设备顶带机在安装

三峡大坝浇筑夜景

98三峡债券承销协议签字仪式在人民大会堂举行

三峡工程右岸地下发电厂房进水口预开挖

三峡工地国庆夜

ABB 集团总裁兼首席执行官 Goran Lindahel 一行在三峡工地

日本参议院议长斋藤十郎一行参观三峡工地

与外国专家交流

法国前总理爱德华·巴拉迪尔一行考察三峡工地

美国时代华纳集团董事会、新闻旅行团，考察三峡工程

美国参议院、众议院代表团参观三峡工程

美国商业部副部长、国家海洋大气局局长贝克一行参观三峡展览

马来西亚能源电信部长寥莫宜携夫人一行参观大坝模型

世界第二届动力学理事会在三峡坝区召开

三峡工地成为重要的爱国主义教育基地

来自全国各地的999对金婚夫妇在三峡工地举行中国老人世纪宣言活动

12月31日三峡建设者世纪婚礼在三峡坝区坛子岭隆重举行

三峡建设者庆祝建国五十周年歌咏晚会

参加"徒步三峡"活动的队伍到达终点

峡建设者第二届水上运动会

武汉有线电视台在三峡工地举办"天生我才"节目

三峡建设者喜迎新千年

拆迁前的兴山陈伯炎老屋

秭归石门咀遗址周代灰坑 H_{10} 所出卜甲

秭归东门头 C 区（N–S）宋代墓葬 M_2 出土情况

巴东学堂包遗址发掘

摄影：彭雄才 黄正平 郑斌 张爱忠 马宁 孙荣刚 张鸾 江长青

特　　载　I

丹江口水利枢纽

重要讲话

李鹏委员长在视察三峡工程时的讲话(摘要)

(1999年10月9~12日)

从这次考察情况看,三峡工程建设进展顺利,进入了主体工程建设阶段。目前混凝土浇筑强度已经达到每个月45万 m^3,并向50万 m^3 努力,今年要完成440万 m^3。在世界水利水电工程建设史上,混凝土浇筑强度已打破世界纪录。三峡工程量本身就这么大,打破世界纪录是理所当然的事。巴西伊泰普水电站混凝土浇筑的年强度是320万 m^3。我们现在已超过了它,但不应满足。根据施工方案,在二期工程期间,一共要浇筑近2000万 m^3 混凝土,后期还有大量的金属结构安装,所以目前这个强度是需要的。总的来讲,通过实地考察和听取汇报,我对工程的进展表示满意。

(一)必须坚定不移地执行三峡工程建设方案

三峡工程建设的方案可以概括为16个字,这就是"一级开发、一次建成、分期蓄水、连续移民。"这一建设方案是经过多年的研究、论证后确定的,是经过国务院批准并 写入向全国人大的报告中的,必须坚决贯彻执行。二期工程任务是水库蓄水135 m,2003年首批机组发电,三期围堰封闭,永久船闸通航。虽然现在三峡工程已进行到这个程度,社会上也还是有一些议论。目前已经不是再争论什么三峡工程二期工程是不是要达到水库蓄水135 m,是不是要在2003年首批机组发电等问题,因为这些问题已经成为定论了。也不是说水库水位是否应该达到156 m,因为三期工程2006年才达到156 m的水位。现有的人提出的问题是,以后的水库水位要控制在160m。理由有两条,一是可以减少泥沙对重庆港的淤积,二是减少移民的任务,因为移民的压力很大。对于这两条理由,我们是这样一个态度,这些意见值得重视,但是现在争论这些问题没有任何现实意义。因为现在二期工程目标非常明确,只到135 m,至于说到了156 m以后如何分期蓄水,要根据水库水位达到156 m以后,观察水库几年运行的实际情况来加以决定。要看库尾区域是否受到泥沙淤积而妨碍重庆港的运行,也要看移民的具体进展是否能如期完成任务。所以这个问题现在不争论,现在就是集中力量完成135 m的任务。至于说一次建成,这个问题已经没什么可争论的了。枢纽工程的很多部位已经达到185 m了,如果不按185 m建设,以后浪费更大。所以说,一次建成是正确的,这点要坚定不移。二期工程任务很重,因为蓄水到135m,移民要完成45万人,混凝土浇筑要达到2000万 m^3,永久船闸要通航。虽然蓄水时短期内要断航,但葛洲坝有这个经验,可以采取接替运输、公路运输等多种办法。去年发生洪水的时候,也积累了一些通过翻坝运输的经验。总之,二期工程任务很艰巨,要兢兢业业,一步一个脚印,认真总结经验,在保证质量的前提下,如期完成任务,实现第一批机组发电。希望全体三峡建设者为此而努力奋斗。

(二)总结经验,加强管理

现在三峡工程实行的建设制度基本上符合国际上现代企业管理制度,就是由业主招标、施工单位投标,对外采购设备也进行招标、投标,对施工和设备制造进行监理,还采用了计算机管理系统对工程进行监控。这些都表明,三峡总公司在实践中采取和积累了一套科学的管理办法。我们不但希望这是世界上一流的工程,还要做到一流的管理,一流的质量。要做到这一点,应该认真总结已有的经验与教训,使之更加完善。如工程招投标中,不能简单地认为,报价最低就是最好,就能中标,因为报价过低,有的是削价竞争,将来施工企业如果亏损,就有可能影响工程质量。所以,应该有一个合理的报价,并按照合理的标底来进行招标。现在水电建筑业是个买方市场,施工企业有困难,任务不饱满。所以,应该有多套的本领,光搞水电不行,还得参加其他建设项目,既能修飞机场,也能修公路和民用建筑,还能搞内外装修。总之,建筑队伍应该具备多种本领。这段时间整个消费市场比较疲软,所以电力市场也相对疲软,这给水电建筑企业也带来一定的不利影响。但总的看,中国电力人均占有量还很低,现在全国总装机2.6亿 kW,人均占有量只有0.2 kW。美国是人平均2 kW,比我国高10倍,北欧的国家更多。因此,一方面,从三峡总公司来讲,标底要合理;另一方面,施工企业也要具备多种本领,不要光吃水电饭,否则这么大的施工队伍,经营起来是很困难的。虽然下一步开发长江水电规划中有溪洛渡、向家坝等工程,黄河上游还有一两个工程，另外广西红水河还有龙滩工程，但现在能看到、近期有条件开发的也就是这几个工程。东北地区白山、丰满电站建成以后，水电基本上已经开发完了。以后水电开发主要集中在西南，但输电距离比较远，所以，这次三峡输电工程国际招标特别注意直流输电，以减少输电损耗。电力和水电发展问题在“十五”计划中要加以认真论证。

（三）掌握先进设备，确保工程质量

三峡工程是百年大计、千年大计，对工程质量严格要求是必要的。在施工中，也实行了建设监理制度。三峡工程质量虽然全部合格，且优良率达到78.5%，但毕竟还是出现了一些事故，尽管这些事故是水电工程常有的，比如温度控制不好，产生混凝土裂缝，滑模脱板、振捣不密实等，影响了混凝土的强度。这些问题都经过了认真的处理，经过一个冬天和夏天以后，可以积累更多的施工方面的经验。三峡工程的优势在于施工中采用了先进的技术和设备，如采用了塔带机，极大地提高了混凝土浇筑强度，浇筑量已占混凝土浇筑总量的70%左右。但塔带机浇筑也有一些坝体部位浇筑够不上，因此辅以塔吊、缆机等常规的浇筑方式，确保了现在施工有比较好的局面。三峡工程是世界上最大的水电工程，共有2700多万 m^3 混凝土量，但现场除了施工机械和车辆，施工人员很少，这跟过去水电施工搞了几十年的人海战术不一样。塔带机的使用又减少了车辆运输，否则，把这么多混凝土运到现场，不仅需要很多车辆，秩序也不好维持。总之，采用了一系列的先进施工设备，加上过去我们熟悉的传统施工设备，保证了工程的进度，提高了工程质量。当然对这些新设备还有一个熟悉的过程，还有一个不断完善的过程，需要施工人员认真学习掌握好。

（四）多渠道筹集和确保三峡工程建设资金

这几年外部环境比较好，一个是物价，原来设计估算是5%的涨幅，特别是施工所需的建筑材料价格不仅没涨，而且还下降，出现负增长。国际国内电力设备竞争也很厉害，这些都为工程创造了条件。另外，贷款利率也大幅下降，再加上现在发债成本比较低，还可以向人民群众发行三峡债券。今后如果工程建设资金不足，既可以利用银行贷款，也可以发售债券。三峡债券的信誉好，是AAA级，很受群众欢迎。我们的国家还是发展中国家，我们的人均生活水平并不高，财政收入也有限。之所以能建设世界上最大的水电工程，主要是得益于有中国特色社会主义制度的优越性。小平同志讲，社会主义制度可以集中力量干几件大事情。三峡工程的建设者们始终都不要忘记，三峡工程得到了全国人民的支持。现在各地都从电费中提取三峡建设资金，少受益的地区每度电4厘钱，多受益地区是7厘钱，大家都作了贡献。

关于三峡工程的移民工作，我重点谈以下几个问题。

1. 三峡工程的成败关键在移民

1997年三峡工程实现大江截流时，江泽民同志再三强调：“做好移民工作，是关系三峡工程进展和成功的关键。它涉及百万移民，是一项艰巨细致的工作”。我也多次强调这一点。因为三峡工程已经有了建设葛洲坝水电站的经验，有了40年的工程准备，加上这些年施工积累的经验，因此，枢纽工程建设一般认为不会出现大的困难。但是，移民是一个艰巨的任务，静态是84万人，动态是110万人。要把这些移民安置好，确实很不容易。对此，绝不可麻痹大意，掉以轻心。三峡移民和“退田还湖”的移民还不一样，“退田还湖”也是把人迁走，建立小集镇，但阻力并不大，因为受了水灾，移民觉得住在原先的地方不安全，而且移出来以后，在没有大水的情况下，田地可照样种，庄稼照样收。而三峡移民则认为自己是为国家作贡献，所以要求国家给予更多的扶持，难度比较大。因此，湖北、重庆两省市既要看到移民工作的艰巨性和复杂性，又要看到移民工作的重要性。要充分认识到移民是三峡工程成败的关键，认真抓好这项工作。特别是重庆库区，承担着三峡库区85%的移民，任务确实很重，因此更应作为市委、市政府的一项重要工作。对于库区移民工作的重要性，省市和各级领导应该从两方面来提高认识：三峡工程是全国人大通过的工程，全国、全世界都很关注，我们有义务做好移民工作。湖北省是三峡工程的最大受益者，建立重庆直辖市也是由于重庆市担负着三峡移民的主要任务。三峡工程的建设和建成，也给湖北省、重庆市带来了发展的机遇和发展的后劲。

2. 必须如期完成二期工程移民任务

三峡二期工程的目标很明确，就是到2003年第一批机组发电。而达到这个目标的重要条件就是完成135 m蓄水位以下的移民任务。在二期工程建设期间，共有45万移民，其中湖北省近7万人，重庆市38万多人。这是一个硬任务，相当艰巨，但务必如期完成。这个任务能否完成，是对湖北省、重庆市领导班子的考验，是全国人民对这两个省市的期望。移民工作应该实行责任制，移民任务完成不了，首先由省市委书记、省市长负责。几年来，在移民工作的实践中，积累了很多经验，要树立起完成移民任务的信心，通过大家的共同努力，45万移民任务是可以完成的。

3. 继续认真执行开发性移民的方针

开发性移民方针是总结多年水电建设移民的经验后提出的。从三峡库区的实践情况看，是成功的。过去我国建设了许多水电站，为防洪、发电作了贡献，但移民问题还没有解决好。一直到现在，浙江新安江水库的移民问题还没有解决好，今年水位最高，达到 108 m，新安江又出现新的移民问题。湖南的柘溪水电站也没有解决好。五强溪水电站是 120 m 的高程，但因为上游的移民没有达到这个标准，去年长江发生特大洪水时，不敢抬高水位，否则还可以发挥更大的调洪作用。还有湖北的丹江口水库的移民，到现在为止，也有相当多的遗留问题没有解决好。湖北清江隔河岩水库移民较少，安置工作比较细致，要好一些。因此，总结多年水电建设经验，必须实行新的开发性移民方针。

三峡工程枢纽和移民投资比例，差不多是 1∶1，一个 500 亿元，一个 400 亿元，一半钱搞工程，一半钱搞移民，国家确实是下了很大力量。移民工作总的要求是“搬得出，稳得住，逐步能致富”。原来提的是“搬得出，稳得住，能致富”9 个字，现在是 11 个字，因为一般不能马上致富，但应该创造条件，使移民逐步能致富。

移民搬迁的方式应该多样化。重庆市利用第二次土地承包的机会，调出一部分土地，大概是 11 万亩，安排了近 14 万移民，这是一个很大的措施。农民搬迁出去后，应该以务农为主。当然也可以干别的，可以外出打工，可以搞第三产业。但最根本的是他必须有一亩左右的土地，才可以安下心来。三峡库区安置环境容量比较小，可以采取库区内部调整土地和外迁相结合的办法；可以采取本省市范围内的外迁和向外省市外迁相结合的办法，把移民任务分散下去。从客观上讲，现在不少地区确有相当多的农民已经进城进镇，务工务商，承包的土地自己不种，也可能要撂荒，所以有条件的地方，用一定的代价，把农民承包权转让过来，是拓宽移民安置门路的好办法。长江中下游和经济比较发达的省市，进城进镇务工务商的农民较多，因此把三峡移民的任务加以分散，每个省都分担一些，本地安置和外迁安置结合起来，移民工作就能落实得更好。国务院对外迁移民很重视，吴邦国同志将要来三峡召开长江中下游和受益省市领导同志的会议，分配移民任务。外迁移民预计 7 万人，分散到每个省接受的移民任务是 1 万人以下，不算多，务求落实，限期完成，以对三峡工程再作贡献。

4. 库区淹没的工矿企业不能原样搬迁

这是朱镕基同志提出的意见，我认为很好。对于那些产品没有市场、污染严重、扭亏无望的企业，要坚决关闭和破产，不能形成新的亏损源和污染源。花了钱还要亏损，不能干这样的傻事。现在是市场经济，一个企业能否生存，要看它的产品有没有市场，有没有竞争力。库区需搬迁的 1600 家企业，大多产品滞销、技术落后。就是不兴建三峡工程，恐怕这些企业现在也大部分处于严重亏损、有待关停并转的状态。所以，搬迁的企业，应该重新进行改组，使它技术含量高，产品有销路，管理严格，而且有一定的规模。通过发达省市的对口支援，引进一些名优企业到库区，形成当地经济发展的支柱，带动当地的经济发展。在这方面已经积累了一些成功的经验。如涪陵的“六个一工程”：“一盘菜”，传统榨菜；“一块砖”，通体砖；“一包药”，太级制药；“一包烟”，一个烟厂；“一瓶水”，娃哈哈；还有“一袋肥”，30 万 t 的肥料厂。可以说是“六朵金花”。秭归县今年经济增长率也较高，它也有几个好厂子，如森达皮鞋厂就是江苏省对口支援办的。

实行关停并转、出售、破产的一些企业，可能出现一些工人下岗，要妥善处理好，可以按照再就业工程来进行管理，给予一定的生活保障。宁可给予一定的生活保障，也不能重复建设，原样照搬。这应该作为库区工矿企业搬迁的重要指导方针。

5. 要为三峡库区创造新的就业机会

库区的农村移民主要还是以农为本，但还有富余的劳动力；工矿企业的工人有的进入新厂，有的还要下岗再就业。因此，要开拓渠道，为库区移民创造新的就业机会。在库区发展建筑业和建材工业是大有作为的。整个库区在搬迁过程中要大量兴建房屋，还有大量地质工程需要处理，这些事情既需要劳动力，也需要建筑材料。建材行业以及建筑业在库区都是很有发展前途的行业。移民经过一定的培训后可以参加这些工作，当然，前提还是要保证质量，百年大计，质量第一。长江沿岸有丰富的旅游资源，应该开发旅游业。三峡风景闻名中外，很多人想来参观。这些旅游景点还包括三峡工地、小三峡、新开发的奉节天坑地缝等等，还有很多有待开发的旅游资源，潜力是很大的。旅游业要提高质量，提高服务水平。旅游可以设立不同的档次，既要接待外国的客人，又要接待中国的客人；既能接待旅游团队，又能接待零散游客。中低档旅游价格应便宜一些，但服务质量不能降低，要让游客感到是一种享受。特别是现在，一年有三个比较长的假期，旅游的人可能会更多。三峡还有其他可供发展的第三产业。三峡库区要重视发展私营经济和个体经济，这些经济的发展能够创造更多的就业机会。

6. 要十分重视库区新城镇的地质问题

三峡库区的地质问题比较复杂，特别是奉节、巫山和巴东的新县城，治理难度较大，要予以高度的重视。必须逐项加以检查，逐项加以解决，使我们新建的城镇、民房建立在可靠的基础之上。这是一个大事情，不要搬到新城，最后来了个滑坡，不仅损失巨大，而且影响也极坏。当然，在设计的过程中，已经考虑到这个问题，但现在也发现了一些新的情况。还有长江护岸的问题，都要根据新的情况加以解决。如果地质条件非常糟糕,那就下决心重找地方。总之,一定要使新建的城镇建立在可靠的地质基础上。

7. 要树立自力更生、勤俭移民、勤俭建三峡的思想

中国还是一个发展中国家,三峡工程是全国人民支援下建设的。新搬迁城镇规模搞得太大、太豪华、太超前,是脱离中国实际的。新城镇有一个完整的规划,但应分期实施,分期完成。第一期有第一期的标准,然后随着经济的发展,再逐步达到第二期标准,就跟三峡建坝一样,不是也有一期、二期、三期嘛。规划可以搞得好一点,但是建设要分期进行。同时,提倡农民盖房子,互相间不要攀比,不要追求高标准,要为自己今后的经济发展创造条件。从省市县的地方领导到移民个人,都要有为国家精打细算的思想,不要有特殊的思想。江津市在接收云阳外迁600名移民时,照顾得无微不至,给他们送新被褥,给他们锅碗瓢盆,过节还给他们送礼。作为试点,把这件事推动起来,可以理解,但这不是长久之计。大量外迁的时候,三峡的移民必须有自力更生的思想,要提倡通过勤俭持家来求得发展。如果没有这样的思想,躺在国家身上,完全依赖国家,那是搞不好的。

8. 加强对移民工作的管理

加强对移民工作的管理,主要是进行审计和稽察。看有没有招标,是不是有腐败现象,有没有挪用资金等等。当然这也不光是三峡建委的事情,也是有关省市地方都应该办的。三峡建委稽察的重点应该放在库区移民工作方面。当然,对三峡总公司也应该进行稽察和监督,但比较起来,这个队伍还比较正规,内部也有一套比较完整的管理制度。所以,对他们应该是有重点地进行监督。对移民工程的稽察应投入更多的力量,因为确有一些地方领导同志的思想并没有端正。当然也有很多好的做法,如注重第三产业的发展,引进了一些好的企业等等。一些地方的经验说明了搬迁工作是能够做好的。

(原载中共中央文献研究室、中央档案馆主办的《党的文献》杂志2000年第1期,本《年鉴》作摘要刊出。)

朱镕基总理在国务院三峡工程移民工作会议上的讲话(摘要)

(1999年5月20日)

这次会议很重要,主要是研究部署三峡工程二期移民工作。

三峡工程是跨世纪的特大型工程,是我国现代化建设的千秋大业,举世瞩目。我们这样一个发展中国家,能够建设目前世界上最大的水利水电工程,充分体现了社会主义制度的优越性。兴建三峡工程,是中央经过长期考察,反复论证,慎重作出的决策。党中央、国务院对三峡工程建设十分重视,制定了一系列方针政策。三代中央领导集体为兴建三峡工程倾注了大量心血。江泽民、李鹏等中央领导同志,多次到库区坝区视察,作了许多重要指示。

当前,三峡工程建设正处在一期转向二期的关键时期。二期工程建设的主要任务是:枢纽工程建设将实现水库蓄水至135m水位,第一批机组发电,永久船闸通航;库区移民搬迁安置55万人。二期工程建设同一期比较,任务更加艰巨,更加繁重。要完成这样的艰巨任务,必须继续贯彻执行中央确定的方针政策,同时,根据三峡工程建设的实践,当前还要实行政策上的两个调整。第一是调整和完善库区移民政策,第二是调整和完善企业搬迁政策。这些调整和完善,是经过反复调查研究,由国务院集体讨论决定的,意义重大。下面,我讲几点意见。

(一)积极鼓励更多的移民外迁安置

党中央、国务院为什么十分重视三峡库区移民工作?主要是由于这项工作十分艰巨、复杂,关系重大。它直接关系到三峡工程如期蓄水发挥效益,关系到三峡库区的经济发展和社会稳定。三峡工程能否顺利进行,难点在移民,关键在移民。

三峡工程淹没涉及湖北省、重庆市的22个区县,移民数量之大,时间之紧,这在国内外水库移民史上还没有先例。过去移民安置主要是就近后靠,往山上搬。这种做法带来一个很大问题,就是不少地方毁林开荒,严重破坏生态环境,有些地方已经出现山体滑坡。去年我国发生的特大水灾也使我们加深了对保护生态环境重要性的认识。三峡库区山高坡陡,环境容量十分有限;随着水库蓄水水位升高,大量耕园地还将被淹没;国家规定25度以上坡地必须停止开垦,已经开垦的要逐步退耕还林,库区原已存在的人多地少的矛盾将进一步加剧。如果强求就近后靠安置,势必继续开垦陡坡,进一步毁坏植被,造成新的水土流失,破坏生态环境,贻害无穷。为此,一定要坚持多种方式安置农村移民的方针,把本地安置与异地安置、集中安置与分散安置、政府安置与自找门路安置结合起来,现在看来,尤其要鼓励和引导更多的农村移民外迁安置。

湖北省、重庆市要调整农村移民安置规划,增加外迁安置移民数量。外迁移民首先要尽量在本省(市)非库区安置;本省(市)安置不了的,在邻近省安置;邻近省仍安置不了的,可适当考虑在沿江各省市和长江下游滩涂地及其他省(区、市)安置。库区各级政府要认真做好管理、协调和服务工作,做好移民群众的思想政

治工作，使各级干部和广大群众真正转变思想，理解并坚决贯彻执行国家的移民政策，使移民外迁切实建立在自愿的基础上。三峡工程是造福全国人民和子孙后代的伟大工程，每个省(区、市)、特别是经济实力强的省(市)都应多做贡献，尽量多接收一些移民。接收安置移民的地区要妥善解决迁入移民承包土地、购买或新建住房、迁入户口等问题，安排好移民的生产和生活。同时，对移民外迁在政策上要给予倾斜，在资金物资上要给予支持，调动移民外迁安置的积极性。要大力支持农村移民投亲靠友分散外迁。继续从事农村生产，这有利于把困难化整为零，减轻地方政府压力，是安置农村移民的一种较好方式。要认真执行鼓励农村移民外迁的各项政策，把发给外迁移民个人的补助和拨给迁入地政府的资金严格分开，保证外迁移民能拿到应得的补助。

按照移民安置规划，库区新城镇和专业设施的规划与标准，都比搬迁前有所扩大和提高。目前，存在的突出问题是随意扩大规模，提高标准，致使移民安置规划在不少地方成为一纸空文。对此，必须坚决制止和纠正。库区移民搬迁建设一定要量力而行，严格控制迁建规模，绝不能不顾自身的财力、物力，贪大求洋，乱铺摊子，盲目攀比，提高标准。要继续坚持投资、任务双包干的原则，实行层层包干和项目包干。坚决维护移民安置规划的严肃性和权威性，加强对规划执行情况的执法监察，各级政府不得随意调整和修改移民安置规划，严禁突破规划。凡是超过规划的，必须坚决退回；规划内的建设，也要分步实施，逐步到位，不能急于求成。农村移民住房建设要尊重移民的意愿，不得强行规定建房标准，要允许移民在统一规划下分户自主建房。

(二)进一步加大搬迁工矿企业结构调整力度

三峡工程建设为库区工业结构调整提供了难得的机遇。要抓住这个千载难逢的机遇，着力调整企业结构和产品结构。除少数生产名特优新产品和有市场、有效益的企业外，要下决心淘汰那些落后的、没有竞争力的企业。可以肯定地说，库区绝大多数工矿企业不具备搬迁的条件。从国民经济全局来看，“关、停、并、转”这些落后企业比原样搬迁的效果要好得多。当然，少数真正优秀的企业还是要搬迁，不但要搬迁，还要加以扶持，通过技术改造使其进一步发展壮大。

为支持库区迁建工矿企业调整结构，国家要出台一些新的优惠政策，地方政府也应制定一些支持性的政策，同时还要做好职工的思想政治工作，大家共同努力，克服困难，切实搞好搬迁工矿企业结构调整工作。对因搬迁工矿企业破产或关闭而使地方财政减少的收入，由中央财政采取转移支付办法予以适当补助。要妥善安置破产、关闭企业的职工，使他们的基本生活得到保障，并且积极扩大再就业门路，帮助他们尽快走上新的工作岗位。要教育和引导广大破产、关闭企业职工顾全大局，克服目前困难，积极自找就业门路。要采取切实措施和鼓励政策，帮助更多的破产、关闭企业职工从事农业生产。

(三)努力提高三峡工程和移民工程质量

去年底，我去三峡库区和坝区考察，已经就确保工程质量问题讲了很多意见。为什么这次会议还要讲质量问题呢？因为质量是三峡工程的生命，质量责任重于泰山。中央要求，三峡枢纽工程建设要达到一流的工程、一流的质量、一流的管理水平。三峡工程在技术上、设备上都完全具备建成世界第一流工程的条件，能不能真正做到，关键看我们的工作。最近，钱正英同志带领一批专家考察了三峡工程质量，认为工程质量基本上是好的，但和世界一流水平相比还有差距。这个结论还是比较客观的。三峡工程法人单位和所有参建单位，要以对国家、对人民、对子孙后代高度负责的精神，把质量放在工程建设的首位，确保万无一失，不留隐患。要认真推行项目法人责任制、招投标制、合同管理制和工程监理制。要选择资质合格、认真负责的监理单位，对枢纽工程的质量、进度进行不讲情面的全面监督和检查。对出现重大质量事故的，要依法依纪追究责任。有关部门要加强对工程质量的监督、稽查，发现问题，及时整改。

对三峡枢纽工程提出的质量要求，同样适用于移民工程。搬迁建设工程项目多，总体质量是好的，但存在的问题也不少，甚至有一些“豆腐渣”工程，已经造成了重大人员伤亡和财产损失。对此，必须高度重视，严格监督检查，认真加以解决。针对三峡库区和移民工程的特点，要特别强调重视地质勘查，科学施工，预防各类地质灾害的发生。要从严管理移民工程建筑市场和建材市场，严禁搞地方、行业保护主义，坚决清除不合格的设计、施工、监理队伍。要层层建立移民工程责任制，严格移民工程项目管理，按各自的职责对移民工程质量负终身责任。

(四)做好三峡库区环境保护和文物保护工作

保护生态环境，是我国的一项基本国策。要把保护好长江两岸的青山绿水、保护好库区的生态环境作为一项重要工作来抓，妥善处理移民工程建设与环境保护的关系，努力实现库区经济建设、移民安置、生态环境保护的协调发展。要严格遵守《环境保护法》，贯彻执行国务院颁布的《全国生态环境建设规划》和国务院批复的《长江上游水污染整治规划》，确保各项环保措施得到落实。要采取切实有效的措施，坚决禁止毁林开荒，停止开垦25度以上坡地，已经开垦的要逐步退耕还林。企业搬迁必须严格执行环保规定，搬迁后的企业如果仍然达不到排污标准,要勒令停产,直至检查合格后才能开始生产。沿江城市要严格控制直接向长江排放污水或倾倒生活垃圾。要加强搬迁城镇的环境治理,避免大挖大填,禁止随意弃渣。通过这些工作,努力把库区建设成经济繁荣,环境优美,人民安居乐业的新型经济区。

三峡库区蕴藏有丰富的文物古迹,其中一些具有重要历史鉴证价值。要根据《文物保护法》和其他有关法规,按照"重点发掘、重点保护"的方针,对列入保护规划范围的文物,要抓紧工作,以保证各水位线下的文物在蓄水前得到妥善处理。

(五)三峡工程的成败系于各级领导干部的素质

三峡库区多是比较落后的山区。加强这里的各级干部队伍建设,对于搞好三峡工程尤为重要。做好移民工作,管好用好移民资金,关键都在于干部。三峡工程的成败系于各级领导干部的素质。

要大力加强移民干部队伍建设,不断提高素质。库区各级移民工作干部要以高度的责任感和历史使命感,切实负起责任,做好各项工作。要加强对移民干部的教育培训,不断提高他们的工作能力和综合素质,为三峡工程建设提供可靠的组织和人才保证。湖北省、重庆市要选派一批素质高、能力强的干部,充实移民工作第一线,加强对移民工作的领导。对口支援省(区、市),也可以考虑派干部兼任三峡库区和坝区的副县长。库区各级移民干部要"讲学习、讲政治、讲正气",切实加强自身建设,树立廉洁奉公,勤奋敬业的精神,提高决策能力和领导水平,全心全意为移民群众服务。

库区各级党委、政府和移民管理机构,要认真落实党风廉政建设责任制,加大对侵吞、挤占、挪用移民资金案件的查办力度,严厉打击和清除腐败分子。三峡工程建设资金和移民资金是全国人民的血汗,来之不易,必须十分珍惜,每一分钱都要用在工程建设上,用在移民重建家园上。要进一步建立健全严格的稽核制度,强化审计监督,加强资金计划、财务管理,保证移民资金专款专用,不断提高移民资金使用效益。

吴邦国副总理在三峡工程库区农村移民外迁现场会议上的总结讲话(摘要)

(1999年10月30日)

(一)充分认识农村移民外迁安置的必要性

今年5月,国务院召开的三峡工程移民工作会议,一个重要内容就是对库区移民政策和工矿企业搬迁政策作出调整和完善。对农村移民,会议强调要坚持多种方式安置的方针,突出强调异地安置的问题,之所以调整和完善原有移民政策,主要有这么几点原因:

首先,三峡库区的土地容量严重不足,部分农村移民必须实行外迁安置。三峡库区大部分地段,主要是丰都县以下至三斗坪,长达375 km,是受淹没影响较重的地段。该地段正好位于三峡峡谷区和四川盆地东部边缘的高山区,山高坡陡,沟壑纵横,土地可利用系数很低,人多地少的矛盾本来就十分突出。这也是该地区成为连片贫困区的重要原因之一。三峡水库蓄水到175 m正常水位后,整个库区被淹没的耕园地多达39万亩,淹没线以下的农村人口高达34万人。加上淹地不淹房、人口自然增长等因素,大约还有6万多人需要安置,这样共需要安置约41万人。据测算,通过采取开垦荒地、坡地改梯地、调整责任田、工程防护等多种措施,全库区最多可以得到34万亩耕园地,比被淹没的39万亩还少5万亩,显然满足不了41万人的安置需要。况且淹没的是熟地,新开发的是生地,淹没的是相对平坦的地,新开发的是坡度较大的地。特别是重庆库区下游的巫山、奉节、云阳、开县和忠县等5个县,情况更为严重。被淹没的耕园地达21.5万亩,需要安置的农村移民达22.3万人,而通过上述各种途径能够得到的耕园地只有13.3万亩,仅占被淹没耕园地的60%左右。土地是农民的饭碗,土地的容量决定了移民安置的容量。三峡库区就这么些土地,这一现实决定了将有相当一部分农村移民必须外迁安置。

第二,从三峡库区生态环境保护的客观需要出发,也必须鼓励和引导更多的农村移民外迁安置。1998年,长江流域和松花江流域相继发生的特大洪水灾害,给了我们很大的教训,大大提高了全国人民的水患意识和生态环境保护意识。长期以来,三峡库区由于滥伐滥砍,造成生态环境的严重破坏,大量水土流失,加上这一地区地质条件复杂,每年汛期山体滑坡、泥石流等自然灾害时有发生,人民生命财产受到严重威胁。因此,长江流域、尤其是三峡库区防止新的水土流失,还长江两岸青山绿水的问题,更加紧迫地提到了议事日程。这既关系到库区人民生命财产的问题,也关系到今后三峡水库泥沙淤积的问题。我们既要安置好农村移民,又要保护好生态环境,已经成为三峡库区移民工作中的一个重要课题。去年国务院颁布了《全国生态环境建设规划》,洪水灾害过后,国家又明确规定,25度以上坡地必须停止开垦,已经开垦的要逐步退耕还林。"就近安置,后靠移民"是有限度的,不能以牺牲环境为代价,也不能不顾移民今后的生产生活条件。在这样的情况下,鼓励和引导更多的农村移民实行外迁安置是当务之急,势在必行。

第三，由于经验不足，情况的变化，一部分原规划二、三产业安置的农村移民需要调整为农业安置，这也加重了移民外迁的任务。原来的安置规划中，采取二、三产业安置的农村移民比例比较高，其中，重庆库区占24%，湖北库区也达到17%。现在看来，这显然脱离实际。为什么这样讲？主要原因是，现在宏观经济环境已经发生了很大变化，卖方市场变成了买方市场，全国生产能力普遍过剩，市场供大于求，物价持续下降。而三峡库区的二、三产业全部都是小型企业，绝大多数设备陈旧，管理落后，污染环境，产品更没有销路，经济效益很差。这些企业的平均资产负债率达113%，亏损面达70%以上，相当一部分搬迁企业在结构调整中要实行破产、关闭。库区的二、三产业，安置原有的企业职工都十分困难，又怎么有能力再吸纳农村劳动力，就是自谋职业搞二、三产业，在当前的市场环境下，又谈何容易。这几年的实践也证明，凡是已经安置到二、三产业的农村移民，相当一部分效果不好，生活困难，钱给了，现在又要求重新安置，这已经成为三峡库区的一个不安定因素。为了维护库区社会的长治久安，也是对移民负责，对一部分已经安置或计划安置到二、三产业中的农村移民，改为外迁农业安置，是十分必要的。

根据上述情况，我们对农村移民规划作了必要调整。湖北省的外迁移民由原规划的1.2万人，调整为2.5万人，全部在本省非库区县安置。重庆市的外迁移民由原规划的7.1万人，调整为10万人，其中，重庆市非库区县安置2万人，投亲靠友、自主分散安置1万人，余下的7万人要全部出市外迁安置。经国务院原则同意，重庆市的这7万人分散安置到上海、江苏、浙江、安徽、福建、江西、山东、湖北、湖南、广东、四川等11个省市。各省市具体安排多少，郭树言同志在讲话中已作了部署。我这里强调的是，重庆市农村移民外迁工作，不论对迁出地政府，还是对迁入地政府来说，都是一项新的工作，也是一项艰苦细致、容不得半点马虎的工作。各地政府必须高度重视，积极稳妥地做好这项工作。

（二）顾全大局，克服困难，保证完成外迁移民安置任务

落实农村移民外迁任务，很大程度上取决于迁入地各级政府的大力支持和有关乡村农民的积极配合。关于移民外迁工作，实事求是地说，有关省市确有自己的实际困难。比如，四川等一些省在建或将要修建水库，本身也有很重的移民任务。另外，11个省市还担负着支援西藏和中西部地区的任务，许多省还有自己的扶贫工作。对于这些困难，中央是了解的，这次任务安排，是充分考虑到了各省市实际情况的。

昨天，我们到江津市进行了实地考察，看了他们的做法，有了亲身感受。从他们的经验看，一个乡镇大体可安排500人左右。江津市只是一个县级市，经济并不算发达，本身还有相当重的扶贫移民和国家重点工程建设的移民任务，还能够接收外迁移民几千人，11个省市经济规模大得多，有的地区经济还比较发达，每个省市安置几千移民，最多的四川省也不过9000人，应当说经过努力是完全可以做得到的。三峡库区移民百万，这次安排到11个省市的才7万人，不到移民总数的7%，湖北省、重庆市仍然承担着90%以上的移民任务。由此可见，移民任务大头还是在重庆和湖北，11个省市虽然各有困难，只要顾全大局，树立信心，克服困难，做好工作，国务院相信是一定能够完成任务的。

（三）坚持以农为本，使外迁移民“搬得出、稳得住、逐步能致富”

三峡库区的外迁移民都是农村移民。根据几十年来我国水库移民的经验和几年来三峡移民的实践，对于农村移民的安置，必须遵循以农为本、以土为本的原则。这是因为，农业是农村移民世代从事的本业，也是一稳定的职业，在这方面，他们轻车熟路，有所作为。如果他们马上丢弃熟悉的农业，去从事不熟悉的二、三产业，更有一个重新学习和适应的过程，还得承受市场经济的风险。因此，以大农业为基础安置农村移民，既符合移民发展经济的要求，也符合广大农村移民的习惯心理，也只有这样，移民才能稳得住。

这次接收三峡库区移民的11个省市，人均耕地差别较大，有的相对较高，有的相对较低，但不管怎样，接收外迁移民安置的地方，都必须保证移民承包的耕地、自留地、宅基地不低于当地的平均水平。耕地的来源，从湖北省、重庆市的经验，以及听取11个省市意见的情况分析，主要有以下几条途径：一是利用当地农民进城、进镇后留下的耕地。二是没有承包给农民个人，由村、组集体掌握的耕地。三是部分省市农场的耕地。四是开发改造25度以下、水利条件较好的坡耕地和滩涂地。此外，有的省市还提出，对人均耕地较多的地方，适当调整原来承包给当地农民的耕地。总之，各省市可以根据自己的情况，多种途径解决土地问题。这里只是提出几条途径，希望大家创造更多的经验。

对于分配给移民的耕地，迁入地政府要及时颁发土地承包证，落实移民户的土地承包权、生产自主权和经营收益权，并要积极引导他们发展农业生产。

对于那些耕地较少、但经济比较发达的省市，如上海、江苏、浙江、广东等，二、三产业有很大的优势，可适当吸收部分素质较高的外迁移民从事二、三产业，以增加移民收入，为移民逐步致富创造条件。即便如此，也必须保证每户外迁移民有一份基本耕地，一旦企业不景气，效益不好，移民回去后，仍有地可种，不致于生活无着落,产生不安定因素。

三峡库区农村移民外迁安置工作,国家的政策是统一的、清楚的,各个接收地区的任务是明确的、具体的,怎样完成任务,各地既可学他人成功经验,也可根据本地的特点,制定适合当地情况的办法。江津市和宜昌市远安县都采取了"相对集中、插花安置"的方式,从实践看,这种方式在这两地是比较成功的。这一思路是值得其它地区借鉴的。上海、江苏、山东根据自己的情况,提出政府组织、相对集中、分散安置。这也是一种较好的思路。总之,我们要求各地要先试点,后铺开。试点总的进度安排是:①今年底以前,作好试点方案,明年一年完成试点任务,同时编制好本省市接收移民安置的总体规划;②2001 年开始,在试点的基础上全面铺开;③2003 年上半年,完成安置任务。

(四)加强领导,明确责任,把移民外迁工作落到实处

迁入地的 11 个省市,要把这次外迁移民安置任务作为对口支援的一项重大任务完成,加强组织领导,明确责任,把各项工作落到实处。这里,我再强调几点:

一是省市主要领导要经常过问,分管领导要亲自抓。要落实专门机构或部门负责这项工作。二是要做好迁入地干部、群众的思想政治工作。三是要认真做好外迁移民的安置规划。四是要加强对外迁移民资金的管理。要专款专用,不得挤占挪用。对到位的移民资金要按进度及时拨付给直接安置移民的基层单位,不得滞留。当地监察、审计、银行等有关部门要加强对移民资金使用的监督。对违纪违法行为,要依纪依法严肃处理。

以上是对迁入地各级政府讲的。同样,作为迁出地的重庆市各级政府,要加强对 11 个省市接收工作的配合、协作。不要认为移民外迁到别的省市后,就可撒手不管了。要本着对国家、对移民、对历史负责的精神,配合 11 个省市认真细致地做好外迁移民的有关工作。

漆林同志在国务院三峡工程移民工作会议上的讲话(摘要)

(1999 年 5 月 19 日)

(一)六年来移民工作的基本情况

1.编制完成库区移民安置规划

从 1993 年开始,湖北省、四川省及重庆市人民政府会同或委托水利部长江水利委员会,在 1991 ~ 1992 年对三峡库区淹没实物指标调查的基础上,对库区的移民安置容量进行了全面调查和分析,对移民搬迁安置区进行了地质勘察和合理选择,编制完成了全库区 22 个县(市、区)的移民安置规划,并经省(市)人民政府批准后全面实施。与此同时,在三峡建委的组织协调下,国家计委编制了《三峡地区经济发展规划纲要》,国家经贸委编制了《三峡库区工矿企业搬迁技改规划》,农业部编制了《三峡地区农业发展规划》。这些规划的编制和实施,为移民工作的顺利开展奠定了基础。

2.建章立制,依法移民

在移民规划、计划、资金等各方面,三峡建委办公室和移民开发局制定和出台了 29 个管理规定和制度,还有的正在制定和即将出台。湖北省和重庆市及库区各级政府相应制定了有关实施细则和管理办法,使移民工作的各个方面基本上做到了有法可依、有章可循。

3.移民资金和工程质量管理水平逐步提高

为保证移民工程质量,积极推行了项目法人制、招标投标制、工程监理制和合同管理制。特别是朱镕基总理去年 12 月视察三峡库区后,库区各级政府和移民管理机构对管好用好移民资金、提高移民工程质量的意识有了明显增强,进一步明确了管理责任制,促进了移民资金的专款专用和移民工程质量的提高。

4.移民搬迁建设取得了阶段性成果

1993 ~ 1998 年,国家已累计安排移民投资 127 亿元(动态)。截至 1998 年底,全库区已累计开发、改造、调整土地 25 万亩,新建各类移民房屋 897 万 m^2,搬迁和关闭工矿企业 355 个,复建公路 732 km、港口码头 6 座、输变电线路 41.8 万 m、通信线路 50.8 万 m,累计搬迁安置移民 15.6 万人,其中城镇 7.9 万人、农村 7.7 万人,同时还为 5.5 万移民搬迁创造了条件。

今年 1 ~ 4 月,三峡工程移民资金到位 10 亿元,已搬迁安置移民 6626 人,新建房屋 54.23 万 m^2,复建公路 37.9km。

5.全国对口支援三峡库区移民工作取得显著成效

至 1998 年底,对口支援共为三峡库区引入资金 59.95 亿元,其中经济合作项目资金 46.26 亿元,社会公益性项目资金 12.69 亿元,援建希望学校 364 所,安排移民劳务 16555 人次,干部交流 369 人次。去年 11 月吴邦国副总理主持召开的国务院对口支援三峡库区企业迁建工作会议,再次部署了对口支援工作,提出了新的要求,又促成了一批优势企业到三峡库区开展经济技术合作。

6.库区各级干部和移民群众进一步提高了对移民工作的认识

库区广大干部的全局意识、机遇意识和责任意识明显增强,自觉地把移民工作放在库区经济工作的首位,普遍明确了各级党政一把手为移民工作第一责任人,并层层建立了目标管理责任制。库区广大移民群众也从移民搬迁建设的成功实践中认识到,移民搬迁建设是库区发展千载难逢的机遇,搬迁的积极性进一步提高。

(二)当前移民工作中应当引起重视的几个问题

1.不严格执行移民迁建规划,随意扩大规模,提高标准的现象比较突出

有的以长远发展规划代替移民迁建规划,不考虑自身财力、物力,建设摊子铺得过大;有的市政工程、专业设施和单位办公楼随意扩大占地规模、提高建设标准,造成投资缺口;有的甚至挤占挪用移民资金盖楼堂馆所,或用于非移民项目,使得该建的建不起,该迁的迁不走,影响了移民工作的进展。

2.部分农村移民安置尚未完全落实

根据移民安置规划,全库区有7.2万农村移民需要外迁安置。按照国务院关于25度以上坡地禁止开垦,已经开垦的要逐步退耕还林的要求,还要加大农村移民外迁安置力度。截至今年一季度,库区已累计外迁安置农村移民19694人,今后外迁安置的任务还相当艰巨。就近安置的部分农村移民,也存在生产安置不落实的问题。一是为移民开发的土地,有相当一部分质量不高,难以安稳移民。二是规划以二、三产业和自谋职业方式安置的部分农村移民。由于受目前宏观经济环境的影响,具体安置方案难以落实;已经安置的,也有一部分由于企业停产或市场变化,就业困难。

3.企业迁建结构调整力度不大,效益不理想

由于相当一部分企业低水平重复建设,或者对原本亏损的企业原样复制,建成后经济效益不好。

据对1998年底竣工投产的243个项目(涉及淹没企业355个)调查统计,有一半企业经营不景气或亏损。

4.移民工程项目缺乏严格管理,部分工程存在质量隐患

有些移民项目违反基建程序,不按规定履行报批手续,没有初步设计或设计成果不经严格评审,就列入了移民年度计划。有些建设单位不严格按照有关规定执行"四制",工程质量存在隐患。据对1998年度1272项移民工程的调查统计,存在质量问题的70起,发生质量事故5起,其中重大质量事故2起。在70起质量问题中,没有实行工程监理或无证监理的52项,施工队伍资质不合格的24项。

5.移民搬迁建设中地质工作比较薄弱

有的移民工程未进行地质勘察或地质勘察达不到设计要求就开工建设,有的以地质初勘代替详勘,致使工程被迫停工或返工。有的工程在设计和施工时未能充分考虑地质条件,处置不当,留下严重隐患。有的工程盲目大挖大填,随意弃渣,造成水土流失和泥石流、滑坡等人为地质灾害,严重影响三峡景观和生态环境。

6.移民资金管理和使用中的违纪违法行为时有发生

一是挤占挪用移民资金现象严重。据国家审计署对1997年移民资金的审计,共查出被挤占挪用移民资金达2.37亿元。二是部分乡镇和迁建单位移民资金管理制度不健全,缺乏必要的监督制约,漏洞较多。三是一些地方随意出让移民迁建用地,收费单位不统一,收费标准混乱,相当一部分被挤占挪用。四是有些移民管理机构、新城镇迁建指挥部和乡镇违反规定,随意从移民工程中提取行管费,有的达到建设项目投资的5%。有的移民管理机构内部财务管理混乱,给犯罪分子以可乘之机。

(三)对下一步工作的几点意见

1.多种方式并举,妥善安置移民

二期移民工作,要继续坚定不移地走开发性移民之路。农村移民安置要从有利于库区可持续发展出发,按照朱镕基总理的指示:坚持本地与异地安置、集中与分散安置、政府安置与自找门路相结合,多渠道、多形式扩大移民安置容量。在继续做好就近安置的同时,要采取积极鼓励的政策,加强组织协调,做好农村移民外迁安置工作。淹没企业搬迁要充分利用国家给予的优惠政策,切实加大结构调整力度,优化库区经济结构,下决心破产关闭一批差的企业。城镇迁建和专业设施复建,要正确处理搬迁与发展的关系,科学规划,量力而行,分步实施。

2.加强资金管理,确保专款专用

要继续加强对移民资金的审计检查。几年来,国家审计署、财政部把三峡移民资金作为重点审计、检查项目,对移民资金管理使用中存在的问题提出了许多中肯的批评和建议,今后还将进一步延伸和扩大审计、检查范围。各级移民管理机构和移民资金的使用单位一定要严肃对待,对审计和检查出的问题,要认真整改。要加强对基层乡镇移民资金的管理,建立健全严格有效的财务管理制度,堵塞漏洞,防范风险。严禁用移民资金从事融资活动或为任何部门、单位提供资金担保。移民管理机构一律不准办公司,已办的必须按国家有关规定尽快脱钩。

3.采取有效措施,提高工程质量

项目法人及有关单位领导责任人,要按各自的职责对移民工程质量负终身责任。要认真执行移民工程项目审批制度,谁审批,谁负责。未经审批的项目,不得纳入年度移民计划,不得拨付移民资金。要全面推行"四制",限额以上项目必须实行公开招投标,确需邀标和议标的,必须在上级主管部门监督下进行。大中型项目要聘请资质合格的监理单位进行全过程监理,

分散的小规模工程要积极推行“片区”监理。认真把好工程竣工验收和决算审查关,积极开展重点项目的后评估工作,未经验收或验收不合格的项目,不得投入使用。

4.着眼长远发展,保护生态环境

坚决贯彻《环境保护法》、《全国生态环境建设规划》和有关法律法规,正确处理好移民搬迁建设与生态环境保护的关系。合理开发和利用土地资源,坚决禁止毁林开荒,禁止开垦25度以上坡地,已经开垦的,要逐步退耕还林还草。积极做好山水林田路综合规划和小流域治理,大力改善农业生态环境。工矿企业迁建要严格执行环境影响评价和“三同时”制度,防止环境污染。城镇、企业迁建选址和公路复建选线以及居民点建设等,必须做好相关地质勘察工作,避免大挖大填和随意弃渣。对于水库蓄水后可能威胁居民点安全的滑坡堆积体以及库岸再造等问题,要加强监测,制定方案,分期治理。

5.增加法制观念,坚持依法移民

进一步加大移民政策法规的宣传力度,增强移民工作干部和移民群众的法制观念,提高依法移民的自觉性。积极开展法律服务,依法解决移民安置中的矛盾和纠纷,切实维护国家、集体和移民群众的合法权益。尽快做好《长江三峡工程建设移民条例》修订的有关工作,并报请国务院审批。湖北省、重庆市应依据《移民条例》及其他有关法律法规,加快制定和完善移民工作的地方性法规。

6.改善投资环境,深化对口支援

要不断改善库区投资环境,花大力气彻底扭转办事效率不高,不守合同,不讲信誉的现象。进一步制定和完善优惠政策,提高服务质量。各有关省、区、市和国务院有关部门,要按照国务院的要求,进一步加大对库区工矿企业迁建、基础设施建设、高效生态农业建设、旅游开发和社会公益事业发展等方面的对口支援力度,把工作的着力点放在提高移民搬迁安置的质量和扩大移民安置容量上。

7.提高思想认识,加强队伍建设

按照党中央的部署,紧密结合移民工作和移民干部队伍的实际,深入开展以“讲学习、讲政治、讲正气”为主要内容的党性、党风教育。

国务院三峡建委移民局将进一步发挥组织、协调、监督和服务的职能,切实转变工作作风;进一步加强对移民工程建设质量和移民资金使用管理的监督,加强对移民方针政策贯彻落实情况的检查。牢固树立服务意识,为库区服务,为移民服务,积极为库区移民安置和经济发展创造条件。

中国三峡总公司工作报告(摘要)

陆佑楣

一、1999年工作回顾

1999年是我国历史上不平凡的一年,经过政治上的三大斗争、澳门的回归和经济上的改革和复苏,加快了我国综合国力的提高。1999年也是三峡工程开工以来最具挑战性的一年。

(一)三峡工程建设较好地完成年度计划

1999年是各项主体工程从基础开挖转入大规模混凝土施工的转折年。双线五级船闸完成石方开挖任务,进行大规模的岩体锚固,高175 m的岩体边坡得到了稳定,解决了三峡工程多年来一个重大技术难题;河床部位大坝和发电厂房从基础开挖转移到大规模的混凝土施工;整个工程混凝土施工进入高峰期,第一年就创下年浇筑混凝土458.5万 m^3、月最高浇筑混凝土55.35万 m^3、日最高浇筑混凝土2.18万 m^3 的世界纪录。工程建设部以及设备公司、物资公司等相关部门步调一致,采取有力措施,加强现场组织协调,发挥设计、施工、监理各方积极性,克服种种困难,较好地完成了年度计划。这是三峡工程开工以来取得重要成绩的一年。

(二)工程建设管理上了一个新台阶

1999年,全面加强工程建设管理,工程质量、进度、投资都得到较好的控制。全年共完成投资112.73亿元,为年度计划的101.7%;其中枢纽工程58.24亿元,移民补偿费拨付54.49亿元。全年共签订各类合同520个,总金额33.2亿元。

1.工程质量保证体系进一步完善,工程质量明显进步

由于参建各方认真贯彻中央领导对三峡工程质量的一系列重要指示,认真落实国务院质量检查专家组的指导意见,进一步完善质量保证体系,从原材料的出厂检验、砂石料生产运输系统、设备及钢结构的制造、混凝土的生产运输,一直到建筑物的施工,都有明确的质量标准和检测系统。攻克了高温季节浇筑混凝土的温控和永久船闸高边坡的开挖及支护问题。因此,1999年工程质量有明显提高。从总公司自检情况看,1~12月共评定单元工程13760个(主体工程12584个,其它项目1176个),一次检验合格率达95.5%,复检合格率100%,优良率75.8%。其中主体工程混凝土浇筑单元工程质量评定8674个(永久船闸项目2022个,厂坝项目4774个,其它项目1878个),一次检验合格率达95.2%,复检合格率100%,优良率80.7%。统计表明,

工程质量良好。专家组初步给予了积极的评价，也指出了仍然存在的一些问题。

2.项目管理力度进一步加强

1999年，根据工程建设需要，调整项目管理机构，加强项目管理力量，确定管理目标，界定各方责任，明确具体责任人，加强对口联系，使三峡工程的分项目管理体系得到改进和强化。特别是建立施工、监理、项目部现场24小时值班制，迅速解决现场施工问题，及时排除各标段之间的干扰，提高了项目管理力度和办事效率。这是1999年工程建设任务完成较好的组织保证措施。

根据工程实际情况，聘请少量国外知名公司对三峡工程的关键项目进行监理和咨询，起到积极作用。

砂石骨料完成了两个系统的改造，保证了工程施工的需要。

3.设备管理在实践中走向成熟

6台塔带机、顶带机及其供料线、4台胎带机、1台大塔机、8台高架门机、2台缆机、还有2台履带吊和7座拌和楼(6418227)等30台套设备所构成的具有当今世界先进水平、规模最大的混凝土浇筑现代化系统，经过一年的艰苦努力，全部安装就位并投入运行。初步运行实践表明，对混凝土施工方案的决策是正确的。当然，这套系统目前还比较脆弱。1999年，总公司召开设备管理工作会议，为2000年冲刺浇筑最高强度施工目标打下了基础。

4.物资供应管理不断完善，保证了工程建设的需要

水泥、粉煤灰、钢材、木材、汽油、炸药这六大材由于注意拓展供应渠道，加强需求过程控制和系统调度，加强驻厂监理和现场验收，把住了原材料的质量关，满足工程建设的需求。1999年，共采购供应水泥76.5万t，粉煤灰28.38万t，钢材9.2317万t，木材7387 m^3，油料3.7149万t，炸药5832 t。供应体制的完善、调整在确保对主材质量和价格的有效监控前提下，也调动了施工单位的积极性。

5.三峡工程管理信息系统(TGPMS)已通过验收并投入使用，工程建设与总公司管理信息工作开始上一个台阶

TGPMS系统不仅为工程和总公司的现代化管理提供重要手段，而且推动我们各项管理工作的规范化、标准化、程序化。

总公司的宜昌、坝区、北京信息网络中心已经形成。工程进度、质量、合同、物资、设备、财务和公文管理系统已经开始投入使用。

6.技术管理得到加强，科技成果发挥技术支持作用

1999年，总公司召开第一次科技工作大会，进一步明确围绕工程建设，结合工程实际加强科技工作的方针。进一步落实和加强科研项目的归口管理和规范化管理，取得一批好的科技成果，进一步发挥在解决工程质量与进度的关键环节上的技术支持作用。如《三峡二期大坝混凝土浇筑计算机模拟系统》、《永久船闸闸室、混凝土夏季施工与温控研究》等项目已在施工实践中见到成效。

技术委员会受总公司委托，组织8个专题审查，审查工作已基本结束。三峡工程的一些重大技术问题都得出了结论，为三峡工程在技术上把了关。

1999年共有61个科研项目立项，科技投入达2055万元；共有23个项目验收，所有已验收项目均在工程建设的设计、施工、管理中不同程度应用。

7.坝区管理已基本实现规范化、法制化

在宜昌市政府支持下，封闭管理取得明显成效，建立起良好的治安秩序、交通秩序和施工环境。坝区物业管理和精神文明建设也受到国家有关部门表彰。汛期断航期间，坝区应急转运工作组织有序，得到各方肯定。

(三)计划管理进一步规范，投资控制进一步加强

1.继续推行“静态控制，动态管理”的投资控制措施

截至1999年底，三峡枢纽工程土石方开挖、填筑及混凝土浇筑工程量已分别完成总量的96.6%、80.3%、32.4%；相应的投资完成占概算总量的87.3%、47.5%、29.9%；说明投资完成与工程进度相匹配，都控制在概算范围内。

2.价差测算和管理工作进一步规范

截至1998年国家对枢纽工程审批的价差累计36.61亿元(1999年价差待审定)。1998年对1993年的基期综合调价系数为1.283；1998年对1997年的环比综合调价系数为1.012。基期调价系数比初设概算的专家组1993年预测下降了23个百分点，这与国家宏观调控的趋势是一致的。通过几年的探索，价差管理形成从资料收集测算——报批——对外(含内部公司)结算等一系列较为完善的管理机制和控制制度，对加强工程投资控制起到促进作用。

3.总公司内部投资控制力度加强，概算管理形成了总公司宏观控制，各有关综合部门归口管理的费用管理格局

严格立项管理，扭转了“先干活，后立项，先花钱，后报批”的状况。全年共审减费用8813万元。概算10项费用管理，通过年初下达计划指标和实施中的控制检查，取得较好成绩。

4.初步建立工程投资风险分析制度

对概算控制和合同执行的分析工作进一步加强，起到信息沟通和警示作用。逐步开展以项目管理和物资、设备供应为基础，总公司计划、财务部门牵头的对工程总体成本进行宏观预测和分析工作，提高工程投资管理水平。

（四）电力生产超额完成年度计划，安全生产创造新的纪录，三峡电厂和三峡梯调筹建工作起步

1999年，由于葛洲坝电厂广大干部职工的共同努力，精心管理、精心调度、精心运行、精心维护，取得年发电157.25亿kW·h的好成绩，为年度目标计划153亿kW·h的102.8%。实现全年安全生产无事故，创造建厂以来连续安全生产825天的最好纪录。各类计算机监控系统安全进入2000年。完成42台次机组大小修和500 kV、220 kV开关站以及其它设备的检修，为确保实现新一年的安全生产计划创造条件。

1999年，在电力生产管理部、葛洲坝电厂、国际合作部、人事劳动部等部门和单位的共同努力下，对三峡电厂和三峡梯调的组建方案进行初步酝酿。人员培训已经展开。三峡电力电量的消纳和电价测算工作已有初步结果。葛洲坝电厂发电计划在国家单列已被确认。有关三峡梯调的科研工作正在抓紧落实。

（五）多产业经营在整顿的基础上有所前进

按照“规范经营，稳步发展”的方针，1999年总公司下属各经营性子公司进一步开展清理整顿工作。重点是对双职能公司和部门办的经营实体以及实行差额管理单位的改制。在总公司范围内实行部分的资产重组、推进企业股份制的尝试。有的子公司初步建立起科学的法人治理结构和较规范的内部运行机制。各经营性公司通过填报稽察材料，进一步摸清自己家底，规范各项基础管理。经过规范整顿，1999年总公司下属二级公司共有22个（不含财务公司，法人单位17个），三级公司36个（法人单位28个），四级公司25个。

三峡总公司下属各经营性公司截至1999年底总资产为80554万元，净资产为39821万元，负债总额40733万元；1999年完成总产值为29890.4万元，实现净利润4422万元，纳税848.5万元，经济效益比1998年略为降低。①葛洲坝电厂第三产业完成总产值13330万元，净利润2599.5万元；年末总资产为41844万元，净资产为19804万元，负债22040万元。②三峡国际招标公司完成总产值802.4万元，净利润171.7万元；年末总资产为2251万元，净资产为1773万元，负债478万元。③北京峡光经济技术咨询有限责任公司完成总产值348.1万元，净利润61.73万元；年末总资产为1098万元，净资产为442.6万元，负债655万元。④长江三峡技术经济发展有限责任公司完成总产值1018.5万元，净利润117.1万元；年末总资产为6683万元，净资产为3939万元，负债2744万元。⑤实业总公司资产4650万元，受托管理资产5亿元，1999年实现净利润1200万元。

（六）采取积极的财务措施保证工程建设，强化资金筹集和使用的管理

1999年三峡建设资金共到位107.8亿元，若加上已抵扣的还贷资金5.06亿元，本年实际筹措建设资金122.86亿元，满足工程建设的资金需要。

1.三峡基金超额完成年度计划

全年三峡基金完成年度应征计划的103.32%。葛洲坝电厂电价从1999年7月1日起提价0.02元，达到每度电0.102元，1999年上交三峡基金3亿元。与开发银行及主要国有商业银行建立良好的银企合作关系，增强三峡工程建设资金供应的稳定性。总公司分别同中国工商银行、中国建设银行签订二期商业银行贷款总协议，与中国银行签署外汇额度授信协议。使用中短期商业贷款，比直接借入长期贷款降低一个利率档次，通过借新还旧、蓄短为长，以较低的利率把短期资金变为长期资金使用，既满足三峡工程对长期资金的需要，又降低融资成本，并增加资金调度的灵活性。

2.总公司在国内资本市场已经树立了良好的市场形象

1999年总公司成功发行1998年三峡债券，筹集资金20亿元。1998年三峡债券在我国企业债券市场首次推出长期附息债券（期限8年，每年付息1次）；1999年6月18日在上海证券交易所挂牌上市。三峡债券成为我国企业债券市场的“龙头债”，得到管理层和投资者的广泛认同，为今后总公司在国内资本市场滚动筹资奠定较好的基础。

3.采取积极的财务措施支持工程建设，注意防范财务风险

年初，总公司工作会议提出为施工单位增加设备采购垫资款3亿元，财务部通过采取积极的财务政策，增加商业银行贷款（由二期筹资方案确定的6亿元增加到10亿元），核定施工单位垫资额度3.6亿元，当年支付2.8亿元，年底，垫资款累计余额达5.3亿元，委托财务公司向施工单位提供周转贷款累计余额4.5亿元，总公司通过为施工单位提供资金支持，缓解了施工单位资金困难，促进了工程建设。为保证资金安全，财务部对主要施工单位的财务状况及其偿还能力进行认真分析，核定垫资额度和期限，签订垫资协议，以合同的方式规范管理，加大对施工单位垫资款的管理力度。

1999年，财务部在调查研究的基础上，对物资、设备采购资金实行统一核算、集中支付，这是总公司为加强资金管理所采取的一项重要措施，对于保障资金安全，降低风险，提高资金整体使用效益具有重要作用。

4.坚持开源节流,加强费用管理,降低工程成本

1999年可计提总机构管理费1415万元,在一定程度上解决了总公司管理费用的不足。经财政部批准,1999年落实财政贴息资金3.05亿元,超年初目标5500万元。在积极开源的同时,财务部努力加强费用控制,树立勤俭办企业的思想,强化费用预算约束,加强对费用单位的财务管理以及对重点费用项目的控制,取得较好效果。

(七)机电和金属结构的各项招标已基本完成,机组合同执行比较顺利

1999年,机组设计通过对水轮机转轮模型的二次验收,进行重大技术问题的讨论和研究,设计图纸和埋件供应满足了施工进展需要;主机设计的主体部分完成并开始加工;通过国际范围的议标,选定机组监造单位,机组主体监造工作全面展开;左岸电站厂房桥机招标顺利完成并开始生产;500kV.80万kVA升压主变压器及GIS等高压电气设备国际招标完成,合同已开始执行;调速器、励磁设备招标业已展开;永久船闸和厂坝段的闸门、启闭机及其它金属结构招标已圆满完成。

本年度共完成机电和金属结构招标20项,签约金额总计24.52亿元。

(八)坚持积极的开放政策,实行广泛的交流合作,发挥新闻媒体功能,维护三峡工程良好形象

1999年接待前来三峡工地考察的国内外团体共1334批、20787人次。其中外宾200批、2300人次;副省部级以上的来宾和重要外宾152批、347人次。共接待党和国家领导人9批,接待前来洽谈合作的地方政府和企业考察团212批、3958人次。

中国三峡总公司派出43批团组、157人次到国外执行合同或业务考察、学习培训。

1999年,召开水电工程造价国际研讨会议,多次协办有影响的国际专业性学术会议。

新闻宣传、报纸、杂志、影视、展览、年鉴等项媒体工作,紧紧围绕工程建设和总公司的工作重点,较好地发挥了宣传教育和舆论导向作用,为宣传三峡工程,宣传三峡总公司作出了积极的努力,产生了良好的社会效果。

(九)企业内部改革稳步前进

组织职称评聘、干部培训、特殊津贴人员评选和两院院士推荐工作。完成总公司职工参加北京市企业基本养老保险的移交工作。建立总公司职工失业保险制度,同时为部分聘用人员实行人事代理并在当地建立了养老保险和失业保险。加强了离退休职工的管理。

通过工资调整,总公司人均工资比1998年有所增加。其中正式职工人均增资3480元,达到20013元,增长17.4%。职工收入有一定改善。

1999年有138人晋升了专业技术职称,有180人参加了中央和省级各种专业培训,在一定程度上提高了职工队伍素质。

总公司在1999年用5000万元,购买了西陵二路的45亩土地,为职工兴建西陵小区300套经济适用房。葛洲坝电厂集资兴建职工住宅224套。按照国家的房改进程,总公司职工全部参加了以房改成本价购买公有住房的改革。

(十)"三讲"教育促进党的建设特别是领导班子建设,思想政治工作和精神文明建设得到加强

按照中央安排,从总公司党组开始,用整风的办法,自上而下地开展"讲学习、讲政治、讲正气"的"三讲"教育。在中央"三讲"巡视组的具体指导下,广大党员干部积极参与,广大职工也给予了热切关注,使"三讲"教育达到了积极的效果。通过发动群众、开门整风、理论联系实际,找准了总公司存在的主要问题,研究制定了37条整改意见。

各级领导班子的调整,是一个动态过程。"流水不腐,户枢不蠹"。在干部选拔问题上,坚持"任人唯贤"、"五湖四海"的方针,反对任人唯亲、反对搞小圈圈。由于年龄等原因,一些优秀的老同志可能错过了机会。我们要站在事业全局的高度,站在党性和党的利益的高度,出以公心,正确对待。

(十一)积极配合国务院三建委稽察组对三峡工程的稽察,内审工作、监察工作进一步加强

为加强对三峡工程建设的管理,国务院三建委稽察组对三峡工程进行稽察。总公司各部门、单位积极配合国务院三建委稽察组开展工作。总公司成立工作专班,各级领导亲自动手,亲自把关,严肃认真对待每一项材料填报工作。通过稽察工作,既加强国家对企业的监督,同时也促进企业内部的各项基础管理工作。同时,还接受和配合了国家审计对三峡工程和有关企业的审计。

内审工作以揭露被审单位资产、负债不实、虚盈实亏、国有资产流失等为重点,进一步完善国家审计、内部审计、社会审计相结合的三峡工程审计监督体系,有力地促进了总公司的各项基础管理工作,维护了各项财经纪律的严肃性。全年共查出违规违纪金额5128万元;减少87个户头,规范了电厂大坝加固基金的管理和二级公司的管理。

(十二)工会、共青团组织有针对性地开展各种有益活动

总公司各级工会组织在同级党组织领导下,紧紧围绕三峡工程建设,积极组织各参建单位开展劳动竞赛、文体活动,促进了三峡工程建设和坝区精神文明建设。各级共青团组织也围绕中心工作,结合青年人特

点,积极开展有益的宣传教育活动。

(十三)存在的问题

第一,在工程建设方面,工程质量中的顽症(也就是“常见病”、“多发病”)仍没有完全攻克,还存在局部的缺陷甚至事故,距世界一流的质量要求仍有较大距离。混凝土施工装备体系虽初步形成,但无论是硬件或软件都还比较脆弱,还存在一定风险。工程各部分的形象完成任务不够平衡。永久船闸项目按合同要求进度尚有拖欠。合同管理、概算控制任务还很艰巨。

第二,总公司的多产业经营体制尚未完全理顺,产权关系、行政关系交错复杂,按照现代企业制度要求规范,整顿下属经营性公司的任务还必须进一步努力。

第三、总公司内部的基础管理仍存在薄弱环节、甚至漏洞,基层财务管理松弛,立项不严,不经立项评估乱投资现象没有杜绝。多种经营方面存在着关联交易等问题,个别基层单位仍存在现金管理混乱、公款私存、公款私借、设置帐外资金、搞小金库等违纪现象。

第四、改革意识不强,内部配套改革步伐缓慢。不论在人事制度,还是在行政管理方面,都有满足现状的倾向。必须按照十五届四中全会的要求加大企业改革力度。

第五、总公司的思想政治工作、精神文明建设,还需要紧密结合三峡工程建设和总公司建设实际,结合各项业务工作,真正落到实处,尤其是青年职工的思想教育还比较薄弱,等等。

二、2000年的任务及工作要点

(一)2000年的主要目标

1.三峡工程建设目标

总公司上报国家计委的2000年基建总投资计划为128.8亿元,其中三峡枢纽工程投资计划为127.96亿元。

根据工程总体进度要求,2000年三峡工程建设必须完成以下主要目标:(1)混凝土浇筑540.16万m^3;(2)土石方开挖299.50万m^3;(3)土石方填筑314.86万m^3;(4)金结埋件与安装29384t;(4)机组埋件8748t。

2.电力生产及安全目标

(1)葛洲坝电厂完成年发电量153亿kW·h;(2)葛洲坝电厂实现安全生产1000天,力争全年无事故;发电成本实现0.043元/kW·h。

3.多产业经营目标完成产值3.2亿元,实现净利润比1999年增长5~8%。

4.财务公司经营目标

(1)资产总规模平均达到25亿元;(2)实现利润5000万元;(3)确保股东回报率达到6%。

法规·文献 Ⅱ

龚嘴水电站

法规·文件

国务院三峡工程建设委员会关于认真落实党风廉政建设责任制和切实抓好“三讲”教育的通知

1999年3月9日，国务院三峡工程建设委员会以国三峡委发监字〔1999〕7号文通知国务院三峡工程建设委员会办公室、移民开发局、监察局、中国长江三峡工程开发总公司

1998年11月21日，中央同时下发了《中共中央、国务院关于印发〈关于实行党风廉政建设责任制的规定〉的通知》(中发〔1998〕16号)和《中共中央关于在县级以上党政领导班子、领导干部中深入开展以“讲学习、讲政治、讲正气”为主要内容的党性党风教育的意见》(中发〔1998〕17号)两个文件。这是党中央、国务院为维护和推进改革、发展、稳定的大局，从制度上保证各级领导班子和领导干部对党风廉政建设和反腐败斗争切实负起领导责任而采取的治本措施，是贯彻党的十五大精神，深入学习邓小平理论，加强领导班子建设、提高领导干部素质的重要举措，具有重大的战略意义和现实意义。各单位和各级领导干部一定要高度重视，认真学习和领会好这两个文件的精神实质，紧密结合三峡工程建设和各单位领导班子实际，坚决贯彻执行。为认真贯彻落实好这两个重要文件精神，特就有关问题通知如下：

(一)以高度的政治责任感切实抓好党风廉政建设责任制的贯彻落实

党风廉政建设责任制是一项具有全局性的党风廉政制度，它体现了标本兼治，从源头上遏制腐败的要求，建立这项制度是把党风廉政建设和反腐败斗争纳入法制轨道的重要保证。各单位要紧密结合实际，抓紧制定实施办法，要围绕党风廉政建设和反腐败任务，细化责任范围，逐项分解到责任人，并提出责任目标要求，使各单位领导干部不断深化党风廉政建设的责任意识。切实形成“党委统一领导，党政齐抓共管，纪委组织协调，部门各负其责，依靠群众的支持和参与”的反腐败领导体制和工作机制。

贯彻落实党风廉政建设责任制，各级领导干部要起表率作用，既做到亲自抓，又坚持带头做。特别是各单位的一把手，既要抓好贯彻落实责任制的组织工作，又要从自身做起，带头执行各项制度和规定。领导班子的其他成员，要在各自的职权范围内起好模范带头作用，切实担负起加强党风廉政建设的重大责任。今后，各单位要坚持把党风廉政建设与枢纽工程建设、移民工作和其他业务工作一起部署，一起落实，一起检查，一起考核。主要领导同志要坚持定期听取纪检监察部门的工作汇报或专题报告；对工作中出现的新情况、新特点，特别是群众反映强烈的热点、难点问题，要与纪检监察部门一起分析、一起研究，提出对策，并大力支持纪检监察部门履行协调监督的职责。

实行党风廉政建设责任制，要一级抓一级，层层抓落实，各单位要负责领导、组织对下一级领导班子和领导干部执行党风廉政建设责任制的情况进行督促和检查，保证责任制的贯彻落实。各单位要将贯彻落实情况于6月底前向三峡建委作出专题报告，并由监察局综合各单位情况上报中央纪委。

(二)以整风精神，搞好“三讲”教育

深入开展“三讲”教育，是事关党和国家前途命运的大事，也是建设好举世瞩目三峡工程的迫切需要。各单位领导必须高度重视，以足够的领导精力，积极主动地把这件大事抓好，抓出成效。

按照中央部署，这次“三讲”教育采取自上而下的办法，分级分批进行，在试点的基础上展开。三峡建委系统不属于试点单位，当前要按照中央的要求，做好以下准备工作：

一是学习文件，领会精神。要组织处以上领导班子和领导干部深入学习中发〔1998〕17号文件、《讲学习、讲政治、讲正气教育读本》、《江泽民论讲学习、讲政治、讲正气》、中央动员深入开展“三讲”教育电视电话会议和全国组织部长会议精神，进一步提高认识，统一思想。

二是建立“三讲”教育领导小组及其办事机构。

三是搞好调查研究。要认真听取党员、干部和群众的意见，分析本系统、本单位领导干部中，特别是自身领导班子及其成员在党性党风方面存在的主要问题，做到心中有数。

四是制定好“三讲”教育工作方案。

在认真做好上述准备工作的基础上，待中央作出

统一部署时,按照工作方案,精心组织实施。

(三)加强宣传教育工作,创造良好的思想舆论氛围

贯彻落实党风廉政建设责任制,深入开展"三讲"教育是事关大局的两项重要工作,各单位要加强领导,精心组织,认真做好宣传教育工作。要组织广大党员干部,特别是党员领导干部,在深入进行"三讲"教育的同时,结合学习党风廉政建设责任制,把惩治腐败同加强政治思想教育结合起来,引导党员干部树立正确的世界观、人生观和价值观,强化廉洁从政意识,增强贯彻执行党的基本路线和各项方针政策的自觉性和坚定性,确保党中央、国务院关于三峡工程建设一系列重大决策的贯彻落实。

要利用有关报刊,及时宣传各单位抓贯彻落实的情况,推广好的经验、好的做法,为落实党风廉政建设责任制和深入开展"三讲"教育,营造健康发展的良好氛围。

关于调剂使用三峡电网建设基金有关问题的通知

1999年4月26日,国家财政部以财经字〔1999〕169号文通知国家电力公司,中国长江三峡工程开发总公司

为提高三峡电网建设基金使用效益,根据国务院领导指示和财政部、原电力工业部财工字〔1997〕491号文件精神,现对国家电力公司与中国长江三峡工程开发总公司之间1999年调剂使用三峡电网建设基金的有关问题通知如下:

(1)同意1999年国家电力公司调剂5亿元三峡电网建设基金给中国长江三峡开发总公司,用于三峡枢纽工程建设。调剂资金分两次到位,其中1999年5月到位2亿元,1999年8月到位3亿元。调剂年限为2年,利率按中国人民银行规定的同期贷款年利率优惠2个百分点执行,具体借款时间及利率以国家电力公司与中国长江三峡开发总公司签订的借款协议为准。

(2)调剂使用的三峡电网建设基金采取委托贷款方式,由国家电力公司委托中国电力信托投资有限公司办理,委托代理费由中国长江三峡开发总公司承担。

(3)中国长江三峡开发总公司以三峡工程建设基金作为担保,并应按照借款协议规定将所借的三峡电网建设基金本金和利息按期偿还给国家电力公司,以保证三峡输变电工程建设的资金需要。

关于批准《三峡工程库区湖北省、重庆市移民迁建进度及分年投资规划专题报告》的通知

1999年5月11日,国务院三峡工程建设委员会以国三峡委发办字〔1999〕15号通知湖北省、重庆市人民政府,国务院三峡工程建设委员会移民开发局,水利部长江水利委员会,中国长江三峡工程开发总公司

对水利部长江水利委员会修改后报来的《三峡工程库区湖北省移民迁建进度及分年投资规划专题报告》、《三峡工程库区重庆市移民迁建进度及分年投资规划专题报告》(长院〔1999〕95号),以下简称《专题报告》,审批意见如下:

(1)《专题报告》是在湖北省政府、重庆市政府批准的分县移民安置规划的基础上编制的。基本符合切块包干原则,符合邹家华副总理主持研究三峡工程库区移民分年任务与投资流程会议确定的,到2003年末全库区投资占静态总投资400亿元62.4%的比例(湖北省占其包干总额的83.75%,重庆市占其包干总额的60.4%)。既注意了移民进度与工程进度相衔接,又考虑了适当的移民搬迁的提前量,体现了"在资金到位的情况下,移民宜早不宜晚"的原则。

(2)《专题报告》可以作为今后编制年度移民投资、任务计划的依据和分水位检查、验收移民任务完成情况的依据。

(3)《专题报告》中既列出了每年的补偿投资额,还列出了每年应完成的各项实物工作量。请湖北省政府、重庆市政府、三峡建委移民开发局,每年都要重点检查各县完成的补偿投资额与实物工作量是否相匹配,从中发现问题并及时予以解决或纠正。

附件:1.三峡工程库区湖北省移民迁建进度及分年投资规划专题报告(略)

2.三峡工程库区重庆市移民迁建进度及分年投资规划专题报告(略)

关于三峡工程陆生植物的物种资源保护项目有关问题的函

1999年5月12日,国务院三峡工程建设委员会办公室以国三峡办技发〔1999〕02号文致函国家林业局计划司

根据三峡工程初步设计的安排,在三峡工程建设

的同时,将采取工程措施,作为三峡工程生态与环境补偿项目的一部分,以减轻或补偿三峡工程对生态环境的影响。其中涉及陆生植物及物种资源保护的项目有:宜昌大老岭森林公园植物多样性保护工程、兴山龙门河常绿阔叶林自然保护工程、巫山小三峡景观生态自然保护工程、荷叶铁线蕨自然保护点、蔬花水柏枝自然保护点、川明参自然保护点。宜昌大老岭森林公园植物多样性保护工程已于1995年启动,经原林业部计划司同意,由中南林业调查规划设计院进行设计,宜昌市林业局大老岭森林公园管理处承建。目前该工程即将完成建设任务,我司正准备组织验收,并希望国家林业局派人参加。与此同时,我们还计划近期启动兴山龙门河常绿阔叶林自然保护工程。

根据三峡工程初步设计,将三峡工程生态与环境补偿项目的建设费用列入了枢纽工程概算。实施这些生态项目是三峡工程有关建设单位的责任,更需要得到国家行业主管部门的支持和配合,以保障这些项目在建成后能够持续的发挥作用,体现政府在重视三峡工程建设的同时,也重视保护生态环境。因此,涉及陆生植物及物种资源保护的这些项目,从设计、施工、特别是今后的运行管理,都希望国家林业主管部门从支援三峡工程建设的角度出发,给予大力支持和配合。目前即将完成的宜昌大老岭森林公园植物多样性保护工程已面临着今后如何进行管理的问题。我们希望这些项目建成后,在国家林业主管部门的支持下,由地方林业部门负责管理,发挥持续作用和效益。

国务院三峡工程建设委员会关于成立三峡枢纽工程质量检查专家组的通知

1999年6月10日,国务院三峡工程建设委员会以国三峡委发办字〔1999〕19号文通知中国长江三峡工程开发总公司

为了进一步保证三峡工程建设的质量,国务院三峡工程建设委员会决定成立三峡枢纽工程质量检查专家组,现将有关事项通知如下:

(一)三峡枢纽工程质量检查专家组的任务

1、检查工程质量保证体系和质量要求规程是否健全;

2.检查业主、施工、监理、设计等方面是否严格执行工程质量保证体系和质量规程的要求;

3.对工程质量进行评议,包括土建工程以及永久性金属结构和机电设备的安装质量(不包括金属结构和设备的制造质量);

4.对工程质量事故性质进行评议,包括事故处理是否安全可靠以及发生事故的原因;

5.检查工程进度是否与预期目标相符。

专家组要本着认真、求实、科学的精神,每年定期向国务院三峡工程建设委员会提出三峡工程质量检查报告,有特别需要时,提出专门报告。

(二)三峡枢纽工程质量检查专家组的组成

组长:钱正英

副组长:张光斗

成员:潘家铮　陈赓仪　谭靖夷　梁应辰　梁维燕

专家组可聘用3~4位兼职人员,组成工作组,协助专家组工作。

根据工作需要,专家组可随时邀请有关领域的专家,参加检查工作。

(三)三峡枢纽工程质量检查专家组的工作方式

三峡工程开发总公司应定期和不定期向专家组报告有关工程质量资料。专家组和工作组成员根据工作需要,去现场进行检查、调查、研讨和召开工作会议。

请三峡工程开发总公司通知各参建单位,并要求各参建单位积极配合专家组的工作。

特此通知。

国务院三峡工程建设委员会关于向三峡枢纽工程派出稽察组的通知

1999年6月10日,国务院三峡工程建设委员会以国三峡委发办字〔1999〕18号文通知中国长江三峡工程开发总公司

为了搞好三峡工程建设,根据国务院领导同志指示,国务院三峡工程建设委员会(以下简称国务院三峡建委)决定向三峡枢纽工程派出稽察组。这是加强国家对三峡工程监督,完善三峡工程项目法人责任制、企业领导人管理制度和强化约束机制的一项重大举措。现将有关事项通知如下:

(一)三峡枢纽工程稽察组的职责

国务院三峡建委代表国家行使对三峡工程的稽察、监督职责。三峡枢纽工程稽察组对国务院三峡建委负责。其主要职责和任务是:通过对三峡枢纽工程的资金管理、建设进度和安全施工以及对中国长江三峡工程开发总公司(以下简称三峡总公司)与其下属公司的关联交易等主要方面进行稽察,提出稽察报告,作出年度评价。在此基础上,结合对企业管理者贯彻执

行党的路线方针政策、国家的法律法规以及廉洁自律等情况，提出对三峡总公司主要领导成员的评价。稽察组不参与、不干预三峡总公司的工程建设和生产经营活动。

（二）三峡枢纽工程稽察组稽察的主要内容

三峡枢纽工程建设期间，稽察重点是工程建设方面，主要指项目法人责任制、招标投标制、合同管理制、建设监理制的实施，国家有关法律法规、政策规定和基本建设程序的执行，参加工程建设各单位的资质、信誉情况等。具体内容是：

1.资金管理方面

（1）投资控制体系及总概算、单项工程概算控制情况，投资完成与工程进度相匹配情况；

（2）财务制度执行情况；

（3）非生产性设施和各项费用支出情况；

（4）三峡总公司下属葛洲坝电厂和参与三峡工程物资、设备经营的下属公司的企业经营状况、国有资产保值增值情况和关联交易情况。

2.工程进度方面

（1）工程形象进度、完成主要实物工程量情况；

（2）实现工程年度及阶段预期进度目标的保证措施；

（3）设计供图、设备和材料供应进度与工程施工进度的衔接配套情况。

3.安全施工方面

（1）安全施工的规章制度、管理体系的建立与实行情况；

（2）各种安全事故情况；

（3）重大安全事故的处理。

（三）三峡枢纽工程稽察组的组成

三峡枢纽工程稽察组由石启荣同志任组长、张德楠同志任副组长，稽察组成员从三峡建委有关单位和有关专家中选派。

（四）三峡枢纽工程稽察组的工作方式

1.参照国务院对大型国有企业派出稽察特派员和国家计委对重大基建项目派出稽察特派员的做法，结合三峡枢纽工程建设实际，三峡枢纽工程稽察组向三峡总公司发送稽察工作基础材料（发送时间另行通知），三峡总公司应认真、如实填写并按规定时间报送。

2.稽察组到三峡总公司集中稽察（具体时间另行通知），听取三峡总公司领导的情况介绍，并可提出询问。

3.向三峡总公司和设计、施工、监理等有关单位和职工了解情况，听取意见，对有关问题进行深入调查、核实。

4.稽察组一般每年到三峡枢纽工地集中稽察一次。平时可派出稽察人员到现场了解情况，必要时派出专门力量就专门问题进行稽察。

5.加强与审计、监察等部门的协调与配合，充分利用其审计、监察材料，必要时可委托社会中介机构进行有关调查；听取有关专家的咨询意见和检查结论。

请三峡总公司通知各参建单位，并要求各参建单位积极配合稽察组的工作。

国家计委关于提高葛洲坝电厂上网电价的通知

1999年6月25日，国家发展计划委员会以计价格〔1999〕724号文通知湖北、湖南、江西、河南、上海、江苏、浙江、安徽省（市）物价局、电力局，华中、华东电力集团公司，中国长江三峡开发总公司

为筹集三峡工程建设资金，经国务院批准，决定将葛洲坝电厂上网电价提高到每千瓦时0.102元，并自1999年7月1日起执行。

特此通知。

关于三峡枢纽工程1998年度价差计算报告的批复

1999年8月24日，国务院三峡工程建设委员会以国三峡委发办字〔1999〕30号文批复中国长江三峡工程开发总公司

你公司《关于报送三峡枢纽工程1998年度价差计算报告的请示》（三峡计字〔1999〕第150号）收悉。经研究，现批复如下：

（一）同意你公司上报的《三峡枢纽工程1998年度价差计算报告》（以下称报告），计算价差的投资基数为275675.82万元，其中建安工程投资202105.56万元，设备投资44615.14万元，独立费用28955.12万元。

（二）同意报告中采用的价差计算方法、工程分类及其权重，材料价格采集和运杂费计算的原则、替代价格指数。

（三）同意1998年度价差中单列工程概算未包括而实际已发生的砂石料生产增值税及附加、供水项目增值税及附加、矿产资源税和矿产资源补偿费，总公司采购的进口施工设备环节税，勘测设计费营业税提高税率后的税差。今后此类税费差的列报应规范，并列出明细。

（四）经核定，1998年对1997年的环比价格指数为

1.012,1998 年对 1993 年的基期价格指数为 1.283,相应价差为 78005.72 万元;另外,已发生的施工设备进口环节税 2612.19 万元,概算外其他税金(砂石料生产增值税及附加、供水项目增值税及附加、矿产资源税和矿产资源补偿费、勘测设计费营业税提高税率后的税差)5723.73万元,总计 86341.64 万元。

金沙江溪洛渡水电站可行性研究阶段第一次综合咨询会议纪要

1999 年 9 月 29 日,中国水利水电及新能源发电顾问有限公司以水电顾规〔1999〕第 0007 号文致函中国长江三峡工程开发总公司

1999 年 9 月 20～21 日,中国水利水电及新能源发电工程顾问有限公司在北京主持召开了金沙江溪洛渡水电站可行性研究阶段第一次综合咨询会议。参加会议的有国家电力公司、中国三峡工程开发总公司,水利部水利水电规划设计总院、长江水利委员会,国家电力公司中南勘测设计研究院和成都勘测设计研究院等单位的领导、专家和代表共 40 余人。会议听取了成都勘测设计研究院关于防洪初步工作情况汇报,并进行了认真的讨论,就溪洛渡工程防洪和工程规划及电站接入系统有关主要问题基本统一了认识,现纪要如下:

(一)防洪

1.溪洛渡工程开发任务是以发电为主,兼有拦沙、防洪和改善下游航运条件等综合利用效益。溪洛渡水库是长江流域防洪体系中的调蓄水库之一,应处理好发电和防洪的关系,合理发挥其防洪作用。本阶段防洪有关参数的论证工作应以国务院已批准的《长江流域综合利用规划简要报告(1990 年修定)》(以下简称《长流规》)为依据,在已经电力工业部会同四川省云南省和三峡总公司审查通过的《溪洛渡水电站预可行性研究报告》、中国国际工程咨询公司评审通过的《金沙江第一期工程向家坝和溪洛渡水电站综合比选报告》和“国家计划委员会办公厅关于金沙江一期工程向家坝和溪洛渡水电站综合比选问题的复函”的基础上进行。

2.应本着“全面规划、统筹兼顾、综合利用、讲求效益”的原则,在保证设计枯水年溪洛渡和三峡水库均可蓄满、水头变幅应满足电站安全稳定运行要求的条件下,研究设置合理的防洪库容和汛期限制水位,研究该防洪库容对提高下游宜宾等地的防洪能力以及配合三峡工程发挥对长江中下游地区的防洪作用和效益。

3.鉴于溪洛渡工程坝高 273m,已超过目前世界最高的双曲拱坝,应充分重视其技术难度,根据《长流规》的要求,溪洛渡按 560～600m 设置防洪库容(按原库容曲线为 48 亿 m^3,按新库容曲线为 46.5 亿 m^3),宜作为溪洛渡水库防洪库容的上限。并拟定包括比选阶段推荐方案在内的多个汛期限制水位和防洪库容的方案,分别对其防洪作用和效益、拦沙影响、机组运行条件、工程布置、移民及发电效益、工程投资等因素综合分析,确定防洪库容。

4.在确定了防洪库容的条件下,建议根据洪水及径流特性研究汛期分期蓄水,以充分发挥水库发电防洪共用库容的作用。

5.建议用多种方法分析、计算投资费用的分摊,并提出推荐的分摊方案,以体现各项综合利用的投资效果,供有关方面作决策参考。

6.建议三峡总公司尽快委托长江水利委员会、成都勘测设计研究院和中南勘测设计研究院合作开展溪洛渡和向家坝防洪特殊专题研究。为溪洛渡工程按期完成可行性研究报告创造条件。

(二)工程规划及电站接入系统

1.溪洛渡水电站工程规模论证的有关前提条件与向家坝和溪洛渡两工程比选阶段相比较发生了某些变化,且溪洛渡和向家坝电站从单个电站设计变为按一组电站西电东送考虑;因此,工程的装机规模和供电范围还需在比选阶段的基础上作进一步分析和论证工作。

2.溪洛渡电力市场问题,建议国家电力公司组织专题研究,从全国电源结构调整的战略高度,统筹兼顾,并将西电东送电力纳入供电范围地区的电源规划。

3.请成都院抓紧时间提交溪洛渡水电站有关工程规模论证及电站接入系统设计中需要国家电力公司组织配合的(包括工作内容、精度和时间要求)详细资料清单。

4.鉴于电站设计要求于 2001 年底提交可行性研究报告,任务重、时间紧,需要在成都院及有关单位完成一定深度工作的基础上安排一次各有关方面参加的工作会议,落实工程规划及电站接入系统具体事宜。

关于印发“三峡工程 2000 年计划资金协调会议纪要”的通知

1999 年 10 月 25 日,国务院三峡工程建设委员会办公室以国三峡办发计字〔1999〕106 号文通知国务院三峡工程建设委员会移民开发局、中国长江三峡工程开发总公司

1999 年 10 月 8～10 日,国务院三峡工程建设委员会办公室在北京召开了三峡工程 2000 年计划资金协调

会议。会议由国务院三峡工程建设委员会办公室副主任高金榜同志主持,中国长江三峡工程开发总公司(以下称三峡总公司)、国务院三峡工程建设委员会移民开发局(以下称移民局)和国家电力公司先后汇报了三峡枢纽工程、库区移民和输变电工程1999年1~9月份计划执行情况和全年预计完成情况以及2000年计划建议方案。会议交流了计划资金管理工作情况,研究讨论了1999年计划执行情况、2000年计划和当前计划、资金管理中存在的问题。

会议经过讨论,议定以下事项:

(一)关于1999年计划执行情况

1999年是我国建国50周年的大庆之年,在国务院三峡工程建设委员会的领导下,经过各有关单位的共同努力、协同奋斗和全体建设者的辛勤工作,三峡枢纽工程、库区移民和输变电工程建设进展顺利。从今年1~9月计划执行情况来看,除个别项目比计划略有滞后外,预计1999年计划基本上可以完成。会议要求,在今年余下的两个多月的时间里,希望各有关单位再接再厉,圆满完成全年计划。

1999年,三峡工程计划资金管理、投资控制等方面也取得了新的成绩,如枢纽工程,在计划和资金管理工作上比较规范;库区移民的计划基础工作比往年有较大进步,基本盘清了以前年度的资金帐,为今后的投资管理工作打下了基础;输变电工程在项目法人改变后,虽然国家电力公司机构改革,人员变动较大,但计划资金管理工作衔接较好,特别是在投资管理方面,抓住“设计”这个控制工程投资的源头,采用先进技术,通过优化设计,降低工程造价,效果明显。

(二)关于2000年投资计划、资金规模安排

1.2000年三峡枢纽工程和库区移民投资计划为127.96亿元,其中库区移民48亿元。加上还本所需资金,明年安排资金142.96亿元,资金来源:①三峡工程建设基金47.9亿元(含葛洲坝电厂利润5亿元);②开发银行贷款30亿元;③外汇贷款3.38亿元;④企业债券30亿元;⑤其它贷款31.68亿元。

2.三峡输变电工程2000年投资计划为20.43亿元(其中二次系统1.37亿元),安排资金33.29亿元,资金来源:①三峡工程建设基金24.34亿元;②利用外资8.95亿元。

会议同意各单位按资金计划开展融资工作,按投资计划上报国家计划。

(三)关于2001~2003年计划预安排

为确保三峡工程实现2003年首批机组发电的总目标,三峡枢纽工程、库区移民和输变电工程三部分从现在起更要注意加强相互的协调与配合,国务院三峡工程建设委员会办公室将进一步加强综合平衡。因此,各单位在安排好明年计划的基础上,对2001~2003年的计划也要作出预安排(包括投资和工程量),并报国务院三峡工程建设委员会办公室。2001~2003年预安排的原则是:

1.枢纽工程按照已上报的中期计划和国务院三峡工程建设委员核备的执行概算进行调整、补充、完善。

2.库区移民按照2003年前规划安排的静态投资流程投资总量占水库移民补偿总投资400亿元的62.4%,加上135m水位以上提前投入20亿元,即按2003年前静态总投资占水库移民补偿总投资的67.4%的比例进行均衡安排。在优先顺序上,先安排135m水位以下项目,再安排135m水位以上已开工项目,对出县外迁移民的调整土地、企业关破等所需资金要作出预留,最后考虑新开项目。

3.输变电工程要保证三峡工程首批机组投产后,电力送得出、用得上。在国务院三峡工程建设委员会批准的系统设计的单项工程和投资概算的基础上,根据电力市场和电力系统变化的客观情况,结合三峡电力电能消纳,提出单项工程的调整意见和预安排以及500 kV以下配套措施。

(四)关于三峡工程计划、资金管理中的几个具体问题

1.关于年度投资计划“结转”问题。三峡工程实行“静态控制、动态管理”的新办法,为便于投资管理,年度投资计划规模实行“一年一结算”,当年投资规模不结转到下一年度安排。

2.关于当年价差列报投资完成问题。由于三峡工程实行“静态控制、动态管理”管理办法后,当年价差要在下一年度审批后列入投资完成统计年报,当年价差列报比当年投资列报滞后一年。为使投资完成统计报表真实反映当年投资完成情况,原则上同意每年可以预先列报一部分价差,预列价差的额度按审批的上一年度价格指数计算。

3.关于输变电工程三峡工程建设基金调剂问题。根据输变电工程2000年资金筹措情况分析,三峡工程建设基金仍有富余。三峡总公司在1998年借国家电力公司5亿元到2000年将到期,借款是否归还,建议双方本着“三峡工程建设基金要用于三峡工程及互惠互利”的原则,由双方协商。

(五)枢纽工程应加强和关注的问题

1.随着三峡枢纽工程建设的顺利进展,投资强度越来越大,对一些风险较大,如永久船闸、砂石料生产供应,应加强投资管理和风险管理。

2.加强葛洲坝电厂的经营管理,特别是加强成本预算管理,提高葛洲坝电厂的筹资功能。

3.加强资产管理。到1999年末,三峡总公司资产规模将达500亿元，今后资产将愈来愈大，三峡总公司应考虑逐步向企业化规范管理靠拢，建立国有资产管理、评价体系，加强资产管理。

（六）库区移民应注意和加强的问题

1.安排年度计划要将静态投资和价差资金两部分分清楚，静态投资安排到项目，价差资金只能用于已开工项目价差的结算，不要把价差资金作为静态投资用于拉长战线，铺新的摊子。

2.加强耕地占用税管理工作，每年下达耕地占用税计划必须要有相应的实物工作量计划。

3.加强项目管理工作，制定项目管理办法。

4.加强科研费的管理，请移民局对已有的管理办法进行修订，报国务院三峡工程建设委员会审批。

5.清理已完成实物工作量。今年移民局已盘清了资金帐，会后，要象盘清资金帐一样将已完成的实物工作量清理清楚，使库区移民工作做到资金清、实物量清。

（七）关于输变电工程需加强的几个问题

1.加强三峡输变电工程的归口管理，国家电力公司作为输变电工程的项目法人后，目前，各项业务管理工作分散，不利于落实责任和加强管理，请国家电力公司对三峡输变工程加强归口管理，并加强内部协调工作，落实对工程的投资、进度、质量等控制的职能部门。

2.加强三峡输变电工程单项工程调整的管理工作。随着我国国民经济的不断发展和电力市场的变化，对三峡输变电系统的单项工程进行适当调整是必要的，但调整项目必须按管理程序进行。为此，请国家电力公司制定调整项目的管理办法，报国务院三峡工程建设委员会审批。

3.三峡输变电工程作为三峡工程的一个组成部分，单项工程多，时间跨度长，为便于管理，同意按整体作为一个项目上报国家计划。

4.加强计划执行的监督和管理工作。目前，输变电工程的投资完成统计报表和财务报表还存在不及时、不规范的问题。从今年起，要根据国家统计法规的要求，建立完善的报告制度，加强投资完成和财务报表工作，每月要向国务院三峡工程建设委员和有关部门报送月报，年终报送年报。

5.加强投资风险分析工作。三峡输变电工程已建成长万线，今明年又即将建成一批单项工程。随着我国改革的不断深入，宏观经济环境比三峡工程开工时已有较大的改善，为加强三峡输变电工程的投资控制，应逐步建立投资风险分析制度，对工程进行风险分析。从今年起，投资风险分析工作要开始启动，今后，随着工程进展和宏观经济环境的变化，应跟踪进行投资风险分析，并不断完善。

关于追加1999年葛洲坝水力发电厂专项支出经费的函

1999年12月30日，财政部以财经字〔1999〕1119号文复函财政部驻湖北省财政监察专员办事处

你办《关于追加1999年葛洲坝电厂专项支出预算的请示》（财驻鄂监字〔1999〕第208号）收悉。经研究，批复如下：

（一）同意从葛洲坝水力发电厂管理费用中追加列支葛洲坝船闸及航道运行管理费220万元，其中长江三峡通航管理局200万元，葛洲坝过闸管理处20万元。

（二）葛洲坝船闸及航道经常性维护费可按1999年实际发生额在葛洲坝水力发电厂成本中列支。

（三）葛洲坝船闸及航道常规性大修更改工程费和1号船闸计划性大修工程费请你办提出支出明细项目后再予批复。

关于同意将中国长江三峡工程开发总公司对三峡航空实业开发公司投入的资本金划归宜昌市的批复

1999年12月21日，财政部以财管字〔1999〕390号文批复中国长江三峡工程开发总公司、湖北省国有资产管理局

湖北省国有资产管理局《关于中国长江三峡工程开发总公司对三峡航空实业开发公司投入资本金划给宜昌市办理资产划转手续的报告》（鄂国资产发〔1999〕96号）和中国长江三峡工程开发总公司《关于将三峡航空实业开发公司投入的资本金划转给宜昌市的请示》（三峡财字〔1999〕第155号）均收悉。经研究，批复如下：

（一）根据财政部《关于印发〈关于企业国有资产办理无偿划转手续的规定〉的通知》（财管字〔1999〕301号）及国务院三峡工程建设委员会《关于划转对三峡航空实业开发公司投入资本金和贷款担保有关问题请示的批复》（国三峡委发办字〔1999〕16号），同意将中国长江三峡工程开发总公司投入三峡航空实业开发公司的资本金1亿元划转给湖北省宜昌市。资产划转后，增加湖北省国有资产总额，相应减少中国长江三峡工程开发总公司国有资产总额。

（二）请据此批复调整账务，办理相应的产权登记等有关手续。

关于进一步加强三峡库区移民资金管理的紧急通知

1999年1月27日，国务院三峡工程建设委员会移民开发局以国峡移发计字〔1999〕4号文紧急通知湖北省三峡工程移民局、重庆市移民局

1999年是三峡二期移民工程的关键年。在过去的一年，三峡库区移民资金管理在各级政府和移民部门的高度重视下，取得了明显成效。但根据国家审计署对近年来三峡库区移民资金使用情况的审计，有些地方和单位对移民资金管理认识不高，措施不力，有法不依，有章不循，暴露出的问题十分突出。移民资金被挤占挪用及违规、违纪甚至违法行为仍有发生。危害最大的是将移民资金经营办企业、用于非移民项目，甚至发生盗用移民资金用于赌博等违法行为。虽然这是极个别的现象，但负面影响很大。这些问题应引起了各级领导部门的高度重视。为了进一步加强移民资金管理，现就有关事项紧急通知如下：

（一）进一步提高对移民资金管理重要性的认识

各级移民部门要认真学习朱镕基总理1998年12月视察三峡工程建设时的重要讲话精神，把移民资金管理当作整个移民工作的重点工作来抓。要教育广大移民干部从讲政治的高度充分认识三峡工程举世瞩目，三峡移民资金管理使用得好坏直接关系到党和国家的整体形象；同时，还要从为人民服务的高度充分认识三峡移民资金既是全国人民的血汗钱，又是广大移民群众重建家园的“生命钱”，因此，必须进一步加强移民资金的管理。

（二）采取有力措施，加强移民资金监管力度

各级移民部门要组织移民资金主管领导和财会人员认真学习《中华人民共和国会计法》、财政部《会计基础工作规范》以及我局制定的各项移民资金管理规章制度，建立财务工作规范，完善内部监控机制。同时，还要在纪检、监察、审计等部门的指导、配合下，实现对移民资金的全过程管理，把执行各项规章制度落到实处，加强自查自审，确保移民资金管理万无一失。

（三）明确职责，规范财务工作程序

各级移民部门要建立严格的财务工作岗位责任制，明确主管领导和财会人员的职责，实行一把手负总责和谁主管谁负责制度；对移民资金的拨付、收支要从严审批，明确审批权限和审批程序；要严格执行财会、出纳分设制度，持证上岗制度，内部审计稽核制度，加强财会票证管理。

（四）进一步加强财会队伍建设，提高财会人员素质

各级移民部门要对现有财会队伍进行一次全面考核，对那些政治素质不高，业务不合格的财会人员坚决进行调整。要注重对财会人员进行经常性的业务培训，特别是加强会计人员的政治思想教育，使他们牢固树立法律意识，责任意识，在政治上、业务上真正适应三峡移民资金管理的要求。

（五）认真对照检查，加大审计整改力度

各级移民部门要根据审计报告，认真对照检查本单位在移民资金管理中存在的问题，明确性质，分清责任，逐项进行整改，严肃查处移民资金违规违纪行为，对触犯法律的要绳之以法。要求在1998年决算期间将整改措施落实到位。

中央统筹移民经费的价差计算及管理办法

1999年5月10日，国务院三峡工程建设委员会移民开发局以国峡移发计字〔1999〕60号文通知湖北省三峡工程移民局、重庆市移民局、水利部长江水利委员会、局机关各司(室)及直属单位

第一条 为做好中央统筹移民经费的价差计算及管理工作，根据《三峡工程库区移民补偿投资价差资金计算及管理办法(试行)》，制定本办法。

第二条 中央统筹移民经费包括勘测规划费，基本预备费，滑坡处理、监测费，科研费，因价格变动产生的价差资金是其经费的组成部分。

第三条 中央统筹移民经费的价差由国务院三峡工程建设委员会移民开发局(以下简称三峡建委移民局)按照国务院三峡工程建设委员会批准的价格指数进行动态投资折算，并根据相关经费的使用办法进行静态控制。

第四条 中央统筹移民经费分为切给湖北省、重庆市掌握和中央直接管理两部分。前者由省(市)移民部门按一项任务或一项工程为一个投资项目的办法计算价差；后者由三峡建委移民局按一项任务或年度计划为一个投资项目的办法计算价差。

第五条 中央统筹移民经费价差资金的管理，由三峡建委移民局负责。切给湖北省、重庆市掌握的部分，由省(市)移民部门按本办法第四条的方法进行动态投资折算，提出补差资金及对项目的移民投资实行销号的意见，连同上年度计划实施情况，于当年一季度前报三峡建委移民局，并根据静态控制的原则，管好、用好批复的补差资金。

中央直接掌握的部分，由三峡建委移民局按本办法第四条的方法进行投资折算和管理。中央直接掌握的部分中，安排与湖北省、重庆市掌握的相关经费配套的资金，由三峡建委移民局与省级移民部门做好工作衔接的前提下，将其补差资金下拨，由省级移民部门实施静态控制和管理。

中央统筹移民经费中，凡属一次性补助投入的资金，只对其项目进行投资静态控制，不结算价差。

第六条 三峡建委移民局定期对中央统筹移民经费的管理和使用情况进行检查，并配合审计部门进行审计。三峡库区各级移民部门、资金使用单位，要积极主动接受检查、审计。

第七条 本办法由三建委移民局负责解释。

第八条 本办法自公布之日起施行。

三峡工程库区迁建工矿企业移民补偿资金分银行管理办法

1999 年 7 月 22 日，国务院三峡工程建设委员会移民开发局、财政部、中国工商银行、中国农业银行、中国银行、中国建设银行以国峡移发计字〔1999〕77 号文通知湖北省三峡工程移民局、重庆市移民局、中国工商银行三峡分行、重庆市分行、中国农业银行、中国银行、中国建设银行湖北省分行、重庆市分行

第一条 根据国务院关于三峡库区迁建工矿企业移民补偿资金分银行管理的指示精神，为保证三峡工程库区迁建工矿企业移民补偿资金(以下简称三峡库区企业补偿资金)分银行管理工作的顺利进行，结合三峡工程库区移民资金管理有关规定，制订本办法。

第二条 三峡库区企业补偿资金是专项用于三峡工程库区迁建工矿企业的投资，是三峡工程库区移民资金的组成部分。

第三条 三峡库区企业补偿资金管理实行以下原则：

(一)基本户管理原则。企业在哪家银行开立基本帐户(以人民银行确认为准)，其补偿资金就由那家银行经办；

(二)专款专用原则。三峡库区企业补偿资金实行专款专用，任何单位和个人不得挤占、挪用，不得用于冲销企业的呆坏帐；

(三)省(市)级分流原则。三峡库区企业补偿资金从省(市)级移民局分流。

第四条 各有关国有独资商业银行(以下简称商业银行)对三峡库区企业补偿资金进行管理的主要任务是：认真贯彻执行国家关于三峡工程库区移民工作的方针、政策，按照移民主管部门下达的三峡库区迁建工矿企业年度计划，及时足额拨付移民补偿资金；参与审查迁建工矿企业项目概、预、决算，工程招、投标和标底审查的有关工作；负责审查迁建工矿企业项目工程造价；对迁建工矿企业项目年度财务决算、项目竣工决算签署审查意见。

第五条 三峡库区企业补偿资金的拨付由中国建设银行总经办。各有关商业银行分别负责本行经办的三峡库区企业补偿资金的拨付。

第六条 三峡库区企业补偿资金各经办银行要设置专门机构并配备专门人员，建立移民补偿资金专户，实行专户存储；建立移民资金拨付台帐，做好相关基础工作。

第七条 三峡库区企业补偿资金的拨付渠道是：三峡建委移民局资金总户→建设银行省(市)级分行省(市)级移民局资金专户→各有关商业银行省(市)级分行省(市)级移民资金专户→各有关商业银行市(区)级分行市(区)级移民局资金专户→各有关商业银行县级支行县级移民局资金专户。

第八条 各有关商业银行应按照三峡建委移民局批准的年度计划和同级移民主管部门的划款通知，及时将三峡库区企业补偿资金拨入指定的“补偿资金专户”。

第九条 各级移民主管部门下达年度计划时，同时将工矿企业迁建计划抄送同级各有关商业银行。

第十条 各有关商业银行对资金拨付中出现的问题要及时反映，并采取必要措施加以解决。同时要积极配合移民、审计、监察部门做好移民资金监管工作。

第十一条 参照本办法各附表格式，中国工商银行、中国农业银行、中国银行省(市)级分行应于每旬结束后 2 个工作日内、每年结束后 7 个工作日内向各自总行报送旬报和年报，并同时抄送同级中国建设银行和移民局；中国建设银行省(市)级分行应于每旬结束后 4 个工作日内、年度结束后 10 个工作日内将同级各商业银行及本行的旬报、年报进行汇总报送中国建设银行总行，并同时抄送同级移民局；中国建设银行总行应于每旬结束后 5 个工作日内、年度结束后 15 个工作日内将省(市)旬报、年报汇总后提供给三峡建委移民局，每月下旬的旬报和每年的年报须一并报送财政部。

第十二条 各有关商业银行总行应于年度结束后 15 个工作日内向三峡建委移民局、财政部提供上一年度移民资金管理总结。

第十三条 各有关商业银行应对符合贷款条件的三峡库区迁建工矿企业优先提供贷款。

第十四条 省(市)级及以下移民主管部门应会同同级各有关商业银行根据本办法制定实施细则。

第十五条 未尽事项由三峡建委移民局会同有关方面协调解决。

第十六条 本办法由三峡建委移民局负责解释。

第十七条 本办法须经三峡建委移民局与有关商业银行签订协议后施行。

关于做好三峡库区调整土地安置农村移民有关问题的通知

1999 年 8 月 2 日,国务院三峡工程建设委员会移民开发局以国峡移发计字〔1999〕85 号文通知湖北省三峡工程移民局、重庆市移民局

根据国务院三峡工程建设委员会第 29 次办公会议纪要精神,三峡库区各级政府和移民部门抓住农村第二轮土地承包的机遇,调整土地、落实农村移民安置,取得了明显成效。但必须看到,调整土地安置农村移民工作,还存在一些不容忽视的问题。一是调整的土地有的与移民安置时间差较大,可能造成调出的土地管理脱节或撂荒,有的甚至安置不了移民;二是调地资金集中投入,分散使用,滞留时间长,如管理不当将造成资金贬值或被挪用,特别是乡(镇)一级管理上存在较大风险。为进一步加强管理,用好调地资金,保证调整出的土地真正能够安置农村移民,经报国务院三峡工程建设委员会批准,现将有关问题通知如下:

(一)各级移民管理机构要结合当地的具体情况,就土地调整后人均耕地占有量做深入地调查研究,合理安排新老农户土地使用数量。根据三峡库区的自然条件,移民人均耕地应不少于 0.8 亩。

(二)要合理安排使用调地资金。对拿出土地的农户,补偿费要具体测算,应确定相应的标准,其比例由湖北省、重庆市根据具体情况确定;其余的资金由社(组)统一管理和使用,主要用于坡改梯、水利配套、土地培肥等农田基本建设和改造,积极稳妥地推进社内集体经济的发展。

(三)要切实保证调整土地的质量,达不到移民安置标准的不能安排调地资金。安置农村移民的土地由社(组)、村申报,经乡(镇)审批后报县移民局备案,县移民局负责监督、指导和检查。

(四)要切实采取有效措施,确保调整出的土地用于农村移民安置。社(组)内安置的,调整土地与移民生产安置要紧密挂钩,一步到位。出社(组)安置的。安置方要完善土地调整手续;移民迁出方应与移民安置方签订移民安置合同,并同被安置移民签订生产安置合同。需代耕种的土地,代耕者必须与土地所属的乡(镇)、社(组)签订代耕种合同。

(五)要切实加强调地资金的管理。调地资金应以社(组)为单位建帐,专户储存。调地资金的使用由社(组)报村及乡(镇)审批,县移民局备案,并由县及县以上移民部门监督、指导和检查。

(六)调地资金纳入湖北省、重庆市农村移民大类投资计划,由三峡建委移民局根据土地调整及落实到移民户的进度情况分期拨付,专项下达。湖北省、重庆市移民局应于每年 1 月底以前,将上年度调地资金的使用、移民安置落实情况及本年调地计划报三峡建委移民局。

(七)湖北省、重庆市移民局可按此通知精神,结合本地实际情况制定三峡库区移民调地资金使用管理办法。

长江三峡库区移民工程建设项目管理办法

1999 年 10 月 14 日,国务院三峡工程建设委员会移民开发局以国峡移发计字〔1999〕117 号文通知湖北省三峡工程移民局、重庆市移民局

第一章 总 则

第一条 为确保三峡库区移民工程建设项目的建设质量、移民补偿资金效益以及经费包干使用和移民任务按期完成,根据《长江三峡工程建设移民条例》、国务院办公厅《关于加强基础设施工程质量管理的通知》和国家有关法律法规,以及三峡库区移民管理工作的有关规定,结合三峡库区移民工程建设项目实际,制定本办法。

第二条 本办法中的移民工程建设项目(以下简称移民项目),是指纳入长江三峡工程水库淹没处理及移民安置规划(以下简称移民规划)并列入年度投资计划的项目。

第三条 按照"中央统一领导、分省负责、县为基础"的三峡移民管理体制,三峡库区各级人民政府对移民项目实行分级管理和移民项目法人责任制,移民管理部门是移民项目规划、计划编制、资金拨付与结算、监督检查和奖惩的综合管理部门。

第四条 依据《中华人民共和国档案法》,建立健全移民项目档案,并按规定管理。

第二章 项目法人及职责

第五条 移民项目按大类分为:农村移民安置项目、城集镇迁建项目、工矿企业迁建项目、专业设施改复建项目、环境保护项目、滑坡监测和处理等项目。

第六条 根据国家发展计划委员会颁布的《关于实行建设项目法人责任制的暂行规定》,移民项目法人由各级人民政府负责组建。

第七条 移民项目法人的主要职责:

(一)包干使用移民补偿资金,按合同完成移民项目规定的建设内容以及搬迁安置任务;

(二)编制或组织编制本项目的实施计划,组织工程设计、施工管理、监理的招标投标工作,按公开、公平、公正和择优的原则确定中标单位;

(三)负责本项目建设的组织实施及全程管理,保质保量按时完成本项目的建设;

(四)接受移民管理部门和政府有关主管部门的监督、管理、检查和审计,定期向当地移民管理部门报送财务报表和统计资料;

(五)承担项目的法律、民事和行政责任,依法抵制各种不合理收费。

第三章 项目前期工作管理

第八条 移民项目建设必须按移民规划实施,其规模和标准要根据移民规划确定。纳入移民规划内的移民项目,视为立项。移民项目要按照基本建设程序编制可行性研究报告,进行项目评审、初步设计、技术设计和施工图设计,并按基本建设程序审批。技术设计较简单的小项目,可适当简化程序。工矿企业迁建项目要结合产业结构、产品结构调整进行实施,一般不得进行原样搬迁。

第九条 移民项目建设必须坚持先勘察、后设计、再施工的原则,不具备符合要求的工程勘察资料,不得进行设计和施工。

第十条 移民项目设计和变更设计,由项目法人按移民项目包干投资额委托符合国家资质规定的设计单位进行,并采取分级评审的办法。凡投资在1000万元以上(含1000万元)的项目评审,由具有甲级咨询资格的单位承担;1000万元以下的项目评审,由具有相应咨询资格的单位承担。

第四章 项目计划管理

第十一条 移民项目按照“分级管理、谁审批、谁负责”的原则进行审批。以移民补偿资金为主(含全额移民资金项目)的移民项目,其资金额度在1000万元(含1000万元)以上的由省(市)审批,报国务院三峡工程建设委员会移民开发局(以下简称三峡建委移民局)备案;500~1000万元的,由市(区)审批,报省级移民管理部门备案;500万元以下由县审批,报市(区)移民管理部门备案。多方投资的移民项目(包括移民包干资金和自筹资金),按总投资划分为大型、中型和小型项目,其审批权限,由省(市)各级人民政府相关部门会同同级移民管理部门按国家有关规定执行。

第十二条 移民项目应根据《三峡工程库区湖北省、重庆市移民迁建进度及分年投资规划》,以及三峡建委移民局下达的年度移民补偿资金计划的指导原则、重点及大类投资额纳入计划管理。列入年度移民补偿资金计划的项目,必须具备以下条件:

(一)移民迁建安置规划的项目,按程序履行报批手续已获得批准;

(二)多方投资的移民项目,其自有资金、银行贷款等其他资金均已落实;

(三)有经批准的施工组织设计;

(四)建设项目所需主要设备已经选定,投产后所需燃料、动力、生产原料和运输等外部协作配套条件均已落实;

(五)属于省(市)人民政府根据分县农村移民安置规划编制的农村移民计划的项目。

第十三条 移民项目的前期工作未达到规定要求的,审批部门不得审批,更不得列入计划。移民项目计划不得越权审批和擅自调项,未按程序审批的移民项目,不得开工建设。

第十四条 各级移民管理部门对列入年度移民补偿资金计划的项目,必须按批准的概预算控制投资。主办银行要按有关规定及项目年度计划进行拨款,并对项目执行情况进行监督。项目按静态切块包干补偿资金全额拨付后,该项目不得再列入移民投资计划。

第五章 项目建设管理

第十五条 按照建设部的有关规定及《长江三峡水库移民工程建设施工招投标管理办法》,三峡库区移民投资在50万元以上(含50万元)的单项工程项目建设,必须实行招标投标制度。

第十六条 移民项目建设必须实行工程监理制。监理工作按照三峡建委移民局颁布的长江三峡工程建设移民工程监理的有关规定执行。项目的施工,必须由具备相应资质条件的监理单位进行监理。监理单位必须配备足够的、合格的监理人员。

第十七条 要加强移民项目工程质量的监督、管理。项目法定代表人对移民项目的工程质量负总责。勘察设计、施工、监理等单位的法定代表人按各自职责对所承建项目的工程质量负领导责任。实行移民管理部门、行业主管部门、地方行政领导责任人制度。移民项目工程质量实行终身负责制。

第十八条　移民项目建设的质量管理实行质量保证金制度。项目竣工验收合格并交付使用一年后，项目法人方可将该项目工程总造价5%的质量保证金拨付给施工单位。

第十九条　移民项目施工现场管理，按照建设部《建设工程施工现场管理规定》及地方的有关规定执行。大型或地质条件复杂的移民项目，要做好施工阶段的勘察配合、地质编录和勘察资料验收等工作。承担移民项目施工的企业，必须具备与其承包的项目相应的资质等级。在移民项目施工中，禁止转包。总承包单位经批准后方可进行项目分包，但其主体结构不得分包。

第二十条　根据各县、市（区）的农村移民安置实施计划，农村移民项目建设管理办法由省（市）移民管理部门制定。

第二十一条　移民项目建设实行项目合同管理制度和审价制度。

第六章　项目补偿销号和竣工验收管理

第二十二条　各级移民管理部门依据《三峡工程库区移民补偿投资价差计算及管理办法》，在其负责的移民项目完成了静态包干补偿资金后，应及时与移民项目法人办理补偿销号手续。

第二十三条　依据国家发展计划委员会《建设项目（工程）竣工验收办法》和《长江三峡工程水库淹没处理及移民安置规划大纲》等规定，移民项目竣工验收先由项目法人自行验收，再由审批部门组织正式验收。对验收不合格的项目，责任方要限期整改，其费用由责任方支付。

第二十四条　移民项目验收合格后，项目法人即进行竣工决算，并由经办银行对决算特别是其中的移民资金进行审查鉴证。竣工决算应包括从项目开始筹建到竣工投产使用整个过程的全部费用。

第二十五条　项目验收后的一个月内，项目法人必须将项目竣工决算报告和移民安置情况报其主管部门和移民管理部门，并抄送项目经办银行和主设计单位，同时报上级移民管理部门备案。

第七章　项目建设环境保护管理

第二十六条　移民项目建设必须执行《中华人民共和国环境保护法》，并依据三峡工程库区移民安置区环境保护规划的要求，做好移民项目建设的环境保护及管理工作。

第二十七条　在基础设施和专项设施项目建设过程中，项目法人和施工单位要严格遵循生态环境保护的有关规定，科学组织施工，禁止大挖大填，乱弃废渣。工矿企业迁建项目，要治理好重点污染源，其防治污染的设施必须与主体工程同时设计、同时施工、同时投产使用。农村移民安置项目，必须注重生态环境建设，严禁开垦25度以上的坡地，已经开垦的要逐步退耕还林；对25度以下的坡地，要采取“坡改梯”措施。

第八章　项目监督检查

第二十八条　移民管理部门对移民项目建设的全过程实行监督检查。项目法人应如实反映情况，提供有关资料，接受监督检查，对存在的问题，按照要求限期整改。

第二十九条　对贪污、挪用、侵占、浪费移民资金等违法违纪行为以及因失职、渎职而造成严重经济损失或工程质量事故的单位和个人，追究其相应责任；触犯法律的，依法处理。

第九章　附　则

第三十条　湖北省、重庆市移民管理部门依据本办法制定实施细则。

第三十一条　本办法由三峡建委移民局负责解释。

第三十二条　本办法自颁布之日起实施，凡与本办法相抵触的，均按本办法执行。

关于加强三峡移民工程建设质量管理的通知

1999年3月23日，国务院三峡工程建设委员会移民开发局以国峡移发规字〔1999〕41号文通知湖北省三峡工程移民局、重庆市移民局

三峡移民工程建设质量，事关三峡工程建设成败大局、党和国家的形象、百万移民群众的顺利搬迁与安居乐业。在三峡移民工程建设中，通过项目法人负责制、招标投标制、建设监理制、合同管理制的逐步推行和完善，移民工程建设质量状况总体上是好的。但由于一些地方、部门和单位的质量意识还不强，因此，移民工程项目的前期工作有的不扎实，出现了对设计、施工单位资质审查不严，设计与规划脱节，设计与实际不符，实施中设计方案更改频繁等现象；有的对移民工程建设项目检查、监管力度不够，违反建设程序，不实行监理；有的以质检代替监理或设计、施工、监理几任集于一身；有的违法分包，层层转包，偷工减料，以次充

优,粗制滥造,使部分工程潜伏着质量隐患,有的隐患已显现为质量事故。为坚持质量第一,增强移民工程建设质量意识,堵塞管理工作中的漏洞,清除移民工程建设中的质量隐患,确保三峡工程建设和移民工作的顺利进行,根据全国基础设施建设工程质量工作会议和国务院办公厅《关于加强基础设施工程质量管理的通知》(国办发〔1999〕16号)精神,结合三峡移民工程建设的实际,现将有关事项通知如下:

1.要认真贯彻全国基础设施建设工程质量工作会议和《国务院办公厅关于加强基础设施工程质量管理的通知》精神,进一步增强各级移民工作者的质量意识,树立移民工程质量管理的使命感和责任感,自觉加强对移民工程建设质量的管理。省(市)移民部门要在政府的领导下,积极配合有关部门,尽快落实和建立移民工程质量领导负责制。移民工程项目质量,要实行地方行政领导及其行业主管部门责任人制度。

2.严格执行移民工程建设程序,切实贯彻分级审批制度。按照国家及三峡移民搬迁的有关规定,认真履行报批手续,严格实行项目决策咨询评估制度,把好前期工作质量关。对违反建设程序和审批权限的项目,要严格追究有关单位及其领导人的责任。

3.认真贯彻《中华人民共和国建筑法》,健全移民工程管理制度,整顿移民工程建设市场。要加强移民建设项目管理,进一步坚持和完善项目法人责任制、招标投标制、建设监理制和合同管理制。

(1)要建立项目法人负责制,由项目法定代表人对工程建设质量负总责。勘察设计、施工、监理等参建单位的法定代表人,要按各自职责对所承建项目的工程质量负领导责任和终身责任。

(2)进一步规范招标投标行为。移民工程项目的勘察设计、施工和主要设备、材料采购都要按规定实行招标,都必须按照公开、公平、公正、诚信的原则,公开竞争,择优录用,纠正和杜绝假招标、人情标和其他徇私舞弊等腐败行为,严禁中标单位转包和违法分包。移民部门的领导和工作人员,不得以任何名义干预项目法人正当的招标活动。

(3)大力推行建设监理制,努力提高移民综合监理和单项工程监理的质量和水平。投资50万元以上的移民工程,必须实行监理;同时,单项工程监理要逐步延伸到项目设计阶段。各级移民局监理管理机构要从严管理监理经费。要加强与受聘监理单位的联系,重视监理队伍的管理、教育和培训,充分发挥监理在保障工程质量中的作用。

(4)增强合同管理意识,完善和加强移民工程项目合同管理制度。要认真贯彻《中华人民共和国合同法》有关规定,把移民工程建设活动纳入合同管理的轨道。

(5)积极配合有关部门,强化监督检查,严格设计、施工、监理单位资质和能力的审查管理,严把市场准入关。

(6)要坚持先勘察、后设计、再施工的原则。勘察设计单位要加强对现场踏勘、勘察纲要编制、原始资料收集和成果资料审核等环节的管理,并对其所提供的地质、地震、水文、气象等勘察资料的质量负责。设计单位对设计成果,咨询评估单位对出具的评估论证意见均应承担责任。从1999年6月1日起,未经有关部门认证的设计、施工、监理队伍,一律不得承揽三峡库区移民工程的相关业务;对已承担了相关业务的要坚决清退。要杜绝个人或变相以个人名义承揽移民工程设计任务、承包移民工程建设。打破地区、行业保护现象,严禁设计、施工、监理"一条龙"作业。

4.强化移民工程施工质量管理。要监督施工单位严格按照设计图纸和施工标准及规范进行施工,并要有确保工程施工质量的措施,要建立健全现场质量自检体系,加强施工现场各环节、各工序和原材料、构配件采购等管理,把质量隐患控制和处理在萌芽状态。一旦发生质量事故,相应损失一律由有关责任单位负担,并追究有关当事人的责任。

5.加强农村移民安置的土地开发管理。今年要完成对移民工作试点以来已开发土地的清理,明确家底和使用权属,切实与移民安置挂钩;对开发质量不合格的,要督促采取措施,于今明两年内达到合格标准;25度以上已垦坡地,要搞好水土保持,实施综合治理,迅速改造成高标准的梯田梯地。

6.请你们接此通知后,对辖区内的移民工程质量组织认真的检查和分析,提出清除质量隐患的整改意见,向省(市)人民政府报告,并及时狠抓整改行动,制订有关管理办法。同时,要加大执法和监督力度,建立移民工程项目建设违规举报制度,健全移民工程质量情况报告制度和项目档案制度,切实把好移民工程建设质量关。

7.今年,我局将按照国务院和三峡建委的要求,组织力量,深入库区,对移民工程的质量管理工作进行经常性检查,对重大移民工程项目的质量进行抽查。具体部署将在每次活动前另行通知。

关于认真做好农村移民外迁工作若干问题的通知

1999年8月2日,国务院三峡工程建设委员会移民开发局以国峡移发办字〔1999〕86号文通知湖北省三

峡工程移民局、重庆市移民局

三峡工程库区移民工作实施以来，库区各级政府和移民部门认真贯彻执行开发性移民方针，按照《长江三峡工程建设移民条例》和移民安置规划大纲，采取多渠道、多形式、多方法安置农村移民，取得了很大成绩。特别是农村移民外迁工作，通过政府组织、投亲靠友等方式，积累了很多经验，确保了移民工作的顺利进行。

但是，随着外迁移民工作量的不断加大，其中也存在一些不容忽视的问题。一是缺乏组织领导，有的移民通过投亲靠友自主迁到外地后，不能与接收的村(组)建立正常的关系，移民身份不能得到确认，有关政策难以落实，给移民的生产生活带来隐患；二是有个别移民工作干部，借联系外迁移民工作名义，到处游山玩水，造成不良影响；三是一些中介组织或个人参与外迁移民工作，从中渔利，出现了一批"移民贩子"；四是一些地方以种种名义克扣外迁移民安置经费，给移民的生产生活造成困难。这些现象都严重影响了外迁移民工作的顺利进行。为了切实加强对外迁移民工作的管理，特通知如下：

(一)要认真贯彻国务院三峡工程移民工作会议精神，采取切实措施，积极稳妥地做好农村移民外迁安置工作。

(二)要进一步加强领导。外迁移民任务重的县(区)，县及县以上移民部门要有领导专门负责外迁工作，要有科室具体落实外迁工作。外迁移民任务重的乡镇，要设移民外迁专干，认真做好移民外迁的管理、协调和服务工作。

(三)外迁移民工作必须由迁出地和迁入地县一级以上(含县级)政府负责组织联系。对投亲靠友的，也必须经迁出地和迁入地县一级政府审核同意后，方可按规定程序办理迁移手续。

(四)严禁一切中介组织或以个人名义组织移民外迁。

(五)外迁移民补偿经费，要按照外迁移民补偿标准足额发给移民个人，除迁入地政府收取必要的生产安置费用外，其他部门和单位不得以任何名义截留和克扣。

特此通知。

公　司　文　件

中国三峡总公司文件目录(部分)

三峡(电)字

关于调整1998年重点技改投资计划及有关项目的批复

关于调整1999年重点技改工程计划的批复

关于三峡电厂及梯级调度系统设计的有关问题的函

关于1998年葛洲坝船闸及航道运行维护管理费等费用的函

关于调整葛洲坝航运费用申报、审批等程序的函

关于清理整顿葛洲坝三江上引航道码头安全隐患的函

关于《葛洲坝水库泄洪调度方案》的报告

转发《国家计委关于提高葛洲坝电厂上网电价的通知》

关于开通宜宁微波至三峡总公司的复函

关于立体车库与科技大楼合并建设的批复

关于报送2000年电力生产建议计划的函

关于转发《葛洲坝三号船闸基础排水廊道泥沙问题现场查勘会议纪要》的函

关于转发财政部《关于批复葛洲坝水力发电厂1999年专项支出经费的函》的通知

关于1999年中华鲟研究所专项设施计划的复函

关于葛洲坝大江尾工有关问题的复函

关于维持1999年中华鲟放流规模等事宜的复函

三峡(建)字

关于印发《三峡工程质量管理工作座谈会议纪要》的函

关于永久船闸"八一三"事故的通报

关于印发《长江三峡工程限额设计及优化设计管

理办法》的通知

关于调整三峡工程质量管理委员会及其办公室成员的通知

关于印发三峡工程岩石基础开挖和边坡支护质量标准的通知

关于印发“长江三峡工程1999年度度汛工作安排的通知”

关于贯彻落实《国务院办公厅关于加强基础设施工程质量管理的通知》的报告

关于湖北省人民政府要求解决汪家坡滑坡工程地质勘察混凝土费的复函

关于转发三峡工程混凝土质量专家咨询会咨询意见的通知

关于表彰1998年度三峡工程度汛抗洪先进集体和先进工作者的决定

关于印发《三峡工程灌浆质量检测及等级评定标准(试行)》的通知

转发三峡工程质量委员会关于混凝土质量控制措施讨论会议纪要

关于1999年汛期三峡工程应急转运准备工作情况的报告

关于转发“三峡工程左岸电站、主厂房屋面网架方案设计报告审查会议纪要”的函

关于在三峡水利枢纽近坝区水域进行港口淹没复建有关问题的报告

关于表彰1998、1999年度三峡工程汛期应急转运工作先进集体和个人的决定

关于进行水利枢纽坝区水域总体规划的复函

三峡(机)字

关于转发《三峡工程右岸电站高压电气设备国际招标文件审查会议纪要》的函

关于转发《长江三峡工程左岸电站主厂房桥式起重机招标文件审查会议纪要》的函

关于开展“九五”国家重大技术装备研制和国产化三峡水利枢纽工程成套设备项目中期评价的通知

关于转发三峡左岸电站大电流离相封闭母线招投标文件审查会议纪要的函

关于将“三峡水轮发电机组推力轴承弹性金属塑料瓦研制”专题列入国家“九五”攻关项目的请示

关于“三峡工程左岸电站高压设备”国际招标采购授标意见的请示

关于“九五”国家重大技术装备攻关三峡工程项目补列“三峡WS发电机组推力轴承弹性金属塑料瓦研制专题”的请示

关于上报“十五”国家重大技术装备研制和国产化项目建议书的函

三峡(财)字

关于三峡财务有限责任公司资本金帐务处理事项的请示

关于印发《中国三峡工程开发总公司总机构管理费实施细则》的通知

转发财政部《关于对三峡资金财务检查有关问题处理决定的通知》的通知

关于三峡资金检查有关问题整改情况的报告

关于报送三峡工程1999年度外汇使用计划的函

关于三峡工程水轮发电机组进口外汇核销问题的请示

关于印发《中国三峡工程开发总公司保险管理暂行办法》的通知

关于葛洲坝水力发电厂界定给集体企业资金帐务处理的请示

关于免征1998年三峡债券个人投资者利息收入所得税的请示

关于三峡工程左岸电站高压电气设备进口利用外贸立项的请示

关于将三峡总公司分配利润转增资本金的批复

关于执行预提投资节余有关规定的请示

转发财政部关于印发1998年集体企业清产核资年度报表的通知

关于调整北京烟袋斜街综合楼房屋管理的通知

关于报送1998年度基本建设财务会计决算报表的函

关于报送1998年度生产经营财务会计决算报表的函

关于1999年继续调剂使用三峡基金的请示

关于转发财政部对三峡总公司所属葛洲坝水力发电厂清产核资中界定给集体企业资金帐务处理复函的通知

关于表彰1998年度财务会计报表编制报送工作先进单位的通报

关于划转对三峡航空实业开发公司投入的资本金的请示

关于尽快清偿国家开发银行贷款本息的函

关于协调解决三峡总公司对宜昌市三峡航空实业开发公司长期贷款担保有关问题的请示

关于下达1999年总公司机关经常费指标的通知

关于下达1999年北京代表处经常费指标的通知

关于下达1999年重庆办事处经常费指标的通知

关于下达1999年上海办事处经常费指标的通知

关于下达1999年武汉办事处经常费指标的通知

关于下达1999年离退休办经常费指标的通知

关于1998年经常费包干指标考核情况的通知

关于下达新闻宣传中心1999年经费指标的通知

关于进一步加强总公司经常费管理的通知

关于报送1999年一季度生产经营合并会计报表的函

关于印发《1999年财务工作安排》的通知

关于1998年中国长江三峡工程开发总公司企业债券上市申报材料中有关问题说明的函

关于对三峡航空实业开发公司投入的资本金划转给宜昌市的请示

关于进一步加强结算风险的通知

关于葛洲坝水力发电厂1999年财务收支计划的批复

关于清理往来帐款的通知

关于印发《中国长江三峡工程开发总公司三峡工程建设资金调度规程》的通知

关于企业债券发行额度的请示

关于报送1999年二季度生产经营合并会计报表的函

关于清理检查“帐外资金”的通知

关于报送1999年二季度基本建设财务会计报表的函

关于长江三峡水利枢纽工程开发银行硬贷款财政贴息问题的请示

关于提取1999年总机构管理费的请示

关于葛洲坝水力发电厂1998年度财务决算的批复

关于北京长江水电技术发展中心1998年度财务决算的批复

关于印发《中国长江三峡工程开发总公司经常性费用预算管理办法》的通知

关于宜昌三峡工程多能公司1998年度财务决算的批复

关于印发《中国长江三峡总公司货币资金管理若干规定》的通知

关于申请减征三峡工程施工车辆购置附加费的函

关于三峡工程物资供应缴纳增值税的请示

关于三峡工程左岸电站高压电气设备采购利用外资方案的请示

关于对田秋渔混凝土货场建筑申请评估立项的函

关于从管理费中列支住房公积金的请示

关于建立生产经营激励机制所需资金来源的请示

关于申请办理三峡工程左岸电站高压电气设备采购利用外资转贷款登记和外汇开户的函

关于财务部基建财务处1997年度基建财务决算的批复

关于财务部机关财务处1997年度基本建设财务决算的批复

关于武汉办事处1997年度基本财务决算的批复

关于北京代表处1997年度基本建设财务决算的批复

关于工程建设部1997年度基建财务决算的批复

关于上海办事处1997年度基建财务决算的批复

关于重庆办事处1997年度基建财务决算的批复

关于新闻中心1997年度基建财务决算的批复

关于培训中心1997年度基建财务决算的批复

关于财务部机关财务处1998年度基本建设财务决算的批复

关于工程建设部1998年度基本建设财务决算的批复

关于培训中心1998年度基本建设财务决算的批复

关于上海办事处1998年度基本建设财务决算的批复

关于武汉办事处1998年度基本建设财务决算的批复

关于重庆办事处1998年度基本建设财务决算的批复

关于北京代表处1998年度基本建设财务决算的批复

关于物资公司1998年度基建财务决算的批复

关于物资公司1997年度基建财务决算的批复

关于新闻中心1998年度财务决算的批复

关于转发财政部驻湖北省财政监察专员办事处《关于从管理费中列支住房公积金的请示的复函》的通知

关于三峡工程物资供应有关增值税问题的请示

转发财政部《关于同意中国长江三峡工程开发总公司向宜昌峡润公司合作有限公司追加投资评估项目立项的函》的通知

关于提取总机构管理费的函

关于协调解决三峡工程物资供应涉税问题的报告

关于协调解决三峡工程物资供应涉税问题的再次请示

关于申请对宜昌峡润合作有限公司追加投资评估结果确认的函

关于报送三峡基金(枢纽工程部分)1999年度支出预算的函

转发财政部《关于下发1999年度汇总会计报表〈国有建设单位类〉》的通知

转发《国家税务总局关于中国长江三峡工程开发总公司》所属企业总机构管理费扣除标准的通知

转发财政部《关于印发1999年度汇总会计报表〈城

镇集体企业类〉》的通知

关于承诺提供“塔桥”贷款的复函

三峡(人)字

关于规范总公司及所属部门、单位顾问职务设立的通知

关于廖良义同志任职的通知

关于发放职工冬季取暖补贴的通知

关于聘请郑守仁同志为中国三峡总公司推荐中国工程院院士候选人遴选委员会委员的函

关于报送中国三峡总公司领导参加省部级领导干部学习进修计划的函

关于成立中国三峡总公司推荐1999年中国科学院、中国工程院院士候选人遴选委员会的通知

关于工程建设部内部机构调整的通知

关于推荐陈大林同志任职的函

关于张兴德等同志任职的通知

关于向三峡财务有限责任公司推荐董事的函

关于向三峡财务有限责任公司推荐董事和副董事长的函

关于马振波同志任职的通知

关于成立长江三峡技术经济发展有限公司的通知

关于推荐长江三峡技术经济发展有限责任公司董事、董事长的函

关于向长江三峡技术经济发展有限公司推荐经理、副经理的函

关于向长江三峡技术经济发展有限公司推荐监事的函

关于报送中国工程院院士候选人名单及有关材料的函

关于孙志禹、顾宏进同志被国家人事部批准为第八批有突出贡献的中青年专家的通知

关于加强职工加班工资管理的通知

关于下达1999年工资总额计划控制数的通知

转发北京市劳动局《关于北京市城镇企业离退休人员1999年调整基本养老金》的通知

关于王运丰、潘树发同志任职的通知

关于李惠敏等同志任职的通知

关于戴野同志任职的通知

关于调整岗位浮动工资基础的通知

关于明确马振波、邓玉敏同志职级的通知

关于开展1999年享受政府特殊津贴人员推荐工作的通知

关于上报中国三峡总公司2000年基建投资建议计划的函

关于上报中国三峡总公司2000年劳动工资计划的函

关于调整总公司专业技术职务评聘工作领导小组及各专业系列评审委员会的通知

关于推荐1999年享受政府特殊津贴人选的请示

关于印发《三峡总公司职工退休后异地安置的暂行规定》的通知

关于报送中国长江三峡工程开发总公司2000年劳动工资计划的函

关于刘匡华、胡亚益同志职务任免的通知

关于张兴德、稽德平同志退休的通知

三峡(办)字

关于转发国家防汛抗旱指挥部、国家人事部、中国人民解放军总政治部《关于表彰1998年抗洪先进集体和抗洪模范的决定》的通知

关于表彰1998年度三峡总公司先进工作者的决定

关于印发陆佑楣总经理在1999年中国三峡总公司工作会议上的工作报告和总结讲话的通知

关于三峡工程管理信息系统进口设备免税的补充函

关于三峡工程施工用油有关费改税问题的函

关于印发全国政协副主席钱正英在三峡工程报告会上讲话的通知

关于申请1999年经济适用住房指标的请示

关于住房制度改革试点的请示

关于葛洲坝水力发电厂申报国家级文明单位的请示

关于转发《长江三峡工程安全监测决策支持系统总体设计大纲》审查会纪要的函

关于申请延长三峡保税库设立期的报告

关于请求协调华能、国际电力开发公司重庆公司发电量的函

关于变更三峡总公司重庆办事处招待所隶属关系的函

关于变更重庆三峡工程旅行社法定代表人等有关事宜的函

关于申请“C型水利水电工程档案资料归档范围”列入国家档案标准的立项请示

关于商请协调向三峡工程供应粉煤灰的电厂发电量的函

关于协调解决向三峡工程供应粉煤灰的电厂发电量的请示

关于调整中国长江三峡工程开发总公司国家安全小组成员的通知

关于报送中国长江三峡工程开发总公司基本概况的函

关于组建中国长江三峡工程开发总公司人民武装部的请示

国务院三峡工程建设委员会关于向三峡枢纽工程派出稽查组和成立三峡枢纽工程质量检查专家组的通知

关于三峡坝区右岸社会车辆通道建设和管理情况的报告

关于印发三峡工程永久性机电设备采购招标职责分工规定的通知

关于三峡工程建设期防洪问题的请示

转发国务院三建委关于石启荣、张德南同志任职和国务院三建委办关于聘请朱仕国等 13 名同志为三峡工程稽查组成员的通知

关于报送住房制度改革试点方案的请示

关于印发三峡工程稽查基础材料填报工作安排的通知

关于印发总公司住房制度改革方案及实施办法的通知

关于印发《三峡工程管理系统编码管理办法》(试行)的通知

关于对北京代表处《向职工出售公有住房实施办法的请示》的批复

关于成立三峡总公司一届一次职代会暨第二次工代会筹备领导小组的通知

关于呈请为中国长江三峡开发总公司传递核心秘密文件资料的函

关于成立中国三峡总公司住房资金管理中心的通知

转发国务院三峡工程建设委员会三峡工程稽查办公室《关于三峡枢纽工程稽查组进行实地稽查》的通知

关于印发石启荣同志在三峡枢纽工程稽查工作动员大会上的动员报告和陆佑楣总经理的讲话的通知

关于做好 1999 年工作总结的通知

三峡(计)字

关于报送 1998 年三峡总公司固定资产投资统计年报表的函

关于报送 1998 年 1 月份三峡总公司固定资产投资统计月报表的函

关于报送 1998 年 2 月份三峡总公司固定资产投资统计报表的函

关于设备公司核销 1998 年度三峡工程施工设备费用的批复

关于物资部 1998 年度供应材料价差的批复

关于实业公司砂石料等服务项目价差及费用结算的批复

关于实业公司物业管理等项目公共设施运行维护费的批复

关于下达 1999 年概算控制其它费用计划指标的通知

关于报送中国三峡总公司 1999 年基建投资计划的函

关于三峡工程开展限额设计、优化设计奖励基金的请示

关于工程建设部《关于 1998 年第四季度项目部管理责任书考核评定意见的报告》的批复

关于委托中国水电水利及新能源发电工程顾问有限公司对金沙江溪洛渡水电站可行性研究勘测设计科研大纲进行技术咨询的函

关于报送 1999 年 3 月份三峡总公司固定资产投资统计月报表的函

关于报送 1999 年 4 月份三峡总公司固定资产投资统计月报表的函

关于报送“三峡枢纽工程 1998 年度价差计算报告”的请示

关于对总公司沪办招待所改造工程审核后要求追加投资的批复

关于开展金沙江溪洛渡和向家坝水电站可行性研究工作安排意见的报告

关于葛洲坝水力发电厂 1999 年小型基建投资计划的批复

关于报送 1999 年 5 月份三峡总公司固定资产投资统计月报表的函

关于报送 1999 年 6 月份三峡总公司固定资产投资统计月报表的函

关于转发《金沙江溪洛渡水电站可行性研究勘测设计科研大纲》技术咨询意见的函

关于明确三峡总公司计划合同部在金沙江前期工作中管理职能的函

关于报备呈送《长江三峡水利枢纽业主总执行概算》的函

关于西陵二路生活区一期工程立项报告的批复

关于报送 1999 年 7 月份三峡总公司固定资产投资统计月报表的函

关于《长江三峡水利枢纽业主总执行概算》补充说明的报告

关于提请协助做好金沙江溪洛渡、向家坝水电站水库淹没处理及环境保护设计工作的函

关于报送 1999 年 8 月份三峡总公司固定资产投资统计报表的函

关于报送 1999 年 9 月份三峡总公司固定资产投资统计报表的函

关于上报中国三峡总公司2000年基建投资建议计划的函

关于转发《金沙江向家坝水电站可行性研究勘测设计科研大纲(修改稿)技术咨询会咨询意见》的函

关于《购置三峡建委办公楼有关事宜的协商函》的复函

关于报送1999年10月份三峡总公司固定资产统计月报表的函

关于报送1999年11月份三峡总公司固定资产统计月报表的函

关于报送2000年经济适用住房建设投资计划的函

关于筹建三峡总公司招标评标专家库的通知

三峡(国)字

关于蔡熙金等3人赴香港参加第一次设计联络会的请示

印发《关于总公司干部和职工在对外交往中收受礼品上交的处理办法(试行)》的通知

关于成立中国长江三峡工程开发总公司台港澳办公室的请示

关于李永安同志赴巴西、委内瑞拉考察枢纽运行管理的请示

关于李永安先生等9人赴委内瑞拉考察枢纽电站运行管理的通知

关于印发加强外国专家工作管理规定的通知

印发《关于贯彻中纪委通报精神、进一步加强出国审批和管理工作的补充规定》的通知

关于王家柱同志赴加拿大出席第三次设计联络会的请示

关于清理出国费用的请示

关于开展对外承包工程与对外派遣劳务业务有关情况说明的函

关于贺恭同志赴日德法考察访问的请示

关于袁国林同志赴澳大利亚、马来西亚考察访问的请示

三峡(招)字

关于核备《三峡工程左岸高压电气设备招标文件》的报告

关于申请进口三峡工程大坝金属结构自润滑轴承的函

关于三峡工程左岸电站高压电气设备国际招标采购合同授标情况的报告

关于申请进口钢材计划指标的报告

关于报送三峡工程左岸电站机组调速、励磁系统招标文件的函

关于清理三峡工程左岸高压电气设备免征关税和进口环节税确认书的函

关于三峡工程左岸电站压力钢管进口高强度钢板说明的函

三峡(审)字

关于对原三峡利能水电发展公司1997年1月至1998年4月财务收支审计的处理决定

关于印发《1999年内部审计工作计划》的通知

关于李茂和同志离任经济责任的审计报告

关于对总公司所属单位银行开户进行审计调查的通知

关于对新闻中心1997、1998年度财务收支审计的处理决定

关于转印发审计署武汉特派办对中国三峡总公司1993~1997年度财务收支情况的审计决定和审计意见书的通知

关于转印发审计署武汉特派办对中国三峡总公司坝区接待中心大厦竣工决算的审计决定和审计意见书的通知

关于严格执行“审计决定”和审计意见的通知

关于落实审计署武汉特派办对坝区接待中心“审计决定”和审计意见的函

关于对三峡电子信息技术有限公司1997年10月~1999年5月财务收支的审计意见

三峡(技)字

关于印发“三峡工程科技成果奖励办法(试行)”及“三峡工程科技成果奖励办法(试行)实施细则”的通知

关于印发《三峡总公司关于加强三峡工程建设技术管理的若干规定》的通知

关于成立长江三峡工程安全领导小组的通知

关于转发三峡工程永久船闸专家咨询会会议纪要的函

关于申请三峡工程科技成果签订权和奖励权的请示

关于表彰刘洪泰等481名从事水利、水电工作30年以上同志的决定

关于三峡工程“十五”期间泥沙研究费用问题的复函

三峡(宣)字

关于三峡工程对外宣传工作情况的报告

关于落实《中国三峡建设年鉴》2000卷编纂大纲的通知

三峡(征)字

关于下岸溪人工砂(石)加工系统建设用地申报有关问题的函

关于下岸溪料场建设用地报批滞后情况的函

关于申请三峡工程下岸溪料场建设用地免缴森林植被恢复费的函

关于请求协调林业部门征收森林植被恢复费问题的函

关于下岸溪人工砂(石)加工系统建设用地申报有关问题的请示

三峡(设备)字

关于加强施工设备维护保养的通知

关于印发《中国三峡总公司施工设备“红旗设备”竞赛检查评比办法(修订)》的通知

关于三峡保税库由寄售维修功能扩大为三峡工程专用综合型保税库的函

关于印发《混凝土生产与输送系统定期保养和维修制度(试行)》的通知

关于《中国三峡总公司施工设备“红旗设备”竞赛评比办法(修订)》的补充通知

关于 JOHNSON 搅拌楼采用炸药爆破方法处理搅拌筒内混凝土结块违规情况的通报

三峡(技设)字

转发《长江三峡水利枢纽右岸地下电站技术设计阶段总体布置专题报告审查会审查意见》的函

关于转发“长江三峡工程执行概算专家组第十三次会议纪要”的函

关于报送《三峡坝区国家森林公园总体设计大纲》的函

关于转发《三峡水电站压力钢管取消伸缩节复核计算成果第二次研讨会会议纪要》的函

关于转发《〈长江三峡枢纽建筑规划方案设计补充报告〉审查会会议纪要》的函

三峡(经)字

关于开展经营单位基本状况普查的通知

关于物资公司宜昌分公司停业清算有关问题的批复

三峡(监)字

关于转发设备公司《关于原出纳员易佳意贪污案件的报告》的通知

三峡(台)字

关于召开“海峡两岸三峡工程技术研讨会”的请示

三峡(稽查)字

关于总公司经营单位进行稽查登记的通知

关于三峡工程稽查基础材料填报工作有关问题的函

稽查基础材料专题会议纪要

关于填报《企业关键管理人员关联方关系声明》及《利益冲突声明》的通知

关于填报《企业关键管理人员关联方关系声明》及《利益冲突声明》填报范围的补充通知

稽查基础材料填报专题会议纪要

关于葛洲坝电厂稽查基础材料上报时间的函

关于填报关联方交易的通知

关于请明确稽查基础材料之三第五部分有关填写要求的函

关于及时上报稽查基础材料的紧急通知

关于呈送三峡稽查工作基础材料的函

关于呈送葛洲坝水力发电厂稽查基础材料的函

转发国务院三峡工程建设委员会、三峡稽查办公室《关于向有关单位发出证书的函》

关于呈送三峡工程稽查工作补充基础材料(下属企业部分)的函

关于呈送三峡工程稽查工作补充基础材料(枢纽工程部分)的函

中国长江三峡工程开发总公司总机构管理费实施细则

1999 年 1 月 8 日,中国长江三峡工程开发总公司文件以三峡财字〔1999〕第 11 号文通知总公司各部门、各单位遵照执行

为了加强对中国长江三峡工程开发总公司(以下简称中国三峡总公司)总机构管理费的管理,根据国家税务总局《总机构提取管理费税前扣除审批办法》(国税发〔1996〕177 号)、《关于中国三峡总公司所属企业总机构管理费扣除标准的通知》(国税函〔1998〕571 号)及宜昌市地方税务局《关于中国三峡总公司对所属企业总机构管理费扣除标准的通知》(宜市地税函〔1998〕10 号)文件精神,结合中国三峡总公司的实际情况,特制定本实施细则。

(一)中国三峡总公司总机构管理费是指为解决中

国三峡总公司管理费用的不足，由总公司所属经营性企业按国家税务部门的规定计提并上交给总公司的管理费用，是中国三峡总公司为其所属经营性公司提供管理服务的经费来源。

（二）总机构管理费的申报

1.中国三峡总公司总机构管理费根据税务部门的规定按年申报。由财务部于每年7月初向国家税务总局和宜昌市地方税务局分别提出《中国三峡总公司总机构管理费提取申请报告》，并附报申报材料。

2.报送国家税务总局的申报材料如下：

中国三峡总公司总机构管理费申请报告；税务登记证（复印件）；上年度的企业所得税纳税申报表；上年度会计报表；上年度管理费收支决算表及说明；本年度上半年会计报表；本年度上半年管理费支用情况表及说明；本年度下半年预计管理费支出情况表及说明；本年度计划提取管理费明细表；所属全资子公司的经营情况。

3.报送宜昌市地方税务局的申报材料如下：

中国三峡总公司总机构管理费申请报告；所属集体企业的经营情况。

4.申报工作由财务部负责，财务部生产经营财务处具体办理。

（三）总机构管理费的计提与上交

1.中国三峡总公司总机构管理费的计提标准，按国家税务部门每年核定的数额，由应计提管理费的有关企业按月计提，计入企业管理费用。由于税务部门对总机构管理费的审批工作安排在每年下半年进行，因此计提管理费以上一年度的批准数预提，待税务部门核批后，再予以调整。

2.计提总机构管理费的企业按季将计提的总机构管理费全额上交中国三峡总公司。总公司财务部负责对总机构管理费实施管理，财务部生产经营财务处对上交的总机构管理费办理清算手续。

（四）总机构管理费的使用与核算

1.总机构管理费主要用于中国三峡总公司开展经营管理活动所必需的经费支出。

2.总机构管理费纳入中国三峡总公司管理费用统一管理和核算。根据目前总公司基建与生产分开核算的特点，总公司日常发生的管理费用由财务部基建财务处负责归集，年终进行分配。

3.总公司管理费用分配原则：为三峡工程建设提供管理服务的部门（如：工程建设部等）所发生的费用和为三峡工程建设所必需的专项费用列入三峡工程成本，为生产经营提供管理服务的部门（如：电力生产部、经营管理部等）所发生的费用和为生产经营所必需的专项费用由总机构管理费列支，具有双重职能的部门所发生的费用按比例在三峡工程成本与总机构管理费之间分别列支。根据三峡工程建设的实际情况，2003年以前的分配比例为：三峡工程成本占67%，总机构管理费33%。

（五）总机构管理费使用超支，中国三峡总公司在征得税务部门同意后可由所属经营性企业补提补交。对补提补交的总机构管理费，企业要进行纳税调整。总机构管理费结余，结转下年使用。

（六）本细则由中国三峡总公司财务部负责解释。

（七）本细则从1999年1月1日起开始实施。

三峡总公司关于加强三峡工程建设技术管理的若干规定

1999年3月3日，三峡总公司以三峡技字〔1999〕第39号文通知各部门、各单位遵照执行

（一）总则

1.三峡工程规模巨大，技术复杂，建设周期长，影响深远。三峡总公司作为三峡工程的项目法人，对工程建设和建成后的运行管理负责，并把三峡工程建成一流工程，因而必须建立健全完整的技术管理系统，以确保重大技术问题决策无误。同时对现场技术问题能快速反应，及时正确决策。

2.三峡工程的技术管理，实行总经理和分管副总经理领导下的总工程师及各二级部门分工负责制。

3.三峡总公司技术管理的主要任务，是组织、协调参加三峡工程建设的设计、施工、监理及有关部门和单位，对三峡工程建设中的技术问题特别是重大技术问题及时组织研究和决策。具体技术问题应由设计、施工、监理单位分别负责进行，必要时，总公司可采取合同方式，委托有资质的部门或单位承担。

（二）职责分工

1.总工程师的职责

总工程师在总经理和分管副总经理的领导下负责总公司的技术工作，负有对三峡工程重要技术问题及时组织研究和相应的决策责任。特别重大的技术问题，应报请总公司有关领导、或总经理办公会议决策确定。

总工程师对各二级部门的技术问题，负有检查、协调、指导的责任。

副总工程师协助总工程师工作，分管有关专业和部门的技术工作。

2.技术委员会的职责

技术委员会是总公司高级技术咨询机构。技术委

员会受总公司领导或总工程师委托，组织专家进行专项设计审查，或对重大技术问题，组织专家进行研究、咨询并提出意见，供总公司决策。

3.工程建设部职责

工程建设部负责与现场施工、安装直接有关的全部技术管理工作，并负有对施工有关的技术问题及时作出决策的责任。重要技术问题的决策，特别是存在意见分歧或涉及修改设计的重要技术问题，应及时向总工程师汇报。特别重大的技术问题，应向分管的副总经理直至总经理报告，请求决策。

工程建设部各项目部应负责组织本项目设计、施工、监理研究有关的技术问题，并按合同文件中的责任及时作出决策。超出合同范围或涉及修改设计的重要技术问题，应及时向工程建设部和总工程师报告，请求决策。

工程建设部所属工程技术部，是工程建设部领导的参谋和各项目部的技术支持部门，也是总工程师在前方的工作部门，承担总公司在三峡工程现场的技术管理工作。

4.科技管理部的职责

科技管理部是总公司科研归口管理单位。在技术业务上接受总工程师的领导。

科技管理部负责组织、协调管理三峡工程宏观性、长远性的技术问题研究的管理工作。

5.机电工程部

机电工程部在技术业务上接受分管机电的副总工程师领导，负责归口管理水轮发电机组、高压电气及其他辅助机电等永久设备的技术工作。

6.其他有关二级部门的技术职责

总公司下属各有关二级部门，应按本部门的职责分工，加强技术管理工作。技术管理工作份量较重的二级部门，应明确一位负责同志分管技术管理。

(三)技术决策的原则

1.三峡工程技术决策应坚持“尊重科学，实事求是”的原则，统筹考虑工程的质量、进度和造价。当质量与进度、造价发生矛盾时，必须坚持“千年大计，质量第一”，将工程质量和安全始终放在首位。

2.技术决策必须遵循国务院、全国人大批准的三峡工程可行性研究报告，国务院三峡工程建设委员会批准的初步设计，以及总公司组织审查批准的单项工程技术设计。当确有必要作出修改时，必须有充分的论证，并履行报批手续。

3.技术决策应依据国家颁发的政策、规程、规范。采用无规范可循的新技术时，一般应有国内外类似工程实践经验可借鉴，或经过充分论证并经实际试验证实可行。

4.技术决策应尊重合同文件中“技术规范”的有关规定。一般情况下，不宜轻易修改。

5.技术决策既要尊重设计、又要从工程施工的实际情况出发。当有分歧意见时，应通过充分协商，力求取得一致意见。

6.重大技术问题的决策，应充分听取专家意见。必要时应邀请国内著名专家提出咨询意见。

(四)决策程序和会议制度

1.合同范围内的技术问题，包括一般性的变更，由监理主持，与设计、施工单位协商解决。当有分歧时，由项目部主持，与监理、设计、施工单位协商解决。主持单位应及时将协商结果以书面形式提交工程技术部备案。

2.涉及合同较大变更或超出一个合同项目的技术问题，由工程建设部主持专题办公会议研究解决。相关的项目部应及时将有关技术资料提交工程技术部备案。

总公司机电工程部、其他有关二级部门对各自职责范围内的技术问题做出的技术决策，应将有关技术资料提交工程技术部备案。

3.涉及合同重大变更或工程质量安全的重大技术问题，以及涉及整体性、重大方案性或长远性技术问题，由总工程师主持有关方面参加的专题办公会议研究解决。

4.特别重大的技术问题，由总公司总经理办公会议研究解决。必要时先委托技术委员会组织专家咨询提出意见。

中国三峡总公司
施工设备“红旗设备”
竞赛检查评比办法(修订)

1999年7月8日，中国三峡总公司以三峡设备字〔1999〕第164号文通知各设备运行单位、设备监理单位

(一)总则

红旗设备竞赛是企业社会主义劳动竞赛的重要内容，是管好、用好设备使之充分发挥最大效益的有效手段，是多年设备管理工作的经验总结。为了进一步加强总公司施工设备的管理，提高设备的完好率与利用率，使“红旗设备”竞赛评比活动经常化、制度化，结合三峡第二阶段工程的具体情况，特制定本办法。

(二)竞赛检查评比范围

1.已纳入《设备使用管理合同》和《设备委托管理

合同》中进行管理的总公司施工设备，凡实行定人定机、建立机长负责制，在现运行单位正式投产满6个月或投产后运行1000小时以上的设备均可争创“红旗设备”。

2.凡单台设备或系统中的主要设备在本评比期内发生责任事故、大事故及重大事故，则该设备或系统失去参评资格。

3.所有设备必须参加检查以便划分设备类别，进行分类管理。

4.参与设备安装和管理的单位要争创“设备安装先进单位”、“设备管理先进单位”和“设备监理先进单位”。

（三）红旗设备评比基本标准

1.技术状况好：工作状况和技术性能达到额定要求，新机第一年完好率应达到85%以上（第二年以后逐年降低不超过2%）。

2.使用管理好：设备运行单位管理机构健全、制度规范，操作人员持证上岗，认真执行安全操作规程，无责任事故、大事故及重大事故，运行原始记录齐全，且填报准确、及时。认真全面履行有关设备合同，积极配合监理工作，服从监理的决定。

3.维修保养好：严格执行定期保养制度，保养作业计划周全，维修机构、设施健全，设备正常运行得到保证。各级保养作业按时、按项、按质主动执行，原始记录齐全。修理工艺合理、质量可靠，且维修及时，设备无带病作业。

4.保管工作好：零部件、附属装置、随机工具、随机资料等完整齐全，帐物相符，机容机貌整洁。

5.完成任务好：优质、高产、低消耗，能以产量考核的，要求达到并超过生产定额或当月生产任务指标；不能以产量考核的，按利用率或实际运转使用小时数考核，半年使用小时数须达到1000小时以上。在单机经济核算中，各项消耗指标不超过定额标准。各类机型的工作量考核指标由设备监理另行制订。

凡符合上述“五好”标准的施工设备均可评为“先进设备”，对先进设备中特别突出的进行优中选优，推选出其中约1/3数量的为“红旗设备”。

（四）设备的分类

结合定期检查评比工作，根据设备技术状况，对参加评比的设备作好分类工作，设备分类标准为：

1.一类设备——至少符合前述“五好”标准中第1～4项的设备，红旗设备和先进设备只能从一类设备中产生。

2.二类设备——能够完成生产量考核指标，与“五好”中其他标准要求有一定差距的设备。

3.三类设备——完好率未达到规定要求，与“五好”标准要求有较大差距但可结合正常运行安排整改的设备。

4.四类设备——设备不完整或有失修失保现象，经检查不能继续运行需立即停机检修处置的设备。

在检查评比中，设备运行单位须将已发现的设备缺陷及管理上存在的问题分类列出，上报检查评比小组。凡机组可以解决的，要立即解决；凡设备运行单位可以解决的，要限期解决；凡设备运行单位未在限期内解决的，应由监理单位根据有关合同条款和实际情况提出处理意见。

（五）竞赛评比工作的组织与开展

1.组织领导：在设备公司领导下成立由各有关单位负责人和代表参加的评比领导小组，下设各类设备检查评比小组，由业主、设备监理及设备运行单位人员组成，由监理工程师担任小组长；各成员集中以小组的名义开展工作。其主要任务是具体组织“红旗设备”竞赛，定期检查评比，收集资料，做好总结，向评比领导小组推荐“先进设备”。

2.根据设备不同的工作特性，成立4个检查评比小组：第一组：包括塔带机、顶带机及其供料线，由长江委监理任组长；第二组：包括门塔机与缆机，由武水监理任组长，十三局监理协助；第三组：包括搅拌楼及其主要辅助系统，由长江委监理任组长，十三局监理协助；第四组：包括公用设备和土石方设备，由十三局监理任组长。

3.评比工作的开展：

（1）日常检查：由操作人员和保养人员自检，及时发现问题，及时作出处理，并做好记录。

（2）月自检：每月末由设备运行单位组织机组人员实施自检，初评分类和排序，在本单位公布评比结果，并上报设备监理单位进行抽检复查。

（3）期末评比：每半年集中开展一次红旗设备检查评比，由评比领导小组布署，各检查评比小组具体实施，对施工设备进行全面的检查评比。参考运行单位在评比期内各次自评和分类结果，查清设备的技术性能和工作状况，检查已制定的各项规章制度执行情况，查看原始记录是否填写齐全准确，各种报表是否完整，填报及时。各检查评比小组按要求填报“红旗设备分项检查评比表”（由监理单位另行制订），汇总后对设备进行综合评分、分类并初评“先进设备”，评比领导小组根据推荐情况组织抽检复查，最终审查确定“红旗设备”和“先进设备”名单。

（六）评分办法

1.竞赛评分分为日常监理检查评分和期末评分。

2.日常监理检查评分占总分50%，是由监理人员对各设备运行单位在半年内的管理、使用、维护、保养、修理等方面情况进行的评分。日常监理检查评分办法由监理单位另行制订并公布实施。

3.期末评分占总分50%,由各检查评比小组根据"红旗设备分项检查评比表"对各设备运行单位的设备逐台进行综合评分。

(七)奖项的设置

1."红旗设备"和"先进设备"。

2."设备管理先进单位"——根据各设备运行单位在评比期内设备使用管理的综合水平,合同执行情况以及该单位入选"红旗设备"和"先进设备"的结果,由监理单位推荐,评比领导小组讨论确定,每期1~2个,一般授予各设备运行单位下属二级部门(单位)。

3."设备监理先进单位"——根据设备监理合同执行情况,由评比领导小组成员推荐,集体讨论确定,每期1个。

4."设备监理先进个人"——以遵守监理工作守则和履行设备监理岗位职责为基本条件,由各监理单位推荐或业主提名,评比领导小组确定,约占评比期内监理实际到位人数15%~20%。

5."设备管理先进个人"——根据岗位职责履行情况和工作业绩,从业主管理人员中产生,评比领导小组确定,每期5~8名。

6."设备安装先进单位"——根据工程进展情况,对在设备安装工作中进度快、质量安全好、表现特别突出的单位,由监理单位推荐,评比领导小组综合比较后确定。本项为非常设奖。

(八)奖励办法

1.采用精神奖励与物质奖励相结合,精神奖励为主的奖励办法。

2.对于评上的"先进设备"和"红旗设备",首先应由各设备运行单位参照各自内部同类奖励标准对机组或个人予以奖励。

3.设备公司将大力组织对评比工作和评比结果的宣传,组织观摩和现场经验交流,并召开表彰大会,对获得荣誉称号的单位和个人进行表彰,分别向获奖者颁发证书、奖牌和锦旗。

4.奖励标准和奖金发放办法

按照设备价值和操作难易程度,单机奖励金额:红旗设备5000~20000元,先进设备3000~10000元,搅拌楼等大型设备在此基础上增加1~2倍。

(1)先进单位12000~25000元,先进个人1500~2000元。

(2)对在各期评比中连续荣获同一奖项(或更高奖项)的单位和个人,从第三次获奖起,其奖励标准逐次上浮20%。

(3)各项奖金均在表彰大会上当场兑现,对设备运行单位(包括"红 旗设备"和"先进设备"机组)的奖励,原则上要直接奖励到人,杜绝平均主义,在分配上充分尊重设备监理单位的意见。

(4)与以上奖金有关的税项自理。

(九)其他

1.各类荣誉称号有效期为半年,评比领导小组在此期间将对获得荣誉称号的设备以及单位和个人进行不定期的抽查,凡达不到标准者,由监理或业主提出限期整改要求,整改仍不合格者,即予通报并取消其荣誉称号。

2.对每期评比中设备分类结果由设备公司发文予以公布。

3.设备监理单位应根据本办法和各类设备的特点,制订"红旗设备"检查评比的具体实施细则公布执行。

关于成立长江三峡技术经济发展有限公司的通知

1999年4月19日,中国三峡总公司以三峡人字〔1999〕第93号文通知总公司各部门、各单位

为适应总公司发展需要,经研究决定:

成立长江三峡技术经济发展有限公司。该公司已经国家工商管理局注册登记,批准设立。总公司所属三峡利能发展公司、三峡利源发展公司、北京三峡长江水电技术发展中心、宜昌三峡工程多能公司的业务及在册员工全部划归该公司。北京三峡长江水电技术发展中心、宜昌三峡工程多能公司作为出资股东,公司保留。上述四个公司机构不再列入总公司行政序列。

长江三峡技术经济发展有限公司对应总公司行政序列为三峡企业四级。

历 史 文 献

三峡工程论证领导小组第一次会议纪要

1986年6月23～24日，由钱正英同志主持，在北京召开了水利电力部三峡工程论证领导小组第一次会议，就如何贯彻执行《中共中央、国务院关于长江三峡工程论证工作有关问题的通知》（中发〔1986〕15号），进行了认真研究。确定了三峡工程论证领导小组的工作目标、方法、内容、阶段划分及组织机构等。现将决定的主要事项纪要如下：

（一）工作目标

三峡工程论证领导小组的工作目标是贯彻执行中央15号文，广泛组织各方面的专家，发扬技术民主，充分展开讨论，在深入研究论证的基础上，重新提出三峡工程的可行性报告。

论证过程中，应当充分利用以往的工作成果，包括多年来勘测、科研、设计的前期工作成果以及前一阶段国家计委、科委组织的水位方案论证成果。同时，又不局限于以往的结论。重新提出的三峡工程可行性报告要建立在严格科学的基础上，要经得起历史的考验。

（二）工作方法

1.在领导小组的具体指导下，重新提出的三峡工程可行性报告由长办负责编写。

2.论证工作应先分专题进行，对每个专题存在的问题要深入研究，作出负责的回答。

3.每项专题的论证由领导小组成员分工为专题论证主持人，并设专家组。由专题论证主持人负责提出专题论证的具体工作计划并负责组织专家组。在组织专家组时，应考虑原有的论证专家组织。每项专题长办指派一位联络员参加论证工作。

4.专题论证主持人和专家组负责组织本专题的论证，提出指导性的意见和要求，长办根据论证意见重新编写可行性报告。

5.考虑到水库淹没与移民专题的论证领导工作，应有国务院三峡地区经济开发办公室以及川、鄂两省参加，因此，该专题论证工作的安排，待与有关方面研究后再定。

（三）可行性报告的主要内容和论证工作阶段的划分

三峡工程可行性报告包括10个专题，专题名称及其论证主持人如下：

专题名称	专题论证主持人
地质地震与水工结构	潘家铮
水文与防洪	杨振怀
泥沙与航运	娄溥礼
电力系统规划	史大桢
水库淹没与移民	待定，黄友若负责联系
生态与环境	娄溥礼
综合水位方案	陆佑楣
施工	陈赓仪
工程投资估算	陈赓仪
经济评价	陈赓仪

第1～6项的专题论证工作为第一阶段，争取在今年底完成；第7～10项专题论证工作为第二阶段，争取在明年3月底完成。第二阶段的论证工作应与第一阶段交叉进行。

（四）组织机构

1.为广泛听取各方面的意见，领导小组将聘请若干位顾问。

2.为加强领导小组对日常论证工作的领导，领导小组设秘书长1人，由陈赓仪同志兼任，副秘书长2人，由黄友若、潘家铮同志兼任。

3.领导小组下设办公室，负责印发《三峡工程论证工作简报》，处理日常事务工作，掌握各专题论证工作情况及进度，办理领导小组交办的任务。办公室主任由黄友若同志兼任，副主任由杨溢、杨惠芳、曹乐安同志担任。

会议认为，长江三峡工程是一项举世瞩目、全国人民关心的巨大工程，三峡工程的进一步论证工作是十分必要的，也是非常艰巨的。参加论证工作的全体同志，都要本着实事求是，极端负责的精神，在严格的科学基础上，重新提出三峡工程可行性报告，报送国务院审查。

三峡工程论证领导小组第二次（扩大）会议纪要

1986年8月11～16日，由钱正英、陆佑楣、潘家铮同志主持，在北京召开了水利电力部三峡工程论证领导小组第二次(扩大)会议。会议的主要任务是根据中共中央15号文的精神,集体审议三峡工程10个专题14个专家组的论证工作纲要和专家组名单。出席会议的有:领导小组成员,领导小组特邀顾问王谦、徐礼章、蒋兆祖、胡兆森、毕大川、孙鸿烈、刘国光、张维、李伯宁同志(特邀顾问孙越崎、王京、孙宗海同志请假),部分专家组顾问,中国水利学会、电机工程学会、水力发电工程学会的理事长,4个专家组长、工作组长和长办联络员,以及新华通讯社、中国三峡工程开发总公司筹建处、长江流域规划办公室等单位的代表共80余人。

会议首先听取了14位专家组长对本组论证工作纲要(讨论稿)、工作进展情况和专家组名单的汇报;16位同志在大会讨论时发了言。在此基础上,领导小组成员和特邀顾问集体审议了各专家组的论证工作纲要和专家组名单,着重研究了如何组织好三峡工程的论证工作,如何保证质量地重新提出三峡工程可行性报告等问题。会议期间印发了全国政协经济建设组长江流域综合治理与三峡工程调查组的《三峡工程的论证应做出快上与缓上两种方案的比较》、九三学社中央执行局的《关于三峡工程问题的意见和建议》、千家驹同志的《三峡工程应否上马之我见》。会议在宽松、民主的气氛中进行,完成了预定的任务。现将议定的主要事项纪要如下:

(一)对各专题论证工作的总要求

各专题论证专家组都要认真贯彻执行《中共中央、国务院关于长江三峡工程论证工作有关问题的通知》(中发〔1986〕15号),广泛听取各方面的不同意见,发扬技术民主,充分展开讨论,在深入研究论证的基础上,提出专题论证报告,长办根据专题论证报告的结论重新编写可行性报告。

总的论证工作要集中围绕以下3个主要问题:

1.关于综合规划

综合规划方面的论证工作要体现三个层次的要求。一是论证三峡工程在长江流域规划中的地位和作用;二是论证三峡工程在地区经济发展中的地位和作用,主要是对华中、华东、西南及三峡地区的作用;三是论证三峡工程在全国经济发展中的地位和作用。

2.关于水位选择方案

三峡工程正常蓄水位方案,同意按综合水位专题论证工作纲要中的150m、160m、170m、180m、分期蓄水、两级开发等6个方案进行比较论证,择优选择。分期蓄水方案,是一次将大坝修建至设计高程,先按初期150m,最终180m的正常蓄水位参加比较;两级开发方案,是在三斗坪建设一级,上游涪陵地区江段建设一级,长办应尽快提出一个两级开发设想方案供比较论证。

3.关于综合经济评价

各专题论证专家组都要进行经济评价的论证,经济评价组负责进行综合论证。经济评价论证工作要分两个层次进行。一个层次是上三峡工程与不上三峡工程的两种评价;第二个层次是如果上三峡工程是早上还是晚上,即三峡工程适宜的建设时间的评价。

(二)对各专题论证专家组的具体要求

1.会议认为,各专家组提出的工作纲要(讨论稿),分析研究了以往的工作成果和各方面的不同意见,提出了今后要论证的主要问题,各专题论证专家组要根据论证领导小组的总要求,抓紧时间召开专家组全体会议,修改、补充并通过本专题的论证工作纲要。

2.为加强对综合规划及经济评价两个专题的论证,决定将综合水位专题改名为综合规划及水位专题,经济评价专题改名为综合经济评价专题。这两个专题论证专家组为论证领导小组的综合论证部门。

3.关于人防问题,长办曾会同总参等有关单位进行过专门研究和实验,这次论证中,枢纽建筑物专家组要进一步进行论证;综合经济评价组要提出综合性论证意见。

(三)时间和质量

这次论证工作首先要保证质量,也要抓紧时间,时间要服从质量的要求,绝不能搞“夹生饭”,但也要避免在与宏观决策关系不大的枝节问题上拖延时间。各专家组在工作纲要中要提出详细的论证工作计划、要求其它专题组提供的论证成果及资料(含时间);论证领导小组办公室要组织好协调。

为了发挥论证领导小组和特邀顾问对论证工作的集体领导作用,在整个论证工作期间,论证领导小组扩大会议要召开若干次。初步安排,今年10月末或11月初,在北京召开下一次领导小组(扩大)会议,检查各专题论证工作的进展情况。各专家组在召开论证会议时,应邀情领导小组特邀顾问及其它有关专家组的代表参加。

(四)关于专家组名单

在国家计委、科委聘请的专家组的基础上,水利电力部共聘请了10个专题的14个专家组的顾问和专家共320余位,他们来自160多个单位(水电系统以外的单位有79个),其中有学部委员11位,教授、研究员、高级工程师240余位,还有从事软科学研究和实际工作的负责人、讲师、工程师等几十位。

为了更广泛地听取各方面的意见,会议根据代表讨论意见,决定综合规划及水位专题论证专家组,增加湖北省、湖南省、四川省、重庆市和国务院三峡地区经济开发办公室等单位提名的专家;综合经济评价专题论证专家组增加财政部、建设银行、中国银行等提名的专家；并要创造条件，使自然科学与社会科学紧密结合起来。

（五）关于宣传工作

有些会议代表提出，近两年来，国内外不少人士对三峡工程非常关注，为了使各界人士和广大人民群众对三峡工程有更多的了解，应当采取多种形式，适当加强对三峡工程的宣传工作。会议决定由领导小组办公室进行研究安排。

三峡工程论证领导小组第三次（扩大）会议纪要

1986年12月22日，由钱正英、陆佑楣、潘家铮同志主持，在北京召开了水利电力部三峡工程论证领导小组第三次（扩大）会议。会议的主要任务是，听取各专题论证专家组中间阶段的论证工作汇报，研究下一步三峡工程论证的工作部署。出席会议的有：领导小组成员，领导小组特邀顾问孙越崎、徐礼章、蒋兆祖、王京、胡兆森、孙宗海、毕大川、孙鸿烈、张維、李伯宁同志（特邀顾问王廉同志请假，刘国光同志委派李京文同志出席），湖北省副省长王汉章同志、四川省副省长蒲海清同志（委派焦成斌同志出席）和重庆市副市长李长春同志，部份专家组顾问，中国水利学会、电机工程学会、水力发电工程学会的理事长，14个专家组的组长、工作组长和长办联络员，新华通讯社、中国三峡工程开发总公司筹建处、长江流域规划办公室以及参加三峡工程论证调查研究和科学试验的有关科研院所、大专院校的代表，还约请了全国政协经济建设组副组长千家驹（委派王兴让委员出席）、林华、经济建设组成员乔培新（委派汪受衷委员出席）等同志，共130余人。

会议首先听取了第二次（扩大）会议以来14个专家组论证工作进展情况和有关科研单位的泥沙科研成果的汇报；21位代表在大会论证时发了言（其中2位书面发言）。对三峡工程水位选择、决策方法和三峡工程上与不上等各种问题在宽松的气氛中广泛发表了意见，并印发了全国政协经济建设组8位委员《长江三峡工程害大于利》的文章。

会议认为，从第二次领导小组（扩大）会议以后的4个多月的时间里，各专家组、工作组及有关单位作了大量的工作。各专家组先后召开了30多次论证会、座谈会，11个专家组对三峡库区、坝区及下游地区进行了实地查勘；有关科研单位继续进行了泥沙物理模型试验和数学模型计算，又取了部份成果；川鄂两省，重庆市，万县、涪陵、宜昌地区和库区有关各县以及国务院三峡地区经济开发办公室复核了不同水位方案的淹没指标，初步研究与拟订了移民政策标准，进行了移民工作试点和规划；长办为配合专家组的论证工作，全力以赴地做了大量内、外业工作。所有这些，使整个论证工作比上一次扩大会议时更加深入了一步。

根据大会汇报和讨论的情况，会议集中研究了下一步三峡工程论证工作的部署，现将议定的主要事项纪要如下：

（一）总的来看，会议上所提出的问题和意见还没有超出第二次（扩大）会议所确定的“三、六、二”的论证工作总要求和各专家组论证工作纲要的范围

“三、六、二”就是综合规划论证分3个层次（论证三峡工程在长江流域规划中的地位和作用、在地区经济发展中的地位和作用、在全国经济发展中的地位和作用）；正常蓄水位论证比较6个方案（150m、160m、170m、180m、分期蓄水、两级开发）；综合经济评价论证分2个层次（一是上三峡工程与不上三峡工程的两种评价，二是如果上三峡工程是早上还是晚上），因此，下一步的三峡工程论证工作仍应围绕“三、六、二”的总要求进行。各专家组的论证工作纲要，从大的方面看，包含了会上提出的各种问题和建议，但可以再做些必要的补充，进一步明确需要着重论证的问题，抓紧进行工作。

（二）三峡工程是一个大的系统工程，三峡工程的论证工作也是一个大的系统工程

我们将要重新提出的三峡工程可行性报告，要从宏观上回答三峡工程是可行还是不可行，并且要严格的科学基础，经得起历史的考验。为了做好这个决策建议，应按原定的步骤，首先择优选择一个水位方案，才有利于论证工作的深入。这个水位方案不一定是最终的方案，主要是供宏观决策研究。三峡工程的水位问题，过去曾经做过相当多的研究，1985年以来，国家计委、国家科委又组织进行了大量的论证工作，再加上这次近4个多月的论证工作，大家的认识已经逐渐明朗、接近。因此，领导小组将进一步协助综合规划与水位专家组并协调有关专家组的工作，争取再用一个季度的时间，由综合规化与水位专家组提出一个水位选择方案，于1987年4月召开论证领导小组第四次（扩大）会议进行审议。

（三）在工作安排上，14个专家组有3类不同的情况，应当有不同的要求

第一类是与水位问题密切相关的，主要有泥沙、航运、水文、防洪、电力系统、生态与环境（环境容量）、机电设备、移民、枢纽建筑物及投资估算等专家组，这些专家组要以水位选择为中心，配合综合规划与水位专家组进行有关专题研究和协调研究。其中防洪、电力系统、航运等专家组在完成水位方案选择之后,应转入达到同样效益的替代方案的研究(如果找不到能达到同样效益的替代方案,应当研究一个能达到合理效益的替代方案);移民专家组也要研究如果不上三峡工程的库区开发方案;以供三峡工程上与不上的决策研究时用。

第二类是经过论证作出结论,认为与水位选择关系不大的专家组,如地质地震、施工等专家组。目前研究的水位方案的幅度对这些专家组论证结论的影响没有质的差异。这些专家组要抓紧研究三峡工程可行或不可行的问题,提出论证报告。

第三类是综合经济评价专家组,除根据综合规划与水位专家组的要求做一些相应的工作外,要抓紧进行选择出水位方案后的综合论证的准备工作,包括:

1.召开有关专家组联席会议,商定各专家组共同采用的统一的基础数据;由综合经济评价组为主组织协商确定。

2.研究提出有关的政策,最好征得有关领导机关的同意。

3.由综合经济评价专家组与国家科委商议,组织关于系统工程的讲学,请各专家组的部份专家参加。

4.根据论证工作的需要,再增聘一些有关的专家。

(四)根据要求各专家组的论证工作,要紧紧围绕宏观决策的研究进行,既要周密细致,又要防止繁琐

目前各专题论证中所提出的问题,有的属于在宏观决策中必须研究解决的;有的属于将来设计、施工、运行阶段的问题;也有的属于学术性研究的问题。各专题论证主持人和专家组负责人要及时分清轻重缓急,真正抓住重点、保证质量、保证进度。关于施工通航问题,在可行性研究中,仍按明渠通航的方案考虑。

(五)会议决定,各专家组提出的专题论证报告,将逐专题安排在论证领导小组(扩大)会议上审查通过。

三峡工程论证领导小组第四次(扩大)会议纪要

1987年4月17~20日,由钱正英、陆佑楣、潘家铮同志主持,在北京召开了三峡工程论证领导小组第四次(扩大)会议。会议任务是按照论证领导小组第三次(扩大)会议商定的步骤,审议综合规划与水位专家组根据今年3月专家组组长联席会议就三峡工程水位方案的讨论意见综合归纳提出的《三峡工程论证阶段初选水位方案的汇报》和研究下一步论证工作的部署。出席会议的有领导小组成员,特邀顾问,中国水利学会、电机工程学会、水力发电工程学会的理事长,各专家组组长和部分专家组顾问,有关省、市和地区的负责同志,全国政协经济建设组林华、王兴让、汪受衷、陆钦侃4位同志,各专题的工作组组长和长办的联络员,共130多人。

会议听取了综合规划与水位专家组组长丁学琦同志所做的《三峡工程论证阶段初选水位方案的汇报》,进行了一天半的热烈讨论,然后领导小组请特邀顾问、交通部、四川省、湖北省、重庆市的代表和学会理事长开会,交换意见,对下一步论证工作的有关问题达成了一致意见。现纪要如下:

(一)三峡工程是一项举世瞩目、全国人民关心的巨大工程

对这个工程有各种不同的意见,包括上与不上、早上与晚上的不同意见,是正常的、必要的、健康的。这次会议和过去几次领导小组会议都反映了这些不同意见,这些不同意见都将有助论证工作的深入,应当认真加以研究。

(二)目前的论证工作,是根据中共中央1986年6月2日《中共中央、国务院关于长江三峡工程论证工作有关问题的通知》(中共中央15号文)进行的

《通知》指出,中央和国务院对三峡工程采取了积极而又十分慎重的态度,要求水利电力部在广泛征求意见,深入研究论证的基础上,重新提出三峡工程的可行性报告。会议认为:重新提出的可行性报告应对三峡工程上或不上,早上还是晚上,提出有科学论据的结论建议,供国家决策。但是,这种结论性的建议只能是可行性报告的研究结果,而不能是可行性报告的前提。

(三)在讨论当中,不论是赞成三峡工程早上或晚上的同志,都认为应当尽早做出结论,不宜久拖,特别是三峡库区地方上的同志,从有利于库区经济建设的发展和人民生活的改善角度出发,更强烈希望早做结论

但是,鉴于不同意见的差距很大,就是赞成上的同志中,也有不同的建设方案,其差距也很大,例如,水位180m与150m两个方案,移民人数相差一倍多。效益也相差很多。因此,绝大多数同志认为,采取第三次扩大会议确定的工作步骤是适宜的。即首先在现在的6个水位方案中初步选择一个代表性的方案,然后研究提出相应的替代方案,进行综合经济评价,具体比较三峡工程上和不上,早上和晚上的利弊得失。这样,才能深入、具体地进行论证,集中力量,尽快做出结论。

(四)根据以上要求,与会绝大多数同志同意采用综合规划与水位专家组汇报的一级开发、一次建成、分期蓄水、连续移民的方案作为下一步论证工作的初选方案

这个方案的具体内容是：坝顶高程185m，最终正常蓄水位175m，移民安置区安排在180m水位的回水线以上；工程全部建成时初期正常蓄水位156m，移民按160m考虑，初期蓄水阶段防洪运用水位为160m，不考虑超蓄；实现初期蓄水到蓄水位达到175m的间隔时间，原汇报的方案为了给移民工作留有余地，建议暂定10年，交通部代表希望短一些，请移民专家组研究后再商定。初步选定上述方案，只是为了便于论证比较三峡工程上与不上，早上与晚上，并不意味着肯定三峡工程。这个初选方案也不一定是最优方案，在进一步研究论证中也可能需要适当修改。

（五）为了开展下一步的论证工作，需要进行两方面的工作

1.对初选水位方案涉及的各种问题做出具体方案和评价。例如：泥沙问题究竟怎样，是否需要对水位再做适当调整；移民的总体规划及分期部署，土地资源情况如何，环境容量能否承受，移民的安置出路如何解决；水工、机电设备和施工如何安排；经济效益和必要性如何，投资究竟多少，资金如何筹集，国力能否承担；还有生态与环境方面的影响如何；人防如何考虑；等等。每个水位方案都有其利弊得失，这个初选方案同样也不可能尽善尽美。会上有些同志对初选方案也提出了一些问题，如林华同志提出8个问题，都应认真研究。

2.要就防洪、发电、航运和库区经济发展，提出不上或晚上三峡工程的替代方案。替代方案应具有与三峡工程初选水位方案同等的效益或合理的效益，与三峡工程方案同样计算投入、产出，分析利弊得失，以便进行比较。在有关的专家组提出上述替代方案后，将召开领导小组扩大会审议。

（六）许多与会同志指出，在三峡工程的许多水位方案中，这次能够通过一个初选水位方案，这是论证工作的一个阶段性成果

这是在国家计委、科委过去论证工作的基础上，半年多来各专家组紧张工作、密切协作的成果，也是参加各次领导小组扩大会议的各位特邀顾问、各位同志大力指导的结果。水利电力部领导同志对有关方面、有关同志表示衷心感谢。

会议认为，提出初选水位方案，只是下一阶段论证工作的开始。今后论证工作的任务更重，难度更大，我们一定要认真贯彻中央和国务院的要求，兢兢业业，以对人民高度负责的精神，在严格的科学基础上，继续努力，做好三峡工程可行性的论证工作。

三峡工程论证领导小组第五次（扩大）会议纪要

从1986年6月水电部根据中共中央15号文件的精神进一步组织论证三峡工程以来，一部分专家组已经完成并且讨论通过了专题论证报告。1987年12月17～22日，由钱正英、潘家铮同志主持，在北京召开了三峡工程论证领导小组第五次（扩大）会议，审议地质地震、水文、机电设备等3个专题论证报告。出席会议的有领导小组成员，特邀顾问，中国水利学会、水力发电工程学会的理事长，14个专家组的顾问、正副组长、工作组长，以及国家机械委员会等有关单位和中央新闻单位的代表共120多人。

这是三峡工程论证小组第一次审议专题论证报告。会议首先听取了地质地震、水文、机电设备第三个专家组专题论证报告的汇报，每听完一个专题汇报，与会同志先阅读文件、准备意见，然后进行大会发言、提问和由专家组答复或补充说明。在大会讨论的基础上，领导小组成员、特邀顾问和学会理事长开会对这三个专题论证报告集中进行审议，并取得了一致意见。看来，这种审议方式有利于大家深入了解情况、交流意见和充分发扬民主，还是可行的。现将审议的主要意见纪要如下：

（一）对三个专题论证报告的总看法

1.3个专家组的同志们，一年多来，研究分析了大量已有的资料，补充了重要的勘测、试验工作，抓住关键问题进行了实事求是的科学论证，提出了高质量的论证报告。会议对3个专家组的工作表示满意和给予很高评价，三峡工程论证领导小组向专家组的同志们、向所有承担研究和论证任务的生产、科研、教学单位的同志们表示衷心感谢。

2.会议一致认为这3个专题论证报告的研究深度可以满足可行性报告的要求，同意原则予以通过。请3个专家组根据大会发言和领导小组的审议意见，在文字叙述方面作一些调整和补充，由各专家组负责最终定稿。

3.会议认为3个专题论证报告只是可行性研究阶段的宏观结论，可以做为国家对三峡工程进行决策的依据，并不包括三峡工程建设中需要研究解决的这3个方面的全部具体问题。如果三峡工程要修建，今后还要补充进行大量的科技攻关和试验研究工作。

4.大会发言中提出一些问题，如设置升船机的必要性和经济性、主要机电设备的投资估算、局部库岸稳定对移民的影响等，可分别在航运、投资估算、综合经济评价和移民专题论证中深入讨论,不在这 3 个论证报告中展开。

(二)对 3 个专题论证报告的具体审议意见

1.地质地震专题论证报告

30 多年来,地矿部、中国科学院和水电部系统 40 多个生产、科研、教学单位通力协作,对三峡工程的地质地震问题进行了大量工作,完成了 140 多份成果,其资料之丰富、研究程度之深入,在国内外水电建设史上是少有的。最近一年多来,专家组又针对区域构造稳定、水库诱发地震和库岸稳定 3 个关键问题作了重要补充研究,包括采用先进技术和实地勘探工作,澄清了问题,获得一致和明确的结论。会议同意这些结论:三峡地区在地质构造上处于相对稳定地区,为弱震环境;坝区基本地震烈度为Ⅵ度是合适的;水库建成后产生强烈水库地震的可能性小,不会影响工程安全;库岸的总体稳定性是好的,少数可能失稳的大型崩塌滑坡体对工程的安全无影响;建库后,常年回水区由于崩塌碍航的现象,比建库前将有较大改善。

关于库岸局部崩塌滑坡对移民数量和库区移民安置规划的影响问题,请地质地震专家组和移民专家组加强联系,使移民规划能做得更加落实可靠。

关于对三峡坝址区的地质评价问题,由于坝址区地质条件较为理想和简单,没有重大分歧意见,在论证报告中未作重点阐述。但由于这个问题是各界和枢纽建筑物专家组所关心的,请专家组考虑在论证报告中酌加补充说明。

2.水文专题论证报告

三峡枢纽的水文观测系列长达 90~100 余年,而且有 800 余年的历史洪水文献和实物可资考证,资料的丰富、调查研究工作的广泛深入也是其它工程无法相比的。水文专家组根据这些资料,对长办提供的大量专题分析成果进行充分研究,反复论证,作出了明确结论。审议中一致同意专家组的结论,认为三峡工程设计所需要的水文资料丰富可靠,主要的水文计算成果包括各种频率的设计洪水、校核洪水、洪量、年径流量和枯水流量等基本合理,可以满足可行性研究的需要。

三峡工程的泥沙测验也有 35 年以上的实测资料,70 年代以来,长办又努力改进测量手段,取得许多资料包括推移质的资料,建议专家组就现有的泥沙测验和分析成果加以适当的评价。

关于人类活动是否已使三峡以上来沙量不断增加的问题,同意专题论证报告的结论,即:根据 35 年来干流及主要支流泥沙实测和整编资料分析,还看不出干流水沙关系有明显加大或减少的趋势。审议中也同意专题论证报告的下述论断,即:近几十年来长江上游水土流失现象是严重的,仅是由于泥沙较粗,输移不远,所以尚未影响到干流。今后除须继续加强干支流泥沙(特别是推移质)的测验研究外,必须十分重视和抓紧上游水土保持工作。

3.机电设备专题论证报告

三峡工程主要机电设备的规模和技术水平,不仅超过我国现有水平,许多方面已达到或超过国际水平。

由设备制造、设计科研和管理部门专家组成的机电设备专家组对三峡工程主要机电设备的技术可行性作了深入的调查、考察、研究、试验和论证,得出了明确的结论与建议。审议同意专家组的意见,认为三峡工程所需的水轮发电机组、主变压器、交流 500kV 超高压电器、± 500kV 直流设备、升船机和其它主要金属结构,技术上都是可行的。根据我国现在已经达到水平,对国内制造厂家进行适当扩建改造和引进少量关键设备或技术后,可以立足于国内制造。

考虑国内制造水平和留有余地,在可行性研究阶段,水轮机的单机容量,同意采用转轮直径 9.5m、单机 68 万 kV,最终容量可在下一阶段再深入比选。

同意在可行性报告中采用钢丝绳卷扬平衡重视垂直升船机。升船机的安全装置问题可在下一阶段进一步研究确定。三峡的升船机在技术上是可行的,但其规模已超过目前国际水平,且我国缺乏经验,因此,除应继续深入开展设计科研工作外,选择国内适当工程作中间试验是必要的。

鉴于三峡工程中的深孔闸门、钢管和船闸的闸阀等结构,不仅数量大,而且不少也已达到或略超世界水平,请专家组在论证报告中对金属结构部分的论证稍加充实。

二峡工程机电设备投资占工程总投资的比重很大,建议请国务院重大技术装备领导小组办公室组织有关同志会同投资估算和综合经济评价专家组共同研究,在机电设备专家组已做工作的基础上,予以落实,使投资估算和综合经济分析成果尽可能符合实际。

会议还对今后分批审议其余专题论证报告做了初步安排。这次审议通过的 3 个专题论证报告待专家组最终定稿后,另行报送。

专　论　Ⅲ

以礼河毛家村水电站

# 中国三峡总公司
1999年三峡枢纽工程质量报告(摘要)

一、工程施工质量

1999年三峡工程单元质量评定17708个(主体工程12572个,其它项目5136个),一检合格率96.9%,复检合格率100%,优良率80.4%;其中主体工程混凝土单元质量评定8454个(永久船闸项目2022个,厂坝项目4940个,其它项目1492个),一检合格率95.1%,复检合格率100%,优良率80.7%。

(一)混凝土原材料及混凝土质量检测

检测结果表明,混凝土原材料中,水泥、粉煤灰、外加剂的各项检测指标满足三峡工程质量标准;人工砂除含水率偏高外,细度模数、石粉含量等基本满足要求;粗骨料除各级中径筛筛余量和超径含量不能全部满足标准要求外,其它指标满足技术要求;混凝土配合比较好,1999年5月以后按专家咨询意见作了进一步改进,提高粉煤灰掺量,达到推荐指标;混凝土的强度、抗冻性、抗渗性、极限拉伸值均满足设计要求,混凝土出机口温度、塌落度及含气量基本满足要求。

(二)厂坝项目施工质量

1.基础开挖及处理

(1)基础开挖

厂坝二期开挖质量优良,地质缺陷均经处理,基础轮廓尺寸、建基面岩体质量满足设计要求。对204个单元进行质量评定,合格率100%,其中160个被评为优良,优良率78.43%。在开挖施工中,认真设计爆破网路,严格控制药量,加强爆破警戒,对开挖边坡及时整修清理,没有发生伤亡事故。

厂坝二期开挖单元工程质量评定结果如表1。

表1　厂坝二期开挖单元工程质量评定

标段	面积(万 m^2)	单元数	合格数	合格率	优良数	优良率
Ⅰ&ⅡB标	8.01	106	106	100%	73	68.9%
ⅡA标	3.04	36	36	100%	32	88.9%
Ⅲ标	2.38	62	62	100%	55	88.7%
合计	13.43	204	204	100%	160	78.4%

(2)固结灌浆

固结灌浆水泥单位注入量随孔序的加密而呈逐渐递减;波速平均值灌后比灌前明显提高,说明提高了岩体的密实性和均一性,也提高了岩体的整体性;检查孔压水试验90%以上孔段一次合格;单元工程合格率100%,优良率82.5%。厂坝二期工程固结灌浆施工质量得到有效控制,满足设计要求。固结灌浆单元工程质量评定见表2。

表2　固结灌浆单元工程质量评定

标段	评定单元	合格数	合格率	优良数	优良率
Ⅰ&ⅡB标	93	93	100%	74	79.6%
ⅡA标	63	63	100%	57	90.5%
Ⅲ标	26	26	100%	20	76.9%
合计	182	182	100%	151	83.0%

2.混凝土施工

(1)单元工程质量评定

厂坝工程混凝土单元工程质量评定4940个,一检合格率94.2%,复检合格率100%,优良率83.0%。各标段的单元工程质量评定情况见表3。

表3　厂坝工程混凝土单元质量评定统计

标段	评定数	一检合格数	合格数	优良数	一检合格率	优良率
Ⅰ&ⅡB	2348	2348	2348	1883	100.0%	80.2%
ⅡA标	951	818	951	782	86.0%	82.2%
Ⅲ标	1641	1484	1641	1437	90.4%	87.6%
合计	4940	4650	4940	4102	94.2%	83.0%

(2)混凝土温控养护

混凝土温度控制统计资料见表4、表5。

表4　混凝土出机口温度统计

系　　统	检测次数	设计标准	合格率
▽79m、▽90m	5731	≤7℃	85.8%
	3841	≤14℃	97.0%
▽120m	4143	≤7℃	92.0%
	1151	≤14℃	98.4%
▽82m	2459	≤7℃	91.2%
	1139	≤14℃	98.3%

表 5 **混凝土浇筑温度统计**

工程项目	检测次数	最大	最小	平均	超温率
左岸电站厂房	3546	19.0℃	5.0℃	13.0℃	4.8%
左非 12# ~左厂 10# 坝段	4244	22.0℃	4.0℃	12.2℃	5.0%
泄洪坝段及左厂 11~14# 坝段	8310	21℃	7℃	13.4℃	15.1%

混凝土仪埋观测结果表明,左非 12# ~左厂 14# 坝段及泄洪坝段最高温度基本控制在设计允许范围之内,而左岸电站厂房由于混凝土标号高,水泥用量大,最高温度的超温率相对较高。

(3)接缝灌浆施工

接缝灌浆质量检查以钻孔取芯、压水检查为主,结合声波物探和孔内录像等手段进行。根据灌浆前后声幅和声速检测成果分析,声波速度值有较大提高。

从已完成的灌区灌浆情况初步分析:灌浆时坝块混凝土的温度达到设计规定值;缺陷灌区经处理后,所有的灌浆管路、缝面通畅,灌区封闭性良好;灌浆施工过程严格控制,压力和浆液浓度满足设计要求。初步评定,Ⅰ&ⅡB 标 143 个灌区灌浆质量良好,其中Ⅰ标的 19-20-Ⅱ-5 灌区有两排气管因未达到设计压力,于 2000 年 3 月 14 日进行钻孔检查,结果灌浆质量合格;12-Ⅰ-3 和 16-Ⅰ-3 灌区有一排气管不出浆,质量暂未评定,待钻孔检查后再定。ⅡB 标灌区全部合格。

(4)混凝土钻孔检查

在泄 17#、泄 10# 坝段(塔带机浇筑部位)及左厂 14# -1坝块(胎带机浇筑部位)布置混凝土钻孔取芯,检查结果表明:芯样层面结合良好,完整段长度达 6m 以上。

在布设固结灌浆检查孔时兼顾了混凝土压水检查,并对个别浇筑过程中发现问题的位置进行压水检查。Ⅰ&ⅡB 共布设检查孔 153 个,压水 228 段次,压水合格段数(≤1.0Lu)为 90% 以上。对不合格的检查孔进行灌浆处理,处理后再次布设检查孔进行压水检查,检查结果全部合格。

3.质量缺陷及处理

(1)混凝土裂缝统计

截至 2000 年 3 月底,厂坝工程混凝土施工共发现Ⅱ类裂缝 72 条,Ⅲ类缝 29 条,Ⅳ类缝 5 条,没有发现贯穿性裂缝。左厂 13# -1 甲 34.4m 层上游面于 1999 年 3 月 20 日出现一条劈头缝,为不影响混凝土上升,在仓面沿裂缝布设了防裂钢筋,并在上游面布设钢筋网防止裂缝向上发展。该坝段混凝土已降至稳定温度,经检查未发现裂缝向上发展,裂缝向下裂至 32m,未裂至基岩 30m。已按设计要求认真处理,不会留下隐患。

(2)严重质量缺陷及处理

1999 年厂坝工程发生左导墙左 1-11 单元大坝上游面混凝土局部漏振和泄 18 中块左侧导流底孔顶板模板严重变形两起严重质量缺陷,具体情况如下:

①左导墙左 1-11 单元大坝上游面混凝土局部漏振

缺陷简述:1999 年 8 月,左导墙 1-11 单元在大坝上游面高程 25m 处出现 2.5m×0.2m 条带蜂窝麻面,经钻孔压水检查,确定漏振范围 8.5m²,声波探测影响范围 18~20m²。属于严重质量缺陷。

原因分析:塔带机下料落差过大,骨料分离严重;仓内平仓振捣设备配置不足;施工单位振捣操作人员质量意识淡薄,监理人员监督不力。

处理措施:1999 年 8 月 29 日设计单位发出通知,1999 年 9 月进行钻孔灌浆和外露面凿槽回填处理,满足设计要求。

②泄 18 中块左侧导流底孔顶板模板严重变形

缺陷简述:泄 18-Ⅱ-19 仓位在 1999 年 9 月 28 日上午 9:20 开仓浇筑,当晚 20:45 发现底板悬臂模板支架发生位移,现场监理指令停仓处理,并将已下至仓内未振捣的混凝土挖除。经检查测量,导流底孔顶板成平缓的弧线,最大变形 86mm。地震波、超声波等检测表明,混凝土内部密实,未发现微细裂缝。由于混凝土表面平整度尚能满足设计要求,不作为质量事故,但属严重质量缺陷。

原因分析:施工单位未报监理审批,擅自改变原经批准的模板设计方案,模板悬臂未做斜撑以及顺流向刚度不够;监理人员未能及时发现和制止。

处理措施:经过反复慎重研究,在不影响泄流能力和安全的前提下,将后浇的 17# 导流底孔顶板局部调整,使孔顶平顺过渡。按实测资料计算,模板变形后的孔顶板顺流向纵坡为 1:110,表面平整度可满足设计要求,在高速水流下不致产生空蚀。

(三)永久船闸项目施工质量

1.开挖及支护

(1)开挖施工质量

永久船闸爆破开挖已形成一套较完整的施工工艺和合理的爆破程序,施工过程严格控制,开挖爆破施工质量优良。利用声波法测得 160m 以下岩体松驰厚度在 0.2~3.8m 之间,平均小于 1.5m,爆破对岩石的损伤基本控制在设计允许范围之内;地下输水隧洞闸室段底板及边墙开挖成型较好,残孔率在 80% 以上;竖井开挖采用自上而下手风钻钻爆,严格控制超欠挖,开挖壁面平整,体形较好,施工质量优良。

(2)锚固施工质量

锚固支护各主要工序作业得到控制,总体施工质量良好。

①预应力锚索

监测成果表明,预应力锚索在加固高边坡稳定性方面作用显著,实测最大锚固力3468kN,最小2754kN,▽170m以下锚固力平均损失率为3.95～6.88%。从1999年7月27日起,按设计要求随机抽检5%预应力锚索进行施工验收试验,结果表明施工质量满足设计要求。锚索单元工程质量评定2358束,合格率100%,优良率82.0%。

②高强结构锚杆及系统锁口锚杆

对高强结构锚杆以及系统锁口锚杆进行拉拔力检测,在各闸室共抽样3500多根,除三根鞍山钢铁集团公司生产的高强锚杆在孔外拉断外,其余检测结果均符合设计要求。

对鞍山钢铁集团公司生产的拉拔检测时拉断的高强锚杆,委托权威机构对材质进行了复核检查,结果质量符合合同文件的技术要求。

(3)高边坡变形监测及稳定分析

永久船闸高边坡和中隔墩共埋设1500余支监测仪器,已经测得300余万个工程施工期的监测数据。数据综合分析表明,自1999年6月永久船闸开挖基本完成后,岩体尤其是微新岩体的变形收敛明显,并将逐渐趋于稳定,船闸高边坡和中隔墩岩体整体稳定。

2.基础灌浆处理

灌前、灌后物探测试及灌浆资料分析,各施工部位的次序孔耗灰量递减规律明显,最大降幅为98.3%,平均降幅为76.2%。灌后检查孔压水检查均小于设计标准(≤3Lu)。按设计要求在右挡水坝3单元和六闸首底板钻孔作物探检查,单孔和跨孔声波VP值在灌浆施工前后有明显提高,单孔声波最大提高幅度为41.7%,跨孔声波最大提高幅度34.5%,说明灌浆质量良好。

基础灌浆单元工程质量评定82个,合格率100%,优良率86.6%。

3.混凝土施工

永久船闸地面工程混凝十单元工程质量评定优良率87.7%,混凝土施工质量总体良好;地下输水系统存在的质量问题相对较多,一次合格率79.9%,优良率48.9%,缺陷经过处理后,可以满足设计要求。质量评定结果见表6。

表6　永久船闸混凝土单元工程质量评定统计

施工单位	评定数	一检合格	合格数	优良数	一检合格率	优良率
武警	784	734	784	683	93.6%	87.1%
三七八	823	823	823	727	100%	88.3%
三联	354	283	354	173	79.9%	48.9%
合计	1961	1840	1961	1583	93.8%	80.7%

4.工程质量问题

1999年永久船闸地面工程混凝土施工质量良好。没有出现质量事故;地下输水系统混凝土施工中存在一些质量问题,如跑模、错台、挂帘、裂缝、层间缝渗水、混凝土表面不平整度超标等,其中地下输水系统中一阀门井跑模、北一延长段施工缝渗水和输水洞混凝土衬砌不平整度超标为施工质量事故。

(1)质量缺陷统计

地下输水系统结构混凝土共发生跑模、错台、挂帘、麻面等大小质量缺陷222处,见表7。

表7　永久船闸质量缺陷描述表

缺陷类型	缺陷情况
施工缝渗水	集中在地下北侧输水洞外延段NY3～NY11总长近100m,其它部位施工缝、结构缝、混凝土表面也有渗水点。
裂缝	地下工程发现Ⅱ类以上裂缝27条,大多数发生在结构块1/2长度处,其中Ⅱ类裂缝11条,Ⅲ类裂缝16条,有渗水。
跑模	地下工程中1竖井北侧墙、中平洞M8左侧洞,以及一闸首底04右下游面和廊道顶拱。
错台	地下工程底板与边顶拱之间施工缝,地面工程键槽缝部位(4处)。
止水偏移	一标段南线一闸首,水平止水鼻子部分偏移结构缝。
蜂窝、麻面、水气泡	地下工程施工缝部位;地面工程一标段北线一闸首北底17左及六闸首个别部位;水气泡多发生在输水洞底板与边墙相交的弧段表面,局部呈块状。
混凝土表面平整度超标	地下输水洞底板采取人工收仓抹面的施工方法,难以满足设计规定的3～7mm(3m直尺检查)平整度要求。

上述质量缺陷已按监理批复的处理措施基本修补完毕,质量满足设计要求。底板侧模凹弧段气泡问题,采取了加强振捣、模板表面包土工膜等施工措施,同时开展了模板新型脱模剂、选用优质引气剂、适当降低含气量等试验研究;层间缝渗入问题,采用化学灌浆处理,已进行了改性环氧EAA化学灌浆试验;对于新浇仓号改进施工技术,采取高压水冲毛;岩壁设排水管和排水孔引排等措施,取得较明显的效果。

(2)质量事故及处理

①中一阀门井北侧墙跑模

事故简述：1999年10月27日，监理人员发现永久船闸中隔墩一号竖井北侧输水洞边墙模板走样，经测量混凝土侧面偏离设计位置达118mm，对检修门钢衬和下游边墙混凝土连接有影响，属于工程质量事故。

原因分析：模板少量拉筋违规斜向锚固在岩壁，部分违规固定在竖向钢筋上；施工单位未按审批的三片对称均衡上升方案实施，监理工程师未认真检查模板安装。

处理措施：进行局部挖除，总挖除量 6.5m^3，对缝面进行处理后回填同标号常态混凝土，回填混凝土龄期到达 28 天后，对上部混凝土做并缝处理，其它部位采取磨平处理，以满足水力学要求。目前已按设计要求处理完毕，混凝土具备上升的条件。

②北一延长段施工缝渗水和输水洞衬砌不平整度超标

事故简述：永久船闸输水洞北一延长段施工缝渗水，部分侧墙、顶拱的横缝有错台，底板不平整，属于工程质量事故。

原因分析：混凝土浇筑时围岩渗水没有有效集中引排，施工工艺不当，模板刚度不够、拼装不严等。

处理措施：对施工缝渗水的处理，进行了改性环氧EAA化学灌浆和水泥浆灌浆试验，灌浆试验已经结束；对已浇混凝土过流面不平整度超标部位按设计要求进行了打磨处理，对新浇混凝土在模板底板增加刮板，加大模板刚度、改进渐变段顶拱模板，改进模板透水性能，混凝土的平整度能够满足设计要求。

(四)茅坪防护坝及其它项目

1.茅坪防护土石坝

截至 1999 年底，茅坪防护坝坝体填筑共评定 2061 个单元，合格率 100%，优良率 73.0%。沥青混凝土共铺筑 199 层，分为 245 个单元工程进行质量检测和评定，合格率 100%，优良率 83.7%。

混凝土防渗墙、固结灌浆、帷幕灌浆等基础处理工程，共完成 191 个单元工程，已评定 78 个单元工程，合格率 100%，优良率 84.6%。

2.二期土石围堰

二期围堰施工质量优良，1998 年和 1999 年汛期确保了二期基坑安全度汛。近 2 年监测资料表明：堰体及防渗墙变形分布规律正常，变形曲线比较光滑，应力在材料强度允许范围内。堰体及墙体变形、墙体应力应变已趋于稳定。上下游围堰渗水总量约 86L/S，远小于设计渗水总量 600L/S，防渗性能良好，满足二期工程施工期间挡水要求。

(五)金属结构及机组埋件制作安装质量

1.压力钢管制作安装

(1)质量抽检情况

1999 年 4 月，青云水利水电联营公司金属结构制造厂刚承建压力钢管制造不久，由于管理不善、质量控制不力，通过施工过程检查，从焊接材料的烘干、发放、回收、跟踪、焊接过程记录、线能量控制检验报告到防腐涂装质量检查等情况分析，压力钢管的制作工艺过程和产品的质量存在一些问题。1999年10和11月，中国三峡总公司金结中心再次对压力钢管的质量进行抽检，结果表明：钢管焊缝内部质量合格，线能量得到控制，焊缝外观质量有了改观，焊工掌握单通窄焊缝的技术有了提高，每节钢管都有可追溯的工序传递资料，产品终检有记录，有监理确认，并经复验合格，返工有见证，焊接过程有记录，钢管的制作质量得到了控制。1999年12月 8 日至2000年 2 月22日，金结检测中心分 10 次对青云水利水电联营公司生产的压力钢管质量进行了抽检，抽检焊缝49条，超声波(UT)抽检长度164m，合格率99.4%；复评 γ 底片378张，合格率100%；抽检15节钢管几何尺寸及焊缝外观，未见明显超标缺陷。

(2)质量管理与控制

三峡枢纽工程质量检查专家组于 1999 年 12 月 1～8 日对三峡工程进行检查，并针对压力钢管制造和安装中存在的问题提出具体建议，如完善质量保证体系、改善钢管制造的现场工作条件，采用自动、半自动焊以稳定焊缝质量等。青云水利水电联营公司和葛洲坝集团公司召开各层次的压力钢管制造安装自动焊专题会议。此外，青云水利水电联营公司还对压力钢管制安管理体制做了调整，明确一位副总经理分管金结制安工作，指定一位副总工程师专管压力钢管技术和质量工作，并增加了 40%的金结制安生产人员。西北勘测设计研究院监理人员也针对压力钢管制安监理工作的薄弱环节进行改进，增加 2 名监理人员，加强工艺过程的监理，做到一类焊缝焊接期间全过程旁站监理。

2.机组埋件安装

从已完成的埋件的验收情况看，主要埋件的最终质量均达到合同文件的要求(主要是厂家的技术文件和质量控制要求)，其中 1# 机肘管安装后其顶部高程偏高(最高部位偏高 34mm)，经厂家同意在锥管安装前多切除了偏高的部分，对锥管安装没有造成影响。9# 机肘管安装完成后(未焊接节间环缝前)也出现偏高现象(第四象限最高部位偏高 23mm)，主要原因是厂家设计图纸及制造加工中未考虑现场安装中需留出节间环缝间隙($\leqslant$6mm)而造成的。

3.机组制造

中国三峡总公司金结中心对蜗壳管节的焊缝质量进行了抽检,检测内容有内部质量超声波检查、焊缝外观质量检查和对承包商用γ射线检查的度片抽取部分复读,另外还作了部分渗透检查、并对焊工资格进行了检查。检测结果表明:焊缝的超声波探伤检查、着色渗透检查以及外观质量检查均满足规范要求,全部合格,其中抽取承包商的γ射线检查底片150张复读,结果焊缝的质量全部合格。但是存在γ射线底片清晰度差、少数底片的像质指数达不到要求、焊接工艺没有详细实施规范、焊缝外观质量检查报告太简单以及缺乏原始记录等问题,需进一步改进和完善。

二、工程质量管理

(一)1999年质量管理工作回顾

1999年,通过落实岗位责任制、加强监理力量、加强与设计单位协调、项目部坚持现场值班、加强设备管理维护、完善物资供应体系、整顿规范建筑市场、统一质量控制标准、成立混凝土温控小组、加强驻厂监造和检测、开展质量教育培训、促进质量信息交流、建立质量事故档案等一系列质量管理措施,确保三峡工程的施工质量。

(二)全面落实专家组意见的整改措施

1999年3月29日至4月1日,中国三峡总公司组织召开三峡工程混凝土质量专家咨询会,张光斗、潘家铮、朱伯芳、谭靖夷等14位国内著名水电专家应邀参加会议。会议经过充分讨论,形成具有重要意义的《三峡工程混凝土质量专家咨询意见》。

三峡工程质量管理委员会多次召开有关会议,研究落实专家意见。参建各方在认真传达学习、对照检查的基础上,针对自身存在的问题制定了具体的整改措施和具体计划,主要制定和采取的整改措施如下:

1.加强质量教育,提高质量意识

参建各方进一步加强全员质量教育,召开不同层次的质量会议,传达学习专家组意见,并要求各部门和个人认真对照专家意见,进行深入地自我剖析,查找问题,并针对存在的问题,从主观上分析原因,提高思想认识,制定整改措施,以避免类似问题的再次发生。通过一段时间的学习、整改和提高,全体三峡建设者质量意识明显提高,普遍感到工作压力大,责任重,决心要进一步深刻领会中央领导对三峡工程的重要指示,认真贯彻落实质量专家组意见,严格质量控制,以对人民和历史高度负责的态度建设好三峡工程。

2.健全质量体系,狠抓制度落实

针对专家组关于质量体系提出的“初步建立、还需完善、重在落实、有待创新”的意见,参建各方进一步完善组织和制度建设,并强调狠抓措施落实,在“严”字上下功夫。

(1)为加强对口管理,根据业主要求,监理单位调整了监理机构的设置,统一设立和中国三峡总公司工程建设部相对应的职能管理部门,如质量安全部、计划信息部、合同管理部、综合服务部。

(2)施工单位进一步健全包括岗位责任制在内的各项规章制度,层层签订质量责任书,制定质量考核办法,使施工过程的各环节、各工序的质量责任落实到个人。通过采取责任层层落实、权责清晰、目标明确的管理模式,各项管理制度逐渐落到了实处。

(3)结合2000年工程施工的重点和特点,监理单位和施工单位补充、修订、完善不同专业、不同施工部位的监理细则和作业指导书,用以指导施工人员现场施工,规范监理行为。

(4)严格单元工程的质量评定,认真执行各级质量检查制度,特别是施工单位的“三检制”、监理旁站、巡视制度,发现问题及时处理,严把质量关。

3.加强现场服务,完善优化设计

长江水利委员会(以下简称长江委)多次召开设计工作会议,层层贯彻落实质量专家检查组意见,针对设计工作中存在的问题制定整改措施。为切实做好三峡工程的技术服务工作,长江委将全力以赴,精心组织技术力量,重点做好以下几项工作:

(1)进一步加强技术交底和技术服务工作。制定并实施《三峡工程施工详图阶段设计技术交底工作规定》,明确技术交底的目的、对象、内容等,要求通过技术交底,加强设计人员与业主、施工、监理等方面的沟通和理解。

(2)在确保工程安全的前提下,设计要尽量考虑方便施工,和生产实际相结合,以利于保证施工质量;要虚心听取意见,乐于修改设计、改进设计,以“改图为荣”,不断提高设计水平。针对永久船闸输水系统阀门井及弧门井段牛腿配筋过多、过密、不方便混凝土施工的问题进行了研究和修改,经重新复核计算,减少部分非主要受力筋,同时对主筋的布置、间距等进行了调整。

(3)加强现场设代力量。代表局和设计院共同适时组织坝工、永久船闸、机电、金结、混凝土温控等方面的近70名专业人员于1999年12月和2000年1月先后进驻工地,进行现场设计工作,顺利解决永久船闸衬砌墙排水管网施工、永久船闸高强锚杆材质、永久船闸输水隧洞质量缺陷处理、左岸电站厂房混凝土裂缝原因分析及处理措施等一系列技术难题。

(4)加强现场决策力度。明确规定室、处、院

(局)负责人必须分别在2天、4天、6天内对现场技术问题作出答复;对于需进一步研究的问题,要作出充分说明。

(5)设计院各专业处加强相互协调,严格设计图的校审、会签制度,防止设计图在施工过程中出现土建与金结、机电埋件打架或遗漏的现象。

4.规范监理管理,加强现场监控

根据专家组建议,中国三峡总公司工程建设部召开监理座谈会,对如何进一步发挥监理的作用进行专题讨论,并准备和监理单位签定《2000年度监理工作协议》,在协议中明确工作的任务和职责,制定季度考核和奖惩办法,加强对监理的管理。

监理单位针对目前存在问题和专家组意见,决定切实加强以下几方面工作:

(1)进一步提高监理人员的业务水平和素质,使监理人员具备及时发现问题处理问题的能力,以适应现场复杂多变施工条件下的工作需要。

(2)进一步加强现场的质量控制,监理工程师按规定采取旁站、巡视、平行检验等形式,跟班到位,对质量进行监督检查,对重要部位、重要工序及易出现问题的地方严格实行旁站监理。

(3)完善监理自身的检测设备和手段,以满足独立开展试验检测工作的需要;

(4)进一步加强合同管理、工程信息管理和工程档案管理等工作。

(5)加强对施工详图的审核。在图纸签发之前,安排监理人员认真审阅,一方面理解设计意图,熟悉设计要求,另一方面检查施工详图与合同文件是否符合,与现场实际情况有无矛盾,土建与金结、机组埋件有无打架、遗漏以及明显差错。对于在审阅图纸或施工过程中发现的问题,及时向设计单位反馈和协商解决,争取做到不将图纸中的差错带入施工中去。

5.严格工艺作风,努力消灭"顽症"

专家组对施工过程中工艺不严、施工不规范提出了批评意见,并建议将施工中出现的常见病、多发病改称为"顽症"。施工单位对此非常重视,下决心要积极改进施工技术,严格工艺管理,攻克"顽症"。

(1)严格执行模板加工及验收标准,确保模板的刚度、平整度和光洁度,立模后对模板加固体系进行严格检查,防止出现模板变形及错台、挂帘现象。

(2)采用台阶法浇筑时,要求层次清晰,台阶分明。

(3)增添仓面平仓设备,尤其在塔带机下料盲区应用小型推土机平仓。

(4)严格控制下料高度,对于必须大于2m的特殊部位要采取措施,如加溜筒或在罐口加柔性料筒,以及采取其它技术措施。

(5)加强对止水片、止浆片及预埋管道的检查和维护。

(6)加强混凝土的保温及养护,做好冬季保温工作。

(7)严禁施工用水进入正在浇筑的混凝土仓面,仓面泌水必须及时排除。

(8)完善现场交通,加强安全防护,规范材料堆放,保证夜间照明,以提高现场文明施工水平。

6.加大协调力度,发挥整体优势

为形成建设四方协调有力、合作良好、快速反应与决策的项目管理机制,发挥建设四方的整体优势,中国三峡总公司项目部将重点做好以下工作:

进一步理顺生产关系,充分发挥组织、协调、反馈作用;督促承建单位健全各级质量保证体系并严格监督其执行;充分发挥监理工程师的作用并加强对监理工作的监督,而不是代替或削弱监理工程师的作用;坚持现场值班制,协调好现场出现的相互干扰和矛盾。

7.确定工作重点,抓好永久船闸浇筑

专家组对永久船闸地下工程混凝土施工中出现的施工缝渗水、高速水流过流面不平整、中一竖井模板严重跑模等质量事故提出了严厉的批评。参建各方对此非常重视,加大了整改力度。

(1)中国三峡总公司航建项目部通过组织收听专家讲话录音,认真学习专家组文件,进一步端正思想,提高认识,树立质量第一的观念;进一步理顺生产关系,加大组织、协调力度,完善每周一召开的四方协调例会,坚持现场值班制度,及时组织研究工程施工中出现的问题。

(2)施工单位调整领导班子,进一步明确质量目标和责任,作业队充实了有经验的施工人员;积极改进施工技术,严格工艺作风,如主动有效引排地下水,强制推行高压水冲毛处理施工缝,严格模板设计审查和开仓模板验收,增设模板刮板、加强抹面等,确保混凝土的施工质量;对出现的质量事故,严格按照设计要求进行了处理,做到不留隐患。

(3)监理单位加强领导力量,加大内部管理制度化、现场管理规范化的力度,进一步明确各监理人员的职责;进一步完善、细化基础验收、竖井施工、输水隧洞混凝土施工、混凝土质量缺陷检查及处理等9个监理作业规程。

(4)设计人员加强现场技术服务,到现场了解施工情况,制定质量事故的处理措施,结合施工实际情况对设计进行部分修改。

(5)中国三峡总公司在安排2000年计划时,已将永久船闸混凝土施工作为2000年工作的重点,并对永久船闸2000年夏季混凝土生产供应与管理进行专题讨论。为满足2000年高温季节预冷混凝土供应需要，确定了以▽98.7m供应为主、▽82m和▽120m为辅的供应方案，其中▽82m系统支援方量不低于2.0万 m^3/月左右；▽98.7m制冷楼增加四台30t/d片冰机，其中两台替换原已布置的丹麦产片冰机；成立▽98.7m拌和系统交通和治安管理组，全面负责运输车辆的管理与协调工作。

(6)加强技术研究。中国三峡总公司邀请国内著名混凝土温控、结构和材料专家以及水工钢筋混凝土结构设计规范主要编写人员，召开永久船闸结构混凝土技术咨询会，会议就混凝土设计龄期、粉煤灰掺量、结构分缝和配筋等技术问题进行讨论，提出具有指导意义的咨询意见。经设计协调会讨论研究，专家咨询意见将具体实施。

8.加强技术管理，加快技术决策

根据工程建设需要，为进一步规范和强化三峡工程技术管理，根据工作需要，任命两位副总工程师分别协调土建施工和金结、机电安装方面的技术问题；同时为加强参建各方在重大技术问题上的沟通理解，形成分层次决策机制，加快重大技术问题的决策和处理，中国三峡总公司决定建立参建四方(业主、设计、监理、施工)总工(总监)联席例会制度，在统筹考虑工程质量、进度、造价的前提下决策和处理重大技术问题。

三、结束语

1999年是三峡工程开工以来极具挑战性的一年。各项主体工程从艰难的基础开挖转入了大规模的混凝土浇筑，金属结构和机组埋件安装也逐步展开。面临基础开挖交面多、固结灌浆工程量大、大型施工设备安装调试滞后、混凝土施工强度高、高温季节混凝土温控难度大，以及高边坡开挖局部岩体失稳等错综复杂的局面，全体三峡建设者齐心协力、团结一致，采取各种有效的综合措施，克服不利条件带来的种种困难，较好完成了年度计划目标，并创造了混凝土年浇筑458.5万 m^3、月浇筑55.35万 m^3 的世界新记录。工程的质量、进度和投资都得到了较好控制，这是工程开工以来取得重大进展的一年。

1999年三峡工程建设取得了重大突破，工程质量有明显提高，总体质量良好，满足设计要求。但是，施工质量距一流的标准还有一定的差距。

差距体现在，1999年虽未发生重大的质量事故，但混凝土质量的缺陷和局部性的事故仍时有发生。其主要原因是：三峡建设者的质量意识和队伍整体素质尚有待进一步提高；质量控制标准和控制体系虽已建立，但具体执行中管理不够严格；施工工艺，特别是混凝土浇筑仓面工艺作风仍比较粗糙；新型施工机械的操作管理水平仍不高，维护管理也需加强。这些问题有待今后工作中继续努力克服改正。

2000年是跨入新世纪的第一年，也是确保2003年实现发电和通航目标至关重要的一年。全年计划浇筑混凝土高达540万 m^3，金属结构、机电埋件的制作安装开始步入高峰阶段，安装总量达3.8万t，接缝灌浆、帷幕灌浆等项目也全面展开，不同工种与作业工序之间、不同标段之间的交叉干扰和相互制约较大，高温季节的混凝土温控任务仍然严峻。面临新形势下的严峻考验，全体三峡建设者决心牢记江泽民总书记“发扬艰苦创业精神，建好宏伟三峡工程”、李鹏委员长“三峡工程要实现三个一流”和朱镕基总理“三峡工程是千年大计、国运所系”等重要指示，认真落实三峡枢纽工程质量检查专家组关于三峡工程质量的指导意见，狠抓质量管理，为全面完成2000年各项生产任务，争取达到一流的工程质量而努力拼搏。

三峡左岸电站水轮发电机组的特征及国内分包制造的质量控制

梁维燕

梁维燕，男，山西襄陵人，1929年10月生于北京。1951年天津北洋大学电机系毕业，同年分配到哈尔滨电机厂工作，曾任副总工艺师、总工程师。1988年2月调入哈尔滨电站设备集团任总工程师、咨询委员会主任。长期从事水轮机、大电机制造发电工程及其设备制造专业。主持葛洲坝12.5万kW水电机组研制工作，获国家质量金奖，葛洲坝工程获国家科技进步特等奖。主持国内第一台引进技术制造60万kW汽轮发电机，获国家重大技术装备一等奖。在突破刘家峡22.5万kW水电机组定子线棒电腐蚀技术关键后，实现大型电机定子线棒主绝缘与防晕层一次成型模压工艺，创定子线棒高压绝缘在制造、安装、运行长期无绝缘击穿的纪录，提高发电设备运行的可靠性。参与三峡工程机电专家组成员工作，对三峡机组立足于国内提出一些有益意见。1995 年当选中国工程院院士，现任国家机械工业局三峡装备办公室高级顾问，哈尔滨动力设备股份有限公司董事。

(一)三峡机组特征综述

批准的初步设计选定三峡水电站最大水头 113 m，最小水头 61 m，额定水头 80.6 m，水头变幅大给水轮发电机组特别是水轮机的设计带来较大难度。三峡工程建成之前在世界上运行的大型水轮发电机组如表 1。可以看出三峡水轮发电机组的单机容量、尺寸、混流式转轮直径、推力轴承负荷等将达世界之最。国内外水轮发电机组制造厂家的原有装备都不具备制造和运输三峡机组的条件。

表 1 **世界上运行的大型水轮发电机组及其制造厂家**

参数、制造企业 \ 水电站 \ 国别	美国		巴西	委内瑞拉	俄罗斯	中国	
	大古力 GrandCoulee		依泰普 Itaipu	古里 Guri	萨扬舒申斯克	葛洲坝	三峡
水头(m) Hmax/Hr/Hmin	108.2/86.9/67		126.7/112.9/82.9	146/130/110	220/194/178	27/18.6/8.3	113/80.6/71
台万 kW	3×70	3×60	18×70	10×61	10×64	2×17 19×12.5	26×70
水轮机型转轮直径(m)	F9.223	F9.296TH	F8.45	F7.3	F6.77	K11.3 K10.2	F9.85
转轮重量(t)	408	460	295	155	256		410~450
发电机最大出力(MVA)	825	615	824	805	711		840
推力轴承负荷(t)	4700	4100	4056	2667	3250	3800/3300	5500
发电机定子冷却	半水冷	空冷	半水冷	空冷	半水冷	空冷	半水冷
铁芯内径 X 长度(m)	18.79×2.13	18.3×3.48	16×3.5	13.65×3.8	11.85×2.75	16.99×2.15~1.59	18.5~18.8 3.13~2.95
转速(r/min)	85.7	72	90.9/92.3	112.5	142.8	54.6/62.5	75
首台发电年份	1978	1976	1984	1984	1979	1981	计划 2003

经过议标决策，有两个联合体中标，其中法国阿尔斯通(ALSTOM)和瑞士 ABB 中标 8 台水轮机和发电机，分包伙伴是挪威克瓦纳(KVAERNER)和哈尔滨电机厂有限责任公司(哈电)；另一个是 GE 加拿大、德国伏依特(VOITH)和西门子(SIEMENS)组成的 VGS 联合体中标 6 台机组，分包伙伴是东方电机股份有限公司(东电)。

发电机由 ABB 负责供应整机 8 台，其中哈电制造份额近 30%；VGS 负责供货 6 台，由西门子负责定子和上机架，GE 加拿大负责转子、推力轴承和下机架，其中东电制造近 30%。定子绕组冷却方式两家全用水内冷。水轮机 8 台由阿尔斯通负责结构设计制造，用克瓦纳水力设计，与哈电合作。8 个转轮阿尔斯通制造 3 个，哈电制造 2 个，克瓦纳制造 3 个，在哈电葫芦岛大件加工厂装焊加工；另外 6 台水轮机由 GE 加拿大、伏依特和东电合作，6 个转轮由 GE 加拿大、东电和伏依特上海希科各制造 2 个。现在水轮机埋入部分已由土建安装单位投入安装，发电机定子机座已开始投料，从生产技术准备已转入制造阶段。

(二)三峡机组结构要点

三峡左岸 14 台机组额定出力 70 万 kW，最大出力 84 万 kW，功率因数 0.9，发电机额定电压 20kV，机组选用三导轴承半伞型结构，推力轴承设在下机架上。水轮机转轮采用 OCr13N15M 不锈钢铸焊结构，12 个活动导叶的导水机构，600MP 级合金钢板制成的涡壳，尺寸大是最突出的特点。从已经完成的设计图纸将机组的主要特点列如表 2。

表 2　　三峡左岸 70 万 kW 水电机组主要特点

发电机项目	ABB	VGS
定子铁心内径 长度	18800 mm 2950 mm	18500 mm 3130 mm
定子铁心固定方式	轭部穿心螺杆	轭部背后拉紧螺杆
定子铁心径向通风道	6mm × 46 个	6mm × 55 个
定子铁心槽形	540 槽,宽 36.3mm,深 163 mm	510 槽,宽 36.54 mm,深 145.5 mm
定子线棒尺寸与工艺	宽 35.2 mm,高 68.44 mm, 主绝缘厚度 4.6 mmVPI	宽 35mm,高 61mm,主绝缘厚度 4.6mmVPI
定子线棒水内冷管	不锈钢管 6 根,不锈钢水盒 TIG	铜管 6 根,水盒铜焊
定子机座外径 × 高度	20.6 × 5.545 m	21.42 × 4.29 m
机座承受热膨胀结构	热膨胀靠园周等分 20 个斜筋板承受	机座在基础板上径向自由膨胀
上机架结构	20 个斜支臂固定在机座上环并支撑到混凝土壁	16 个径向支臂固定在机座上环
下机架结构	16 个斜支臂与中心体螺栓连接	6 个支臂与分半中心体工地焊接加工
推力轴承负荷	5460t	4050t
乌金瓦支撑结构	多个不同直径肖钉支撑在厚瓦上	小弹簧簇支撑
转子支架结构	16 个斜支臂与中心体在工地焊成园盘支架	径向支壁园盘支架
磁轭冲片	3mm 冲制	4.5 mm 冲制或激光切割
主轴	外径 3.1m、下法兰 4m,上端内法兰	外径 3.8m,壁厚 150mm

水轮机项目	Alstom Kvaerner	VGS
转轮最大外径 × 高度 总重(材料) 叶片	10600 × 5080mm 450t(OCr13Ni5Mo) 砂型铸造数控加工,15 片	10080 × 5565mm 410t 砂型铸造数控加工,13 片
主轴	外径 4m,壁厚 113mm,内法兰,长 6.68 m	外径 3.8m,法兰外径 4.16 m 长 6.473 m,导轴承轴领外径 4.1 m
顶盖	外径 13.6m,高 3.055 m,4 瓣运输	外径 12.385 m,高 2.24 m,4 瓣运输
座环	平板焊接结构,6 瓣运输工地焊接加工	平板焊接结构,6 瓣运输工地焊接加工

(三)对三峡机组的几点思考

三峡左岸电站 14 台机组招标和合同执行的顺利进行,给我们提出了几点思考。

1.三峡机组的招标推动了国内外大型水电机组的技术进步

1993 年 11 月国外企业来华技术交流提出了有关资料,其后深入开展研究开发工作,到 1996 年,投标文件中的技术方案与数据就有新的提高,代表当代国际先进水平。例如混流式水轮机的水力设计和模型试验的新成果,X 叶型的模型最高效率达 94.61% ~ 95.26%,比 3 年前提高了 1 ~ 1.5%。再如 ABB 吸取核发电机的经验,将定子线棒水冷扁管和端部水盒采用不锈钢材料和氩弧焊接,提高发电机的可靠性。中标厂商都将有运行经验的先进技术应用到三峡机组,形成激烈的竞争局面。

2.三峡机组联合设计、合作制造收到良好效果

中国有设计建设水电站和机组安装运行的丰富经验,哈电和东电有设计制造580多台3270万kW各类水电机组的业绩,虽然三峡左岸机组的设计以国外企业为主,但能把中国的经验熔化到设计中是十分有利的。在机组总体设计时,业主组织中方专家对外方总体设计提出建议,例如GE加拿大将推力轴承内循环润滑系统改为外循环,可以降低温升和方便检修。在施工设计时,中方分包商参加一起工作,提出许多有益的意见,并有利于中方的图纸转化。

3.三峡工程左岸机组可予改进的意见

三峡左岸机组通过招标吸收了世界上的先进技术,总体来说达到了世界一流水平。但尾水管压力脉动值仍超过合同保证值,在直径近10m的大型转轮真机运行时,可能在一定水头和一定负荷下会产生振动,这是叶片不可调节的混流式水轮机的固有特性,象美国大古力、委内瑞拉古里、湖南五强溪、广西岩滩等大型水电站机组都发生类似情况,只有避开振动区正常运行。三峡电站在蓄水位提高以后才有可能出现。为了改善这种状况,中国三峡总公司最近组织研究,由哈电、东电采用引进的技术开发软件对不同额定水头、尾水管高度、增加转轮刚度等因素,寻求优化方案,再经过水力模型试验,试图改善高水头运行的稳定性。这是一项重大的研究课题,相信会得到改善的效果。

克瓦纳公司在投标中,承诺采用原钢板模压成型叶片,数控加工,但在与阿尔斯通公司签订合同中改为砂型铸造叶片,用钢板或电渣熔铸变断面板胚模压成型的叶片在材质上明显优于砂型铸造叶片,小型模压叶片在国际上是有制造经验的。国内已经完成模压压力中心、回弹预估和模压成型模拟系统等研究,并在较小叶片上模压成功,应继续研究拓展应用,为模压叶片在后续三峡机组和其他大型水电机组中采用奠定基础。

三峡左岸14台机组都采用定子水冷,国内已有1万kW、5万kW蒸发冷却定子成功运行,青海李家峡4号机蒸发冷却定子的40万kW水电机组即将投入运行,取得经验后可以考虑在三峡后续机组和其他大型水电机组中应用。使发电机定子线棒温升最均匀、比水冷定子运行更可靠,还可以取消洁净水系统,该项技术在世界上领先。

在抽水蓄能电站中,国外已有最大40万kW交流励磁变速电机运行,在水轮机或泵运行中都处于最优工况,可提高效率3~4%,该项先进技术不予转让。国内已完成试验台试验,将选择电站中间试验。对水头变幅较大的水电站机组使水轮机经常处于最优工况运行,可以解决混流式水轮机转轮振动和改善气蚀问题,需继续研究应用。

(四)国内企业分包制造的质量保证

国内分包制造的份额和产品质量,也直接关系到三峡工程的成败。

1.吸收转让技术,提高国内制造企业的研究开发和设计制造水平

在国务院三峡工程建设委员会领导下,业主大力支持在招标文件中规定的投标者向中方分包商转让技术。按合同阿尔斯通和克瓦纳转让哈电水轮机设计和制造软件35个(其中18个商业软件),ABB转让哈电发电机设计软件42个(其中15个商业软件),VGS转让东电水轮机设计和制造软件25个(其中13个商业软件),发电机设计软件38个(其中10个商业软件),在技术转让的深度上外商转让自己开发软件的源程序,哈电、东电各有250人月参加试验、联合设计和技术转让培训,做到在中方计算机上安装转让软件达到国外相同计算结果并稳定运行后验收。在消化吸收引进技术的同时深入开展科技攻关工作。几年来,在国家支持下,对水轮机水力性能的研究、推力轴承的研究、大部件刚强度与轴系稳定性的研究、发电机通风冷却技术的研究和专项关键工艺的研究等方面都取得可喜成果。在水力设计与模型试验中,模型最高效率已超过94%;在水力试验台内装设流态成象系统,可以从屏幕直接观察活动导叶出口和转轮叶片入口以及叶道涡的流态,对研究减小混流式水轮机水力振动提供有力条件;通过计算和试验对推力轴承深入研究,哈电与ABB合作在3000t推力轴承试验台完成三峡机组真机支撑结构和巴氏合金瓦面材料的试验,测得全部数据,保证三峡机组推力轴承的可靠运行,两厂对金属弹性塑料瓦的应用也做出了研究成果。

2.加速技术改造和改善管理,装备必要的加工机具,制造出高质量的分包份额

为使国内工厂具备制造三峡机组能力,经原国家计委批准,哈电、东电进行必要的技术改造,工厂制订了专项质量保证手册,健全质量保证体系,编制周密的生产技术准备和生产计划,三峡机组生产正在有序进行。两厂已投入使用的5轴联动数控大型龙门铣床解决叶片型线和焊接坡口的加工,保证转轮焊接质量和型线的准确性;安装大型数控立车分别加工顶盖、底环后以工作台精确分度镗削活动导叶轴孔,保证导水机构的装配质量。按引进技术的需要,增加必要的机床设备,提高操作人员素质,加强科学管理,可以实现保证产品质量、按合同期交货的目标。

综　　述 Ⅳ

猫跳河百花水电站

建设与管理

国务院三峡工程建设委员会办公室工作概况

(一)围绕国务院和国务院三峡工程建设委员会有关重要会议,做好协调、服务工作

1.国务院三峡工程移民工作会议的组织协调工作

国务院三峡工程移民工作会议召开前,国务院三峡工程建设委员会(以下简称三峡建委)办公室和移民开发局深入库区调研,就建议会议决定的一些重大问题同湖北省、重庆市有关领导交换意见;会同移民开发局起草会议文件和《国务院办公厅关于三峡工程库区移民工作若干问题的通知》。会上,三峡建委办公室就移民工作重大问题的协调情况作了汇报并提出建议。

为贯彻落实移民工作会议精神,三峡建委办公室与移民开发局领导于5月底、6月下旬赴江苏、山东、上海等省市和三峡工程库区调查研究,并就移民安置方式和有关政策措施与主要领导交换看法。经慎重研究,就外迁移民数量、接收移民的省市及其任务、外迁安置政策等问题,向国务院提出建议。

2.库区农村外迁移民现场会议的准备、协调工作

10月28~30日,国务院三峡建委在重庆市召开库区农村外迁移民现场会议。三峡建委办公室会同移民开发局和重庆市为这次会议做准备和协调工作。

为落实外迁现场会议精神,三峡建委办公室会同移民开发局拟写了《国务院关于转发国务院三峡工程建设委员会办公室、移民开发局关于做好三峡工程库区农村移民外迁安置工作若干意见的通知》(国办发〔1999〕99号)。与移民开发局一起,组织4个调研组到三峡库区和有接受外迁移民任务的部分省市调查研究、检查工作。向朱镕基总理和吴邦国副总理呈报了调研报告,并将中央领导同志批示的《报告》印送重庆市和三峡建委成员单位及相关的11省市。

(二)认真开展"三讲"教育

自6月底开始,三峡建委办公室处级以上党员干部严格遵照中央部署开展"三讲"教育。

三讲教育期间,中央巡视组及时传达中央指示,严格掌握政策,同司级以上干部开展谈心活动。巡视组同志廉洁自律、以身作则的作风,对三峡建委办公室"三讲"教育顺利进行起到保证作用。

遵照"三讲"教育边整边改的要求,三峡建委办公室结合"三讲"中大家提出的意见和建议及时制定了整改方案并抓紧整改。达到中央提出的"思想上有明显提高、政治上有明显进步、作风上有明显转变、纪律上有明显增强"的要求。

(三)协助做好三峡枢纽工程稽察和质量检查工作

1.拟定稽察方案

国务院三峡建委办公室拟写并上报《关于落实中央领导同志指示精神,加强三峡工程监督,开展稽察工作的请示》和《国务院三峡工程建设委员会向三峡工程派出稽察组的方案》。

2.稽察准备工作

根据朱镕基总理指示,三峡建委办公室向国务院报送《关于设立国务院三峡工程建设委员会三峡工程稽察办公室的请示》并得到批准。国务院三峡建委三峡工程稽察办与三峡建委办公室为一套班子、两块牌子。

3.组织稽察培训

在培训时间紧、学习任务重的情况下,与国家行政学院共同确定教学方案,培训工作取得明显效果。

4.启动和开展稽察及工程质量检查工作

在各有关方面支持下,三峡工程稽察组于1999年12月5~25日对中国三峡总公司、葛洲坝电厂展开实地稽察,并写出《稽察工作报告》(初稿)。

枢纽工程质量检查方面,专家组对枢纽工程的质量提出了很好的改进意见和建议。三峡建委办公室积极为专家组做好各项服务工作。

(四)协调处理枢纽工程建设有关重大问题

1.进一步完善施工期通航有关事宜

1999年1月底,三峡建委主持召开第30次办公会议,研究扩大导流明渠通航能力、汛期应急转运、2003~2009年发电期翻坝转运等问题,并对今后工作做了部署。在1998年应急转运基础上,三峡建委办公室会同湖北省政府进一步加强协调,保证了1999年顺利完成汛期转运任务。

2.协助中国三峡总公司审查第八项技术设计

三峡工程第八项技术设计的初步设计报告中只涉及了库尾的泥沙淤积等有关问题,而在三峡建委召开的第二次全体会议上增加了葛洲坝下游航道冲刷下切影响与对策的内容,对此,三峡建委办公室注意收集有

关部门和单位反映的情况，征询有关专家意见，为进一步协调作好准备工作。

3.发挥职能作用，为枢纽工程建设做好服务工作

在三峡工程进口设备国内分包厂商免征关税和进口环节调节税问题上，多次与海关总署、国家计委和财政部等部门进行协商，最终达成一致意见。同时，对特殊钢材进口、三峡基金征收、三峡债券规模、葛洲坝电价以及粉煤灰供应和工程有关税费等问题，及时为三峡总公司排忧解难。

（五）三峡工程建设和输变电工程建设资金的计划、投资和管理工作

1.三峡基金征收工作协调

三峡建委办公室会同有关部门制定1999年三峡基金征缴计划，及时掌握资金到位情况；由于电力市场变化等原因，征收出现困难，郭树言同志主持召开三峡建委第31次办公会议，强调必须按国家规定范围和标准征缴，确保完成当年征收计划。经过共同努力，1999年三峡基金征缴超额完成年度计划，保证了三峡工程顺利进行。

2.计划、投资和资金管理工作

认真做好三峡枢纽、移民和输变电工程年度计划的安排和衔接，注重掌握计划执行情况，发现问题及时研究解决。审查并报三峡建委审批1998年度枢纽和输变电工程投资价差、1998年度移民投资价格指数和巫山、奉节、巴东3县的基础设施建设难度系数；《三峡库区移民补偿资金预备费管理办法》、《三峡库区移民工程项目管理办法》等。会同移民开发局、国务院法制办进行《长江三峡工程建设移民条例》修订和征求意见工作。

（六）三峡重大装备有关协调和科技攻关管理工作

1.关注三峡机组试验、制造中的有关问题

由于外商的机组模型在两次试验中压力脉动指标均未达合同要求，为解决机组稳定问题，三峡建委办公室组织有关人员到科研、设计、制造部门进行调研，提出在国内组织科研攻关的建议并得到国家经贸委同意，列入“十五”国家重大技术装备研制和国产化项目中。积极支持国家机械局组织有关厂家进行技术攻关，解决铸件制造的技术难题。

2.三峡——常州直流换流站设备国际招标和高压电气设备国际招标的协调工作

1999年，三峡建委办公室派员参加直流换流站设备和高压电气设备国产化谈判、定标、审批和授标等协调工作。在机组辅机国际招标中，为中国三峡总公司协商办理国际招标资格确认，组织招标文件审查和协调会，并批复招标文件审查意见，完成了招标前的各项工作。同时参与三峡——常州直流输电线路初步设计审查；直流换流站技术审查；参与永久船闸、泄水闸和左岸电站启闭机的招标工作等。

3.组织三峡重大装备“九五”科技攻关项目管理

该科技攻关项目共有6个课题48个专题，1999年，三峡建委办公室抓了前44个专题的中期评估、检查工作。为做好“十五”重大技术装备研制和国产化项目的准备工作，三峡建委办公室与中国三峡总公司共同研究，编制攻关项目计划（草案），开展立项申报的准备工作，并报国家经贸委。

（七）推动三峡库区、坝区生态环保、文物保护工作

1.理顺坝区内外环保工作关系

根据三峡建委决定，经与中国三峡总公司协商，三峡建委办公室重新承接施工区（坝区）外环保项目的管理工作。在征求有关部门和有关省市意见的基础上，召开专家论证会，筛选二期环保研究项目。开展对大老岭森林公园珍稀植物保护工程建设、湖北省古大树种保护等科研项目的检查、验收工作。

2.库区文物保护工作取得阶段性进展

同国家文物局和移民开发局以及重庆市、湖北省多次协调，研究审批《三峡工程淹没区及迁建区文物保护规划》，明确了保护项目、保护方案和保护经费，下达对张桓侯庙等三大项文物进行保护方案论证的任务，并对需进一步核实和开展工作的项目提出了明确意见。

（八）开展三峡工程宣传工作和国际技术交流

年初，郭树言同志应邀赴美，向美国国会介绍三峡工程并与美参议员、众议员和有关政府部门首脑会谈，对沟通情况、澄清是非、宣传三峡工程起到很好作用。一年来，三峡建委办公室就三峡工程建设、移民及生态环保等热门话题，先后多次接待中外新闻媒体采访。中央电视台系列片《大三峡》，是由三峡建委办公室和原广电部批准的拟连续10年跟踪报道三峡工程建设和移民工作的大型连续电视系列片，三峡建委办公室协调解决有关问题，保证按计划拍摄。

同重庆市、湖北省有关部门和库区有关负责同志就宣传工作的形势、任务、取得的经验进行座谈，听取意见和建议，形成调研报告。在此基础上，就2000年三峡工程建设宣传工作向三峡建委宣传工作领导小组提出建议。

理顺外事工作管理体制；全年接待外宾28批、133人次。

（九）精神文明建设

1999年，认真贯彻党中央、中央纪委有关加强党风廉政建设的文件精神，按照三峡建委办公室党组和机关党委统一部署，学习有关规定和制度，观看有关反腐倡廉的电视纪录片，做到廉政警钟长鸣。全年没有一起违纪违规的现象发生。

（沈星源）

三峡建委监察局工作概况

（一）紧密结合“三讲”教育活动，推动领导干部廉洁自律和党风廉政建设

根据中央部署，开展以“讲学习、讲政治、讲正气”为主要内容的党性党风教育。在“三讲”教育中，监察局认真履行监督职能，对三峡建委各单位领导班子和领导干部提出三点要求：一是把领导干部廉洁自律工作纳入“三讲”教育中统一进行；二是在自我剖析材料中必须将廉洁自律作为重要内容，专门列为一个题目；三是在民主生活会上，要对照《廉政准则》、制止奢侈浪费8条规定和党风廉政建设责任制的各项规定进行自查自纠，有问题要说清楚，没有问题也要明示，不能避而不谈。各单位处以上党员领导干部对照廉洁自律有关规定，进行深刻剖析，从党性党风上找问题，从世界观上找原因，并进行认真整改。许多同志从具体问题切入，深刻解剖自己，触及思想，提高遵守廉洁从政各项规定和制度的自觉性。各单位主要领导干部不仅自己廉洁自律，而且严格管好配偶、子女和身边工作人员，并对所管辖部门的党风廉政建设和反腐败工作负责。

认真落实《廉政准则》和制止奢侈浪费8条规定。各单位均没有到庐山等12个风景名胜区开会，已召开的各类会议，也未发现到会议所在市、县的行政区域以外的其他风景名胜区旅游；严格控制了改建、扩建、新建或购买、装修办公楼；严格管理公费出国（境），坚决制止用公款出国（境）旅游的工作取得了明显成效。进一步巩固清理通信工具、控制会议和庆典活动、制止用公款吃喝玩乐等项工作的成果，通信费、会议费、接待费继续得到有效控制。各单位工作人员公务出差，都能自觉遵守廉政规定，统一到接待单位指定的内部宾馆或招待所食宿。全体处以上干部认真执行收入申报制度，自觉报告个人重大事项，在公务活动中拒收礼品，因各种原因不能拒绝的，将礼品及时登记上交。

（二）督促查办违法违纪案件

全年共受理信访举报28件（次）。通过处理来信来访，主动发现案件线索。4有下旬，三峡建委监察局领导与重庆市委、市纪委主要领导共同研究，组织力量，对群众举报丰都县有关领导违法违纪的问题进行调查，并很快突破了原县国土局长黄发祥挪用巨额移民资金大案要案，以及县委、县政府某些领导违法犯罪的案件。5月，派员去湖北省，协调督促关于群众反映巴东县挪用移民资金等问题的调查工作。在督促工作中，对群众反映的热点问题，坚持抓住不放，责成有关区县查清事实，作出处理。在处理来信来访和查办案件工作中，坚持实事求是的原则，严格执行政策，对有一般性错误的，采取作思想政治工作的方法，严肃指出其错误，及时给予批评教育，帮助其改正；对举报失实的，在一定范围内，予以澄清，从而保护了干部，调动其工作的积极性。

（三）贯彻落实党风廉政建设责任制

协调督促各单位领导干部认真学习中央《关于实行党风廉政建设责任制的规定》，从思想上提高对实行党风廉政建设责任制重要意义的认识，树立责任意识，把责任制这项关系党风廉政建设全局的基础性制度，作为反腐败工作的重要内容，采取有力措施，狠抓落实。督促各单位结合实际制订责任制的实施办法，对责任主体、责任内容、监督检查、责任考核、责任追究等作出明确具体的规定。按照责任制的要求，将党风廉政建设和反腐败各项工作进行分解，把责任落实到岗位，分工到人。

（四）加强三峡资金特别是移民资金的监督检查

认真贯彻落实朱镕基总理视察三峡工程坝（库）区的重要讲话和国务院三峡工程移民工作会议精神，把移民资金监督管理作为全局工作的重点，不断加大监管力度。

1.建立健全监督网络

召开鄂渝两省市监察、移民部门负责同志座谈会，邀请中央纪委、监察部执法监察室、中纪委四室和高检反贪总局案件预防中心的负责同志参加。专题研究移民资金监督网络建设问题。会后，经常督促抓落实，先后两次派出调查组，对鄂、渝两省市监督网开展工作的情况进行检查总结。在三峡库区建立以监察部门牵头，移民、审计、检察、建行等部门参加的省、地、县三级移民资金监督网。通过定期召开联系会议，开展联合检查，督办落实审计整改，严肃查处违法违纪案件，切实加强对移民资金的监管，逐步健全完善移民资金监督制约机制。

2.深入进行调查研究

会同移民开发局、中央纪委研究室组成联合调查组赴三峡库区进行专题调查。在认真总结移民资金管理经验的基础上，针对存在问题，深入剖析原因，提出对策和建议，为中央及有关领导决策提供参考。对在调查中发现的移民资金一贯管理使用较好的先进单位的典型经验，进一步作了宣传和报道。

3.及时与接收外迁移民的有关省市监察部门进行联系，协调督促加强外迁移民资金的监管工作。

4.进行案件分析

会同高检反贪总局，协调组织鄂、渝两省市纪检监察部门和检察机关对三峡库区自1993年以来，各级执法执纪机关查办涉及移民资金的违法违纪案件进行全面统计，并着手剖析典型案件，研究案件发生的特点和规律，总结教训，教育干部，堵塞在监督、管理、制度上的漏洞，把查处案件与预防、教育紧密结合起来。

5.积极配合三峡工程稽察工作，向稽察组介绍有关单位廉政建设情况，提供参考意见和建议。

（五）督促各单位认真开展反腐倡廉教育

组织职工参观建国50年成就展，以举办讲座、召开座谈会、收看录像等方式，进行形势教育和党规党纪教育，引导党员干部自觉改造世界观。坚持以正面教育为主，适当运用反面典型的现身说法，警示党员干部，正确对待自己手中的权力，时刻保持高度的警惕，防微杜渐，自觉挡住各种诱惑，不断增强拒腐防变能力。会同《中国三峡工程报》，及时报道党风廉政建设的重要工作部署，宣传有关单位的工作经验，总结推广移民资金管理的先进典型，针对普遍性或倾向性问题，及时发表言论，进行正确引导。

（六）加强局机关自身建设

按照“政治坚定，公正清廉，纪律严明，业务精通，作风优良”的要求，不断提高干部队伍素质。坚持学习日制度，认真学习邓小平理论和党的十五大、十五届四中全会精神，联系实际，指导工作。努力学习监察工作业务，不断更新知识，严格党组织生活，加强思想政治工作。围绕三峡工程和移民工作这个中心任务，主动搞好服务。

（夏开良）

工程建设概况

1999年，按照中国三峡总公司工作会议的部署，必须完成448万m^3混凝土的年浇筑任务。工程建设部积极组织设计、施工、监理等参建单位，发扬团结拼搏、勇于奉献的精神，加大现场管理力度，全面完成年初制定的工程任务，胜利实现448万m^3的混凝土年浇筑目标，除年强度创世界纪录外，日、月强度分别以2.18万m^3、54.5万m^3创下世界水利水电工程的新纪录；混凝土施工机械设备基本安装调试完毕，并经过初步生产检验；永久船闸工程形象有一定的改观，开挖工作全部完成，顺利转入混凝土浇筑阶段，基本扭转被动局面；完成下岸溪、古树岭砂石骨料生产系统的增容改造工作，完善了骨料运输和成品料堆储运系统的建设，满足混凝土高强度施工要求；机组埋件和金属结构制造安装工作逐步展开；茅坪防护坝工程按进度稳步施工；坝区社会治安综合治理工作进一步法制化、规范化，安全文明施工区创建工作取得成效，正逐步向一流文明工区迈进。国务院三峡工程质量检查专家组对1999年工程建设取得的成绩给予了充分肯定。

1999年三峡工程主要项目工程量完成情况：土石方开挖497.7万m^3，占计划的125.66%；土石方填筑192.72万m^3，占计划的78.66%；混凝土浇筑458.52万m^3，占计划的109.17%，喷混凝土109915m^2，占计划的227.05%；沥青混凝土9056.8m^3，占计划的107%；混凝土防渗墙16305.97m^2，占计划的96.89%；金结、机电埋件与安装7188.66t，占计划的58.53%；固结灌浆82679m，占计划的94.66%（实施过程进行优化，实际完成量少于计划量）；帷幕灌浆8537.56m，占计划的44.03%；锚索安装1730束，占计划的257.44%；高强锚杆安装61825根，占计划的103.04%。

完成的主要工程目标：

（1）古树岭、下岸溪两大人工骨料加工系统的改造及增容工作按时完成，全年供应粗骨料761万t，人工砂331万t；供水系统全年完成供水任务4718万m^3，供电系统完成供电任务3.09亿kW·h，为1999年混凝土月浇筑强度突破50万m^3提供了有力保障。

（2）二阶段厂坝混凝土四大生产系统的部分制冷设备投产时间滞后，但通过合理调配，仍满足初期预冷混凝土生产的需要，且经受住了高温季节月浇筑混凝土45万m^3的考验。

（3）厂坝混凝土浇筑设备安装全部到位，永久船闸混凝土浇筑设备安装基本到位，为2000年的混凝土浇筑打下良好的基础。

（4）防汛工作准备充分，汛期洪水未对工程构成威胁，保证了主体工程按正常进度施工。

（5）1999年3季度完成永久船闸闸室主体段开挖任务，实现计划总目标，但部分闸室完成开挖时间较年初计划滞后，影响了后续混凝土的按期施工，致使混凝土浇筑未按年度计划完成。

（6）1999年2月厂坝按时完成基础开挖，为混凝土浇筑创造了良好局面。

（7）茅坪防护坝填筑与基础处理达到年初计划目标。

（8）施工期通航，临时船闸、导流明渠运行管理良好，应急翻坝工作组织周密，圆满完成任务。

（9）坝区管理在坚持综合治理的原则下，重点抓建筑市场规范管理工作，取得初步成效。

（10）二阶段厂坝、永久船闸的金结制造及启闭机采购招标工作按期完成。

工程质量：三峡工程1999年，共评定单元工程13760个（主体工程12584个，其它项目1176个），一次检验合格率95.5%，复检合格率为100%（优良10433个，优良率

75.8%)。其中主体工程混凝土单元工程质量评定8674个(永久船闸项目2022个,厂坝项目4774个,其它项目1878个)一次检验合格率95.2%,复检合格率为100%(优良7002个,优良率80.7%)。表明三峡工程质量良好。

(裴红波)

工程管理概况

(一)抓质量管理,完善各级质保体系

质量是工程建设的核心。为加强质量管理,中国三峡总公司工程建设部组织各参建单位认真贯彻落实党中央国务院对三峡工程关于“质量重于泰山”和“千年大计、国运所系”的指示精神、国务院《关于加强基础设施工程质量管理的若干规定》以及工程院院士专家组关于“三峡工程质量的若干咨询意见”,要求各参建单位结合自身实际情况,进一步健全和完善质量保证体系,加大质量管理力度,确保三峡工程按总进度计划高质量顺利实施。

为统一质量标准,工程建设部组织设计、施工和监理单位起草、修订、审议通过《三峡工程质量标准汇编》,包括原材料检测、混凝土浇筑、岩石基础开挖、高边坡处理、灌浆等方面的23个质量标准和技术规定,为三峡工程质量控制提供有效的技术支持。

为克服高温季节浇筑混凝土的温控问题,工程建设部成立三峡混凝土温度控制监督和指导工作班子,与施工、监理单位配合,采用科学的混凝土配合比拌制混凝土,加强混凝土拌和楼至浇筑仓面的一条龙管理,提高入仓强度,改进施工工艺,保证混凝土浇筑质量。

建立混凝土质量缺陷统计制度,对出现的任何一个微小缺陷进行记录,严肃处理,积极补救,确保工程不留隐患。

(二)强化设备管理,提高现代化施工设备的安装运行管理水平

三峡二期工程大坝的施工装备经过多年论证和带方案国际招标,形成了以塔(顶)带机为主,门、塔机、缆机等为辅组成的混凝土运输方案,与混凝土生产系统、砂石骨料系统、建材供应系统等,共同组成了一个庞大高效的综合混凝土施工体系。其中把混凝土水平、垂直运输相结合,可连续浇筑混凝土的塔(顶)带机及其皮带运输线,既是该方案的关键,也是安装运行的难点。由于施工设备合同涉及多个国家多个制造商,而施工单位存在从实践中摸索熟悉的过程。加上现场混凝土从年初就开始安排较高的强度,为了做到混凝土生产和设备安装两不误,在中外方人员的共同协作下,终于在四季度逐步形成了一个较完整的体系,开始进入大规模的高效生产阶段。通过1999年的实践,在这批设备的生产率还没有达标的基础上,就已初步显示其高效率,说明三峡厂坝混凝土施工选择的方案是完全正确的。

在设备的运行管理过程中,工程建设部组织各方集中力量加强设备的消化吸收,建立较好的技术保障体系,科学调度,确保设备的运行安全,充分发挥设备的作用。

(三)突出技术管理工作,建立设计专题协调例会制度

1999年,在总结设计管理经验教训的基础上,工程建设部建立定期的设计专题协调例会制度,及时沟通施工情况,加强设计对工程建设的技术支持,快速研究解决现场出现的各种问题。实践证明,设计专题协调例会制度是一个非常好的措施。

1999年在实施《三峡工程限额设计和优化设计管理办法》的基础上,工程建设部与长江水利委员会设计院拟定了集三峡水利枢纽勘测设计、限额设计和优化设计、委托设计、现场技术服务为一体的《三峡工程勘测设计总协议》,加快了现场技术问题的处理速度。

(四)利用TGPMS信息系统实施目标管理

1999年,中国三峡总公司建立三峡工程日报制度,充分利用TGPMS提供的手段,掌握每天的工程建设进展情况;进一步加强进度计划的管理,按批准的初设控制性总进度计划,分工程项目,按年、季、月科学地层层分解到位,明确各项目、各部位应达到的形象面貌及完成工程量,要求监理工程师督促施工单位狠抓“周保月、月保季、季保年”总进度的目标管理。施工进度与编制的控制进度计划发生偏差时,及时分析原因、研究对策,采取调整计划和加强资源投入措施,确保工程建设顺利进行。

(五)加强监理管理,发挥监理工程师的作用

业主根据1999年监理工作特点,结合党中央国务院关于质量工作的要求及对监理单位职责的要求,依据监理合同,督促监理单位进一步健全管理机构。新增加一批素质较高、年龄和职称结构相对合理的专业监理人员,对不合格的监理人员进行清退,提高监理人员素质。各监理单位建立有效的监理质量责任制度,制订现场监理工作细则,配备相应的检测设备和试验人员,具备独立开展试验检测的能力;加强现场监理力量,对重要部位或关键工序初步实行旁站监理,较好地发挥了监理工程师的作用。

(六)加大现场协调管理力度,严格合同管理

1999年工程建设部继续坚持推行分项目管理，进一步落实分项目管理的责、权、利，加强项目管理责任考核。与厂坝项目部和航建项目部签定了三级(三峡总公司、工程建设部、项目部)责任书，明确年度考核指标。各综合部门大力支持，积极服务项目管理。

在加强对外联系方面，对项目管理机构做了调整，进一步明确项目管理的职责，清晰地界定参建各方项目管理人员的职责权限和工作范围，使项目部与设计、监理和施工单位之间的联系有机地结合起来。为加强现场管理协调力度，工程建设部建立现场值班制度，各项目部坚持24小时值班，会同监理单位共同协调在现场出现的工程技术问题及不同标段之间的相互干扰等问题。

在合同管理方面，继续坚持合同控制价的管理模式，严格合同管理，严格合同变更和索赔审核，先后解决右岸一期工程遗留经济问题以及骨料拌和系统、施工机械等重大变更，完成"大坝电站二期金结设备制造"、"永久船闸启闭机设备制造"、"厂坝二期启闭机设备制造"等二期工程主要金结项目的招标及合同签定工作。

工程建设部加大对施工单位的支持，加快项目预算审核和合同项目竣工结算审核速度。1999年工程建设部共完成合同工程量变更357起，变更金额6.69亿元，合同索赔34起，核批索赔金额413.85万元；新项目预算审核78项，审核金额7118万元；合同项目竣工结算15项。

(七)圆满完成安全度汛与应急转运任务

1999年，三峡工程建设进入关键阶段，对安全度汛与应急转运工作提出了更高的要求，工程建设部防汛办公室与应急转运领导小组加强协调，相互支援，加强水情预报工作，对1999年汛期应急转运工作做了充分的组织安排与技术准备。汛期洪水未对工程构成威胁，保证了主体工程正常施工，应急转运工作做到了"安全、畅通、有序、优质"。1999年应急转运启动3次，历时14天，累计转运旅客129668人次，货物297.5t。圆满完成安全度汛与应急转运任务。

(八)进一步整顿和规范三峡工程建筑市场

为了确保工程质量，中国三峡总公司高度重视三峡工程建筑市场的管理，制定颁布《三峡工程建筑市场管理规定》，使三峡工程建筑市场管理进一步规范化，对分包、设备租赁和劳务合同的条件、范围，有序分包的审批程序，分包协议的条款规定，参建各方的职责以及检查处罚规定等进行明确规定。要求各监理单位督促施工单位对分转包情况进行自查和纠正，严格杜绝转包和无序分包现象，确保三峡工程建筑市场有序运行。

(九)坝区精神文明建设

1999年三峡坝区精神文明建设，继续以"共建、创建、整治、竞赛、文化"等5项活动为载体，在巩固已有成绩基础上主动创新，使各项活动有新思路、新内容、新气象，通过开展创建安全文明小区评优活动，促进文明施工，营造良好的职工生活社区文化，为坝区内外创造良好的施工和生活环境。

为有效维护施工区治安秩序，确保工程顺利实施，工程建设部继续加强三峡坝区封闭管理、完善封闭设施，加大封闭管理力度，根据工程建设需要，对重点施工部位划定的控制区，实施严格的凭证出入管理制度，有效地控制无关车辆、人员进入坝区和工程建设物资的流失，保证重点施工项目的施工安全。

(裴红波)

重点施工项目完成情况简介

(一)厂坝二期工程

1.1999年厂坝工程建设

1999年厂坝二期工程混凝土施工年计划浇筑混凝土342.9万m^3，工程完成情况如下：

(1)大面积高强度的清基交面约20万m^2。

(2)基础固结灌浆实行优化动态设计，改进钻灌工艺，节省钻灌工程量约5万m。缩短了工期，解决了混凝土浇筑与固结灌浆的矛盾。

(3)在设备到货晚、厂坝技术服务不到位，导致主导设备投产日期严重滞后情况下，采用临时手段，顺利完成过渡期的混凝土生产任务。

(4)在混凝土生产系统设备和工艺不完善的情况下，边生产边改造，并采取各混凝土系统之间相互支援的措施，使预冷混凝土的生产达到设计要求，满足夏天高温季节对预冷混凝土的质量、强度需要。

(5)夏季高温季节，采取一系列措施，对混凝土生产和施工的各个环节进行严格控制，保证高强度浇筑基础约束区混凝土的质量。

(6)主导施工设备及配套设施全面形成，熟练掌握塔带机的操作，逐步摸索出一整套适于塔带机高强度混凝土施工的工艺、方法和措施。

(7)开始部分压力钢管的上平段、下平段穿墙钢管的制作及安装，逐步摸索出满足三峡高标准要求的压力钢管制作及安装工艺。

(8)通过对厂房进度的有效控制，使厂房1~13#机组的封闭块混凝土基本按设计要求在低温季节回填完毕。

(9)实现基坑安全度汛。

2.1999 年完成工程量

项目	单位	1999 年实施计划	1999 年混凝土调整计划	1999 年完成
开挖	万 m^3	52.07		50.63
混凝土浇筑	万 m^3	342.90	342.90	364.79
其中Ⅰ&ⅡB标段	万 m^3	220.00	220.00	226.40
其中ⅡA标段	万 m^3	78.07	78.07	86.12
其中Ⅲ标段	万 m^3	44.83	44.83	52.27
金结	t	11142.30		6711.59
固结灌浆	m	74557.00		64717.50
帷幕灌浆	m	4700.00		954.00

3.1999 年完成工程形象

(1)泄洪坝段及左厂 11～14# 标段(简称Ⅰ&ⅡB标)

主要工程形象:

1# 塔带机部位(泄 23～18#):上块▽82～87.3m,中块▽78.9～80.5m,下块▽66.7～69m(均超过底孔顶面高程)。该部位因已进入导流底孔范围,施工速度放慢,平均形象较年度计划形象要求低 1.5～20.2m。

2# 塔带机部位(泄 17～11#):上块▽59～72.4m,中块▽59.1～67.8m,下块▽50.3～66.1m。该部位的平均形象超过年计划,最大超幅 18.8m。

3# 塔带机部位(泄 10～5#):上块▽55.9～62.8m,中块▽43～55.9m,下块▽39～56.9m。该部位的平均形象基本超过年计划,最大超幅 16.9m。

4# 塔带机部位(泄 4～导墙坝段):上块▽42.7～48.8m,中块▽30.4～46m,下块▽14.5～33.8m。该部位的平均形象基本与年计划持平。

5# 塔带机部位(左厂 14～11#):上块▽40～70.2m,中块▽37.9～63.2m,下块▽26.2～60.3m。左厂 11#、12# 达年计划形象,左厂 13#、14# 略低于年计划要求。

左导墙:导 4# ▽11.5m,导 5# ▽12m,导 6#、7# ▽5.7m。

金结安装:底孔事故门钢衬安装 56 块,泄 5～22# 底孔一期插筋开始安装。

栈桥施工形象:▽45m 栈桥 8 月份全部安装完毕并投产。

(2)左非 12～18# 及左厂 1～10# 标段(简称ⅡA 标)

主要工程形象:

左非 12#、13#:▽116.5～121.3m,形成缆机受料平台;左非 14～18#:▽116～141m;该部位形象基本超过年计划,最大超幅 18.5m。

左厂 1#～6# 钢管坝段:▽103.5～108.5m,具备压力钢管安装条件;该部位因进入进水口范围,施工速度放慢,平均形象低于年计划形象要求约 10m 左右。

左厂 1～5# 实体坝段:▽120.5～127.5m;因钢管坝段进入进水口施工,速度放慢,考虑到高差影响,有意控制上升速度。

左厂 6# 实体坝段:▽79.3～108m;该坝段平均形象略有提前。

安Ⅲ　　10# 坝段:▽51～79m。该部位形象超过年计划,最大超幅 10m 左右。

压力钢管安装形象:

1#～4# 压力钢管上平段第 1～6 节安装完毕,下平段穿墙钢管 1#～3# 第 65～70 节、4#～5# 钢管的第 68～70 节将于 2000 年 1 月 18 日安装完成。

栈桥施工形象:

▽120m 栈桥:安装至左厂 4# 坝部位的 L15 梁。该部位因受安装手段和制作的影响,形象未达年度计划要求。

▽82m 栈桥:安装至 4# 钢管槽左侧的 3# 隔墩。该部位因受安装手段和坝后副厂房基础施工影响,形象未达年度计划要求。

(3)电站厂房标段(简称Ⅲ标)

主要工程形象:

1～5# 机组段:机窝已达锥管层顶面▽50m,锥管安装及部分锥管二期混凝土回填完成,下游副厂房浇至▽66.97m,较年计划▽75.27m 略有滞后。

6～12# 机组段:▽44～46m,与年度计划▽42～38.2m相比,普遍超前;肘管均已就位,部分肘管安装验收完毕,比年计划提前。

13～14# 机组段:分别达▽40m 及▽28m,较年计划分别超前 1.8m、6m。

安Ⅰ达▽108m,较年计划滞后,主要是受网架埋件供图滞后影响。

安Ⅱ达▽75.3m,与年计划持平。

安Ⅲ达▽55m,超年计划▽49.72m。

(二)永久船闸

1.1999 年完成计划工程目标

永久船闸闸室段及输水系统开挖全部结束,基本实现闸首及相邻段交面;混凝土施工道路及风、水、电,门塔机全部形成,混凝土施工全面展开。混凝土浇筑以闸首及竖井为重点,其中六闸首、六级竖井、二级竖井到设计高程,左右挡水坝段基本到顶。一闸首浇至▽160～165m,二闸门浇至▽140～150m,三闸首浇至▽125m 左右,四闸首浇至▽82m,五闸首至▽65m,完成年固结灌浆任务。

2.完成工程量

项目	单位	1999 年实施计划	1999 年混凝土调整计划	1999 年完成
开挖	万 m^3	180.00		252.51
其中闸室开挖	万 m^3	120.00		150.88
其中洞挖	万 m^3	3.00		5.16
混凝土	万 m^3	81.55	75.00	77.22
喷混凝土	m^2	48411.00		109915.00
锚索支护	束	672		1730
高强锚杆	根	60000		61825
金结	t	1141.00		474.07
固结灌浆	m	12790.00		17550.00

（裴红波）

管理信息系统建设

（一）网络与计算机信息系统平台建设

1.计算机及网络系统平台建设

(1)配合中国三峡总公司解决了计算机主机系统、网络系统、系统软件及其他嵌入式设备的2000年问题。

(2)用光缆连通中国三峡总公司与葛洲坝电厂的计算机网络，使中国三峡总公司领导能够及时掌握葛洲坝电厂的有关信息。

(3)在主机及网络的电源部分安装避雷装置，提高主机及网络系统的可靠性。

(4)将中国三峡总公司上 Internet 网的网络带宽，由原有的对称64K，扩充为上行64K，下行192K。基本满足目前 Internet 邮件系统及一般用户查询 Internet 资料的需要。

(5)通过招标，采购了 Internet 防火墙，并已安装完成，提高网络及主机系统的安全性，避免重要数据被窃取。

(6)根据国务院指示精神，坚持使用正版软件，通过招标采购了 Lotus Notes 及微软 Office 授权许可。

2.Lotus Notes 平台建设

(1)将 Lotus Notes 及 TGPMS 的 Oracle 数据库系统从微机服务器顺利迁移到 IBM SPII 主机上，并建立 Notes 集群系统，使 Notes 系统运行更加稳定可靠。

(2)将 Notes 邮件系统和 Internet 邮件系统进行有机结合，使用户使用一套邮件系统即可，减少了系统培训时间。

(3)会同中国三峡总公司办公室秘书处完善公文系统，使1999年的公文都在网上发布。

(4)配合公文上网，中国三峡总公司驻外机构连通与总公司的网络，可通过网络阅读总公司文件。

（二）TGPMS 项目开发与应用情况

1.TGPMS 的最终测试与验收

围绕 TGPMS 验收，三峡总公司信息中心在1998年编制子系统测试计划并进行子系统测试的基础上，与加拿大 AMI 公司联合编制了 TGPMS 最终测试计划。1999年2月，信息中心与 AMI 公司在加拿大联合对 TGPMS 的系统之间功能集成进行测试。3月，组织三峡总公司各部门对各子系统进行预验收。4月5～9日，来自国家科学技术部、中国科学院软件技术研究所、计算技术研究所、中国航天工业总公司、中国石油天然气总公司、华中理工大学等单位和工程管理各部门业务专家、用户组成的验收委员会和9个测试组，对 TGPMS 进行了最终验收测试，结论如下。

(1)TGPMS 项目建设的总体思路及技术路线是正确的，符合合同要求。

(2)三峡工程管理系统所采用的 ATM 通信网络设计方案，所选用的 IBM SPII 主服务器及相应操作系统以及三斗坪、宜昌的计算机房设计，宜昌、三斗坪地区的区域网设计以及两者之间的广域网设计等均满足合同要求。

(3)系统开发根据软件工程的国际标准、国家标准采取严格的工作程序和步骤，采用先进的配置管理工具，保证了文档和程序的一致性，保证了软件开发的质量。所提交的各项文档基本上满足合同要求。

(4)TGPMS 在建设过程中，根据合同，AMI 采用“干中学”的方式对中国三峡总公司支持 TGPMS 开发、维护和运行的各个层次人员分别在加拿大和中国进行了很好的培训。能够满足 TGPMS 建成后系统正常运行、技术支持和维护的需要，达到合同要求。

(5)在安全保密方面，目前虽有一定功能，但还需在网络级、系统级、数据库级做严密的设计。

(6)根据合同要求，验收委员会同意 TGPMS 通过验收。但验收后对于每个子系统所应做的完善和维护工作，要求按期完成。考虑到 TGPMS 全面试运行的需要，TGPMS 维护期仍为验收结束后一年，即2000年4月9日结束。

2.TGPMS 支持工作

功能的遗留问题基本解决；进行了1271次修改和更新；完成近百份报表的开发；将安全水平从应用级别提高到数据库级别；数据库 Oracle 从16位升级到32位。

3.TGPMS 数据转换与编码工作

(1)数据转换工作

1999年进行合同、投资、财务、物资、固定资产、质量、文档等历史数据整理转换并导入 TGPMS。

(2)编码标准进一步完善

制订《三峡工程管理系统编码管理方法》;统一合同编码、合同报价单编码,制订并发布合同分类标准;编制概算项目分类及编码标准,确定概算分类及统计规则,在三峡总公司范围内统一统计指标划分和项目分类;制订新的会计科目、往来户、物资管理、设备分类、零部件、固定资产、质量单元分解、质量工序推测、材料试件检测、设计图纸、公文、永久机电设备文档等编码标准,并颁实施。全面组织整理汇编形成 13 个子系统的编码标准。

4.TGPMS 的应用培训

组织 14 次约 300 人次各种 TGPMS 应用培训班;两次合同管理用户培训;一次成本控制培训;两期设备管理(金属结构、机电永久设备)培训等。

5.TGPMS 数据责任体系及运行规范制度建设

为确保系统有序运行和数据来源的及时准确、可靠,三峡总公司信息中心组织 TGPMS 应用相关各部门制订一系列 TGPMS 运行的业务规范,并在 TGPMS 中进行授权。初步建立高度集成的工程管理各单位分工协调的业务及数据责任体系。

(1)制订并颁布实施 TGPMS 合同管理、投资、会计子系统的运行规范,确定分层分级管理的合同管理数据责任体系。

(2)分阶段制定《TGPMS 财务会计子系统运行规则》,建立 TGPMS 财务子系统岗位责任制。

(3)制订 TGPMS 永久机电设备运行规范。

(4)制订出台 TGPMS 质量安全管理系统运行规范。

(5)初步确定文档立卷、发送、归档的 TGPMS 运行规范,为归档模块应用打基础。

(6)制订物资系统运行规范,建立数据责任体系和组织指挥体系。

6.应用情况

(1)合同管理:合同基本信息经核对整理,各个工程项目正在执行的主要合同、已批准合同 2608 个;合同报价单 26045 条;合同变更数据 153 项;变更报价单 4305 项;索赔 6 项;奖励 13 项;价差 10 项均已进入 TGPMS 系统参与结算。

(2)投资管理(成本控制):总执行概算项目 2822 条;概算细项 3168 条;分项合同执行概算 2586 项,24782 条合同报价单项目对应了概算代码等经整理检验全面输入系统。按照费用发生必须通过归口管理部门输入系统并批准后才进行结算的原则(包括虚拟费用合同),强化了费用归口管理。

(3)财务会计:整理确定了新的会计科目、往来户编码、合同支付台帐并与临时系统相对应,规范了会计核算基础数据;建立合同报价单编码和会计科目之间的联系,实现自动制证合同结算与会计业务的集成;完成工程投资会计核算信息处理以及系统分阶段运行所遗留的所有数据补充和核对。

(4)物资管理:TGPMS 验收后,对物资管理子系统进行反复改进、测试、完善,1999 年 11 月 25 日投入试运行。初步实现从物资需求计划到物资申请量、采购合同签订、物资验收、动态库存、调拨等有效的、现时的物流管理和控制,实施物资供应价格协议、采购调拨环节的运杂费、采保费、价差、采购成本核算等价值流的管理。

(5)设备管理:设备合同管理与合同管理子系统同步运行,正在执行采购合同的设备大部分完成编码工作,物流管理运行规范基本建立。

(6)质量、安全管理:质量、安全管理子系统 1999 年 6 月投入运行,数据体系初具规模。

在中国三峡总公司质量标准工作的基础上编制整理急用的质量检测指标编码标准,建立质量控制的基础标准数据;已建立分解编码→定义属性→评定验收的评定流程,补充、校准了正在执行主要施工合同的单元工程评定的历史数据,并使其规范化、完整化。至年底,已验收评定单元工程 12606 个;进入系统的工序检测数据 2735 条,检测明细数据 76042 条;进入系统的材料检测数 781 条,检测明细数据 1242 条。安全数据也陆续进入系统。

(7)文档、设计管理:来自长江水利委员会的所有文件的数据都在按照规定的格式录入 TGPMS。至年底,进入系统的此类文档数据 22739 条。设备公司的有关历史文件清单(包括承包商文件、监造商文件、设计文件等)已按规定格式进入 TGPMS 系统,至年底,进入系统的此类文档数据 876 条。三峡总公司机电工程部与三峡工程的主要机组制造商之间存在频繁的文件往来,这些文件是执行合同的重要资料,至年底,进入系统的此类文档数据 1795 条。

(8)WEB 查询系统:质量安全 WEB 查询系统于 1999 年 10 月投入运行,质量子系统访问近 2000 人次,安全子系统访问超过 300 人次。合同、财务 WEB 查询系统投入使用以来其主页访问约有 300 人次。

WEB 查询系统的应用较好地挖掘利用了 TGPMS 中已有信息资源,为工程管理提供了一个有效的服务工具。

(朱必英)

电力生产管理

(一)概况

中国三峡总公司(以下简称总公司)电力生产管理

体系的形成和发展经历了两个阶段。第一个阶段为总公司成立到1996年6月1日以前,这一时期总公司对葛洲坝电厂的管理是通过由总公司、华中电管局和葛洲坝电厂组成的葛洲坝电厂董事会实现的。第二个阶段是从1996~1999年。1996年1月,根据国务院三峡工程建设委员会第五次会议的精神,为适应全面接管葛洲坝电厂和筹建三峡电厂的形势要求,总公司以三峡人字〔1996〕21号文决定,成立电力生产管理组,聘任侯广忠同志为组长。电力生产管理组的主要职责是负责葛洲坝电厂大修更改计划项目的审批,三峡电厂生产准备和长江中上游泥沙的研究,成立初期挂靠总公司计划合同部。1996年4月16日,总公司与原电力工业部在京召开葛洲坝电厂和葛洲坝换流站管理权移交工作协调会,商定从1996年6月1日起,原由华中电管局代管的党群工作、干部管理、外事审批、劳动工资、社会保险、财务管理、计划管理、内部审计、生产管理、安全保卫等工作全部移交给总公司,同时撤销葛洲坝电厂董事会。同年5月29日,总公司、华中电管局在武汉召开葛洲坝电厂管理权移交工作会议,就移交中的一些具体工作进行了友好协商。5月31日,葛洲坝电厂与华中电管局正式签署了《并网协议》和《并网调度协议》。从而标志总公司对电力生产管理迈出实质性步伐。

1998年4月,总公司根据三峡工程进展和葛洲坝电厂的实际情况,加强对电力生产的管理和加快筹建三峡电厂的步伐,以三峡人字〔1998〕第82号文决定:撤销电力生产管理组,成立电力生产管理部。其主要职责是:负责三峡电厂、三峡梯级调度中心筹备的前期准备工作;对已经建成的电力项目,负责生产技术管理和安全生产考核监督;参与电力企业的改组、改制等工作,负责电力企业发展规划的审核;负责与国家和流域防洪指挥机关、国家电力公司以及与三峡电力系统有关的网省电力公司及其调度机构的联系与协商;负责协调电力企业和相关单位与航运部门的关系。

电力生产管理部下设生产处、调度处、综合处。至1999年底,有工作人员13人。

(二)1999年主要工作

1.进一步理顺总公司与葛洲坝电厂之间的关系

为规范管理、理顺关系,保证葛洲坝电厂生产经营活动正常开展,在深入调查研究的基础上,牵头起草《关于规范葛洲坝电厂管理的若干意见》。《意见》分别就电厂国有资本金管理、安全生产管理、人事劳动管理、计划管理、财务管理、多种经营管理、党群工作和外事管理做出规定。《意见》明确:电厂及其法人代表享有独立的法人财产权,并根据此享有民事权利、承担民事责任,对国有资本金的保值增值承担责任。电厂维持原有的安全生产体系不变,继续参加行业的考核与统计。总公司按年度对电厂主要领导实行安全生产考核,视当年安全生产情况,依据总公司有关规定给予相应奖惩。电厂多种经营投资项目,应服从总公司发展产业规划,接受总公司产业投资指导,不搞重复建设。电厂党组织、纪检组织、工会组织和共青团组织分别接受总公司党组织、纪检组织、工会组织和共青团组织的领导。外事管理按总公司外事管理的有关制度和规定执行。

2.做好三峡电厂和梯调筹建的准备工作

总公司设立梯级调度机构,是根据长江三峡水利枢纽工程初步设计专家审查会议机电设备专题专家组关于"梯调对三峡、葛洲坝水利枢纽泄洪、蓄水、发电、航运等统一调度,由梯调统一对外。梯调以上宜设较高层次的防汛、电力、及航运调度级"的意见,于1997年4月在原电力工业部召开的"三峡电力系统调度工作会"上正式提出的。1999年10月,电力生产管理部主持召开三峡梯调自动化设计大纲审查会,邀请国家电力调度中心的有关领导和专家就《三峡梯级调度计算机监控系统方案报告》征求意见。总公司党组对三峡电厂和三峡梯调的筹建工作十分重视,多次听取关于两个机构筹建方案的汇报,明确筹建两个机构必须遵循的指导思想和原则,即:符合现代企业制度,符合社会主义市场经济体制改革方向;不办社会职能,充分利用现有资源开展工作;在设备、人员素质、管理上达到国内一流标准,并逐步达到世界先进水平。

根据总公司党组的指导思想和原则,结合总公司实际,提出三峡电厂和梯调中心组织机构和定岗定员方案,以及各部门和各岗位人员责任制。三峡电厂的定员按照每人5万kW装机容量考虑,控制在370人左右。

3.积极开展三峡电厂上网电价测算工作

根据国家计委的安排,总公司为配合三峡电能消纳工作,于1999年5月开展三峡电价研究,成立了由财务、计划合同以及电力生产等部门组成的课题组,经过几个月艰苦细致的工作,电力生产部按要求进行了边界条件研究、电价计算模型的建立以及电价方案的试算等工作,共测算300多个方案,提出5个阶段的报告。并于11月在国家计委召开的"三峡电价研究座谈会"上作为初步成果提交大会讨论。在此之前,电力生产部还与长江水利委员会合作补充计算了丰、平、枯来水代表年三峡电站逐年、逐月的电力电量指标,并向国家计委报送有关计算成果。

4.加强人员培训,提高队伍素质

1999年电力生产管理部加强国际间的交流与合作,与法国EDF公司和委内瑞拉EDELCA公司分别建立电厂运行与管理培训与交流合作关系,并组织制定各类人员的培训计划,确定培训人员的选择办法、培训内容要求和考核细则,落实培训经费。1999 年 11 月,葛洲坝电厂和电力生产管理部门分别派出 15 名中高级管理人员赴法国 EDF 公司接受为期 1 个月的培训。

5.积极开展科研工作

遵照总公司领导对电力生产部提出的要求,1999 年电力生产管理部科研工作的重点放在两坝间联合调度上。与华中理工大学签订"梯调水电联合调度"和"三峡梯级 AGC"两个科研合同,与河海大学合作的"三峡水库区间入库洪水预报模型研究"也已立项。另有两个科研项目正在申报。此外,还委托长江水利委员会开展对三峡电厂汛期提高调峰能力的研究。根据长江水利委员会提供的初步研究报告表明,由于在三峡二期工程设计中将永久船闸底坎高程由 140m 降至 139m,从而为三峡电厂在汛期提供了 4.9 亿 m^3 的调节库容,完全满足日调节的需要,使三峡电厂在汛期也具有调峰能力,这对提高三峡电量在市场中的竞争力具有积极作用。

6.进一步加强葛洲坝枢纽的协调工作

由于葛洲坝枢纽管理体制改变,带来各种矛盾和问题,电力生产管理部作为葛洲坝工程运行管理领导小组的办事机构,重点加强对三江上引航道的清理整顿,拆除一处违规建造的码头,清理工作初见成效。同时,电力生产管理部还配合审计部门对有关航运单位使用葛洲坝电厂专项资金情况进行审计。

7.加强对葛洲坝电厂生产、计划及防汛工作的协调与指导。同时争取到葛洲坝电厂发电计划在国家计划中单列。

(唐启彦)

财　务　工　作

三峡工程资金筹集及财务管理概况

(一)积极筹集资金,保障工程建设顺利进行

1999 年三峡建设资金到位 107.87 亿元,加上已抵扣的还贷资金 5.06 亿元,本年实际筹措建设资金 112.93亿元,保障了工程建设的资金需要。

1.三峡基金完成年度计划

1999 年,由于电力市场疲软,需求不旺,耗电量增长缓慢,加之国有企业脱困增效仍处在攻坚情况下,拖欠电费严重,致使三峡建设基金征收不能及时上缴。对此,中国三峡总公司协助财政部、国家电力公司于 4 月上旬在广州召开三峡基金征管工作会议,及时下达 1999 年三峡基金征收计划。在计划执行过程中,随时掌握中央金库三峡基金的入库情况,及时向财政部、国家电力公司报告各省(市、区)入库进度。7 月,针对上半年三峡基金征收计划完成进度滞后的情况,向国务院三峡建设委员会办公室、财政部、国家电力公司作专题汇报,国务院三峡建设委员会于 9 月召开三峡工程资金协调会,财政部、国家电力公司于 10 月下发催缴三峡基金的通知,并对个别完成情况较差的省份进行了单独询问和催缴,通过一系列工作,三峡基金上缴进度滞后的局面得到扭转。至年底,全国上缴三峡基金 52.12 亿元(含电网部分),完成应缴计划指标 50.4 亿元的103.32%。葛洲坝电厂 1999 年上交三峡基金 3 亿元。

2.建立良好的银企合作关系

1999 年中国三峡总公司分别与中国工商银行、中国建设银行签订二期商业银行贷款总协议,与中国银行签署外汇额度授信协议。使用中短期商业贷款,比直接借入长期贷款降低了　个利率档次,通过借新还旧、蓄短为长,以较低的利率把短期资金变为长期资金使用,既满足三峡工程对长期资金的需要,又降低融资成本,并增加资金调度的灵活性。1999 年使用商业银行贷款 10 亿元。

3.在国内资本市场树立良好形象

继 1996 年三峡债券后,1999 年成功发行了 1998 年三峡债券,筹集资金 20 亿元。1998 年三峡债券发行顺利,投资者认购踊跃,仅用 5 天时间就销售一空。这期三峡债券是企业债券市场首次推出的长期附息债券(期限 8 年,每年付息 1 次)新品种,开创了通过企业债券进行长期融资的先河,受到投资者极大欢迎。三峡债券成为我国企业债券市场的"龙头债",得到管理层和投资者的广泛认同。

4.落实电网建设基金调剂使用计划

同国家电力公司协商,调剂使用电网建设基金5亿元,于5月和6月分两次到位,借款利率优惠,比同期贷款利率低2个百分点。

5.积极参与左岸电站高压电气设备招标融资工作

6.落实开发银行贷款财政贴息政策

1999年落实财政贴息资金3.05亿元,超年初目标5500万元。

(二)加强资金管理,提高资金使用效益

1.支持工程建设,防范财务风险

年初,中国三峡总公司工作会议提出为施工单位增加设备采购垫资款3亿元。中国三峡总公司财务部通过采取积极的财务政策,增加商业银行贷款,解决了施工单位大型专项施工设备采购资金来源。为保证垫资款安全和合理使用,在对主要施工单位往来款(预付款、借款、垫资)进行清理的基础上,对其偿还能力进行分析,核定垫资额度和期限,签订垫资协议,协议中明确偿还计划。以合同的方式规范管理,对垫资款实行"专款专用,封闭运行"。

2.完善金属结构采购结算办法

随着三峡工程建设的顺利进行,金属结构安装工程量逐步加大,左岸进口机组、永久船闸及厂坝金结陆续进入制造高峰期,为满足工程建设对财务结算工作的要求,明确永久机电设备、金属结构设备投资核算主体、范围、依据、程序,逐步完善进口机组、金属结构等会计核算和财务管理,与有关部门共同研究金结采购及制造款支付流程,印制《金属结构采购款支付审签单》,确保金结设备采购结算规范化、程序化。

3.加强对生产经营单位资金的管理

1999年,中国三峡总公司财务部对各单位年度财务收支计划,提出合理安排生产、技改、大修及还贷资金以及对非生产性开支和对外投资严格控制的要求,确保资金使用合理。结合稽查工作,对中国三峡总公司下属各公司的长期投资、在建工程和往来帐项进行清理。规范葛洲坝电厂专项支出的管理。积极配合财政部驻湖北省专员办、葛洲坝运行领导小组等有关部门,探讨专项支出纳入预算管理的方式、方法,明确了专项支出的预、决算程序。

(三)加强会计基础工作,规范财务行为

1.开展会计基础工作规范化活动

在继续开展会计基础工作规范化活动中,对申报验收的单位进行抽查。为了严把质量关,在抽查过程中,对照标准查找各单位会计基础工作中存在的问题,落实整改措施。1999年招标公司等3家单位顺利通过验收。

2.规范会计核算行为,加强会计核算监督

采取定期检查与专题检查相结合的方式,对所属公司会计核算进行监督,纠正会计核算中的问题。针对多能公司会计报表中未包含新开展的运输业务的内容,对多能公司的会计核算情况进行检查,协助拟定相关的核算流程,规范了运输项目的会计核算工作。为了加强对实业总公司的财务管理,财务部组成联合审查组,对实业总公司1998年度的会计核算情况进行全面审查,提交了审查报告,并就实业总公司服务与经营项目的划分、实业总公司代管三峡总公司资产、实业股份公司会计核算以及税收等问题提出建议。

3.加强财会制度建设

为进一步规范基本建设会计核算与财务管理工作,确保会计核算与财务管理工作有章可循,在已有财务管理制度的基础上,出台《三峡工程建设资金调度暂行规程》、《货币资金管理规定》、《三峡开发总公司保险管理暂行办法》、《三峡开发总公司经常性预算管理办法》。

4.财务信息系统的建设与应用

根据TGPMS工作要求,1999年开始使用TGPMS工程财务与会计子系统,为了确保系统顺利、规范运行,制定《TGPMS财务会计子系统试运行规则》,建立TGPMS财务子系统岗位责任制,并具体落实到每一个业务人员,严格执行。TGPMS工程财务与会计子系统的开发与率先运用,推动了中国三峡总公司TGPMS系统建设,促进合同管理、结算管理的进一步规范化,同时,系统具有信息共享、财务数据统计分析等功能,因而也提高了工作效率和财务管理水平。

为了推动二级单位财务信息系统建设,中国三峡总公司下属单位开始推广使用统一的财务核算软件。

(四)国有资产管理

1.完成1998年度国有资本金统计年报汇总及上报工作

统计年报综合反映中国三峡总公司国有资产存量、分布、结构、变化及资产运营效益等情况,为制定国有资产管理规划提供依据。

2.完成1998年度集体资产年报编报工作

中国三峡总公司1998年度集体资产年度报表共上报企业类年报10户,资产总额53643万元,集体资产总量10881万元,比上年增加8984万元。中国三峡总公司被宜昌市国有资产管理局评为报表编制先进单位。

3.资产评估管理工作

加强中国三峡总公司资产评估工作的管理,规定公司改制、购并、重组等过程中要委托中介机构进行资产评估,评估结果要经国有资产管理办公室确认,防止资产流失。1999年完成向宜昌峡润合作公司追加投资资产评估的立项及确认、西陵大厦股权转让的评估工作。

4.清理实业总公司占有、使用中国三峡总公司的资产

摸清实业总公司无偿占有使用中国三峡总公司的资产价值共166万元,委托管理的资产价值为38469万元,由中国三峡总公司核销的资产价值为2577万元,为进一步加强这部分资产的管理奠定了基础。

(五)加强政策研究,积极争取支持

1.解决生产经营激励机制的资金来源

为了建立生产经营激励机制,促进生产经营性企业依法经营、健康发展,通过加强财务政策的研究,向财政部驻湖北省监察专员办事处提出从中国三峡总公司未分配利润中按一定比例提取生产经营激励资金的请示。专员办以财驻鄂字〔1999〕第140号文予以批复,同意中国三峡总公司"每年从当年未分配利润中,提取25%作为建立生产经营激励机制的资金来源"。

2.继续做好计提总机构管理费的有关工作

根据税务部门计提总机构管理费应按年申报的规定,向税务部门提出1999年度计提总机构管理费的申请,得到批准,预计提取额1415万元。

3.加强税法研究,争取税务部门支持

三峡工程砂石料开采量大,征收标准提高将增加工程静态投资4000多万元。经多次与税务部门协商,税务部门同意按1元/m^3标准征收三峡砂石料开采资源税。

对于三峡工程物资供应过程中的涉税问题,中国三峡总公司通过研究有关税法和《民法》,认为税务部门对征税依据在法律上并不充分,就此问题多次与税务部门协商,多次向国家税务总局专题请示,并向三建委、财政部等有关部门反映情况。为今后解决这一问题奠定基础。

4.落实葛洲坝电厂的电价调整政策

(六)加强保险管理,理顺保险工作秩序

1.出台《中国长江三峡工程开发总公司保险管理暂行办法》,明确保险归口管理部门、各有关单位职责、投保险种和范围以及保险理赔、保费支付等,使保险工作有序进行。

2.根据国内外大型工程建设风险管理的成功经验,在保险顾问协助下,完善三峡左岸机组商务合同的部分保险条款,使机组设备的国际运输与国内运输保险、安装保险与二次运输保险有效衔接。在总结左岸机组设备保险经验前提下,对高压电气设备采购采取国际运输——国内运输——场内运输、仓储——安装一条龙保险管理,投保拟采取向国内一家保险公司投保、国外分保的投保方式,便于保险责任划分和涉险索赔工作,同时有利于降低保费。

3.加大理赔工作力度,全年向保险公司理赔600多万元(其中:收回以前年度应赔款200多万元)。

4.加大宣传力度,强化风险意识。协助保险公司,在坝区举办风险管理研讨会、保险工作专题会、防灾防损培训班等。

(程志明)

三峡工程资金执行情况

1999年三峡工程资金执行情况较好,资金按计划足额到位,融资成本控制在计划之内,工程价款结算及时,移民资金按进度拨付,周转资金满足设备采购、物资储备需要,并支持施工企业的生产周转,工程建设及库区移民的顺利进行得到保证。

(一)资金执行情况

1999年三峡工程建设资金到位107.87亿元,其中三峡建设基金42.8亿元,归还贷款本金5.06亿元,本年实际筹措资金112.93亿元。累计到位资金498.32亿元。

资金使用情况:1999年三峡工程财务总支出109.32亿元,年底结存资金10.58亿元。

(1)财务投资支出:1999年财务投资支出合计110.30亿元,其中:枢纽工程投资47.97亿元;库区移民补偿支出47.70亿元,利息净支出14.08亿元;概算外投资支出0.55亿元。

(2)综合费用:至1999年底,综合费用余额29.14亿元,其中1999年新增-0.39亿元。主要项目如下:

设备采购占用16.42亿元,其中1999年新增2.84亿元;物资采购占用4.67亿元,1999年新增-0.83亿元;工程预付款、施工单位借款及为施工单位采购设备垫资余额9.08亿元;其他占用-1.02亿元。

(3)本年其他支出-0.59亿元。

(二)融资成本控制情况

1999年共发生利息及各种融资费用支出17.56亿元,财政贴息3.05亿元,利息收入0.43亿元,利息支出净额14.08亿元,比1999年投资计划指标16.4亿元减少2.32亿元。

(程志明)

计 划 · 合 同

三峡工程
固定资产投资完成情况

(一)计划完成情况

国家计委根据中国三峡总公司三峡计字〔1998〕第271号文报送的三峡工程1999年基础投资建议计划,以计综合〔1999〕77号文下达中国三峡总公司1999年基建投资计划,明确1999年中国三峡总公司基建总投资计划为111.75亿元,其中三峡水利枢纽工程投资110.75亿元。

1999年10月,中国三峡总公司根据计划执行情况,对1999年基建投资计划作适当调整,将主体工程混凝土浇筑量由360万m^3调整为420万m^3,枢纽工程投资由110.75亿元调整为110.9亿元,年度计划的总投资额和工程的其它主要指标不变。

1999年三峡总公司固定资产投资及工程量主要指标计划完成情况较好,完成投资113.497亿元,占年计划的101.61%,其中三峡水利枢纽工程完成112.73亿元,占年计划的101.65%;主体工程完成土石方开挖520.23万m^3,占年计划的116.51%;完成土石方填筑228.58万m^3,占年计划的114.86%;完成混凝土浇筑458.52万m^3,占年计划的109.17%。

(二)资金到位情况

1999年资金累计到位107.816亿元,其中:三峡基金42.8亿元,开发银行贷款30亿元,商业银行贷款10亿元,三峡企业债券20亿元,利用外资46572万元,其它资金3539万元。

(三)主要工程形象进度

1.大坝工程

左非连接段及左非1$^{\#}$~8$^{\#}$坝段混凝土浇至坝顶185m高程;左非9$^{\#}$坝段混凝土浇至155.9m高程;左非10$^{\#}$~11$^{\#}$坝段混凝土浇至120m高程;左非12$^{\#}$~13$^{\#}$坝段混凝土浇至116.5~121m高程,左非14$^{\#}$~18$^{\#}$坝段混凝土浇至123~144m高程。临时船闸1$^{\#}$和3$^{\#}$坝段混凝土浇至设计高程143m高程。左厂1$^{\#}$~6$^{\#}$坝段甲乙块混凝土最高浇至137m高程,最低浇至106m高程;左厂7$^{\#}$~10$^{\#}$坝段甲乙丙块最高浇至83m高程,最低浇至58m高程;左厂11$^{\#}$~14$^{\#}$坝段甲乙丙块最高浇至71.7m高程,最低浇至32.2m高程;压力钢管吊装18节;排砂钢管吊装27节。泄洪坝段泄23$^{\#}$~17$^{\#}$坝段混凝土浇筑最高浇至95m高程,最低浇至69m高程;泄16$^{\#}$~8$^{\#}$坝段最高浇至75m高程,最低浇至54.1m高程;泄7$^{\#}$~6$^{\#}$坝段最高浇至68.2m高程,最低浇至3.5m高程;泄5$^{\#}$~1$^{\#}$坝段混凝土最高浇至60.5m高程,最低浇至27.8m高程。左导墙坝段混凝土最高浇至49m高程。混凝土纵向围堰坝身段最高浇至缆机平台160m高程。右非3$^{\#}$~5$^{\#}$坝段混凝土于1999年1月全部浇至缆机锚墩设计高程160m,保证了缆机按时安装。

2.发电厂工程

主厂房1$^{\#}$~5$^{\#}$机组段混凝土最高浇至69.3m高程,最低浇至50.92m高程;6$^{\#}$~10$^{\#}$机组段最高浇至49.69m高程,最低浇至46m高程;11$^{\#}$~14$^{\#}$机组段最高浇至46m高程,大部分浇至44m高程,最低浇至29.1m高程。安Ⅰ坝段混凝土浇至108m高程;安Ⅱ坝段混凝土最高浇至77m高程;安Ⅲ坝段最高浇至56.7m高程,最低浇至48m高程。1$^{\#}$~4$^{\#}$机锥管二期混凝土浇筑完毕,6$^{\#}$~12$^{\#}$机封闭块混凝土回填完成。

3.永久船闸工程

(1)开挖工程:闸室主体段除尚有部分锚索和高强锚杆未完成外,其余开挖工作全面完成,基本达到计划形象进度;下游引航道一期预留部位大部分开挖至58m高程,局部挖至建基面。输水系统各级竖井开挖全面结束,各级集水井开挖除南四、南五、北五3个外,其余开挖全部完成。

(2)混凝土浇筑工程:1999年第三季度,永久船闸施工重点由大开挖转移到混凝土浇筑,船闸主体段和输水系统各工作面混凝土浇筑全面铺开,混凝土施工取得阶段性进展。挡水坝:一闸首左右两侧挡水坝段混凝土浇筑除右侧1$^{\#}$挡水坝段浇至182.5m高程外,其余均浇至185m高程;靠船墩:右靠船墩全部封顶到位,左靠船墩3~9$^{\#}$混凝土最高浇至177.5m高程,最低浇至127m高程。船闸主体段:一闸首南北底板混凝土浇至131m高程,一闸首南北边墙混凝土最高浇至175m高程,最低浇至161.5m高程;一闸首中隔墩南北边墙混凝土最高浇至174m高程,最低浇至161.5m高程;一闸室南北底板最高浇至129.8m高程,一闸室南边墙局部最高浇至132m高程,一闸室中隔墩南边墙混凝土局部最高浇至132m高程;二闸首南北底板、边墙和中隔墩局部最高浇至134.2m高程；三闸首南北边墙及中隔磤局部最高浇至130.75m高程；四闸首南北边墙、底板及中隔磤局部最高浇至81.75m高程；六闸首南北边墙均浇至84～96.42m高程，六闸首中隔墩南北边墙混凝土均浇至77.7～96.42m高程。

4.升船机工程

升船机上闸首左边墙最高浇至173.7m高程，上闸首右边墙最高浇至177.3m高程，升船机上闸首底板混凝土浇至136.6m高程。

5.导流工程

二期围堰运行正常；三期碾压混凝土围堰2#～5#块于1999年3月8日全部浇至设计高程140m。

6.地下电站进水口

开挖工程于8月底开始，较计划稍有滞后，大部分挖至160m高程。

7.茅坪溪防护工程

迎水面风化砂最高填至125m高程；迎水侧石渣混合料(地下电站开挖料)最高填至129m高程；背水侧石渣混合料最高填至130m高程；松柏坪段最高填至127.4m高程；大坝沥青混凝土防渗心墙最高摊铺至129.7m高程。

(四)大型施工机械及其它辅助工程

1.混凝土施工机械

二期厂坝混凝土浇筑设备全部安装到位，永久船闸混凝土浇筑设备基本安装到位，为2000年的混凝土浇筑打下良好基础。1#～4# ROTEC塔带机、1#～4#胎带机、5#、6# POTAIN顶带机及KROLL塔机运行、维修、保养正常。1～4# ROTEC塔带机及5#、6# POTAIN顶带机的供料线于11月中旬全部安装完成，运行正常。高架门机共8台(吉林产2台，上海产港机6台)，其中7台MQ2000型门机有6台投入使用(5# MQ2000上海产港机正在安装)，1台MQ6000型门机已投产使用运行正常。两台缆机投入使用且运行正常。2台300t履带吊、1台200t汽车吊及1台600t平板吊已投入使用且运行正常。

2.混凝土拌和系统

为二期工程服务的98.7m高程、82m高程、79m高程、90m高程和120m高程混凝土拌和系统全部形成并投产，90m高程混凝土拌和系统Johnson楼的改造已完成。厂坝混凝土四大生产系统的部分制冷设备投产时间有所滞后，通过合理调配，满足预冷混凝土生产需要。

3.砂石骨料加工系统

古树岭、下岸溪两大骨料加工系统的改造及增容工作按时完成。

(王淑玲)

招标及合同签约情况

1999年，中国三峡总公司建筑安装工程、机电设备采购、勘察设计、科研、监理、征地移民、施工设备采购等项目共签订合同592项，合同金额37.12亿元。其中，通过公开招标、邀请招标、议标签约项目主要是建筑安装工程、机电设备采购、永久金属结构采购招标及施工设备采购等项目。

1.永久金属结构采购招标

三峡永久金属结构的招标发包工作由中国三峡总公司工程建设部具体实施。大坝及电站厂房二期金属结构设备制造分5个标段，于1998年11月18～20日发售标书，26家购买。1999年1月4日开标，有25家投标，签约时间1999年2月12日。永久船闸、厂坝二期启闭机设备制造分9个标段，于1999年6月2～3日发售标书，购标单位有22家。1999年8月31日开标，19家单位投标，并且有20家分包单位，1999年12月16日定标，合同签订情况如表1。

表1

合同名称	合同金额(万元)	承包单位	签订时间
大坝及电站厂房二期金属结构设备制造第一标	22339.40	葛洲坝机电公司郑州水工厂联合体	1999.02.12
大坝及电站厂房二期金属结构设备制造第二标	9732.59	富春江水电设备总厂	1999.02.12
大坝及电站厂房二期金属结构设备制造第三标	9423.20	夹江水工厂水电八局联合体	1999.02.12
大坝及电站厂房二期金属结构设备制造第四标	13056.95	郑州水工厂湖南水工厂联合体	1999.02.12
大坝及电站厂房二期金属结构设备制造第五标	5892.28	武汉冶金设备制造公司	1999.02.12
永久船闸、厂坝二期启闭机第四标	4912.09	太原重工股份公司	1999.11.08
永久船闸、厂坝二期启闭机第七标	2938.30	太原重工股份公司	1999.11.08
永久船闸、厂坝二期启闭机第九标	1544.19	郑州水工厂	1999.11.08
永久船闸、厂坝二期启闭机第一标	2258.20	大连大起集团公司	1999.11.08
永久船闸、厂坝二期启闭机第三标	2675.50	国营四七一厂	1999.12.16
永久船闸、厂坝二期启闭机第五标	3691.00	武汉船用机械厂	1999.12.16
永久船闸、厂坝二期启闭机第二标	9267.30	国营三八八厂	1999.12.16
永久船闸、厂坝二期启闭机第八标	4968.51	武进液压启闭机厂	1999.12.16
永久船闸、厂坝二期启闭机第六标	4720.77	武进液压启闭机厂	1999.12.16

2.永久机电设备采购

三峡左岸变压电气采购国际招标由三峡国际招标公司具体实施。1999年2月8~11日发售标书,有16家购买,1999年5月31日开标,有7家投标,经过3个多月评标及合同谈判,1999年9月14日签订合同。合同签订情况见表2。

表2

合同名称	合同金额(万元)	承包单位	签订时间
左岸电站550kV高压开关采购合同	92478.79	ABB高压技术公司	1999.9.14
左岸电站550kV变压器采购合同	41369.68	西门子股份公司	1999.9.14

3.厂房大小桥机国内招标

三峡左岸电站厂房桥机采取国内招标,由三峡国际招标公司具体实施。1999年4月6~8日发售标书,有18家厂家购买,1999年6月8日开标,13家厂家投标,1999年7月9日开标,签订合同见表3。

表3

合同名称	合同金额(万元)	承包单位	签订时间
左岸厂房2台/125/125t桥式起重机	956.45	大连大起集团有限责任公司	1999.7.9
左岸厂房2台1200/125t桥式起重机	4533.50	太原重工股份有限公司	1999.7.9

4.左岸电站20kV/26kA离相封闭母线

左岸电站20kV/26kA离相封闭母线为国内公开招标项目,由三峡国际招标公司实施,1999年4月26~27日发售标书,6家购买标书,1999年7月22日开标,有4家投标,8月10日签约,中标单位为江苏长江电器集团公司,合同金额2205.6万元。

5.西陵二路住宅小区(一期)建筑安装工程

西陵二路住宅小区(一期)为国内邀请招标。对36家单位进行资格预审,确定13家为被邀请投标单位,1999年9月7日发售标书,9月24日开标,10月26日签订合同,中标签订合同情况如表4。

表4

合同名称	合同金额(万元)	承包单位	签订时间
西陵二路住宅小区一期建安工程施工合同书(第一标段)	1995.00	武汉建工(集团)有限公司宜昌分公司	1999.10.26
西陵二路住宅小区一期建安工程施工合同书(第二标段)	1630.86	中建三局一公司	1999.10.27

6.除以上招标项目外,还有27项招议标项目,金额为73500.69万元。

(陈华英)

审 计 工 作

稽察工作情况

为搞好三峡工程建设,加强对三峡工程的监督,经中国三峡总公司(以下简称总公司)领导主动要求,国务院领导同志指示,从1999年开始,由国务院三峡工程建设委员会(以下简称三峡建委)行使稽察职责,向三峡枢纽工程派出稽察组进行稽察。这是完善三峡工程项目法人负责制、企业领导人管理制度和强化约束机制的一项重大举措。

1999年8月,三峡建委以国三峡委发办字〔1999〕26号文印发《三峡枢纽工程稽察工作方案》,明确三峡枢纽工程稽察组职责、稽察工作主要内容、稽察组人员组成、工作方式和程序及稽察人员管理等事项。稽察组对三峡建委负责,代表国家行使监督权力。其主要职责和任务是:在枢纽工程建设方面,通过对三峡枢纽工程资金管理、建设进度和安全施工以及中国三峡总公司与其下属公司的关联交易等主要方面进行稽察,提出稽察报告,作出年度评价;在此基础上,结合对企业管理者贯彻执行党的路线方针政策、国家的法律法规以及廉洁自律的情况,提出对企业主要领导成员的评价。稽察重点是三峡工程建设方面,主要指项目法人责任制、招标投标制、合同管理制、建设监理制的实施,国家有关法律法规、政策规定和基本建设程序的执行,参加工程建设各单位的资质、信誉情况等。具体又包括资金管理、工程进度和安全施工等三方面的内容。方案明确稽察组正、副组长由三峡建委任免、派出;稽察组成员由三峡工程稽察办公室任免。方案还决定在三峡建委下设三峡工程稽察办公室,与三峡建委办公室为一个机构,两块牌子。三峡建委办公室主任、副主任即为稽察办公室主任、副主任。

1999年6月28日,三峡建委以国三峡委发办字〔1999〕20号文任命石启荣同志为三峡枢纽工程稽察组组长,张德楠同志为副组长。同时,三峡建委办公室聘请朱仕国同志等13位同志为三峡枢纽工程稽察组成员。

1999年的稽察工作主要是对前3年(即1996~1998年)三峡工程建设和总公司管理工作进行检查。总公司领导对这次稽察工作非常重视。认真组织,积极配合。1999年8月10~11日,总公司派出总经济师张宝声、办公室主任刘洪泰、副总会计师刘匡华、副总经济师史振宇等30多位同志在北京参加由国务院三峡建委三峡工程稽察办公室举办的稽察工作基础材料填报说明会议,明确了稽察工作基础材料填报的任务和要求。1999年9月14日和10月13日,陆佑楣总经理先后两次主持召开总经理办公会,专题研究三峡工程稽察基础材料填报工作。要求总公司各部门、各单位高度重视,加强领导,按照总公司的统一部署,精心组织、明确责任,如实、准确、实事求是地做好此次稽察材料的填报工作。

为加强对稽察基础材料填报工作的领导,总公司对稽察基础材料的填报工作按各自分管范围,实行领导分工负责。陆佑楣总经理全面负责。为做好具体组织协调工作,总公司成立了稽察基础材料填报工作组,工作组组长为总经济师张宝声,副组长为办公室主任刘洪泰,工作组成员为:副总会计师刘匡华、副总经济师史振宇、财务部主任赵泽黎、工程建设部副主任杨清、计划合同部主任李惠敏、葛洲坝电厂副厂长毕为民。日常办事联络处设在办公室秘书处。

根据三峡工程稽察基础材料的填报要求,总公司需填报整套材料(材料之一、之五);总公司所属的葛洲坝电厂按下属企业单独填报整套材料(材料之四、之五);北京三峡技术发展中心、多能公司填报整套下属企业材料(材料之四、之五);物资公司、设备公司、三峡财务有限责任公司、峡光公司、三峡国际招标公司、长江三峡经济技术发展公司、三峡电子信息技术公司和上海三峡经济发展公司填报概要基础材料;其它企业、经济实体、外派机构和公司填报有关清单。

稽察基础材料填报工作在总公司统一领导和工作组具体组织下,经过总公司各部门、各单位和全体工作人员的辛勤努力,历时2个月,至10月底顺利完成填报工作。10月中旬,向三峡建委稽察办公室报送了葛洲坝电厂全套稽察材料;10月29日报送了总公司全套稽察基础材料。11月24日,根据三峡建委稽察办的要求,总公司又向三峡建委稽察办公室补充填报了有关基础材料。至此,三峡工程稽察工作基础材料填报工作圆满完成。三峡建委稽察办公室对总公司稽察工作基础材料填报工作给予较高评价。

1999年12月6日,三峡枢纽工程稽察工作转入实地稽察阶段。稽察组在总公司召开了总公司及参建单位处以上干部大会,动员和部署稽察工作。

12月8日至月底,稽察组分为稽察一室和稽察二室开展工作。稽察一室负责三峡枢纽工程和总公司除葛洲坝电厂以外的下属企业的稽察工作;稽察二室则专门负责葛洲坝电厂及其下属企业和公司的稽察工作。稽察组在此期间召开了大量的多方面、多层次的座谈会,接待来信来访,走访了参与三峡工程建设的设计、施工、监理等有关单位,开展验帐核查和调查询问等项工作。稽察组负责同志还与总公司领导、三总师和各有关部门、单位的负责人谈话,深入了解总公司各方面的情况。实地稽察工作于12月底前顺利结束。

此次稽察工作,是对三峡工程和总公司管理工作的一次大检阅。充分总结这次稽察工作的成果,对推动总公司管理水平的提高,起到重要的和积极的作用。

(田泽新)

审 计 工 作

1999年,中国三峡总公司(以下简称总公司)内部审计以加强总公司内部管理,强化内部控制制度为目标,以揭露被审单位资产、负债不实、虚盈实亏、国有资产流失等为重点,积极协助国家稽察特派员对总公司的稽察,进一步完善国家审计、内部审计、社会审计三位一体的三峡工程审计监督体系,纠正违规违纪问题、追回多结算的工程款,帐外资产审计后及时入帐,为总公司节约了投资。

(一)国家审计

审计署驻武汉特派办对总公司所属的三峡财务公司、峡光经济技术咨询公司、宜昌三峡工程多能公司、设备公司、物资公司、葛洲坝水力发电厂等6个二级单位的财务收支进行审计,促进总公司的财务管理。

(二)内部审计

1.按照国务院三建委稽察工作编制的《稽察工作基础材料》的要求,审计室对总公司成立以来开展三峡工程审计的材料进行整理,向稽察组提供21份审计报告。

2.继续按照两年一个轮次的要求,对新闻宣传中心、三峡电子信息技术公司、实业总公司的财务收支进行审计,对葛洲坝电厂的财务收支进行审计调查。

3.对葛洲坝电厂原厂长刘利人进行离任经济责任审计。

4.对总公司及所属单位的银行开户进行审计调查,调查开户总数254个,审计建议销户57户,最终保留167户。

5.根据国家审计署武汉特派办有关文件的要求,联合总公司监察室对宜昌三峡工程多能公司利能机电贸易公司庞浩有关问题进行核查。

6.根据总公司离退休职工管理办公室的要求,对离退休办(含三峡经济技术咨询服务公司、老年基金会)进行咨询性检查。

7.根据西陵大厦董事会的要求,对西陵大厦1998~1999年6月的财务收支进行审计。

8.受财政部驻湖北省财政监察专员办事处的委托,对葛洲坝过闸管理处、长江三峡通航管理局、宜昌港务局、中华鲟研究所等4个单位1998~1999年10月专项经费收支情况进行审计。

(三)社会审计

聘请华中审计事务所对总公司总部大楼进行竣工决算审计,送审金额17994.9万元,审减金额87万元。

(审计室)

防 汛 工 作

坝区防汛工作

1999年,二期围堰、二期基坑、导流明渠、临时船闸、下岸溪人工砂石系统、永久船闸边坡及地下洞等工作重点部位的防洪水、防暴雨、防坍塌、防雷击是防汛工作的重点。

(一)汛期三峡坝址天气及来水情况

1999年汛期三峡坝区天气特点:时段降水集中,最大日降水量59.8mm,最大降水强度19.2mm/h,6~8月总降水量356.5mm,较多年平均少3成;雷雨大风猛烈,出现5次5级以上的大风,瞬时极大风速21m/s,平均气温26.2℃,比常年偏低1℃,9月中旬,最高气温持续7天在35℃以上,极端最高气温39.5℃。

三峡坝址来水(5~9月)较常年总体略偏丰,但月际水分配不均匀,5月、8月平均流量较常年略偏枯,6月、9月略偏丰,7月属特丰月份,月平均流量43200m^3/s,相应来水频率3.8%,较常年偏丰44%,历史同期排第四位,汛期坝址出现3次洪峰均发生在7月,最大洪峰58000m^3/s,出现时间和洪峰流量见表1。

三峡坝址主要水文要素见表2、表3。

表1 三峡坝址洪峰统计

洪峰次序	第一次	第二次	第三次
洪峰流量(m^3/s)	47500	50300	58000
峰现时间	7月1日23时	7月8日14时	7月20日08时
≥45000m^3s 持续时间	1日0时~2日18时	7日16时~10日17时	18日12时~22日15时

表 2　5～9 月三峡坝址来水统计表　流量：m^3/s

月份	平均流量	距平	来水频率	最大流量	出现时间	最小流量	出现时间
5	11000	－8.3%	63.0%	17000	20 日 08 时	7000	10 日 08 时
6	19300	3.8%	40.0%	45100	30 日 24 时	9600	3 日 08 时
7	43200	44%	3.8%	58000	20 日 08 时	31800	15 日 20 时
8	27500	－2.5%	50.6%	35100	24 日 08 时	18200	11 日 20 时
9	28100	6.0%	38.4%	36200	8 日 08 时	15000	30 日 20 时

表 3　1999 年汛期三峡坝区水位特征值统计表　水位：m

月份	茅坪水位				三斗坪水位			
	月最高	出现时间	月最低	出现时间	月最高	出现时间	月最低	出现时间
5	68.21	20 日 14 时	66.15	16 日 02 时	67.05	20 日 14 时	65.77	11 日 02 时
6	73.34	30 日 23 时	66.53	2 日 02 时	70.65	30 日 23 时	65.91	2 日 02 时
7	77.59	20 日 08 时	71.35	15 日 20 时	73.41	20 日 11 时	68.86	15 日 20 时
8	72.39	25 日 02 时	68.27	11 日 20 时	69.58	25 日 02 时	67.12	11 日 20 时
9	72.51	8 日 02 时	67.48	30 日 02 时	69.61	7 日 08 时	66.41	30 日 02 时

(二)工程度汛

1.汛前准备

1999 年 3 月，中国三峡总公司在“1999 年三峡工程度汛工作安排”中，根据设计要求，对各重点工程部位的度汛标准作出明确规定。抗御洪水标准为：二期上游围堰按百年一遇洪水 83700m^3/s、下游围堰、导流明渠按 50 年一遇洪水 79000m^3/s 设防，临时船闸在洪水流量达到 45000m^3/s 时封航停运，沿江两岸其它工程部位按 20 年一遇洪水 72300m^3/s 设防。同时规定度汛领导小组和下属各度汛机构按照坝址洪峰流量 45000m^3/s、55000m^3/s、65000m^3/s 或坝区降水强度为 25mm/h、50mm/h以上时分别进入值班、警戒和抢险状态。还按照国家防汛总指挥部要求设计了防御超标准洪水(500 年一遇标准)的抢险预案，以确保三峡工程在度汛标准内万无一失，遇超标准洪水时将洪灾损失减少到最低程度。

5 月 20 日，中国三峡总公司召开三峡工程防汛工作会议，对工程度汛工作进行全面动员和精心部署，对各工程部位度汛准备工作中存在的问题进行通报。会后各参建单位在防汛物资、设备准备和技术方案等各方面多次进行自检，在供水、供电、通信、水文气象预报、安全监测、安全保卫、医疗救护、通航及应急转运等方面，作了大量准备工作。对汛前检查中发现的问题进行限期整改和完善。

2.完善水文气象预报工作

准确及时的水文气象预报是防汛工作最重要的决策依据，水文气象中心充分利用现有技术保障手段，经过汛前的充分准备，进一步完善预报方案；为克服上游水情信息传递时效差，影响预报预见期的问题，经与上游各水文勘测单位合作，通过加密测报段次，暴雨加报等手段尽量延长水情预报的预见期，满足工程防汛、航运及应急转运的需要。结合工程进展情况和度汛需求，重新拟定主汛期水文气象信息发布方式，实施全天候滚动预报和对外发布。除确保各施工单位和有关部门及时收到信息外，还根据水情变化情况，利用快报形式向国家防汛指挥部、三峡建委、长江防汛总指挥部、湖北防汛指挥部等部门通报工程汛情，加强联系，沟通信息。

汛期，中国三峡总公司水文气象中心成功地预报了坝址三次洪峰过程和几次强雷暴、大风、高温等灾害性天气，为工程安全施工、防汛和应急转运赢得决策和应对时间。

3.度汛工作措施得力

进入主汛期，中国三峡总公司各参建单位领导都把工程度汛工作放在首位，除每星期工作例会上对防汛工作进行检查、落实，听取水文气象信息外，每次洪峰到来之前，度汛领导小组都召集设计、施工、监理等单位和各部门负责人参加防汛紧急会议，通报水情，共商措施，解决度汛中存在的问题，做好迎战洪峰的准备工作。

二期围堰建成后，还没有经受设计洪水的考验，因此二期围堰仍是 1999 年防汛工作的重点。汛期到来之前，度汛领导小组组织有关各方对二期围堰进行认真检查，对迎水侧流速大的部位采用大块石进行压坡加固处理，在上游围堰两道防渗墙之间加设3个观测和排水竖井，排除二期围堰度汛中的隐患。

导流明渠下游右岸由于1998年大洪水的冲淘，部分护坡毁坏，在洪峰来临前抓紧修复完毕，保证了该部位1999年安全度汛。

二期基坑和永久船闸是1999年防暴雨的重点，各施工单位按照合同条款要求对高边坡进行支护和严密监测的同时，还按高水高排、低水低排、负责各自区域的排水原则，完善基坑抽水排水设施，全天候安排人值守，在汛期几次大的暴雨过程中，保障基坑正常施工。

下岸溪料场是防暴雨、防坍塌的重点部位，由于有关各方高度重视，措施得当，顺利度过汛期。

水上水厂船吸取1998年大洪水受损停产的教训，1999在汛前通过对连接段改造，加强锚固等措施，保证汛期安全度汛和正常生产。

为确保三峡工程1999年安全度汛和高强度混凝土施工需要，三峡工程供电部门专门制定落实汛期供电方案，保证汛期各种情况下的安全供电，为工程安全度汛和正常施工提供电力保障。

(三)通航与应急转运

由于加强了工程防汛和运行管理工作，导流明渠和临时船闸在汛期都能按设计标准正常安全地运行，通过采用绞滩和助推措施，在一定程度上提高了导流明渠的通航能力，保证了过往船舶顺利通过三峡坝区。为做好1999年汛期45000m^3/s流量以上的应急转运工作，落实国务院三峡建委有关办公会议纪要精神，成立了由中国三峡总公司、三峡通航管理局、宜昌市交通委员会、秭归县人民政府等单位组成的汛期应急转运协调小组。协调小组在认真总结1998年应急转运工作的基础上，多次召开会议，制定协调小组工作制度和有关管理办法，明确参与转运工作各方的主要职责，同时针对三茅路部分路段破损严重及原茅坪港码头停车场不能满足转运需要的实际情况，进行修复与扩建。在历时14天的应急转运工作中，累计转运旅客129668人次(其中外宾317人次，下行旅客占60%，上行旅客占40%)。共出动客车4099车次，接待客船898艘次，转运时间为260小时。在转运工作中，没有发生旅客滞留现象和任何安全事故，圆满完成1999年三峡工程应急转运工作任务，实现三峡建委提出的“安全、畅通、有序、优质”的总体目标。

(四)存在的问题及建议

1.三峡区间暴雨形成的洪水到坝址传递时间短，水情信息慢，应尽早启动“水情保障系统”建设项目，以满足三峡工程施工期防汛和今后三峡枢纽运行调度要求。

2.当洪水超过65000m^3/s时，左岸水厂船将不能供水，安全也会有问题，应尽早拟定改进方案。

3.应加快宜昌多普勒雷达系统的建设，进一步提高坝区天气预报精度。

4.按照属地管理原则，作好坝区和周边区域水土流失治理和排水涵洞的检查清理工作，防备今后出现特大暴雨时造成不应有的损失。

(三峡工程防汛领导小组办公室)

科 技 攻 关

三峡工程科研工作概况

(一)“九五”国家重大技术装备研制和国产化“三峡水利枢纽工程成套设备”项目

1999年是“九五”国家重大技术装备研制和国产化“三峡水利枢纽工程成套设备”项目全面进展的一年。各专题研究进展顺利，各专题承担单位按合同的要求进行工作，部分专(子)题提前完成研制任务并通过验收。根据国家经贸委的要求和中国三峡总公司科研管理的有关规定，1999年上半年组织对各专题项目执行情况进行中期评估，评估结果如下：

1.综合执行情况为优异(A)的专题项目

机组水系统特殊设备研制；五级船闸自动控制技术研究；特大型混凝土专用施工机械关键设备研制；全液压大功率混凝土振捣机研制和国产化；三峡工程混凝土浇筑进口设备消化、吸收。

2.综合执行情况为基本正常(B)的专题项目

永久船闸大型闸、阀门研制；永久船闸大型闸、阀门启闭设备研制；闸门防腐关键技术研究；多级船闸闸室消防研究；三峡升船机整体动态仿真技术研究；三峡升船机关键设备及安全保证体系研究；升船机中间试验机试验研究；泄洪闸门运行条件研究及设备研制；导流底孔工作闸门运行条件及设备研制；电厂闸门设备研制；大型引水压力钢管关键技术研究。

根据合同进展和工程建设的要求，1999 年完成以下专(子)题的研制任务并通过合同验收：“大型专用起重机械研制”专题；“MQ2000 型四连杆高架门式机研制”；“混凝土侧卸车研制”专题；“环氧浇注干式励磁变压器的研究”子题。

“大型专用起重机械研制”专题成果直接用于“三峡左岸电站主厂房桥式起重机招标文件”的编制和招标采购工作中，提高了招标采购的整体水平，为三峡工程提供可靠的高科技含量的起重设备打下坚实基础。参加专题研究的太原重型机械(集团)有限公司和大连大起集团有限责任公司，分别在“三峡左岸厂房1200/125t桥式起重机”和“三峡左岸厂房 125/125t 桥式起重机”的招标中中标，使科研与工程建设在进度和质量控制上紧密结合，专题研究具有重要意义。上海港口机械制造厂研制的 MQ2000 型四连杆高架门式机(“MQ2000型四连杆高架门式机研制”专题)已在三峡工程施工过程中发挥重要作用。在“混凝土侧卸车研制”专题研究中，北方重型汽车有限责任公司按照合同文件要求，研制出国产化水平较高、技术较先进的混凝土侧卸车，并在三峡工地进行了试验，填补了国内无轨侧卸式混凝土运输车的空白。子题“环氧浇注干式励磁变压器的研究”成果的验收表明中国干式变压器生产、制造、科研水平在近 10 年有很大幅度的提高，具备为三峡电站的水轮发电机提供励磁变压器的条件，也对中国励磁变压器的设计提供理论依据与实际应用的经验。

(二)“三峡水利枢纽工程和几个关键问题的应用基础研究”课题

由国家自然科学基金委员会和中国三峡总公司联合资助的重大项目“三峡水利枢纽工程几个关键问题的应用基础研究”，经过近 5 年的艰苦努力，顺利地完成计划，达到预期目标，于 1999 年 6 月 24 ~ 26 日在三峡工地经过国家验收。该项目研究一方面属于应用基础研究范畴，具有学术上的创新性和开拓性，另一方面它又是密切结合三峡建设进行的，要为解决三峡建设中一些关键问题作出贡献。这个重大项目的完成，使中国水利工程在某些关键问题的应用基础研究上有所进步、创新与突破。一些研究成果已应用于三峡工程，为三峡工程在一些重要问题的决策、设计方案的选定、工程质量和安全度的提高以及造价的降低等方面作出了贡献，是一项科研结合生产的优良范例。许多成果具有广泛的推广意义，将在今后发挥更多的经济效益、社会效益和环境效益。本项目研究受到评审验收专家们的高度评价，本项目综合等级为 A^-(A 为特优)。

(三)“九五”期间三峡工程泥沙问题研究

1.坝区泥沙问题

主要解决永久船闸及升船机上游引航道的布置方案，确定为“全包方案”。

2.下游泥沙问题

长江三峡工程蓄水运用后“清水”下泄对下游河道冲刷的影响以及江湖关系的新变化；葛洲坝下游近坝段在三峡施工期，下游在枯水期的通航水深问题。

3.上游泥沙问题

主要是上游水土保持及水利工程措施对入库泥沙变化的影响。

1999 年底，“九五”期间三峡工程泥沙问题研究进入全面结题阶段，各专题研究取得初步成果，各专题承担单位对已取得的成果进行补充完善，以提出终结成果报告供泥沙专家组在 2000 年对各专题进行评议验收。

(四)其它科研课题

1999 年中国三峡总公司共签订各类科研项目合同 61 项，主要围绕单项技术设计审查、工程施工、运行及管理等方面开展科学研究，以及时解决或超前研究在设计、施工、运行等方面可能出现的各种问题，发挥科研在工程建设中的基础和先导作用。

1999 年三峡工程取得多项科研成果。除了由国家自然科学基金委员会和中国三峡总公司联合资助的重大项目“三峡水利枢纽工程几个关键问题的应用基础研究”课题和由中国三峡总公司主管的“‘九五’国家重大技术装备研制和国产化三峡水利枢纽工程成套设备项目”有关专题研制已取得成果并经过验收外，由中国三峡总公司委托的科研项目在 1999 年内也有 23 项经过验收，所取得的成果有的被设计采用或参考，有的被厂坝混凝土施工和永久船闸施工所采用或参考等。这些科研成果在三峡工程中的应用，是“科技是第一生产力”思想在三峡工程建设中的又一体现。

(科研处)

施工科研成果应用概述

1999 年三峡工程施工科研合同项目 21 个，以前年度延续下来的合同项目 13 个，合计 34 个。到 1999 年年底，已完成合同项目 19 个。

(一)厂坝工程科研成果及应用情况

《三峡工程二期厂坝部分工程1999年施工关键技术问题研究》有3个子项目，其研究成果已在大坝混凝土施工方案中予以部分采用。3个子项目研究成果的结论分别是：

(1)《非约束区采用3m浇筑层厚的研究》子项目结论：非约束区采用3m浇筑层厚混凝土从温度控制和仓面施工工艺分析基本是可行的，但3m浇筑层不宜普遍采用，可用在抢工期的某些坝块的某些特殊部分。如混凝土的浇筑设备和仓面机具生产强度可以满足的条件下，可以在混凝土施工中采用。

(2)《5～9月浇筑基础约束区混凝土温度控制研究》子项目结论：夏季浇筑基础约束区混凝土的浇筑温度基本可控制在14℃左右，四级配混凝土早期最高温度32℃左右，略高于顺流向长度较大坝块基础强约束区设计允许最高温度。6～8月浇筑泄1#等深槽坝段基础强约束区混凝土时局部最大温度应力达2.1～2.3MP_a，达到甚至超过混凝土抗拉强度。因此左厂12#～14#坝段、泄1#～5#坝段下游块要在夏季高温季节浇筑，需研究解决满足温控要求的其它措施。

(3)《左厂1#～5#机尾水管封闭块回填研究》子项目提出3种回填方案，推荐采用的方案是：在采取有关补偿措施的条件下，将封闭块延至5月回填完毕，基本上可以满足已施工结构的设计要求。

(二)《三峡工程永久船闸闸室混凝土夏季施工和温控研究》成果及应用

该项目研究了闸室底板分缝的施工方案。经试验可以降低混凝土层温度3℃以上，设计部门采用了该项试验成果，将8块闸室底板增加纵缝，间距由30m改成15m，浇筑的混凝土层经监测，降低温度约5℃。试验同时表明，夏季高温时不能浇筑混凝土。

(三)工程信息科研成果及应用

1.《三峡二期工程大坝和永久船闸地面工程混凝土浇筑计算机模拟分析系统》项目

该模拟分析系统分两个合同完成。大坝系统1998年完成研制开发工作，1999年投入试运行，2000年将被推荐使用。永久船闸系统1999年12月完成研制开发，2000年可以投入试运行。

该模拟分析系统主要包括数据输入、计算、查询和计划四部分。主要功能有：帮助业主和监理工程师快速评价和评审承包商提交的施工进度计划；对加快施工进度的技术措施进行定量分析，提供决策依据；快速对混凝土施工浇筑方案进行多方案比较；对混凝土施工进行各种因素敏感性分析；及时对工程进度实施控制和动态监控管理；对混凝土浇筑过程以三维立体的方式进行动态显示。

中国三峡总公司已用该系统编制了1999年度大坝混凝土施工进度计划，其多种功能已在混凝土施工中逐步得到应用。该模拟分析系统的开发和运行将使业主、监理、施工单位的管理水平迈上一个新台阶。

2.《三峡工程第二阶段施工演示系统》项目

该项目1999年完成并投入试用，是决策层使用的演示系统。是在模拟分析系统等基础上建立起来的具有汇总性的形象直观的演示系统，便于领导决策层及时、准确、全面的了解掌握工程施工进度情况，是领导层的决策支持系统。

(四)公共工程科研成果及应用

《下岸溪成品砂脱水工艺研究》项目已完成夏季脱水工艺试验研究，成品砂含水率可以达到6%以下，满足设计要求。冬季脱水工艺试验研究正在进行。

(五)混凝土试验成果及应用

中国三峡总公司1995年开始组织第二阶段工程混凝土配合比设计试验研究工作，经过3年多的试验研究，优选出各项性能指标均满足设计要求的三峡工程第二阶段混凝土配合比。

该项研究主要采用以下重要技术措施：在混凝土中全部掺引气剂；将Ⅰ级粉煤灰作为功能材料掺用；选用品质优良的高效减水剂；采用缩小水胶比增加粉煤灰掺量的技术路线；采用有微膨胀性质的水泥；限制原材料的碱含量和混凝土总碱量。

由于采用多项技术措施，优选出的混凝土配合比使混凝土具有优越的性能。例如混凝土内部抗冻性可达D250以上、水变区达D300以上；自生体积变形为微胀，对混凝土抗裂十分有利；通过缓凝高效减水剂与引气剂联掺以及使用Ⅰ级粉煤灰成功地把四级配混凝土用水量由原来的110kg/m^3降至85kg/m^3，降低了大体积混凝土绝热温升和干缩，提高了抗裂性，体积稳定性和耐久性等，并使混凝土具有良好的施工和易性和经济性。优选出的混凝土配合比可取得约3亿元的经济效益。

该项试验成果在三峡工程中得到广泛应用。通过施工中的抽样检测，混凝土施工和易性好，各项性能均能满足设计技术要求。

(沈如泉)

重点科研项目简介

(一)三峡水利枢纽工程几个关键问题的应用基础研究

1.三峡工程泥沙研究

(1)关于泥沙的基础理论研究，在水库淤积物密实过程、泥沙起动规律、冲积河道阻力和床面粗化、推移质运动特性、底层泥沙交换和水流挟沙力等问题上都获得了创新性的研究成果。

(2)坝区泥沙淤积和坝下河道演变:对于通航建筑物引航道的防淤清淤措施、电站的引水防沙和下游河道冲刷等问题,结合三峡工程实际,做了大量的研究工作。

(3)数学模型与实体研究技术研究:对于模型沙特性研究、模型变率的影响、长系列试验方法及数学模型中不平衡输沙恢复和系数,回流区泥沙淤积等问题作了深入的分析,其研究成果有助于澄清三峡工程泥沙研究中长期存在的不同认识。实体模型图象分析系统能够在短时间内量测大面积水域的流场。

2.通航建筑物的应用基础研究

对三峡工程通航建筑物的通航条件、船闸水力学、船舶运动仿真模型和船模技术中的基础理论进行了研究。主要成果如超高水头大流量的阀门水力学、通航建筑物的通航条件和船模试验技术研究等都达到国际领先水平。对于非恒定流减压模型试验方法和研究设备的研制、阀门段廊道流态特征和急变分离流机理、门楣通气减少空蚀的综合措施、分散输水系统中出水支流量分配规律、泄洪产生的引航道往复流机理、小尺度船模的相似性等都已应用于三峡工程设计并具有推广价值。有关船舶及船闸输水仿真设备的建制,在中国尚属首次。

3.三峡船闸高边坡若干基础理论研究

对边坡岩体的力学特性、本构关系等进行大量测定工作和综合性的试验研究;以多种方法对边坡稳定性进行分析计算。对高陡边坡深开挖岩体粘、弹、塑性时空效应及其对稳定性的影响、边坡失稳机理及稳定分析方法、边坡饱和、非饱和渗流分析及排水优化布置、边坡岩体锚固机理、爆破振动机理及开挖卸变形荷机理的研究均有大的进展。成果中的三峡船闸深切高边坡在总体上是稳定的;岩体的后期变形量不大;工程上采取的排水措施对减少渗透压力可发挥重要作用等,均已被工程部门接受。

4.三峡工程混凝土原材料研究

本课题结合三峡工程的施工,以提高混凝土的耐久性为中心,研究混凝土的配合比成份,配制出高性能混凝土、抗冲磨混凝土、微膨胀水泥和灌浆改性超细水泥。研究成果采用降低混凝土用水量和水胶比,提高混凝土耐久性;高效减水剂与引气剂联合掺用;论证了掺50%以下的粉煤灰可不影响混凝土耐久性;配制出掺硅粉和粉煤灰抗冲磨抗裂高性能混凝土;研制出改性超细水泥及微膨胀中热和低热水泥等。

5.三峡主要水工建筑物安全监测与反馈设计

(1)安全监测系统总体研究方案优化:改进原方案,节省大量投资。(2)信息分析理论和监测新技术:大部分成果已应用于三峡工程。(3)混凝土大坝仿真计算与温控反馈设计:可综合反应施工和运行的复杂因素,其并层算法有创新,并大大减少计算工作量。(4)开放式大型通用水工结构分析系统原理及研制技术:为远程工程提供了好的工具环境。

(二)三峡二期厂坝部分工程项目施工关键技术问题研究

1.三峡大坝非约束区采用3m浇筑层厚的研究

采用解析法、差分法、有限元法等对大坝非约束区采用3m浇筑层厚温控各种因素进行计算,结合工程实际对施工工艺、施工机械设备配套及对施工进度的影响进行分析研究。

2.1999年5~9月浇灌基础约束区混凝土温度控制研究

采用多种方法计算各种条件下混凝土温度状况及温度应力。指出:夏季浇灌基础约束区混凝土时浇筑温度基本可控制在14℃左右,四级配混凝土早期最高温度32℃左右,略高于顺水流向长度较大坝块基础约束区设计允许最高温度。6~8月浇筑泄1#等深槽混凝土时局部最大温度应力达2.1~2.3MPa,达到甚至超过混凝土抗拉强度。

3.左岸电站厂房1#~5#机尾水管封闭块回填研究

对高温季节回填封闭块混凝土温度状况的温度应力进行分析计算,对有关问题进行了全面研究,认为在采取有关补偿措施的条件下,将封闭块延至5月份回填完毕,基本上可以满足已施工结构的设计要求。此成果对机组尾水管封闭块回填有一定的指导意义。

(三)三峡工程永久船闸闸室混凝土夏季施工与温控研究

永久船闸闸室混凝土厚度不大,花岗岩基础对上部结构的约束强,混凝土收缩产生的拉应力将会较大。所以,夏季浇灌闸室的混凝土,易产生裂缝,甚至大面积贯穿裂缝,对闸室结构产生极大危害。本课题针对混凝土夏季施工的温控措施进行研究,主要内容为:

1.闸室结构温度场、温度应力场仿真研究分析

采用有限元方法,模拟复杂的实际施工过程,分别研究永久船闸闸室混凝土底板、闸室混凝土薄边墙以及闸首混凝土边墙施工期及竣工期的混凝土温度及温度应力状况。分析船闸混凝土结构温度场和温度应力场的分布特征及规律性,以及结构混凝土温度和温度应力的动态变化过程。

2.闸室结构和闸首边墙温控防裂措施研究

通过对不同温控措施如遮阳、表面流水养护、初期通水冷却、冬季保温覆盖等实施效果的模拟分析,获得了各种温控措施对闸室混凝土底板、闸室混凝土薄边墙及闸首混凝土边墙混凝土温度和温度应力的作用效

果及作用机理。得出闸室底板增设纵缝或预留槽、闸室薄边墙混凝土施工不安排在夏季,而安排10月至次年4月、底板冬季保温材料保温性能提高至 $\beta \nless 3.6$ kJ/m^2.h.t以及增设纵缝后闸室底板混凝土最高允许温度可放宽至31℃等多项结论。在认真作好冬季表面保温的情况下,闸首边墙混凝土夏季施工是可行的。

(四)三峡水利枢纽通航建筑物引航道“全包”船闸正向取水方案坝区泥沙淤积和通航水流条件试验研究以及(全包)船闸正向取水方案引航道冲沙试验研究

1.通航建筑物引航道“全包”船闸正向取水方案坝区泥沙淤积和通航水流条件试验研究

试验在三峡坝区泥沙模型上进行。试验从空库开始,直至冲淤平衡,按水库运行的特征年份进行观测和计算。随后将特征年份的坝区淤积地形提供给水工模型进行恒定流的流速流态、引航道内清淤高程及相应的船闸充水时的涌浪、船模航行等试验研究。主要试验内容:①在空库基础上进行施工三期试验,对特征年进行全面观测,进行坝区淤积地形及主流最大流速线变化、口门区及其以外的流速流态、口门区及其以外的淤积高程高于规定高程时,年观测回淤量及计算各部位的清淤量。②当上游坝区冲淤基本平衡后,观测流量45000m^3/s和56700m^3/s时上游隔流堤头及右侧长度300m范围内的流速流态。③电站厂前泥沙淤积和漂流物运动、聚集情况试验观测。了解泥沙淤积和漂流物聚集是否影响左非16坝段自来水取水和水质。④上游隔流堤内当船闸双线充水、单线充水和错开充水时,在当年清淤前和清淤后引航道内的涌浪观测及改善措施研究。⑤水库在每年汛前和汛后库水位由高于150m下降和低于150m上蓄时船闸和升船机引航道上的水流流态观测。包括有无不利流态和此流态持续的时间等。

2.“全包”船闸正向取水方案引航道冲沙试验研究

通过上、下游引航道冲沙措施的试验,研究确定合理的冲沙流量和冲沙方式,以利设计和施工。试验研究的主要内容:①在冲沙过程中观测上游引航道下泄水流的含沙量变化过程,上、下游引航道中代表性测点的泥面高程变化过程。②试验研究小水小沙、中水中沙和大水大沙3类典型年在某冲沙历时和某一下游水位下,不同冲沙流量与上、下游引航道各部位冲沙效率的关系。③试验研究各类典型年在不同冲沙历时、不同下游水位的条件下,不同冲沙流量与上下游引航道各部位冲沙效率的关系。

通过本试验研究,可为优化汛期通航条件提供改进意见和科学依据;可明确泥沙淤积等对发电、自来水取水和对隔流堤冲刷的影响,并提供改进意见和设计的科学依据;在试验中,逐年观测引航道各部位泥沙淤积数量,计算冲沙拉沙的效率,为引航道清淤采取措施提供决策依据。

(五)三峡工程砂石生产系统废水排放对长江水质影响的研究

三峡工程施工期长达17年,混凝土浇筑总量达到2800万m^3,为此配套建设的砂石生产系统和混凝土拌和系统项目多、且生产规模巨大,从而产生的大量废水要排放。为确保长江水资源不受污染,要对生产废水的成因和构成进行检测分析,并评价对长江水质的影响。本课题内容包括:①对三峡工程砂石生产系统进行现场考查,选择取样点:选择古树岭系统、下岸溪系统、▽82m系统分别代表人工砂生产系统和二次筛分系统废水水质。②样品采集和分析:在古树岭系统、下岸溪系统、▽82m系统分别采集水样。在初步对比实验的基础上,对有代表性的水样进行分析。对以下项目进行检验:PH值、悬浮物浓度、粒径分布、COD、重金属等。试验检测表明,沙石系统废水中可沉降的泥沙吸附或夹了大量有机物质。PH值为6.4,达标。SS上清液达到国标GB8978-1996二级废水综合排放标准。COD上清液均达国标一级废水综合排放标准。重金属(6种)均达GB8978-1996废水综合排放标准。③试验结果分析:各生产系统废水重金属都没有超过规定的最高浓度标准,说明砂石料生产系统排入长江后,不会产生急性毒副作用,且大部分是可以沉降的,对长江水的使用没有明显影响。对长江水质影响较大的是二类污染物悬浮物和COD。经过污水处理后古树岭和下岸溪生产系统SS(悬浮物)均有不同程度降低。

本课题研究经过第一阶段工作后,提出了以下初步结论和建议:①所有样品的上清液测试结果一般符合相应的排放标准,没有进一步研究的必要。②重金属不是砂石料生产系统废水水质的主要影响因素。没有对人体有急性毒副作用的物质,可以进行生产系统废水直排长江的进一步可行性探讨。③所有的样品PH值都相差不大,生产系统废水对长江原水没有影响。④悬浮物和COD指标是三峡砂石料生产系统废水水质问题的焦点。⑤考虑到三峡到北京的距离以及与有关监测单位的衔接问题,宜昌市环保部门可参入下一阶段分析工作。

(科研处)

三峡大坝非约束区采用3m浇筑层厚研究及应用

大坝混凝土浇筑层厚对混凝土坝的施工速度、质量、工艺和费用均有不同程度的影响。经过多方论证,三峡大坝应采用 1.5～2.0m 浇筑层厚。由于部分浇筑机械设备不能及时到位，混凝土浇筑手段不足等原因，大坝深槽部位进度滞后较多。为确保 2003 年首批机组发电，须研究加快混凝土浇筑上升速度的措施，为此，中国三峡总公司委托长江水利委员会设计院进行三峡大坝非约束区采用 3m 浇筑层厚的应用研究。本课题运用解析法、差分法和有限元法对三峡大坝脱离基础约束区部位采用 3m 浇筑层厚时温控措施、施工工艺及施工机械设备配套，并对深槽部位典型坝段采用 3m 层厚时混凝土施工工期及施工进度进行分析，提出三峡大坝非约束区可采用 3m 层厚浇筑的可能部位，作为三峡大坝加快混凝土上升速度的措施之一。

（一）3m 浇筑层厚温度控制

大体积混凝土浇筑后，如果温度控制措施不当，混凝土容易产生裂缝。为防止混凝土出现裂缝，就必须使混凝土在施工中各种温差引起的混凝土拉应力控制在抗拉强度范围内。三峡大坝各部位设计允许最高温度及相应温度控制措施主要有：

1.力争提高混凝土抗裂能力

在进行混凝土配合比设计及混凝土施工时，应满足标书规定的三峡二期大坝和电站混凝土标号及抗冻、抗渗、极限拉伸值等主要设计指标和混凝土均匀性指标。同时加强施工管理，提高施工工艺，改善混凝土性能，提高混凝土抗裂能力。

2.合理分缝分块

3.合理安排施工程序和施工进度

4.控制混凝土最高温度

采取必要的温度控制措施，使坝体实际出现的最高温度不超过坝体设计允许最高温度。控制坝体实际最高温度的有效措施是降低混凝土浇筑温度、减少胶凝材料的水化热温升等。

5.通水冷却

初期通水采用 6～8℃的制冷水，通水时间 10～15 天；中期通水采用江水，通水时间 1.5～2.5 个月，以混凝土块体温度达 20～22℃为准；后期通水采用河水和制冷水相结合的方案，以满足大坝柱状块施工部位分期分批冷却、灌浆的需要。

6.混凝土表面保护和养护

对于 28 天内遇 2～3 天日平均气温骤降 6～8℃的新浇混凝土表面，及时进行表面保护。在混凝土浇筑完毕后 12～18h 及时采取洒水或喷雾措施，使混凝土表面经常保持湿润状态，连续养护时间不小于 21～28 天，重要结构部位不小于 28 天或长期进行养护。

3m 浇筑层厚与 2m 浇筑层厚相比，由于厚度加大，顶部散热有限，其内部混凝土最高温度出现时间要晚 1～2天。因此，要求在采用 3m 浇筑层厚时，除 12～2 月浇筑四级配混凝土可采用自然入仓浇筑混凝土外，其余均需采取初期通水冷却措施并控制混凝土浇筑温度，对于 $R_{90}150^{\#}$ 结构混凝土部位 3～9 月浇筑 3m 层厚，还要求控制出机口温度 7℃及相应的入仓温度。在 3m 浇筑层层间应铺设一层水管，中后期通水冷却要求与 2m 层厚相同。由于 3m 浇筑层厚散热慢，混凝土早期最高温度出现时间推迟，因此，层间间歇时间比 2m 延长 2 天左右。

（二）3m 层厚施工工艺

1.铺料方式

3m 浇筑层厚平铺法施工，便于施工管理及浇筑层中间冷却水管的埋设，可在混凝土浇筑过程中开始初期通水冷却；台阶法施工台阶多，施工管理复杂，同时浇筑层中间水管埋设较为困难，且不能在混凝土浇筑过程中开始通水冷却。综合考虑入仓强度及混凝土温控要求，一般应优先采用平铺法施工，但在浇筑仓面较大且在夏季高温季节浇筑混凝土时，宜采用台阶法施工。采用台阶法施工时，考虑层间埋设水管的浇筑坯宜加大台阶宽度。水管水平间距 2m，按每次铺设两段水管，一般台阶宽度宜采用 4m。

2.平仓振捣

混凝土浇筑仓面面积大时，采用大型机械平仓振捣，有利于塔带机快速浇筑。

3.冷却水管铺设工艺

3m 层厚混凝土浇筑需在层间铺设水管来满足混凝土浇筑的温度控制要求，层间铺设的水管只能采用软水管。

（三）施工机械设备配套

从塔带机等浇筑机械的小时生产率看，混凝土的生产、水平运输、振捣等机械的小时生产率能够满足 3m 浇筑层厚浇筑混凝土配套要求。但从月强度来看，如果整个标段都改用 3m 浇筑层厚，将对混凝土的生产、浇筑设备等提出更高的要求。

（四）施工进度分析

该研究对 $4^{\#}$ 塔带机控制的左导墙坝段至泄 $4^{\#}$ 坝段的施工进度进行分析。研究表明，采用 3m 层厚浇筑，泄洪坝段的深槽坝段直线工期可缩短 2 个月左右。

上述研究表明，基础约束区混凝土浇筑层厚仍应采用 1.5m，脱离基础约束区后将混凝土层厚从 2.0m 改为 3.0m，单纯地从温度控制和仓面施工工艺分析基本可行，但必须采用相应温控措施，大坝内部混凝土早期最高温度控制在设计允许最高温度内，大坝结构混凝土最高温度才能基本满足设计要求。采用 3.0m 层厚后大坝深槽坝段直线工期可缩短 2 个月左右，但受施工机械设备生产率限制，大面积使用其浇筑强度不能满足层间间歇期不宜超过 15 天的要求。3m 层厚只能用于抢工期的某些坝块的某些部位,同时对施工工艺、施工强度、机械配套与正常运行、温度控制、其它工种的施工进度等提出了更新、更高的要求。但抗冲磨混凝土原则上不能采用3m层厚。3m混凝土浇筑层厚在左导墙坝段至泄4#坝段进行的施工试验,对提高三峡大坝混凝土浇筑上升速度具有明显效果,可作为三峡大坝某些施工部位抢工期的措施之一。

(袁廷敏)

三峡工程建筑物建基岩体弹性波检测技术应用

(一)岩体弹性波检测的目的和意义

三峡水利枢纽大坝(含纵向围堰、导墙和三期碾压混凝土围堰),电站厂房和过坝建筑物等三大类主体建筑物,在工程施工建设过程中,对建基面进行弹性波测试,收集完整的基本资料,评价验收建筑物基岩面质量,是消除隐患,保证质量,确保工程安全必不可少的措施。

1.岩体弹性波检测可对建基岩体质量建立定量、半定量的判据,为设计、监理人员提供建基面岩体质量的鉴定证据,国内近几年开工的大型水利主体建筑物基础建基面普遍进行了该项工作。新的规范已增加该项检测内容。

2.弹性波检测成果可以直接指导建筑物基础验收及基础固结灌浆资料,对不能满足建筑物要求的基础部位可及时采取进一步清理整修措施,确保基础质量。

3.对基础开挖爆破影响提供定量的界定范围,作为开挖爆破质量判据之一。

4.通过施工检测可以对比分析建基岩体的性状,评定建基岩体的等级,同时为竣工地质工作提出完善的检测资料,建立工程历史档案,为工程运行管理或可能的缺陷补修提供备查资料。

(二)检测方法及技术

建基岩体物理弹性波检测工作以建基面网格式测线地震波法为主要检测方法,辅以钻孔声波测试来对比分析和检验测试成果质量。

1.地震波法

以垂直网格式布置测线,锤击震源,检测震动波速的方法,在三大类主体建筑物基础建基岩体全面系统布置地震测速。作为测绘建基岩体弹性波速等值线和检测爆破影响范围的基本资料收集手段。纵、横测线布置间距为3~7m(一般为5m),测点距一般3~4m。测线的方向根据块状岩体各向异性的特征分别平行和垂直优势结构面,不平行或不垂直的重要构造带需另行布置跨构造带的测线(点)补充。

2.钻孔声波法

按1.5~2孔/100m^2(风钻孔,孔深2.5~3m)布置钻孔声波检测,与地震波法进行全面对比检测,以求建立地震波与声波波速的相关关系,作为特殊部位的对比验证检查手段,并作为岩体物理力学指标相关计算的对比依据。声波检测除进行单孔声波测井外,还进行孔间岩体对穿测试。

(三)完成检测工程量及成果

长江水利委员会物测院与合作单位武汉水电大学1994~1999年底先后完成纵向围堰、上下纵堰内段及坝身段、三期碾压混凝土围堰、左右非溢流坝段、临时船闸及升船机(以上属一期工程)、泄洪坝段、厂坝段、输水洞、永久船闸等主体建筑物建基面的现场检测工作。累计检测面积约95万m^2,提交简报758期,完成和提交10个单项分部工程检测成果报告。一期工程期间完成的5个单项工程成果报告已经中国三峡总公司验收归档,成果质量优良。

1.初步建立三峡工程弹性波评判建基面岩体质量和完整性的标准

以地震波速 V_p = 3700m/s,声波波速 V_p = 4100m/s为标准值,当 V_p 小于该标准值($K_v < 0.45$,K_v 为完整性系数),表明岩体质量属中等或岩体完整性较差;V_p 大于该标准值($K_v > 0.45$),表明岩体质量属良质以上或岩体完整性较好。

初验阶段,对发现低于标准波速的部位均提出进一步开挖整修的意见,直至复测波速达到正常值,为保证坝基质量,消除工程隐患发挥了重要作用。

2.为基础固结灌浆优化设计提供科学依据

三峡大坝建基面物探测试资料的及时提供,为基岩固结灌浆优化设计工作提供可靠依据,与建基面编录资料对照,用于分析钻灌施工过程中的技术指导,及时调整钻灌参数,修改灌浆工艺,使灌浆的目的更具针对性;作为今后灌浆效果评价依据,弹性波测试资料的应用前景将更为广阔。

3.为确定建基面爆破影响深度提供判据

根据实测资料,建基面爆破影响深度集中范围值为0.2~0.8m。

4.由于建基面验收有了弹性波量化指标,避免了验收中的因仅靠定性指标和肉眼观察而造成评价的随意性,保证了建基面质量按标准进行验收。

(李张明)

生态环境与文物保护

施工区环境保护与治理情况

(一)环境监测

根据工程建设的实际,1999 年除继续全面开展施工区环境监测外,对施工区环境监测工作内容进行适当调整。新增生活垃圾场污水处理效果监测,对主要生产废水排放监测由过去一月一次,改为每周监测一次;新增施工作业区及施工红线敏感点粉尘和噪声监测,环境监测工作仍由长江委水资源保护局负责总成。宜昌市环境保护监测站和三峡坝区急救中心分别承担相关工作,坝区环境保护中心负责执行情况的监督管理,并起草了《三峡工程环境监测监督管理办法》。监测结果表明:长江江段水体继续保持稳定,坝区噪声空气环境质量进一步好转,未发生传染病流行事件。

(二)加强污染治理设施监督管理

除加大主要废水处理设施的监测频次外,1999 年加大监督检查的力度,并初步实施运行周期观察。1999 年古树岭废水处理系统实行排放改道,避免对临时船闸下游引航道的淤积;下岸溪实施石粉部分回收并对废水处理系统采用边清渣边交换滤料工作作业方式后,提高了废水处理系统的利用率;生活垃圾填埋场运行正常,总排污口以下基本无污染带形成,地下水未受到污染,各项监测指标达标。

(三)继续加强市政、环卫、绿化维护管理力度

1999 年继续全面开展施工区道路及公共区域的清扫保洁。除施工道路外,1999 年新增环卫清扫保洁面积达 62 万 m^2;1999 年绿化面积达到 116 万 m^2;继续坚持汛前汛后清理截水沟及市政设施维修,1999 年清理截水沟 5873m,清理疏通雨水沟 3000m,疏通下水道 17 处,更换、补盖井盖及篦子 292 块等,清运生活垃圾 2339 斗,约 5000t。此外,积极配合坝区创建安全文明小区活动,开展环境卫生检查,加强市政监督力度,促进施工生活营地的环境卫生整治工作。为加强合同管理力度,制订《施工区市政、环卫、绿化工作考核细则》。

(四)卫生防疫

除坚持疫情报告、预防注射、生活供水卫生监测及配合三峡总公司爱卫会开展有关工作外,1999 年在公共卫生监督管理方面加大力度,年初召开饮食及公共场所卫生管理会议,促进从业人员健康检查及对经营业主卫生许可证的普查工作,共检查办证 130 个,从业人员体检 1017 人;开展两次较大规模的餐具清毒随机抽样监测,防止了坝区食物中毒事故和传染病流行事件的发生。1999 年系统地开展坝区大规模的灭鼠活动,通过灭鼠,坝区鼠密度由平均 18.3% 下降到平均 5.4%;鼠密度下降了 70.5%。

(五)环境科研

1999 年新开展坝区周边地区环境状况调查工作,主要目的是为了初步掌握进入坝区的污染物质及其负荷,为将来坝区污染治理提供补充依据;同时,为摸清砂石加工系统生产废水对长江水体的影响,开展了相应的科研监测工作;有关部门已在委托开展坝区国家森林公园的规划设计;完成三峡截流期间及截流后水质影响分析研究项目的工作,结果表明,截流对长江水体无影响;对 2000 年的科研及监测工作做了相应的计划安排。

(六)环境宣传及其它

1999 年规范了《三峡工程施工区环境保护简报》的内容、格式,并坚持每月一期在三峡总公司 Notes 网上发布,同时,三峡工程施工区空气环境质量指数月报在《三峡工程建设简报》上定期发布。此外,为加强施工区环境宣传的力度,将原环保楼展厅的内容适当处理后并入三峡总公司展览馆的"三峡工程与环境"展室,除此之外,在环保公园设置环保宣传栏,开展环境宣传教育。

(环境保护处)

长江三峡工程生态与环境监测公报(摘要)

监测结果表明:库区社会经济继续快速、稳健、协调发展;人群健康未出现异常,大灾之后没有出现大疫;库区自然生态总体仍维持原有状态,植物种类丰富,鳗苗等渔业资源有所恢复,中华鲟、白鳍豚等珍稀濒危水生动物得到了有效保护;重点工业污染源污染负荷有所降低;三峡工程施工没有对长江干流水质造成明显影响,干流水质继续保持Ⅱ、Ⅲ类水的良好状态,年际变化不明显。

但是,监测结果也显示,库区人为活动影响,库区一些珍稀水禽已成为短暂停留的旅鸟;库区农村能源短缺,薪炭林面积和薪柴量持续下降,水土流失严重;崩塌、滑坡等地质灾害增多,经济损失较大;库区船舶污染事故时有发生,对江水造成的污染严重;库区污染治理进度缓慢,特别是城市污水处理厂、垃圾处理厂建设严重滞后,几乎所有污水均直排长江干流及其主要支流,大部分垃圾向长江倾倒或堆弃在江边,给大坝蓄水后的库区水质带来重大隐患。

第一章 监测网络工作概况(略)

第二章 三峡工程进展(略)

第三章 经济和社会发展

(一)库区人口、社会、经济

至1999年末,三峡库区总人口1954.53万人,比上年增长0.4%,其中农业人口1467.1万人,非农业人口487.43万人;土地总面积57916km^2,其中耕地面积9611km^2,比上年减少约0.7%,农村人均耕地6.55×10^{-4}km^2(约合0.98亩)。

1999年,库区社会经济继续快速、稳健、协调发展,实现国内生产总值1056.30亿元,其中重庆库区937.04亿元,湖北库区119.26亿元。全库区国内生产总值按可比价格计算比上年增长9.1%。库区第一产业实现增加值182.97亿元,比上年增长1.1%;第二产业实现增加值490.41亿元,比上年增长9.9%;第三产业增加值382.92亿元,比上年增长11.7%。库区全年实现工业增加值286.68亿元,比上年增长9.9%;全社会完成固定资产投资456.42亿元,比上年增长12.4%;社会消费品零售总额达425.40亿元,比上年增长10.2%,人均社会消费品零售总额2181元,比上年增长10.0%。库区全年地方预算内财政收入完成45.74亿元,比上年增长10.9%;城镇居民人均可支配收入为5462元,比上年增长6.2%;农村人均纯收入1823元,比上年增长1.1%。1999年,库区人均年收入仍低于城镇5854元、农村2210元的全国平均水平。

1999年库区各级财政预算内教育、卫生事业费支出分别增加13854万元和3813万元,分别比上年增长12.46%和8.46%。从事科技活动的专业技术人员46.9万人,增长4.53%;中、小学校10242所,在校生261.9万人,中小学专任教师数13.14万人,公共图书馆拥有各类藏书746万册。广播、电视覆盖率分别达到90.5%和91.7%,增长4.29%和4.03%。

(二)移民安置(略)

第四章 自然生态环境状况

(一)库区气候

1999年三峡库区气候基本正常,库区年降水量较常年略偏多。库区年初和夏秋之交降水偏少,有冬干春旱和伏秋旱发生;年平均气温17.8℃,较常年偏高0.2℃,属基本正常年份。库区平均风速为1.2m/s,较常年偏小0.2m/s,风速和风向的季节变化不大(表1略)。

表2 三峡库区1999年的各站气象要素监测结果

站名	平均气温 ℃	相对湿度 %	降水量 mm	蒸发量 mm	平均风速 m/s	日照时数 h	雾日数 d	雷暴日数 d
重庆	18.5	81	1305.6	916.7	1.5	833.6	27	23
长寿	17.6	84	1458.7	955.3	1.5	1175.8	63	35
涪陵	18.2	82	1313.1	1059.4	0.3	953.3	113	33
万州	18.5	80	1181.2	1223.0	0.4	1175.7	38	30
奉节	16.9	69	1170.7	1282.1	2.0	1645.2	16	21
巫山	18.6	68	937.7	1517.5	1.6	1876.3	9	29
巴东	17.8	71	1021.6	1434.2	1.2	1552.9	72	29
秭归	16.9	75	1230.5	1283.9	0.7	1746.5	1	24
坝河口	17.6	73	978.8	1441.6	1.6	1380.6	0	23
宜昌	17.6	73	962.1	1307.8	1.5	1452.7	15	24

库区年平均雾日数为35天,较常年偏多1天,且地域分布不均,涪陵雾日最多,有113天,超过常年的2倍,坝河口全年无雾日出现。库区各地雾日季节分布也不均,库区西段重庆、长寿、涪陵和万州4站,雾日多出现在1月和12月,奉节雾日多出现在4~6月及11~12月,巫山4月份雾日最多,巴东4~6月及10~11月多雾日,宜昌10~11月雾日较多。

库区各地年平均相对湿度为68%~84%,较常年略偏高,季节差异明显,10月和11月的相对湿度普遍偏高,2月份相对湿度偏低。库区各地蒸发量在910~1520mm,东段的蒸发量高于西段,各地月蒸发量最大值皆出现在8月份。

1999年长江三峡库区主要气候灾害为冬干春旱及伏秋旱、局部暴雨洪涝和春秋季的低温冻害。1999年初库区各地降水仍持续偏少,形成了自1998年9月~1999年2月的秋冬春连旱,1999年8月份降水再次偏少,形成伏秋旱,导致部分地区农作物受旱减产。1999年三峡库区各地暴雨日为2~5天,7月份暴雨最多,出现的两场影响4地的降水量在100mm以上的大暴雨,在部分地区引发了山体滑坡及泥石流。1999年1、2月份气温异常偏高,越冬作物生育期提前一周至半个月,小麦提早拔节,油菜早花严重,3月9日前后和3月20日前后两次强冷空气侵袭,形成"倒春寒"天气,普遍降温达8~11℃,使越冬作物因大风降温而发生倒伏和遭受冻害,库区西段受害较轻,库区东段损失较大。

(二)库区陆生植物

1999年,总计调查到的库区高等植物已有6388种(亚种、变种、变型),分属238科,1508属,其中种子植物种类占全国种子植物种类的20%以上。

最新调查结果表明:

(1)三峡库区共有珍稀濒危植物57种,占全国总数388种(红皮书)的14.7%,天然分布的各类国家重点保护植物共有188种。

(2)在石柱县和万州区发现荷叶铁线蕨新的分布点,面积较大。

(3)三峡库区发育着大批特有植物。中国特有科有:银杏科、水青树科、伯乐树科、杜仲科,在一个地区能集中4个科实属罕见;分布的中国特有属共70属,有3000种以上是中国特有种。有500个以上库区特有种,占三峡库区植物种的近1/10。

(4)库区内现有百年以上古树8000多株,除黄桷树外,库区现有300年以上古树168株,100~300年古树4089株,共有古树157种。古树的分布很不均衡,宜昌保留古树种类最丰富(有44种),其次是万州区(41种),风景名胜点和庭园古树名木较多。水库建成后将被淹没的古树29株(有枫杨、小叶榕、青檀、重阳木、白花泡桐、马尾松、皂荚、女贞、黄连木等)。部分银杏、篦子三尖杉、铁坚油杉等珍贵树木亦将被淹没。

(三)库区陆生动物

1.库区的鸳鸯

在巫山县——巫溪县的大宁河(小三峡)中有分布,且具有一定规模数量的越冬种群。1999年调查仅在大宁河18km范围内进行,见到至少6只鸳鸯。推算大宁河主河道中至少有100只鸳鸯。大宁河支流马道河也栖息有一定种群数量的鸳鸯,三峡库区形成后,大宁河鸳鸯栖息地生境条件将发生很大改变。三峡库区的鸳鸯生存情况有待于进一步调查和监测。

2.库区的其它珍稀水禽

1999年抽样监测调查资料表明,黑鹳、白琵鹭、黑脸琵鹭、大天鹅、小天鹅这5种珍稀水禽,在库区中已不存在具有一定规模数量的稳定越冬地。长寿湖、大洪湖雁鸭类大量减少。角鸊鷉为本次调查中观察到的库区新记录种类,数量很少,属于零星分布的偶见种。此次调查见到水禽种类共计19种,其中游禽(鸊鷉科、鸬鹚科、鸭科)15种。

3.库区的金丝猴等珍稀濒危动物

1999年调查确证金丝猴在邻接巴东的兴山县也有分布。其他种类的珍稀濒危动物如猕猴、黑熊、小麂、苏门羚等,在一些基层监测点所在区域也发现有数量较多、容易被人直接观察到实体的分布区。

(四)渔业资源与环境

1.渔业资源(略)

2.渔业环境(略)

(五)珍稀、濒危水生动物

1.长江上游特产鱼类

1999年,长江上游宜宾到木洞之间的长江干流及附近大的支流全年合计采集到鱼类总数107种(亚种),其中宜宾采集到55种,合江74种,木洞86种。较之1997、1998年的野外调查资料,新记录到的种类有18种。

1999年采集到的特有鱼类共24种(亚种),其中宜宾13种,合江16种,木洞19种。1997~1999年,3年共采集到特有鱼类31种,占该水域生活的44种特有鱼类的70.45%。

2.中华鲟

1999年农业部、全国人大农业与农村委员会、湖北省人民政府在长江中游共同主办了本世纪规模最大的中华鲟放流活动,共放流10cm左右的中华鲟鱼苗10万多尾,长江渔业资源管理委员会办公室继续组织有关单位开展长江口中华鲟幼鱼抢救、暂养、放流工作,共抢救幼鲟653尾。

3.白鳍豚和江豚

1997～1999年共动用船只89艘次，参加监测人员522人次，共监测到白鳍豚33头(次)、江豚7489头(次)。监测中还观察到白鳍豚幼体。

4.胭脂鱼、白鲟和达氏鲟

1999年，在长江上游，无误捕白鲟的记录。1999年4月4日，合江江段有渔民误捕了达氏鲟1尾，体长105.4cm，体重5.5kg，经消毒处理后放流。长江上、中游江段均有误捕胭脂鱼成鱼和幼鱼的记录，总数超过10余尾。

(六)库区农业生态

1.三峡库区农田土壤生态环境

1999年对库区19个县，190个乡镇进行调查的结果表明，三峡库区耕地面积少，后备宜农荒地资源不多，耕地面积复种指数高，以粮食作物种植为主。1999年农作物总播种面积5805.93百公顷，比1998年略有增加，复种指数240%。库区全年粮食作物面积4527.57百公顷，经济作物面积998.96百公顷，其他作物面积279.40百公顷，三者分别占78.0%、17.2%、4.8%，与1998年比较相差不大。

库区耕地中旱地面积占64.2%，水田占35.8%。大于25度的坡耕地种植面积有所下降。

1999年，库区46个水田、旱地土壤固定监测点监测结果表明，库区土壤除速效磷含量属中等水平外，全氮、全磷、全钾、碱解氮和速效钾等土壤肥力元素含量普遍较低，与1998年基本一致。土壤中重金属(Cd、Hg、As、Pb、Cu、Zn)含量在背景值范围内，符合土壤环境质量一级标准，没有受到污染。

2.三峡库区农村能源

三峡库区农村生活用能源的主要途径以秸秆直接燃烧为主，占37.22%，其次为小煤窑占31.78%，小水电17.04%，薪柴占12.32%，生物能源——沼气占1.63%，沼气比重比1998年上升0.81%。

1999年，库区农村户数116.13万户，沼气池数量为19733个，年产沼气量641.95万m^3，每100户仅为1.70个，年户平均沼气量5.53m^3，比1998年度有所上升。

3.三峡库区农作物病虫害

1999年对库区重点病虫害测报点监测结果表明，库区农作物病虫害总发生面积为514387公顷次，与1998年515693公顷次相比，基本一致。

病虫害发生程度与以往几年基本一致，没有发生某种农作物病虫害的暴发流行和重大危害。

(七)库区地质灾害

1.地震

1999年1～12月长江三峡及周围地区(北纬29.5°～32.5°，东经108°～112°之间)共发生$M_l \geq 1.0$级地震约38次，其中M_l1.1～1.9级地震17次，M_l2.0～2.9级地震19次，M_l3.0～3.9级地震2次，最大地震为1999年3月3日重庆万顺M_l3.5级地震。小震活动空间分布总体上比较分散，但在长江三峡地区以东的黄陵背斜东侧，沿钟祥北北西向断裂附近中小地震相对集中。汉水地震带低活动背景下局部区域活跃是1999年度本区地震活动的特点。

2.崩塌、滑坡、泥石流

(1)基本情况和典型实例

1999年，重庆市所辖三峡库区巫山、巫溪、奉节、云阳、万州、忠县、石柱、丰都、涪陵、长寿、武隆、巴南、渝北、江津等14个县、区、市内，发生崩塌、滑坡、泥石流等地质灾害420处，造成严重损失的60处，其中近一半是新发生的。湖北省所辖三峡库区宜昌、兴山、秭归、巴东4县，发生崩塌、滑坡、泥石流等地质灾害30处，其中以巴东县最严重。地质灾害造成较严重的人员伤亡，其中重庆市所辖地区致死10人，致重伤500余人。全库区地质灾害造成的直接经济损失，多达5亿多元。

(2)地质灾害防治与监测

长江三峡链子崖危岩体防治工程全面竣工，监测资料表明，变形在向稳定的方向发展。黄腊石滑坡也完成了阶段性防治工程。

国土资源部组织长江三峡地质灾害防治指挥部牵头，选择地质灾害多发的距大坝较近的链子崖至巴东库段，进行崩滑地质灾害监测试验(示范)研究，研究取得丰硕成果，达到预期目标。

第五章 生态环境实验站建设

1999年，万州、秭归生态环境实验站继续进行了土壤熟化、坡地立体种植、生态农业示范等工作；河口生态环境实验站、三峡库区植物物种资源保护站、小港生态环境实验站进行了必要的监测与试验示范工作，就大江截流后三峡库区生态环境的变化、三峡库区高效生态农业建设、提高移民环境容量、退化生态系统的恢复与重建等项目进行了深入的研究。

第六章 污染源排污状况

(一)重点工业污染源监测

1999年，重庆市辖区工业废水排放量达到90220万t，处理率82.89%，排放达标率为66.38%。

主要污染行业排在前三位的是化工原料及化学制品业，食品烟草加工及食品饮料制造业，黑色金属冶炼及压延加工业，其累计等标污染负荷比为84.4%。

1999年，对库区工业废水直排长江的124个重点工业污染源进行了监测，比1998年增加了14家，其分布范围更广泛。工业污染源废水排放的主要区域是：重庆主城区(包括巴南区、大渡口区、九龙坡区、南岸区、渝中区、江北区、渝北区),江津市,长寿县,涪陵区和万州区,其工业废水的排放量占库区工业废水排放总量的93.9%。

表3 1999年三峡库区124家重点工业污染源排污状况

地名	企业数(个)	年排废水量(万 t/年)	污染物排放量							
			悬浮物(t/年)	化学需氧量(t/年)	石油类(t/年)	挥发酚(kg/年)	硫化物(t/年)	氨氮(t/年)	六价铬(kg/年)	总磷(t/年)
重庆主城区	61	16992.4	10669.5	87.6	115.6	2402	30.1	317.4	1485.3	7.9
江津市	2	1233.3	110.1	6305.2	-	-	-	-	23	-
长寿县	6	3172.3	7193.8	8730.6	31.5	711.0	54.1	129.3	185.0	3.3
涪陵区	12	1024.8	7147.0	564.1	2.2	480.0	0.1	159.1	630.0	3.0
丰都县	5	217.8	448.4	3728.5	-	400.0	-	143.5	-	-
忠县	4	413.6	93.0	594.1	-	-	2.3	0.9	-	8.3
万州区	21	829.1	1991.5	741.3	28.0	5.0	1.4	30.9	-	3.7
云阳县	4	31.2	78.1	40.5	-	-	0.3	0.3	-	1.9
奉节县	3	311.7	414.7	501.4	-	9.0	5.1	123.9	-	4.9
巫山县	1	82.0	210.2	120.0	-	-	-	-	-	12.3
巴东县	1	6.9	17.3	17.7	-	-	-	7.4	-	-
秭归县	4	49.5	15.0	30.4	-	-	-	-	-	0.7
合计	124	24364.6	28388.4	21461.4	177.3	4007.0	93.4	912.7	2323.3	46.0

(二)城市污水调查与监测

表4 库区直排长江城市污水排放情况

地名	排污口(个数)	城市污水排放量(万 t/年)	污染物排放量(t/年)							
			化学需氧量	生化需氧量	总磷	总氮	氨氮	动植物油类	挥发酚	污染物合计
重庆主城区	21	22489.11	101201.00	49476.04	1326.86	7871.19	4745.20	1158.19	13.49	165792
江津市	1	305.51	1374.77	672.11	18.02	106.93	64.46	15.73	0.18	2252
长寿县	3	1517.67	6829.52	3338.87	89.54	531.18	320.23	78.16	0.91	11188
涪陵区	8	1983.41	8925.35	4363.50	117.02	694.19	446.27	111.07	1.19	14659
丰都县	4	468.11	2106.51	1029.85	27.62	163.84	98.77	24.11	0.28	3451
忠县	2	675.07	3037.80	1485.15	39.83	236.27	142.44	34.77	0.41	4977
石柱县	1	36.46	164.09	80.22	2.15	12.76	7.69	1.88	0.02	269
万州县	9	2857.95	12860.78	6287.49	168.62	1000.28	643.04	160.05	1.71	21122
云阳县	3	413.91	1862.60	910.60	24.42	144.87	87.34	21.32	0.25	3051
奉节县	4	704.63	3170.85	1550.19	41.57	246.62	148.68	36.29	0.42	5196
巫山县	3	522.32	2350.42	1149.09	30.82	182.81	110.21	26.90	0.31	3851
巴东县	5	192.17	864.78	422.78	11.34	67.26	40.55	9.90	0.12	1417
秭归县	2	108.41	487.82	238.49	6.4	37.94	22.87	5.58	0.07	799
合计	66	32274.73	145236.28	71004.38	1904.21	11296.16	6877.75	1683.95	19.37	238022

注:重庆主城区城市污水口只计长江一侧。

三峡库区直排长江的城市污水1999年的排放量总计3.23亿t,重庆主城区、万州区和涪陵区是主要排污区域,主要污染物为生化需氧量、化学需氧量和氨氮,其等标污染负荷比累积达到96%。

(三)工业固废和生活垃圾

1999年,重庆市工业固废产生量为1511.47万t,其中危险废物51.81万t,冶炼废渣57.81万t,粉煤灰161.96万t,炉渣260.65万t,煤矸石696.33万t,尾矿82.56万t,放射性废物0.01t,其他废物200.35万t。工业固体废物排放量290.5万t。

重庆市目前城市生活垃圾每年产生219万t,在长江岸边累计堆放2170万t。

(四)库区农药、化肥污染源监测

1.化肥

监测结果表明,与1998年相比,化肥施用量有所减少,从氮、磷、钾三者比例来看,磷肥施用量比1998年增加了34.1%,土壤结构有所改善,相应减少了氮、钾的流失量。

2.农药

1999年库区农药按折纯量计,使用量为1160.6t,农药使用总量比1998年增加20.4%,每公顷使用量4.48kg。

表5 库区化肥使用情况

化肥种类	使用总量(万t)	流失总量(万t)	作物利用率%	土壤残留率%	地面径流率%	地下淋溶率%	气态氮挥发%	土壤磷固定%
氮肥	9.15	0.87	33.34	30.30	9.55	0.54	26.27	-
磷肥	2.95	0.16	232.00	13.26	5.28	0.72	-	48.74
钾肥	1.12	-	- -	-	-	-	-	-
总计	13.22	-	- -	-	-	-	-	-

表6 库区农药使用情况

农药类别	使用量(t)	百分比
有机磷	524.9	45.2
有机氮	217.7	18.7
菊酯类	110.0	9.5
除草剂	77.3	6.7
其他	230.7	19.9
总计	1160.6	100

(五)库区流动污染源监测

1999年三峡库区过葛洲坝船闸船舶流量、客运量和货运量分别为69126艘次、314.3万人次、1054.2万t。

1999年三峡库区直排长江船舶流动污染源机舱污水约77.9万t,处理率只有74.1%,污染物排放总量147.14t,其中石油类排放量占总量的57.8%,排入库区量同1998年相比上升了48%。对机舱污染水的石油类、悬浮物和PH值3项指标的评价结果表明:石油类排放总达标率较低, 是库区船舶流动污染源的首要

表7 库区船舶直排长江机舱污水统计结果

船舶类型	调查船数	占总数之比(%)	年排放污水量(t/年)	占总量之比(%)	处理量(t/年)	处理率(%)	石油类达标量(t/年)	石油类达标排放率(%)
旅游船	82	0.94	21549	2.78	21311	99.0	17584	81.6
客船	2585	29.2	397782	51.1	355162	89.3	320612	80.6
拖轮	675	7.8	162354	20.8	143883	89.9	97412	60.0
货船	4390	50.1	142583	18.3	16539	11.6	3136	2.2
其他	1023	11.7	54817	7.0	40480	73.8	34008	62.0
合计	8755	-	779088	-	577317	74	475126	61.0

污染物,其等标污染负荷比为 89.8%;悬浮物等标污染负荷比为 10.2%;PH 值全部达标。

1999 年三峡库区共发生船舶污染事故 20 件,因事故排入库区江中柴油 11.8t、垃圾 20 袋、油污水近 100t。其中最大一次事故是四川省轮船公司的四川 15 号船,航行于宜昌上游三角滩处,因船尾缆断裂,致使船翻沉,机舱内 8 t 柴油入江,造成沿江严重污染。同 1998 年同期相比,污染件数没有变化,但污染程度加重。

第七章 环境质量状况

(一)环境监测情况

1.城市江段水质监测

1999 年,对库区沿江的 10 个主要城市江段(重庆、长寿、涪陵、丰都、忠县、万州、云阳、奉节、巫山、宜昌)的干流水质进行了枯水(2 月)、平水(5 月)和丰水(8 月)3 个水期共 12 次监测。10 个城市江段共设置了 16 个断面,其中忠县的九条沟、云阳的盐码头、奉节的白帝城 3 个断面是 1999 年新增加的断面。全年对非离子氨、石油类等 28 项指标进行监测,共获得有效监测数据约 16000 个。

2.岸边污染带监测

1999 年,库区较大的工业废水排放口有 12 个,大型城市生活污水排放口 66 个。对典型排污口——万州区两层桥污水口进行了岸边水质和污染源排污负荷同步监测,监测指标 8 项,获得有效监测数据约 300 个。利用实测数据采用类比方法,计算出库区城市江段较大排污口下游岸边水质受明显影响(超出入流背景 5%)的河道长和宽,再结合江段入流背景浓度确定超标污染带的长和平均宽。

3.长江干支流总体水质

1999 年,对库区长江干流重庆寸滩、涪陵清溪场、万州沱口、巴东官渡口、巴东水位站断面,支流嘉陵江汇入长江处临江门断面与乌江汇入长江处武隆断面,长江中下游干流南津关、汉口和吴淞口下断面共 10 个断面水质进行了 12 次监测,每月 1 次,监测项目包括高锰酸盐指数、总磷等等共 26 项,获得有效监测数据约 7500 个。

4.施工区环境质量监测(略)

(二)城市江段水质(略)

(三)岸边污染带状况(略)

(四)城市生活垃圾对水环境的影响(略)

(五)长江干支流总体水环境质量(略)

(六)施工区环境质量状况(略)

第八章 库区人群健康

基本情况:1999 年的监测点与 1998 年相同,即湖北省宜昌市的宜昌县、兴山县和秭归县;重庆市的江北区、巴南区、渝北区、龙宝区、九龙坡区和长寿县、丰都县。监测区总人口为 514067 人。

两地监测点内共有病床 2933 张,卫生专业技术人员 4464 人,和 1998 年持平。

1.法定传染病

全年各监测点共报告法定传染病 2546 例,总发病率 485.34/10 万,比 1998 年的 655.22/10 万明显下降。本年度发病率居前 5 位的顺利为:肝炎(156.12/10 万)、淋病(103.13/10 万)、痢疾(100.46/10 万)、肺结核(90.74/10 万)和感染性腹泻(9.34/10 万)。从几年监测结果看来,肝炎、淋病、痢疾和肺结核是当地的主要传染病,发病较多且比较稳定。各月发病情况未见反常,仍以夏、秋季较多。与鼠类有关的流行性出血热、钩端螺旋体病以及和蚊类有关的乙型脑炎和疟疾,本年分别报告 3、5、6、2 例,连续第四年处于较低水平。从病种看,1998 年无病例报告的梅毒、流脑、流行性出血热,1999 年有少数病例,分别为 8、7、3 例。

表 8 1999 年三峡库区部分城乡法定传染病逐月发病情况

月份	1	2	3	4	5	6	7	8	9	10	11	12	合计
发病数	95	163	187	191	219	376	223	226	187	240	202	237	2546
发病率(1/10 万)	18.11	31.07	35.65	36.41	41.75	71.68	42.51	43.08	35.65	45.75	38.51	45.18	485.34

2.生物媒介监测

居民区内的褐家鼠占明显优势,占 68.11%,高于上年的 62.96%,而和 1997 年的 68.26% 接近。小家鼠下降至 19.46%,低于上年的 29.63%。1998 年在室内未曾捕到的食虫目小兽,1999 年占到 10.27%。在户外,食虫目小兽多达 44.44%,明显超过 1998 年 30% 的比率。在啮齿目小兽中,褐家鼠居多,占 28.70%,略低于上一年的 35.71%;黑线姬鼠所占比例逐年下降,从 1997 年的 50.80% 下降到 1998 年的 17.86%,再降到 1999 年的 12.04%。1999 年室内鼠密度与 1998 年近似，处于中度偏低水平，但室外显著低于去年，仅为2.68%，属于低密度范围。

蚊类的监测：从分类看，无论户内或畜圈，骚扰阿蚊均占绝对优势，分别占总数的78.80%和86.07%，淡色库蚊次之，致倦库蚊和中华按蚊分别占室内和畜圈中的第3位；其它蚊种较少。和1998年相比，户内和畜圈的成蚊密度稍有下降，但差别都在正常变动范围之内。

3.人群死因监测

重庆市的人群死因顺序：循环系统疾病占29.84%，居首位；呼吸系统疾病占23.40%，次之；肿瘤21.19%，位居第三；意外死亡占9.21%，消化系统疾病占4.04%，分居第四、第五位。

4.人群血清检测

湖北省对4223名发热病人检查疟原虫，阳性2例，阳性率0.05%；对246例健康人群血清检查流行性出血热和钩端螺旋体病，阳性率分别为3.33%(8/240)和28.99%(69/238)，均低于上一年的4.03%和48.39%。

5.地方病监测

湖北省抽查五年级学生80人，发现甲状腺肿大7人，患病率8.75%。检查碘盐40份，全部合格。重庆市的甲状腺肿大率，用触诊法检查时为13.13%，用B超法为12.50%。其它属于监测范围的地方病病种均无病例报告。

说明：由环保、水利、农业、林业、气象、卫生、资源、地震、交通、中科院、中国三峡总公司、三峡建委移民局及湖北、重庆两省、市人民政府等有关部门和单位共同组建的长江三峡工程生态与环境监测系统对三峡工程建设过程中的生态与环境问题进行了全面的跟踪监测，并连续3年编制了《长江三峡工程生态与环境监测公报》，向全世界公布了三峡工程建设过程中的环境状况。

1999年，是长江三峡工程生态与环境监测系统运行的第四年，全年共有70多个科研院所和监测站开展了工作，对约500个监测项目进行监测，获得约40万个数据。编制成的《长江三峡工程生态与环境监测公报》约有36000字，由于《年鉴》容量有限，在此仅作摘要。

重庆市生态环境建设与保护概况

重庆市是三峡工程的主要库区，其环境质量特别是水土保持和水质保护的好坏，对整个三峡库区乃至长江中下游都将产生重大影响。由于历史、地理等多方面原因，重庆市水土流失和环境污染严重，生态环境建设与保护的任务十分艰巨。重庆市成为直辖市以来，市委、市政府认真贯彻中央领导关于“重庆要加强生态环境建设，实现可持续发展”的重要指标，把生态环境建设与保护作为重庆市的四件大事之一来抓。1999年，市委常委会听取全市生态环境建设和保护工作的专题汇报，提出要从讲政治的高度，重视和加强生态环境建设和保护工作，同时成立重庆市生态环境建设和保护领导小组；市政府多次召开常务会、专题会，审议批准一系列地方环保行政规章和规划，研究解决一些重要问题，有力地领导和促进全市的生态环境建设和保护工作。

（一）生态环境规划与法制工作

市政府批准《重庆市生态环境建设规划》，并正式印发执行，全市生态环境建设有了一个跨世纪的行动纲领和基本指南；批准实施《重庆市自然保护区发展规划》，使自然保护区迅速得到发展；批准实施《长江上游(重庆部分)水污染整治规划》，为实施水污染治理工作奠定坚实基础；发出《关于在三峡库区移民迁建中加强生态环境保护工作的通知》，提出确保使移民搬迁安置与生态环境保护协调开展的重要措施。在前两年出台并实施《重庆市环境保护条例》、《重庆市饮用水源保护区污染防治管理办法》、《重庆市控制燃煤二氧化硫污染防治管理办法》等地方行政规章的基础上，完成《重庆市环境保护奖励与处罚办法》、《重庆市环境保护行政处罚程序规定》的修改与送审；草拟《重庆市违反环境保护法规行政处分暂行规定》、《重庆市人民政府关于贯彻落实环境保护法律法规实行有关部门分工负责制度的决定》；进行《重庆市长江三峡库区水污染防治条例》、《重庆市控制机动车污染管理办法》的论证；对设立重庆直辖市前颁布的27个环境保护行政规章及规范性文件进行分类清理。全市生态环境建设和保护的规划与地方性行政规章日臻完善。

（二）生态环境建设工程

1998年，重庆市有10县、1镇列入全国生态环境建设重点县(示范镇)，争取到中央投资8600万元，其治理项目按计划完成，治理效果比较明显。在此基础上，1999年有10个续建县和16个新建县列为全国重点县。计划安排总投资3.97亿元，其中中央投资2.21亿元，全部到位。计划综合治理水土流失面积1180km^2，改造坡耕地1.4万公顷，植树造林5.6万公顷，水保工程6800余座，农村沼气池2.97万座，节柴灶2.75万户。按照国务院要求，坚决停止开垦荒地，加强库区山水田林路综合治理。各地干部群众大规模开展植树造林、封山育林、坡改梯和生态农业建设，2000年春季可按计划完成建设任务。在三峡移民安置中，坚持开发与治理并重，建设大量的水平梯地和水保设施。全市自然保护区迅速发展到14个，占全市幅员面积的2.37%。

（三）污染防治工作

市政府将“一控双达标”工作切实列入工作日程，批准印发《重庆市2000年工业污染源达标排放和城市环境功能区达标工作方案》，向社会公布90家重点工业污染企业名单，下达限期治理通知，全面推进“一控双达标”工作。至年底，经过治理已达标企业20户，因停产和破产而自然达标的企业11户，达标率34.4%。对于三峡重庆库区受淹工矿企业的迁建规划进行修编，规划对效益低下、污染较重又无力治理的794家工矿企业实施关停破产，已试点30家。同时对迁建企业开展环境影响评价工作，并督促企业执行环保“三同时”制度，重庆库区有16户受淹造纸厂全部停止化学制浆。为了切实保护饮用水源，集中开展主城九区区属50张病床以上医院的污水治理工作。截至年底，纳入治理范围的104家医院开工治理率100%，污水处理率95.2%，达标率82.7%。对长江、铁路沿线的垃圾、工业固体废物、建筑弃渣进行综合整治，整治沿江垃圾321处、72.2万t，清除建筑弃土36.2万m^3、工业固体废物11万余t，接收8600多艘（次）船舶的垃圾1265t。为了改善大气环境质量，有效控制酸雨、酸雾的危害，自1998年开始推广使用清洁能源，至1999年底全市有22个区县（市）、两个开发区完成推广工作，总计实施燃煤灶改为清洁燃料灶39250台，年减少燃煤58.23万t，年减排二氧化硫2万t，烟尘5.83万t。

（四）环保执法检查

以贯彻《国务院关于环境保护若干问题的决定》为重点，查处一批严重的环境污染违法事件，按期取缔、关停560多家污染严重的15种小型企业。通过新闻媒体公布全市90户重点工业污染源企业的达标情况，对其中未达标的企业统一下达限期整改通知。开展建设项目环境执法检查，对违法项目进行严肃查处，全市共责令关闭项目93个、停产项目22个、限期治理项目149个；还配合国家有关部门专项检查渝长、渝合高速公路和达万铁路等重点项目的生态环境保护和水土流失防治情况；规范建设项目的审批程序和环保设施的竣工验收程序，有效地控制新污染源的形成。

（五）环保基础设施建设项目

为了保护三峡库区水环境，国家安排重庆市利用世界银行贷款建设9个项目，其中包括重庆主城区排水工程、重庆主城区长生桥垃圾卫生填埋工程、万州城区供水工程、涪陵城区供水工程和排水管网工程等。这些项目经国家计委批准立项，并均已完成初步设计。重庆库区已安排移民环保补助经费计划1852万元，启动各区县环保设施建设项目。万州、涪陵主要依靠国债、自筹资金已开工建设日处理能力分别为400t、300t的垃圾处理场；部分城市和县城挤出基础设施费加上环保补助费已动工铺设排污干管；各县城的统建房和单位建房都建了沼气池，对粪便进行无害化处理。城市县城迁建规划均预留了污水处理厂位置，部分区县正在开展污水处理和垃圾处理工程的前期工作。

（六）环境宣传教育

全市围绕“一控双达标”等环保中心工作，面向决策者，面向群众，开展“领导干部谈可持续发展”征文，“国投证券杯”环境征文，第二届中小学生“爱我长江，保护母亲河”环境征文竞赛活动，“妇女、家园、环境”大型宣传活动，“环保世纪行”活动，“手拉手拣回一个希望，还母亲一片绿色”活动；举办“让环保走进生活”报告会、“记者与环境”论坛，以及“共创洁净家园”电视现场直播节目。一系列丰富多彩的宣传活动，使广大干部群众增强了环保意识。全市有20个区县成立了环境教育协调委员会，建成了近百所区县级绿色学校和17所市级绿色学校；建成缙云山自然保护区等5个青少年环境教育基地，为培养青少年环保后备队伍奠定了基础。

（钟杰英）

三峡工程重庆库区地面文物保护工作情况

（一）白鹤梁题刻、张桓侯庙、石宝寨保护工作进展情况

由于三峡文物保护规划没有评审，1999年没有下达地面文物保护计划。地面文物保护工作主要是抓紧落实白鹤梁题刻、张桓侯庙、石宝寨三大项目的规划方案设计和审批准备工作。

1.完成张桓侯庙新址和旧址的地形测绘、新址的地质初勘和详勘工作。成果已提交给清华大学和陕西省文物保护中心，两家的规划设计方案在审核之中。

2.忠县石宝寨保护设计工作，邀请建设部综合勘测设计研究院、长江勘测规划设计研究院、铁道部第一勘测设计院三峡分院、电力工业部中南勘测院重庆分院等4家设计单位投标设计，1999年2月26日开标，评标工作已完成，计划2000年6月底前完成初步设计，9月底前完成施工图设计，2000年底前完成施工招标投标工作。

3.涪陵白鹤梁题刻保护工程，三峡建委未下达项目计划，根据国务院三峡建委办公室《关于抓紧开展白鹤梁题刻石宝寨张桓侯庙保护工作的函》的要求，石刻表面加固工程、防护工程，水下围堰方向性研究设计工作,亟须抓紧开展。

(二)1997~1999年地面文物保护项目完成情况

1.1997~1999年,累计完成地面文物留取资料项目29处,完成搬迁保护项目前期的现状测绘60处。

2.奉节县瞿塘峡石刻前期准备工作,计划2000年底完成第一期工程施工。

3.丰都县卢聚和大院等4处民居的搬迁选址已定,前期现状测绘和1:500地形图测绘均已完成。

(陈祖林)

重庆库区(1997~1999年)考古发掘基本情况

1997~1999年底以前,重庆库区聚集来自全国各地支援三峡地下文物保护的科研单位和大专院校28家,共进行51个项目的田野考古工作,完成发掘总面积约6万m^2,勘探总面积约160万m^2。出土珍贵文物2000余件,一般文物1万余件,各类标本数万件。

1.巫山县锁龙遗址:位于长江左岸,新石器时代晚期遗址,成都市文物考古研究所发掘。1997、1998年度完成勘探面积5万m^2,发掘2000m^2。发现以新石器时代堆积为主的文化堆积。出土器物以平底器、圈足器为主。器类有深腹罐、盘口罐、钵、盆、高领罐、矮领罐、高柄豆、圈足盘、杯等,造型特征以平底器数量居多。发掘的资料显示,该遗址文化内涵兼有魏家梁子及老关庙遗存因素,其中的一些文化因素与川西宝墩文化因素具有相似性,年代大约距今4500年左右。

2.巫山县双堰塘遗址:位于长江支流大宁河流域,是以西周时期文化遗存为主的遗址。中国社会科学院考古研究所发掘。1997、1998年度完成勘探面积10万m^2,发掘1125m^2,发现红烧土堆积、墓葬、柱洞等遗迹。基本确定西周时期文化的主要分布区域。出土以花边口沿器及尖底器、豆、罐、盆、钵、器盖为代表的遗物,具有极浓的西周时期巴文化色彩,为西周时期分布在大宁河流域中最为重要的巴文化遗址之一。1998年度南部墓葬区的清理表明,该发掘区周围应是一处规模较大的东汉或稍晚时期地位较高的家族墓地,其发现对寻找确定大昌古代汉晋城址地望、揭示汉晋古城之谜等具有一定的学术意义。

3.巫山县蓝家寨遗址:位于大宁河左岸的一级台地上,重庆市博物馆、湖南宜阳文物考古队联合发掘。1998年度完成发掘面积560m^2,发现东周时期的大量灰坑、灰沟,以及房基、柱洞、灶等平地式建筑遗址。出土遗物有鬲、罐、豆、盆、碗、钵等陶器,箭镞、带钩等铜器,矍、锸等铁器,以及陶纺轮、网坠、石范和琉璃珠等。蓝家寨遗址包含有一定程度的巴、楚文化因素,表明东周时期大昌盆地应是巴楚文化交汇的重要地区。

4.巫山县跳石遗址:位于巫峡峡区内长江左岸,南京博物院发掘。1997、1998年度完成勘探面积2万m^2,发掘面积1400m^2。跳石遗址文化层堆积较厚、内涵丰富,有周、汉、宋、明、清几个阶段,周代遗存为主,有灰坑、灰沟、墓葬等遗迹。出土遗物有陶罐、鬲、豆、缸、纺轮;铜斧;石锛、斧、凿等。其文化面貌与周围地区,尤其是鄂西地区文化的联系紧密,是楚文化沿峡江西渐的一处重要的文化踞点。1998年度在北部发现一层周代红烧土堆积,厚10~15cm,可能为居住遗迹。

5.巫山县琵琶州遗址:位于大宁河右岸一级台地,中国社会科学院考古研究所发掘。1997、1998年度完成勘探近11万m^2,发掘1000m^2。通过大面积勘探揭示了该遗址的分布:山顶坡地为战国~汉晋墓葬区,西侧有新石器时代遗址分布,由于耕作的扰乱破坏,保存多为汉以后遗存。汉代墓葬中出土的鎏金四叶葵瓣状铜牌饰和小铜錾是过去发掘极为少见的精品,为重庆库区古代墓葬文化内涵的深入研究增添了颇有价值的资料。

6.巫山县麦沱墓地:位于长江左岸县城西郊,湖南省文物考古研究所发掘。1997、1998年度完成勘探面积7万m^2,发掘面积2500m^2,探明战国~东汉、六朝墓葬44座,发掘约30座。麦沱墓地跨时长,情况复杂,有土坑墓、崖墓、砖室墓、石室墓、砖石混合建造墓数型。本次发掘,找到几组墓葬之间的叠压打破关系,出土大量的钱币和时代演变序列清楚的陶器,为该地区汉墓年代标尺的建立提供了科学依据。出土文物有金、银、铜、铁、玉、陶、瓷等类,数量多、价值高。有金银手镯,玉璧,铜鼎、壶、钫、簋、锺、鍪、盆、勺、耳杯、铜格铁剑、镂空雕龙凤纹铜带钩、阙形鎏金铜棺饰等。此外出土了形制独特的陶楼、数量和种类繁多的釉陶和泥质陶俑,部分俑彩绘或外表镀有水银。本次发掘的另一重要收获是发现了3座典型东周楚墓作风的战国墓,有益于东周巴楚文化关系的研究。

7.巫山县张家湾遗址:位于大宁河左岸,南京大学发掘。1998年度完成发掘面积550m^2,发现以汉代遗迹为主,有灰坑、房址、窑址等。出土遗物有瓦、瓦当以及陶、石、铁、铜等种类。

8.巫山县瓦岗槽墓地:位于巫山新城迁建区,南京博物院发掘。1997、1998年度完成勘探面积2.5万m^2,

发掘 1400m²,发掘西汉、东汉、宋代墓葬 42 座,有土坑、砖室、石室、崖墓等类,出土遗物较丰富。

9.巫山县江东嘴墓地:位于大宁河与长江交汇处的山坡地带,中国文物研究所发掘。1998 年度完成勘探 5000m²,发掘面积 1000m²。发现 20 座汉晋墓葬,有砖室墓,石圹墓,土洞墓,土坑墓等。江东嘴墓地的墓向大体一致,有木质棺椁类葬具。出土器物有陶、瓷、铜、铁、琉璃器等,以陶器数量居多。有壶、罐、甑、灶、盘、碗、钵、耳杯、仓形器、器座、釉陶壶、纪年铭纹砖等。从获得的资料可知,江东嘴是一处分布范围广、时代延续长的大规模的墓葬群,其年代至少从战国开始,一直延续到六朝时期。

10.巫山古城遗址:位于今巫山县城范围内,中国社会科学院考古研究所发掘。1997 年度完成勘探面积 7.5 万 m²,在城址西北角发掘 265m²。基本了解古城的平面形制及城垣遗迹现存状况。古城依山而建,因山势筑城垣,城墙系夯土板筑。夯层厚 10~20cm,墙基下部有 40cm 厚者。其始建年代大致在魏晋时期。

11.奉节县横路旧石器时代遗址:位于长江支流梅溪河中下游左岸,重庆自然博物馆、中国社会科学院古脊椎动物与古人类研究所共同发掘。1998 年度发掘 500m²,出土石制品 39 件,有精制品 7 件。从石制品组合和石制品出露的情况初步分析,横路遗址是当时人类临时活动的场所。根据地层、地貌初步推测,遗址时代为华南旧石器时代末期向新石器时代过渡阶段,距今约 10000~7000 年。

12.奉节县鱼腹浦旧石器时代遗址:位于长江左岸、梅溪河右岸的第二级阶地,中国社会科学院古脊椎动物与人类研究所发掘。1997 年度完成发掘面积 1000m²,发现有规律排列的烧土堆积 12 个,遗物集中分布在烧土堆附近,呈条带分布。发现石、骨标本 1000 余件。是一处未经扰动的遗物原地埋葬遗址,在我国颇为少见。其时代范围对三峡地区旧石器时代晚期及其向新石器时代过渡的研究非常有意义。值得注意的是,发现一片夹粗石英沙褐陶片(编号 FY980944,残高 3.71cm、宽 2.24cm、厚 0.79cm),表面施绳文,推测器型为深腹钵类。据观察,该陶片系泥团捏成,代表制陶技术最原始的手法,目前仅见于中国的少量遗址,如广西桂林甑皮岩、江西万年仙人洞、湖南道县玉蟾岩等地。

13.奉节县新浦村遗址:位于长江右岸,吉林大学发掘。1997、1998 年度完成勘探面积 6 万 m²,发掘 1500m²。其堆积有两个时期:上层为周时期遗存,常见器物造型为三足器和平底器。发掘者认为其文化内涵与湖北秭归、宜昌、重庆巫山同期遗址接近,是分布于重庆、鄂西峡江地带受楚文化影响的文化遗存。下层为夏商或商末周初之际的遗存,发现房址、灰坑等遗迹。陶器主要以夹砂罐、高领壶、尖底杯、高柄豆以及盆、钵、器盖等为基本组合。器物造型多尖圜底,不见三足器。同类遗存主要分布在鄂西峡江地区及川西平原。

14.奉节县老油坊遗址:位于长江左岸,吉林大学 1998 年度发掘 500m²。堆积以东周、汉、唐三个时期为主。东周时期的墓葬葬式清楚,是比较重要的发现,此期文化堆积较薄,遗物少,陶器多为夹粗石英砂绳纹陶,按压大花边纹唇流行,典型器物有鼎、鬲、罐、碗、钵等,兼巴楚文化特色。汉代遗迹、遗物较多,出土大量筒瓦、板瓦和陶器、铁器、铜器、钱币等。宋代遗物以瓷器为大宗。

15.奉节县洋定渡遗址:位于长江右岸,洛阳市第二文物工作队发掘。1999 年度完成勘探 2.5 万 m²,发掘 900m²。发现汉至清灰坑、墓葬、房基、红烧土面、护坡石堤等遗迹,出土陶、瓷、铜等类明清时期为主的遗物。

16.奉节县上关遗址:位于长江左岸,重庆市博物馆发掘。1998 年度发掘 1000m²,清理战国~明清墓葬 40 余座。其中战国墓 6 座,具有战国中晚期楚文化墓葬特点。M48 长约 7m、宽约 6m、深约 7m,为整个三峡地区目前发现最大的战国墓。唐墓 19 座的发掘,填补了重庆地区这一时期考古墓葬材料的空白。通过本次发掘,初步掌握了上关遗址的分布范围和文化内涵,对于渝东地区晚期墓葬的类型和分期研究具有非常重要意义。

17.奉节县鱼腹浦历史时期遗址:位于长江、梅溪河左岸的第二级阶地,吉林大学发掘。1997、1999 年度完成勘探面积 11 万 m²,发掘 900m²,主要为唐、宋、明、清堆积。揭露出宋代砖路、石坝墙,明代排水沟,墓葬等遗迹。

18.云阳县李家坝遗址:位于长江支流澎溪河左岸,四川大学发掘。1997、1999 年度完成勘探面积 17 万 m²,发掘 4.3 万 m²。揭露了商周~明清时期大量灰坑、水田、房址、墓葬、窑址等遗迹现象。该遗址构成情况:Ⅰ区主要为早期的生活居住区,唐宋明清时期成为水稻耕作区。Ⅱ区主要为早期墓地,已清理战国前后的 120 余座土坑墓,以大中型为主,皆集中分布于本区,是本次发掘的最重要收获。李家坝遗址作为巴人分布在澎溪河流域的一个区域性中心,对研究和揭示晚期巴文化、巴蜀文化及巴楚文化的关系等问题具有重要意义,被评为 1999 年度全国十大考古发现。

19.云阳县东阳子遗址:位于长江左岸一级阶地,四川大学发掘。1997 年度完成勘探面积 7 万

m^2,揭露面积 $400m^2$。该址属次生堆积,所出遗物可分新石器晚期至商周时期遗存组、汉代遗存组两类。早期遗物兼有重庆峡江地区、鄂西新石器晚期、商周时期文化因素,可为"早期巴文化"研讨提供一些材料依据或研究思路。此外,采集的"巴蜀图语"铜印章及蝉纹铜矛表明,该址可能存在过战国墓葬和东周时期的其它遗存。

20.云阳县故陵楚墓:位于长江右岸帽盒岭,中国历史博物馆发掘。1997、1998 年度完成勘探面积 1 万 m^2,发掘 $1500m^2$。以战国、汉代时期墓葬为主,有土坑、石室、砖室墓。出土遗物丰富。

21.云阳县旧县坪遗址:位于长江左岸一级阶地,黑龙江省、吉林省文物考古研究所先后发掘。1998 年度完成勘探面积 10 万 m^2,发掘 $1600m^2$。清理汉、六朝为主的遗迹,有灰坑、灰沟、给排水沟、房址、墙基等。初步探明遗址的布局和范围,从遗址遍布的瓦砾和公用给排水设施分析,可以排除旧县坪遗址当时是一般村落的可能性。尤为重要的是,1999 年度发掘中,在遗址北部发现汉代冶铸作坊区,清理出大量与冶铸有关的遗迹。与之相关的遗物主要有鼓风设备、耐火砖、铜矿石、铜炼渣,戈、矛、剑、镞、钺、刀、锄、环等石范,有分属于 40 余个个体的鹿角。此外,还发现东周时期的花边沿罐类、鼎鬲类陶片;西汉至六朝的大量筒瓦、板瓦、瓦当等建筑构件及陶、瓷器。本次工作,在旧县坪遗址的性质、布局、时代范围等问题上皆有相当大的收获。冶铸遗址的清理,是峡江地区的首例,无疑是最重要的发现之一。

22.云阳县走马岭墓地:位于长江支流澎溪河右岸,四川大学发掘。1998 年度发掘 $520m^2$,清理两汉时期墓葬 18 座。根据墓葬的建造特点可分为深穴岩(土)坑墓、浅穴式岩(土)墓和土(岩)坑砖室墓。出土器物中的陶器、瓷器、鎏金铜器特色鲜明,与李家坝遗址中的汉代遗物可以对应。走马岭墓群中的深穴岩坑墓和浅穴斜坡岩坑墓比较少见,当是汉代峡江文化的一个区域特征。

23.云阳县明堂坝遗址:位于长江支流澎溪右岸,四川大学发掘。1999 年度发掘 $520m^2$。该遗址发掘片区由于晚期土地改造的破坏,早期堆积几乎无存。出土遗物以明清时期的建筑材料和器皿为主。

24.云阳县乔家院子遗址:位于长江左岸一级阶地,与万州中坝子遗址隔小冲沟相临、文化性质相同,西北大学发掘。1999 年度发掘 $500m^2$。该址文化堆积主要有新石器、商周、汉六朝、明清几个阶段。发现遗迹有灰坑、墓葬、房屋基址,以房屋基址的发现最为重要。确认房屋基址 5 座,皆为近圆形式地面建筑,残存墙基、灶坑,墙基内有柱洞。据灶内出土陶片判断,房址时代为商周至新石器时代之间。

25.万州区中坝子遗址:位于长江左岸一级阶地,西北大学发掘。1997、1998 年度完成勘探 1.1 万 m^2,发掘 $2250m^2$。其中主要的收获:发现一批新石器时代遗物,出土器表饰交错绳纹、附加堆纹的夹沙褐陶罐、磨光黑皮陶罐、高柄杯等遗物;清理一批保存较好且有多随葬品的商周时期灰坑,出土遗物具有典型的三星堆文化特征;发现商周时期的水田遗迹,将三峡地区的水田农业史大大推前。此外,还发现战国土坑墓 6 座,出土有刻画符号的陶器、铜器。中坝子遗址的发现,对重庆地区原始文化面貌、早期巴文化渊源、农业考古等研究具有重要作用。

26.万州区糖房坪遗址:位于长江左岸一级阶地,陕西省文物考古研究所发掘。1997、1998 年度完成勘探 $5000m^2$,发掘 $1000m^2$。商周、唐宋时期遗存的发现为主。Ⅲ区文化堆积极不均匀,有 300 多 m^2 保存较好的商周及以前的遗存。发现灰坑多达 20 余个,出土器物以陶器为主。代表性器物为有领的鼓肩罐、花边和素沿的绳纹釜、瓮、圜顶器盖、钵、盆、尊、缸等。流行平底和圜底。其文化面貌具有峡江地区夏商以前文化遗存特征,对本地夏商以前文化序列的建立、三星堆文化的来源等问题探索有重要意义。Ⅱ区是一处唐宋时期遗存,出土大量瓷器。

27.万州区安全墓地:位于长江左岸一级阶地,陕西省文物考古研究所发掘。1997 年度完成勘探面积 1.7 万 m^2,发掘 $2100m^2$,清理汉、宋、明代墓葬 30 余座。其中东汉小型刀把形墓 10 余座,均系多人合葬的家族墓,出土遗物丰富。东汉单室小墓中,同室共葬 9 人之多的现象比较罕见,为研究峡江东汉时期埋葬习俗、分析当时社会的基层结构等问题,提供重要的资料。

28.万州区上中坝遗址:位于长江左岸一级阶地,西北大学发掘。1997 年度勘探面积 1.2 万 m^2,发掘 $750m^2$。遗址破坏较为严重,多属次生堆积。发现明清时期遗迹遗物,其中发现的 M5 是一座结构较为复杂的明代多室石室墓,墓内雕刻精美,为研究该地区明代墓葬形制、葬俗、石雕工艺提供重要的实物资料。在上中坝遗址明清时期的地层中出有为数不多的石器,参照相邻的中坝子遗址的发掘结果,推测上中坝遗址可能尚有商周时期遗存。

29.万州区涪溪口遗址:位于长江右岸一级阶地,福建省博物馆发掘。1997、1998 年度共完成勘探面积 3.9 万 m^2,发掘 $2100m^2$。发现商周时期遗迹有竖穴烧土坑、沟、窑炉及墓葬。遗物主要有石器、陶器。涪溪口早期文化堆积反映在此的先民其居处形式是分散的,尚未构成相对集中的聚落。

30.万州区黄柏溪遗址:位于长江右岸的一级阶地,重庆市博物馆、湖南益阳文物考古队联合发掘。1998年度完成发掘面积500m²,清理出新石器晚期至商时期灰坑、灰沟、房基,汉晋陶窑,唐宋灰坑等遗迹。两座早期房址可能分别为杆栏式建筑和平地式建筑,是较重要的发现。Y1、Y2的清理,为研究汉晋馒头窑的结构特点及其生产方式提供有重要价值的资料。

31.万州区麻柳沱遗址:位于长江左岸一级阶地,重庆市博物馆、上海大学、复旦大学联合发掘。1997、1998年度勘探面积1.4万m²,发掘1200m²。发现东周时期的灰坑、房屋建筑遗迹以及大量的东周及商周时期遗物。房屋遗迹分为单间和套间两组,发现反复修缮的迹象,故推测房屋的使用时间较长。尤其是在一些房屋建筑两侧的地层和灰坑中发现大量可能是用婴孩头骨制作的有钻、带凿的卜骨,或许与该建筑迹象有某种内在联系。出土器物有楚式鬲、花边口沿罐、大口圜底篮纹罐、尖底钵、炮弹形尖底杯、黑皮陶双腹状器和灯形器等,表现出土著、鄂西、川西多种文化特征。

32.万州区陈家坝遗址:位于长江左岸,青海省文物考古研究所发掘。1997年度完成勘探面积2.2万m²,清理东汉墓1座,呈"刀"形,出土器物有陶器、釉陶器、铁器、铜钱。

33.万州区上河坝墓地:位于长江左岸一级阶地,青海省文物考古研究所发掘。1997年度共清理3座墓葬。两座东汉墓分别为长方形砖室墓和刀形单室砖券墓,出土器物有陶器、釉陶器、铜器、铁器、铜钱。南朝墓为刀形的单室砖券墓,出土遗物以瓷器为主,为南朝刘宋时期墓葬。

34.万州区松岭包墓地:位于长江左岸一级阶地,青海省文物考古研究所发掘。1997年度揭露1200m²,发掘东汉晚期砖室墓葬9座。墓葬有"刀"形、"凸"形和长方形,随葬品有陶器、铁器、铜器、银器、琉璃饰、石器、漆木器等。

35.万州区庙湾墓地:位于长江右岸二级阶地,重庆市博物馆发掘。1997年度完成勘探面积4.75万m²,发掘251m²,清理东汉至六朝的残墓4座,可分为长方形和刀把形两类,出土铜币、青瓷、酱釉瓷、釉陶器、陶俑等随葬品。

36.万州区大地嘴遗址:位于长江右岸二级阶地,青海省文物考古研究所发掘。1998、1999年度共完成勘探5000m²,发掘2500m²,清理唐宋至商周灰坑、墓葬、房屋等遗迹。较重要的是宋代庭院石砌基址,长25m、宽20m,是目前库区发现最大的宋代房址。另发现商周时期房址一处,清理出排列有序的柱洞7个和红烧土面。遗物以明清至唐宋时期瓷器、建筑构件为大宗,瓷器以地方窑口为主,可复原器物数百件。此外,还出土了一些新石器时代晚期至商周时期遗物,有高柄豆、高领壶、罐、瓮、网坠、纺轮等陶器,锛、凿、斧、球等石器。与哨棚嘴、中坝子遗址出土的同期遗物相似。

37.万州区苏和坪遗址:位于长江右岸一级阶地,重庆市博物馆、万州区文管所联合发掘。1999年度完成勘探面积1.5万m²,发掘500m²。堆积以东周至明清时期为主,有灰坑、墓葬等遗迹。一区少数探方下层出土品含哨棚嘴文化阶段的陶片及小石片,是值得在下一步工作中注意的重要现象。

38.忠县中坝遗址:位于长江支流㽏井河两岸,四川省文物考古研究所发掘。1997~1999年度完成勘探面积5万m²,发掘1800m²。中坝遗址堆积厚达10m,是重庆地区最重要的古文化遗址。首次在此发现有明确地层关系的三星堆文化——老关庙下层文化——哨棚嘴文化的叠压关系,初步建立从新石器时代晚期至夏商时期的年代序列。发现大量东周时房址,其上下叠压延续分布的现象,在同时期遗址中尚属罕见。揭露东周时期狭长形土坑墓葬23座,出土大量陶器和一定数量的卜甲、小型铜工具、石器。清理汉代龙窑5座,最长的达15m,是重庆峡江地区及四川盆地目前发现时代最早、规模最大的龙窑,对了解汉代龙窑的结构、研究龙窑起源、发展等问题,有十分重要的学术价值。

39.忠县哨棚嘴遗址:位于长江左岸、㽏井河右岸一级阶地,北京大学发掘。1997、1999年度勘探面积8000m²,发掘1000m²,发现以新石器时代为主,延续至商周时期的遗存。商周时期的文化遗物与川西三星堆文化相近。新石器时代器类多花边直口深腹罐、大口罐、小口高领罐、直口缸,器座、器盖,亦有网格纹彩陶壶形器、深腹簋、浅盘豆等,可进行分期,大致有大溪文化中晚期、屈家岭文化、哨棚嘴文化几个阶段。哨棚嘴遗址作为重庆地区新石器中晚期文化的代表,与相邻的瓦渣地遗址互为补充,可初步建立本地区新石器晚期文化遗址群的分期编年,为峡江地区此期文化演变提供一参考的标尺。此外,它对川西宝墩村文化起源的探索有重要意义。

40.忠县瓦渣地遗址:位于长江左岸一级阶地,北京大学发掘。1997、1998年度完成勘探面积2000m²,发掘700m²。根据地层堆积及出土文化遗物,可将其分为三大组:第一组为新石器时代文化堆积,陶器以侈口深腹盆、卷沿直腹盆、深腹小底缸、矮圈足器等为代表,与1997年度哨棚嘴所出大致相同,丰富了"哨棚嘴文化"的内涵。第二组为青铜时代文化堆积,早段相当于成都平原三星堆文化及十二桥文化时期，晚段年代大致在西周、春秋时期。比较重要的收获是发现春秋时期的"巴蜀文化"墓葬一座，残陶窑4座，由此可以知道瓦渣地遗址青铜时代晚段主要是一处陶器烧造地。第三组为汉代至明清时代的堆积。

41.忠县崖脚遗址：位于长江北岸㽏井河左岸一级阶地，北京大学发掘。1997～1998年度发掘3050m²。共清理战国至宋代墓葬61座。以楚墓为主，约占总数的50%，均为长方形竖穴土坑木椁墓，出土的随葬品有楚式陶鼎、敦、壶、豆、罐、盆，以及青铜剑、矛、钺、璜，玉璧等，其年代大致属战国中期。这批楚墓是已知典型楚墓分布的西界。此外，战国晚期至秦代前后巴墓发现，为研究楚、巴、秦关系提供了前所未有的新资料。西汉及新莽时期、东汉、刘宋、五代、宋时期的墓葬，亦有少量发现，出土遗物丰富。

42.丰都县高家镇遗址：位于长江右岸第三级阶地底砾层中，属旧石器时代早期或中期偏早阶段遗址，中国社会科学院古脊椎动物与古人类研究所主持考古发掘。1997年度共揭露面积650m²，其中A区标本密集，堆积厚，石制品数量大，类型丰富，质量高。据分析，该遗址的时代大致在中更新末至晚更新世初，是三峡地区目前发现最早的旧石器时代遗址。

43.丰都县井水湾旧石器时代遗址：位于长江右岸第三级阶地，重庆自然博物馆、中国社会科学院古脊椎动物与古人类研究所共同发掘。1998年度完成发掘面积262m²，出土标本1527件，其中石制品316件，脊椎动物化石10多件。石制品有砍砸器、刮削器、石核、石片、石锤、断块、烧石等。遗址出土品丰富且有不少动物化石，有助于华南乃至东南亚地区古文化的了解，特别是对于认识华南地区缺乏地层和古生物化石依据的露天旧石器遗址具有积极的意义。

44.丰都县烟墩堡遗址：位于长江右岸第四级阶地的前缘，第三级阶地的后缘，旧石器时代中期遗址，中国社会科学院古脊椎动物与古人类研究所发掘。1997年度完成发掘面积100m²，由于遭受到基建的破坏，遗址全貌几乎荡然无存，出土标本较少。但是从已获取的资料分析，遗址的地质时代属晚更新世中期。烟墩堡出土石制品有鲜明的地方特色，有别于中国南方以砾石石器为主的文化传统，可能代表一种新的旧石器文化。

45.丰都县玉溪遗址：位于长江右岸一级阶地，重庆市博物馆发掘。1998～1999年度勘探面积8万m²，发掘2000m²。玉溪遗址包含新石器时代、商周、战国、汉代、唐宋、明清各时期的文化堆积。较重要的发现有：①新石器时代早期后段的骨渣堆积，出土大量鱼、蚌、兽骨，遗物有打、磨制石器，小燧石石核、石片，骨针、锥、笄，泥片贴塑法制作、器表施绳文、质地疏松、火候较低的釜罐类、碗钵类陶器。②大溪文化阶段的碗钵类陶器，泥质陶，外红内黑施陶衣。③哨棚嘴文化的小菱格纹折沿深腹盆。④大型战国灰坑，出土大量圜底罐、尖底盏。⑤汉代马蹄窑一座，窑内有未烧成的绳纹瓦坯；⑥六朝房屋柱洞遗迹等。⑦发现了1处约30m长，20m宽的大型唐代砖、石结构建筑基址，出土大量建筑构件、陶瓷类生活器皿及1枚性质待考的石质"涪州之印"。玉溪遗址的发现对研究三峡地区新石器时代文化序列、历史时期考古学文化皆有重要意义。

46.丰都县石地坝遗址：位于长江右岸一级阶地，重庆市博物馆发掘。1999年度勘探面积4万m²，发掘1100m²。石地坝遗址包含商时期、两周、汉代、唐宋、明清各时期的文化堆积。最重要的发现在商周阶段，出土遗物釜、罐、豆、尖底钵、尖底杯、船形圜底杯兼具本地文化、湖北香炉石文化因素。石地坝遗址的发现，对三峡地区青铜文化的源流及其与周临考古学文化的关系认识有重要的价值。

47.丰都县汇南墓群：位于长江右岸新城区，四川省文物考古研究所发掘。1997～1998年度勘探面积3万m²，发掘2400m²，共清理西汉至六朝墓葬50余座。有土坑、砖室、画像石墓，出土陶俑、陶瓷器、银器、铜器、铁器、钱币以及琉璃、玛瑙、玉器等文物1000余件。其中，新开二队石室墓中的画像石题材丰富，具有鲜明的地方特色；红旗五队会兴堡汉墓出土的长150cm的矛形铁兵器，保存基本完好；钟梁子出土的彩绘陶俑、李家梁子出土的东汉夫妻披衣俑细腻传神，堪与前两年出土的哺乳俑并美，是汉俑中不可多见的精品。

48.丰都县杜家坝墓群(含杜家包、梁家包墓群)：位于长江左岸二级阶地，重庆市博物馆发掘。1998年度勘探面积3万m²，发掘约1200m²。清理汉代墓葬18座，其中土坑墓2座，砖室墓16座，根据形制可分为长方形、"刀"字形和"凸"字形三种墓葬。随葬品有陶器、陶俑、陶房屋模型及钱币等。

49.涪陵区镇安遗址：位于长江左岸二级阶地，北京市文物研究所发掘。1998年度共发掘500m²，文化堆积自上而下依次为六朝、汉、战国、商周，以商周战国时期文化层为主。遗迹有灰坑、墓葬、墓地排水沟。墓葬12座均为战国～西汉早期小型土坑墓，随葬圜底罐、釜、高领罐、器盖等。早期遗物器型主要有高领罐、尖底杯、尖底盏、小平底罐等，可能与三星堆三期、殷墟一期时代相当。此外，还发现少量时代较早的鬶、盉足陶片、小平底罐以及似龙山时代的磨光黑陶片。镇安遗址的发现，为重庆地区早期巴文化的研究提供了重要的新资料。

50.涪陵区蔺市遗址:位于长江右岸一级台地,重庆市博物馆发掘。1998年度勘探5000m²,发掘500m²。遗址主要堆积为商周、战国、汉代遗存。商周时期陶器有罐、豆、尖底杯、平底瓶、小平底器、簋形器等,以罐和豆的种类及数量居多。其总体特征与十二桥文化相近。发现战国末期具有一定楚文化风格的土坑墓3座,应是巴楚交往频繁的佐证。此外,尚有东汉砖室墓发现,出土遗物丰富。

51.涪陵区石沱墓群:位于长江右岸二级阶地,北京文物研究所发掘。1997~1998年度完成勘探面积3万m²,发掘1500m²。发现有西周、战国、唐宋时期文化堆积,以宋代为主。清理商周至战国灰坑、柱洞,宋代墓葬、灰沟、建筑基础、瓦窑、蓄水池等遗迹。为商周到战国时期建筑的研究、涪陵地区宋时期考古学文化发展序列建立、宋"宛平"县城的研究提供了契机。

(邹后曦)

三峡库区文物发掘情况(湖北段)

1999年,湖北省文物局三峡工程文物保护领导小组组织湖北省文物考古研究所、三峡工作站、宜昌市博物馆、恩施博物馆专业人员以及南京大学、吉林大学、武汉大学考古专业师生近百人完成三峡库区内的14处地面、地下文物点的拆迁保护,发掘整理工作。其中:拆迁了兴山县的陈伯炎老屋、吴翰章老屋、秭归的郑书祥老屋共3处清代民居;发掘整理巴东杨家棚、汪家河、学堂包以及秭归县的台子湾、沙罐岭、石门咀、卜庄河、李家街、东门头、脱排河、红庙岭等遗址和墓地等11处遗址。勘探面积近6万m²,发掘遗址面积6420m²。获取一大批新石器到明代珍贵遗物,为研究三峡地区古代文化历史添加了更多的实物资料。

(一)地面文物保护

1.陈伯炎老屋拆迁

拆迁时间:1999年11~12月

工作单位:国家文物局三峡湖北工作站

负责人:吴晓

陈伯炎老屋位于兴山县高阳镇响滩村一组。清代传统民居,海拔172m、建筑面积488m²。该建筑为砖木结构,平面为纵长方形布局,坐东朝西,沿坡地而建成,其基本格局为一个呈长条形的前院,过厅屋后有一天井,共两进院落。主要建筑为厅屋、堂屋和厢房。山墙皆为五花屏风墙,高低错落,构筑方式为砖墙支撑山面屋顶,并四周围合、中轴线上的木构架皆为穿斗式梁架,边屋均为二层楼,巡回相通,亦称走马转角楼,该建筑保存大多较好,屋内还保存有不少布置得当的木装修及早期的雕花架子床等民俗文物。该建筑建于清光绪十八年,有较清晰的历史延续脉络。内部结构和外观造型皆保存较好,是当地传统民居的典型代表。

2.吴翰章老屋

拆迁时间:1999年6~7月

工作单位:国家文物局三峡湖北工作站

负责珍:吴晓

吴翰章老屋位于兴山县高阳镇响滩村一组。属清代传统民居,建筑面积295m²,砖木结构建筑,平面呈纵长方形布局,坐东朝西,沿坡地而建,两进院落,有厅屋、堂屋和厢房,前后有两天井。山墙皆为五花屏风墙,高低错落,构筑方式为砖墙支撑山面屋顶,并四周围合。中轴线上的木构架皆为穿斗式梁架,边屋均为二层楼,巡回相通,老屋内还保存有部分木装修,而且装修的雕刻、布置都十分得当,有画龙点睛作用。除此之外,建筑的檐口下还绘有许多花卉、动物及其他锦纹图案。该建筑的后半部保存较好,前半部分则毁环较多。

3.郑书祥老屋

拆迁时间:1999年8~9月

工作单位:秭归县屈原纪念馆

负责人:吴晓、梅云来

郑书祥老屋位于秭归县屈原镇新滩南坪村三组,清代建筑,海拔105m。建筑面积371m²,砖木结构,纵长方形布局,前有门厅后有堂屋,两侧为厢房,上有阁楼,梁架采用抬梁式构架形式,六抹头格扇门窗,木装修上有大量的镂空雕刻,其内容多为人物故事、草木花卉等,槛墙及山墙等部位做工精致。该民居内外结构都保存着传统民居的风貌和特点,门窗、大开及墙体的装饰都很有艺术特色,具有一定的艺术价值和科学价值。

(二)地下文物点的发掘与整理

1.汪家河遗址

发掘时间:1999年11月18日~2000年1月24日

工作单位:武汉大学考古系

负责人:王然、徐承泰

汪家河遗址位于巴东县渡口镇五里堆村二组,位于长江北岸一台地,海拔80~120m,地面修有梯田,植被为柑桔、小麦、红薯等。该遗址1994年3月由武汉大学考古系发现,此次发掘共勘探面积1.5万m²,发掘825m²,遗址共有商周及六朝二个时期堆积,发现的遗迹东周残房基2座,其中F2可能为一杆栏式建筑,东周时期灰坑8个,六朝时1座。出土了大量的商周时期陶板瓦、筒瓦及少许陶片。陶片以灰陶为主,主要器类有鼎、鬲、豆、罐、盆、甑等,六朝时期仅见瓦片及少量瓷片。该遗址还发现了一座石室墓,平面凸字形,券顶,长 8m、宽2.52m、高 2.42m。墓中葬有成人 10 名和婴儿 1 名,随葬有瓷、铜、铁、漆、骨、银、石、陶器 8 类,共 94 件,年代为宋代。

2.巴东杨家棚遗址

发掘时间:1999 年 12 月 ~ 2000 年 2 月

工作单位:湖北省文物考古研究所

负责人:梁柱

杨家棚遗址位于巴东县巫峡与西陵峡交接处,处于巫峡右岩台地上,高出江面 110m,现存面积 6000m^2,坡度 20 度。现种植柑橘和蔬菜。遗址堆积共分八层,主要为汉代遗存,发现灰坑 3 个、灰沟 1 条,出土遗物有陶瓦、陶瓮、罐、盆等片,还有铜、镞、五铢钱等。

3.巴东学堂包遗址

发掘时间:1999 年 10 ~ 12 月

工作单位:湖北省文物考古研究所

负责人:宋有志

学堂包遗址隶属于巴东县平阳坝镇龙船河村二组。位于长江北岸神农溪东侧,遗址现为台地,种植柑桔等农作物。此次发掘面积 1500m^2,堆积共分 3 大层 7 小层,均为再生堆积,最晚为明清遗址,其中掺杂有西周、东周及汉代遗存。该遗址第二层为细河沙沉积而成,且出有嘉庆通宝、乾隆通宝,是否与 1870 年庚午大洪水有关待研究。

4.秭归东门头遗址第三次发掘

发掘时间:1999 年 4 月、10 月 ~ 12 月

工作单位:湖北省文物考古研究所

负责人:孟华平

东门头遗址位于秭归县郭家坝镇卜庄河后委会一、二组。遗址处于长江南岸一斜坡地上,本次发掘面积为 650m^2,共清理不同时期的墓葬 4 座、灰坑 8 个,瓮棺 1 座、陶窑 3 座、房基 2 座,灶炕 1 处,共出土陶、石、铜、铁瓷、骨等到质地文物 200 余件,此次发掘还找到早期新石器时代城背溪文化在该遗址的北界分布,明确了商代文化层的分布范围及堆积特点,同时发现东门头汉代古城墙遗址,另外,发掘一座宋代土洞墓,出土一批精美瓷器。

5.秭归李家街遗址

发掘时间:1999 年 10 ~ 12 月

工作单位:湖北省文物考古研究所

负责人:孟华平

李家街遗址位于秭归县郭家坝镇卜庄河居委会三组。遗址处于长江南岸一级台地上,现种植柑桔和现代民居,发掘面积 300m^2、勘探面积 2000m^2,通过发掘可知,遗址堆积厚达 6m,主要是与东门头城址墙体堆积,清理不同时期残房基、灰坑 2 个,连体灰坑 1 处,棺 1 个及 2 个时期城墙体,主要是明清时代遗存。在出土遗物中,发现有不少东周至汉代网坠、陶鬲、罐等,但不见原生文化层。

6.秭归沙罐岭遗址

发掘时间:1999 年 10 ~ 12 月

工作单位:国家文物局三峡湖北工作站

负责人:胡文春

沙罐岭遗址隶属秭归县香溪镇五组,处于长江北岸的山坡地上,现种植柑桔及蔬菜,发掘面积 200m^2,遗址堆积分 5 层,主要是东周时期堆积,但有汉代遗物,证明此遗址不是原生堆积,发掘一座唐代墓葬,该墓葬所用大型空心阴刻花纹砖是三峡地区首次发现。

7.秭归卜庄河古墓群第四次发掘

发掘时间 1999 年 11 月 ~ 2000 年 1 月

工作单位:宜昌市博物馆

负责人:卢德佩

卜庄河古墓群位于秭归县郭家坝镇卜庄河居委会和崔家湾村。墓地处在长江南岸葛家沱至童庄溪一带的山坡上,海拔 90 ~ 170m。此次共勘探面积 1.5 万 m^2,发掘 145m^2,共发掘战国、西汉、六朝 3 个时期墓葬 11 座,其中战国土坑墓 2 座、西汉土坑墓 7 座、六朝石室、土坑墓各 1 座,出土有陶、瓷、铜、铁等质地文物 100 余件。较为重要的收获是 N141、M39、M42 为多人合葬墓,其中 M39 共发现 10 具人骨,应是家庭合葬墓。

8.秭归石门咀遗址

发掘时间:1999 年 11 ~ 12 月

工作单位:吉林大学考古学系、国家文物局三峡湖北工作站

负责人:王立新

石门咀遗址隶属秭归县郭家坝镇旧洲河居委会。遗址位于长江南岸一向江中伸出的山咀,地势西南高、东北低,海拔为 80 ~ 130cm,此次共发掘 1400m^2,勘探 8000m^2。遗址堆积以商周时期为主,还有六朝、明代遗存,这次共发现不同时期灰坑 24 个,残存房基 7 座,墓葬 13 座,其中商周时期的灰坑 H10 内出土一批鱼卜骨,龟卜骨等人祭祀、占卜用物。鱼卜骨均用鱼鳃骨制作而成,内侧多钻成方形、圆角方形,排列有序,有不少可见灼痕和相反一侧的兆纹,它们与周原甲骨的风格相似,但不见凿制痕迹。

9.秭归台子湾遗址

发掘时间:1999 年 11 月 ~ 2000 年 1 月

工作单位:南京大学历史系考古专业

负责人:水涛

台子湾遗址隶属秭归县沙镇溪台子湾村一组。遗址处于长江南岸一坡地上,海拔 90 ~ 110m,现为柑桔树和蔬菜地。遗址分三区,勘探面积 2 万 m^2,发掘

1200m^2，清理出战国～宋元时期残房基1座，灰坑6个，墓葬16座。出土大批陶、铜、铁、瓷等文物，该遗址首次发现目前湖北三峡地区唯一1件东汉鎏金铜墙铁壁摇钱树，树枝上铸有太阳、月亮、蟾蜍等。

（国家文物局三峡湖北工作站）

经 营 管 理

多产业经营工作概述

1999年，中国三峡总公司多种经营工作计划的重点是在1998年对下属经营性公司开展清理整顿的基础上，进一步调整产业结构，进行跨投资主体的联合兼并和资产重组，理顺产权关系并建立一整套产权管理制度，完善企业的法人治理结构，按照现代企业制度和《公司法》，使企业的经营工作规范化、法制化，并走上规范经营和稳步发展的道路。

由于种种原因，1999年没有实现清理整顿工作目标，多种经营性公司仍存在层级过多、规模过小的现象，重复建设的问题没有得到根治，盲目投资没有得到有效控制。1999年经营利润比上年有所下降，但没有出现亏损企业。

（一）多产业经营企业简况

截至1999年底，中国三峡总公司多产业经营数目83户，其中法人单位57个，非法人单位26个。

1．按层级划分：二级企业22个，三级企业36个，四级企业25个。

2．按经济类型划分：国有企业21个，集体企业37个，有限责任制企业17个，股份有限制企业1个，股份合作制企业5个，社团法人1个，合资经营企业1个。

3．人员结构情况：1999年度中国三峡总公司从事多产业经营工作的人数为3676人。其中正式职工1757人，聘用职工1819人。

4．资产及经营情况：截至1999年底，多产业经营企业的资产总额8.05亿元，净资产额3.94亿元。完成营业收入2.98亿元，实现利税0.58亿元，净利润0.44亿元。

5．行业分布情况：涵盖农林牧渔业，制造业，电力、煤气及水的生产和供应，交通运输、仓储及邮电通信，批发零售贸易、餐饮业，房地产业，社会服务业，科研和综合技术服务业。其中，以批发零售、餐饮、社会服务业为最多。

（二）1999年的多产业经营工作概况

1．继续进行第二阶段清理整顿工作

（1）对双职能公司及部门办的经营实体以及实行差额管理单位进行改造。

（2）在中国三峡总公司范围内进行资产有机重组，推进企业股份制改造

多产业经营经过多年来的研究和探讨，已基本形成共识：企业要生存发展，首先必须按照现代企业制度规范经营行为，其次必须在公平、公正的环境下参与市场竞争。无论从短期和长期看，进行清理整顿都是必要的。

2．抓紧多种经营的计划统计工作

1999年初，中国三峡总公司召开多种经营企业计划统计工作会议。会议就多种经营企业计划统计的填报内容、格式、时间、渠道、责任等做了明确规定；并对各企业从事计划统计工作的人员进行相应培训。初步建立起中国三峡总公司多种经营系统计划统计工作的基本框架，为今后的经营状况分析等后续工作打下基础。

3．配合稽察组收集、整理相关材料

9月，中国三峡总公司经营管理部受命配合三峡建委稽察组，承担对所属企业有关稽察材料的收集、填报和上报等工作。由于时间紧、任务重，部分企业管理基础薄弱，给填报工作带来很大困难。经营管理部抽调精干人员，组成以管理处为中心的稽察工作专班，全力以赴，按时、保质完成了《所属公司清单》、《经营实体（三产）清单》、《关联方关系及利益冲突声明》、《关联方交易》等材料的填报，并会同财务、计划等部门对所属二级公司上报的稽察材料进行全面、认真的审核。此次稽察工作是对企业经营和管理工作的一次大检阅，将成为中国三峡总公司多种经营改革的动力。

4．多种经营投资项目的评审及新项目开发工作

1999年中国三峡总公司委托项目评审委员会对“合资组建三峡自控工程公司项目”、实业总公司报送

的“组建上海三峡旅行社项目”、“环保一次性快餐具项目”等进行评审。就“半导体多晶硅”、“化肥硫酸钾”及“收购兴山县小水电站”等项目进行广泛的市场调查、咨询及现场考察。对合资组建三峡自控工程公司项目,开展预可行性研究、市场调研、项目评审并成立项目筹备小组。与有关单位就宜昌市“年产 10 万 t 电解铝项目的供电售电合作”、“三峡坝区旅游观光索道的合作开发”以及“保健食品螺旋藻项目联合开发”等项目,进行合作洽谈。

5.建立项目信息网,及时发布有关信息

1999 年以来,中国三峡总公司先后与清华大学、北京大学、中国科技大学、河北工业大学、河海大学、武汉大学等高校建立投资项目信息网络;与国家科委、中国科技成果办、天津市科委、南京市科委、宜昌市科委等沟通科技成果信息渠道,与地方科技咨询公司建立投资项目信息直通车,可适时提供项目咨询服务;通过英特网及有关报刊杂志,广泛搜集国家有关产业政策、法律法规、行业动态、贸易信息等。全年共搜集相关信息 6000 余条,整理发布 6 期,近 200 项,为企业提供了大量真实可靠的信息与咨询服务。

6.研究多元化产业发展战略,创办《多种经营》内部刊物

1998 年底,中国三峡总公司多元化产业发展战略研究被批准立项。1999 年课题组进行了大量的资料搜集、整理和有关调研工作。6 月,组织召开项目初步研究成果研讨会,对该成果修改、补充和完善。8 月,组成专家评审组,对修改后的成果报告进行审议,并一次通过了对该项目的验收。

1999 年初,中国三峡总公司经营管理部创办了《多种经营》内部刊物。刊物旨在宣传国家有关方针、政策,介绍所属企业先进的管理经验,对企业改革中出现的新情况、新问题进行研究并发布有关项目开发信息等。

(三)中国三峡总公司多产业经营工作存在的问题

1.由于中国三峡总公司对所属经营性公司尚未完全建立起以产权为纽带的管理体制,因而导致产权虚置,出资人未到位,未建立资产经营责任制、保值增值责任制和严格的考核机制,经营管理工作难以按现代企业制度要求规范运行。

2.中国三峡总公司经营管理体制尚未理顺,产权关系、行政关系交错复杂,导致双职能公司的改造、部门办的经营性实体纳入规范化管理、母子公司产权关系的明确等一系列问题难以得到实质性解决。没能实现年初确定的清理整顿目标。

3.计划统计及经营状况分析等基础工作待进一步加强。由于缺乏行之有效的管理手段,催报力度不够,少数企业往往不能及时、主动地报送有关报表,致使计划统计资料难以及时、完整地进行汇总分析。另外,由于种种原因,计划统计资料的深入分析工作一直未能很好地展开,影响了计划统计工作作用的正常发挥。

4.对于关联关系和关联交易问题,总是讨论的多,而能够统一认识的却很少。这对于中国三峡总公司多种经营企业合理、合法地进入三峡市场以及规范多种经营企业之间的交易行为,非常不利。

5.一些多种经营企业存在着管理基础薄弱、管理水平和管理人员素质偏低等问题。企业规章制度不健全,缺乏中长期战略规划,导致日常管理与投资决策的随意性较大,与规范经营的要求相距较远。

(杨 俊)

队 伍 建 设

人事劳动工作概况

(一)职工队伍情况

中国三峡总公司 1999 年末在册职工总数 3582 人(含葛洲坝水力发电厂 2973 人,以下不含),离退休人员 120 人。1999 年新进员工 3 人,其中调入 2 人,接收复转军人 1 人;1999 年减员 9 人,其中调出 4 人,退休 5 人。职工年龄及学历结构改善较为明显(见附表 1)。

(二)主要工作

1. 围绕工程建设,开展人事劳动工作

一是迅速动员和组织优秀的中青年干部投身到工

程建设管理一线,在较短的时间内,先后抽调 11 名干部到工程建设部工作。二是迅速调整和充实工程建设部二级部门和项目部的中青年领导干部。三是在分配上向工程建设部倾斜,建立工地岗位津贴,注意调动前方职工的积极性。四是为适应施工设备和金结及机电安装工作的需要,努力提高干部的外语水平,组织人员参加英语强化班和西班牙语培训。

2.加强二级领导班子建设

先后在物资公司、设备公司、计划合同部、葛洲坝电厂等 4 个部门和单位,经过民主推荐,组织考核,党组讨论,选拔 7 名优秀中青年干部进入二级领导班子。为工程建设服务,努力做好组织人事工作。

3.进行 1998 年、1999 年两个年度的专业技术职称评审工作

在总结经验教训的基础上,对原专业技术职称评审办法进行个别环节的修改,在此基础上,组织 186 人参加(含三建委办公室委托评审的 19 人),8 个系列的专业职称评审工作。经评审,中国三峡总公司有 64 人取得 1998 年度专业技术职务任职资格,74 人取得 1999 年度专业技术职务任职资格。

4.对干部考核进行试点

在拟定考核方案的基础上,对设备公司处级干部竞争上岗试用期满的干部进行考核,通过对被考核者的上级、同级和下级对被考核者进行量化评分,了解被考核者的工作情况,通过干部考核试点,为制定中国三峡总公司干部考核方案积累经验。

5.推广运用人才测评系统

在 1998 年度考录大学生运用人才素质测评工具的基础上,对接收复转军人,调入新员工和对设备公司正、副处级干部考核及帮助基层单位招录员工,推广运用人才素质测评系统。

6.加大人事工作的透明度

一是 1999 年开展的享受政府特殊津贴人选的推荐工作,首先是经各部门、各单位民主推荐产生推荐人选,充分听取基层意见。二是英语强化班的 50 多名学员,是在 300 多人中通过笔试、面试后筛选出来的,培训工作效果较好。同时,参加 CHEVENING 的人选也是通过公开报名,笔试、面试后,从高分到低分公开选拔产生,从最终参加英国组织的考试结果来看,说明公开选拔的做法是对的,效果是好的。三是在中国科学院、中国工程院的两院院士人选推荐工作、享受政府特殊津贴人选的推荐工作,以及参加 CHEVENING 的人选推荐工作等方面,都是在上报之前在中国三峡总公司 NOTES 网上和各办公地点张榜公布,征求群众意见,增强了人事工作的透明度。

7.干部培训工作

全年共培训 154 人,其中中央党校 3 人,工商管理培训 44 人,英语强化班 54 人,西班牙语培训班 2 人,管理专业培训 43 人,其他学历培训 8 人。同时,与加拿大合作,国外联合培训人才起步,目前,“CCUIPP”培训 5 人,进展良好。

中国三峡总公司河海大学硕士班结束,26 人顺利毕业,获得硕士学位。另有 19 人取得大学本科及专科学历。

8.社会保障体系建设

一是完成中国三峡总公司职工参加北京市企业职工基本养老保险的移交工作,从 1999 年起向北京市按月缴纳基本养老保险金。二是按照国家有关行业统筹移交的政策,落实中国三峡总公司 1999 年 1 月 1 日以后退休人员基本养老金 5 年过渡办法。并已有 5 人按照北京市企业职工基本养老保险规定办理了退休待遇。三是根据北京市调整企业离退休人员基本养老金的规定,1999 年先后两次调整中国三峡总公司离退休人员的基本养老金。四是开展社会保险登记工作。中国三峡总公司正式职工已在北京市办理了社会保险(养老)登记,聘用人员于 1999 年底在当地办理了社会保险登记。五是完善职工失业保险制度,从 1999 年 1 月起,建立了失业保险个人缴费制度。

此外,中国三峡总公司根据国家下达的年度工资总额计划,适当提高职工工资待遇;1999 年度共完成 46 批出国团体政审工作,政审 167 人次;进一步加强离退休职工管理工作,一方面抓好学习教育,加强离退休职工思想政治工作,另一方面,开展丰富多彩的文体活动,增进离退休职工身心健康,使精神文明和物质文明建设都得到促进和发展。

1999 年是中国三峡总公司人事劳动部代管的培训中心实现自收自支的第三年。培训中心全年承办全国及地方培训班 15 期,培训人员 900 人。培训中心与高校联合举办的《建筑经济管理》,《电脑会计》,《工业经济管理》大专和本科班基本结束。全年接待 32 所高校 66 批 3540 名学生到三峡工地实习,创培训中心自开办以来接待高校实习任务量最高记录。全年接待和承办各类研讨会及其它会议 33 个,计 2685 人,其中接待水利水电工程造价管理国际学术交流会、国际大坝安全监测会等 6 个重要会议和活动。

中国三峡总公司职工情况统计

附表 1　　　　单位：人

项目	职工总数	性别		学历							年龄										政治面貌			技术职务		
		男	女	博士	硕士	本科	专科	中专	高中及技校	初中以下	25岁以下	26岁31岁	30岁35岁	36岁40岁	41岁45岁	46岁50岁	51岁55岁	56岁60岁	61岁以上	平均年龄	中共党员	共青团员	民主党派	高级	中级	初级
合计	609	488	121	5	74	311	120	44	26	29	44	112	163	100	53	48	48	38	3	37.8	345	84	3	253	183	127
比例(%)	100	80.1	19.9	0.8	12.2	51.1	19.7	7.2	4.3	4.8	7.2	18.4	26.8	16.4	8.7	7.9	7.9	6.2	0.5		56.7	13.8	0.5	41.5	30.0	20.9
正副总经理	6	6				5	1											3	3	60.2	6	4		6		
三总师	4	4				3	1										1	3		58	4			4		
二级部门正职	19	17	2		1	14	3	1							4	1	8	6		52.7	19			17	2	
二级部门副职	39	38	1		4	27	8						5	9	3	6	5	11		46.9	39			36	3	
行政6级（正处级）	82	75	7	3	17	37	21	4					24	18	12	11	9	8		42.6	67		1	67	13	1
行政7级（副处级）	150	122	28	2	27	66	32	13	4	6		4	56	40	15	16	13	6		39.8	93		1	94	49	4
行政8～9级（正、副科级）	245	177	68		24	131	40	22	15	13	15	95	73	31	12	8	11			33.1	93	64	1	28	111	85
10级以下	64	49	15		1	28	14	4	7	10	29	13	5	2	7	6	1	1		31.2	24	20		1	5	37

（人事劳动部）

附表 2　　主要参建单位人员及设备　　单位:人

单位名称	主要负责人	人员(人)				设备(台套)
		合计	高级职称	中级职称	初级职称	
葛洲坝三峡建设承包公司	刘金焕	11227	120	453	909	4222
武警水电部队三峡指挥部	范德铭	2360	26	51	181	662
三七八联营总公司	周　宇	1700	13	45	181	575
青云公司	吴质斌	3080	43	71	294	1553
长江水利委员会设计院	傅秀堂	1102	322	527	221	1130
长江水利委员会监理	杨甫生	232	88	103	41	411
西北勘测设计研究院	郑建波	159	48	60	41	298
中南勘测设计研究院	李振明	217	55	60	88	380
华东勘测设计研究院	曹正俊	39	15	14	6	63

机构设置及干部调整情况

(一)机构调整情况

3月,中国三峡总公司以三峡人字〔1999〕第62号文决定:工程建设部成立航建项目部,机构对应行政序列为大型项目部(三峡企业四级)。原永久船闸项目部和临时船闸及升船机项目部工作划归航建项目部。导流项目部工作划归右岸项目部,右岸项目部对应行政序列仍为中型项目部(三峡企业五级)。

4月,中国三峡总公司以三峡人字〔1999〕第93号文决定:成立长江三峡技术经济发展有限公司,原总公司所属三峡利能发展公司、三峡利源发展公司、北京三峡长江水电技术发展中心、宜昌三峡工程多能公司的业务及在册员工全部划归该公司。该公司对应总公司行政序列为三峡企业四级。

(二)干部调整情况

1月,中国三峡总公司以三峡人字〔1999〕第8号文决定:聘任廖良义同志为总公司保卫部主任(三峡企业五级)。

3月,中国三峡总公司以三峡人字〔1999〕第63号文决定:推荐陈大林同志担任三峡财务有限责任公司总经理(职级为三峡企业四级)。

中国三峡总公司以三峡人字〔1999〕第64号文决定:聘任张兴德同志为工程建设部航建项目部主任(三峡企业四级);聘任樊启祥同志为工程建设部航建项目部副主任(三峡企业五级);聘任赵锡锦同志为工程建设部航建项目部副主任(三峡企业五级),免去其工程建设部工程技术部副主任职务;聘任杨宗立同志为工程建设部航建项目部副主任(三峡企业五级);聘任洪文浩同志为工程建设部厂坝项目部副主任(三峡企业五级);聘任沈善良同志为工程建设部厂坝项目部副主任(三峡企业五级),免去其工程建设部工程技术部主任工程师职务;聘任丁琦华同志为工程建设部右岸项目部主任(三峡企业五级);聘任王忠诚同志为工程建设部工程技术部主任(原职级不变)。

4月,中国三峡总公司以三峡人字〔1999〕第78号文决定:聘任马振波同志为葛洲坝水力发电厂总工程师。

中国三峡总公司以三峡人字〔1999〕第94号文决定:推荐中国三峡总公司副总经理袁国林同志为长江三峡技术经济发展有限公司董事、董事长。

中国三峡总公司以三峡人字〔1999〕第95号文决定:推荐刘纪胜同志为长江三峡技术经济发展有限公司总经理(三峡企业四级),推荐张建国、迟振波、庞庆庄同志为长江三峡技术经济发展有限公司副总经理(三峡企业五级)。

6月,中国三峡总公司以三峡人字〔1999〕第144号文决定:聘任王运丰同志、潘树发同志为物资公司副经理(三峡企业五级)。

中国三峡总公司以三峡人字〔1999〕第145号文决定:聘任李惠敏同志为计划合同部主任(三峡企业四级);聘任魏希侃同志为计划合同部副主任(三峡企业五级),兼计划合同部金沙江前期工作处处长;聘任赵建强同志为计划合同部副主任(三峡企业五级),兼计划合同部统计处处长。

中国三峡总公司以三峡人字〔1999〕第146号文决定:聘任戴野同志为设备公司副经理(三峡企业五级)。

9月,中国三峡总公司以三峡人字〔1999〕第239号文决定:明确马振波同志在担任葛洲坝水力发电厂总工程师期间职务级别为葛洲坝水力发电厂副厂级;邓玉敏同志在担任葛洲坝水力发电厂工会委员会主席期间职务级别为葛洲坝水力发电厂副厂级。

中国三峡总公司以三峡人字〔1999〕第302号文决定:刘匡华同志不再兼任总公司审计室主任职务;聘任胡亚益同志为总公司审计室副主任(原职级不变),免去其总公司国有资产管理办公室副主任职务。

(人事劳动部)

驻 外 机 构

【北京代表处】 1999年,北京代表处积极履行"代办、联络、信息、宣传、接待"的工作职能,以搞好服务为中心指导思想,努力开展各项工作。

1.代办中国三峡总公司(简称"总公司")在京业务

承办总公司注册地址更改及年检事宜;实现中央、国务院及其各部门与总公司间机要文件渠道的畅通无阻,全年收发中共中央文件240件,国务院文件350件,中央与国家各部委文件90份,收发密件传真317页;承担"三讲"教育有关文件与资料的传真、印发、提取以及至总公司的发送工作;承担木樨地大厦项目联建、迁入准备、项目终止等方面的谈判、协调和执行工作;完成北京市崇文区广渠门内大街25号房地产受让事项有关工作。

请领三峡建设基金37亿元,预退三峡基金增值税5亿元,争取贷款贴息3.05亿元,请领科技三项费530万元,发行三峡债券2000多万元,承担总公司17个部门(单位)在京的会计代办工作,发生会计业务2000余笔,金额4000多万元。

代办物资公司和设备公司在北京及周边地区的业务,承担"九五"三峡工程重大装备攻关项目在京管理工作,参与组织"大型厂内桥机研制"项目的验收;参与总公司在京外事活动20余次,翻译资料约10万字。代办总公司科技管理部、机电工程部、招标公司、工程建设部、人事劳动部及信息中心等部门在京业务。

2.信息宣传工作

1999年北京代表处对总公司互联网站实施优化管理,对总公司各部门互联网站信息员进行培训,实现与总公司 Notes 网的联通,承担《中国三峡工程报》主要新闻的上网发布工作,共刊出《中国三峡工程报》网络版39期,三峡工程最新进展报道2期;创办综合经济信息刊物《北京信息》(周刊),至年末发行37期。

3.接待与服务工作

全年招待所客房利用率42%,接待总公司人员8677人次,订购飞机、车票981张;车辆完好率100%,出车6200余车次,接送有关人员49369人次;为三峡工程质量检查专家组提供良好的办公基础设施,并承担三峡工程质量检查专家组的有关日常事务,参与编制《三峡工程质量与进度简讯》,陪同专家组和工作组赴三峡工地进行两次实地调研;为三峡国际招标公司、技术委员会、长江三峡水电技术发展中心、实业总公司等部门单位提供物业、车辆、接待、人员支持及客户联络等项服务;配合总公司有关部门,做好离退休同志养老保险、住房安置等方面工作。

4.在京党委与纪委的日常工作

在"三讲"教育中,受总公司委托负责在京单位学习阶段中的有关组织工作。在重大事件中全体党员干部和职工与党中央保持一致,全年发展新党员两名,审核预备党员转正一名。

5.内部管理

1999年北京代表处加强内部管理,压缩20%经常费指标;通过参加有关部门组织的培训、自我学习及新老职工传帮带相结合,对职工进行保密、财务会计、安全保卫、接待服务等多项培训;以全体工会会员和工会小组为单位,组织活动和竞赛,丰富职工业余文化生活,增强全体员工的凝聚力,形成相互交心、相互帮助、相互理解、团结友爱的良好氛围。

(北京代表处)

【上海办事处】 清理办事处所属的上海三峡经济技术发展有限公司及沪办招待所的用工情况;完成上海三峡经济技术发展有限公司、沪办招待所企业法人登记工作;办理《上海市单位使用外地劳动力手册》、《上海市外来人员就业证》的换发工作,彻底规范用工制度。

1999年,总公司在上海召开财务费用管理会议,举行1998年三峡债券上市答谢会和1998年三峡债券上市仪式。办事处负责两个会议大量的组织筹备工作,较好地完成工作任务。协助三峡国际招标公司、物资公司、设备公司办理在沪业务,为这些单位在上海和华东地区的活动提供便利。

上海办事处积极投身"三讲"教育,主动以接受稽查为契机,进行财务与资产的自我清理和检查,有力推动办事处的自身建设。

积极开拓市场,为增收准备条件。上海办事处为适应上海作为国际化大都市的城市型经济的要求,对一些拟开发的经营项目进行调查研究。这些项目的论证工作正在进行。

(戴瑞林)

【重庆办事处】1999 年重庆办事处共有工作人员 4 人，另聘服务员 1 人，炊事员 1 人。

遵照中国三峡总公司(简称“总公司”)党组的安排，重庆办事处多次组织干部和党员学习“三讲”教育材料。通过召开民主生活会，开展批评与自我批评，提高思想，振奋精神，促进工作。

根据总公司关于稽查工作的计划安排，重庆办事处如实地填报有关报表，并及时补充要求补报的内容，满足总公司稽查工作总体进度安排。

为搞好自身建设，重庆办事处建立工作例会制度，做到工作有计划、有安排、有检查。针对办事处管理方面存在的问题，认真进行整改，建立健全有关规章制度。

1999 年，重庆办事处先后 43 次向总公司传送各方面的信息。编报《重庆信息》4 期，信息 76 条。同时，努力做好宣传三峡工程、宣传三峡总公司的工作。

注重与重庆市委、市政府、市政协及移民局、外管办、重庆 ABB、重庆珞璜电厂、重庆齿轮箱厂等部门的联系，争取支持与帮助。为重庆市领导和总公司领导互访，做好事前安排。

先后多次为总公司办公室、物资公司、经营管理部、财务公司、金沙江前期工作处、实业总公司、葛洲坝电厂等部门作大量的代办工作，尤其是为保证珞璜电厂的粉煤灰供应，做了大量的工作。

1999 年接待总公司及有关单位同志共计 55 批，820 人次。

(重庆办事处)

【武汉办事处】 为加强自身建设，提高办事效率，武汉办事处组织职工参观、学习，鼓励员工自学成才，不断提高综合素质。按廉政建设要求，加强财务、接待费用支付的管理，全年经费使用控制在指标内，并略有节余。

围绕为三峡工程建设服务的宗旨，武汉办事处配合总公司有关部门在汉对合同中标单位进行调查，了解钢材市场情况，及时沟通信息；在参加省市政府及市经济技术协作委员会组织的各项活动中，与各企业单位加强联系，提供三峡工程建设进展情况及所需物资、设备、金结等招标信息，协助财务公司在武汉做好收、贷款资金的转付工作。

武汉办事处全年接待内外来宾 1980 余人次，全年收入 15 万元，上交国家税费 1.2 万元。订购飞机票 70 多张，火车票 130 多张，同时进一步加强了同医疗单位的联系，全年联系安排入院检查治疗 37 人次。

(武汉办事处)

党　群　工　作

党　建　工　作

(一)认真参加“三讲”教育

在县级以上党政领导班子和领导干部中，用整风精神开展以“讲学习、讲政治、讲正气”为主要内容的党性党风教育，是党中央的重要部署，是加强领导班子建设、提高领导干部素质的重要举措。中国三峡总公司(以下简称“总公司”)党组集中时间进行的“三讲”教育，从 7 月 7 日开始，历时两个月时间，于 9 月 10 日基本结束。在这两个月时间里，总公司党组按照中央的统一部署，在中央“三讲”办、中央国家机关“三讲”办和中央巡视组的领导下，紧紧依靠总公司全体党员干部和群众，基本完成“三讲”教育的各项任务，达到预期目的，取得较好成效。

1999 年 3 月，按照总公司党组的要求，直属党委发出关于认真学习“三讲”教育读本的通知，并给总公司副处以上党员干部分发“三讲”教育读本，把学习情况纳入支部生活的考核范围。党组集中进行“三讲”教育时，直属党委及时抽调干部，参与总公司“三讲”教育办公室的工作。

中央巡视组在总结中对总公司的“三讲”教育作出如下评价：“从总体上看，党组重视，领导有力，安排缜密，使‘三讲’教育进展顺利，取得比较明显的成效，基本达到中央 17 号文件提出的要求。具体表现在以下 4 个方面：一是发扬了理论联系实际的学风，进一步提高了政治敏锐性和思想理论水平。二是充分发动群众，实行开门整风，进一步密切了党群干群关系。三是拿起批评与自我批评的武器，进一步提高了领导班子的凝聚力和战斗力。四是找准总公司存在的突出问题，研究制定整改措施，为三峡工程建设的顺利实施起到了积极的促进作用。”

（二）积极组织党员和职工参加三场政治斗争

1999年，总公司直属党委组织广大党员和职工，坚决反对以美国为首的北约袭击中国驻南联盟使馆的野蛮行径，坚决反对李登辉抛出的所谓“两国论”，坚决反对“法轮功”邪教组织。

1999年5月8日，以美国为首的北约，使用导弹袭击中国驻南联盟使馆，造成重大的人员伤亡和财产损失。广大三峡建设者无不怒火中烧，义愤填膺，用多种形式（包括召开声讨会，撰写声讨文章，布置宣传栏等）表达强烈的抗议和严厉的遣责。6月1日，直属党委在三峡坝区举办“建三峡、强国力、振国威”专场文艺晚会，充分体现三峡建设者维护祖国尊严、反对霸权主义的坚强意志和高昂的爱国主义热情。

1999年7月22日，中共中央发出关于共产党员不准修炼“法轮大法“的通知，中华人民共和国民政部作出关于取缔“法轮大法”研究会的决定，公安部发布通告并公布《李洪志其人其事》的材料，一场揭批法轮功邪教组织的斗争在全国范围内展开。此后长达半年的时间里，总公司直属党委传达贯彻中央关于揭批法轮功的一系列重要文件；召开以揭批法轮功为内容的专题民主生活会；撰写一批揭批法轮功的文章；对于法轮功习炼者进行深入细致地帮教工作，使其中大多数同志较快地脱离了法轮功组织，逐步从思想上与法轮功歪理邪说划清了界限。同时给各支部下发《唯物论无神论教育读本》，使广大党员进一步掌握战胜唯心主义和封建迷信的强大思想武器。

（三）大力开展精神文明建设活动

1999年5月4日，是五四运动80周年。总公司团委会同三峡工程各参建单位团组织，开展五四运动80周年纪念活动，启动二峡工程“青年文明号”劳动立功竞赛活动，三峡工程建设单位的70支青年突击队84个青年岗位的8000余名青年参加到这一活动中来。

1999年7月1日，中国共产党成立78周年。为了纪念党的生日，直属党委积极探索新的活动方式，组织撰写“七一”献辞，表达对党组织的炽热情感，表现优秀共产党员的崇高品格，讴歌改革开放的伟大成就，反映建好三峡工程的强烈愿望。国庆前夕，总公司团委举行“徒步三峡行”活动，200多名职工参加了这项活动，表现“为我中华，志建三峡”的坚强决心。

澳门回归前夕，直属党委举办“三峡建设者喜迎澳门回归文艺晚会”，喜迎澳门回到伟大祖国的怀抱。

1999年12月31日，总公司党团组织为118对年轻的三峡建设者举办盛大的世纪婚礼，组织新人在工地栽种新婚纪念树，并举办“三峡建设者喜迎新千年建好大三峡”联欢晚会。

（四）继续加强党组织自身建设

1999年9月29日，中共中央发出《关于加强和改进思想政治工作的若干意见》（中发〔1999〕17号）。根据这个文件，直属党委组成调查组，先后到工程建设部党委、实业总公司党委、设备公司党总支、物资公司党支部、财务公司党支部等单位召开座谈会，分析三峡总公司思想政治工作情况、经验和差距，提出加强和改进思想政治工作的意见和建议。

1999年9月，中共中央召开十五届四中全会，作出《关于国有企业改革和发展若干重大问题的决定》。《决定》提出了搞好国有企业改革和发展的一系列重大政策措施，包括加强党对国有企业改革和发展工作的领导。直属党委一方面在总公司党组织内组织学习，一方面与三峡工程各参建单位党组织一道，认真学习和领会四中全会精神，努力探索在建立和完善现代企业制度的新形势下，发挥党组织政治核心作用的有效方式。

1999年，直属党委着手换届选举的各项准备工作，包括基层党组织换届工作。到年底，工程建设部党委、人事劳动部党支部、国际合作部党支部、机电工程部党支部、新闻宣传中心党支部、离退休办党支部、技术委员会党支部、物资公司党支部已完成换届选举工作。

（柳定祥）

纪检监察工作

（一）落实党风廉政建设责任制，促进干部廉洁自律

根据中央纪委三次全会的精神，中国三峡总公司（简称“总公司”）党组在1999年工作会议上对加强党风廉政建设作了具体部署，4月上旬正式下发《三峡总公司党风廉政建设责任制实施办法》，该办法突出对二级部门以上领导的责任规定，同时各部门各单位根据自己的实际情况，制定具体的实施细则。

在促进领导干部廉洁自律方面，首先抓“严禁到12个风景名胜区组织会议”三项规定的贯彻落实，5月，总公司监察室会同国际合作部出台《贯彻中纪委通报精神进一步加强出国审批和管理工作》的文件，加强出国审批工作的规范化管理。至1999年底总公司取消预定出国团组 27 个，合计 185 人次，节约经费 100 多万元；严格控制会议规模和人数，所有会议都是在总公司内部召开；并严格控制办公楼的装修和扩建。财务部门按月从工资中扣除个人超额通信费用，寻呼机由集体统一缴费改为个人自行缴费，杜绝“一人多机，缴费不明”的老大难问题。

(二)查处各类违法违纪案件，加强坝区预防经济犯罪的网络联系

一年来收到信访件 43 件，其中受理案件 15 件。3 月底总公司设备公司发生一起财务人员贪污案件，案发后嫌疑人辞职隐匿他乡，监察室会同检察机关在设备公司的配合下，终在海口市一宾馆内将作案人易佳意(女)抓获，并追回全部赃款(后移交司法机关处理)。配合坝区检察院对二航局采购员占小英等人倒卖建筑水泥一案进行调查，据此提出关于加强物资供应管理工作的具体建议。

6 月中旬与坝区检察院联合召开“坝区预防经济犯罪座谈会”，37 个单位参加，有 6 个单位在会上进行专题发言，进一步加强了坝区内预防经济犯罪的网络联系。11 月湖北省高检院在宜昌市召开“全省检察机关贯彻十五届四中全会精神，为国有企业改革服务座谈会”，会上监察室领导介绍与宜昌市检察机关联合开展反腐败斗争的经验，受到与会领导和同志们的好评，湖北省、宜昌市两地电视台对此进行了专题报道。

(三)完善三峡工程建筑市场的管理机制，加强对“热点“部位的监督力度

遵照国务院《关于加强基础设施工程质量的通知》的规定，总公司工程建设部向各项目部及施工监理单位发出《关于进一步整顿和规范三峡工程建筑市场的通知》，对部分施工单位转包和违法分包的问题进行清理整顿。总公司监察室于 5～11 月对三峡工程建筑市场开展专项调研。通过走访坝区法院、市中级法院、坝区工商行政管理局和总公司有关单位，了解近年来在工程建设项目招标发包、物资设备采购以及经济案件审理过程中所反映出的一些管理方面存在的问题。工程建设部召开各项目部负责人座谈会，按照“规范运行、公平竞争、严格监督、依法管理”的要求，探讨健全有三峡工程特点建筑市场的具体措施。

一年来，监察室先后参与“左岸电站 125/125t 桥机国内招标”、“左岸电站高压电气设备国际招标”、“计算机及其外部设备采购招标”、“西陵二路住宅小区建筑工程招标”的监督工作，维护“公开、公平、公正”的竞争秩序。对招标过程中反映的问题进行了调查和妥善处理。

(四)加强反腐倡廉宣传，建立“党风廉政教育日”制度

按时出版《法制教育宣传栏》，深入二级单位巡回播放反腐败录像片，及时发放党风党纪宣传教育书刊。会同湖北省经贸委纪工委在坝区培训中心举办“查办案件培训班”，共有 200 多人参加，为省内国有大中型企业培养骨干。党组在“三讲”教育整改方案中提出建立“党风廉政教育日”制度，并从四季度起开始实行。对象是副处级以上干部，每季度一次，内容主要是学习中央、省一级关于党风廉政建设的文件，结合实际通报典型案例，观看反腐倡廉教育片，部署阶段性反腐倡廉工作。

(夏其华)

工　会　工　作

(一)团结动员广大职工，为全面完成 1999 年三峡工程建设任务而努力奋斗

年初，中国三峡总公司(以下简称“总公司”)工会召开全体委员扩大会议，贯彻落实总公司工作会议精神，认真学习朱镕基、胡锦涛、尉建行等领导同志在全总十三大的讲话，号召总公司全体职工统一思想、明确任务，迎接 1999 年三峡工程建设的新挑战。1999 年，总公司广大职工兢兢业业，努力工作，涌现出了以彭启友同志为代表的大批先进工作者。以王新宜为代表的广大女职工也在各自的岗位上建功立业，成绩显著。

(二)开展长江三峡工程劳动竞赛

1999 年 5 月 6 日，三峡工程劳动竞赛委员会第二次全体会议在三峡坝区召开。会议对劳动竞赛开展两年来的经验进行认真总结，并对新形势下如何更好地进行竞赛，进一步促进工程建设进行探讨。通过这次会议，各参建单位对劳动竞赛的认识进一步提高，广大建设者的劳动热情进一步高涨，各单位纷纷采取形式多样的竞赛形式和手段，有力地促进工程建设，并创造 458 万 m^3 的混凝土浇筑世界纪录，为全面完成三峡工程 1999 年生产任务作出贡献。会后，竞赛委员会在三峡影剧院召开隆重的表彰大会，对 15 名三峡工程优秀建设者，3 个先进单位，8 个先进集体，22 个先进班组进行了表彰。

(三)加大民主参与民主管理力度

一是对涉及职工切身利益的住房分配、工资调整方案多次召开职工代表会议进行讨论，及时向有关部门和领导反映职工群众的意见和建议。二是组建职工持股会，推选职工董事、监事进入总公司下属的公司制企业参与企业管理，从源头维护职工的经济利益和合法利益。三是通过与行政协商，建立职工疗休养制度，使职工疗休养实现零的突破。全年已有110名职工疗休养。四是进一步维护女职工的特殊利益和合法权益。

（四）开展文体活动，促进精神文明建设

积极响应全国总工会关于开展"职工体育活动月"活动的号召，广泛开展群众性的全民健身运动，先后举办"三八"女职工健美操表演，总公司第二届职工男子篮球赛，三峡建设者首届棋牌赛、首届羽毛球、乒乓球比赛，三峡建设者第二届水上运动会以及"庆回归、跨世纪"元旦长跑运动会。总公司各基层工会结合各单位实际，举办丰富多彩的职工体育活动。先后组织武汉话剧院、中国人民大学艺术团、湖北省歌剧院、武警文工团等大型文艺团体来三峡坝区演出，丰富三峡建设者的业余文化生活。

（五）组织三峡建设者欢庆建国50周年

为了进一步激发广大建设者的爱国热情，引导全体建设者在建设跨世纪的宏伟工程中建功立业，总公司工会于1999年9月28日在三峡坝区体育馆举行盛大的"三峡建设者庆祝建国50周年"歌咏晚会和焰火晚会，晚会实况先后在宜昌电视台和湖北电视台播出，三峡建设者良好的精神风貌在社会上产生强烈反响。

（六）开展情系特困职工的社会救助行动

根据湖北省总工会、省经贸委等单位的倡导，三峡总公司工会积极响应情系特困职工社会救助行动的募捐活动，动员广大职工为特困职工捐款。在捐助活动中，总公司职工发扬"一方有难、八方支援"的团结互助精神，为政府分忧，为企业排难，为职工解困，纷纷为社会上的特困职工献爱心，共捐款37万元。总公司女职工委员会也建立女职工"爱心基金会"，为社会上下岗特困女职工献爱心，收到捐款23927元。

（裴成新）

共青团工作

1999年，中国三峡总公司（简称"总公司"）团委围绕直属党委和工程建设的中心开展工作。

（一）开展劳动竞赛活动

总公司团委抓住工程建设的契机，适时启动以"赛质量管理、赛施工进度、赛文明施工"为内容的三峡青年建设者劳动立功竞赛活动。工程参建单位的70个青年突击队和84个青年岗位的8000余名青年参加到此次活动中来。在一年的劳动竞赛活动中，各参加单位团组织，根据总公司团委的布置安排，针对本单位的具体情况，开展"班组擂台赛、对手赛、技术比武、导师带徒"等活动，极大的促进了工程建设，为完成1999年工程建设的艰巨任务作出了应有的贡献。

（二）以纪念五四运动80周年为契机，进行爱国主义教育

总公司团委召开纪念五四运动80周年暨"一先双优"表彰大会，对上一年度中表现突出的团员青年、团干和团组织进行表彰奖励；总公司团委主办、葛洲坝集团公司团委、清江开发公司团委、武汉水利电力大学宜昌校区团委、葛洲坝电厂团委协办，举行以"携手迈向新世纪"为主题的文艺巡回演出活动，分别在坝区影剧院、葛洲坝俱乐部、清江开发公司隔河岩俱乐部进行，受到所在单位领导的好评。

总公司团委与宜昌团市委、中国三峡工程报社、三峡希望报社联合举行"看三峡、写三峡、画三峡"为主题的爱国主义系列活动，组织宜昌中小学生近千人到坝区接受爱国主义教育，收到良好的社会效果。

（三）为三峡青年建设者服务

1999年1月1日为总公司青年举办第三届青年集体婚礼；1999年12月31日，总公司团委在参建单位团组织的配合下，举行"三峡良缘"青年世纪婚礼，为118对三峡青年建设者举行隆重、简朴的集体婚礼仪式。这一活动体现了团组织对青年的关怀，体现了三峡建设者崭新的精神风貌，得到了广大青年和参建单位领导的好评，也得到了社会的普遍关注，中央电视台、湖北电视台、三峡电视台、湖北日报、天津日报、宜昌日报等新闻媒体相继作了报道。

（四）继续关心三峡希望小学、参与绿色希望工程

5月28日，袁国林副总经理率部分团干部组成的慰问团，慰问三峡希望小学师生，送去价值3万余元的教学用品。

绿色希望工程是团中央继助学希望工程后的战略转移，目的在于引导全社会的青少年重视环境，保护环境。三峡工程本身就是保护环境的工程，在三峡青年建设者中倡导"保护母亲河"的活动，有特殊意义。1999年12月31日，以参加集体婚礼的新婚青年为主体的近300名三峡青年建设者代表栽种了青年世纪林。并且号召参建单位的团员青年向"保护母亲河"捐款3万元。这一活动进一步增强青年的社会责任感和历史使命感，增强青年保护、热爱祖国的朴素感情。

（五）开展适合青年特点的活动，丰富青年的文化

生活

为庆祝建国50周年,1999年9月28日举行"我为祖国建三峡"为主题的青年徒步宜昌——三峡活动。220名青年参加了此次活动,年龄最大的37岁,徒步最大行程近50km,使青年享受了挑战自我的乐趣。这一活动沿途以发放传单的形式宣传祖国成立50年来的巨大成就,宣传澳门回归的历史意义,使青年受到了一次生动、现实的爱国主义教育。

11月5日~12月20日举办青年网球培训班。120余名青年参加活动,取得预期的效果。

各团支部还根据团委的布置,结合各单位、各部门的情况,组织青年开展春游、联艺、慰问移民学生等活动。

为了迎接新世纪的到来,团委于1999年12月31日晚在坝区体育馆举办以"建好大三峡,迎接新世纪"为主题的大型联欢活动。3000名三峡青年建设者参加此次活动。

1999年,总公司团委被评为全省"五四红旗团委"。

(江长青)

宜昌市三峡坝区工作委员会工作概况

宜昌市三峡坝区工作委员会(以下简称宜昌市三峡工委),作为宜昌市委、市政府的派驻机构,主要负责支援服务三峡工程建设工作,肩负两大服务职能,一是履行三峡坝区的社会行政管理,为三峡工程建设服务;二是组织全市对口支援三峡库坝区的移民工作,为宜昌市地方经济及社会发展服务。1999年,三峡工委坚持以服务三峡工程建设和全市社会经济发展为根本,加大组织协调服务工作力度,顺利完成全年各项工作。

(一)坝区管理取得新成绩

1999年,宜昌市三峡工委围绕三峡工程建设的施工高质量和施工高强度,组织宜昌市驻坝区各单位,加强以社会治安综合治理为主要内容的各项管理工作,维护坝区的社会稳定,保证施工正常进行。宜昌市三峡工委和中国三峡总公司工程建设部与各设计、监理、施工、管理单位及周边4镇共42个单位签订了社会治安综合治理目标管理责任书,明确了责任,落实了措施。认真开展"严打"斗争和专项治理,全年刑事案件、重特大案件和治安案件均比上年下降。通过强化道路交通管理,确保坝区道路畅通。坝区劳动、工商、土管、税务等部门依法加强社会行政管理,使坝区保持良好的生产秩序和经济秩序。特别是国税、地税三峡分局把依法征税和优质服务有机结合起来,超额完成征税任务,确保国家税收足额入库。

(二)对口支援取得新成果

1999年宜昌市三峡工委在对口支援工作中坚持"攻大求优攀名"的工作思路,进一步增强机遇意识、求援意识、服务意识和发展意识。坚持实行项目领导责任制,加大求援引进工作力度,不断改善投资环境,加强督办落实,取得显著成效。全年接待来访425批、3371人次,回访336批、1670人次;落实对口支援项目165个,落实到位资金2.6亿元。其中经济合作项目81个,到位资金2.42亿元,援建希望工程29个,"涪陵会议"签约的13个项目中,有7个项目已经建成。新引进15个名优企业。13个高效生态农业示范点项目建设进展较快,效果明显。

(三)文明创建展现新风采

1999年,宜昌市三峡工委围绕服务工程建设、服务地方经济发展这一主题,扎扎实实地开展"争创文明机关、争做人民公仆"的活动,提高干部的综合素质、服务意识、管理水平和工作效率。通过抓班子建设,树立"团结、廉政、实干、开拓"领导班子形象。通过抓作风建设,机关建设发生显著变化,各项工作上了新水平。通过加强宗旨教育,机关形成了良好的风气,干部职工自觉"献爱心",为失学儿童、下岗工人捐赠现金6311元。同时,宜昌市三峡工委同三峡总公司工程建设部、坝管部一起,认真组织开展创文明小区、"军民共建"、"安全文明小区劳动竞赛"活动,坚持把机关"双争"活动与创建安全文明小区活动有机结合起来,取得丰硕成果。宜昌市三峡工委所属单位全部被三峡坝区社会治安综合治理领导小组授予安全文明单位。1999年10月,三峡坝区被湖北省委、省政府授予省级"文明施工区"。三峡坝区公安分局等9个单位荣获三峡工委文明单位称号,有7个单位和9名个人分别被授予三峡工委劳动竞赛先进单位和优秀建设者。为鼓励先进,创造更好的周边环境,宜昌市三峡工委会同三峡总公司工程建设部联合召开周边环境建设表彰大会,1999年通报表彰了7个先进集体、21名先进个人和47个模范移民户。

(杨宣英)

精神文明建设

三峡工程坝区精神文明建设

1999年，三峡坝区各成员单位紧紧围绕《中国三峡总公司社会主义精神文明建设规划》，开展一系列精神文明创建活动。

(一)发挥思想政治工作优势，促进精神文明建设

1.健全机构，制定计划

为进一步做好精神文明创建工作，年初，三峡坝区精神文明建设协调办公室(以下简称“办公室”)提出指导意见，各单位结合各自机构的变化情况，调整领导机构，充实工作人员，制订计划，落实资金，实实在在地推动精神文明建设。

2.结合“三讲”教育，提高三峡建设者的政治素质

按照党中央的部署，认真组织党员及处级以上干部开展以“讲学习、讲政治、讲正气”为主要内容的党性党风教育活动。系统地学习江泽民总书记关于“讲学习、讲政治、讲正气”的一系列讲话和“三讲”教育读本中的重点文章。同时，各单位坚持把学习邓小平理论，学习党的十五大精神，与时事政治学习相结合。通过学习，广大党员干部认识到，从严治党，必须从自己做起，从现在做起，切实解决好理想、信念、大局、宗旨、廉政等问题。结合三峡工程实际，就是要更加热爱三峡工程建设，做到文明施工，文明管理，文明服务，在自己的本职岗位上为三峡工程建设做出新贡献。

3.开展爱国主义教育，激发三峡工程建设者爱国热情和民族尊严

5月8日，以美国为首的北约公然践踏国际法，对中国驻南斯拉夫大使馆进行野蛮轰炸，激起全中国人民的极大愤慨。三峡总公司及坝区各单位纷纷召开座谈会，坚决拥护中国政府严正声明，严正抗议北约的侵略暴行，掀起爱国主义教育活动新高潮。三峡建设者表示，要以实际行动建设好三峡工程，为祖国富强献力。

4.拥护中央决策，维护社会政治稳定

中共中央决定取缔“法轮大法”这一非法组织后，各参建单位及时组织党员、干部和群众认真学习中央13号文件精神，集体组织收看中央电视台的新闻。纷纷表示，坚决拥护中共中央的英明决策，在这场政治斗争中，要同党中央保持高度一致，以战高温，创纪录浇筑混凝土的实际行动抨击李洪志的歪理邪说，揭批“法轮大法”。

(二)创建安全文明小区

年初，三峡坝区社会治安综合治理领导小组办公室把坝区划分为18个小区(13个生活区、5个施工区)开展创建安全文明小区活动，制定了详细的实施方案，明确提出要把三峡工程坝区建成社会稳定、秩序良好、环境优美、功能齐全的安全文明工区。

经过一年的努力，有3个施工区、10个生活区被评为“安全文明小区”，前后两次共评选出73个“安全文明单位”。三峡坝区被湖北省综合治理委员会授予“社会治安综合治理安全文明单位”。

(三)以申报省级文明小区和创建全国文明单位为契机，推进坝区精神文明建设

几年来，经过各成员单位共同努力，三峡工程建设、坝区环境建设成效显著，基本符合省级、国家级文明单位申报条件。办公室把此次申报作为狠抓两个文明建设工作的契机和新起点，对照标准，检查不足，找出薄弱环节，下大功夫，花大力气，及时整改，使两个文明建设协调发展。三峡工程坝区被湖北省委、省政府命名为“1998～1999年度安全文明小区”。

(四)军民、警民、工民共建活动

1999年，共建活动逐步从联谊活动转入互办实事工作上来。如太平溪镇与坝区5个参建单位结为共建对子，加强双方感情。为促成三七八联营总公司下岸溪砂石项目部与乐天溪镇下岸溪村互结对子，切实解决双方互相支援，互相谅解的问题，三峡总公司工程建设部与三峡坝区工委召开专题会，提出工作方案，列出急需解决问题的内容，促成双方共商解决大计，更好地服务工程建设，支援地方经济的发展。

三峡总公司实业总公司的共建工作继续延伸，与交通武警、坝区公安分局、坝区交警大队等单位结成新的共建对子，进一步密切警民、军民关系。

(五)改造环境，深入开展精神文明建设

1999年，坝区精神文明建设加大硬件投入，坝区环境建设有较大改善。三七八联营总公司投入10万元，改造柳树湾营地，切实改善广大员工的生活环境。葛洲坝集团公司在创建文明小区活动中列出整改项目230多项，要求责任单位限期完成，东岳庙生活小区共拆除违章建筑4间，疏通污水沟1000多m，清除生活垃

圾约 20t；及时清除房前屋尾的杂草，进行场地平整。青云水利水电联营公司从紧张的经费中拨出专款 20 万元做为精神文明奖励资金，建立考核制度，促使精神文明建设工作健康发展。

（六）开展群众性文体活动，增强职工队伍凝聚力

中国三峡总公司实业总公司进一步发挥坝区现有公共设施作用，更好地服务三峡建设者。三峡总公司工会在坝区主办了 1999 年全国男子排球“三峡建行杯”乙级联赛和 1999 年水上运动会、乒乓球赛、羽毛球比赛等，丰富三峡建设者业余文化生活。

为了庆祝中国共产党生日，广大三峡建设者积极参加《党的光辉照我心》歌咏比赛，用歌声歌颂党的丰功伟绩，歌颂社会主义改革开放的成就，歌颂社会主义祖国。这些活动不仅丰富了职工的业余文化生活，而且调动了职工积极性，再次展现了三峡建设者“我为中华、志建三峡”的良好精神风貌。

（七）表彰先进，树立典型，促使精神文明建设向纵深发展

经同各方面协商并报经三峡总公司同意，三峡工程坝区开展了 1997～1999 年度精神文明建设先进单位、先进集体评选表彰活动。青云公司等 7 个单位被授予“三峡工程坝区 1997～1999 年度精神文明建设先进单位”称号。葛洲坝电力三峡建设公司等 37 个单位被授予“三峡工程坝区 1997～1999 年度精神文明建设先进集体”称号。

（王永栏　李先富）

三峡坝区社会治安综合管理

宜昌市始终坚持把加强社会治安综合治理，维护坝区的社会稳定作为三峡坝区管理的重点工作来抓，创造一流社会环境，确保三峡工程建设的顺利进行。1999 年，三峡坝区被湖北省社会治安综合治理委员会命名“全省社会治安综合治理安全文明单位”。

（一）强化责任制，健全内保组织

1999 年，宜昌市结合三峡坝区特殊社区实际，继续坚持社会治安综合治理“属地管理”原则和国家重点建设项目“谁主管、谁负责”的原则，确保社会综合治理责任制落实。三峡坝区社会治安综合治理领导小组召开两次领导小组会议，及时调整充实三峡坝区社会治安综合治理领导小组成员。年初，宜昌市三峡工委、三峡总公司工程建设部同监理、施工、管理服务单位和周边 4 镇等 42 个单位签订了社会治安综合治理目标管理责任书。同时，三峡坝区公安分局会同三峡总公司保卫处对坝区签订责任书的 38 个单位，坚持每季度召开一次内保工作会，基层基础工作得到加强，内保工作有了新的起色。三峡坝区现有保卫处（科）33 个 205 人，治保会 153 个 854 人，调解会 135 个 688 人，义务消防队 88 个 1220 人，治安联防队 25 个 169 人。

（二）坚持打防并举，抓好专项斗争

根据宜昌市统一布置，1999 年在三峡坝区认真组织开展“三防二打”（防爆炸、防破坏、防恶案，打击盗抢犯罪、流窜犯罪）的严打斗争，围绕两线、两区、四库（红线周边沿线、专用公路沿线，施工区、办公生活区，炸药库、汽油库、金库、物资设备仓库）进行重点整治，收到较好效果。全年共立各类刑事案件 169 起，破 137 起，破案率 81.1%，立案数比上年同期 193 起减少 24 起，下降 12.4%。其中立重特大刑事案件 85 起，破 60 起，破案率 70.6%，比上年同期 87 起下降 2.4%。查获犯罪团伙 25 个，成员 80 人，缴获脏物价值 23 万元。刑事拘留 52 人，逮捕 41 人。全年共发现受理治安案件 175 起，查处 174 起，查处率为 99.4%。发案数比去年同期 217 起减少 44 起，下降 2.5%。共刑事拘留 52 人，逮捕 41 人，治安处罚 508 人。在全国组织的追逃工作中，三峡坝区公安分局抓获负案在逃人员 36 名，其中网上逃犯 12 名。与此同时，以查禁“法轮功”为重点，加强隐蔽对敌斗争，根据统一部署，开展查禁“法轮功”非法组织和活动的专项斗争，共发现并教育修炼“法轮功”成员 15 人，打击处理“法轮功”组织骨干 2 人，收缴非法出版物近 1000 件。

（三）强化社会治安管理，抓好专项整治工作

1.围绕两线、两区、四库，强化治安防范责任落实。坝区公安分局对 5 个临时炸药库和 15 个施工爆破队现场安全检查 150 多次，整改不安全因素 21 处，查处案件 2 起，处罚 5 人。收缴炸药 316kg，雷管 100 发；全年使用炸药 4147t，雷管 61.5 万发，导爆索 164 万 m，没有因管理不善发生丢失和被盗现象。坚持预防为主，标本兼治，抓责任制落实和防范措施到位，强化经常性安全检查，实行人防、物防、技防相结合，保持重点要害部位连续 6 年安全无事故。

2.抓暂住人口管理，继续实行暂住人口常住户口管理办法。据统计，三峡坝区现有 31000 多人，除户口在宜昌市城区外，还有 19000 人居住在坝区，已办暂住证 6200 人，列管重点人口 5 人。派出所对坝区成建制的参建单位统一办证登记，对分包队和临时务工人员，凭个人身份证、当地外出务工证明、施工单位接受证明，办理临时暂住证，依据参建单位居住地门栋编号，建档建卡。用工单位按照“谁用工、谁负责”的原则，加强教育和管理，建立临时用工档案。

3.加强特种行业管理，尤其是废旧收购管理。对周边 19 家废旧金属收购点突击清查，依法取缔 15 家非法收购点，收缴非法收购废旧金属 36t，盗窃工地器材销赃得到遏制。

（四）狠抓道路交通管理

1999 年，三峡坝区道路交通管理工作围绕“防事故，保畅通”开展，强化路面监控，整顿交通秩序，加强法规宣传，交通事故四项指数全面下降。全年，三峡坝区及三峡专用公路共发生交通事故 89 起，死亡 7 人，伤 55 人，直接经济损失 87.2 万元，分别比上年下降29.4%、36.4%、5.2%和 43.8%。同时，积极配合三峡通航管理局加强水上交通秩序管理，注销一条轮渡航线，坝区水域基本做到无“三无”船舶渡运。公安交警部门全年共完成 46 批次重要警卫和重大安全保卫任务。

（杨宣英）

三峡坝区周边协调工作概况

1999 年，宜昌市三峡工委、三峡总公司工程建设部着力抓企地共建工作。坚持以共建活动为载体，企地互办实事。先后开展三项活动，即：“双拥”活动，军民、警民、工民结对互助活动，周边 16 个村开展“我为三峡作贡献，社会环境创一流”竞赛活动，既保证三峡工程顺利建设，又促进当地经济快速发展。1999 年的企地共建工作在深入开展三项活动中坚持三峡无小事，稳定是前提的思想，以服务三峡工程建设为中心，充分调动镇村两级组织和移民农户为三峡作贡献的积极性，树立长期支援服务三峡工程的自觉性，营造良好的周边环境，确保三峡二期工程的顺利进行。

（一）妥善处理各种矛盾和纠纷

宜昌市三峡工委党委成立坝区维护稳定工作领导小组，积极协调地方政府和有关部门，及时稳妥地处理各种矛盾和纠纷。工程建设部坝管部、宜昌市三峡工委及政法各部门共收集各类情况信息 60 条，接待来信来访 1176 人次，及时协调解决因封闭管理、施工影响、移民安置、工伤、交通事故、劳资债务等引发的各种矛盾和纠纷。

（二）加强施工现场管理

在三峡工程征地红线实行封闭管理之后，对左岸厂坝段、茅坪防护坝等重点施工区实行局部再封闭。①对厂坝等施工区实行专项治理。拆除滥搭乱建 67 处，清理滞留人员 364 人，治理脏、乱、差，保持施工现场整洁，维护正常的施工秩序。②坚持小封闭大联防。1～3 月，施工区发生盗割电线 3 起，4 月份实行局部再封闭以后，人、车、物凭证通行，工程建设部坝管部保卫处和坝区公安分局，组织葛洲坝三峡建设公司、三七八联营总公司、青云水利水电联营公司成立治安联防大队，成员 129 人，设执勤点 12 个。与此同时，各施工单位还成立护厂队，层层把关，严密防守。4～12 月，厂坝等施工区治安案件明显下降。③拆除高家溪至隔流堤民船航线，杜绝流动人口往返施工区。④防范措施落实。青云公司等施工单位领导坚持施工现场 24 小时轮流值班，加强施工现场管理，保卫科住执勤点，扩厂队员守住施工现场，预防和减少案件发生。

（三）确保重点施工区的建设

为了保证下岸溪料场具有正常的生产秩序，宜昌市三峡工委、宜昌县政府和三峡总公司工程建设部抽调 7 名干部组织工作专班常驻下岸溪料场，及时协调料场施工与当地群众发生的纠纷，保证料场生产和运输的正常秩序。为积极配合三峡通航管理局加强三峡坝区水域交通安全管理，先后 4 次召开两县镇水上交通安全会，研究具体防范措施，做到坝区水域无“三无”船舶渡运。

（杨宣英）

创建安全文明小区

1999 年 7 月 11 日和 11 月 12 日，全国在山东省东营市召开的企地共建安全社区现场会和湖北省在潜江市江汉油田召开的企地共建现场会上，三峡坝区社会治安综合治理领导小组作了经验交流。1999 年 10 月，三峡坝区被湖北省委、省政府授予“文明小区”。

坝区划分为 18 个办公生活区和 5 个施工区，坚持高起点、上水平、创特色、争一流，抓安全防范、抓环境整治、抓建章立制、抓规范管理，取得明显成效。至年底，3 个小区 76 个单位被评为三峡坝区安全文明小区和安全文明单位；2 个国有大型企业被评为宜昌市安全文明单位。

三峡坝区周边 4 镇的 16 个移民村，开展以“抓共建、促稳定、保平安”为主要内容的周边环境竞赛活动，充分调动镇村两级组织和移民农户为三峡作贡献和自觉支援服务三峡工程建设的积极性。从 1997 年开始，坚持每年进行评比表彰。3 年来，共有 21 个单位 81 个农户、27 个先进工作者受到表彰和奖励。

宜昌市三峡工委、三峡总公司工程建设部组织参建单位与三峡坝区周边 16 个村结成共建对子。葛洲坝集团、三七八联营总公司、三联总公司、青云水利水电联营公司、武警水电部队、武警交通五支队等施工单位分别与三斗坪、太平溪、乐天溪、茅坪四镇共建对子，送戏送情，捐资助学。

（杨宣英）

宜昌市三峡坝区工作委员会

宜昌市三峡坝区工作委员会(简称三峡工委)组建于1992年5月，是宜昌市委、市政府的派出机构，为副市级单位。与宜昌市支援三峡工程建设委员会办公室合署办公。自1992年以来，三峡工委在宜昌市委、市政府的直接领导下，在中国三峡总公司的大力支持下，组织和带领市直派驻三峡坝区有关单位积极配合中国三峡总公司开展工作，切实履行管理、协调、服务职能，加强三峡坝区管理，不断提高服务质量和水平，确保了三峡坝区的社会稳定和三峡工程的顺利建设。1998年，三峡坝区被宜昌市委、市政府授予社会治安综合治理优胜单位；1999年，被湖北省委、省政府授予“文明小区”，被湖北省综合治理委员会命名为“社会治安综合治理安全文明单位”。同时，三峡工委认真组织对口支援三峡工程库区移民，取得了显著成绩，与全国139个单位建立了对口支援关系 。宜昌市共落实对口支援项目924项，其中经济合作项目183个，到位资金9亿多元，成功地引进了杭州娃哈哈、北京汇源、青岛海尔、江苏森达等一批名优企业及产品，为全市三峡工程移民搬迁和经济社会发展作出了贡献。

地址：宜昌市桃花岭政府机关大院二楼

电话：0717-6224590

传真：0717-6232459

邮编：443000

2	1
3	

1. 宜昌市三峡工委领导集体
2. 中国三峡总公司总经理陆佑楣为三峡工委主任易行运(中)、书记陈华远(左)颁发三峡工程优秀建设者奖章
3. 三峡工委主任易行运率团考察对口支援合作项目

重庆市移民局

重庆市移民局于1996年10月在重庆市对原万县市、涪陵市、黔江地区实行代管期中正式成立，是重庆市人民政府主管重庆库区三峡移民工作的综合职能部门，其主要职责是：

(一)贯彻执行国家关于三峡工程移民开发工作的方针、政策和法律、法令；

(二)研究起草地方性移民法规草案，制定移民工作有关政策；

(三)负责组织编制移民安置规划和库区开发规划，审批实施年度计划并检查、监督其执行情况；

(四)负责组织开展三峡工程对重庆的综合影响及对策研究；

(五)负责安排和管理移民资金和物资；

(六)负责综合协调解决移民工作中的重大问题；

(七)负责移民工作的宣传、教育、科技、外事等工作；

(八)负责库区对口支援和经济合作的组织协调工作；

(九)指导、检查、监督库区各区市县的移民工作；

(十)指导重庆库区移民工作系统的精神文明建设和党风廉政建设；

(十一)负责对移民资金的内部监督和审计，保障移民资金的安全和有效使用；

(十二)承办上级主管部门和市委、市政府交办的其他工作任务。

重庆市移民局内设机构有：办公室、政策法规处、计划财务处、规划处、经济合作处、城镇搬迁处、企业迁建处、农村移民安置处、审计处、信访处、万县移民工作部、近郊移民安置办公室、机关党委、机关工会。直属事业单位有：后勤服务中心、移民监理中心、移民培训办公室。 按照重庆市委的统一部署，重庆市移民局机关的作风整顿工作紧紧围绕打好二期移民攻坚战这个主题，重庆市移民局党组明确提出了移民干部要发扬“宁可苦自己，决不误移民”的精神，加强综合教育，抓好队伍建设，转变作风树形象。

局长：刘福银

电话：(023)63897658

传真：(023)63859760

地址：重庆市渝中区人民路236号

邮编：400015

5

6

7

9

10

1.渝东第一县——巫山新城建设鸟瞰
2.奉节新县城三马山小区一角
3.云阳新县城建设施工现场
4.正在紧张施工的涪陵防护大堤工程
5.忠县新县城红心小区道路建设施工
6.万州区内的长万输变电工程
7.江苏醋王云阳酿造有限公司新姿
8.万州大桥正在抓紧施工
9.加强农田水利建设，发展高效生态农业
10.迁建中的南沱镇居民住宅楼

哈尔滨电机厂有限责任公司

哈尔滨电机厂有限责任公司(原哈尔滨电机厂)始建于1951年，1994年改制为股份制公司，公司拥有各类设备3700余台，是中国生产大、中型发电设备和各种交直流电机的骨干企业。

钟罩式退火炉

公司主要产品有：水轮机、水轮发电机、汽轮发电机、配套辅机和大、中型交直流电机等6大类。产品遍及全国各地。其中，云峰机组获得国家质量银奖，葛洲坝机组荣获国家质量金奖。产品还出口到刚果、阿尔巴尼亚、美国、越南、朝鲜、加拿大、巴基斯坦、委内瑞拉、日本、土耳其、菲律宾、尼泊尔和伊朗等十几个国家。其中，出口伊朗的卡伦梯级4个电站的水轮机共19台，单机容量为25万kW。其规模和容量均创中国水电出口之最。

公司有员工近万人，其中工程技术人员1800余名，拥有高级职称者500多人。公司拥有国家重要科研基地——哈尔滨大电机研究所，是中国发电设备制造行业的技术归口单位，主要从事发电设备及相关技术的开发研究与试验，为中国发电设备制造行业的发展作出了巨大贡献。

公司实行了全面质量管理体系，并与国际惯例接轨，所有产品都按照国际标准设计生产。公司于1994年通过了ISO9001国际质量认证。

自三峡机组合同签订以来，公司已派数十名专业技术人员到国外，接受主承包商的技术转让，参加联合设计，全面引进和学习外商的先进技术和经验，为联合制造打下了良好基础。公司有信心，为三峡工程提供世界先进水平的发电机组。

地址：哈尔滨市动力区大庆路71号
电话：0451-2162601
传真：0451-2101466
邮编：150040

五轴数控龙门铣

五轴数控镗铣床

五强溪转轮

磁极压板数控加工中心

施耐德电气公司

施耐德电气公司旗下著名四大品牌，活跃于竞争激烈的世界电器场上，在配电工控和自动化三大方面均处于世界领导地位。

Merlin Gerin

Modicon

Square D

Telemecanique

梅兰日兰产品涵盖高、中、低压配电产品，保护设备及人员的安全。

莫迪康的可编程控制器广泛用于配电管理、工控及自动化过程控制。

美商实快电力的产品包括输配电反工控及自动化，广泛用于商业、建筑及工业各领域。

TE 电器产品主要是工控元件及自动化元器件，是工业生产各领域的必不可少的伙伴。

气公司中国联络地址：

：北京市朝阳区东三环北路 8 号亮马大厦 17 层

0)65906907

0)65900013

0004

司：上海市新华路 660 号万宝国际商务中心 518-521 室

1)62827285

1)62827291

00052

司：广州市环市东路 403 号广州国际电子大厦 31 楼

0)87320138

0)87321929

0095

司：武汉市武胜路泰合广场 15 层 1502 室

7)85712588/80

7)85712688

0033

斤的概念　突破性的設計

Prisma 低压开关柜

西安高压开关厂

西安高压开关厂与瑞士ABB高压技术有限公司签订了长江三峡左岸电站用ABBELK3型500kVGIS的技术转让协议及分包合同。为确保三峡设备质量，工厂进行了质量策划，制订了严格的质量保证措施、专用技术标准等，保证了合作项目的顺利进行。

为满足三峡工程的需要，为三峡工程建设作出贡献，西安高压开关厂通过技术引进，在消化吸收中不断创新，不断加大科技投入，利用先进的加工技术，积极推进现代化管理，保持了产品技术水平在国内同行业中的领先地位。西安高压开关厂具有雄厚的开发设计能力、完善的生产组织结构、丰富的生产制造经验、充足的生产场地。产品不仅运行在全国各地，而且GIS/GCB产品整机出口马来西亚、新加坡、巴基斯坦、伊朗、哥伦比亚、安提拉等国家。曾先后为天生桥及五强溪电站提供了550kVGIS产品和数十台500kV六氟化硫断路器。标志着西安高压开关厂550kV大开断能力开关装置的制造能力与世界一流水平同步发展。

随着电力系统向超高压、高可靠性和输变电设备向紧凑型发展的趋势，国家西电东调计划及开发大西南水电资源计划等的实施和举世瞩目的三峡工程为西安高压开关厂带来了机遇和挑战。

地址：陕西省西安市大庆路29号
电话：029-4261145　传真：029-4261143
邮编：710077

励精图治，为三峡工程建设做出更大贡献

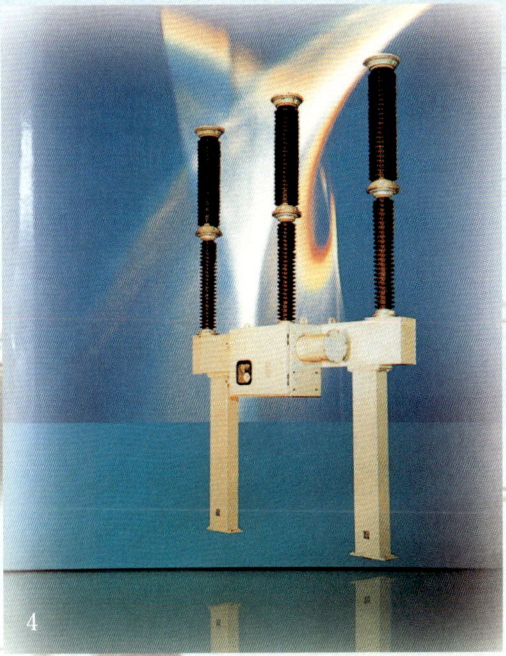

4

3

5

1	2	4
	3	5

1.LWB-550 罐式六氟化硫断路器
2.ZF8-550 气体绝缘金属封闭开关设备
3.ZF9-363 气体绝缘金属封闭开关设备
4.LW25-126 瓷柱式六氟化硫断路器
5.LW15-550 型瓷柱式高压六氟化硫断路器

保定天威集团有限公司

保定天威集团有限公司是由原保定变压器厂改制发展起来的国有大型企业集团导产品有各类电力变压器、特种变压器、互感器、电抗器、继电器、高压开关等电气品。公司资产总额12.8亿元(人民币)，为国家大型一档企业，具有国有资产经营权和出口贸易自主权。

厂区一隅

保定天威保变电气股份有限公司是天威集团的主体上市公司，变压器产量居国内行业第二位，年生产能力可达2000万kVA/变压器、1000台/互感器。公司面向国内客商提供500kV、330kV、220kV、110kV级及以下各类大型变压器、互感器、电抗器。品列入国家60万kW及以下火电机组、水电机组和500kV及以下变电站(所)主要设备荐厂家名录。其中，500kV变压器荣获"国家重大技术装备优秀项目"及"国家重大术装备成果奖"表彰证书。公司具有为核电站提供设备的供应商资格，已通过中国核工业质量认证中心GB/T19001-ISO9001质量体系认证，获得南非国家标准局(NETFA产能力认证证书。公司还致力研制500kV以上超高压巨型变压器和城网低噪音变压器型壳式变压器、电抗器等特色产品，使产品向新类型、大容量、高阻抗、低损耗、低音多元化发展，以满足电力建设发展需求和不同客商的特殊需要。

1999年9月中国天威集团保定大型变压器公司(BLPT)与德国西门子公司(Siemens压器部中标为长江三峡工程左岸电站提供4台1FB1-550kV发电机主变压器的分包合公司向三峡工程左岸电站提供的4台500kV变压器按合同将于2004年陆续交货。

公司承诺：遵循"质量第一，顾客至上"的宗旨，向顾客提供技术先进、外观精安全可靠的产品和优良的服务，保证产品达到最佳水平。

地址：河北省保定市江城路318号

电话：6312-3227971

传真：0312-3227502

邮编：071056

DFPSZ-25000kVA/500kV单相自耦有载变压器

具备百万千伏安、百万伏巨型变压器生产试验能力的超高压试验大厅

三峡左岸500kV变压器分包合同签字仪式

公司承诺：

遵循"质量第一，顾客至上"的宗旨，向顾客提供技术先进、外观精良、安全可靠的产品和优良的服务，保证产品达到最佳水平。

枢纽工程 V

猫跳河修文水电站

施工与监理

混凝土设备的运行及管理

三峡厂坝二期工程采用以塔带机为主,缆机和高架门机为辅的施工方案,组成这一方案的关键设备有:6台塔带机、4台胎带机、1台塔机、8台门机、2台缆机、2台履带吊和7座混凝土拌和楼,由业主通过招标采购方式购置。这些设备不仅规模大、技术先进,而且是一种与过去完全不同的连续式的、工厂化的、高效率的混凝土施工方式。按标段划分以上设备分别提供给葛洲坝三峡建设承包公司、三七八联营总公司、青云水利水电联营公司等施工单位安装运行。

按照工程建设的总体计划要求,1999年混凝土设备管理的主要任务是完成设备的安装、全面形成混凝土浇筑手段,逐步建立和完善设备管理体系,为完成年度混凝土生产计划提供可靠保障。

(一)形象进度

随着工程建设的进展,投入二期厂坝施工的主要混凝土设备除5号上海高架门机正在安装外,其它设备均安装就位并投入运行,二期工程施工手段形成。

(二)设备采购及到货

1999年主要完成混凝土拌和系统配套设备及部分改造项目的设备采购;完成供料线、塔机、300t履带吊等设备的运输到货。施工设备的采购及到货工作完成。

(三)设备安装、调试、验收

全年完成设备安装、调试与验收2.73万t,安装过程基本正常,部分项目如供料线,由于客观存在现场条件、施工干扰、混凝土生产、劳动力组织及厂家供货、服务影响,进度比计划有所推迟。主要安装项目见表1。

表1　　1999年混凝土设备安装一览表

设备名称	开始安装时间	投入试运行时间	安装天数	重量(t)	备　　注
2# 塔带机	1999.01.10	1999.03.25	73	780	
3# 塔带机	1999.03.03	1999.05.19	76	780	
4# 塔带机	1999.04.19	1999.08.04	106	780	
5# 顶带机	1999.01.28	1999.05.19	109	645	
6# 顶带机	1999.01.17	1999.06.14	147	645	
1# 供料线	1999.03.02	1999.08.24	174	470	
2# 供料线	1999.02.21	1999.10.07	227	740	
3# 供料线	1999.02.21	1999.10.15	235	830	
4# 供料线	1999.03.07	1999.11.17	255	880	
5# 供料线	1999.03.07	1999.11.12	250	840	
6# 供料线	1999.03.04	1999.09.21	200	1050	
1# 缆机	1998.10.01	1999.09.22	353	1100	
2# 缆机	1998.10.01	1999.08.24	329	1100	
塔机	1999.05.01	1999.08.07	97	575	
吉林1# 门机	1999.08.09	1999.10.08	60	1038	

续表 1

上海 1# 门机	1999.05.27	1999.06.02	7	1395	低架升高架
上海 2# 门机	1998.10.23	1999.02.06	99	1395	低架状态
	1999.05.04	1999.05.11	7		低架升高架
上海 3# 门机	1998.11.20	1999.02.04	74	1395	低架状态
	1999.06.14	1999.06.19	6		低架升高架
上海 4# 门机	1999.02.21	1999.04.20	60	1395	低架状态
	1999.11.24	1999.12.02	9		低架升高架
安装专用门机	1999.02.12	1999.07.29	169	1334	
▽79m 郑州楼	1998.06.24	1999.12.18	123	680	不含配套设备 4200 t
▽79mCIFA 楼	1998.08.18	1999.03.07	151	750	
▽90mJohnson 楼	1998.08.15	1999.06.14	298	700	不含配套设备 1800 t
合 计				21297	6000 t

(四)混凝土设备运行情况

1999 年混凝土设备完成主要工程量:土石方运输 124.53 万 m^3,混凝土拌制313.41万 m^3,混凝土运输:263 万 m^3,详情见1999年主要混凝土生产设备完成产量统计表(本书第283 页)。从设备投产情况看,尽管大部分设备还没有达到铭牌产量,有些设备在某些环节上还存在问题,正式供料线及混凝土拌和系统还没有充分发挥应有的效率,但已初见成效。1999年业主投入二期厂坝工程的主要施工设备完成混凝土浇筑量263万 m^3,占整个工程总量458.5万 m^3的57%,占二期厂坝工程总量的72%。随着设备的不断完善和使用单位对设备的不断掌握,一个个历史记录被打破。塔带机从最初的单台月平均产量1.5万 m^3提高到4 万 m^3。胎带机的单台月产量也超过3 万 m^3。6 座混凝土拌和楼月产量达到46 万 m^3以上。生产的主要矛盾已由“设备”转化为“仓面”。

(五)混凝土设备运行管理

1.完成工作量

签订各类《合同》155 份,合同总金额人民币4940.51 万元,美元 139 万;组织设备运输 2.3 万 t;组织设备操作、维护及管理人员培训 22 期,培训人员 779 人,发证 321 人;回收设备使用费 1187.35 万元;红旗设备评比 2 期,评出红旗设备 21 台(次),先进设备 44 台(次),先进管理单位 11 个,先进监理人员 26 人(次);组织设备监理到位 882 人.月;组织设备修理 66 台次。

2.运行管理

设备运行管理,继续坚持严格合同管理、引入设备监理机制、坚持“岗前培训、持证上岗”、坚持预防为主的设备检修保养制度、开展红旗设备评比活动等一系列管理办法和措施,1999 年召开首次三峡工程设备管理工作会议,进一步理顺管理关系;制订二期施工设备管理办法、系统强制性保养制度、跨标段设备(缆机、专用门机)调度办法、配件管理办法、培训管理办法、监理管理办法等;完善配件供应体系;建立专家咨询网络,完善技术保障体系;制订 32 种施工设备安全操作和保养规程;先后聘请美国 ATKINSON 公司、法国 SPIES 公司、北京起重机研究所、北京自动化研究所、郑州水工厂等 5 家中外单位对施工设备的安装与运行进行咨询和服务。

(六)存在问题

设备布置密集,空中碰撞时有发生,安全运行管理工作有待加强;设备运行单位仍普遍存在着“重使用、轻保养”的现象;设备安装后的验收与混凝土生产矛盾突出,验收工作不能按计划进行,对设备的正常管理造成不利影响。

(刘 军)

三峡二期工程 I&IIB 标段施工

(一)工程与施工概述

由葛洲坝集团公司三峡建设承包公司承建的三峡二期工程 I & IIB 标段工程包括泄洪坝段、左厂 11# ~ 14# 坝段、左导墙及左导墙坝段等 106 个坝块,混凝土总工程量 775.8 万 m^3,占三峡二期工程混凝土总量 1228.9 万 m^3 的

63.1%,金结制安 7.02 万 t,基岩固结灌浆和大坝帷幕灌浆 12.22 万 m。泄洪坝段是三峡大坝结构最复杂、工期最紧张的部位,包括 23 个坝段,每坝段长 21m,坝顶高程 185m,坝体设导流底孔、泄洪深孔、表孔等 3 层泄水孔洞,其中导流底孔是三期工程施工期内主要的泄洪通道,深孔和表孔是工程运行期主要泄洪通道。泄洪坝段左侧是左导墙坝段,长 32m,向下延伸为左导墙,坝内和导墙顶部分别设有排漂孔和明流泄槽,供水库排除漂浮物。左厂 11# ~ 14# 坝段位于左导墙左侧,每个坝段长 38.3m,包括钢管坝段(25m)和实体坝段(13.3m)两部分,钢管坝段设内径 12.4m 的电站进水压力钢管与坝后式厂房相接。

1999 年是三峡二期工程的第一个混凝土浇筑高峰年,泄洪坝段、左导墙及左导墙坝段、左厂 11# ~ 14# 坝段的施工全面展开。全年完成 5 台塔带机及其供料线(包括临时供料线的安装、加高和拆除)、11 台门塔机等施工机械的安装,完成混凝土浇筑 228.42 万 m^3,占年度计划 220 万 m^3 的 103.83%。完成大坝金结安装 862t。除引入廊道在施工以外,完成其它所有部分基岩固结灌浆兼辅助帷幕灌浆。

由葛洲坝三峡建设公司施工、长江水利委员会三峡监理中心监理的Ⅰ&ⅡB 标段

(二)主体工程混凝土施工

1.施工形象及进度

I&IIB 标段自 1998 年 9 月 30 日开仓浇筑第一方混凝土(泄 21# 下),至 1999 年底,所有坝块的基岩面全部覆盖混凝土,完成混凝土浇筑 236.5 万 m^3,占混凝土总量 775.8 万 m^3 的 30.5%。左厂 11# ~ 泄 23# 坝段共 99 个坝块,其中 92 块已脱离基础约束区,泄 1# ~ 6# 坝段下块及左导墙坝段 IV 共 7 块因受“基础约束区下块夏季不浇筑”、临时供料线占压等因素的制约尚未脱离基础约束区;建基面高程最低的左导墙部位全面结束土石方开挖,开始混凝土施工。

泄洪及左导墙坝段最高坝块浇至 ∇90m(泄 21# 上),最低坝块浇至 ∇20m(左导墙坝段 IV),已有 42 个坝块升至底孔高程,其中 18# ~ 22# 底孔基本形成。泄 19# ~ 23# 坝段中上块达深孔高程,进入深孔施工。

左厂 11# ~ 14# 坝段最高坝块浇至 ∇75m(左厂 11# - 2 - 甲),最低坝块浇至 ∇33.7m(左厂 14# - 2 - 丙),该块位于塔带机浇筑盲区内,采取胎带机入仓、3m 升层等措施浇筑。左厂 11# ~ 13# 钢管坝段浇至钢管预留槽,即将进入压力钢管的安装阶段。

左导墙 1# ~ 7# 块基岩面已全部覆盖混凝土,左导墙 4# ~ 7# 开始浇筑碾压混凝土,左导墙 1# ~ 3# 基础垫层混凝土施工完毕。

2.关键项目——河床深槽部位施工

河床深槽部位最低开挖高程 ▽4.0m，坝高 181m，包括左导墙坝段、泄 1# ~ 4# 等 5 个坝段，是控制厂坝二期工程施工进度的关键部位。其中左导墙坝段上游 4 块在 ▽116.5m 并缝，必须在 2000 年冬季前达到该高程，以便下部灌区能在 2000 年冬季进行冷却和接缝灌浆后恢复上升。否则，灌浆只能等到 2001 年冬季进行，工期将滞后一年。

河床深槽部位地势低，施工废水夹带着废渣汇集于此，清基交面进度缓慢。1999 年 1 月，清出第一块建基面，泄 1#、2# 坝段上块止水基座浇下深槽坝段第一方混凝土，至 1999 年 4 月，深槽部位基岩全部完成验收并覆盖混凝土。

塔带机及供料线设备到货、投产时间晚，并且塔带机安装占压泄 1#、2# 坝段下块、安装道路及塔带机临时供料线占压左导墙坝段 IV 块、前期胎带机占压泄 3#、4# 坝段下块等，使深槽坝段在 1999 年夏季前没有脱离基础约束区。因此，根据三峡建委质量检查专家组意见，块体较大的深槽坝段下块夏季全面停止上升。9 月份下块恢复上升时，深槽坝段中、下块高差最大达 16.8m，全面限制了中、上块的正常上升，使该部位本已非常紧张的工期更加紧张。且过大的高差及下游 ▽45m 栈桥的阻挡，使 TB4# 塔带机的运行条件严重恶化，1#、2# 皮带仰、俯角度同时接近或超过 20°，设备浇筑盲区大大增加，每浇一方混凝土都须付出很大代价。深槽坝段下块 ▽30m 以下及左厂 14# - 2 - 丙甚至无法用带机工况浇筑。

为扭转上述被动局面，改善塔带机的运行状况，10 月份对临时供料线进行加高改造，将塔带机转料平台爬升一节，上料皮带增加一段中转节，通过高程较高的左厂 14# - 2 - 丙块中转。上游深槽回填至 ▽40m，将高架门机轨道延伸至泄 1# 坝段上游，浇筑上块；在下游 ▽45m 栈桥上增加一台 MQ1000 型门机和一台 MQ1800 型高架门机，抢浇深槽段下块。同时，左导墙坝段等主要部位采用 3m 升程浇筑。

至 1999 年底，深槽部位最高块浇至 ▽54.2m（泄 3# 上），最低块浇至 ▽20m（左导墙坝段 IV）。左导墙坝段上游 4 块分别浇至 ▽52.3m、▽49m、▽40.3m、和 ▽43m，距 2000 年底达到并缝高程 ▽116.5 的阶段性目标还差 76.2m。

3. 混凝土施工温度控制

三峡大坝为混凝土重力坝，混凝土采用线膨胀系数较大的花岗岩人工骨料，能否解决好混凝土温控问题是控制工程质量的关键。

葛洲坝三峡建设公司首先从研究水泥、骨料和添加剂等原材料入手，通过优化混凝土配合比减少水泥等胶凝材料用量，减小混凝土凝结硬化过程中产生的水化热，从而减小混凝土温升、抑制水化速度；通过采取骨料二次风冷、加冰、冷水拌和等措施，将混凝土出机口温度控制在 7℃以下。1999 年夏季，为减小混凝土在汽车运输过程中的温度回升，在汽车大箱和临时供料线受料斗上加设遮阳棚，接料和卸料后立即盖严，使汽车大箱在运输途中不受阳光直射。合理安排浇筑时间，尽量避开一天中的高温时段，安排在气温较低的夜间和早间浇筑。边浇筑边在混凝土浇筑层表面覆盖保温被，下一层混凝土浇筑前揭开，使入仓后的预冷混凝土浇筑层与环境隔绝，减小热量的对流、辐射和传导作用。全面采用高压喷雾技术，在浇筑仓面和拌和楼下设置高压喷雾机或掺气喷雾管，降低环境温度。

采用上述一系列措施，保证了夏季浇筑的混凝土达到设计要求。

4. 施工工艺和科技攻关

混凝土施工过程中，在仓面准备方面，研究并使用大刚度的多卡模板及支架系统、整体提升式竖井及廊道模板、钢筋冷挤压现场连接技术、高压水冲毛技术等，为实现快速备仓、满足塔带机高强度浇筑创造条件。

在混凝土生产运输方面，通过大量试验，确定最优的大坝混凝土施工配合比、拌和楼最佳投料顺序和搅拌时间；采取二次风冷、楼前喷雾技术；在供料线投产全面滞后的情况下，成功组织汽车转临时供料线浇筑的高强度生产运输，满足塔带机高强度入仓要求。

在混凝土浇筑工艺方面，研究塔带机布料快速入仓的施工工艺，在总结层面结合和带机输送四级配混凝土抗分离试验的基础上，确定层面不铺砂浆而改用富浆混凝土浇筑的施工工艺；通过采用“二次复振”工艺，改善模板周边混凝土不易排气的问题，提高混凝土永久外露面的外观质量；通过仓面喷雾设备的研制与应用，成功地控制夏季温度回升，保证工程质量；通过研究和使用 3m 升程，保证深槽等重点部位的施工形象。

在混凝土护理方面，通过性能对比试验，选定适合三峡坝区气候条件、张贴方便的混凝土表面保温材料；通过试验论证，采用部分塑料冷却水管代替传统钢管进行通水冷却，混凝土表面采用喷管、流水养护等工艺，确保夏季混凝土最高温度控制在设计允许范围内。

上述一系列新材料、新工艺的应用，既提高生产效率，又节约工程成本，为快速建设优质三峡工程创造条件。

（三）▽45m 栈桥设计与施工

为大型施工机械布置和施工期大坝交通及供水管路铺设设置的 ▽45m 栈桥自泄 1# ~ 23# 坝段，全长 483m，由 44 根等直钢箱梁、46 根支柱、330m 轨道地基连续梁及上、下游桥面人行道组成。钢结构工程量约 3300t。栈桥分为两段：泄 17# ~ 23# 坝段为第一段，轨道梁为地基连续梁，轨距 15m，轨道高程▽45.5m，布置一台上海产 MQ2000 型高架门机；泄 1# ~ 16# 坝段为第二段，轨道梁由 10.5 m 与 21.2m 钢箱梁间隔布置而成，轨距 13.5m，轨道高程▽42m，布置一台丹麦产 KROLL 大型塔机和一台 MQ1000 门机。

栈桥从右向左施工，分段形成：第一段 1999 年 7 月 28 日形成，第二段 1999 年 8 月 20 日完成荷载试验后投产。在栈桥钢柱施工中，首次使用 CGM 高强无收缩灌浆材料浇筑钢柱与基础之间的二期混凝土，解决了用常规混凝土浇筑不易振捣的难题，达到预期效果。

（曹东林）

武警水电部队承担的永久船闸二期地面工程施工概况

（一）1999 年完成工程量

土石方开挖 177 万 m^3（其中船闸主体段开挖完成 151 万 m^3、上引航道开挖 96 万 m^3）；高强锚杆安装 61825 根、锚索竣工 1730 束；混凝土浇筑 42 万 m^3。完成总投资 5.9 亿元。1999 年完成工程量与调整年度计划对照如下表。

由武警水电部队施工、中南勘测设计研究院监理的永久船闸二期地面工程

工程项目		单位	1999 年 调整年度计划	1999 年 完成情况	完成计划 百分率
开挖	主体段	万 m^3	120	150.88	126
	上航道	万 m^3	57	96.5	169
	合计	万 m^3	177	247.38	140
锚固	锚索	束	672	1730	257
	高强锚杆	根	60000	61825	103
	普通锚杆	根	3958	4300	109
	锁口锚杆	根	1515	7820	516
	喷混凝土	m^2	48411	109915	227
	马道混凝土	万 m^3	2.8597	1.755	61
结构	混凝土	万 m^3	39	42.12	108
	钢筋制安	t	11968.2	11862	99
	固结灌浆	m	10000	10000	100
	金结安装	t	300	307	102

(二)工程主要形象面貌

1.开挖:永久船闸主体段开挖于 1999 年 9 月 30 日全部结束,主体段底板及分流槽全部开挖到位。上航道正向取水口、左侧靠船墩完成开挖并进行混凝土交面,永久船闸开挖剩余 240 万 m^3(上航道剩余 20 万 m^3,下航道剩余 220 万 m^3)。

2.锚固:完成绝大部分高强锚杆造孔及大部分高强锚杆安装;安全锁口、系统锚索完成,并完成永久船闸主体段 75 个较大不稳定块体的施工处理;汛前还完成主体段直立墙顶锁口喷护及大部分土质边坡喷护;完成一至三闸室的墩顶找平混凝土及中墩贯穿裂缝的封闭处理。

3.锚固交面:锚固完成并向混凝土交面过渡的部位有南北一、二、三、四、五闸首及其相邻段,六闸首上相邻段;

4.混凝土浇筑:上游靠船墩和护坡工程全部开工,其中右侧靠船墩全部完成;左、右挡水坝全部浇至设计高程;一、二闸首和一、二闸室混凝土浇筑全线铺开。永久船闸Ⅰ标段各部位混凝土浇筑形象面貌如下表:

工程部位		结构块号	设计高程(m)	1999 年底浇筑高程(m)
南一闸首	底板		131	131
	北侧边墙	1# 中南 1	185	163
		1# 中南 2	185	169
		1# 中南 3	185	162
	南侧边墙	1# 南 1	185	166
		1# 南 2	185	170
		1# 南 3	185	164.5
南一闸室	底板	Ⅰ南底 01 ~ 13	129.8	129.8
		Ⅰ南底 04	129.8	128
	北侧边墙	Ⅰ中南 01、18 ~ 20	179	131
	南侧边墙	Ⅰ南 01 ~ 03、18 ~ 21	179	131
南二闸首	底板	2# 南底 1、2	118.25	118.25
	北侧边墙	2 # 中南 1	179	137
		2# 中南 2	179	126
	南侧边墙	2# 南 1	179	134
		2# 南 2	179	124.5

南二闸室	底板	Ⅱ南底 01 ~ 03 左	118.25	118.25
北一闸首	底板		131	131
	北侧边墙	$1^{\#}$北 1	185	164
		$1^{\#}$北 2	185	174
		$1^{\#}$北 3	185	161.5
	南侧边墙	$1^{\#}$中北 1	185	161.5
		$1^{\#}$中北 2	185	174
		$1^{\#}$中北 3	185	164
北一闸室	底板	Ⅰ北底 01、02、16 ~ 19	129.8	129.8
北二闸首	底板	$2^{\#}$北底 1	118.25	126
		$2^{\#}$北底 2	118.25	118.25
	北侧边墙	$2^{\#}$北 1	179	127.5
		$2^{\#}$北 2	179	117.5
	南侧边墙	$2^{\#}$中北 1、2	179	117.5
北二闸室	底板	Ⅱ北底 17、18 右、16、18、19 左、19 右	129.8	129.8
	南侧边墙	Ⅱ中北 01、02	179	117.25
中挡		中挡 1	185	176
右挡水坝		右挡 1、3、4	185	185
		右挡 2	185	182.5
左挡水坝		左挡 1 ~ 5	185	185
左侧靠船墩		$1^{\#}$、$2^{\#}$墩	177.5	128
		3 ~ $8^{\#}$墩	177.5	131
		$9^{\#}$墩	177.5	177.5
正向取水口护坡		B_3 区		完毕

5.临建工程：施工总布置全部形成；风、水、电系统和附属企业建成投产；场内运输道路及桥梁建成通车；门、塔机安装基本到位。永久船闸周边截水及基坑排水系统基本形成。

(三)施工工艺及施工质量

开挖：在直立墙及底板的成型开挖中大面积采用手风钻光面爆破技术，采用梯段开挖加施工预裂、3m侧向保护层——光面爆破的施工工艺，保护层开挖采用手风钻造孔，小孔径、小单响药量光爆成型，严格控制超欠挖，最大限度地确保基础岩体的完整性；在开挖作业与混凝土浇筑、不利块体处理相互干扰情况下，采用控制爆破技术，确保新浇混凝土与不稳定块体不受开挖爆破的影响。开挖工程评定 462 个单元，其中优良单元工程 382 个，优良率 82.7%。

锚固：不断优化锚杆锚索的砂浆配合比，尽量缩短锚固周期，同时减少工作面占压带来的作业干扰。在锚索施工中采用悬空排架，创造锚固施工的高强度；对不利块体采用随机锚杆、喷混凝土支护、安全网、锁口锚杆、高强锚杆、锚索支护等综合处理措施，即保证施工期的安全稳定，又彻底解决永久结构稳定问题。锚索工程评定 1647 个单元，其中优良单元 1302 个，优良率 79.05%；喷锚支护评定 543 个单元，其中优良单元工程 352 个，优良率 64.83%。

混凝土浇筑：在靠船墩浇筑中使用滑模施工技术，闸室衬砌墙滑模试验成功，为永久船闸薄衬砌墙混凝土大量采用滑模浇筑奠定基础；在高温季节采取多项温控措施，如采用 7℃制冷混凝土、加快入仓速度、仓面覆盖保温被、埋设冷却水管进行初期通水、不间断流水养护等措施减少混凝土温升；低温季节采用保温被及洒水养护等保温防裂措施。混凝土浇筑全年未出现等级质量事故和大的质量缺陷，混凝土浇筑评定631个单元，全部合格，其中优良单元534个，优良率85%。

(四)施工组织与管理

武警水电部队中标三峡永久船闸地面一、二期工程，为完成施工任务，经国务院和中央军委批准，成立武警水电三峡工程指挥部，代表武警水电指挥部统一管理、统一指挥、全面组织施工。武警水电三峡工程指挥部积极推行项目法管理，成立开挖、锚固、混凝土三大项目部，下辖四、八支队和南、北线混凝土项目部、金结项目部等5个二级专业施工队伍。部队管理和施工管理采取双轨制，即部队管理严格执行部队的建制和条令条例；施工管理以项目管理为主，机关职能处室实行对口管理、统一指挥和协调。

根据市场经济要求和招标投标需要，强化合同意识，加强合同管理，逐步做到系统化和规范化。处理好与业主间的合同关系，与业主、监理商定价款结算程序、办法，并严格遵守执行；处理好价款结算与工程质量间的关系，质量不合格和质检资料不全的工程量不结算；妥善解决合同变更和索赔中存在的问题；在内部合同管理方面，做好工程承包合同管理、机械设备租赁合同管理和劳务合同管理工作。

完善经营管理机制，顺应市场经济价值规律，实行一级管理，两级核算。工程上切块承包，签订工序承包合同，有效地减少交叉施工和管理矛盾。

进度计划管理与技术管理、现场管理、合同管理等有机结合，确保目标工期实现。应用P_3计划管理软件系统，将计划细划到施工单元，同时做好资源投入计划，通过优化施工规划和资源投入，力求生产均衡有序进行。根据设计变更、工程量和施工措施变化，及时调整控制进度；落实生产技术措施，协调生产关系。

积极推广新技术、新材料、新工艺。如推广办公系统自动化，建立计算机网络，引进应用P_3计划管理软件、电子测图软件和CAD制图软件等，提高办公质量和办公效率；引用乳化炸药混装车装药技术，改善装药结构，提高施工效率和爆破效果；研用小药卷光面爆破和火焰切割岩体开挖技术；引进无靶标全占仪进行直立墙断面测量；与厂商合作研制新型锚杆锚索钻机；研究应用钢筋连接技术，特别是钢筋机械连接技术和高强钢筋机械连接技术；完善各种定型模板，推广滑模技术，研用单边直立墙混凝土浇筑滑模技术，加快施工进度。

加强质量管理，防范安全事故，做到文明施工。建立健全质量安全保证体系，各级配置专职质检员和安全员，编制质量控制程序文件和作业指导书，制定质量安全管理措施，签订质量安全责任书，明确质量安全责任目标；加大宣传教育力度，提高安全意识，对作业人员进行安全技术培训；加大安全措施费用投入，现场设置安全警示牌，直立坡挂设安全防护网，成立边坡危石清撬队伍和派专人现场巡视检查，坚持高排架搭设的设计审批、验收使用制度；现场施工做到工完料清，材料堆放整齐，设备停放有序，保持道路畅通，营造良好的文明施工环境。

（王海龙　陈太为）

三联总公司承建的永久船闸地下输水系统工程施工

(一)工程概况与特点

永久船闸输水系统是船闸闸室冲泄水建筑物，全部设置于地下，由四条平行布置的输水廊道（含12条斜井）和与之垂直相贯的36条竖井组成。其中城门洞型输水廊道总长5456m，竖井开挖总高度2173m，混凝土衬砌后总高2441m，开挖总量73万m^3，混凝土浇筑总量53万m^3。

主要特点是：

(1)体型结构复杂多变。永久船闸地下输水系统，平洞、竖井、斜井纵横交错。平洞有6种不同断面；倾角为57°的斜井16个；洞室群中包含19种类型的渐变段72个；竖向弯段80个；“T”形管20个。而且，隧洞底板与边墙均以圆弧连接，36个阀门段设有反弧门槽。一、二期结构联合受力，一、二期混凝土凸凹相向。36个竖井多为大面组合，井壁有大量二期预留空洞、键槽。多变的体型对施工提出极高的技术要求。

(2)结构断面小，配筋复杂。平洞段衬砌厚度60cm和100cm，配筋却为两层Φ36@15～20cm的钢筋网。阀门段区纵、横、竖、斜向配筋多达14层，一、二期钢筋一次成型。全为人工操作，施工困难。

(3)质量要求高。隧洞建成后，运行中承受很大水压和经受高速水流冲刷，所以要求隧洞混凝土表面，尤其是阀门井段区域不允许有直径大于3～7mm的气泡孔洞；表面错台不得大于0～3mm；不允许有金属件露头；裂缝开展宽度不得大于0.2mm。

(4)施工干扰大，安全隐患多。由于地下作业与地面同时进行，地面开挖和混凝土施工对地下干扰特别大。而且隧洞开挖暴露时间长，闸槽开挖对岩体的反复振动，加上与地面有52个口相通，洞洞交叉，洞井交叉，洞脸及交叉口围岩的稳定问题成为地下安全隐患的根源。安全隐患多。

由三联总公司承建、中南勘测设计研究院监理的永久船闸二期地下输水系统

(二)施工组织与施工工艺

1999 年,三联总公司新购置或进场各类混凝土机械设备 558 台(套),设计并生产各类大型模板和模板台车。组建 6 支有丰富混凝土施工经验的人员组成的混凝土工程作业队;还有钢筋厂、钢模厂、拌和厂、测量队等一批配套专业队和一个精干高效的指挥系统。

三联总公司通过一年的摸索试验,形成一套适应永久船闸地下输水系统施工环境和质量要求的混凝土施工工艺流程,保证单元工程合格率 100%。针对体型复杂多变的洞井,成功地研制出多种类型的模具,例如,在浇筑平洞带圆弧角的底板时用"桁架式翻转模";浇平洞边顶拱时用钢模台车;浇渐变段时用"组拼式定型模",而且找出一定规律,使组拼模板可多次改制使用;在浇竖井混凝土时,则根据各工作条件研制使用各具特色的"滑框翻模"、"自升式筒模"、"立柱式悬臂模"、"桁架式悬臂模"、"滑框倒模"、"筒子模"等等。同时,还能得心应手地分别使用多种混凝土入仓方式和振捣工艺及脱模、养护工艺。

(三)完成工程量与形象面貌

1999 年永久船闸地下输水系统完成工程量:洞挖 $58809m^3$,锚杆 8904 根,喷混凝土 $23666m^2$,浇筑混凝土 $60276m^3$,钢筋制作安装 6663t。完成投资 7920.9 万元。

主要形象面貌:除因交通限制而滞后的南三、南四、南五底坎外,开挖工程全部结束;三条隧洞进出口平洞混凝土浇筑结束;六级南北中阀门井混凝土浇筑施工顺利进行,分别浇至 EL84m、EL73m、EL63.4m;南一、北一、中一、北二、中二阀门井混凝土施工全面展开。

在完成年生产计划的同时,进一步完善三级质量检查保证体系,并专设质量保证部,重修出台新的《质量管理办法》、《质量考核方法》,配合《内部经营考核办法》,实行施工质量和施工进度管理两条线分离,在各施工队设专职二检员,建立混凝土浇筑旁站制等。

(曾承贵　陈燕和)

三峡工程左岸电站厂房施工

(一)施工简述

1999 年,左岸电站厂房开挖扫尾完工,固结灌浆基本结束,金结和机电安装全面展开,混凝土浇筑进入高峰期。完成的主要工程量及形象面貌见表 1、表 2。施工形象除 1# ~ 6# 机组 Ⅰ 区(上游墙)因穿墙管安装推后略滞后总进度要求外,Ⅱ 区(机窝)、Ⅲ 区(副厂房)均满足总进度要求,7# ~ 14# 机组超前总进度 2 ~ 3 个月。

由三七八联营总公司承建、西北勘测设计研究院监理的左岸电站厂房施工

表 1　　1999 年左岸电站厂房完成主要工程量表

合同金额（亿元）	指标内容	完成投资（亿元）	完成主要实物工程量			
			土石方开挖（万 m^3）	混凝土（万 m^3）	金结机电埋件（t）	灌浆（m）
13.97	计划量	3.38	6.42	44.83	2038	9700
	完成量	3.68	11.87	52.29	2657	13496
	完成百分比	109%	185%	117%	130%	139%

表 2　　左岸电站厂房混凝土形象表

部位	分区形象		
	Ⅰ区	Ⅱ区	Ⅲ区
1# 机组	▽52.22	▽50.92	▽66.97
2# 机组	▽52.22	▽50.92	▽65.00
3# 机组	▽52.22	▽50.92	▽66.97
4# 机组	▽52.22	▽50.92	▽65.00
5# 机组	▽52.22	▽50.92	▽69.30
6# 机组	▽46.00	▽46.00	▽49.69
7# 机组	▽44.00	▽46.00	▽49.69
8# 机组	▽44.00	▽46.00	▽48.00
9# 机组	▽46.00	▽46.00	▽48.00
10# 机组	▽44.00	▽46.00	▽48.00
11# 机组	▽44.00	▽44.00	▽44.00
12# 机组	▽44.00	▽44.00	▽44.00
13# 机组	▽42.00	▽42.00	▽42.00
14# 机组	▽30.80	▽30.80	▽26.50
安Ⅰ	▽108.00	▽108.00	▽108.00
安Ⅱ	▽73.00	▽73.00	▽77.77
安Ⅲ	▽48.00	▽52.00	▽56.70

（二）主要施工措施

1.尾工开挖

要确保厂房混凝土 44.83 万 m^3 任务的完成，抓好安Ⅲ至 14# 机组厂房和尾水剩下部分保护层开挖及清

基交面工作是首要任务,也是一大难题,因为厂房上游20+118.00线以上坝段和6号机组左块已开浇混凝土,开挖爆破区距混凝土施工区仅30~40 m。为保证开挖放炮不影响已浇混凝土质量,在开挖中采取以下措施。

(1)保护层开挖一次到位

边坡3.5 m和水平建基面2.5 m厚保护层开挖,采用光面爆破,一次成型法。孔距控制在50~60 cm,线装药量控制在180~220 g/m,手风钻造孔,一次钻孔深度3~4.5 m,距设计线预留5至8 cm超挖余量,从而获得半孔率95%以上,超欠挖平均<10 cm,不平整平均≤15 cm的效果。

对沟槽处采用先挖心,后挖垂直保护层,最后结合水平光爆一次成型。有棱角处设减震孔,顶部预留压重。成型的梯台、槽边、棱角分明整齐,半孔率在92%以上。

大面积的保护层开挖,要预防飞石对近距离混凝土浇筑的影响。厂房施工采用控制线装药量和单响药量,微差分段起爆,加密孔距,减少层厚,起爆层表面铺砂袋,砂袋上加钢丝网,网用钢丝绳联接,锚筋固定的方法,较好地解决了飞石对混凝土施工区的影响。

(2)特殊危险区采用静态爆破法

在尾水左边坡修坡、厂前区▽81.7 m以上左边坡剩余开挖量、安Ⅱ▽72.3 m新增转子坑、门机轨道拆除等特殊危险区段开挖中,采用膨胀剂静态爆破法,孔距20~30 cm,排距30~40 cm,梅花形布孔,梯段一般控制在2~3 m,最大4.5 m。开挖后暴露时间较长,风化严重,裂隙发育区段,遇冬季施工,一般间距10~20 cm,排距15~20 cm,静态爆破剂用量一般23~38 kg/m^3,最高44 kg/m^3。

1999年厂房采用这种方法开挖4000余m^{3}基岩,解决了近距离开挖对混凝土施工区的干扰,保证混凝土施工正常进行。此方法虽然费用较高,施工周期长,但解决了混凝土施工中修改开挖、临建工程拆除、遗留工作面处理等难题,保证同一施工面上开挖和混凝土同时施工,所开挖的建基面爆破损伤少,半孔率97%以上,超欠挖在±6 cm之内。

(3)优质安全按期交面

二期Ⅲ标段吸取一期开挖的经验教训,在组织上采取清基交面工序责任制,施工中一切工序按程序办,自上而下交面,每次开挖下钻都复测孔位坐标。为保证交面没有欠挖点,垂直造孔进尺2 m内用罗盘检查校正钻机斜度2~4次,水平造孔设置钻机样架,交面时在架立筋上用钢筋平拉交面区,大大提高一次交面合格率。

二期Ⅲ标段高质量、快速、按期交面,交面后就能上钢筋、立模板的作法是1999年厂房超额完成混凝土生产计划的基础,也是二期Ⅲ标段开挖交面的成功经验。

2.增加设备投入,确保浇筑手段满足施工需要

1999年,三七八联营总公司投入设备见表3。

三七八联营总公司将投标时的9台门机增至16台门机,增加安拆6台次。这些门机的安装解决了MQ2000门机安装时段长,大小基坑厂房初期混凝土施工门机不足的矛盾,大大加快了厂房混凝土的施工速度,混凝土施工强度明显提高。

表3 厂房混凝土垂直运输手段一览表

名称型号	运转状况	安全幅度(m) max/min	起重量(t) max/min	轨距(m)	轨型	转盘距轨高(m) 低架/高架	进场情况(台)			安拆情况(次)		
							投标	实际	增减	投标	实际	增减
MQ2000高架门机	浇筑工况	71/22	20	15	QU80	23.86/66.70	5	4	-1	6	4	-2
	安装工况	35/22	63									
SDSQ1260门机	50m扒杆	45/18	20/60	10.5	QU80	30	2	3	1	2	3	1
	62.8m扒杆	56/32	10/30									
MQ600 10/30t圆筒门机	10t吊钩	45/16	10	7	QU70	9.5/28.8	2	4	2	5	6	1
	30t吊钩	20/16	30									
MQ540 10/30t门机	浇筑工况	37/18	10	7	P50	6	0	2	2	0	3	3
	起重工况	37/18	12/20									
MD900塔机	20t吊钩	70/46	10/30	8	QU80	7.66/89.08	0	1	1	0	1	1
	32t吊钩	70/28	11/32									
	50t吊钩	70/20	9/50									

MQ710 10/30t 门机	10t 吊钩	62	10	10.5	QU70	10/29.58	0	2	2	0	2	2
	30t 吊钩	22	30									
WD－400 履带吊	10t 吊钩	26/12	10	/	/	/	2	2	0	2	2	0
	15t 吊钩	14/12	15									

3.左岸厂房固结灌浆施工

1999 年,左岸厂房全年完成固结灌浆 2181 孔,2863 个灌浆段,灌浆 13496 m,是计划 9700 m 的 139%。已验收 1925 个孔,合格率 100%,优良率85.25%。15 个单元工程全部合格,12 个评定优良,优良率 80%。

(1)施工技术措施

将坝后陡立坡∇28.8 m 以上原施工组织设计的有盖重灌浆改为无盖重灌浆,利用Ⅱ区尾水肘管施工周期长的间隙期,与肘管安装同步进行Ⅰ区和坝后坡灌浆施工,减少灌浆所占直线工期。坝后坡采用无盖重灌浆,不但减少了混凝土钻孔工作量,也解决了厂房钢筋多,预埋多,仪器多,可能损伤堵塞接触灌浆盒及管路的矛盾。

利用厂房Ⅲ区门机占压时间较长的时段,在∇19.9 m平面上打孔引管,在∇25.2 m 高程上进行灌浆施工(未打孔都预埋引管),减少混凝土的钻孔时间,缩短灌浆所占直线工期,避免施工干扰。

(2)施工新工艺

在施工中采用水泥湿磨机湿磨水泥,高速搅拌制浆,保证浆液质量;采用灌浆微机自动记录仪,对施工过程的冲洗、压水、灌浆进行全过程自动监护记录,减少人为的记录数据误差;物探孔单孔采用超声波仪,跨孔采用岩土工程质量检测分析仪测试,提高质量评定的科学、真实、准确性。

(3)灌浆成果评定

厂房 1999 年完成固结灌浆 2181 孔,2863 个灌浆段,灌浆 13496 m,灌浆后透水率平均 0.18 Lu,最大 0.67Lu,均小于设计≤3Lu 的允许值。抬动观测均未超过 100μm,远小于设计规定 200μm。坝后坡无盖重灌浆物探检查选在有代表性的 $4^{\#}$ 机组,声波波速比 V_p(m/s)灌后比灌前提高 1.06～3.41%;有盖重灌浆选在安Ⅲ基岩整体较差的Ⅰ区进行,灌后灌前 V_p(m/s)值平均提高 6.29～10.96%。

通过压水检测和物探检查,一方面证实厂房基础岩石整体性较好,爆破对岩体的整体性影响较小。另一方面说明灌浆采用的材料、设备、工艺、措施、灌浆压力得当,提高了岩体的整体性,减少了透水率,灌浆效果满足设计要求,成果资料符合一般灌浆规律和三峡的地质特性。

4.混凝土温控措施

左岸厂房 1999 年混凝土温控重点是:尾水管顶板封闭块回填;$14^{\#}$ 机组填塘混凝土施工;高温季节混凝土浇筑;低温季节混凝土保温;安Ⅲ至 $14^{\#}$ 机组约束区混凝土浇筑。其施工情况分述如下:

(1)封闭块混凝土施工

三峡电站 70 万 kW 水轮机尾水管具有三跨空腔和体积大的结构特点。肘管段单腔最大轮廓跨度 31.14 m,高 6.75 m,扩散段分为 3 个空腔,单跨 9 m,断面高度向外递增,到出口处为 12.4 m,底板 5～7 m。厂房和尾水管基础座落在闪云斜长花岗岩上,基础约束程度高。受施工期水泥水化热作用及外界温差影响,尾水管底板、边墩、中墩及顶板将产生较大温度应力。因此在尾水管顶板预留封闭块,待一期混凝土达到设计要求的 20℃,并完成大部分自身体积变形后(设计要求间隙不少于一个月),在低温季节当年 11 月至次年 3 月期间回填,以形成尾水管整体结构。

肘管段共设 3 个封闭块,在顶板 8～12 层(∇34～∇42 m)分层预留。跨中设一个封闭块,宽 2 m,深 10 m,长 12 m;扩散段每个中墩上各设一个封闭块,自肘管封闭块端一直延伸至尾水闸门槽,宽 2 m,深 2～6 m,长12.21 m;设计要求封闭块回填分层厚度不大于 2 m,层间隙期 5～7 天。

施工中采用增加设备、人员和小机具资源投入,三班准备仓号,严格控制高温季节浇筑混凝土的质量和温升,延长低温混凝土的浇筑时段,回填混凝土控制在 7℃,最薄时 1 m 回填一层,将原来 15 天上升一层混凝土,加快至 7～10 天上升一层等综合措施,1999 年 3 月,$1^{\#}$、$3^{\#}$、$4^{\#}$、$5^{\#}$ 机组封闭块全部浇完,$2^{\#}$ 机组推至 4 月份浇完,满足设计对封闭块回填混凝土的要求。6～$13^{\#}$ 机组从 11 月份从左至右陆续开始回填,预计2000年 3 月底结束,$14^{\#}$ 机组可在 2000 年 5 月结束,均满足设计要求,与计划工期相比略有提前。

(2)填塘混凝土施工

厂房填塘混凝土除 $13^{\#}$ 机组有少量外,均在 $14^{\#}$ 机组河床深槽部位,建基面∇14.3 m,∇22.00 m 以下部位为填塘混凝土。根据设计要求,填塘混凝土必须降至 20℃时上部混凝土才能继续上升。施工中除采用一般温控措施外,还采取以下措施:优化配合比,提前进行混凝土优化配合比试验,从中选出最优方案,选用 R_{90} $200^{\#}$ D_{150} S_8 的混凝土标号指标,四级配,塌落度控制在 3 cm,水胶比 0.5,粉煤灰掺量 35%,水泥用量

129kg,用水92kg,最大限度地控制混凝土中水泥的水化热指标;减少层厚,通水冷却,混凝土浇筑层厚由2 m减至1 m,按间距0.75 m埋设铁皮冷却水管,通河水15~20天,以利混凝土的内部散热;加快入仓强度,常流水养护,布置两条专用施工栈桥,保证两台施工门塔机同时入仓,混凝土水平运输车辆不少于6台,入楼开专用通道,仓内人员不少于25人,施工中曾多次调用相邻标段的胎带机配合,混凝土入仓强度平均63 m^3/h,最高达127 m^3/h,使浇筑温度控制在11℃之内。

(3)高温季节混凝土施工

高温季节混凝土施工重点采取如下措施:

原材料:重点解决人工砂含水率偏高问题,下岸溪人工砂石系统所有皮带运输和成品砂仓都完善雨蓬,自然脱水仓增设盲沟,新购置安装20台脱水筛,一台直线筛,将含水率控制在6%~7%。

拌和楼:▽82 m拌和楼采用骨料二次筛分、二次冷却、加冰、加冷水生产工艺,生产的7℃混凝土合格率91.2%,14℃混凝土合格率98.3%,抗压强度保证率98%,抗拉合格率100%。

混凝土运输:厂房混凝土起吊设备全部到位,比标书要求增加7台,混凝土运输设备到位42台;夏季采用限仓浇筑,二台设备入仓;温控要求较高的仓号下午5点到第二天11点浇筑;整修扩宽尾水▽40 m浇筑主干道(25m宽),成立专业养路队;汽车、吊灌和仓面采用遮阳保温;喷雾器创造仓面小气候等项综合措施。

混凝土养护:成立95人组成的专业养护队,在现场温控工作组的组织下,采用软塑料管开洞,钢管钻孔,配合人工喷枪洒水的办法,三班专人养护。

通过对预埋仪器监测资料的分析,温控合格率73.9%。

(4)冬季混凝土保温

冬季混凝土的保温材料根据不同部位主要采用1.2~2.3 cm厚$\beta \leq 2.0 \sim 3.0$ w/m^2.℃的聚乙烯泡沫塑料板(EPE),外包彩条布,长期外露平面铺50 cm砂,再铺1.2 cm厚保温被,对廊道、孔洞均进行封堵。截至1999年底,厂房浇混凝土64.95万 m^3,发现Ⅰ~Ⅲ类裂缝28条,所有裂缝均已按设计要求及时进行处理,不会对厂房结构应力、结构稳定、耐久性和安全运行造成影响。

5.机电金结预埋施工

左岸电站厂房机电设备、金属结构一期埋件和附属设备安装合同工程量45049t,其中机电设备埋件32200t,金属结构埋件700t,金属结构和设备安装11200t,照明、消防、暖通、给排水埋件312t,合同内还包括部分起重、启闭、抽水设备和尾水闸门等。

三峡电站70万kW机组埋件在国内是首次安装,具有设计先进,体大量重,安装要求精度高,焊接工艺复杂,技术要求严,各种安装技术规程要求要适应一流工程和外商要求的特点。如尾水肘管里衬,外形尺寸17279×11900×10210 mm,采用25 mm厚的碳素钢板制作而成,总重72.3 t,最大单件重22.3 t,机坑内拼装,上口圆度和同心度要求不大于6 mm,而国际标准要求为15 mm;安Ⅱ排砂钢管采用20 mm厚16锰和4 mm厚不锈钢复合板材制作,管径5 m,总重185 t,最大单件重10.5 t,现场拼装,定位节要求中心高偏差5 mm,其余管节10 mm,而同直径国际标准安装要求定位节管中心偏差10 mm,其余节20 mm。

为保证安装施工质量,创一流安装水平,施工中始终坚持所有金结埋件到货联检制,开工前资源到位检验登记制,施工中三检制,重点部位监理旁站制,金结埋件拼装前、拼装后,浇筑前、浇筑后检验,浇筑中观测制度。锥管、排砂管每道焊缝,每层焊接都进行PT检查,油、气、水管道进行打压试验。

1999年厂房机电金结预埋计划2038t,实际完成2657t,安装合格率100%(外商不评优良率),安装的主要一期埋件包括排水盒、鼻端内衬、肘管、锥管、排砂管和随混凝土上升相应的各系统埋件。

(张治源　姬脉兴)

三峡二期工程左岸厂坝施工组织与质量控制

(一)概况

1999年青云水利水电联营公司承担的左岸厂坝施工部位主要有:左非14#坝段~左厂10#坝段(计16个坝段,64个柱状块)、左厂1#~5#坝段坝后背管▽82m以下混凝土、左非18#~左厂5#坝段拦污栅混凝土准备和左厂1#~6#机副厂房基础混凝土。其中左厂10#-1丙▽43m仓面面积最大为1075m^2,左厂10#-2坝段建基面最低▽35m。

1.主要项目工程形象

ⅡA标段坝体最高坝块:左非15甲达到EL.144m,左厂3-2甲达到EL.133.5m。左非12#~13#坝段1999年仍作为缆机取料点和供料线占压坝段。

左非18#坝段:排砂孔进水口和坝内埋管段全部完成。

左厂1#~4#坝段:进入孔口和坝内埋管回填施工,其中左厂3#~4#坝段甲块进水口接近孔口封顶高程。

左厂5#~6#坝段:甲块到达进水口高程,乙块到达坝内埋管安装高程。

安Ⅲ坝段：进行孔口和钢管部位的浇筑施工。

左厂7# ~10#坝段：除左厂8# ~9#段甲块外，其余坝段甲块均处于坝前拦污栅牛腿施工高程。其中甲块平均浇筑高程73.6m，乙块平均浇筑高程69.18m，丙块平均浇筑高程64.53m。

坝后副厂房基础及背管施工：坝后一线场地狭小，周边干扰大，金结安装量大，施工困难，浇筑手段单一（门机）。左非18# ~左厂3#坝段的钢管下平段管槽及左厂1# ~6#坝段上游副厂房基础全面展开施工。

施工栈桥：EL.120m栈桥推进至左厂5#坝段（桥面到达左厂2#坝段），EL.82m栈桥推进至左厂4#坝段。

2.完成工程量

1999年完成主要工程量：混凝土浇筑86.12万m^3，为计划78.40万m^3的109.85%；钢筋制安：5517t，为计划7219t的76.42%；施工栈桥（EL.120m、EL.82m）制安：4500t，为计划5000t的90.0%。

由青云水利水电联营公司施工、西北勘测设计研究院监理的左岸厂房坝段鸟瞰

（二）左岸厂坝施工组织

1.完成计划的主要保证措施

1999年是左岸厂坝段第一个高峰年，主要大型机械能否按期投运，是完成年计划的关键，因此，全力以赴抓好两座栈桥的施工进度及塔带机等大型施工机械的安装投运工作，尽快完善施工手段。做好塔带机、高架门机等新投产设备的维护、运行、保养工作，努力提高设备的完好率。

加强生产强度组织，提高劳动生产率和机械设备的利用率。协调好混凝土与固结灌浆，混凝土与钢管安装，混凝土与大型组合模板的安装制作、钢管与栈桥安装等相互间的施工干扰和影响。确保劳动力和设备等资源按计划进到场。

2.主体工程混凝土浇筑

左岸厂坝坝块一般宽13.3~25m，长25~47.5m。混凝土分层根据技术规范要求，基础约束区部位混凝土在11月~次年3月采用1.5~2.0m层高，4~10月采用1.5m层高，脱离基础约束区按2.0m层高控制。

对于特殊部位混凝土分层需按实际情况特殊处理，其分层随特殊部位浇筑方案如背管混凝土、拦污栅混凝土及进水口部位、钢管周边部位混凝土等进行施工。

（1）进水口、渐变段部位

左岸厂坝标段承担左厂1# ~10#坝段共10个进水口的施工，1999年完成左厂1# ~4#坝段进水口施工。机组进水口分进口段、渐变段和坝内埋管段。进水口高程108m。施工范围106.5~125m，分10层浇筑，进水口和渐变段模板采用钢木结构，整体分块吊装，主要施工手段采用MQ2000门机和缆机。

进水口、渐变段部位顶拱浇筑时，因混凝土料必须直接堆在模板及钢筋网上，所以将每罐料分多次下料入仓，且一次堆料不能太厚，并注意下料高度，严防对模板冲击过大造成模板损坏变形。

进水口、渐变段底部浇筑时从下游向上游方向依次进行。在浇筑渐变段底部时，先将该部位两侧采用低陷度混凝土浇筑成槽形，然后再由两侧搭设溜槽将高陷度混凝土运送至渐变段底部的槽中，直至两侧混凝土不能再流进渐变段底部时，采用自渐变段内部模板予留的下料口进行铺料和振捣，直至渐变段底部填满并振捣密实，该部位由人工进行抹面处理。

回填进水口侧墙、渐变段两侧时，铺料厚度要满足振捣要求，一般铺料厚度按0.3~0.5m控制，两侧均匀上升，避免两侧混凝土高差太大，导致模板发生偏移、变形。

（2）坝内埋管部位

钢管底部回填时，先将钢管两侧低陷度混凝土浇起一个台阶形成槽形，然后自两侧采用溜槽将高陷度混凝土料运至钢管底部，至混凝土面接近钢管底部时开始从钢管一侧下料，当钢管底部全部被混凝土包住后，再从两侧继续下料。

浇筑钢管两侧时，铺料厚度按0.3～0.5m控制，且两侧均匀上升，避免两侧混凝土高差太大，使钢管发生偏移。

(3)背管外包混凝土

ⅡA标段承担左厂1#～10#坝段10条背管施工，1999年完成左厂1#～5#坝段▽82m以下部分混凝土施工。主要施工手段采用布设在EL.82m栈桥上的MQ6000门机通过搭设溜槽入仓，并随时清除钢管外壁及钢筋网上沾附的混凝土及浆液，避免在钢管及钢筋上干硬后埋入混凝土中形成软夹层。左厂1#～5# EL.82m以下，有5×20个钢管吊装单元，混凝土浇筑分12层，层厚2～3m，与钢管安装交叉作业。

钢管周围布设3层钢筋，最大直径40mm，钢筋连接主要采用冷剂压，直螺纹和焊接等形式。为了使钢管底部尽可能浇筑密实，采用高流态混凝土由一边下料的方式。

(4)混凝土收面及养护

各仓号纵、横缝面以及上、下游坝面等部位均采用模板控制，对于进水口及渐变段底部圆弧段及坝前斜坡部位收面采用预埋刮轨人工抹面或立模浇筑，采用立模浇筑时需在混凝土初凝前拆除模板并抹面。预埋的刮轨由测量队复测调正，与设计混凝土边线偏差不超过3～5m，收面时利用刮轨压面至大面平整与设计体形一致后，将刮轨取出，人工抹面，表面不平整不大于2～3mm，且没有石子骨料露出。收面层的混凝土陷度不宜太大，抹面时采用原浆进行抹面，严禁临时加灰、加水。

混凝土永久面收面终凝后，覆盖编织布洒水养护18天，收面24小时内混凝土面上严禁堆放重物及行人，在后序施工过程中防止损坏混凝土永久面。

混凝土施工缝面在夏季收面后洒水养护，冬季覆盖EPE高发泡片材进行保温。

3.模板工程

为确保三峡工程混凝土的外观体型及表面平整度、光洁度的要求，模板设计要选型合理，有足够的强度与刚度及耐久性，制作时要保证模板的精度及密封性，特别是对特种模板在设计、制作、用料及安装方面要精益求精，在选用新工艺、新材料的同时，应达到标书所规定的要求。

模板的选材上主要以钢材为主，另铺以部分预制混凝土模板和木模板，对特种模板中高速水流部位和主坝不装修的永久表面采用钢支架，高质量木质面板及木质层板型式。

4.大型施工机械和施工栈桥

1999年新投产设备9台套，详见表1。

表1　1999年ⅡA标段新投产设备一览表

设备名称	投产部位	投产时间
1#缆机	20+010.00	1999.9.25试运行
2#缆机	20+040.00	1999.8.18试运行
2# MQ2000	EL.120m栈桥	1999.10.6
MQ6000	EL.82m栈桥	1999.7.26
6#顶带机	左厂8#－2坝段乙块	1999.6.11试运行
2# SDMQ1260门机	EL.120m栈桥	1999.3.15
2# MQ600门机	左厂1#～5#坝段坝前	1999.5.24
3# MQ600门机	左厂10#－1坝段丙块	1999.6.19
4# MQ600门机	坝后3# EL.90m隔墩	1999.8.9

大型施工机械布置说明：

TB6#顶带机布置在左厂$8^{\#}_{-2}$乙块，可完全覆盖左厂7#～10#坝段EL.160m～145m以下部位混凝土，混凝土由6#皮带供料线从拌和楼供料，如果顶带机需转塔机工况浇筑混凝土时，可用混凝土卧罐在左厂9#坝段前EL.65.5m平台取料。

1#、2#摆塔式缆机可覆盖沿上下游方向80m宽的范围(20－015～20＋065)，基本可覆盖左非12#～左厂10#坝段甲、乙块。浇筑时可作为覆盖范围内仓号的主要入仓手段，也可灵活用作一些浇筑仓号的补充手段，取料点设在左非12#坝段。

胎带机布置在左厂6#～10#坝段坝前浇筑坝体混凝土。

EL.82m栈桥上MQ6000型门机主要用作金属结构安装工作，同时用作坝后栈桥基础混凝土、上游副厂房基础混凝土、背管混凝土的浇筑入仓手段。

EL.120m栈桥上MQ2000型及SDMQ1260型门机可联合覆盖左非14#～左厂5#坝段甲、乙块。

坝前MQ2000门机覆盖范围为左非18#～左厂5#坝段甲块EL.160m以下部位混凝土。

左厂$6^{\#}_{-2}$丙、丁块上EL.79.5m高程上SDMQ1260型门机覆盖范围为$5^{\#}_{-2}$～安Ⅲ坝段乙、丙块。

4台MQ600门机根据施工需要分别布置在各坝段不同的高程上。

5.混凝土温度控制

(1)控制坝体最高温度

高温季节或较高温季节采用骨料预冷，加冰、加冷水拌和措施控制出机口混凝土温度，5～8月拌和楼出机口混凝土温度7℃，4～10月出机口混凝土温度14℃，其余时段自然入仓。

在满足设计各项指标的前提下尽量选用粗骨料，掺用高效优质复合外加剂、粉煤灰等降低单位水泥用量，选用低热水泥以减少混凝土的水化热。

提高混凝土运输速度，合理选用入仓手段，减少周转次数，对塔带机的供料皮带进行廊道封闭保温，高温季节对混凝土运输汽车进行遮阳，保温处理，对高架门机及缆机浇筑的仓号采用台阶法浇筑，减少混凝土暴露时间，高温时间浇筑时，混凝土面覆盖1cm厚EPE聚乙烯隔温片材，收仓1～2天后，混凝土表面洒水养护。合理安排开仓时间，高温季节尽量避免在白天高温时段开仓浇筑。运输混凝土的汽车在装料前用水冲洗，降低料罐温度。

(2)人工冷却

4～10月对所浇混凝土要进行初期冷却，削减混凝土水化热的最高温升，保证混凝土最高温度在允许范围内，其中5～9月通6～8℃人工制冷水，4月、10月通天然江水，冷却时间10～15天，9～11月分别对当年4～10月浇筑的混凝土进行通江水中期冷却，冷却时间40～75天，降低混凝土的内外温差。

(3)冬季保温

三峡工区冬季寒潮濒繁，混凝土受寒潮侵袭，易发生裂缝，因此冬季采用蓄热法保温，即用外包塑料彩条布的EPE片材对坝体保温，上、下游永久面挂贴单面复膜EPE片材，侧面及仓面内挂贴双面复膜EPE片材，对孔洞、廊道、排砂孔、电梯井等进出口用保温材料全部封堵，边角易受冻部位保温材料加厚，保温时间从10月份至次年3月底。当气温骤降时，除对坝体保温外，并推迟侧面拆模时间。

(4)提高混凝土早期抗裂能力

加强混凝土的表面养护，夏季高温季节浇筑混凝土，在收盘后12～18小时进行洒水养护，冬季低温时间加强表面保温工作。同时加强混凝土生产质量管理，提高混凝土拌和质量，提高混凝土的早期抗裂能力。

(三)工程质量控制

1.质量保证措施

青云水利水电联营公司在建立健全质量保证机构和保证体系的基础上，充分利用良好的施工环境，开展新技术、新工艺的研究和应用，并落实各施工环节的连续生产，对重点部位的施工提前安排研究和解决。同时在工程施工中每一浇筑仓号实行队(厂)二检人员24小时盯仓，三检旁站或盯仓。重点仓号实行二检、三检人员同时盯仓。盯仓质检人员对入仓混凝土材料是否正确、下料位置是否准确、浇筑人员、设备是否齐全、下料高度是否适宜，分层厚度、振捣是否得当，防雨、水等手段是否到位，对骨料分离处理是否及时等项目进行检查，发现问题及时纠正。全年没有发生质量事故，工程质量满足设计要求。

2.工程质量控制

1999年左岸厂房坝段、左非坝段、副厂房和钢管槽共施工混凝土单元仓号950个，合格率100%，优良仓号780个单元，优良率82.1%。其中主坝混凝土单元886个，优良单元735个，优良率83.0%；坝后副厂房混凝土单元30个，优良单元23个，优良率76.7%；坝后坝管槽混凝土单元34个，优良单元22个，优良率64.7%。

(牟荣峰)

葛洲坝三峡建设公司承担的三峡工程施工概况

1999年，葛洲坝三峡建设公司完成工程结算产值12.89亿元；完成混凝土浇筑247万m^3，其中二期厂坝工程完成228.42万m^3，创造月产34.1万m^3、日产1.39万m^3、班产5000m^3的混凝土浇筑新纪录，全年混凝土月平均20.58万m^3，是三峡工地所有参建单位中的最高纪录；完成土石方回填429.7万m^3，混凝土防渗墙施工1.64万m^2、固结灌浆9.45万m、金结预埋及安装862.2t。古树岭人工碎石加工系统已达到设计生产能力，平均月产由1998年的15.8万t上升到1999年51万t，全年生产成品骨料612万t。全年完成单元工程5796个，合格率100%、优良率81.8%。

1999年，葛洲坝三峡建设公司的工程施工以二期厂坝工程为中心，牢牢抓住高强度混凝土浇筑任务与大部分基岩面尚未覆盖、混凝土浇筑手段和混凝土生产系统尚未形成这一主要矛盾，正确处理开挖、浇筑、机械设备安装相互交叉、相互干扰、相互制约的错综复杂关系，狠抓清基交面及混凝土覆盖，狠抓五大系统(古树岭人工砂石系统、▽90m、▽79m混凝土拌和系统、塔带机及供料系统)的安装、试运行及配套完善工作，狠抓温控及高强度混凝土施工，圆满完成第一个浇筑高峰年的生产任务。

(一)厂坝二期工程

受1998年特大洪水影响，二期基坑抽水和开挖交面相应推迟，1999年年初，二期基坑99块基岩面，仅有37块验收覆盖了混凝土，其余大部分仍在进行保护层开挖，清基交面任务繁重，尤其是地势狭窄的深槽坝段，开挖施工异常艰难。第一季度展开深槽开挖攻坚战，至1999年4月，完成106个坝块近10万m^2的清基交面任务，顺利实现二期工程施工从土石方开挖到大规模混凝土浇筑的过渡。

1999年下半年，重点抓永久供料线安装。进口塔带机、顶带机技术先进、系统复杂、安装工期紧迫、缺乏安装经验，需要在实践中逐步摸索、熟悉和掌握；同时因外方设备配件装箱混乱、缺件严重、到货期延误、图纸及技术资料不全和外商技术封锁等，增加了安装困难；而且要求立即投入满负荷运行，没有充足的摸索时间，增大了操作和维护保养的难度。葛洲坝三峡建设公司抢安装抢调试，自8月24日1#塔带机永久供料线投产后，至11月17日，5条永久供料线全部投产。组成以塔(顶)带机及其供料线为主干、港机、KROLL塔机和其它门机为补充手段的完整体系，形成混凝土生产工厂化、施工一体化的全新格局，走上高强度、大规模施工的轨道。

高温季节浇筑混凝土时，采取多种温控措施，将混凝土生产流程中各道工序，均置于有效控制之中。在抓紧拌和制冷系统安装调试投产的基础上，从骨料预冷、混凝土拌和、运输、入仓、浇筑到养护的流水作业线上，形成一条龙温控体系。

截至1999年年底，二期基坑99个坝块中，已有91个坝块脱离约束区，大坝各坝段形象基本满足进度要求。泄洪18# ~23#坝段底孔基本形成，全面进入深孔；泄洪1# ~17#坝段绝大部分坝块进入底孔，最高块泄21#上达▽92m，最低块泄1#下达▽28m。左厂坝段部分坝块已进入钢管预留槽，最高块左厂11-2-甲达▽77m，最低块左厂14-2-丙达▽31m，左导墙碾压混凝土开始浇筑。

(二)临时船闸及升船机工程

临时船闸及升船机工程混凝土合同量135.7万m^3，至1999年底累计完成116万m^3。1999年完成混凝土浇筑12.6万m^3。升船机上闸首左2、左3、左4、右2、右3、右4分别浇至172m、158.9m、133.2m、173.8m、161.5m、136.1m高程。

(三)茅坪溪防护工程

茅坪溪防护工程施工克服料源不足的困难，排除气候对沥青混凝土施工的不利影响，1999年完成土石方填筑174万m^3，沥青混凝土8043m^3，混凝土防渗墙14400m^2，帷幕灌浆3955m，茅坪防护大坝已填筑至▽131m，沥青混凝土芯墙已达▽132m。

(周向东　田　野)

三峡二期工程塔带机及供料线安装运行概况

(一)1# ~5#塔带机的安装与运行

1. 1# ~4#塔带机概况

1# ~4#塔带机由美国罗泰克(ROTEC)公司设计制造，是一种先进的混凝土施工专用设备，已应用于国内外许多水电工程。塔带机由塔机与带机两大部分组成。塔机部分是固定立柱塔式起重机，采用液压马达作为起重、回转、小车运行的驱动动力，因此整机运行比较平稳、缓慢；带机部分运送混凝土，理论输送能力6.5m^3/min，由3节皮带机组成，其内外布料胶带机由塔机的大钩吊挂进行旋转和内外移动布料。与传统的门塔机相比，塔带机最大优点在于其皮带机部分，构成塔带相连，配套运行的体系。即混凝土通过供料线，直接由皮带机运送入仓，从而实现混凝土直接入仓，极为方便灵活。比起传统的门塔机配置吊罐起吊入仓方式，速度有较大提高。

1# ~4#塔带机全部布置在泄洪坝段内，沿坝轴线方向一字排开，可覆盖泄洪坝段绝大部分浇筑部位。其布置见表1。

表1　**塔带机布置参数表**

塔带机编号	TB1#	TB2#	TB3#	TB4#
安装坝段	泄21#	泄14#	泄7#	泄1#
中心点	49+143.00 20+76.00	48+996.00 20+76.00	48+849.00 20+76.00	48+723.00 20+76.00
安装高程	45	32	32	6
最终浇筑高程	185	160~165	150~155	155~160
需用塔节数	16	14	15	18

2. 1# ~4#塔带机安装运行简述

1#塔带机1998年10月开始安装埋件，12月投入运行。2#塔带机1998年12月安装埋件，1999年3月投入运行。3#塔带机1999年2月安装埋件，5月投入运行。4#塔带机1999年4月安装埋件，8月投入运行。4台塔带机均布置于泄洪坝段内，其安装场地狭小，与初期混凝土施工干扰较大，且缺乏吊装手段。葛洲坝三峡建设公司安装技术人员经认真研究，使用移动、就位方便的电吊为主要吊装手段，对人字架、起重臂等较大构件使用200t汽车吊或300t履带吊进行吊装。同时做好安装过程中的设备移交、清点、质量、技术、验收等工作。安装过程中与业主、中国三峡总公司设备公司、监理等有关单位一起，克服图纸资料不全，缺件严重，到货顺序混乱，外方服务不到位等多种困难，完善和处理部分设计、制造缺陷，安全、顺利地完成4台罗泰克塔带机安装任务。

葛洲坝三峡建设公司组成▽79m项目部，集中统一管理调度▽79m拌和系统和4台塔带机，对4台塔带机组成专业运行队，实行定人定机，定责定岗，严格执行经济责任制,同时实施设备定期检修和预防性检修制度,加强机械电气维护。经过几个月的运行,初步摸索出塔带机运行管理基本经验,实际生产能力接近设备设计生产能力,设备保障能力提高。但由于设备本身的原因,4台塔带机还存在一些问题。即:图纸、资料不全,给运行和检修带来较大困难;电气、液压系统存在设计、制造缺陷,且未进行系统调试。

3. 5#顶带机安装运行概况

5#顶带机由法国波坦(POTAIN)公司与日本三菱公司合作生产,其性能与罗泰克塔带机相近。5#顶带机布置于左厂12-Ⅱ-乙坝段主要承担左厂11#~14#坝段混凝土浇筑和部分金结安装任务。5#顶带机1999年1月安装埋件,5月投入运行。

由于塔机与带机分别由两个公司设计制造,因此接口部分存在一定缺陷,经过修改后才得以顺利安装。此外,由于与顶带机配套的供料线是由罗泰克公司制造,两者的电气联接也存在一定缺陷,只能在运行中逐步解决。

5#顶带机经过几个月初期运行,已基本正常,生产能力接近设计生产能力,设备保障能力大有提高。

(二)1#~5#供料线的安装与运行

1.供料线的布置、功能与技术特点

供料线系统由美国罗泰克公司设计制造,是一种效率较高的混凝土运输手段。设计输送能力300m^3/h(实际运用按200m^3/h控制),带宽760mm,带速3.15~4m/s,最大仰角+20°,最大俯角-10°。从结构上可分为皮带机、支撑柱与爬升平台三部分。皮带机为桁架式结构,支撑柱为圆筒形立柱,爬升平台采用液压油缸为爬升动力,可使皮带机随坝体浇筑高度的升高进行爬升。

1#供料线从▽79m混凝土拌和系统出发,采用"单柱单带"形式,顺纵向围堰向上游伸展与1#塔带机相接;2#、3#供料线从▽79m系统出发,平行于纵向围堰采用"一柱两带"形式,在坝身段开始转折,平行于坝轴线方向向左延伸,并分别与2#、3#塔带机相接;4#、5#供料线从▽90m混凝土拌和系统出发,采用"一柱两带"方式,沿与坝轴线平面夹角为7°的方向延伸,至左厂14#坝段转折为垂直坝轴线方向,穿越左厂14#坝段后,分别与4#塔带机及5#顶带机相接。采用供料线后,混凝土从出拌和楼到入仓,只需几分钟时间,比传统的汽车或水火车运输方法,入仓时间大大缩短,效率成倍提高。

2.供料线的安装

供料线系统从1999年3月开始安装立柱,1#~5#供料线分别于1999年8月24日、10月7日、10月15日、11月17日、11月10日安装至初始状态并投入运行。安装中遇到的最大问题是罗泰克公司图纸、技术资料提供不全、不及时,发货也不及时、不齐全,设计上还存在缺漏,尤其是对部分关键技术资料进行技术封锁。致使工期一再延误。

因供料线安装高度较高(立柱最高达123m)、桁架较长(单跨桁架跨充达75m),在吊装过程中,动用300t、200t、90t、50t、高5、高7、2#港机、KROLL塔机、塔带机、顶带机等多种吊装设备,精心设计、优化吊装方案,顺利完成各构件吊装。如在吊装1#供料线时,位于▽60m平台的Z1-2立柱高达75.1m,位于▽82m平台的Z1-3立柱高达69.11m,而现场场地狭小,地面条件复杂,附近又没有合适的吊装设备。经反复研究讨论,决定使用300t履带吊吊装供料线桁架、Z1-2立柱及其爬升平台,用300t履带吊将200t汽车吊吊至▽82m平台,再用200t汽车吊吊装Z1-3立柱第1、2、3节,用高5门机吊装Z1-3的爬升平台、MCC-1-2及其它附件;立柱的第4节则切割为两节后,再用高5门机依次吊装。依此方案,成功的完成1#供料线的吊装任务。

供料线立柱起着支撑全部空中桁架的作用,若安装不好,就会留下安全隐患。而罗泰克公司的有关技术要求只有"供料线立柱安装时基础节顶面水平度偏差控制在3mm内"这一条,并拒绝提出更详细具体的精度控制要求,这显然无法满足施工安全要求。经业主、监理及葛洲坝三峡建设公司多次协商,结合中国现有规范与以往经验,提出更严格的质量控制要求:"基础节顶面水平度偏差≤1mm,每节立柱安装到位后,整体垂直度偏差小于立柱直径的1/100。"并请专业探伤人员对所有立柱对接焊缝进行100%的超声波探伤检验,保证供料线的安装质量和安全。

3.供料线运行

供料线形成后,必须与拌和楼、塔带机联合运行。特别是与拌和楼相联系的计量皮带,其平移伸缩式结构及其控制装置十分复杂,整个控制系统均由计算机集中控制。为此,承担运行任务的葛洲坝三峡建设公司首先抓队伍建设,挑选责任心强、文化程度高、外语水平好的大学本科生担任操作员;其次针对外方资料不全,存在沟通障碍的现状,认真研究设备特点,聘请国内科研机构和大专院校专家共同分析集中控制系统电气原理和布置,经过一段时间的摸索,编绘补充电路图册和运行操作大纲,总结一些切实可行的运行操作经验,制定一系列管理制度;第三,加强设备维护保养和预防性检修,重新设计和改造保养冲洗压力水系统,初步掌握保证设备正常运行的管理方法和技术措施。整个供料线系统运行正常,产量逐步提高,正在三峡二期工程混凝土施工中,发挥着越来越重要的作用。

(陈 玮 张建新)

三峡永久船闸对穿锚索施工技术

三峡永久船闸因其结构要求所需，均在花岗岩岩体中深切开挖修建，永久船闸全长 4166m，主体段长 1617m，最大边坡高 170m，最大岩质双向直立坡高 68.5m。在双线闸槽间保留宽 56～60m，高 45～68.5m 的直立岩石中隔墩。为了改善开挖后山体岩石应力调整状态和高边坡岩体稳定状态，设计采用预应力锚固措施。

在永久船闸边坡加固工程中设计预应力锚索 4121 束，其中对穿锚索 1966 束。对穿锚索设计有无粘结和有粘结两种型式，均为 3000kN 级，孔深 18～66m，孔径不小于 ϕ165mm，钻孔倾角大量为水平孔，少量为倾角小于 7° 的斜孔，孔斜要求小于 1%，个别不影响排水管网结构的小于 2%。采用如此规模的预应力对穿锚索和钻孔精度，在国内尚属首例，引起国内外专家和学者的关注。对穿锚索施工工期 1997 年 8 月至 1999 年 12 月。

（一）对穿锚索结构

对穿锚索结构主要由索体和两端外锚头两大部分组成。对穿锚索的索体由钢绞线（有粘结或无粘结）、隔离架、对中支架、导向帽组成。钢绞线 19 根，为 1860MPa 等级高强低松弛钢绞线，沿索体长度方向每隔 3m 设一个隔离架和对中支架。隔离架使各钢绞线间相互平行，增加索体刚度，以获得最佳受力条件。对中支架的作用是确保外层钢绞线的保护厚度，提高耐久性。导向帽为锥形，位于索体的端部，防止索体穿索过程中端部松散，减小索体与孔壁的摩擦力，创造穿索条件。

两端外锚头，由工作锚具、钢套管、钢垫板、混凝土垫墩及外保护装置组成。外露保护采用环氧保护层及二期混凝土保护。

（二）施工工艺

对穿锚索工艺流程：钻孔→编索→下索→两端混凝土垫墩浇筑→验收试验→预紧张拉→封孔灌浆→外锚头保护→单元验收。

1.钻孔：船闸对穿锚索钻孔条件特殊（排水洞宽 3.0m，高排架），钻孔精度高，为了解决适合高直立坡和小隧洞施工的钻机，武警水电部队三峡指挥部与东北岩土工程公司研制出 DKM－1 型水平钻孔钻机和改造宣化英格索兰 MZ165 型钻机及钻具。经过试验，改进导正器和钻进参数。钻孔方法采用全断面风动冲击钻进法。在钻孔过程中，根据不同部位采用不同钻进参数及加强孔斜检测，使孔斜率达到设计要求。

2.编索：以车间为主，编索长度按实际钻孔孔深加两端混凝土垫、工作锚具、千斤顶、工具锚、限位板厚度和施工余额等。下料时用砂轮切割钢绞线。

3.穿索：由人工水平或索道运输到穿索位置，一端用人工推送，另一端用小卷扬机牵引。在穿索时，根据索体的上部和下部标志，慢慢理顺，两端同时推牵，完成穿索工序。

4.两侧垫墩混凝土浇筑：垫墩混凝土内设置的钢套管、钢垫板、钢筋网及灌浆管等埋件采取车间加工，现场调整安装。安装前先对两端孔口岩面进行清理，安装时注意钢套管中心和钻孔轴线的重合，钢垫板表面光滑，必须与钻孔轴线垂直。浇筑混凝土时采用人工喂料，管式振捣器振捣。

5.验收试验：验收试验主要目的是检验和评定预应力效果。试验办法采取预紧及分级张拉，张拉时每级稳压 5min，最后一级稳压 10min。稳压 10min 后开始卸荷到设计张拉吨位的 25%。

6.预紧和张拉

张拉前，必须进行张拉机具的配套标定；根据率定曲线计算分级张拉钢绞线理论伸长值表；需要安装测力计的锚索先安装好测力计，再安装张拉机具。

为保证每根钢绞线张拉时受力均匀，针对永久船闸长对穿锚的特点，采取两端分别单根钢绞线预紧，多次循环的方法进行。预紧吨位 30kN，两次预紧伸长值之差不超过 3mm。

锚索张拉锁定，张拉锁定采用单端限位张拉自行锁定方式进行。除预紧外，分五级张拉到超张拉吨位时锁定。张拉过程中，每级稳定 5min，最后一级稳定 10min。

张拉设备，预紧采用 YKD－18 千斤顶，张拉采用 YCW－400 千斤顶，分别与 ZB4－500S 电动油泵配套使用。

7.封孔灌浆：封孔灌浆采用压力灌浆。有粘结对穿锚索，灌浆压力 0.2～0.3MPa，并浆压力 0.2MPa，并浆时间 30Min；无粘结对穿锚索灌浆压力 0.5MPa，并浆时间 10Min；结束标准，灌浆量大于理论吸浆量，回浆管回浓浆，且回浆比重大于进浆比重，无明显吸浆，即可并浆结束。浆液采用纯水泥浆，掺减水剂和膨胀剂 R28 300# 混凝土。

8.外锚头保护：锚索张拉锁定后，经监理验收认证，可将锚索张拉锁定后的外露索体预留 50mm，其余部分采用手持电动砂轮切割机切除，将工作锚具、预留索体清洗干净及垫座凿毛后，进行涂环氧保护层和浇 200mm 厚二期混凝土的保护帽。

9.单元验收：每一索锚索作为一个单元工程进行验收。

（陈孝英）

三七八联营总公司施工简述

三七八联营总公司在三峡工程承包的主要施工项目有:左岸 $1^{\#}$ ~ $6^{\#}$ 厂坝一、二期开挖工程(已竣工);左岸电站与厂房土建和安装施工(包括▽82m混凝土拌和系统建设与运行管理);永久船闸二期工程Ⅱ标段;下岸溪人工砂(石)系统建设与运行管理;▽98.7m混凝土拌和系统建设与运行管理等。合同金额逾40亿元。

1999年,三七八联营总公司完成土石方开挖(厂房基坑)11.8658万 m^3,混凝土浇筑81.425万 m^3,钢筋制安26298.43t,固结灌浆26832.5m,金结埋件安装2652.25t,生产供应人工砂2212090 m^3、人工碎石1146427 m^3,生产混凝土143.99万 m^3。完成投资额10.0175亿元。

(一)左岸电站厂房土建与安装

1999年,在左岸电站厂房安装MQ2000门机1台,MQ900门机2台,10/30t圆筒门机2台,540门机1台,MD900塔机1台。

该部位完成土石方开挖118658 m^3,为年计划的148%,混凝土浇筑52.15万 m^3,为年计划的116.3%;钢筋制安18423t,为年计划的89.15%;固结灌浆20732.5m,为年计划的213.5%;金结机电埋件安装2493.25t,为年计划的131.22%。

1999年,左岸电站厂房达到的工程形象为:

$1^{\#}$ ~ $5^{\#}$ 机组段Ⅰ区、Ⅱ区混凝土浇筑到▽52m,Ⅲ区浇筑到▽61m~▽65m。

$7^{\#}$ ~ $12^{\#}$ 机组Ⅰ区、Ⅱ区、Ⅲ区混凝土浇筑到▽44m;$13^{\#}$ 机组Ⅰ区、Ⅱ区、Ⅲ区混凝土浇筑到▽40.2m;$14^{\#}$ 机组混凝土Ⅰ区浇筑到▽30.8m,Ⅱ区浇筑到▽28.8m,Ⅲ区浇筑到▽26.5m。

Ⅰ $^{\#}$ 安装间混凝土浇筑到▽108m,因屋顶网架订货未定无施工图纸已停止施工;Ⅱ $^{\#}$ 安装间混凝土浇筑到▽72.5m;Ⅲ $^{\#}$ 安装间混凝土浇筑到▽48m。

混凝土浇筑单元工程1636个,合格率100%;优良1433个,数控优良率87.6%,量控优良率86.8%。

(二)永久船闸二期工程Ⅱ标段

1999年,三七八联营总公司还承担永久船闸南北两线三、四、五闸室和三、四、五、六闸首混凝土浇筑、钢筋制安、金结埋件安装等施工任务。

该部位完成混凝土浇筑29.09万 m^3,为调整后年计划的106%;钢筋制安7866.43t;固结灌浆6100m;金结埋件安装105.57t。

相继架设并完善三、四、六闸首的供风、供水(包括冷却水)及供电设施,满足混凝土浇筑需要。下引航道排水系统安装并投入运行,满足施工及防汛排水要求。

六闸首出碴栈桥、南线三闸室交通钢栈桥、北线三闸室人行钢栈桥先后建成。

安装并投运13台门机塔机,满足混凝土浇筑垂直运输需要。

南线三闸首、五闸室、北线三闸室、四闸室先后开始浇筑混凝土,12月18日六闸首南边墙浇至设计顶面高程96.42m。

混凝土浇筑单元工程829个,合格率100%;优良758个,数控优良率91.4%,量控优良率92%。

(三)下岸溪人工砂(石)加工系统

1.人工砂石料供应

1999年是三峡工程混凝土浇筑的第一个高峰年,人工砂石料需求量大,全年需供应人工砂石料326.5万 m^3,相当于1998年供应量的5倍。全年完成覆盖层剥离973754 m^3,成品砂供应221万 m^3,碎石成品供应114.6万 m^3。

2.二期增容工程

由于古树岭人工碎石加工系统料源缺口较大,因此决定把原定的三期工程执行的下岸溪人工砂石增容工程提前进行。1998年4月10日破土动工,至1999年8月28日全线投产,累计完成土石方开挖57万 m^3,土石方回填3.4万 m^3,浆砌石1.2万 m^3,混凝土浇筑21987 m^3,金结制安1456t,钢筋制安967t,设备安装190台(套)。增容改造后,系统毛料处理能力由1100t/h增加到2400t/h。

3.产品质量

成品砂细度模数控制在2.75左右,石料含量控制在11.5%以内,含水率控制在6%以内。采场毛料大块率下降至2%,底板开挖不平整度±1m,边坡开挖平整光滑、层次分明、混凝土喷锚及时跟进。

(四)▽98.7m混凝土拌和系统

1999年生产供应混凝土92.1万 m^3,为年计划的113%。先后创低温混凝土月产140524.5 m^3、日产6369 m^3、班产2321 m^3 新纪录。

系统投产以来,累计生产供应混凝土235.5万 m^3,其中低温混凝土166.8万 m^3,常态混凝土71.7万 m^3。

(杨南安 扶立华)

青云水利水电联营公司施工简述

(一)主体工程概况

由青云水利水电联营公司中标承建的三峡二期工程标段包括左岸非溢流坝段 $12^{\#}$ ~ $18^{\#}$ 坝段和左岸厂房 $1^{\#}$ ~ $10^{\#}$ 坝段(含安Ⅲ坝段),沿坝轴线方向长

561.3 m,标段内最大坝高 150 m,最大坝底宽度 128 m。

(二)1999 年生产经营计划完成情况

1.主要计划指标完成情况

全年完成投资 36058.73 万元,为年计划 34784.68 万元的 103.67%;完成混凝土浇筑 86.12 万 m^3,压力钢管制安 1942t,排砂钢管制安 564t,其他埋件制安 98t,固结灌浆 10949m,钢筋制安 5517t,栈桥制安约 4500t。

2.主要工程项目形象

(1)主体工程

基岩面已全部覆盖混凝土,除个别坝块外大部分已脱离基础约束区,最高坝块左非 15 甲已浇至 ▽144m、左厂 3-2 甲浇至 ▽135.5m,左厂 1# ~ 厂 4 进水口已浇过,5#、6# 钢管坝段甲块浇至进水口高程,7# ~10# 钢管坝段甲块平均达 ▽78m、距进水口 30m,安Ⅲ排砂管进水口平均浇至 ▽78m;与年计划相比,左非 14# ~18# 和厂 7# ~8# 坝段均超额完成年计划。

坝基除安Ⅲ左丙边坡几个孔外,均已完成固结灌浆施工;新增的坝后坡及副厂房基础部位因不具备施工条件而尚未施工。

坝内埋管段 1# ~4# 已完成压力钢管安装验收,5# 已完成吊装,6# 已完成制作;下弯段 1# G48~64 和 2# G64 共 19 节完成制作,已开始吊装;下平段 1#、2# G65 ~70 和 4#、5# G68~70 管节已完成安装,3# G65~70 正在安装,4# G67 和 5# G65~67 已完成制作。

左非 18# 坝段已完成上、下平段和下弯段的排砂钢管安装,斜直段完成 9 节制作;安Ⅲ坝段 128 节已完成制作 115 节、安装 64 节。

(2)施工手段

随着 1# MQ2000 型门机在 EL.120 栈桥于 1999 年 10 月初投入运行,施工现场有 14 台大型施工机械投入运行,至此,施工手段已全部形成。其中,除 2 台胎带机和坝前 1 台 MQ2000 门机之外,其余 11 台大型机械均为 1999 年安装投运或拆装搬迁投运。

(3)施工栈桥

▽82m 栈桥已安装推进到厂 3 坝段。▽120m 栈桥 5 坝段以左制造完成,安装上部已到 2# 坝段、下部已到 4# 坝段。

(二)施工质量

全年浇筑混凝土 950 个仓号,优良率 82.1%,未出现大的质量缺陷及质量事故。压力钢管完成制作 88 节,优良率 76.3%;完成安装 50 节,优良率 71%。固结灌浆完成 63 个单元,优良率 95.2%,未出现质量事故。

(三)施工组织及精神文明建设

1999 年,青云水利水电联营公司进一步完善施工生产、劳动竞赛、质量、安全、设备等多项考核奖罚办法,全面推行计量、计件、记工和试行定额用工分配制度,调动广大职工的生产积极性;试行领导班子考核制度,明确责任和任务;通过实施各种健全而有力的管理措施和办法,劳动生产率进一步提高、经营效益明显好转。

1999 年三峡坝区综合治理领导小组授予青云水利水电联营公司“三峡坝区综合治理先进单位”、“三峡坝区综合治理优胜单位”和首批“安全文明单位”称号。

(张成刚)

三峡电站左厂 1# ~6# 坝段压力钢管的制作安装

(一)工程概况

三峡电站左岸厂房坝段 1# ~6# 坝段压力钢管直径 12.4m,最大设计内水压力 1.4MPa;单条钢管长度 122.797m,有 72 个制造节,重量约 1504t。

压力钢管由上斜段、上弯段、斜直段Ⅰ、斜直段Ⅱ、下弯段、下水平段及厂内段组成。其中上斜段为坝内埋管;上弯段、斜直段Ⅰ、斜直段Ⅱ、下弯段为坝后背管;下水平段为过渡段;厂内段采用 60kgf/mm^2 高强度调质钢,壁厚 60mm。钢管外壁布置有加劲环、止推环等附件。

1# ~6# 坝段压力钢管下平段厂坝间不设伸缩节,该部位设置长约 10m 的垫层管。

(二)钢管制作

根据设计图纸要求,先对钢板进行排料,绘制排料图,然后按排料图进行钢板划线。

钢板划线后分别标出钢管分段、分节、分块的编号、水流方向、水平和垂直中心线、灌浆孔位置、坡口角度以及切割线等符号。随后进行钢板切割、加工坡口、钢板两纵缝端头预弯,钢板纵缝端头预弯采用加衬垫的方式在卷板机上进行,衬垫为事先按一定弧度卷成的钢制专用胎模;预弯后钢板端头弧度用弦长 500mm 样板检查其端头弧度,其间隙应小于 1mm。

钢板端头预弯完成后,进行瓦片卷制,卷制方向和钢板压延方向一致,钢板经多次卷制,检查达到设计弧度;瓦片卷制成型后,以自由状态立于组圆平台,用 2.2m 样板检查弧度,样板与瓦片的极限间隙小于 2.5mm。利用自制的专门拉对、压缝工装进行组圆,最后一条纵缝调整后应满足设计周长要求,同时检查各项性能指标,组圆后管内壁加临时支撑增加刚性。然后进行钢管纵缝的焊接,纵缝焊接完成,吊到调圆平台,用头部带有液压千斤顶的米字支撑调圆。最后上加劲环、支腿、吊耳等附件,加劲环及止水环的内圈弧度用 1.5m 样板抽查,间隙小于 2.5mm,与钢管外壁的局部间隙严格控制,不应大于 3mm,以免焊接引起管壁局部变形。加劲环、止水环的对接焊缝应与钢管纵缝错开 100mm 以上。

(三)钢管运输及吊装

钢管由青云水利水电联营公司金属结构厂制作，在厂内组节成安装管节，最大重量约 80t。

钢管利用改装过的 100t 平板拖车运输，钢管从组节平台上吊至拖车上后，用钢丝绳及 3t 倒链固定。钢管运至工地安装现场后，下水平段钢管及部分坝后背管采用 EL.82m 施工栈桥上 MQ6000 门机吊装，部分坝内埋管段采用坝前 MQ2000 门机吊装，部分坝后背管段采用 EL.120m 施工栈桥上 MQ2000 门机吊装，部分坝内埋管段采用摆塔式缆机吊装。

(四)钢管调整及压缝

钢管在吊装时，先进行钢管翻身，然后根据钢管始装节位置，放出始装节里程、桩号及轴线位置，利用所放基准点，在始装节上游位置设置定位档板，用来控制其里程。

钢管吊至轨道上，下准线对准基准点轴线，根据基准点对钢管里程、高程、轴线进行调整，其误差值管中心 ± 5mm，里程偏差 ± 5mm，垂直度 3mm。复测合格后进行加固。

为防止钢管在加固过程中造成位移，钢管加固采用对称加固，支撑先与锚筋焊接，然后支撑与钢管加劲环焊接。

始装节验收后，进行第二节钢管安装调整，并进行环缝的压缝。钢管压缝采用压码与压缝工装进行压缝。

(五)焊接

对于 $610U_2$ 钢，焊前要用远红外履带式加热片进行预热，预热温度 60mm 钢板 100 ~ 150℃，34mm 钢板 80 ~ 120℃。

焊接时先焊坡口内侧，采用分段退步法焊接。焊接时的层间温度不低于预热温度，不高于 230℃。

双面焊的焊缝，一侧焊完后，对焊后焊缝进行预热，另一侧用碳弧气刨清根，手工电弧焊时，第一道焊缝应完全除去。碳弧气刨清根后修磨刨槽除去渗碳层，并进行施焊；焊后将温度加至 150℃ ~ 200℃，保温一小时。

高强钢施焊时，为有效的控制好焊接线能量，要求手弧焊用 Φ4.0mm 焊条焊接时，其焊接长度 > 90mm；用 Φ3.2mm 焊条焊接时，其焊接长度 > 70mm。焊道宽度超过 12mm 时，需进行分道，每层焊缝厚度不超过 4mm。

对于 $\delta = 60mm$、$60kgf/mm^2$ 高强度调质钢焊后需采用爆炸法作消应处理。

(六)焊缝检验

所有焊缝均进行外观检查，外观质量应符合规范规定，无损探伤应在焊接完成 24 小时后进行。

超声波探伤按《钢焊缝手工超声波探伤方法和探伤结果的分级》标准评定：一类焊缝 BⅠ级合格；二类焊缝 BⅡ级合格。

射线探伤按《钢熔化焊对接接头射线照相和质量分级》标准评定：一类焊缝Ⅱ级合格；二类焊缝Ⅲ级合格。

对于检查出来的焊缝缺陷必须彻底清除，不允许有毛刺和凹痕，坡口底部应圆滑过渡，碳弧气刨槽应磨去渗碳层，并进行渗透探伤或磁粉探伤，焊接工艺要求与正式焊缝(Ⅰ、Ⅱ类)相同。

焊接修补所采用的焊接材料、道间温度、焊接线能量等与原焊缝相同，修补时要严格监控线能量、预热温度及层间温度。

三峡电站压力钢管制造和安装施工工艺经过不断优化，大型压力钢管制作、吊装、运输及调整等方面存在的问题得到解决，钢管安装质量得到保障，也为以后安装此类钢管积累经验。但也存在不少尚待解决的问题，如压力钢管的焊接，特别是现场焊接，主要依靠手工焊，功效低，劳动强度大，影响施工进度，需要提高压力钢管焊接的自动化程度。

(胡君成 慕磊诚)

三峡工程安全监测概况

(一)永久船闸安全监测

1.监测项目基本情况

永久船闸安全监测项目已实施 11 项，除原有的 10 项外，1999 年新增一项：永久船闸高边坡深层岩体变形监测观测，合同起讫时间为 1999 年 8 月至 2001 年 12 月，由葛洲坝水力发电厂三峡安全监测管理中心承担。

2.安全监测项目仪器埋设与观测

截至 1999 年底，永久船闸在建监测项目中，监测仪器埋设数量统计见表 1。

表 1 **永久船闸监测仪器埋设情况统计表**

序号	监测仪器名称	单位	合同量	调整量	1998 年底以前完成量	1999 年完成量			自开工累计完成量	
						计划量	完成量	%	完成量	%
1 – 04	钻孔倾斜仪	孔	12	+ 2	12	2	2	100	14	100
	交会点	座	77	+ 11	58	30	30	100	88	75
	水准点(边坡)	座	77	+ 11	58	30	30	100	88	75

	水准点(排水洞)	座	109		40	69	68	100	108	99
	基岩标点	座	4		4				4	100
	伸缩仪	套	4		2	2	2	100	4	100
	精密量距	条	8		2	2	2	100	4	50
	测缝计	支		+ 12	0	4	4	100	4	33
	多点位移计	孔/点		+ 8/32		4/16	4/16	100	4/16	50
1 - 05	测压管	孔	119	- 2	31		8		39	33
	锚索测力计	台	52	+ 10	40	21	21	100	61	98
	渗压计	支	154		0	32	32	100	32	21
	锚杆应力计	支	70		0	10	10	100	10	14
	钢筋计	支	87		0	10	10	100	10	11
	应变计	支	46		0	15	15	100	15	3
	无应力计	支	14		0	3	3	100	3	21
	测缝计	支	97		0	13	13	100	13	13
	温度计	支	83		0	14	14	100	14	17
1 - 06	振动速度计	孔/点	3/11		3/11				3/11	100
	加速度计	孔/点	5/11		5/11				5/11	100
	动应变计	孔/点	5/11		5/11				5/11	100
	多点位移计	孔/点	9/45	+ 19/62	9/45				9/45	32
	压磁应力变化	孔/点	6/17		5/17				5/17	83
	滑动变形计	套		+ 4		4	4	100	4	100

3.安全监测主要成果综述

永久船闸工程开工5年多来,在其两侧高边坡与中隔墩埋设了1500余支监测仪器(或观测标志),通过对所获得的大量安全监测资料分析,初步认为:

(1)永久船闸高边坡与中隔墩岩体整体是稳定的,且随着永久船闸工程开挖工作的结束,高边坡与中隔墩的变形已逐步趋于稳定。

(2)在闸室岩体开挖过程中,伴随卸载引起的地应力释放,加上向闸室方向临空面的存在,南、北坡均产生向船闸中心线方向为主的位移。截至1999年12月,测得北坡岩体向闸室中心线方向最大位移39mm(17 - 17断面),北坡直立墙顶的最大水平位移31mm(17 - 17断面);南坡岩体向闸室中心线方向最大累计水平位移54mm(20 - 20断面下游65m),南坡直立墙顶的最大位移42mm(13 - 13断面),各测点的年垂直位移变化不大,累计垂直位移量大多在±4mm以内;中隔墩顶部岩体北侧向北线闸室实测最大累计位移量28mm(15 - 15断面);南侧向南线闸室实测最大位移量20mm(20 - 20断面);中隔墩顶部岩体的垂直位移均表现为回弹,实测累计最大回弹量23mm(17 - 17断面)。这些数值与设计专题报告中的计算值16~48mm基本一致。

(3)大地测量监测成果表明:在闸槽开挖基本结束,即:自1999年4月后,两侧边坡及中隔墩岩体月位移速率明显减小,呈现收敛趋势。1999年4~9月间85%以上的监测点的累计位移在2mm内。深层岩体变形监测资料表明,深层岩体的水平、垂直位移,从1999年9月后,月位移速率才呈现收敛态势,滞后于表层岩体的变形。因此,有必要加强对深层岩体监测,充分了解深层岩体的变形性状。

(4)大气降雨对两岸山体地下水位影响滞后约10~20天,各测点的渗压变幅逐渐减小,不符合静水压力的分布规律,比设计采用的直线分布要小,这有利于边坡稳定。地下水位的逐年降低,也说明排水洞排水效果显著,达到设计目的。随着边坡开挖工作的结束,1999年以来地下水位趋于稳定,大部分测孔孔内水位变化幅度在±5m以内。

(5)一期工程预应力锚索测力计观测结果表明:至1999年9月,3000KN级测力计实测预应力损失率最大13.5%,最小7.9%,平均值12.3%;1000KN 级测力计实测预应力损失率最大17.5%,最小7.9%,平均值13.7%。实测预应力变化过程表明,大部分已趋于稳定。二期工程开挖170m以下边坡，至1999年9月底，实测预应力损失率在2.8%～25.1%之间，并逐渐趋于平稳，反映测力计所在部位岩体处于稳定状态。

(6)影响锚杆应力监测的主要因素是锚杆的长度、钢筋计的位置、岩体的结构、变形型式以及固浆强度等因素。部分锚杆1998年8月至1999年9月，拉应力持续增大，增长速率约1.1MPa/月，应引起关注；部分锚杆拉应力突增后未继续增大或趋于下降，说明岩体变形（或位错）过程中，受到锚杆约束趋于稳定，压应力突增后未继续增大或趋于减小，也属此类型；部分锚杆应力随温度变化，反映现有锚固力即可维持岩体稳定（锚杆深度范围内），应力变化主要由温度变化所致。

(7)用锚杆孔进行声波测试来判定岩体的松弛厚度，从而为设计了解爆破开挖影响，校核锚杆合理长度提供依据。已进行的声波测试成果统计表明，爆破后80%的声波孔测得的松弛厚度2～3m；个别测孔的松弛厚度4～5m。此外，由于测区岩体地质构造原因，一些测孔在孔深8～9m处仍有低速带存在。因此，设计锚杆长度8 m和12m是合理的。从排水洞内的声波测试孔和多点位移计周期观测表明，南、北闸槽的爆破开挖对岩体的影响深度可达20m左右。

(8)从爆破观测成果看，爆破控制指标一般采用10～12cm/s；设计推荐的直立墙、输水洞岩壁允许爆破质点峰值震速用10cm/s的控制标准是较合理的；永久船闸部位的开挖爆破对新浇混凝土的影响得到了较好控制。

1999年8月12日，三峡永久船闸高边坡深层岩体变形监测工程验收，验收人员一致认为：该合同项目满足设计和规范规定的技术要求，监测资料反映了边坡变形性状，对动态设计和指导施工起到重要作用。各项竣工资料已经齐备，综合评定其质量等级为优良。

5年多来的安全监测实践表明，监测成果已经在动态优化设计、施工决策等方面发挥了重要作用，取得显著的经济效益和社会效益。

（二）临时船闸及升船机高边坡、升船机、临时船闸、左非1#～11#坝段监测

1.监测项目基本情况

该部位安全监测项目合同6个，见表2。主要开展岩体变形监测、坝体变形监测、渗流监测、应力应变监测等项目。

表2 **临时船闸及升船机安全监测情况一览表**

工程编码	合同名称	实施单位	起讫时间	备　注
2－07	升船机及临时船闸高边坡变形监测	长江委综合勘测局	1998.08 2001.06	2－05续签 观测合同
2－06	升船机及临时船闸高边坡安全监测	安全监测中心观测部	1998.12 2000.12	
2－03	临时船闸及升船机二期安全监测	河海大学水电八局联营体	1995.11 1998.12	延期至2000年 12月31日
2－03	升船机上闸首及基础机室段锚索安全监测	河海大学水电八局联营体	1997.01 1998.12	延期至2000年 12月
2－03	升船机上闸首安全监测	河海大学水电八局联营体	1998.01 2001.07	在建项目
2－04	通航建筑物下游引航道隔流堤施工期安全监测	武汉水利电力大学		待验收项目

2.主要监测成果综述

(1)临时船闸及升船机高边坡成果

①表层岩体变形监测观测成果表明，变形呈一定规律变化，年度内最大变幅X方向4.66mm，Y方向4.42mm，Z方向3.82mm，都较小无异常。

②岩体深层变形比较稳定，总体表现为向闸室方向变形。临时船闸南北坡地下水均在测点附近变化，水位比较稳定，年内变幅最大6.61m。锚杆应力变化140.81MPa（RC02GP03压应力）～88.67MPa（RC08GP04拉应力），无异常。

(2)升船机、临时船闸、左非1#～11#坝段监测成果

① 温度监测：基岩温度较为稳定，基本在20℃左右；坝体表层温度计温度主要受气温影响，表现为季节性变化的规律；刚埋入的温度计起初温度上升较快，不久逐步降低，进一步说明混凝土通水冷却的重要性。

②左非8#关键断面监测：左非8#坝段基础是断层交汇处，是安全监测的关键断面之一，为此设计在该坝段布设温度计18支，测缝计13支，基岩变形计3支，无应力计1支，应变计7支，静力水准1条，正倒垂各1条。1999年因左非8#坝段进行帷幕灌浆，为此对该部

位进行加密观测，观测成果表明：坝体温度在9.5℃～26.6℃之间变化，基本正常；坝体施工缝年度变化最大0.54mm，无异常；坝体混凝土与基岩岩体间的接缝开合度，1999年最大开合度0.27mm，接缝闭合较好，年变幅在0.08mm以内；混凝土应力应变年度变化量－59.39με～24.38με，均在正常变化范围之中，主要受混凝土自重和温度变化影响。

基岩变形计靠上游坝踵处1999年表现为拉伸变形，最大0.48mm，年度变化量0.46mm，其余各支基岩变形计表现为压缩变形，较为正常。左非8#坝段外部变形成果表明坝体基本无异常，Z方向年变幅4.5mm，X方向在－0.24mm～1.07mm之间波动，年变化量不超过±0.3mm，Y方向年变幅0.68mm。

总体上讲，临时船闸、升船机及左非1#～11#坝段观测成果较为正常，对资料发生突变的部位（如升船机、左非8#坝段坝体变形突变部位）已应设计要求加密观测，加密观测成果表明：除左非8#坝段横缝上两支测缝计，因受下游气温影响变化较大外，其余测点较为正常，其变化规律主要表现为受现场施工和温度的影响。

表3　**临时船闸及升船机安全监测项目累计完成工程量表**

编号	项目名称	单位	总工程量		1999年工程量		完成合同工程量	
			合同	设计	计划	完成	合计	比例(%)
2-03-01	变形监测							
	多点位移计	孔/点	4/14	4/14			4/14	100.0
	正垂线	条	6	6	1		3	50.0
	倒垂线	条	8	8			7	87.5
	倾斜仪安装	孔	2	2			2	100.0
	静力水准安装	条/点	4/24	4/24	2/13	2/13	3/20	83.3
	精密水准	座	74	74			55	74.3
	双金属标	个	1	1			1	100.0
	精密量距装置	套	0	7	7	7	7	
	伸缩仪	套	7	10	7	7	7	100.0
2-03-02	应力应变监测							
	测缝计埋设	支	130	130			118	90.8
	温度计埋设	支	151	160			160	106.0
	锚杆应力计埋设	支	20	22			22	110.0
	钢筋计	支		2			2	
	裂缝计	支					4	
	应变计埋设	支	49	49			49	100.0
	无应力计埋设	支	7	7			7	100.0
	基岩变形计	支	6	8			8	133.3
2-03-03	渗流监测							
	渗压计(SZ型)	支	7	6			6	114.3
	渗压计埋设(GK)	支		2			2	
	测压管安装	个	55	50			17	30.9
2-03-04	永久船闸泄水箱涵监测							
	收敛计安装	套	2	2			2	100.0
	应变计	支	6	6			6	100.0
2-03-05	锚索监测							
	锚索测力计	台	9	10			10	111.1

2-03-06	升船机上闸首监测							
	渗压计埋设(ROCTEST)	支	15	15	3	3	6	40.0
	渗压计埋设(GK)	支	16	16			13	81.3
	钢筋计(钢弦式)	支	12	12			8	66.7
	钢筋计(差动式)	支	27	27	9	9	17	66.0
	无应力计	支	2	2			2	100.0
	应变计	支	6	6			6	6

(三)二期土石围堰安全监测

1.概况

1999年二期土石围堰安全监测项目的主要工作：继续对所埋设的安全监测仪器进行现场观测及对观测资料进行整理和分析；完成上游围堰深槽段两道防渗墙间3个调压竖井的施工；对埋设后不能正常工作的安全监测仪器和设施进行修复；为二期土石围堰土建工程竣工验收提供监测资料和报告。

2.调压竖井施工

在二期围堰挡水运行中，观测资料反映上游围堰深槽段两道防渗墙间的水位在汛期时偏高。为了使两道防渗墙合理的分摊挡水水头，根据设计部门要求在两道防渗墙间开挖3个垂直圆形竖井，以便在必要时通过抽排水来调节两墙间的水位，同时可以更直观地观测两墙间的渗水情况和水位变化。

3个竖井深度均为30m，从堰顶▽88.5m开挖至▽58.5m。竖井开挖直径2.4m，四周采用钢筋混凝土衬砌支护，井底▽58.5m～▽60m铺设3层不同粒径的天然砂砾石反滤层，▽60m～▽73m段采用两道花管衬砌，在两道衬砌花管间设置两层土工膜夹砂砾石的反滤层，井壁设人行爬梯。

3.现场监测成果综述

(1)根据测斜管资料显示，上、下游围堰防渗墙最大变形分别为594.6mm和296.1mm，变形虽大，仍在设计计算值和预报模型值范围内。其变形分布曲线平滑，没有明显的拐点和位错现象。

(2)围堰堰体变形基本稳定，上游围堰最大累计水平位移312.44mm，最大累计沉降量755.32mm。下游围堰最大累计水平位移145.59mm，最大累计沉降量244mm。同时堰体变形与防渗墙变形一致，具有整体变形性。

(3)堰体水位在基坑抽水期间，其水位随基坑水位下降而下降。上游围堰深槽段水位▽23.4～▽32.95m。两墙间汛期水位▽57.14～▽72.03m，汛后1999年12月21日水位▽48.34～▽60.50m。

(4)根据浸润线显示，防渗墙防渗效果显著，上下游围堰防渗墙分别削减水头51.58m和51.04m；同时渗漏量较小，上下游围堰的渗漏量分别为26～39L/S和63L/S；防渗墙后堰体渗透比降较小，在粉细砂内渗透比降在允许范围内。

(5)防渗墙墙内多为压应变，最大拉压应变分别为94×10^{-6}和-1392×10^{-6}，折算应力分别为0.094MPa和-1.392MPa，其拉压应力在混凝土防渗墙材料允许强度范围内。

(6)现场巡视检查，未发现塌滑现象。

(四)厂坝二期工程监测

厂坝二期工程1999年完成内观仪器埋设563支，变形监测点建造113点。详情见表4。监测成果综述如下：

表4 厂坝二期监测工作量统计表

标段	项目	招标工程量(支.点)	1999年度(支.点)	累计完成	
				数量	比例(%)
一标	小计	1143	260	297	26
	渗流渗压	163	51	57	35
	应力应变	861	191	222	25.8
	动力学	119	18	18	15.2
二标	小计	761	187	221	29
	渗流渗压	185	45	58	31.0
	应力应变	540	136	157	29
	动力学	36	6	6	16.7
二标	小计	1103	116	170	15.4
	渗流渗压	92	11	15	16.3
	应力应变	783	143	143	18.3
	动力学	228	12	12	5.2
四标	变形监测点	669	113	113	16.9
五标	小计	825	153	153	18.5
	测压管底座	372	92	92	24.6
	通用底座	326	61	61	18.7
	水尺	127	/	/	/

1.泄洪坝段

主要监测深槽地段的泄1#、泄2#坝段。基岩在固结灌浆后(尚未作帷幕灌浆)渗压计反映基岩扬压力有2～20m水头，相应水位▽6.7m～▽25m。泄1#坝段

▽7m及▽17.8m处，距坝上游面0.5m范围内渗压计反映有17.7m及6.2m的孔隙压力，相应水位▽24.7m～▽24m。泄2#坝段渗压计反映坝基和坝体均无压力。随坝体混凝土升高自重加大，基岩15m范围的岩体呈压缩变形，坝踵建基面▽4.5m，压缩变形量0.38～0.88mm。坝体与基岩接缝开合度处于压缩闭合状态，坝踵处压缩量0.12～0.25mm。坝体混凝土内温度在5～10天内达到最高温度30～32℃，然后呈下降趋势。至年底，泄1#、泄2#混凝土温度在14.5～27.4℃之间，1999年11月坝体进行二次通水冷却，并进行接缝灌浆，坝体混凝土温度降低，纵横缝开度大多呈显著增大，缝面开度一般在0.4～1.6mm。

埋设13支无应力计中，测得混凝土自生体积变形10支为膨胀，3支为收缩，最大膨胀变形 108×10^{-6}，最大收缩 -35×10^{-6}，混凝土应力应变 $-101\sim57\times10^{-6}$。

2.电站厂房坝段

主要监测断面为厂3#及厂14#坝段。岩体受坝体混凝土自重作用，基岩中15m范围内呈压缩变形，变形量-0.32～-1.10mm。厂14#坝段基岩10m深处岩体初始温度18℃，随着混凝土浇筑基岩温度升高至19.7℃。坝体内混凝土浇筑最高温度30～33℃，随后一般在一个月内降至25℃左右，至年底混凝土内温度在17～21℃之间。基岩面接缝呈闭合状态，闭合量0.1～0.2mm。坝体混凝土纵横缝开合度为张开状态，张开量0.3～1.5mm。

埋设11支无应力计，测得混凝土自生体积变形均为膨胀。膨胀变形在 $35\sim59\times10^{-6}$ 之间，混凝土应力应变在 $-57\sim34\times10^{-6}$ 之间变化。

3.电站厂房

主要监测10#机组和14#机组。基岩15m范围内基岩变形：10#机窝呈压缩变形，约0.3mm，14#机窝则先呈压缩变形，压缩量-0.21mm，固结灌浆后，变为受拉0.34mm，随着坝体的升高，又呈压缩趋势，1999年底仍有0.1mm拉伸变形，10#机混凝土温度20～25℃，14#机混凝土温度26～30℃，且呈下降趋势，厂房与坝体分缝面呈张开状态，张开量在0.1～1.17mm左右。在1#～14#机基岩中渗压计反映均有渗压，扬压水头相当于1.1～14.9m，相应的水位高程22.8～36.7m。其中2#机渗压最大0.149MPa。

10#和14#机组埋设钢筋计58支，51支受拉，7支受压，其应力一般较小，在-16.62～44.51MPa之间变化，拉应力较大部位在尾水管底板面层中部和顶层左右角缘水平钢筋上，应力分别达38.63MPa和30.78MPa，靠分缝处底板面层中部钢筋应力达128.62MPa。拉应力多为降温引起。

机组部位混凝土自生体积多为收缩，其变形为 $-20\sim-30\times10^{-6}$，混凝土的应力应变在 $-84\sim91\times10^{-6}$ 之间。

4.大坝电站厂房变形监测

大坝电站厂房部分的变形监测工作主要如下：

(1)倒垂钻孔616m/9孔；双金属标109m/2孔。

(2)先后埋设99座垂直位移监测点，双金属标1座，并及时取得首次值，周期观测值。

(3)按设计要求进行大量有关监测的坑、洞、孔、埋件的预留预埋工作。

5.左厂1#～6#高边坡监测

左厂1#～6#段坝后高边坡监测，虽然克服诸多不利因素，坚持了12个周期的观测，但因坝后厂房建筑物不断上升，高程82m栈桥架设，使原本不理想的观测条件越来越差，导致观测精度受影响，9座观测标资料先后中断不能恢复。通过取得的资料看，最大年度变幅X方向4.52mm，Y方向4.60mm，Z方向3.64mm，水平方向变形呈一定周期性，符合正常变形规律，垂直方向仍呈缓慢下沉趋势。

另外，该部位观测条件越来越不理想，即将导致大部分测点停测。

(五)混凝土纵向围堰、导流明渠安全监测

1.监测项目

混凝土纵向围堰、三期碾压混凝土围堰一期、导流明渠等项目监测工程已于1998年前全部建成，进入正常观测，1999年观测项目有混凝土应力应变、振动和水力学监测等。

2.监测成果综述

经对监测资料分析认为：各建筑物工作性态是正常的，过流后经过3个洪水期的考验，尤其是1998年的特大洪水单独经由导流明渠泄洪，未发现有危及建筑物安全的异常测值出现。

(六)茅坪溪防护土石坝施工期安全监测

1.安全监测实施

各项目的实施于1997年10月正式开始。截至1999年末，所有已施工部位计划埋设的监测仪器或标志全部埋设到位。所埋仪器仅1支仪器的温度传感器损坏，其余工作正常。仪器及埋设统计见表5。

表5 茅坪溪防护土石坝已埋监测仪器统计表

外部变形		内部变形		渗流渗压		压力应力		地震效应	
水平位移标	7	测斜兼沉降管	136/9	渗压计	23	压应力计	3	强震仪	0
双金属标	1	沉降环	138	测压管	0	土压计	4		
测温钢管标	3	界面变位计	2			应变计	26		
水准点	7	水管式沉降仪	13			温度计	25		
交会点	7	钢丝水平变位计	0						
视准线	1	位错计	21						

2.监测成果综述

(1)沥青混凝土心墙温度

沥青混凝土心墙1999年末已浇至131.4m高程，仪器所测本层最高温度约110℃，随后持续下降。1999年底防渗墙温度在15.7～29.7℃之间。

(2)沥青混凝土垂直应变

仪器所测心墙的初期应变是受温度及上压荷载双重影响造成的受压应变，一般在890～7620$\mu\varepsilon$之间。

(3)坝体变形情况

埋设于坝体内的沉降环所测坝体沉降量普遍较小，所测最大值是三号测斜管的第13号沉降环，达175mm。其余都在163mm以下。测斜管反映坝体垂直坝轴线方向变形朝向上游，最大变形－99.2mm，坝轴线方向变形朝向右岸，最大位移79.76mm。

(李金河 冯兴常 刘祖强 汪运星 周严伟 陈延中 郭祚界 朱全平 欧阳代俊 刘 洪)

长江水利委员会三峡工程监理工作

(一)监理工程项目及监理机构

1999年，水利部长江水利委员会(以下简称长江委)监理中心承担的监理项目有：三峡二期泄洪坝段及左厂11#～14#坝段土建与金结安装；▽79m混凝土生产系统、▽90m混凝土生产系统、▽98.7m混凝土生产系统以及塔(顶)带机和供料线系统等工程施工设备安装与运行；泄洪坝段及左厂11#～14#坝段金属结构设备监造；茅坪溪土石坝第一标段等右岸工程；右岸地下厂房进水口开挖工程等5个合同工程。

根据合同特点和业主项目管理要求，长江委三峡工程监理部设置大坝工程监理处、施工企业与交通工程监理处、金结与机电安装工程监理处、右岸工程监理处、工程设备监理处、金结设备制造监理处等6个项目监理处和综合技术处、工程检验与测量监理处以及办公室等3个职能处(室)。

1999年，长江委监理部在岗人员232名，其中高级职称人员占37.1%，中级职称人员占39%。获监理工程师资格人员占61%。监理人员的专业构成涉及工程经济、合同管理、进度计划、水工建筑、港口建筑、岩土工程、混凝土工程、道路与桥梁工程、导流工程、给排水工程、施工供电、施工企业、工程地质、工程测量、建筑材料、土工、金属结构、焊接、水力机械、电机工程、电气自动化工程、机械、热处理、计算机、文秘与档案管理、英语翻译、财务会计等所需要的各种工程和管理技术专业。

(二)监理机构的质量体系

长江委监理中心于1998年12月通过国家ISO9001质量认证。长江委监理部在执行长江委工程监理质量保证体系的同时，结合承监工程项目特点和业主单位要求，随二期工程监理进展编发了各级监理处(室)职责和目标管理暂行办法、三峡二期工程混凝土单元工程质量检验及等级评定的补充规定等39份质量作业程序文件，进一步补充和完善监理质量保证体系所需要的配套操作文件，强化质量控制力度。1999年10月，长江委监理部通过ISO9001质量体系复审。

长江委监理部对监理处(室)实行目标责任管理；对监理人员管理采用"竞争、激励、约束、淘汰"机制，和"岗位培训、考核定级、分级授权、责任追究"制度。对工程质量控制实行"主动控制为主、被动控制为辅"，以及承建单位"三级检验"和监理机构平行检测的双向控制制度；对施工现场质量控制实行以"单元工程为基础、施工工序为环节、管理点旁站、全过程跟踪"的跟踪、巡检和独立检验制度，不断推进质量保证体系的落实。

监理部还建立监理部领导、监理处联合值班制度。大坝工程监理处在施工现场设立泄1、泄2和左厂三个现场监理站，对大坝混凝土浇筑实行24小时跟踪监理，并对重点和难点部位实行旁站监理，及时发现问题解决问题。

在强化和完善监理自身质量保证体系的同时，监理部还加强对承建单位质量责任机制的管理，强化对承建单位质量检测机构的检查和质量体系合同认证，建立对施工质检员培训、考核、合同资质认证和挂牌上岗制度，强化以单元工程为基础、以施工工序为环节的三级质量检验制度。

(三)施工质量控制

1.开工前的施工质量预控

(1)设计文件审查与设计交底

设计文件是质量控制的基础，对合同管理也有重要影响。长江委监理部设置专职设计技术监理工程师，做好每份设计图纸和设计技术要求的审查。当设计文件与招标设计发生重大变更时，及时会商业主和设计研究处理。

1999年，监理部审签主体工程图纸165套(698张)，设计技术要求231份；为促使承建单位进一步了解和明确设计意图与设计要求，监理部组织召开各种设计交底会30次，每次会议都形成会议纪要。

(2)施工组织设计与施工措施计划审批

每项工程项目开工前，施工单位报送的施工措施计划，特别是施工布置、施工方案、施工工艺、施工特征、施工进度计划和安全质量保证措施，长江委监理部都要认真审查。1999年，监理部审查主体工程施工承包单位组织设计20份，施工方案6份，技术措施39份。

(3)施工质量保证体系的合同认证

1998～1999 年,长江委监理部开展对承建单位质量保证体系及其检测试验和测量机构每年一次的合同认证。监理部在督促承建单位健全和完善质量控制体系的同时,协助承建单位举办 4 期施工质检员培训班,在通过业务考试和资格审查的基础上,分 3 批对 414 名施工质检员终检、复检资格认证。

(4)施工准备检查与生产试验

为促使工程施工的顺利进展,每个分部、分项工程开工前,都必须经监理机构进行施工准备检查。长江委监理部确定的施工准备检查主要包括:设计和施工措施计划交底,主要施工设备和机械到位,质量与安全措施落实,材料和拌制的混凝土合格,劳动组合安排到位,以及辅助生产设施就绪等内容。

对必须进行现场生产试验以确定施工工艺、配合比或混凝土拌制投料程序等项,均事先安排进行生产试验并经监理认证合格。随着施工进展,主体工程先后进行浇筑层面结合、混凝土拌和投料程序、冷却水管以塑代钢、钢筋冷挤压连接、碾压混凝土配合比优化及施工工艺等一系列的现场生产试验,对保证施工质量收得较好效果。

2.施工过程质量控制

(1)严格施工开仓程序

长江委监理部要求各二级监理机构严格按质量标准和检测办法进行量比、标准化控制,监理站(组)加强对浇筑仓准备工作检查,实行浇筑设备及其配套不到位不开仓、施工技术措施未交底不开仓、前道工序不合格不开仓、灌浆和冷却系统及预埋不合格不开仓、施工质检员不到不开仓、浇筑环境不良不开仓等制度。使单元工程一次报验合格率达到 94%,质量得到保证。

(2)现场检查与监督

施工过程中,监理工程师坚持以单元工程为基础、以施工工序控制为重点,坚持管理点旁站、全过程跟踪,切实履行自身职责。

1999 年,三峡大坝工程全面进入坝体基础部位混凝土浇筑。其中,5～10 月开仓浇筑的坝体约束区混凝土量超过 120 万 m^3,混凝土浇筑温度控制与防止裂缝发生成为确保坝体施工质量的重要环节,长江委监理部在抓紧混凝土生产和浇筑手段形成与完善的同时,根据业主要求,增加现场监理力量,建立温控小组,进一步加强从混凝土拌和生产、运输到入仓浇筑全过程的混凝土温度控制和检查力度,监理人员在拌和楼出机口和仓面每 2 小时量测混凝土,同时督促承建单位采取一系列温控措施,满足浇筑温度不超过 12～14℃的控制要求。

(3)质量记录

长江委监理部制定现场监理记录的统一表式,并通过每月一次的监理部工程信息管理网进行定期检查和监理部综合技术处的经常性检查,强化监理现场记录制度。

监理部设置专职影像摄录员岗位,每个监理处(站、组)配置照相机,用照片和摄像及时记录工程进展、施工过程与发生的质量缺陷。监理部要求各监理机构在完善自身现场监理记录的同时,督促承建单位做好施工记录。为避免引发合同纠纷,对于隐蔽工程要求承建单位详细记录施工过程和质量检查情况,并在必要时摄影或取原状样品保存。

3.工程质量检验

(1)工程(工序)质量检验和质量等级评定

长江委监理部随工程施工进展并结合质量控制要求,不断补充、完善、制定百余种用于工程质量检验的标准化、量化表格表式。施工过程中,监理工程师督促工程承建单位按照标准化表格表式要求,填写初检、复检、终检三级检验成果。另要求施工作业班组之间加强互检和交接班检查制度。一般单元工程(工序)检验和质量等级评定,在承建单位质检部门三级自检合格的基础上,报监理工程师检查确认签证。属于重要部位的隐蔽工程、关键部位和关键工序和单元工程,在承建单位三级自检合格的基础上由监理组织各方代表共同检查评定。

至 1999 年末,Ⅰ&ⅡB 标完成单元工程质量检验 5213 个,一次报验合格率 94%,优良率 76.3%。

(2)监理机构的独立检验与测量

监理部按建设监理合同文件规定和业主要求,建立独立的工程质量检验与工程测量机构,对工程质量实行承建单位自检和监理机构抽检双向控制。

监理试验室配置 21 名检测监理人员,对拌和系统实行每班每仓配料单审签,加强对施工过程中使用材料、混凝土配合比,塌落度、含气量、出机口温度,试件强度等物理力学性能,按承建单位检验数量的 10～15%取样和性能检验。夏季对混凝土出机口温度进行跟踪控制坚持 2 小时检测一次。

1999 年,监理独立抽验混凝土物理力学性能 16563 次。监理测量人员进行现场测量 224 次,校测总点数 10762 点,审核地形图、断面图 1172 张,审核其他测量资料 2053 份。

(四)进度控制及施工进展

1.进度控制

1999 年,三峡二期厂坝工程施工重点从基坑开挖向混凝土生产与浇筑手段形成并完善以及坝体基础混凝土开始浇筑转移。长江委承监的泄洪坝段及左岸厂房 11# ～14# 坝段工程,尤其是泄洪坝深槽部位是直接影响三峡二期 2002 年三期截流和 2003 年首期发电的关键部位。为了加强对工程进度的控制,采用 P_3 软件编制分年分项施工进度计划,并采用关键线路、网络分析、阶段目标、形象进度、反馈调整等控制措施。每月都对此部位进度计划通过进度控制工作网络小组协调和进行动态跟踪管理。

1999年监理部召开主体工程进度协调会150次;审批进度计划81份;编制进度控制计划3份;发出监理进度控制文件4份。

2.1999年施工进展

1999年长江委承监的6台塔(顶)带机,分别于1999年8月和11月全部安装完成全部实现由临时供料线向永久供料线的转换。1999年整个高温季节,完成130万 m^3 基础部位温控混凝土浇筑,满足设计浇筑温度要求的合格率达55%以上。至1999年底,泄洪坝迎水面浇至47.5~90.0m高程,左厂坝段迎水面浇至45~75m高程。年度累计浇筑坝体混凝土226.4万 m^3,超额完成220万 m^3 坝体混凝土浇筑的年计划目标。

(牟 慧)

混凝土浇筑设备安装与运行监理

1999年,长江水利委员会(以下简称长江委)三峡工程建设监理部承担三峡工程6台塔(顶)带机及相应6条供料线和3个混凝土拌和系统(▽79m、▽90m、▽98.7m)的6座拌和楼和配套的制冷系统的安装、运行监理任务。另外还有▽79m系统场外骨料供料线的运行监理。

6台塔(顶)带机,编号TB1#~TB6#。其中TB1#~TB4#布置在泄洪坝段,TB5#、TB6#布置在左厂坝段。TB1#~TB4#为美国ROTEC公司生产制造,TB5#、TB6#为法国POTAIN与日本三菱公司联合生产制造。6条供料线的设备皆由ROTEC公司供应。塔(顶)带机及供料线主要技术参数如表1、表2。

表1 供料线主要技术参数

名称	计量皮带			运输线			布料皮带		
	带长(m)/条	带宽(mm)	带速(m/s)	带长(m)/条	带宽(mm)	带速(m/s)	带长(m)	带宽(mm)	带速(m/s)
▽79m	244/4	1200	1.0~2.8	TB1# 318/2 TB2# 525/3 TB3# 581/3	762	4	100	760	4
▽90m	96/5	1200	1.0~2.8	TB4# 631/3 TB5# 596/3	762	4	100	760	4
▽120m	57/3	1200	1.0~2.8	TB6# 753/4	762	4	100	760	4
合计	397			3404					

注:带长为投影长度,布料皮带俯倾角±25~30°。

表2 塔(顶)带机主要技术参数

规格型号	最大工作幅度		塔机工况		备 注
	塔机(m)	带机(m)	起重量(t)/幅度(m)	起重量(t)/幅度(m)	
TC2400 (TB1#~TB4#)	80	100	60/40	30/80	塔柱为园筒式内径3.5m
POTAIN (TB5#~TB6#)	80	100	60/32	22.8/80	塔柱为桁架式

6台塔(顶)带机分别于1998年12月21日~1999年8月4日先后投入生产,6条供料线分别于1999年8月24日~1999年11月17日先后投入运行。塔(顶)带机投入运行后,经试验和适当调整特大石用量后,可浇筑最大骨料直径150mm的四级配混凝土。1999年累计浇筑各种级配混凝土147.3万 m^3,最高单机月产量达5万 m^3,最高日产量 $3270m^3$,基本达到设计产量目标。各台塔(顶)带机、供料线的投产时间及生产量情况如表3。

表 3　塔(顶)带机、供料线的投产时间及生产量情况汇总表

编号	塔(顶)带机		永久供料线		累计生产量(m³)	最高日产量(m³)	最高月产量(m³)	备注
	安装时间	投产时间	安装时间	投产时间				
1#	1998.10.6~1999.12.17	1998.12.21	1999.3~1999.6	1999.8.24	275291.8	2290	37445	1999.10
2#	1999.1.11~1999.3.20	1999.3.25	1999.2.21~1999.9.3	1999.10.17	291628.5	2386	42826	1999.8
3#	1999.3.3~1999.5.9	1999.5.19	1999.2.21~1999.10	1999.10.15	301516.4	2187	47485	1999.8
4#	1999.4.19~1999.7.30	1999.8.24	1999.3.7~1999.11.9	1999.11.17	146145	3270	41005.5	1999.11
5#	1999.1.28~1999.4.24	1999.5.19	1999.3.7~1999.11.9	1999.11.12	214030.7	2004	41964.5	1999.8
6#	1999.1.17~1999.6.5	1999.6.14	1999.3.4~1999.9.20	1999.9.21	244437.5	2943	50250	1999.12
合　计					1473148.9			

注:安装时间均不包括基础土建工程;累计生产量含临时供料线。

3 个混凝土生产系统(▽79m、▽90m、▽98.7m)6 座拌和楼拌制的混凝土主要供应泄洪坝段、左厂坝段(11# ~14# 坝段)和永久船闸等。1999 年累计拌制混凝土 328.1 万 m³,占全年二期工程混凝土完成量 458.5 万 m³ 的 72%。3 个混凝土生产系统拌和楼安装、投产时间及 1999 年生产情况如表 4。

表 4　三大混凝土生产系统拌和楼安装、投产时间及 1999 年生产情况汇总表

系统高程(m)	拌和楼规格型号	生产厂家	投产时间	1999 年累计生产量(m³)	最高月产量(m³)	备　注
▽79	HL360-4F4500	郑州水工厂	1998.12.3	1395376.3	96686	简称 4×4.5
	CIFA　T-4496	意大利	1999.3.22		88591.5	简称 4×4.5
▽90	HL240-4F3000LB	郑州水工厂	1998.9.30	964524	87859	简称 4×3
	JOHNSON4×6 VCM4×6m³	美国江森公司	1999.6.15		59032	简称 4×6
▽98.7	IHI2/4.5	日本	1995.10	921158	90404	简称 2×4.5
	HL2400 4F3000LB	郑州水工厂	1995.11		77751	简称 4×3
合　计				3281053.3		

1999 要完成年计划 448 万 m³ 混凝土的浇筑任务,设备是关键,但用于混凝土拌和、运检和浇筑的设备又多为进口设备,安装和运行经验都不足。长江委监理部内外调配 30 余人,组建长江委三峡工程建设监理部设备监理处,负责这些设备从商检、安装和运行的监理工作。经过一年的努力,6 台塔(顶)带机树立于坝块中

央,6条供料线卧于大坝上下侧,3个系统的拌和楼座落在大坝上下游。这些设备对完成1999年的生产计划发挥巨大作用。

(许春云)

中南勘测设计研究院监理概况

(一)主要监理工程项目

1999年中南勘测设计研究院(以下简称中南院)监理中心承担永久船闸监理合同项目12项,其他合同项目10项,合同总金额347440万元,主要监理合同项目情况见表1。

表1 主要监理合同项目一览表

项目名称	合同金额(万元)	施工单位	开工日期
永久船闸二期工程第一标段	91978	武警水电部队	1996.4.8
永久船闸二期工程第二标段	56432	武警水电部队	1996.4.8
永久船闸二期工程第二标段(S)	63819	三七八联营总公司	1998.8.31
永久船闸二期工程第三标段	20153	三联总公司	1996.3.31
永久船闸二期工程第四标段	18820	三联总公司	1996.3.31
▽98.7m拌和系统运行管理	15611	三七八联营总公司	1998.7.1
永久船闸金属结构设备制造第一标段	15154	武昌造船厂	1998.8.28
永久船闸金属结构设备制造第二标段	15238	江南造船厂	1999.8.25
永久船闸金属结构设备制造第三标段	5443	夹江水工厂	1999.7.1
永久船闸金属结构设备制造第四标段	30766	葛洲坝集团公司	1998.8.25
永久船闸金属结构设备制造第五标段	6015	水电八局	1998.8.30
永久船闸金属结构设备制造第六标段	13139	武昌造船厂	尚未开工

(二)主要监理措施和效果

1.进度控制

进度控制采用宏观与微观、静态与动态相结合的方式。通过进度计划的编制、审核、施工中监督检查,发现偏离后进行计划分析调整,如此循环进行。

严格审查计划,保证计划编制合理,全年审批计划55份,根据计划狠抓现场落实,将年度计划分解到季,再分解到月,并将每月工作量细排到周,每周协调例会对照计划逐日逐仓予以落实;监督现场资源投入,逐日逐仓收集统计设备投入情况和劳动力投入情况,对设备故障率、空置率进行统计分析,对每一仓备仓的劳动力安排情况进行监督、干预,要求备仓工作必须均衡安排;控制重点部位形象,对非重点部位的锚固施工,如果施工单位的资源不能保证重点部位的投入,则要求无条件停下以保证重点部位,采用对非重点部位的生产不验收,拒绝支付等强制性手段。

通过采取以上措施,永久船闸主体段开挖按合同工期完成;锚固开挖交面工作按协议工期完成;混凝土施工完成年度计划。

2.质量控制

监理以单元工程和工序过程为基础,对工程质量进行全过程、全面的监理,主要方法概括为"三三制",即三阶段控制、三检制控制和三层次控制。

"三阶段控制"是指预控、程控和终控。预控是事先主动控制,包括对设计图纸、文件签发前的审核,对施工单位施工组织设计、质保体系、试验资质、检测手段及分包、合作单位资格审查等;程控是施工过程中的质量控制,主要采用现场旁站、巡视、平行检验、抽样试验等跟踪监理方式,加强现场的质量检查和监督;终控是对单项合同在竣工验收之前进行全面的资料查阅和现场检查工作,并作出质量评定。

"三检制控制"即督促施工单位按规定建立健全的初、复、终检制,各工序的检查签证单均在三级质检人员签字后,监理再进行检查签证。

"三层次控制"主要指合同项目竣工验收时视组织、参与验收单位及人员不同而分为三个验收层次:隐蔽工程及分部分项工程验收、阶段验收及单位工程验收、主要工程阶段及竣工验收。

质量控制的重点工作:严格审查施工单位上报的施工组织设计和质量保证体系;现场监督施工单位的每道操作工序,严禁不规范或违章施工;认真落实以单元工程和工序过程为基础,对工程质量实行程序化、量化全过程全面的控制,对关键部位和重要工序实行旁站监理,严格把好质量签证关;组织质量缺陷剖析,查明原因,制定预防措施,并及时采取补救措施;实行质量否决权,对施工质量不合格的工程量不予结报,并进行停工、返工处理;监理配备现场试验室,根据需要独立进行抽检抽验。

1999年监理质量控制工作见表2。

表 2　质量控制统计表

项目名称	单位	数量
爆破检查签证	份	789
基础验收签证	份	589
混凝土开仓签证	份	2169
预应力锚索检查签证	份	7077
锚杆检查签证	份	576
原材料抽检	次	168
混凝土抽检	次	758
回填碾压抽签	次	3
签发与质量有关文件	件	798
审批施工组织设计	件	277
签发停工、返工指令	次	19

各标段质量评定统计如下：

(1)开挖

除局部欠挖外，爆破开挖总体成型较好，设计界面开挖平整，半孔率80%以上，爆破安全质点振动速度、岩体松驰厚度、边坡变形等均控制在设计要求范围内。

(2)锚固施工

全年预应力锚束评定1641束，全部合格，优良1290束，优良率78.61%；检查验收665个边坡喷锚支护单元，合格率100%，优良单元438个，优良率65.86%。

(3)混凝土浇筑

监理抽检的试验检测资料表明：混凝土原材料除人工砂含水率的合格率偏低外，粉煤灰、水泥质量合格；出机口混凝土拌和物坍落度及含气量合格率均在90%以上，质量控制较好；混凝土强度保证率符合三峡工程质量标准；地面工程的单元工程质量评定优良率87.8%，地下工程单元工程质量评定优良率48.9%。

3.造价控制

(1)工程量计量支付

工程量计量支付是造价控制的主要环节，支付控制以准确计量为基础，每月根据现场监理工程师审核的施工承包单位申报的结算工程量，对工程费用进行审核，严格控制工程费用的不合理支付或超前支付。

(2)合同变更控制

1999年审核处理各施工承包单位的合同变更265项，涉及变更金额113805万元，通过监理审核处理，核减合同变更价款51790万元，占申报金额的45.5%。

(3)索赔控制

1999年处理武警水电部队、三联总公司、三七八联营总公司等施工单位提出的索赔申请报告24项，涉及金额489万元。监理认真核实索赔依据，采取正确计算方法，公正处理，经过逐项审核、落实核减为10.25万元，既维护合同双方的合法权益，又对减少工程投资起到相应作用。

(4)造价控制成效

1999年各施工承包单位申报支付工程价款，包括月计量支付、合同变更、索赔、价差支付等总计129527.46万元，经监理审核，实付价款115332.42万元，核减14195.04万元，占申报价款的10.96%。

(三)监理投入及存在问题

中南院监理中心机构设置实行“三级管理，组为基础”的原则。总监理工程师全面负责，下设8个监理部，36个项目监理组。

1999年在场监理人员高峰人数217人，共完成200人年，合同到位率118.34%。大专以上学历人员155人，占71.4%；中级技术职称以上人员120人，占55.3%。

根据监理工作需要，1999年投入设备380台套，详见表3。

表 3　投入设备统计表

名　　称	单位	数量	备　　注
微机	台	24	
交通工具(汽车)	台	8	
办公设施	台	26	
影视设备	台	87	
通信设备	台	75	
测量仪器	台套	3	
试验设备	台套	67	自建独立试验室
空调器	台	90	

1999年永久船闸地下工程施工质量存在一些缺陷，有的已构成质量事故，如中1竖井跑模，北1隧洞延长段施工缝面渗水，反映出部分监理人员责任心和业务素质有待提高，也反映出监理细则不够具体，适应现场的操作性应进一步细化。

(李振明)

永久船闸开挖锚固支护质量控制

(一)永久船闸开挖爆破工程施工质量

1.爆破质量控制措施

永久船闸工程高边坡、高直立墙开挖爆破成型是

关系到永久船闸工程施工成败的第一个关键性工程。为确保开挖爆破的施工质量,监理采取的主要措施是:

(1)配备3名具有丰富实践经验的爆破专业监理工程师,负责永久船闸槽挖爆破的监理工作。

(2)积极参与施工单位根据招标文件规定的永久船闸槽挖爆破试验,以获得最优的钻爆、装药参数,并由监理审批爆破试验报告。

(3)在地质专业监理工程师配合下,审查施工单位报送的爆破设计。在督促施工单位实行自检签证制度的同时,监理对装药联网等关键工序实行旁站监理。

(4)对井槽开挖实行爆破振动跟踪监测,通过监测信息反馈,及时调整爆破参数,指导施工。同时加强爆后检查,实行爆破界面单元工程质量评定。

(5)在槽挖实际施工中,从第二梯段开始,爆破网络普遍采用孔间微差非电爆破网络。

2.开挖爆破质量

闸槽直立坡保护层爆破成形好,设计界面开挖平整;爆破安全质点振动速度控制在设计要求的10cm/s以内;利用声波法测得160m以下岩体松弛厚度在0.2~3.8m之间,一般在2.0m以下;根据变形监测资料,边坡上部全强风化岩体总变形约在60mm以内;下部微新岩体从▽170m开挖至▽92.0m时,总变形约在20mm以内,控制在设计要求的范围内。

地下输水隧洞闸室段开挖,底板及边墙开挖成形较好,残孔率在80%以上。竖井开挖壁面平整,成形好。

(二)锚固工程施工质量

锚固支护工程包括预应力锚索和高强结构锚杆、锁口系统锚杆,是保证永久船闸高边坡岩体稳定的重要措施。

中南勘测设计研究院(以下简称中南院)监理加强现场施工监督力度,增加锚固支护监理人员,数量配备达18人。在总结施工前的岩锚试验成果和一期锚索施工经验基础上,监理制定预应力锚索、高强结构锚杆和混凝土喷锚支护3个单元工程质量评定标准,3个监理实施细则,对锚固支护的施工质量实施规范化管理。

对锚固支护按工序作业进行全过程全面的控制。规定每一束锚索为一个单元工程,按造孔、编索、内锚段灌浆、垫座混凝土浇筑、张拉、张拉段灌浆等6道工序进行旁站监理和验收检查签证。对高强结构锚杆,也按作业工序实行旁站监理和检查签证,确保施工质量。

单元工程质量评定2358束锚索全部合格,优良1933束,优良率82.0%。

根据监测成果分析,"预应力锚索在加固高边坡稳定性作用较显著,导致埋设在其附近的锚杆应力计受压,最大受压170Mpa,岩体受压,有利于边坡稳定"。实测最大锚固力3468.3kN,最小2753.7kN。170m高程以下锚固力平均损失率3.95~6.88%。

从1999年7月22日起,设计要求随机抽检5%进行预应力锚索施工验收试验。从已完成的验收试验成果看,施工质量符合设计要求。

监理对高强结构锚杆、系统锚杆的质量控制,按材质检验、锚杆除锈、喷锌、涂漆封闭、造孔抽检、安装注浆等6道作业工序实行旁站监理和检查签证。经对18个高强结构锚杆单元工程质量评定,优良12个,优良率66.7%。经监理在各闸首闸室现场抽样高强结构锚杆、系统锚杆3500多根,进行现场拉拔力检测,除出现3根鞍山钢铁公司生产的高强锚杆在孔外脆断外,其余检测结果均符合设计要求。

(三)存在问题及纠正措施

1.开挖安全施工问题

永久船闸工程施工条件最艰苦,事故隐患最集中,安全施工问题最突出。由于在船闸开挖范围内,存在3组与船闸中心线交角小于30°的规模较大的NWW、EW、NW断裂以及NE-NNE缓倾角裂隙,在施工期内产生长度大于40m的断裂或张开裂隙48条,并发生28起大小塌方,累计塌方量9832.7m^3,其中N_2闸首塌方2656 m^3,给施工造成很大困难。参建各方对永久船闸工程的施工安全非常重视,加大安全设施投入,确保锚固工程重点;成立包括设计、地质、监理在内的不稳定块体处理小组,监督施工单位实施需紧急处理的不稳定块体;施工单位成立专业危岩清撬小组,及时清理直立坡上的浮石、危岩,以利安全。1999年治理直立边坡400 m^{3}以上的不稳定岩体297处,锚固工程基本完成,改变人见人危的施工环境,从根本上改善了永久船闸工程的施工安全条件。

2.预应力锚索存在的质量问题

预应力锚索在施工中存在的质量问题主要是:个别锚索穿索后因种种原因在孔内搁置时间超过标准导致钢绞线产生浮锈;端头锚索张拉后二期灌浆管在钢管处被挟制而堵塞;二期工程端头锚索1727束,采用二期灌浆管灌浆的177束,北三闸室北坡7束锚索墩头二期混凝土被边坡清理的滚石砸坏,以上问题都在施工过程中在监理的监督下得到纠正。

3.高强结构锚杆存在的质量问题

高强结构锚杆在施工过程中曾出现材质有微裂隙,作退货处理;在现场拉拔检测时先后有3根锚杆在孔外脆断,经参建各方共同商定,对未安装的锚杆做全长整体张拉检测,检测4623根,发现变形异常的233根,占5.04%;锚杆孔孔斜超标时有发生;北一闸室21根锚杆灌浆不密实,孔口有渗水现象,经研究,对其中9根锚杆重新钻孔安装,其余12根作灌浆补究处理。

(吕樟顺)

三峡永久船闸工程施工的监理与协调

永久船闸工程施工的主要特点有:战线长、工程量大、结构布置复杂、标段多、施工程序要求严。因此,永久船闸工程施工的现场协调任务重。

(一)现场施工组织与协调

现场施工组织与协调,是监理单位工作的重要内容。监理单位在组织协调工作中的主要任务是沟通、联结、调和、联合与监理工程项目建设直接有关的各方关系,使建设各方及其建设活动协调一致,以实现工程项目在实施阶段进度、质量、造价的预定目标。

中南勘测设计研究院(以下简称中南院)监理在现场施工的组织与协调的主要内容有:开挖爆破施工安全协调,立体交叉作业的组织协调,地面、地下工程之间的施工程序协调,开挖交面验收签证的组织协调,以及道路、交通、施工供水、排水、供电协调;还包括施工与设计、业主单位之间的技术供应、物质供应的协调等。

1.开挖爆破施工安全组织与协调

永久船闸有多个施工单位同时进行开挖爆破施工,因此最尖锐的矛盾是爆破飞石严重威胁相邻标段的施工人员生命和设施安全。中南院监理采取的监理措施:

制定以"三统一"为主要内容的《永久船闸二期工程爆破安全统一管理规定》,明确规定:爆破时间统一,爆破信号统一,爆破管理统一和执行"谁放炮、谁警戒"的原则;审查施工单位的爆破设计,控制爆破参数,并对装药联网实施旁站监理;因爆破飞石造成相邻标段施工设施毁坏的,监理及时到现场核实签证,协调赔偿;发生意外人员伤亡事故,监理积极参与事故调查,公正处理。

2.交叉施工作业的组织与协调

永久船闸地面、地下工程交叉施工作业多,如新增的2000多束随机锚索中有78束布置在中隔墩的6个竖井内,与直立边坡对穿;边坡锚索施工影响竖井开挖;中1竖井上部的F1050断层处理影响地下施工;地下工程北1、南6竖井口施工影响直立坡下地面工程闸室施工等等。针对这些交叉施工作业,监理坚持"安全第一,预防为主"的方针和本着锚固交面是永久船闸工程施工重点的原则进行处理,主要措施:

一般优先安排地面工程的锚固支护、断层处理或开挖清基施工;要求地面工程的施工单位必须做好施工组织措施设计,编制具体的量化到日的施工进度计划报监理审查批准。监理亦可充分利用地面工程暂时不施工的时段,安排地下工程施工,以争取时间;协调地面、地下工程的施工、停工、复工指令,一律以书面形式《现场工作联系单》为准,以防失误。

3.分流口开挖贯通的组织与协调

永久船闸地面工程有10个闸室的分流口与地下工程的5条分支洞要开挖贯通,且5个分支洞又是地下工程的交通要道。中南院监理对分流口的开挖贯通指定专人负责组织与协调。并明确规定:地面工程开挖至分流口30m范围后,武警水电部队必须每日以书面形式向监理和三联总公司报送爆破进度计划与桩号;临近分流口8m时,监理以书面形式通知地下工程施工单位三联总公司撤出施工人员和设备,确保分流口贯通时的施工安全。

4.地面、地下工程施工程序的组织与协调

施工招标文件规定:"明挖滞后竖井开挖1个梯段以上"。但实际施工条件是地面工程槽挖全面开始,地下工程竖井开挖提前1个梯段的条件尚未具备,为此地面工程受井槽施工程序制约,面临停工等待局面。针对这种情况,中南院监理提出加大竖井段水平保护层宽度到30m,地面工程采用窄槽与竖井同步并行开挖的建议,得到有关各方的认可,永久船闸工程施工得以顺利进行。

5.交通道路的组织与协调

永久船闸主体段进入保护层开挖阶段后,地面工程的交通全部切断,唯一的交通通道是地下输水系统的施工支洞。地面工程的出碴车、锚固支护施工的材料设备运输车、安装门塔机用吊车以及一、二闸首的混凝土运输车等,大量从地下工程施工支洞进出,严重影响输水系统的正常施工,引起地下工程施工单位的强烈不满,纠纷对立事件不断发生,相互关系十分紧张。面对这一矛盾,监理加强现场组织协调力度,实行日夜三班现场值班制度,重要事件及时报告业主。同时实行进出口车辆严格审批制度,未经监理批准进洞的车辆不得从施工支洞进出,从而缓解地下施工支洞交通紧张状况。

6.开挖交面的组织与协调

永久船闸地面工程二标段,开挖锚固工程由武警水电部队三峡工程指挥部施工,混凝土浇筑工程由三七八联营总公司承担施工。合同规定因开挖引起的混凝土超填量由开挖单位承担。为此开挖交面工作的难度较大,矛盾的焦点是:能否按目标工期交面;开挖的超欠挖工程量核定必须得到双方确认。

监理为做好开挖交面的组织与协调工作,主要采取以下措施:

(1)成立武警水电部队、三七八联营总公司和中南院监理组成的联合测量小组,并制定《永久船闸工作面移交联合测量实施细则》,由三方共同确认的开挖竣工测量成果作为工程量计算的依据;

(2)制定《永久船闸二标段工作面移交程序及实施细则》发送施工单位执行,开挖交面工作实现规范化、程序化;

(3)业主航建项目部与武警水电部队签定《永久船闸二期工程与交面赶工协议》,通过经济手段鼓励施工单位按期交面;

(4)监理对现场生产安排采取强制性措施予以干预,要求施工单位必须保证重点部位的锚固施工,否则监理有权不予检查验收,包括拒绝签证工程量的支付。

7.施工单位和业主单位的组织与协调

监理单位对施工单位和业主单位的组织与协调工作,以工程承包合同为依据,督促双方严格履行合同权利和义务。对业主单位的要求是:按合同规定保证技术供应、物质供应和提供有关施工设施、条件。监理在严格审查的基础上,如实反映、报送施工单位提出的因业主违背合同所引发的索赔要求以及施工单位需要解决的具体困难。

8.施工单位与设计单位的组织与协调

组织向施工单位进行设计交底,并及时反馈施工中出现的设计问题和技术供应问题;组织由设计、地质人员参加的"开挖现场工作组",及时处理现场的不稳定块体和地质缺陷;组织协调地质编录、基础验收工作;施工质量事故的处理。

(二)现场组织协调的方式及制度

建立健全由监理单位主持召开的建设各方协调会制度:如周二的永久船闸工程施工协调会;周一的各标段协调会;每日上午的半小时现场碰头会制度等,及时处理现场问题。并对周二协调会形成书面文件《施工协调会纪要》,作为各单位实施的依据。1999年形成各类协调会纪要106份,现场协调意见97份。

加强现场巡视和日常施工组织协调工作,1999年发出现场联系单1629份,取得较好效果。坚持"公正、独立、自主"原则,采取"平等、热情、冷静"的态度,区分"主次矛盾、轻重缓急",科学地、果断地处理问题,必要时采取经济手段,使各施工单位能较好的接受监理单位的协调意见,促进工程有序施工。

(吕樟顺)

西北勘测设计研究院三峡工程监理工作综述

(一)概况

1999年,西北勘测设计研究院(以下简称西北院)三峡建设监理中心继续履行三峡二期工程左非12#坝段至左岸10#机组厂房坝段标和左岸电站厂房标的建设监理任务,监理合同项目10项,其中左岸厂房坝段及电站厂房工程现场联合值班室、监理中心工地试验室及施工奖励协议等四项合同已完成,左岸厂房坝段标、左岸电站厂房标等6项主要工程仍在合同期内,2000年继续施工,监理工程项目全年完成投资7.48亿元,完成混凝土浇筑139.60万 m^3,土石方开挖17.1万 m^3,金属结构制造安装6539/5185 t。机电埋件安装3017 t,固结灌浆24939 m。

1999年西北院监理中心继续调整和充实组织机构,在原五部十一室基础上增设机电工程部,下设机电室和金属结构室,形成以项目管理与职能管理相结合并与业主管理职能相对应的组织形式。9月工地实验室建成投入运行,配备专职人员和设备,独立进行检测试验,加大监理现场监控力度,为完成监理任务提供组织保障。

西北院监理中心1999年末在岗人数159人,年平均人数137人,到位率102%,高、中、初级技术人员比例3:4:3,持有总监理工程师资格证书的4人,监理工程师资格证书的48人。在仪器设备等硬件资源配置方面,资产净值超过300万元,1999年主要增添精度0.5″(1+1PPm)的TC-2003徕卡全站仪、现场试验室配套设备、物探和检测仪器以及微机等办公设备,微机数量增至29台。

西北院监理中心认真贯彻执行"旁站监控、巡回检查、平行检测"的规定,1999年重新修订建设监理规划,对包括设计文件管理及施工图审核签发,"三控制两管理"等内容的11项监理标准化工作程序进行调整,修编32项监理工作实施细则,使监理工作作业指导文件和质量记录更趋完善,以上规划、细则总计80余万字,是西北院监理中心工作人员进行监理工作,保证工作质量的行为规范。

(二)监理工作

1.进度控制

西北院监理中心对进度控制的原则是:以合同为依据,采用网络分析技术,实行随机平衡动态管理方法,及时发现和解决制约工程施工进度的主要因素,合理调整资金、设备、材料及劳动力投入,确保关键线路畅通及阶段目标按期实现。1999年编制控制进度计划18份,发送进度控制指令及文函17份,审批施工单位进度计划52份,监理工程项目施工进度得到有效控制。

针对左岸厂房坝段因施工条件和前期工作滞后,导致1998年底混凝土浇筑量与总进度要求相差20万 m^3 的不利局面,西北院监理中心加大对混凝土浇筑强度的监控力度,采取有效措施,1999年完成混凝土浇筑

86.12 万 m^3,超额 10%完成年计划指标,初步扭转被动局面。

左岸电站厂房 1999 年完成混凝土浇筑 52.27 万 m^3,超额 16%完成年计划指标,工程形象除安Ⅲ和 6# 机组因开挖交面延期,致使形象略有滞后外,其它部位均达到或超过总进度计划要求。

2.质量控制

在质量控制过程中,西北院监理中心认真贯彻执行设计文件和技术条款的规定,监督和检查施工单位质量保证体系的运作和管理,重视施工技术方案、质量保证措施的审批和实施,规范施工过程检查、监测、试验和验收制度,加强现场管理,对施工质量进行全过程、全方位监督,对重要工程和关键部位,以单元工程为基础,实行旁站监控。基本实现施工过程中的事前控制、过程控制、终验控制以及施工单位三检和监理单位签证相结合的双控验收制度。

1999 年西北院监理的工程施工重点是混凝土浇筑,通过单元工程质量评定,1999 年左岸厂房坝段标浇筑大坝混凝土 951 个单元,全部合格,优良单元 782 个,优良率 82%。左岸电站厂房浇筑厂房混凝土 1641 个单元,全部合格,优良单元 1437 个,优良率 87%。在混凝土原材料质控检测中,骨料质量检测 1287 组,除粗骨料超逊径及砂料含水率偏离标准幅度的频率较大外,水泥、粉煤灰各抽检 19 组,外加剂抽检 38 组全部合格。混凝土生产拌和机口取样及现场抽检取样成型试验中,1999 年对混凝土抗压强度取样 978 组,经试验合格率 99.4%,抗冻试验取样 33 组,合格率 96.7%,抗渗试验取样 13 组,合格率 100%,混凝土抗压强度离差系数 CV 值小于标准规定值,保证率 P 均大于标准规定值,符合三峡工程质量标准规定,混凝土拌和物出机口温度及超温频率均达到规定,塌落度、含气量检测也符合规定要求。

混凝土浇筑温度控制因受施工、环境等因素制约,如运输、入仓、振捣、覆盖等,监理中实行旁站监控,规范检测内容、程序、方法和频率,加大现场协调力度,通过提高浇筑强度,缩短运输时间,防止气温倒灌等措施,经对数千次检测资料统计分析,混凝土入仓温度和浇筑温度的平均值达到设计要求,超温率月统计在 8%以下。混凝土浇筑结束后,重视通水冷却、覆盖和养护工作的监督和管理。

西北院监理中心 1999 年计发质量指令及文函 1030 件,其中文函 805 件,现场纠错通知单 212 件,停返工指令 13 件,无质量事故,质量控制工作成效显著。

3.造价控制

造价控制的主要工作是计量支付,合同变更管理,索赔处理,标外工程单价及造价审核控制等。施工合同无论是总价合同或单价合同,计量支付都是管理的关键点,随着工程进展及合同意识增强,合同变更和索赔事件也有较大幅度增加。

西北院监理中心要求监理工程师全面理解和熟练掌握承包合同文件,定期进行合同执行情况分析,按工程进度计划编制投资控制目标,逐月按工程形象和实际完成量核批支付工程价款。严格按业主授权处理合同变更。随时掌握可能引起索赔事件的因素和环节,及时组织协调,促使合同双方提高合同意识、履行合同,减少索赔事件发生。受理索赔申请后,根据施工实际情况,进行追踪调查,按索赔处理权限和程序,公正处理索赔。

1999 年各合同累计完成工程价款支付 7.48 亿元,核减施工单位申报 2.09 亿元,其中完成合同变更处理 145 项,核批变更支付 6869.41 万元,核减施工单位申报 2965.69 万元,受理索赔事件 98 件,核批索赔支付 1028.09万元,核减索赔申报 754.67 万元。未发生超前支付或投资失控现象。

4.信息管理

信息管理是监理工作标准化的主要内容之一,为配合三峡工程 TGPMS 系统的建立和提高西北院监理中心的工作质量,西北院监理中心开发出监理中心信息管理软件,建立包括图纸、资料、报表、文件、记录等内容的 13 个信息库,通过局域网的建立和投入运行,监理中心信息处理速度和工作质量大幅度提高。1999 年西北院监理中心荣获"三峡信息系统建设"一等奖和"三峡工程统计工作先进单位"称号。

(孙　瑜)

华东勘测设计研究院三峡工程建设监理工作

(一)概况

1999 年华东勘测设计研究院(以下简称华东院)负责监理的主要项目见表 1,各项目的进度明显不同。根据各建筑物功能、重要性和质量目标的差别,华东院监理中心抓住重点,全面安排,严格管理,加大投入,全面完成年度监理计划。

按照监理工作要求,华东院监理中心至 1999 年底在场监理人员 39 人,职称结构:教授级高工 5 人(13%),高级工程师 10 人(20%),工程师 14 人(36%),助工 5 人(13%),其他 12%。进场人员的专业构成,主要有水工、施工、地质、材料、试验、测量、合同管理等,其中水工施工专业人员占 62%,满足 1999 年度监理工作需要。

表1 主要合同项目表

工程项目	合同金额（万元）	承建单位	1999年底工程状态说明
临时船闸及升船机一期工程	34897.33	葛洲坝集团公司	现场施工已完成
临时船闸及升船机二期工程	49023.33	葛洲坝集团公司	继续施工
垂直升船机山体排水洞工程	407.67	葛洲坝集团公司	已决算完毕
通航建筑物下游引航道工程	42390.60	葛洲坝集团公司	现场施工已完成
永久船闸泄水箱涵出口围堰开挖工程	3814.45	葛洲坝集团公司	继续施工
通航建筑物上游隔流堤一期回填工程	24.11	葛洲坝集团公司	现场施工已完成
通航建筑物上游隔流堤一期回填0+000~1+000段工程	144.04	武警水电部队	现场施工已完成
通航建筑物上游隔流堤工程	7882.77	武警水电部队	继续施工

(二)质量控制

1999年华东院监理中心的重点监理项目是升船机上闸首混凝土浇筑施工。升船机所承受的荷载大，技术要求高，结构复杂，钢筋密集。1999年有的仓号钢筋用量达222t，最密集的仓号每立方米混凝土中所含钢筋重量高达407kg，施工困难。华东院监理中心把升船机混凝土质量控制，放在"重中之重"的位置，坚持"以单元工程为基础，以工序控制为重点"的全过程、全方位质量管理制度。在实施中，紧紧抓住两个方面：即确保监理单位自身质量管理体系的健全、高效运行，监督、帮助施工承包单位质量保证体系正常发挥作用。这两个方面相辅相成，其中监理的质量管理处在主导地位。

坚决实行24小时旁站监理与加强现场巡视监督相结合的管理方法，确保对施工现场有效监督，施工工艺水平波动和质量状态的发展、变化趋势及其原因，都能及时得到了解和掌握，为果断采取对策、措施创造条件。投入巡视、监督的人员，都选择素质好、责任心强、工作主动的专业监理工程师，以及监理部门负责人、总监等。全年升船机上闸首混凝土施工质量较好，进展顺利，蜂窝、麻面、跑模等"常见病"的发病率降到很低水平。在已评定的143个单元中，质量合格率100%，优良率81.8%。

华东院监理中心全年发出审批施工技术措施等监理文件209份，主持单元工程质量评定分析和质量问题专题会议24次，完成1871个单元质量评定。还完成日常监理检查签证4335次，发出停工令、返工令6次，较好的实现了质量控制目标。完成合同项目的竣工验收1个，经验收领导小组评定，工程质量为优。

(三)进度控制

升船机上闸首混凝土施工，受到三峡二期工程跨江缆机安装、混凝土垂直入仓的主力门机被抽调支援其他部位施工的影响，施工进度滞后。华东院监理中心根据实际情况动态调整计划。采用阶段性进度目标、月指标和周指标、形象进度及反馈调整等措施，使控制性年度计划，随实施结果而发展、调整。

在施工过程中，用现场巡视检查和每周一次协调例会相结合的方法，监督、检查进度计划和形象进度。对于一些紧急、复杂的问题，监理随时组织有关方面召开现场专题讨论会，及时有效的予以解决。1999年华东院监理中心主持召开专题会议和周协调例会61次，审批年、季、月进度计划61份，编制监理进度控制性计划14份，发出监理通知单、联系单36份。

(四)投资控制

华东院监理中心严格按照合同规定，依照程序化、规范化操作要求，在确保工程质量基础上，监理对工程计量进行严格复核，本着公平、公正的原则进行工程价款结算、合同变更及索赔的审核。1999年审核完成施工单位报送的工程价款结算额12205.81万元，处理变更与索赔文件79项，申报金额35833.82万元。经监理审核后，两部分共核减金额32404.44万元。在投资控制方面起到应有作用。

(五)信息管理

华东院监理中心重新修订"信息管理监理实施细则"等文件，加大信息管理力度，按照施工期监理信息来源进行分类，规定合理的信息流通程序，制定信息收集、传递、使用及储存规则，初步实现规范化管理，从而为施工质量管理、合同管理和进度控制，提供有力支持。

1999年华东院监理中心投入巨资，新增必要的计算机硬件设备及相应软件，全面实现计算机网络化管理。除了正在施工项目的重要信息必须录入TGPMS系统外，还专门抽调力量组成信息管理小组，有计划、有步骤地把工程质量和安全方面的历史资料，逐条、逐个录入 TGPMS 系统。

（六）施工安全监督

升船机上闸首混凝土施工现场，除了钢筋和预埋锚索管等密集、门机老旧故障频繁外，还由于浇筑仓面逐渐接近坝顶，上下交通和高空作业，使得潜在的不安全因素多。华东院监理中心认真贯彻、执行安全生产法规、规定，通过现场旁站监理和巡视检查，对安全教育和生产安全常抓不懈，监督施工单位消除隐患，及时制止和纠正可能产生安全问题的行为。1999 年华东院监理中心所监理的施工项目，没有发生死亡和重伤事故。

（曹正俊）

东北勘测设计研究院三峡建设监理工作

（一）概况

1999 年东北勘测设计研究院（以下简称东北院）三峡建设监理中心承担 2 个合同项目的施工监理任务：茅坪溪防护坝沥青混凝土心墙工程第一标段施工监理和右岸地下厂房进水口开挖工程施工监理。

东北院三峡建设监理中心采用总监理工程师总负责制，下设茅坪坝沥青混凝土心墙监理站、地下电站进水口开挖监理站、综合部、沥青混凝土试验室和专家咨询组等部门。1999 年折算进场人数 23 人，人员到位率 153%，其中高级职称 6 人，占 21.6%，中级职称 13 人，占 56.5%，中级以下职称 4 人，占 17.4%，监理人员中，取得监理工程师证书人数 11 人，占 47.8%，参加过监理培训人员数 8 人，占 34.8%。监理人员的专业配置和人数均满足年度监理工作需要。

（二）监理工作的开展和成效

1.进度控制

茅坪溪防护坝沥青混凝土心墙工程于 1997 年 12 月开工，至 1999 年底铺筑沥青混凝土 15347.8m^3，沥青玛蒂脂 61.955 m^3，防渗面积 1.2 万 m^2，完成一标工程量的 75%。其中 1999 年铺筑沥青混凝土 8470 m^3、沥青玛蒂脂 18.56 m^3，完成年计划的 100.2%。1999 年初由于两岸基座上升缓慢，混凝土防渗墙和坝壳填筑影响沥青混凝土心墙的上升，后期加强施工管理和协调，施工基本正常，沥青混凝土心墙高程达到 131.30 m。

地下电站进水口开挖工程于 1999 年 8 月 30 日开工，1999 年完成覆盖层开挖 22 万 m^3，全风化开挖 25 万 m^3，石方开挖 32 万 m^3，总计 79 万 m^3，占计划总量 94%。混凝土护坡及支护项目滞后约一个月，主要原因是钢筋图提供滞后和边坡整修未满足要求，但不影响合同工期。

2.质量控制

东北院三峡建设监理中心对工程施工质量实行“以单元工程为基础，以工序控制为手段，对工程质量进行程序化、量化全过程全面的控制”管理方式，按照事先指导、过程控制检查和施工单元验收三个环节，对施工全过程进行严格把关，有效地控制施工质量。沥青混凝土心墙工程项目自开工至 1999 年底完成 245 个单元，一检合格率 99.2%，合格率 100%，优良率 83.7%，其中 1999 年完成 110 个单元，一检合格率 99.1%，合格率 100%，优良率 80.9%。工程施工质量良好。

1999 年重点工作：

（1）落实监理岗位责任制，制定监理质量保证体系

明确总监理工程师对所监理的工程质量负总责，制定详细完整的监理工作规章制度和监理人员考核标准，明确执行部门及责任人、配合人、监督人等各级人员的权限及奖罚条件。

质量控制保证体系文件有：《质量控制实施细则》、《材料与试验监理工作实施细则》、《碾压沥青混凝土工程监理现场工作实施细则》、《建设监理工作条例》等。

（2）加强监理人员素质培训教育，提高全体监理人员对质量问题的认识

详细制定监理人员的学习计划和业务培训计划，对监理人员进行岗前培训，考核合格才能挂牌上岗。全年进行业务学习、业务培训 30 次，监理考核 2 次。

（3）检查督促施工单位落实施工质量责任制，制定施工质量保证体系

工程开工前施工单位必须向监理上报质量保证体系和岗位责任制，同时上报各岗位人员的培训情况和上岗证、施工单位资质证、施工单位试验室仪器和设备的检测证明单，经监理审查合格后工程才可正式开工。同时监理同施工单位共同制定各工序施工记录表和试验报表，切实做到施工质量谁施工谁负责，有案可备，有据可查。

（4）针对碾压沥青混凝土心墙工程特点，确定监理在单元工程质量方面控制的要点

碾压沥青混凝土心墙单元工程质量检验项目分原材料准备、沥青混合料制备、沥青混合料铺筑和沥青混凝土检测等四个方面。由此确定监理对单元工程质量控制的要点是：原材料质量控制；开仓（工）证控制；沥青混合料配料通知单控制；沥青混合料制备质量控制；沥青混合料铺筑质量控制；沥青混凝土心墙质量检测。

上述每一项里都有责任人、配合人、控制对象、控制地点和抽检要点等。

(5)制定符合工程实际需要的现场监理方式,严格实行监理施工质量检查签证制度

根据工程特点,现场监理采用“全员、全方位和全过程”的旁站监理方式。

监理人员在施工现场必须严格按东北院监理中心制定的《监理对单元工程质量控制程序图》中规定的程序控制工程质量,严格实行监理施工质量检查“三检”签证制度(即初检、复检和终检),层层把关,把质量事故或缺陷消灭在萌芽中。1999年进行单元工程质量检查验收签证380次,发出停工令、返工令与违规警告5次,审查签发设计图纸、设计文件、承包商施工方案、技术措施23份。

(6)实行严格的现场监理值班记录制度

详细制定现场监理值班记录制度,并对值班记录表和监理日志进行细化。

值班记录表由值班监理签字后交部门负责人审核签字才能归档,部门负责人每天必须向总监理工程师汇报当天施工情况,发现问题及时研究解决。总监理工程师还要定期对值班记录表进行检查。

(7)建立独立的监理试验室,加强监理独立检测能力,实行质量否决权

茅坪溪防护大坝碾压沥青混凝土心墙工程,技术含量高,试验项目和内容比常态混凝土多,试验检测分析工作量约占监理工作量的50%。因此,东北院监理中心拿出近百万元资金,购买国内外先进的试验设备,建立国内最先进的沥青混凝土现场试验室。监理试验室做抽检和平行试验1235次,对单元工程主要技术指标的抽检率近50%,其它次要指标抽检率40%。合格率100%。严格把住工程质量关。

(8)制定单元工程质量评定标准和评定程序

单元工程质量评定的依据是设计文件、施工规范、监理对单元工程质量抽检结果和施工单位上报的自身质量检测结果、现场监理值班记录、施工单位值班记录及施工单位和监理单位共同签字的“单元工程检查验收表”。

单元工程质量评定的程序是:施工单位自评(各级自评签字:施工队长、质检员和质安部负责人)、监理单位复核(监理工程师先评定,总监理工程师审核并签字),单元工程质量的最终评定结果以监理单位复核并由总监理工程师签字为准。

(9)制定质量事故和缺陷的处理程序

单元工程质量发生问题后,处理程序如下:

监理和施工单位先各自分析发生问题的原因,检查现场记录和试验数据;施工单位将问题分析报告报监理,由监理综合分析整理后报业主;由业主项目部招集,监理主持,施工单位和设计单位有关技术人员参加的问题分析会,分析产生质量问题的原因,初步确定处理措施,并上报业主。如果问题比较严重,还要由业主出面请国内知名专家一起进行研究分析,最终确定处理措施。最终处理措施由监理单位下发文件,施工单位执行,并报业主备案。

(三)组织协调

东北院三峡监理中心1999年组织召开各种监理协调会48次,编发监理协调会会议纪要23份。通过监理协调会使工程施工中的各种问题及时得到合理解决,促使工程施工顺利进行,同时避免合同纠纷。

(祁世京)

规 划 · 设 计

三峡枢纽工程设计

(一)单项技术设计

全面深入开展第八专题研究工作,根据有关专家审查意见,对工作大纲进行补充完善,并向中国三峡总公司汇报,提出葛洲坝下游近坝区域河床下切对航运影响及对策措施研究,具体提出六个可行方案进行比较分析,由中国三峡总公司技术委员会组织专家进行审议。

通航建筑物上游引航道隔流堤布置及输水系统进口布置方案研究,在技术设计审查确定通航建筑物采用全包方案并与二期工程同步实施的前提下,深入进行上游引航道泥沙水流条件的补充研究,落实模型试验条件及试验要求;完成隔流堤布置及结构研究;重新

研究输水系统进水口布置方案,补充模型试验,完成将原侧向进水布置优化成正向进水布置设计研究工作。

升船机单项技术设计工作,主要按计划在隔河岩升船机进行有关试验研究工作,深入开展升船机金属结构及机电设备的单项技术设计工作。

(二)招标设计

1999 年主要开展二期工程金属结构及机电设备制造、采购及安装工程招标设计工作,长江水利委员会(以下简称长江委)除完成招标设计报告并承担大部分项目的招标文件编制工作外,还投入大量专业技术力量,协助业主开展有关评标、合同技术谈判及设计联络工作,1999 年度进行的招标设计项目如下:GIS 国际采购招标;500kV 变压器国际采购招标;封闭母线采购招标;125t/125t 桥式起重机采购招标;1200t/1200t 桥式起重机采购招标;永久船闸、大坝、电站二期工程启闭机设备招标;水轮机调速系统、发电机励磁系统设备招标;左岸电站电梯采购招标;永久船闸金属结构及机电设备安装调试招标;左岸电站机电工程安装招标;通航建筑物上游隔流堤工程招标;永久船闸六闸首交通桥施工招标;地下电站进水口开挖工程招标。

(三)施工详图设计

1999 年二期厂坝及永久船闸全面进入混凝土施工阶段,与其相关的金属结构及机电设备也全面进入制造及采购阶段,因而需要完成的土建结构、金属结构、机电设备、安全监测等项目的施工详图设计量大。

1999 年的施工详图设计工作除满足本年度的施工进度要求外,还必须为 2000 年的混凝土施工高峰(计划浇筑 550 万 m^3)作好充分的技术准备。全年完成施工详图 6107 张,各种施工技术要求、技术文件、专题研究报告 978 份;长江委设计院工程设计讨论纪要 130 份。

(四)现场技术服务及设代工作

重视现场设代工作是长江委的优良传统,长江委领导及各专业技术负责人经常深入现场,1999 年主持召开现场技术讨论会 230 多次。长江委常驻工地技术人员 220 多名,高峰时达到 448 人。完成设计通知、工作联系单 680 份,完成二期围堰等工程的竣工验收设计报告。另外积极参加中国三峡总公司组织的招标、评标、设计协调、施工现场协调会等工作。

(五)施工重大技术问题研究

针对施工中出现的重大技术问题,及时组织以下课题的设计研究工作:

1.大坝 1999 年夏季浇筑基础约束区混凝土温度控制专题研究

二期大坝左非 12# ~泄 23# 坝段共有 169 坝块,截至 1999 年 4 月 15 日,未脱离约束区的有 134 块,未能实现《招标文件》要求在低温季节浇筑基础约束区混凝土的施工程序和质量控制要求。针对夏季浇筑基础约束区混凝土将超过最高温度控制标准,防止基础混凝土发生裂缝难度大,出现裂缝的可能性增加。长江委设计院 1999 年 5 月向中国三峡总公司提交《大坝 1999 年 5~9 月浇筑基础约束区混凝土温度控制专题研究报告》。研究的主要内容有:大坝温度控制标准、1999 年夏季浇筑主要部位、混凝土早期最高温度计算及混凝土徐变温度应力计算,并在此基础上提出混凝土施工温度控制措施。建议泄洪深槽坝段第三块于 9 月下旬开浇,以利防裂。

对皮带机运输预冷混凝土中的技术问题,前后花一年多时间,编制两个程序对比计算,在白天日照气温 30~33℃和生产率 $4m^3/min$ 情况下,计算出混凝土专用运输线运送预冷混凝土的温度回升率为 0.14~0.17,出机口 7℃混凝土,温度回升 3.6~4.4℃。与 1999 年 8 月上旬测温结果吻合。

2.左岸电站厂房 1# ~5# 机尾水管封闭块回填研究

1999 年年初根据施工现状,左岸电站厂房 1# ~5# 机尾水管封闭块回填时间可能满足不了设计提出的 11 月~次年 3 月进行回填的要求,对进度影响较大。应中国三峡总公司工程建设部要求,对左岸电站厂房 1# ~5# 机尾水管封闭块回填的高度和推迟封闭时间的混凝土温度和应力进行计算与研究,成果结论为:可将封闭块高程由 42m 降至 40.2m(即封闭块高度由 8m 降为 6.2m),封闭块时间可延至 5 月份回填完毕。

3.二期工程主要项目施工进度分析研究

1999 年 8 月,长江委向中国三峡总公司提交《三峡二期工程主要项目施工进度分析研究报告》,明确二期工程 6 年内需浇筑混凝土 1846 万 m^3。据 1999 年上半年施工完成情况,长江委设计院组织力量在现场对大坝、左岸电站厂房、永久船闸、右岸工程等二期工程的主要施工项目,分标段采用 P3 进度软件进行进度分析;对大坝塔带机、门塔机和缆机组合施工方案,采用自行开发的计算机仿真程序,按浇筑仓进行仿真计算得出浇筑强度并与 P3 软件对比研究;对 2003 年通航发电总目标进行全面检查与分析。提出大坝工程的塔带机及供料线运行管理和泄洪坝段纵缝并缝、电站▽82m 栈桥推迟和机组埋件供应、永久船闸交面时间、混凝土供应、多工种交叉作业等主要问题,针对上述问题提出具体建议。有些问题尚需另列专题研究。

4.二期工程砂石料平衡与供应分析研究

1999 年混凝土浇筑强度为 448 万 m^3 左右,大大超过古比雪夫工程年高峰浇筑 313 万 m^3 的世界纪录。2000 年混凝土浇筑强度将达 550 万 m^3。

二期工程混凝土砂石骨料的生产与供应,细骨料为大坝左岸下游 12km 处的下岸溪人工砂加工系统;粗骨料为大坝下游古树岭人工碎石加工系统，利用大坝基坑和永久船闸开挖料，开挖料堆存于陈家冲利用料场，截至1999年2月实测堆存量1300万 m^3，外加二期主体工程少量剩余开挖料，只能加工混凝土粗骨料1260万 m^3，而1999年3月～2003年12月混凝土粗骨料需要量1910 m^3，利用料已不能满足混凝土粗骨料加工要求。加之二期工程施工进度和强度已发生较大变化，粗细骨料两系统原设计规模难以满足混凝土浇筑高峰对砂石料的高强度要求。为此，长江委结合二期工程砂石料的供应情况，对两个砂石系统进行调研分析，并对二期工程砂石料生产和供应进行总平衡分析，为工程建设各方决策提供参考意见。

（六）其它重要专题研究及优化设计工作

根据施工现状及设计进展情况，1999年度完成或开展了10多项专题设计研究工作：三峡枢纽建筑规划补充专题报告；左岸电站厂房网架及屋面结构研究报告；右岸地下电站总体布置补充专题报告；右岸地下电站进水口预建方案专题报告；三峡初期抬高运行起始水位专题报告；三峡枢纽增加汛期调峰容量专题报告；升船机上闸首交通桥专题设计报告；三峡电站水轮机蜗壳充水加压方案专题报告；三峡电站7#～14#机压力钢管伸缩节型式专题研究；三峡枢纽施工期翻坝转运方案专题研究；三峡枢纽施工期风险分析专题报告；三峡机组振动专题报告。

在施工详图设计阶段，根据施工中揭示的具体技术条件，在保证工程的功能和安全要求前提下，通过应用新技术、新材料、新工艺等，积极推行优化设计工作，先后完成左导墙结构优化、大坝基础灌浆工程优化、永久船闸输水系统进水口布置方案优化、永久船闸混合式闸首及闸室墙结构优化等工作，节约工程投资，降低工程施工难度，为保证工程建设的总体进度创造有利条件。

（龚国文）

三峡工程坝基岩体固结灌浆现场动态优化设计

（一）固结灌浆设计基本情况

三峡坝基优良级岩体（A、B级）约占大坝建基面积的98%，一般均能满足建筑物对基础的要求。但由于坝基开挖，卸荷及爆破作用，使浅层基岩受到损伤；局部断层、裂隙、弱风化槽等地质缺陷的存在，影响了建基岩体的完整性和均匀程度；挡水建筑物前沿及建基岩体浅层抗渗性需要加强。因此有必要对三峡主体建筑物基础进行固结灌浆加固处理，为大坝提供必要的安全储备。

经过应力分析、渗流计算及地质条件分析，施工详图阶段确定大坝基础固结灌浆范围为：坝踵及坝趾各1/4坝基宽度；重点加固地质缺陷部位，防渗帷幕挡水前沿；坝基轮廓突变易造成应力集中的部位等。根据现场灌浆试验成果，一般部位孔深5～6m，地质缺陷部位加深到8～10m，孔排距一般2.5×2.5m；主帷幕前两排分别加深到10m和20m，封闭帷幕前一排加深到10m，帷幕前深固结孔的孔排距2m×2m；梅花型布孔。为增加缓倾角裂隙发育部位基础抗滑稳定的安全裕度，对左厂1#～5#坝段基础范围进行全面固结灌浆，孔深8m。三峡工程主体建筑物基础固结灌浆总工程量36.2万m。

固结灌浆一般要求在有混凝土盖重条件下，分两序钻灌。灌浆材料采用湿磨细水泥浆材。固结灌浆压力为：Ⅰ序孔0.3～0.4 MP_a，Ⅱ序孔0.5～0.7 MP_a。固结灌浆的质量检查以灌后压水为主，灌前、灌后弹性波波速对比测试为辅。压水检查合格标准为 $\omega \leqslant 3Lu$，灌后弹性波纵波波速不小于4500m/s。

一期工程施工实践表明基础固结灌浆前：建基面绝大多数坝段基岩弹性波速在5000 m/s以上，2/3以上的孔段压水漏量小（$\omega \leqslant 3Lu$），灌浆单耗≤1kg/m的孔段成片集中分布，漏量大（$\omega \geqslant 10Lu$）的孔段仅占3%左右，且多集中在断裂构造发育带、开挖爆破和卸荷裂隙密集带部位，说明固结灌浆具有设计优化潜力。常规有盖重的钻灌施工方式，一般需占用直线工期1个月左右，造成大坝基础混凝土强约束区长间歇，对控制基础混凝土裂缝不利；灌浆造孔时易破坏混凝土冷却水管及监测仪器；而三峡二期工程固结灌浆工程量巨大，混凝土浇筑强度高，混凝土浇筑与固结灌浆间的矛盾十分突出。因此，在确保工程安全和质量的前提下，开展固结灌浆优化设计，减少固结灌浆工程量、调整灌浆工艺、施工条件和方法，以缓解或消除上述矛盾是必要的，也是可能的。

（二）现场优化设计

1.灌浆材料优化

三峡工程基岩微细裂隙发育，灌浆过程中易产生“失水回浓”现象。招标设计阶段根据现场灌浆试验成果及一期工程施工经验，确定二期基岩固结灌浆以湿磨细水泥浆材为主。

为简化制浆程序，根据国内灌浆专家建议并经现场生产性试验证明可行后，在二期施工高峰期间设计同意常规固结灌浆采用525#普通硅酸盐水泥浆材，兼作辅助帷幕的固结灌浆孔和微细裂隙发育，易发生“失水回浓”的部位仍采用湿磨水泥浆液灌注。制浆工艺简化，对加快工程进度起到一定作用。

2.灌浆施工方法优化

在现场灌浆试验和前期已有资料分析、研究的基础上,通过左厂4#坝段下块进行的找平混凝土封闭灌浆法生产性试验进一步论证,设计对采用找平混凝土封闭灌浆方法提出了相应的灌浆施工技术要求。此后这种施工方法在二期工程各坝段有条件的部位全面推广应用。避免大面积必须采用有盖重固结灌浆,造成基础灌层混凝土长间歇的不利影响。

左厂房1#~6#机组上游陡坡段的固结灌浆与基岩接触灌浆、电站厂房的基础混凝土施工矛盾突出,通过多方案比较,并经左厂4#机组段上游坡无盖重灌浆现场生产性试验,决定左厂1#~6#机组上游陡坡部位的固结灌浆采用无盖重方式施工,较好地解决了该部位突出的施工干扰和矛盾。

3.兼作辅助帷幕的固结灌浆孔孔位优化调整

兼作辅助帷幕的固结灌浆孔较深,需分2~4个灌浆段钻灌,而厂坝二期工程固结灌浆多利用混凝土浇筑上升的间歇期施工,一般灌浆施工工期只有7~10天。为节省工期,设计将其移至基础灌浆廊道内,留待后期在帷幕灌浆前采用斜孔方式钻灌。该项设计调整在保证灌浆效果的同时,对缩短灌浆工期、避免基础混凝土在强约束区的长间歇等方面发挥较好作用。

4.现场固结灌浆布置优化调整

在实际地质资料揭示岩体结构完整的部分坝段,通过分析Ⅰ序孔的压水、灌浆资料,取消部分坝块坝基上游基础防渗帷幕后至下游封闭帷幕前的固结灌浆Ⅱ序孔。

1999年发送现场优化设计通知(含附图)20份、优化设计施工详图2张,节省固结灌浆钻孔23517m,灌浆14934m。有力地配合了混凝土浇筑施工,取得明显的工期和经济效益。

左岸电站厂房1#~5#机组副厂房基础,原设计未作固结灌浆处理。该部位为厂坝下游钢管槽陡直立坡面,受开挖爆破和卸荷影响,岩体破碎,裂隙发育,且明显张开。为满足结构要求,对左岸电站1#~5#机组副厂房下的钢管槽边墩增加固结灌浆加固处理,固结灌浆加固处理深度最大20m。

5.地质缺陷处理

对基础验收过程中发现的局部张性裂隙、结构面等不宜采用开挖处理的问题,采取预埋灌浆管,结合固结灌浆施工采用浓浆进行充填式灌浆处理。

根据坝基实际出露的地质缺陷针对性的调整固结灌浆孔布置,不但减少钻灌工程量,增强灌浆效果,而且增加了基础安全裕度。

6.为避免与冷却水管、监测仪埋设施等施工矛盾进行的优化设计

二期工程规模宏大,各种监测仪埋设施多,参建单位多,各种施工矛盾十分突出。为此,现场设计过程中根据各单位提供的监测仪埋资料,对固结灌浆孔位作大量核对和孔位、孔深的相应调整,基本避免打坏监测仪埋设施事故的发生。

7.为满足基础验收质量要求,避免对已浇混凝土造成损伤而进行的优化设计

左安Ⅲ坝段60m高程平台、2#排水洞洞顶部位,因开挖爆破原因形成爆破裂隙密集区,裂隙表面张开宽度1~10mm,不能满足基础验收标准。如挖除需占用直线工期,增加开挖及混凝土回填各达数千立方米,并可能造成周边混凝土的损伤,经研究采取固结灌浆处理。并针对现场情况作具体布置,提出专门灌浆施工技术要求。灌后压水试验 $q \leqslant 3Lu$,物探测试波速 $V_p \geqslant 4500m/s$,灌后基础质量满足设计要求。

(三)结论

二期厂坝工程基础固结灌浆经设计优化后,钻灌施工已基本完成。综合实际钻灌资料分析,可得出如下结论:

1.优化设计后,工程总体安全度得到保证,工程质量的保证度有提高。

2.固结灌浆优化设计缓解了三峡工程坝体混凝土与固结灌浆施工间的矛盾,缩短工期,一定程度上避免了基础混凝土在强约束区的长间歇,减少了由此而引起的坝体裂缝发生的机率。

3.采用找平混凝土封闭方式进行基础固结灌浆施工,是一项适合三峡工程特点的灌浆施工方法,值得进一步探索与推广应用。

4.固结灌浆优化设计经济效益明显。与单项技术设计阶段审定的概算工程量相比,按已基本完成固结灌浆施工的二期厂坝工程(不含永久船闸)等部位统计,减少钻孔7.17万m,基岩浆4.56万m,节约工程投资约1131.22万元。

5.二期厂坝工程实践证明,动态优化设计是合理、有效的,对后续永久船闸工程和右岸三期工程的施工,有推广和指导意义。

(林文亮 吴金球)

三峡工程泄水建筑物抗冲磨防空化设计

三峡工程泄水建筑物由22个表孔、23个深孔、3个排漂孔和7个排砂孔组成,最大下泄流量10.25万 m^3/s,满足万年一遇加10%洪水时的大坝泄洪要求。

为满足三峡工程三期截流、导流及汛期泄洪要求，还布置有22个施工导流底孔。围堰挡水发电期间，由施工导流底孔配合23个泄洪深孔、右导墙一个排漂孔、左厂房坝段3个排砂孔联合运用度汛泄洪，并考虑2台机组过流，库水位135m时的总泄流能力可达7.0万m^3/s以上，满足三峡工程施工期20年一遇洪水时的泄洪要求。

三峡坝址多年平均泥沙含量1.2kg/m^3，其中悬移质占98.7%，中值粒径0.047mm，推移质仅为1.3%，中值粒径0.24mm。多年平均输沙量5.3亿t。根据三峡水库防洪调度规划，千年一遇以下洪水主要由深孔宣泄，因此深孔是长江泥沙的主要通道。施工导流底孔底板低，底孔过流时可能挟带悬移质进入孔内造成磨损。

三峡水利枢纽泄水建筑物下泄流量大，水流流速大，其抗冲磨防空化设计是泄水建筑物设计的重要内容之一。

(一)泄洪表孔、深孔和排漂孔抗冲磨防空化设计

三峡工程表孔、深孔和排漂孔是三峡水利枢纽的主要泄水建筑物，孔口体型设计是在大型模型试验研究的基础上确定的。

表孔22个，骑大坝横缝布置，采用挑流消能型式。表孔堰顶高程158.0m，单孔宽8.0m，溢流堰面为WES曲线$X^{1.85}=2\times22^{0.85}Y$，下游反弧段半径30m，尾坎高程110.0m，挑角10°。表孔最大流速28m/s。

深孔23个，布置在泄洪坝段各坝块中间，采用有压短管接明流泄槽挑流消能型式。深孔底板高程90.0m，孔口尺寸7.0m×9.0m(宽×高)，20+025.00桩号处设有掺气跌坎，1:4的斜直段与半径为40m的反弧段连接，尾坎高程79.922m，挑角27°。孔内最大流速35m/s。

排漂孔3个，泄洪坝段左右侧各1个孔(为1#、2#排漂孔)，右非1#坝段1个孔(为3#排漂孔)，采用斜口接有压短管和明流泄槽的型式。1#、2#排漂孔进口底高程133.0m，孔口尺寸10×12m(宽×高)，长3m的平直段后接半径为10m的园弧，再与1:5的斜坡平滑衔接，下接$Y=0.005X^2+0.2X$的溢流曲线。进口顶及侧均为椭园曲线。3#排漂孔进口底高程130.0m，孔口尺寸8×10m(宽×高)。

三峡工程泄洪表孔、深孔和排漂孔的抗冲磨防空化设计，除对体形优化外，还采取以下几点措施：

1.深孔设跌坎掺气

深孔在20+025.00桩号处底板设一掺气跌坎，跌坎深1.5m，两侧墙底部设掺气管，掺气管直径1400mm。

2.深孔设置钢衬

深孔上游反钩门附近和事故门槽及其以下的有压段采用全断面钢衬，弧形工作门槽至1#纵缝之间的底板与侧墙采用钢衬。钢衬材料为24mm厚的复合钢板。

3.过流面采用抗冲磨混凝土

表孔及深孔未设置钢衬的部位，其过流面均采用标号为R450#厚度1m的抗冲磨混凝土，抗渗标号S10，抗冻标号D250。排漂孔过流面采用R400#的抗冲磨混凝土。

4.过流面平整度控制

过流面不允许错台；孔口有压段和门槽区，不平整度控制在3mm以下，纵向坡控制在1:30以下，横向坡控制在1:10以下。明流段不平整度控制在5mm以下，纵向坡控制在1:20以下，横向坡控制在1:5以下。混凝土表面在1m范围内凹凸值控制在5mm以下，不允许有蜂窝、麻面和气泡。

(二)施工导流底孔抗冲磨设计

底孔22个，骑大坝横缝布置，采用有压长管接明槽挑流消能型式。中间16个孔进口底高程56.0m，左侧3孔和右侧3孔进口底高程57.0m，孔口尺寸均为6.0m×8.5m(宽×高)。底板1:56的纵坡与下游出口段半径为30m的反弧连接。尾坎高程分别为55.063m(中孔)和56.981m(边孔)，挑角10°(中孔)和17°(边孔)。

在库水位140m时，22个底孔下泄流量为3.75万m^3/s。上游135.0m水位时，有压段出口平均流速达到32.2m/s。

从三峡坝址多年泥沙含量分析，推移质数量很少，而底孔运用时间仅为3年，且库水位为135m，上游来的推移质还达不到坝址，即使有少量的推移质也被上游围堰所拦截。因此，导流底孔主要磨损源来自施工围堰，底孔过流时可能挟带围堰粗粒和泥沙进入孔内造成磨损破坏。

二期上游围堰拆除高程57.0m，略高于底孔进口底部高程56.0m。根据模型试验，围堰处(坝前350m断面)底部流速在库水位79.9m时最大，随库水位增高而减少，坝前和坝内流速随库水位增高而增大。库水位79.7m时，围堰处的最大底部流速2.57m/s，坝前20m处最大底部流速1.17m/s，门槽处平均流速10.8m/s。库水位135m时，围堰处的最大底部流速1.18m/s，坝前20m处的最大底部流速1.78m/s，门槽处平均流速22.8m/s。

根据经验公式估算，1.18~2.57m/s流速可启动粒径为5~15cm的砾石。因此，围堰处的石渣有可能进入导流底孔内，需采取措施防止泥砂磨损。其措施如下：

1.合理确定围堰拆除高程

从减少泥砂磨损和对截流的影响考虑，围堰拆除高程愈低愈有利，截流试验表明，上游围堰拆除至高程57m后，对截流落差的影响已经很小，再降低拆除高程效果不大。从拆除施工考虑，围堰拆除至高程57m，总共拆除量约250m万m^3，其中水上150万m^3，水下100m^3，要在50天内完成全部拆除，难度相当大。综合考虑,围堰拆除高程为57m。

为了避免高程57.0m以下的围堰石渣被冲走,拟在围堰下游侧用块石作堰面保护,块石粒径不小于40cm,厚度1m。

2.坝前设置拦沙槽

泄洪坝段右侧地形较高,为使右侧底孔进水口前有一定拦沙容积,拟将底孔前40m宽范围和坝基同期开挖出一与坝基同高程的拦沙槽。底孔上游的总拦沙容积在60万m^3以上。

3.严格控制底孔施工质量

考虑到有压段与明流段的维修条件有所不同,采用不同的质量控制标准。对于有压段,放样误差小于5mm,不平整度小于3mm,纵坡1:30,横坡小于1:3。对于明流段,放样误差小于7mm,不平整度小于5mm,纵坡小于1:20,横坡小于1:3。

4.横缝处理

闸门止水与横缝止水的连接和横缝施工不平整度处理,导流底孔6m宽的底板均预留厚1m的抗冲磨层二期混凝土,起跨缝板的作用。在有压段顶部弧形工作闸门处5m范围及事故门、进口检修门处各3m范围的横缝处,分别预留宽2m深1.5m的浅槽,回填二期钢筋混凝土跨缝板。

5.过流面采用抗冲磨混凝土

导流底孔的底板、侧墙过流面及顶板均采用1.0m厚的抗冲耐磨高强混凝土,混凝土标号R400#,在闸门附近的局部地区采用钢衬。钢衬材料为24mm厚的复合钢板。

6.进口处设置检修反钩闸门

为保证整个导流底孔具有检修条件,在底孔进口处设置一道反钩叠梁检修门。出口处设置一道反钩检修门,兼作封堵门。

(三)排砂孔抗冲磨设计

排砂孔7个,左、右安Ⅲ坝段各设2个孔,右厂排漂孔坝段设1个孔,进口底高程75.0m;左非18#坝段及右厂26#坝段各设1个孔,进口高程90.0m。排砂孔为有压洞,洞径5.0m。库水位145.0~150.0m时,洞内流速达18m/s。排砂孔全部采用钢衬,钢衬材料为24mm厚的复合钢板。

(刘华亮 吴效红)

三峡工程技术设计审查

截至1999年,八个单项技术设计审查除升船机和变动回水区(含下游航道整治)外,已基本结束,进入总结阶段。

(一)大坝

在大坝专家组历次审查和大量科研工作的基础上,委托对长江水利委员会(以下简称长江委)提出的三峡水利枢纽大坝技术设计报告和各项专题报告的审查结果的主要特点和技术难点进行总结,主要分两个部分:

1.工作总结

历史地记录大坝专家组工作过程,进行过哪些专题调查研究,审查的主要意见和建议,以及相应的科研工作。

2.技术专题总结

根据对大坝审查的主要问题,技术总结分为四项:左岸厂房1~5#坝段大坝的抗滑稳定问题;水电站钢衬钢筋混凝土压力管道结构形式与设计优化;泄洪坝段表孔、深孔和底孔水力学问题;大坝孔口应力和配筋优化。

(二)厂房

对长江委提出的右岸地下电站技术设计阶段总体布置专题报告进行审查,在此方案基础上,建议调整地下电站位置和厂房轴线,做一个独立地下厂房方案进行对比,在不影响地下电站总体布置,尽量减少预建工程量的基础上,提出地下电站进水口预建方案。至此,地下电站全面设计研究工作暂告段落,不再进行。

在厂房专家组历次审查和科研工作的基础上,委托对厂房技术设计报告和各项专题报告的审查结果的主要特点和技术难点进行总结,分两个部分:

1.工作总结

历史地记录厂房专家组工作过程,进行过哪些专题调查研究,审查的主要意见和建议,以及相应的科研工作。

2.技术专题总结

包括水电站厂房总体布置和设计原则;水电站机组进水口形式选择;厂房结构型式比较和抗振;蜗壳外围混凝土结构形式选择;厂坝间伸缩节;厂房屋架型式选择;右岸地下电站总体布置以及技术设计审查后工程量变化和效益。

(三)机电

委托对机电技术设计报告审查结果的主要特点和技术难点进行总结,分两部分:

1.工作总结

历史地记录机电金结专家组工作过程,审查的主要意见和建议,以及相应的科研工作。

2.技术专题总结

包括水轮机及机组技术供水;发电机部分;电气部分;电站枢纽综合自动化;机组安装;金属结构及启闭设备。

(四)安全监测

对葛洲坝枢纽坝顶真空激光位移监测系统关键技术研究进行审查。作为三峡大坝安全监测试点工程要在满足葛洲坝本身安全监测需要的同时,还要为三峡工程激光系统积累经验。

(五)执行概算

讨论三峡枢纽工程执行概算实施总体情况和三峡工程投资风险分析。认为三峡工程设计方面编制执行概算以来没有大的变更,工程量有增有减,增量大于减,部分工程项目的标准有所提高,但总体上仍在概算预计范围以内。建议中国三峡总公司采取更有效的措施,严格合同和费用管理,责任到位,严格控制工程质量、工期和投资,按照"静态控制,动态管理"和"总量控制、合理调整"的原则通过项目间静态投资调剂和一些特殊问题在价差调整中适度消化的办法予以解决。对三峡工程静态投资风险,结合工程进展和出现的问题,加强跟踪,深入分析,预测长期性影响,对水库的静态投资加强总量控制预测和风险分析,及时提出建议,以贯彻三峡工程900.9亿元静态投资总量控制的基本原则。

(六)升船机

1993年,三峡升船机初步设计采用钢丝绳卷扬,平衡重式垂直升船机方案。1995年国家决定三峡工程升船机缓建,但还应为今后的续建创造条件,初步安排升船机2005年启动,2009年三峡工程建成时,同时投入运行。多年来,长江委在做了大量设计研究工作的基础上,再次启动,继续开展升船机单项技术设计。最近几年,钢丝绳卷扬平衡重式升船机的稳定性问题不断引起人们的关注,而目前国内、外钢丝绳卷扬升船机尚未经实践运行检验,在可靠性、稳定性及安全保障系统上,国内不少专家不断提出意见和建议。鉴于德国1934年建成的尼德芬诺升船机和1975年建成的吕内堡升船机,发生承船箱大量漏水的严重事故,均由于升船机的安全保障系统起了作用,而未酿成灾难性后果,中国三峡总公司技术委员会邀请德国交通部航道研究院召开中、德升船机技术交流会,交流升船机的安全保障系统有关技术,以及对影响安全的因素应采取的相应措施经验等,认为三峡升船机的运行工况,比德国升船机要复杂得多,对安全问题更应该重视。技委会根据升船机专家组部分专家的建议,并征得长江委设计院、交通部三峡办、国务院三建委办公室装配司的同意,决定邀请德国交通部航道研究院参考德国新尼德芬诺升船机长螺母柱短螺杆安全保障系统方案对三峡升船机的主体工程部分做可行性研究,目的在于探索研究优化三峡升船机设计方案,并于1999年10月正式签订合同。

(七)泥沙

对长江委提出的《变动回水区及港口整治》(含坝下游河道下切影响及对策)阶段成果以及各科研单位提出的报告进行讨论交流。认为三峡水库初期蓄水后,葛洲坝枢纽下游水位将有所下降,可能导致枯水期三江引航道通航水深不足。长江委和各科研勘测运行单位对此提出各自研究对策,对葛洲坝枢纽下游河段治理可行性研究工作提出许多重要意见和建议,为下一步的措施研究与方案设计奠定了良好基础。下阶段应继续原型观测和分析研究,拓宽思路,提出综合治理方案。

(李 军)

机 电 设 备

三峡左岸电站水轮发电机组采购合同执行情况

1999年,三峡左岸电站水轮发电机组继续进行机组设备的设计审查、设计协调、模型试验、设备监造、埋件安装等项工作,ALSTOM/KEN、VGS水轮机模型分别进行第二次试验,召开现场协调会、第三次设计联络会、VGS机组轴系稳定专题讨论会。机组合同执行工作满足工程建设要求。机组埋件的安装工作按进度计划顺利进行。

(一)ALSTOM/KEN水轮机模型第二次试验

1999年元月,中国三峡总公司派出机电工程部主任饶道群为首的团组赴挪威进行水轮机模型第二次验收试验。

此次试验是在1998年模型验收试验其压力脉动值没有全面达到合同保证值的情况下,根据三峡总公司的要求,KEN在模型转轮上对泄水锥各方案进行筛选后,对原泄水锥和6B泄水锥进行试验比较,分别找出特殊压力脉动区。试验表明,配6B泄水锥的模型转轮的压力脉动有一定改善,对机组的稳定运行更趋有利。

(二)VGS 水轮机模型第二次试验

1999 年 4 月,中国三峡总公司派出副总工程师黄源芳为首的团组赴加拿大 GE 进行水轮机模型验收试验。

1998 年在德国 VOITH 进行的 F-584 模型试验其压力脉动值没有全面达到合同保证值,中国三峡总公司要求 VGS 对模型再进行研究,为此 VGS 重新开发了 F-599 模型,并提供 F-599 模型初步试验报告。1999 年 4 月进行水轮机模型第二次验收试验。验收试验成果表明,F-599 模型转轮其他性能与 F-584 相当,但压力脉动方面有所改善,对机组的稳定运行更趋有利。

(三)模型验收试验成果的评审

1999 年 4 月底,中国三峡总公司邀请各方面专家在北京召开三峡水轮机模型验收试验成果评审会议,对 VGS 和 ALSTOM/KEN 模型试验成果进行评审。评审认为:两个模型试验是按采购合同和有关国际标准进行的;试验成果是可信的;综合性能均达到了当今国际上较高水平。但压力脉动仍未能全面达到合同保证值,但已基本满足招标文件的要求。考虑到当今技术水平的限制,短期内再进一步降低压力脉动的可能性不大,建议有条件接受。

三峡总公司经慎重研究后决定,为了确保机组的设计制造进度,在要求两个供货集团对真机的稳定性作出承诺的前提下,有条件地接受修改后的水轮机转轮模型。1999 年 5 月 20 日,中国三峡总公司正式向 VGS 和 ALSTOM 发出有条件接受模型验收试验结果的函。

(四)现场协调会议

1999 年 6 月,中国三峡总公司在三峡工地组织召开机组现场埋件协调会议。中国三峡总公司、长江水利委员会(以下简称长江委)、各制造厂商、施工、监理等单位参加会议。会议确定了机电安装项目现场工作流程(见框图)。

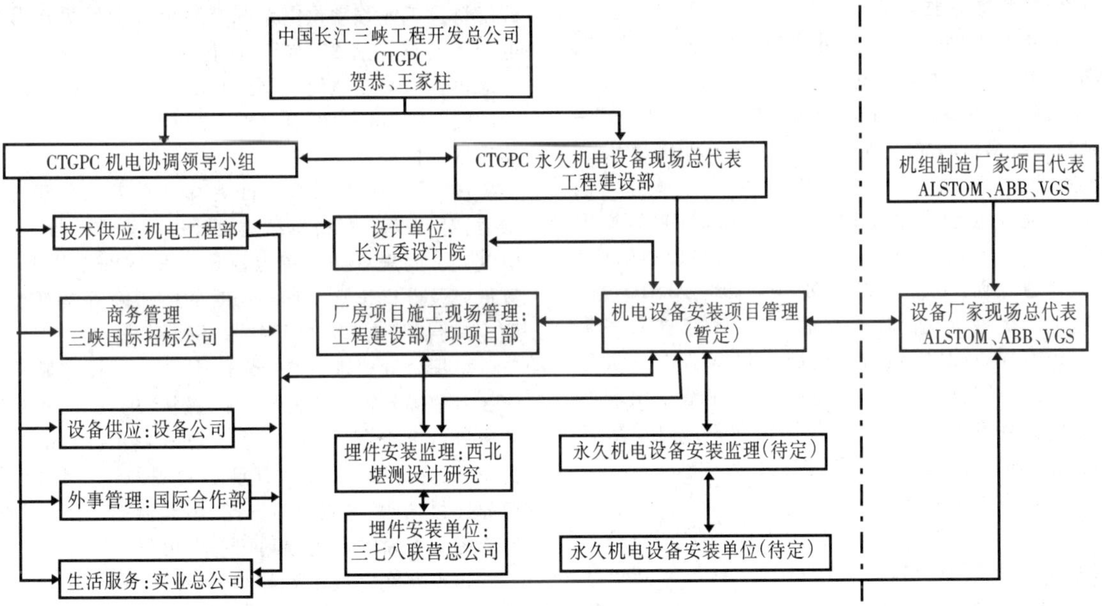

三峡工程机电项目现场工作流程图

会议还对厂家图纸、资料文件的提交与确认与长江委图纸、资料的协调,现场安装进度计划的提交、审批,安装质量检验、验收与签署程序,现场技术问题处理及协调程序,设备验收、交货及提供安装程序等一系列问题进行讨论并达成一致意见。

(五)第三次设计联络会议

1999 年 8 月 18 日 ~ 9 月 11 日和 8 月 29 日 ~ 9 月 22 日,中国三峡总公司分别由副总工师黄源芳和机电工程部主任饶道群率队赴加拿大分别与 ABB/ALSTOM、VGS 召开三峡机组第三次设计联络会。

会议分成水轮机技术组、发电机技术组、商务组进行工作。对土建设计、结构设计、受力分析等方面进行讨论和审查;对尽可能多的机组图纸进行了审查和批准;在会议期间还根据需要另外分组进行安装协调、转轮组装加工专题协调、机组大件专用起吊工具协调,商务方面的会谈、运输交货等工作。全面完成了本次设计联络工作内容,为一下阶段的土建设计和设备制造创造较好条件。

(六)VGS 轴系稳定问题研究

根据第三次设计联络会上VGS提出的机组轴系稳定问题，结构受力需要作较大改变。中国三峡总公司十分重视这一牵涉机组设计全局的问题，对土建设计、机械设计进行协调。1999年11月和12月分别召开由中外有关方面参加的会议，对VGS重新提交的轴系稳定报告进行分析和讨论，并达成一致意见，问题得以解决。为发电机设计和相关土建设计奠定基础。

（七）合同支付情况

1999年，累计支付VGS合同款20,644,196.48USD；累计支付ALSTOM合同款14,314,871.39USD；累计支付ABB合同款10,188,467USD。

（八）机组埋件监造工作

1999年由水电八局现场埋件加工厂供货的机组埋件6120t。中国三峡总公司继续组织好埋件的监造工作，及时解决加工过程中的问题。在制造方面的积极配合下，监造单位认真履行职责，出厂质量达到设计要求，进度满足工地施工要求。

（九）机组本体监造工作

1999年初中国三峡总公司开始三峡左岸电站14台水轮发电机组设备监造的选聘工作，5月7日与由法国技术检验局(Bureau Vevitas)与法国电力公司(Electricite de France)组成的联营体(以下简称BV/EDF)正式签署监造合同。

6月，业主在现场召开BV/EDF与ALSTOM、ABB和VGS的工作协调会，相互建立起工作关系和信息渠道，并制定监造计划。6月底BV/EDF按计划对ALSTOM在巴西制造的2号机组的座环检验，监造工作进入实质阶段。BV/EDF及时通报监造情况，提供《监造月报》、《主要部件总结报告》、《不一致报告》，使制造中出现的问题及时得到解决。监造工作按照设备制造进度已在国内分包厂哈尔滨电机厂顺利进行。

（十）设备到货情况

截至1999年12月31日，机组埋件到货5968.21t，开箱检验31次，调拨出库3431t/75次。VGS在1999年度交货17次，3007.12t，开箱检验17次；ALSTOM在1999年交货22次，2961.09t，开箱检验14次。各台机组到货进度情况如下表：

机组号	1	2	3	4	5	6	7	8	9	10	11	12	13	14
鼻端里衬	√	√	√	√	√	√	√	√	√	√	√	√	√	√
肘管	√	√	√	√	√	√	√	√	√	√	√	√	√	√
锥管	√	√	√	√	√	√								
机坑里衬	√	√												
基础环	√	√	√											
座环		√												
蜗壳	√	√												

（十一）设备安装情况

截至1999年底，1#机坑基础环开始拼装，2#、3#机坑锥管混凝土回填完毕，4#、5#机坑锥管二期混凝土继续回填、6#机坑锥管一期混凝土浇筑，8#机坑肘管焊接完毕，7#、9#机坑肘管二期混凝土回填，10#、11#、12#机坑肘管安装，13#、14#机坑平压管、固定导叶排水管、测压管开始安装。所有部件的安装质量均满足合同和外方要求。左岸电站厂房机电埋件施工已具有良好形象，为2000年座环和蜗壳安装创造了良好条件。

（胡伟明）

左岸电站主厂房桥机设备

1999年6月太原重工集团公司中标1200/125t桥机合同，大连大起集团公司中标125/125t桥机合同；12月武汉汉发工业移动供电系统有限公司中标桥机滑接输电装置合同。这3个合同对供货厂商的选择，都充分考虑供货商的业绩经验、能力及产品信誉，强调产品设计的安全性、可靠性、合理性，注重制造工艺、选材对产品质量的保证。

1999年10月29日～11月4日在太原召开设计联络会，对1200/125t桥机结构设计进行审查。批准机械、电气部分的送审图。重点讨论主吊钩的结构型式、起重量以及电机正常工作启动时的电压降等关键技术问题，为设备制造奠定良好技术基础。

根据合同要求，1999年11月9～14日太原重工聘请3名德国起重机专家(结构、机械、电气)对1200/125t桥机进行审查，审查意见肯定1200/125t桥机结构设计是安全、合理的，大梁具有足够的刚强度，同时也对桥架的连接结构、主减速箱支撑、制动器提出了建议性意见。国外专家的审查起到把关作用。

1999年还完成了左岸电站调速器、励磁系统设备的技术交流、招标文件编制、招标文件的发售等一系列工作。12月15日发售招标文件，购买调速器招标文件的厂商6家；购买励磁招标文件的厂商8家。

（胡伟明）

移民开发 Ⅵ

猫跳河窄巷口水电站

概　况

库区移民工作综述

1999年,国务院三峡工程建设委员会(以下简称三峡建委)先后召开三峡工程移民工作会议和三峡工程库区农村移民外迁现场会议,及时调整移民工作的指导思想和工作思路,确定三峡库区农村移民外迁安置的人数、地点和方式,使农村移民外迁安置工作取得突破性进展。同时,还组织一批三峡库区农村移民赴新疆生产建设兵团进行劳务试点工作。在搬迁工矿企业结构调整上,对原有规划进行修订,把工作重点放在结构调整和提高效益上,除保留少数效益较好的企业外,该破产的破产,该关闭的关闭,并积极开展试点工作,进一步加大搬迁工矿企业结构调整的力度。

(一)进一步加强移民工程的质量管理和资金管理

1999年,国务院三峡工程建设委员会移民开发局(以下简称移民开发局)组织水利部长江水利委员会(以下简称长江委)和湖北省、重庆市移民局,对三峡库区移民工程的建设质量和移民工程实行"项目法人制、招投标制、合同管理制以及工程监理制"的执行情况进行全面检查。针对检查中发现的问题,移民开发局及时下发《关于加强三峡移民工程建设质量管理的通知》,加强对移民工程建设质量的管理。同时,还强化对移民综合监理工作的指导,加强监理队伍建设和监理市场的管理,首次召开"三峡库区移民监理工作会议",对推进三峡库区移民监理工作的开展具有一定指导意义。

在移民资金管理中,先后出台《调地资金管理办法》、《新城建设指挥部管理费使用办法》、《移民工程建设项目管理办法》、《外迁移民资金管理办法》、《预备费管理办法》,与财政部及有关银行等联合下发《搬迁工矿企业移民资金"分流"办法》等,有效地控制和监督移民资金的使用。为了切实加强对移民资金的监督管理,移民开发局还会同中纪委、三峡建委监察局对三峡库区移民资金的使用管理及审计后的整改情况进行调查,对改善移民资金的管理提出积极意见。

1999年,国家共安排三峡库区移民资金47.7亿元,计划搬迁安置移民8.7万人,完成农村移民建房54万m^2,城镇建房203.7万m^2,搬迁工矿企业112个。截至12月底,三峡工程库区搬迁安置移民(实迁)68560人,占当年任务目标的80%。其中城镇居民29292人,农村移民39268人,分别占当年任务目标的47%和167%。农村生产安置移民38387人,占当年任务目标的152%。完成农村移民建房133.12万m^2,城镇居民住房277.28万m^2,搬迁工矿企业115个。移民计划总体完成较好。

湖北省1999年搬迁安置移民(实迁)15678人,占当年任务目标的98%。其中城镇居民9495人,农村移民6183人。分别占当年任务目标的84%和131%。农村生产安置移民6272人,占当年任务目标的123%。

重庆市1999年搬迁安置移民(实迁)52882人,占当年任务目标的76%。其中城镇居民19797人,农村移民33085人。分别占当年任务目标的39%和176%。农村生产安置移民32115人,占当年任务目标的160%。

(二)加强对移民规划工作的管理

移民开发局召开三峡库区移民规划工作座谈会,在总结几年来三峡库区移民规划工作经验的基础上,认真研究今后移民规划工作的重点。在移民规划管理中,长江委编制完成《长江三峡工程水库淹没处理及移民安置规划报告》、《三峡工程库区湖北省、重庆市移民迁建进度及分年投资规划专题报告》,对巴东、巫山、奉节新县城基础设施建设的难度系数,巴东新县城规划修编、万州城区人防工程淹没补偿等移民规划中存在的突出问题给予合理解决;认真分析有关部门提出的将三峡工程二期蓄水位提高至142m方案对移民搬迁的影响,并向三峡建委提交不宜抬高水位的分析报告,为领导决策提供依据。在文物保护方面,开展文物项目考核工作,并提出《长江三峡水库淹没区及迁建区文物保护经费测算报告》、完成《长江三峡工程淹没及迁建区文物古迹保护规划有关内容的修订与补充报告》。

(三)对口支援工作持续健康发展

1999年,在国务院各部门、全国有关省市和企业单位的大力支持下,对口支援三峡库区移民工作又取得新进展。一年来,为三峡库区引入资金13.89亿元,其中经济合作项目资金10.93亿元,社会公益性项目资金2.96亿元。通过各方面的积极努力,到1999年底,已促成28对企业进行较好的合作,其中已有10对合作后建成投产,如北京汇源果汁、江苏森达皮鞋、江苏醋王、天津灯塔涂料等；有7对通过合作将投入生产；有11对正在洽谈。为了落实吴邦国副总理在“涪陵会议”上提出的各省市要积极推荐名优企业，到三峡库区与迁建企业进行资产重组和产品嫁接的指示精神，截至1999年底，已有上海汇丽集团，安徽荣事达集团，马钢集团，海螺集团，浙江浦峰集团，河北旭日升集团等先后到三峡库区与搬迁工矿企业进行广泛合作，有力地支持了库区企业的迁建和移民安置，促进了库区经济发展。

（四）加强移民培训工作

1999年，移民开发局围绕移民工作重点，及时举办“三峡库区搬迁工矿企业改革调整研讨班”、“三峡库区移民工程地质灾害防治培训班”和“三峡库区新任移民局长培训班”，共培训各类移民管理干部180人次。通过不同形式的培训，使移民干部队伍素质得到不同程度提高。同时，为了总结交流几年来三峡库区移民培训工作的经验，研究部署今后移民培训工作任务，举行移民培训工作座谈会，编制《1999～2003年三峡工程库区移民培训规划（纲要）》，为今后进一步规范移民培训工作起到积极的指导作用。至1999年，整个移民系统的培训工作基本形成分级负责、分层培训的管理体制，形成条块结合的工作格局。

（五）加强移民政策法规的研究和移民宣传工作

为了及时研究解决移民工作中存在的问题，1999年，加大移民政策研究工作的力度，对移民规划中出现的城镇新址占地人口规模、半淹城镇功能恢复、崩滑体治理等问题，进行认真调查研究；对国务院三峡工程移民工作会议提出的“两个重大调整”进行认真研究；特别是对移民群众来信来访中反映强烈的问题进行专题调查了解，并及时召开三峡库区移民信访工作会议。1999年，还组织有关人员对长江中下游一些省的灾后移民建镇情况进行调研学习，为做好三峡库区移民工作提供宝贵经验。为了及时宣传移民工作的方针政策，宣传移民工作的成绩，宣传移民工作的先进典型，移民开发局会同湖北省、重庆市移民局和湖北省、重庆市委宣传部等单位积极筹备三峡工程库区移民先进事迹巡回报告活动，加大电视和报刊的宣传力度，并分别与《光明日报》、《经济日报》、中纪委等单位联合开辟有关移民外迁和移民资金管理等专栏，引起社会各界的关注，收到较好效果。

（冯仲凯）

库区资金管理概述

1999年，为保证二期移民任务的顺利完成和按期蓄水发电，党中央、国务院对移民政策进行了重大调整，对移民工作提出更高要求。广大财务管理人员针对新会计法的要求，进一步加强基础工作建设，努力提高会计工作质量。移民资金会计基础工作是移民资金财务管理工作的前提，也是移民资金财务管理工作的重要基础。

（一）加强乡镇移民资金核算管理

农村移民安置经费的管理，点多、面广、难度大。因此，除了抓乡镇移民办的机构建设外，还统一乡镇移民资金核算制度，并对乡镇移民办的会计实行委派聘用制。明确会计人员的责任、权利、义务，从最基层把好资金使用监督关。从而使农村移民安置经费的使用有了监督保证，对加强乡镇移民资金管理起到很好作用。

（二）在财会工作中推广计算机管理系统

随着三峡工程二期移民任务的逐年加大，年度移民投资量急剧增加，在时间紧、任务重、难度大、要求高的情况下，为提高会计报表质量，缓解库区会计人员少、工作量大的矛盾，全库区采用经财政部批准的小蜜蜂财务软件，进行财务核算及汇总报表。

各家银行也开发了各种移民资金管理信息系统。通过这些系统，可以将项目资金与项目计划有机地衔接起来，随时掌握移民资金的到帐、拨付和使用情况，有效地保障移民资金拨付基础数据和档案资料的连续性和完整性。

（三）推行工矿企业移民补偿资金分银行管理制度

根据国务院关于三峡库区迁建工矿企业移民补偿资金分银行管理的指示精神，为保证三峡工程库区迁建工矿企业移民补偿资金分银行管理工作的顺利进行，结合三峡工程库区移民资金管理有关规定，移民开发局会同财政部、中国工商银行、中国农业银行、中国银行、中国建设银行联合下发《三峡工程库区迁建工矿企业移民补偿资金分银行管理办法》，从制度上保证分银行管理工作的顺利进行。

（四）对移民资金实行专项财务检查

为了加强移民资金管理，保证移民资金的安全有效使用，对库区使用移民资金的重点乡镇和新城建设指挥部使用移民资金情况进行专项检查。通过专项检查，进一步掌握新城建设指挥部、乡镇移民办使用移民资金的情况，总结经验，提出整改措施。在整改措施上，主要抓了五条：一是各级领导干部，特别是党政一把手亲自抓整改；二是对外借的移民资金，一律要追回；三是对非计划移民项目挪用的移民资金进行逐项审查，按程序报批，具备条件的纳入计划；四是凡不符合规定的开支，一律停止执行；五是进一步加强监督机制。通过审计检查、专项财务检查和整改督促，库区违纪违规现象呈减少趋势。

（徐　洪）

移民资金价差管理实施情况

移民资金价差管理工作，是以三峡库区移民补偿投资价格指数(以下简称价格指数)编制中存在的难题为重点，以实施价差计算为中心开展的。

(一)价格指数编制

(1)为使价格采集工作规范化、系统化、制度化，1999年制定并下发《三峡工程库区移民补偿投资价格调查报告制度》。报告制度明确规定，每个调查品种设2~3个采价点，其中：农副产品价格，每月采价3次，每季度上报1次；建设工程主要材料价格，管理站价格每半年报1次，经营单位价格每月采价2次，每季度报1次；交通运输价格，每月采价1次，每季度报1次。

(2)修改完善价格指数编制的指标体系。1999年5月12日，修订三峡库区移民补偿投资若干规格品会议在武汉召开，会议确定：一是个别确属库区采集不到或工程中不再使用的代表规格品的价格变动幅度，可以用规格等级邻近的同类或类似产品的报告期价格变动幅度代替；二是按照指数编制方案确定的原则，被替代的基期代表规格品的权重保持不变。

(3)1999年8月25~26日，移民开发局主持在北京召开1998年度价格指数专家评审会，对价格指数编制中的有关问题进行认真讨论，充分肯定了1998年度价格指数编制成果，同时，也提出建议：价格波动幅度较大的商品年平均价格的计算，宜尽快引入相应销量计算其年平均价格。

(二)价差计算与管理

为管好用好价差资金，确保移民安置工作的顺利进行，巩固已搬迁安置成果，1999年三峡库区移民资金价差计算工作，围绕“对相应年度移民补偿投资进行动态投资折算，对已完工移民项目进行补偿销号”这一中心任务，开展前期工作。

(1)对移民项目销号价格指数的确定进行慎重研究，经与国务院三峡工程建设委员会办公室研究决定：三峡库区各大类移民项目补偿销号价格指数，一律按上年度公布的相应的大类价格指数执行。

(2)按照移民开发局的要求，湖北省、重庆市移民局先后举办三峡库区移民资金价差计算与管理培训班；移民开发局还召开中央直属的军工企业价差计算与管理培训会。通过培训，三峡库区各级移民部门初步掌握了移民补偿投资价差计算方法，加深了对“价差资金是移民资金的组成部分，应足额补到移民手中”的重要性的认识。

(赵文生)

库区移民投资执行概况

(一)资金到位情况

1999年国家共安排三峡库区移民资金477000万元，其中湖北省88216.1万元，重庆市377067万元，中央直属军工企业8750万元，中央统筹经费及中央移民工作经费2966.9万元。截至1999年12月31日，中国三峡总公司拨入移民资金477000万元，资金到位率为计划的100%。移民开发局下拨移民资金474033.1万元，其中湖北省88216.1万元，重庆市377067万元，军工企业8750万元。均分别占其当年计划的100%。

(二)投资完成情况

1999年，湖北省和重庆市共完成移民项目投资410762.08万元(含上年结转29670.67万元)，占当年项目计划的85%(不含上年结转资金)。分大类完成情况如下：

(1)农村移民安置完成移民资金86354.76万元(含上年结转6611.15万元)，占当年计划资金的83%(不含上年结转资金)。土地开发面积2.97万亩，新建水塘水池204个，水渠44条，农村道路86条共231.09km，农村建房133.12万 m^2，其中移民住房131.64万 m^2。

(2)城市迁建完成移民资金153519.28万元(含上年结转3953.49万元)，占当年计划资金的85%(不含上年结转资金)。城市平整场地572.44万 m^2，道路38条共101.75 km，新建大中型桥梁2380 m，完成给水工程3座，供水能力1.1万 t，铺设输变电线路6.05万 m，广播电视线路6.82万 m，城市居民住房129.21万 m^2。

(3)集镇迁建完成移民资金35599.79万元(含上年结转5570.15万元)，占当年计划资金的104%(不含上年结转资金)。集镇建房51.66万 m^2，其中居民住房33.98万 m^2。

(4)工矿企业迁建完成移民资金77817.32万元(含上年结转6185.81万元)，占当年计划资金的93%(不含上年结转资金)。115个工矿企业完成了迁建任务。

(5)专项设施复建完成移民资金50100.82万元(含上年结转6936.37万元)，占当年计划资金的68%(不含上年结转资金)。复建公路15条共118.01 km，复建大中型桥梁2604.76 m，新建码头10座，水电站6座，铺设输变电线路20.82万 m，通信线路12.99万 m，广播电视线路38.74万 m。

(6)环境保护完成移民资金1240.18万元(含上年结转10万元)，占当年计划资金的48%(不含上年结转资金)。完成7项环保项目。

分省情况：湖北省1999年完成项目投资56822.11

万元(含上年结转9976.61万元),占当年项目计划资金的55%(不含上年结转资金);重庆市1999年完成项目投资345303.33万元(含上年结转19694.06万元),占当年项目计划资金的92%(不含上年结转资金)。湖北省由于12月25日收到12000万元移民资金,到位较晚,故没有形成工作量,农村移民安置受调地和外迁因素影响,城市迁建受巴东县城地质影响,工作滞后,故完成量偏低。重庆市移民任务较重的万州开发区1999年完成项目投资270276.98万元,占当年项目计划的96%(不含上年结转资金)。其中云阳、奉节、巫山三县,1999年完成项目投资分别为36664.29万元、53964万元和26626.14万元,分别占当年项目计划的95%、106%和107%,均全面完成年计划任务。

中央直属军工企业完成投资8636.64万元,占年度计划资金的98%。

总体来讲,1999年各大类计划完成情况正常,但大类间计划完成情况不均衡。农村移民安置、城市迁建和工矿企业迁建完成情况正常,集镇迁建超额完成了计划任务,专项设施复建受前期工作和施工质量影响完成比例较低。也存在区域间完成计划情况不均衡的现象,如湖北省宜昌县、秭归县、巴东县;重庆市丰都县、武隆县;江津市只完成计划的59%、46%、68%、60%、69%和34%。而湖北省兴山县和重庆市长寿县、渝北区、巴南区、云阳县、奉节县、巫山县、开县等县(区)完成情况都在95%以上。二期移民阶段是整个移民搬迁极为关键的攻坚阶段,从1999年计划执行情况来看,本年度资金投入强度基本适应移民工程建设的需要,但迁建任务完成进度与计划投资完成进度仍存在不匹配的现象,超规模建房、修路的情况普遍存在。

(任骁军)

移民科研工作概述

在农村移民安置与农业资源开发、工矿企业搬迁、城市和集镇迁建、专业设施复建、生态建设与环境保护等移民工程实施过程中,从规划的制定,到方案设计到实施计划的全过程,都离不开科学技术的指导,都需要开展深入的科学研究。为了使移民科研工作纳入规范化轨道,充分发挥移民科研经费应有的效益,三峡建委移民开发局重视移民科研管理工作的制度化、规范化、系统化建设,严格执行重大项目的预评估论证制度,组织专家对立项的必要性、技术路线的可行性、经费预算的合理性进行审查,同时,加强科研项目执行情况的检查和监督。

(一)基本情况及重大科研项目

1997~1999年由三峡建委移民开发局组织立项的科研项目共34项,涉及管理科学、环境保护、工程地质、灾害地质、基础地质、文物保护、土地利用与农业、新技术方法应用、可持续发展、旅游等。应于1999年底前完成的24项,部分项目已结题验收,其它项目已作评审验收前的准备;1项因课题进展不能满足合同要求已终止;2项据实际情况暂时未启动,3项于1999年底启动。有4个重大项目《三峡库区移民开发与可持续发展研究》、《长江三峡工程库区移民迁建新址重大地质灾害防治的研究》、《三峡移民工程生态环境保护的研究》、《长江三峡库区移民工程遥感动态监测》经3年多的酝酿和反复论证,于1999年3月批准立项,并签定第一批合同。

《三峡库区移民开发与可持续发展研究》由中国科学院地理所牵头,参加的有北京大学、中国人民大学、中国科学院综考会等8个单位,直接参加的科研人员126人,研究内容分为5个课题20个专题,大体涵盖了《纲要》研究范围的23个题目,分3批启动。第一批启动的8个专题是库区急需解决的问题,经费160万元,选择库区农村移民安置与农业和农村经济的持续发展、库区工矿企业迁建与库区工业的持续发展和工业的合理布局、库区移民安置与开发中的对口支援和经济技术合作等关键问题优先启动,已取得较好的研究成果。

《三峡移民工程生态环境保护的研究》由中科院环境生态研究中心负责,参加单位有中科院水生所、土壤所、植物所及北京林业大学等6个单位,科研人员110人,研究内容分为6个课题19个专题,专题分3批启动。第一批启动的7个专题,经费170万元,研究重点包括:三峡库区淹没区固体废弃物现状调查和现有固体废弃物处置概况调查、三峡库区水环境现状评价及水质改善的关键技术分析、三峡库区生态环境综合评价研究、三峡移民安置区农田水土保持技术等,经过研究人员的共同努力已取得阶段性成果。

《长江三峡库区移民工程重大地质灾害防治研究》由中国水文地质勘查设计院牵头,参加单位有中国地质科学院、中科院山地灾害与环境研究所、长江委科学院、中国地质大学等12个单位,科研人员120人,22个专题。第一批启动15个专题,1999年经费385万元,目标是对库区地质灾害防治工程进行全面规划,总结地质灾害防治工程经验,引进高新技术,建立地质灾害防治研究示范区,具体内容包括:提出库区典型地段地质灾害防治和开发利用方案、划分库区岩溶塌陷和岩溶地震类型,并提出对策建议、建立库区地下水动力场变化影响下的塌岸模型、对库区易滑地层进行改性试验,并提出相应的参数、初步建立巫山及巴东地质灾害防治工程示范区。部分科研成果在库区已得到很好的应用。

《长江三峡库区移民工程遥感动态监测》共17个专题，由北京国土遥感公司负责，参加单位有北京大学、中国地质大学、中国农业大学、国土资源部遥感中心、地科院力学所等6个单位，1999年研究经费100万元。该课题把遥感技术应用与三峡移民工程的要求紧密结合，把新技术方法与常规技术方法紧密结合，突出移民工程动态变化信息的提取以及定性、定量和定位分析，以便全面、准确、及时地掌握三峡库区移民工程的进展情况。

(二)移民科研经费的使用情况

为了管好用好三峡移民工程科研经费，促进三峡移民工程科研工作健康有序地进行，发挥湖北省和重庆市移民局对移民科研工作的积极性，1997～1999年，移民开发局下达湖北省和重庆市移民局科研经费1300万元，其中湖北省移民局450万元，重庆市移民局850万元。此后，每年将安排湖北省移民局150万元，重庆市移民局600万元。项目由其自主安排。

湖北省移民局1997～1999年安排31项移民科研项目，合同金额500万元。其中用于基础研究项目129万元，占26%；用于实用技术项目371万元，占74%。1997年安排项目6项100万元，1998年10项150万元，1999年15项250万元。

重庆市移民局1997～1999年安排科研项目25项，合同金额717万元。其中用于基础研究项目187万元，占27%；用于实用技术项目530万元，占73%。1997年安排项目6项110万元，1998年5项306万元，1999年14项301万元。

(三)建立示范区，加快科研成果的推广

移民开发局在科研项目的立项审批过程中，注重实用技术、应用课题的研究，确保科研与移民工作的紧密结合。对于工程技术与农业开发项目，强调技术的先进性和实用性，通过典型示范，使其在生产和建设中得到推广，并产生显著的经济效益。

（周　维）

移民信访工作概况

做好三峡库区移民信访工作，不仅关系到三峡工程二期移民任务的完成和三峡水库按期蓄水发电，而且直接影响三峡库区的经济发展和社会稳定。为做好三峡库区移民信访工作，三峡建委移民开发局于1998年成立三峡移民信访工作领导小组，协调移民信访工作；移民开发局办公室专门设立信访处，配备专职信访工作人员，并于1999年下发《关于进一步加强三峡库区移民信访工作的通知》，制定《三峡库区移民信访工作制度》和《移民开发局信访工作暂行规定》，1999年底，在北京召开三峡库区移民信访工作座谈会。会上，库区各县交流做好移民信访工作的经验，探讨处理集体上访和突发事件的做法，三峡建委、监察局、移民开发局以及国家信访局的领导到会作了重要讲话。这次座谈会是三峡工程库区移民工作从1993年正式开始以来，首次召开的移民信访工作会议。

三峡工程库区移民工作，在库区各级政府和广大移民群众的共同努力下，虽然顺利地完成了一期移民任务，库区面貌已经发生日新月异的变化。但是，随着库区移民搬迁建设和移民安置的全面展开，出现了一些新的情况，新问题和各种潜在的矛盾也逐渐暴露出来，致使移民来信来访逐年增加，特别是近年来，移民信访呈大幅度上升的趋势。仅1999年上半年全库区各级移民信访部门就受理各类移民来信来访2136件，其中来信715件，移民群众来访1280批、4302人次。

三峡工程库区移民工作开展7年来，三峡移民信访部门紧紧围绕着三峡移民搬迁建设和移民安置这个中心任务，按照分级负责，归口办理，一级对一级负责的原则，坚持依法办理移民来信来访，实事求是地解决信访问题，促进了移民工作的开展。各级移民信访部门都做到了及时批转，认真办理，办结率和满意率都达到95%以上。通过重点信访件的调查处理，及时归垫移民资金858万元，追回移民资金50万元，并清理出假移民877人。同时还有效地化解矛盾和纠纷，消除隐患和不安定因素，促进了库区的社会稳定。

经对大量移民群众来信来访分析，1999年移民群众的来信来访呈现如下几个特点：

(1)移民来信来访由个体零星、分散上访逐渐向一定规模的集体群访发展。三峡工程库区移民工作开展以来，移民群众来信来访从无到有，逐年增加，特别是近年来，集体上访发生的频率越来越高，而且规模也逐渐加大。

(2)信访工作中提出的问题由初期一般性的政策咨询向要求解决个人实际问题和保护个人切身利益转变。一期移民期间，移民信访多为移民群众来信来访，咨询有关移民政策，提出一般性的规划、搬迁建议，此类信访问题一般比较容易答复和解决。但随着二期移民搬迁建设的不断深入，库区移民信访的重点已经转到要求解决与移民切身利益相关的生产生活安置、资金补偿等问题。这些问题直接涉及到移民的切身利益，有些问题解决起来难度很大，有些问题一时又难以解决。

(3)移民来信来访人员由原来农村移民居多转向城镇移民居多。二期移民开始以来，库区城集镇移民来信来访不断攀升。除要求解决安置补偿问题外，对生产生活条件的改善，居住环境的选择，子女上学条件，城镇功能配套和环境治理等诸多方面都提出了更高的要求。由于城镇移民利益比较一致，居住地相对集中，文化层次也相对较高，往往行动统一，规模较大，容易形成突发事件，有可能给维护库区城镇社会稳定和党政机关正常的工作秩序形成一定的压力。

(4)从单纯举报库区移民工作中的腐败问题转到积极维护移民自身权益不受侵犯和揭露腐败两者并重。库区移民工作初期，各级移民信访部门受理移民群众检举控告基层干部搞假移民，在移民工程建设中贪污受贿等信访案件较多，而且所占比例也较大，但近年来移民信访的重点已逐渐转到关注自身的生产生活出路和搬迁安置补偿问题上来。许多来信来访已不再是单纯的检举控告他人，即使是控告他人，也多与信访当事人的切身利益相联系。

(李德武)

开 发 与 规 划

库区移民安置规划工作

(一)移民安置规划编制工作

1999年，水利部长江水利委员会负责编制完成《长江三峡工程水库淹没处理及移民安置规划报告》、《三峡工程库区湖北省、重庆市移民迁建进度及分年投资规划专题报告》，其中分省市的移民迁建进度及分年投资规划报告，经三峡建委批准，印发库区执行。截至1999年底，共编制完成全库、分省市、分县移民安置规划报告及附件共计500余本，约4000余万字，参与三峡工程库区移民安置规划报告编制的主要单位有长江水利委员会及湖北省、四川省、重庆市的有关规划设计、科学研究院(所)和高等院校，按照三峡建委批准的《长江三峡工程水库淹没处理及移民安置规划大纲》中确定的原则、规模、标准和要求，较圆满地完成了三峡工程库区移民安置规划报告的编制工作。

1999年国务院三峡工程移民工作会议上，对农村移民安置和工矿企业搬迁政策作了相应调整和完善。对农村移民，强调在坚持多种方式安置的基础上，鼓励和引导更多的农村移民外迁安置；对工矿企业搬迁存在产业结构不合理，产品无销路、无市场，资不抵债，搬迁后难以为继的淹没企业将实行破产关闭。为了适应新的移民安置工作要求，在原规划成果的基础上，对三峡工程重庆库区农村移民出市外迁资金进行测算，提出三峡工程库区农村移民外迁工作指导意见，以及重庆库区农村移民出市外迁工作方案等，由两省市有关部门负责，组织有关专业部门，重新对两省市淹没工矿企业迁建方案进行调整和修改，完成编制工作，为顺利实现两个“转变”打下基础。

根据1998年10月专家论证会的要求，部署两省市移民、文物部门和长江水利委员会开展文物项目复核，并提出《长江三峡工程淹没及迁建区文物古迹保护规划有关内容的修订与补充报告》，在上述工作的基础上，国务院三峡工程建设委员会召开办公会议，审议《关于审核三峡工程淹没区及迁建区文物保护规划的建议》，该会议的会议纪要指出：规划的审批工作可告一段落，下一步应在确定保护经费、解决遗留问题的同时，重点抓文物保护的实施。至此，为三峡工程135 m蓄水发电前的库区淹没区和迁建区开展抢救性文物保护和发掘创造了条件。

根据库区移民安置工作实际情况，适时开展《长江三峡工程库区淹没处理及移民安置崩滑体处理总体规划报告》的编制工作，规划编制工作进展顺利，2000年上半年完成该项规划的编制和专家审查工作。

(二)加强对规划实施的监督管理

严格按湖北省、重庆市人民政府批准的三峡工程库区分县移民安置规划实施移民搬迁，是三峡水库按期发挥工程效益的重要保证。在移民安置搬迁过程中，还存在着下述问题：①对规划严肃性认识不够。②部分县区不顾当地财力的承受能力，在移民项目实施迁建中，超规模、超标准建设。③不按规定程序报批，随意调整规划，盲目铺摊子上项目。④非移民项目挤占移民项目建设用地，高水位项目挤占低水位项目的投资计划。三峡建委移民开发局和库区各级人民政府、移民管理部门，针对上述问题加强规划实施的监督管理力度，进一步强调移民安置规划是移民搬迁的基础，是实施的依据，库区各地必须遵循先淹先搬的原则，根据移民安置规划确定的用地规模、建设标准实施迁建，未经批准，不得超规模、超标准进行移民工程项目建设。通过加强管理，上述问题得到初步控制。

为了汲取重庆"彩虹桥"事故的惨痛教训，同时针对库区部分移民工程建设项目不按基本建设程序办事，尤其是巴东县在209国道公路复建工程中，发生焦家湾桥垮塌，造成多人死伤的严重工程质量事故等问题，1999年内，三峡建委移民开发局和两省市移民局多次对移民工程建设质量开展检查，并根据检查中发现的问题，发出《关于加强三峡移民工程建设质量管理的通知》，进一步加强和促进移民工程建设质量管理工作。

(三)解决移民安置中存在的突出问题

三峡库区移民规划工作为移民安置的顺利实施创造了良好条件，但通过几年的移民安置实践，在移民搬迁中，也还存在一些亟待解决的问题，这些影响移民安置的制约因素若处理不当，将直接影响三峡工程2003年按期蓄水至135 m水位。为此，本着实事求是原则，对库区地质灾害及库岸防治工作、新址占地人口规模、迁建区征地及用地管理、库区环境保护问题、库区文物保护工作的实施、二三产业安置农村移民、新出台的政策对移民迁建和投资的影响、25度以上坡耕地退耕还林对农村移民安置影响、半淹城镇功能恢复等，组织有关单位的专家和工作人员，开展专题调研，并就这些问题的处理提出建议。同时对神农架林业区移民搬迁中存在的问题；巴东、巫山、奉节3个县城迁建基础建设难度系数；万州城区人防工程淹没补偿；巴东县城迁建规划调整等较为突出的问题，进行审查，使其得到合理解决。今后，还将加强对移民安置工作中存在的各种问题的调查研究，为移民工作的行政决策提出更多更好的建议意见，促进三峡工程库区移民安置工作的顺利开展。

（刘　真）

库区淹没企业迁建工作

(一)三峡库区淹没企业的基本情况

据长江水利委员会调查核实，三峡水库淹没企业1599户（湖北库区219户，重庆库区1380户），其中Ⅰ线水位120户，Ⅱ线水位481户，Ⅲ线水位241户，Ⅳ线水位757户；淹没厂区房屋面积751.4万 m^2，涉及职工31.3万人，淹没补偿投资核定为68.28亿元（流程数）。

(二)三峡库区淹没企业迁建进展情况

截至1999年底，已累计安排企业迁建移民资金计划38.21亿元（折静态约30亿元），累计完成39.19亿元，完成投资占计划的102.56%。已安排的补偿资金占淹没企业大类补偿资金的43.94%。累计纳入移民年度投资计划的项目703个（涉及淹没企业928个，占淹没企业总数的58.04%），其中已经竣工项目401个（涉及淹没企业543个，占淹没企业总数的33.96%，占列入计划的58.51%），在建项目302个（涉及淹没企业385个，占淹没企业总数的24.08%，占列入计划的41.49%）。尚未列入移民年度投资计划的淹没企业671个，占淹没企业总数的41.96%。竣工房屋面积229万 m^2，安置农村移民8058人。

湖北库区截至1999年底，已累计安排企业迁建移民资金计划5.58亿元，完成移民投资4.18亿元，占计划的74.91%。累计纳入移民年度投资计划的项目168个（涉及淹没企业203个，占湖北库区淹没企业总数的92.69%），其中已竣工项目142个（涉及淹没企业175个，占湖北库区淹没企业总数的72.91%，占列入计划的86.21%），在建项目26个（涉及淹没企业28个，占淹没企业总数的12.79%，占列入计划的13.79%）。尚未列入移民年度计划的淹没企业16个，占湖北库区淹没企业总数的7.31%。

重庆库区截至1999年底，已累计安排企业迁建移民资金计划32.63亿元，完成移民投资35.01亿元，占计划的107.29%。累计纳入移民年度投资计划的项目535个（涉及淹没企业725个，占重庆库区淹没企业总数的52.54%），其中已竣工项目259个（涉及淹没企业368个，占重庆库区淹没企业总数的26.67%，占列入计划的50.76%），在建项目276个（涉及淹没企业357个，占淹没企业总数的25.87%，占列入计划的49.24%）。尚未列入移民年度计划的淹没企业655个，占重庆库区淹没企业总数的4.46%。

(三)三峡库区搬迁企业结构调整工作进展情况

国务院三峡工程库区移民工作会议，对搬迁企业的迁建政策进行了重大调整，要求结合迁建加大搬迁企业的结构调整力度，对污染严重、产品无市场和资不抵债的国有、集体搬迁企业，要坚决实行破产或关闭，国务院办公厅为此下发了《国务院办公厅关于三峡库区移民工作若干问题的通知》（国办发〔1999〕53号）。

1.搬迁企业迁建规划的修订工作

三峡库区移民搬迁企业的结构调整工作，涉及面广、政策性强，不仅关系到企业职工的切身利益和库区的社会稳定,而且还关系到移民搬迁安置和库区经济发展。

据两省市提供的规划资料,纳入此次修订规划的淹没企业共1563户,占全部淹没企业的96%,其中包括重庆库区的全部淹没企业,湖北库区只列入了166户工矿企业。规划拟破产关闭的淹没企业956户(重庆库区802户,湖北库区154户),占列入规划淹没企业数的61.2%,占全部淹没企业数的57.8%;规划拟保留发展的淹没企业607户(重庆库区595户,湖北库区12户),经资产重组后规划形成新企业398户(重庆库区389户,湖北库区9户),此次规划将减少企业1165户,调整压缩比为74.5%,规划调整力度较大。

规划拟破产关闭的956户淹没企业,已完成迁建任务(包括湖北库区已破产关闭的40户淹没企业)有144户(重庆库区26户,湖北库区118户),在建(包括列入计划未开工的淹没企业)有235户(重庆库区230户,湖北库区5户),未列入移民年度投资计划的淹没企业577户(重庆库区546户,湖北库区31户);拟破产关闭淹没企业核定移民补偿资金24.79亿元,已安排移民资金计划9.24亿元(动态),折静态约7.80亿元,移民资金静态余额16.99亿元;拟破产关闭企业现有职工10.38万人;欠银行贷款本息34.1亿元(重庆库区26.43亿元,湖北库区7.67亿元),职工集资1.65亿元。

2.明确搬迁企业兼并破产关闭后银行呆坏帐核销的范围和程序

根据国办发〔1999〕53号文件精神,中国人民银行、财政部、国家经贸委、三峡建委移民开发局等单位多次协商,就搬迁企业兼并破产关闭后银行呆坏帐的核销范围和程序等问题进行研究,并联合发文予以明确界定:①三峡库(坝)区国有、集体亏损的搬迁工矿企业被对口支援企业兼并的,以其1998年底的贷款余额为限,免除以前的全部欠息和今后3~5年(具体可由企业与债权银行商定)还款期内的利息。②污染严重、产品无市场和资不抵债的国有、集体搬迁企业实施破产、关闭所形成的银行贷款本息损失予以核销。

核销银行呆坏帐的具体程序是:兼并项目在还本计划与债权银行协商一致、签订兼并协议、工商行政管理部门办完登记手续后,由兼并企业向开户行申请核销,经债权银行省级分行和财政部驻当地监察专员办事处审核后,报总行自主审查、批准核销;破产关闭项目在破产关闭程序结束,工商行政管理部门办完注销手续后,由开户银行向上级行申报核销,经债权银行省级分行和财政部驻当地监察专员办事处审核后,报总行自主审查、批准核销。

3.中央财政转移支付的比例和结算方式

对搬迁企业因破产关闭后减少的地方财政收入,由中央财政给予4年的适当补助,在结算方式上,拟采取据实结算的方法,即对当年实施破产关闭的搬迁企业,在破产关闭程序结束后,以搬迁企业破产关闭前三年平均上缴收入中的地方财力为基数,经财政部审定后,由中央财政给予补助。重庆库区的补助比例40%,湖北库区的补助比例60%。

4.破产关闭企业职工的养老保险费的补助

搬迁企业破产关闭后,基本养老保险费应按企业在职职工上年工资总额和所在省市统一缴费比例或省会城市缴费比例计算10年,折半核定后,拨付社会保险经办机构;养老保险费的资金来源,应从搬迁企业破产关闭变现资金中解决,如有不足,届时再研究资金来源。

5.搬迁企业的破产关闭试点工作

国务院三峡工程库区移民工作会议后,两省市在做好搬迁企业迁建规划修订工作的基础上,相继开展搬迁企业破产关闭试点工作。

在试点基础上,根据国家有关法律、法规和政策,结合三峡工程移民搬迁企业的实际,制订《三峡工程移民搬迁企业兼并破产关闭实施办法》。该办法已根据两省市的意见作了相应修改,待征求国务院有关部委和有关银行的意见后下发执行,使搬迁企业兼并破产关闭工作规范化、制度化。

重庆市三峡库区移民工作

(一)概况

1999年重庆市完成移民项目投资34.53亿元,占重庆市人大一届三次会议通过的28.6亿元计划的120.2%,占国家1999年投资计划35.56亿元的97.1%;完成建房276万m^2,占年初计划的130.11%;完成建房安置移民10.86万人,生产安置农村移民2.96万人,分别占年初计划的158.21%和147.47%;完成企业迁建140户,占年初计划的134.62%。1999年的移民工作以"两个调整完善"为重点,认真贯彻落实国务院移民工作会议精神,全面完成移民工作各项任务,取得阶段性成果,使移民工作上了一个新台阶。

(二)农村移民安置在探索中稳步向前

库区各地坚持多种方式安置移民,积极探索本地安置与异地安置、集中安置与分散安置、政府安置与移民自找门路安置相结合的路子。一是通过调整土地,落实农村移民安置。按照抓调整落实权属,抓配套落实安置的工作要求,全年完成土地安置农村移民2万余人。同时,对包括8年试点以来开发、改造的土地开展全面清理。二是改善移民安置环境,积极引导库区移民发展高效生态农业和旅游业，为安置好移民创造条件。到1999年底，库区沿江乡镇移民公路已开工修建1000余km，建成643km。发展1000余亩大棚蔬菜地，忠县施格兰柑桔产业化基地、石柱葡萄产业化基地等高效农业项目已初见成效。奉节天坑、地缝，巫山神女溪等一批库区旅游开发项目已启动。三是通过试点，积极探索农村移民外迁安置途径。组织农村移民赴新疆劳务合作试点的江津市接收安置云阳县农村移民试点，取得初步成效。在此基础上，按照国务院三峡工程建设委员会（以下简称三峡建委）召开的农村移民外迁现场会和重庆市农村移民外迁工作会议的部署，抓紧落实出县市内安置移民的实施计划和出市外迁移民的试点工作。同时，积极引导和鼓励农村移民投亲靠友、自主外迁。迁出人数达万余人。

（三）迁建工矿企业加大结构调整力度

按照调整结构，改进质量，提高效益的工作方针和关闭破产一批，搞活一批，发展一批的思路，在有关部门的共同努力下，完成迁建工矿企业规划修编，并通过中国国际咨询公司的评估。规划修订按照以市场为导向，以效益为中心，依据长江三峡工程库区各区县（市）工矿企业淹没处理规划及补偿投资核算报告，规划将全重庆市1397家淹没工矿企业调整为389户，调整比72.2%，在调整的企业中，实行资产重组、破产关闭的1008户。为了探索路子，取得经验，在市级有关部门通力合作下，先期在奉节县开展4户淹没企业破产关闭试点，效果较好。在此基础上，对库区11个区县的30户淹没企业进行破产关闭试点。同时，城镇迁建规划工作按照国务院和重庆市政府关于控制迁建规模的要求，清理检查库区各地迁建用地情况，并对超规划用地等问题进行整改。

（四）对口支援工作向纵深发展

一是认真贯彻落实国务院三峡库区对口支援企业迁建工作会议精神，搞好签约项目的跟踪落实。从市级到库区各地都明确专人，实行项目跟踪督查责任制，随时掌握情况，协调解决有关问题。二是积极开展新项目的引进和实施工作。1999年重庆库区共实施各类对口支援项目387个，其中新引进重点项目12个，到位各类资金10.4亿元。三是不断改善库区软环境，积极做好协调工作。从1998年底到1999年上半年对库区各地进行专项监督检查，把整顿改善软环境作为对口支援工作的重点，进一步巩固成果，拓展领域。1999年库区各级切实贯彻落实《重庆市人民政府关于进一步规范政务管理，改善投资环境的决定》及六个配套文件精神，增强服务意识，进一步规范政务管理，受援环境得到较大改善。

（五）移民管理工作在深化中进一步得到加强

1999年，在全库区开展以移民工程质量和移民资金为重点的移民工作管理年活动。一是年初移民部门与有关部门共同对历年已竣工的856个移民项目进行全面检查，一次验收合格率92.2%，优良率16.5%，尚未发现重大结构性质量问题。年底，各区县对当年竣工工程进行检查验收，一次验收合格率100%，其中优良率达到25%以上，并创造了一批文明工程。二是加强移民工程地质管理工作，开展城镇重点滑坡治理和库岸防护工程的前期工作，库区滑坡处理总体规划的编制工作即将完成。三是狠抓财务制度和财会队伍建设，加强移民部门内部审计，对移民乡镇实行会计委派制，并制定乡镇移民资金管理暂行办法，对乡镇移民资金、新城建设资金、土地出让金、行政管理费等重点资金的使用管理情况进行专项检查，进一步落实审计整改措施。移民规划管理、移民工程设计管理、移民档案管理和干部管理等得到进一步加强，规划遗留问题正在逐步得到处理，移民工作逐步走上制度化、规范化的轨道。

（六）移民政策法规及调研工作取得初步成果

1.移民建章立制工作全面启动

库区各级结合本地实际，在移民政策法规方面努力探索实践。在重庆市移民局组织调查研究和起草修改的基础上，1999年重庆市政府又先后出台《关于切实做好三峡库区农村移民安置工作的通知》、《关于做好三峡库区农村移民自主外迁安置工作的通知》、《关于做好三峡库区迁建工矿企业结构调整的通知》、《关于进一步做好对口支援移民工作的通知》、《关于在三峡库区移民迁建中加强生态环境保护工作的通知》等规范性文件。重庆市委、市政府下发《关于印发〈关于实行三峡移民资金和移民工程质量管理责任制的规定〉的通知》。重庆市移民局制定印发《移民信访管理暂行办法》、《重庆库区移民养老保险管理试行办法》、《重庆市〈三峡库区移民补偿投资价差资金计算及管理办法〉实施细则》、《重庆市移民信息工作试行办法》，与重庆市建委联合发出《关于切实加强移民工程建设管理的通知》等规范性文件；《重庆市三峡库区农村移民安置管理办法》、《重庆市三峡库区城镇迁建及专业项目复建管理办法》、《重庆市三峡库区淹没工矿企业迁建管理办法》、《重庆市三峡库区移民资金管理办法》、《重庆市三峡库区移民监理实施管理办法》等政府规章已完成起草修改工作，将由市政府审议通过后颁发。同时，对《移民条例》的修改作了大量调查研究工作，并向国务院三峡建委移民开发局提交书面建议报告。12月下旬，重庆市移民局邀请市法制办参加国务院三峡建委召开的移民条例修改意见座谈会，与国务院30多个部委局一起，对条例的修改进一步提出建议。

2.初步建立移民政策调研网络体系

按照重庆市移民局党组《关于加强移民政策法规工作的意见》,重点强调加强移民政策调研工作机构、充实工作力量等问题。近年来,各区、县移民部门对移民政策调研工作愈加重视,切实加强领导,建立健全机构,完善制度措施,增强工作力量,移民政策调研工作网络基本形成。重点移民区县都设立政策法规科(或调研科),配置专门人员,做到经常性地开展工作。1999年,重庆市移民局聘请22个市级部门的移民政策特约研究员,并制定《移民政策特约研究员职责》,对今后进一步加强移民政策调研发挥积极作用。

3.多形式、多方位开展移民政策调研工作

一是结合实际,开展移民政策调研已成为领导干部的经常性活动。重庆市移民局党组成员建立联系重点移民区县和移民乡镇制度;领导带头亲自搞调研,已形成经常化、制度化的领导工作方式。在党组的统一安排下,各地在重点开展移民计划管理、移民信访、工程质量、高效生态农业、外迁移民试点、工矿企业迁建、移民资金管理以及库区旅游开发等问题的调查研究活动基础上,提出不少工作方案和措施。二是积极配合,深入开展移民专题调研。会同市级有关部门和部分区县一起到库区开展调查研究,进行现场指导,开展试点工作和研讨活动等。与国家科委西南信息中心、重庆市高级法院、重庆市社科院、重庆大学等单位合作开展移民软课题研究。三是创办《移民调研》,反映调研成果。《移民调研》自1998年5月创刊以来,及时刊载库区各级典型的工作经验、调研报告、问题研究及对策措施等,为各级领导决策和指导工作提供参考。到1999年底共编印《移民调研》35期。

(七)移民法律和政策咨询服务进一步加强

根据移民工作政策性强、时间跨度长、涉及面广、社会影响大的特点,库区各级加强移民法律服务和政策咨询服务。一是加强对库区法律服务的指导。各级移民部门配合司法部门重视和加强对移民法律服务工作的指导,坚持依法移民。二是开展库区移民迁建适用法律调研活动。重庆市移民局和重庆市高级法院紧密合作,深入库区调查研究,就如何依法移民、如何运用审判职能为移民迁建服务、依法保护移民主体的合法权益,以及各类移民案件的审判工作等适用法律方面进行研讨,提出工作思路和研究对策。同时,发挥常年法律顾问的积极作用。三是认真开展移民政策咨询及议提案办理。1999年,重庆市移民局共接受有关行政机关、企事业单位、人民团本及移民群众来信、来访、来电千余人次,让来信、来访、来电者得到满意的有关政策问题的答复。同时,认真办理人大、政协有关移民政策的议、提案和政策参阅材料20余件。还分别为香港公务员考察团、市政府参事室、重点移民村支书培训会以及接受外迁移民区县和乡镇领导干部培训会讲授三峡移民政策专题。

(八)移民宣传工作向多层面、多形式深入

为鼓励社会各界积极参与移民宣传,规范移民宣传管理,加强正确舆论导向,重庆市移民局先后制定和发出《关于移民新闻宣传工作中有关问题的通知》、《关于接受记者采访、社会团体调研的有关问题的通知》等规范性文件,对鼓励和规范移民宣传提出了明确的管理措施及要求。1999年8月,重庆市委宣传部、市移民局联合召开重庆市移民宣传工作座谈会,同时以渝移发〔1999〕215号文件联合下发《关于进一步加强三峡库区移民宣传工作的意见》。各项管理办法和措施的出台,对坚持移民工作正面宣传,加强和规范移民宣传发挥了积极作用。重庆电视台黄金收视时间开辟的每周定期播出的"三峡大移民"、"移民信箱"专题栏目,报送移民动态,宣传移民政策,反映移民呼声,解答移民疑难,收到积极效果。该栏目于1999年10月1日面向全国,社会反响很好。《重庆日报》先后组织开展移民好新闻赛活动和开辟"打好二期移民攻坚战"及"立市之本,务求必胜"等专栏。与《人民日报》、《经济日报》、《中国日报》、《潦望》周刊、香港《文汇报》等国内外有较大影响的报刊联合举办移民专版或约定刊登移民专题稿件。

(九)移民培训工作扎实有效展开

1999年,确定"培训工作要突出实效"的指导思想,重点抓干部培训、政策法规培训、移民实用技能培训等方面的工作。全年举办干部培训70期,培训干部4000余人次;移民技能培训360期,培训4万人次。

(郎 诚)

湖北省三峡库区移民安置工作

(一)概况

1999年,湖北省坚持以二期移民工作总目标为中心,投资控制、搬迁安置和土地开发等方面工作进展衔接有序。

1.投资计划执行情况

截至1999年底,湖北省累计完成投资396826.01万元,为累计计划的91.58%。1999年完成投资56822.11万元,占计划的78.84%(12月25日又追加1.2亿元未计在内)。分大类为:农村移民安置完成投资12475.26万元,占当年计划的74.43%;城(集)镇迁建完成投资27528.16万元,占计划的68.46%;工矿企业迁建完成投资 5372.58 万元，占计划的 88.93%；专项设施复建完成投资 11109.56 万元，占计划的 127%。

2.移民工作完成情况

(1)农村移民搬迁安置和土地开发。截至 1999 年底，累计搬迁农村移民 35664 人，完成计划的 65.3%，落实生产安置人口 40938 人，完成计划的 71.93%，其中 1999 年搬迁 6183 人，生产安置 6272 人。在农村搬迁人口中，累计外迁 12581 人，其中 1999 年外迁 2480 人。农村移民累计建房 105.99 万 m^2，完成计划的 123.02%，其中 1999 年完成 25.32 万 m^2。累计完成土地开发 3240.36 万 m^2，完成计划的 80.29%，其中 1999 年完成 87.43 万 m^2。

(2)城镇复建。湖北省三峡库区 3 个县城，13 个集镇中，秭归县城已完成搬迁，兴山县城基础设施大部分完成，巴东县城、香溪、峡口、高阳镇因地质影响滞后，沿渡河镇完成部分基础设施。1999 年共完成场平 193 亩，建桥 1144 m，架输电线路 12 km，通信线路 7.6 km，广播线路 7.2 km，完成建房 30.84 万 m^2，其中居民住房 22.11 万 m^2。

(3)工矿企业搬迁。湖北省库区已完成 142 个工矿企业搬迁任务，其中技改项目 39 个，原迁企业 79 个，破产关闭 24 个，在建企业 26 个。企业技改专贷 24 个项目，竣工 221 个，在建 3 个。

(4)专业设施复建。1999 年完成公路复建 12.17 km，修建桥梁 17 座、码头 2 座，建成水电站 1 座，架输电线路 7.8 km，通信线路 6.7 km、广播电视线路 6.4 km。

(二)主要做法

1999 年，库区移民工作紧紧围绕贯彻国务院三峡工程移民工作会议精神，按照抓好"两个调整"，加强"两个管理"，确保二期移民搬迁安置任务按期完成的要求进行。

1.调整农村移民安置和企业迁建的规划

(1)调整农村移民安置规划，适当增加外迁人数。将外迁人数由 11551 人调整为 25000 人。中央安排给湖北省的重庆库区 7000 人的农村移民外迁安置任务也分配到了有关市、县，具体接收安置方案已报省政府。

(2)调整企业迁建规划。湖北省淹没企业 219 家，由于先淹先搬，搬迁规划做得比较早，当时受"三原"限制，不少是原样照搬，加之近年市场情况变化，已搬企业许多效益不好，做好结构调整是当务之急。1999 年，按照国务院三峡工程移民工作会议精神，编制了库区工矿企业结构调整方案，对产品无市场、无效益、资不抵债、污染严重的企业，坚决依法破产或者关闭。并且开始破产企业的试点工作。

2.完善移民迁建规划和措施

(1)开展重庆市三峡库区农村移民外迁湖北省情况的调查。大江截流以来，重庆市三峡库区不少移民迁入湖北省。按照省政府的要求，先后四次对重庆市三峡库区移民迁入的人数、方式、原因、生产生活安置等情况进行调查，省政府下发《关于认真做好农村移民外迁工作若干问题的通知》。初步规范各地接收重庆市农村移民外迁安置工作，为确保安置质量创造条件。

(2)对农村移民外迁补助费用的分解进行调查。在广泛征求移民迁出地和迁入地政府与移民部门的意见基础上，提出外迁补助费用的分解意见，并上报国务院三峡建委移民开发局。

(3)对库区迁建企业结构调整进行调查，摸清迁建企业的职工人数、安置情况、资产总额、负债总额、移民补偿资金使用情况，为制定企业调整方案奠定基础。

3.解决库区移民安置的关键问题

(1)严格控制城镇建设规模，按照省政府的安排，对迁建的 3 座县城，合并建设的 12 个集镇的用地规模和基础设施投资进行检查。对少数城镇超迁建详规，投资有缺口的问题采取整改措施。一是责成各地退到迁建详规的规模上来，已征用的耕地退给当地村组，交农民耕种；二是严格控制规划区内的单位在规划区外征地；三是实行城镇用地规模和投资双控制。据跟踪调查显示，各地城镇建设规模已得到控制，迁建速度明显加快。

(2)采取切实措施，提高搬迁企业的效益。针对一期移民企业迁建暴露出来的问题，调整思路，采取新措施：一是按照"结构调整，技术先进，效益可靠，兼顾移民"的原则，对原迁建规划进行调整、补充和完善；二是在项目建设上收缩战线，明确重点，保证有限的资金发挥作用；三是在人员安置上划整为零，多方安置；四是将搬迁结合技改、对口支援和再就业工程优惠政策等具体抓落实。这些措施在香溪河矿务局，兴发集团等企业已初见成效。

4.强化移民工程质量管理

1999 年，湖北省政府针对三峡移民工程中发现的质量问题和工作中的薄弱环节，有针对性地确定 1999 年为"质量年"，狠抓移民工程质量管理，针对某些移民建设工程质量存在的问题，组建湖北省移民工程质量监督网络，制定《关于加强移民工程建设质量管理工作的意见》；对库区 15 家监理单位进行资质认证；清退 75 家不合格的施工企业，保证了移民工程的质量。1999 年竣工的 405 个项目中，属于县级组织验收的 365 个，全部合格，其中优良工程 61 个，优良率16.7%，优良率比上年提高 10.4%。

5.加强移民资金管理

进一步加强移民资金管理，按照省政府的要求，三峡库区迁建企业规划调整方案未批之前，暂停对企业拨付移民资金。为了做好价差兑现工作，下发《湖北省三峡工程库区移民补偿投资价差资金管理实施细则（试行）》，指导秭归县价差资金测算兑现试点工作。同时，大力推行“村帐乡管”，“三帐合一”等移民资金管理办法，加强末端管理，做到计划、资金跟着项目走，保证移民资金的专款专用。加强移民资金的审计监督，积极配合审计署武汉特派员办事处、审计厅、监察厅对移民资金进行3次审计。根据省政府的指示，建立由监察厅牵头，省移民局等5家单位参加的移民资金监督网，不定期地监督检查移民资金，确保移民资金的安全有效使用。

（郑志康　陈志红）

对　口　支　援

全国对口支援三峡库区移民工作概述

1999年三峡库区对口支援工作仍高速、平稳发展。全年对口支援共为库区引入外来资金138923万元，其中社会公益项目资金29635万元，经济合作类项目中支援方到位资金109288万元，实施经济合作项目425个（其中新建项目128个），无偿援助设备、物资折款及捐赠现金共计28710万元，援建希望学校32所，各类助学活动资金额924.86万元，安排移民劳务3265人次，培训各类人员1475人次，干部交流74人次，对口支援项目共安置移民10851人。

1999年对口支援工作从引进项目的个数和资金量来看，均是自开展对口支援工作以来最好的，项目质量方面，由于吸取前些年的经验教训，加强项目的前期工作，而且跟踪服务工作比较到位，所以项目质量总体上较好。

（一）深入贯彻落实1998年涪陵会议精神

涪陵会议后，各省、市都及时对对口支援工作进行总结，多数省、市调整工作思路，清理对口支援项目。清理的原则基本把握以下几方面：对有条件上的项目，尽快促成；对没有条件上的项目，尽快终止合作；对存在问题的项目，下大力量进行协调解决；对已开工并有发展前景的项目，给予重点支持。在涪陵会上签约的33个项目中，已经投产14个，正在建设、近期可以投产有11个，种种原因暂停或对项目有影响的有4个，难以实施或已撤销4个。各省市对吴邦国副总理“每年至少拿出一个好项目”的任务也基本完成，有的省市好项目达到4～5个。在项目推进方面，江苏、浙江、上海、河北、青岛等省市比较突出。

（二）三峡库区自用物资进口税收返还工作

《三峡库区自用物资进口税收返还管理办法》（财预字〔1998〕88号）下发执行一年来，经多方努力，到10月底，已为56个项目发放了进口额度证明，实现退税11958万元人民币。其中湖北库区项目8个，实际退税项目8个，退税额866万元人民币；重庆库区项目48个，申请返还额19362万元，实际退税项目26个，退税额11092万元人民币。这批退税款的返还，不仅缓解了库区部分企业已经十分紧张的资金情况，而且标志着三峡库区自用物资进口税收优惠政策已全面启动并实施。对进一步促进库区企业调整产业结构十分有利。

（三）进一步推动国务院有关部门对口支援工作

几年来，国务院有关部门根据各自行业的特点，对三峡库区实行重点扶持并在政策上给予倾斜，努力帮助库区改善能源、交通、水利、通信等基础设施条件和发展社会公益事业。1999年11月，三峡建委移民开发局与科技部联合召开第二期科技促进三峡移民工作座谈会。全国28个有关省区市科委、两省市移民局、三峡办的有关人员参加大会。会议学习贯彻全国移民工作会议和全国技术创新大会精神，总结前一段科技对口支援三峡工程库区移民工作经验，动员和部署二期移民开发中的科技对口支援工作，促进科技在三峡工程移民开发中发挥更大的作用。会后各省市科委与库区对口县进行对口洽淡和讨论，达成一些合作意向。这种“移民＋部门”形式的联席会议不仅扩大移民工作宣传面，同时又在一个垂直系统中贯彻落实了对口支援任务，是以纵向推动横向对口支援工作的好形式。

（四）受援方积极整治投资软环境

1999年，受援方努力改善投资软环境，在引进项目、资金、促进企业资产重组、推进基础设施建设、开发高效生态农业等方面取得了较好成效。万州区贯彻涪陵会议精神，迅速在全区就投资软环境问题展开大思考、大整改活动。制定集中、全面整治投资软环境的实施方案，使“人人都是投资软环境，事事都关万州形象”深入人心。制定一系列配套的规范性文件；设立权威性的外来企业服务机构——外来企业家联谊会，搭起政府与外来企业之间的桥梁；对外来重点企业实行挂牌保护和建立政务公开制度等。通过实施这些措施，仅1999年上半年，全区就实施对口支援项目173个，到位资金38443万元，为年计划的69.9%。其中横向对口支援项目111个，到位资金24134万元，分别为年计划的2.2倍和2.4倍；纵向对口支援项目62个，到位资金14309万元，分别为年计划的155%和35.77%。

（五）三峡库区由坐等支援变为主动上门求援

宜昌市是三峡坝、库区所在地，移民任务急而重，几年来的实践使他们认识到，引进对口支援项目是妥善安置移民的必由之路，坐等只能丧失良机。所以宜昌市委、市政府着力抓好改善投资软环境、层层建立责任制，在专门成立的对口支援工作领导班子中，除了吸纳有关职能部门参加外，还特意吸纳组织、人事部门参加。宜昌市通过对效益不好的搬迁企业重新排列组合，加大结构调整力度、认真研究、落实优惠政策，使江苏森达、北京汇源、大连大显等一批好项目在宜昌落户，不仅取得了良好的社会效益，经济效益也十分显著。1999年，宜昌市国内生产总值及财政收入分别比上年增长8.5%和9.1%。

（六）移民安置区抢抓机遇，促进经济发展

远安县在积极、稳妥安置外迁移民的同时，抢抓对口支援机遇，充分利用国家政策和自身优势，主动寻求全国大企业、大集团的支持与合作，已与北汽福田股份有限公司、上海服装集团、江西奉新碳素厂签订正式合作协议，与北京大宝集团、天坛家具集团的合作正在积极接洽中。这些项目的实施，将有力地推动远安县骨干优势企业和农业产业化龙头企业的升级，加快县城经济发展，进一步增强县城经济综合实力，为迁入移民“逐步能致富”创造条件。

（周秋君）

湖北省对口支援工作

1998年底和1999年5月份国务院分别召开两次重要会议，一个是国务院涪陵会议；一个是移民工作会议。对库区移民和库区企业搬迁提出“两个调整”、“两个转变”的要求，并出台一系列新的政策措施。为了及时贯彻落实国务院两次重要会议精神，湖北省委、省政府相继召开省三建委第八次会议，省对口支援三峡移民工作座谈会和外迁移民工作现场会。会后，湖北省三峡办根据会议精神，认真抓贯彻落实和协调督办。一是协调督办省三建委第八次会议上部署的14项具体工作。二是为省政府起草上报贯彻国务院移民工作会议精神情况的报告。三是协调移民工程质量、城镇迁建规模和企业迁建等3个检查组的活动。并起草省政府批转的《省三建委关于三峡移民工程质量检查情况及下步工作意见的报告》。以上会议组织和协调督办工作，推动了国务院关于移民工作新精神的贯彻落实。

（一）落实对口支援项目情况

国务院三峡工程移民工作会议和省三建委第八次会议后，省三峡办围绕两会精神和“两个调整”的要求开展工作。突出表现在库区迁建企业结构调整、基础设施、生态农业、旅游业和社会事业等重点项目落实上，抓好有关省市名优产品的引进和嫁接，抓好省直对口支援工作的落实。初步统计，湖北省库区4县共落实省内外对口支援项目283项，落实支援资金3.49亿元。1999年，落实重大经济合作项目18项，其中已投产12项，预计全年实现销售收入4.41亿元，实现利税9465万元。这些对口支援企业形成库区的优势产业，成为库区经济发展新的增长点。

（1）狠抓“涪陵会议”签约项目的落实。为了抓好涪陵会议签订的14个项目的落实，省三峡办加强对有关项目落实的协调工作，并带领库区县赴外省市考察洽谈，还实行季度跟踪检查。对几个难以落实的项目，主动寻求替代项目。14个签约项目已投产的有7个（北京汇源果汁、青岛海尔抽油烟机、江苏森达皮鞋、韩世糖果、浙江水晶、天津灯塔涂料、大连大显），已启动和正在洽淡的有4个（上海海狮、沈阳黎明集团、邯钢集团、上海服装集团），因企业破产使合作受影响和已取消的项目有3个，项目成功率为78%。

（2）加大名牌企业和名优产品引进工作的力度。湖北省库区4县和宜昌市外迁移民安置地新引进名优产品项目11项。其中，宜昌县引进八峰药化氨基酸大输液和口服液、娃哈哈5条大瓶果奶生产线、均瑶集团乳制品加工合作等项目；秭归县引进江苏华阳热水器、维维豆奶粉生产线等2个独资项目；巴东县引进北京西洋参集团西洋参种植项目、首钢硅钙项目；兴山县引进美力集团魔芋粉项目，引进河南双汇集团等项目正在抓紧做前期工作。同时，宜昌市和有关外迁移民安置地立足打“三峡牌”，与有关省市也达成了一批合作项目协议。宜昌点军区引进河北旭日升饮料生产项目；远安县引进北京福田公司汽车车桥项目；枝江市引进北京溢香肉丝厂低温火腿项目。

(3)改善库区投资环境。1999年12月2日,湖北省三峡办在宜昌市召开会议,对库区投资环境改善情况进行检查和交流。在硬环境方面,除不断加强库区基础设施建设,逐步完善城市配套功能,树立良好形象外,各地着力抓好对口支援工业园建设。秭归县的江苏对口支援工业园已初具规模;兴山县在宜昌市委、市政府的支持下,在宜昌市城区建立了兴山工业园;宜昌县也正在着手建设八峰药化工业园。在软环境建设上,库区4县广泛开展"外学涪陵、内学宜昌县"和以"创环境、树形象"为主题的文明创建活动。各级领导、部门、企业进一步转变观念,在抓住对口支援的机遇上有了更加强烈的紧迫感,对运用市场经济的法则抓好对口支援工作作了大量的探索,初步形成以名优嫁接为重点,优惠政策为引力,优质服务为保证,企业主动为载体,按市场经济规律办事的工作格局。

(二)抓住机遇发展湖北经济

为了充分调动湖北省的经济存量,增强企业竞争力,努力开拓三峡工程的大市场,提高产品的市场占有率,促进湖北经济发展。湖北省三峡办紧紧抓住枢纽工程、移民工程和输变电工程竞标3个重点积极开展工作,取得一定成绩。全年省内企业累计中标合同金额达34.52亿元,其中枢纽工程中标合同金额11.31亿元,占中国三峡总公司国内发包合同总额的60.35%;输变电工程中标合同金额18.39亿元,比1998年翻了一番。1992~1999年移民工程累计投资60.42亿元,省内中标50.62亿元,占83.7%。其中,1999年移民工程投资6.47亿元,省内企业中标4.82亿元,占75%。这批中标项目带动了湖北机械、冶金、电力、建材、建筑产业及一大批相关企业稳步发展,为湖北经济的持续发展作出了贡献。

在枢纽工程竞标方面,鄂钢集团在与全国15家大型钢厂参加的三峡工程2000年上半年钢材供应竞标角逐中,发挥优势,成功中标;武汉船舶公司所属企业在永久船闸液压启闭机5个标段的竞标中,一举夺得3个标段,合同金额达1.56亿元。中央在鄂企业的合同金额9.51亿元,占合同总额的29.31%,占国内招标合同金额的50.75%;省属企业的合同金额1.8亿元,占合同总额的5.55%,占国内招标合同金额的9.6%。

在三峡输变电工程竞标方面,积极协助国家电网公司完成宜昌龙泉换流站和孝感变电站征地、荆门和荆州两座待建变电站选址及征地,以及双南和凤下二回线路等两条50万V输变电线路的征地工作。在有关设计、施工、监理三峡输变电工程及其他电力工程项目中,累计中标总金额18.39亿元。

(三)推行高效生态农业,加强库区生态环保

在库区高效生态农业建设方面,重点围绕《湖北省三峡地区高效生态农业建设规划纲要》的实施,加快库区高效生态农业建设的步伐,抓3个方面的工作:一是根据《规划纲要》中的项目规划,协调督促计划、农业、林业、水利、移民等职能部门在安排年度计划时,向三峡库区倾斜。据统计。1998~1999年省计委、省农业厅等部门共安排投资1.9亿元,使库区造林、改土、坡改梯、新品种开发及农业基础设施建设有了新的进展。二是为继续巩固和扩大试点成果,湖北省三峡办与农科院合作,在库区秭归银杏坨村、宜昌富城坪村、兴山望南村、巴东雷家坪村以及宜昌市三峡机场开展高效生态农业示范点推广工作。通过培养生态农业示范户和建立种苗与示范基地等方式,重点推广12种种植模式和相关农业技术。三是会同湖北省计委、农业厅对三峡库区高效生态农业建设工作进行全面总结。在此基础上,编辑完成《湖北省三峡地区高效生态农业建设规划》。

在库区生态环保方面,一是按国家三峡工程生态与环保监测系统有关要求,完成63个监测指标收集整理。协助国家环保总局环境监测总站完成《三峡地区生态环境监测公告》。二是开展三峡工程坝区及周边地区移民安置生态、环境变化情况跟踪研究。三是根据环境保护"三同时"的原则,加强宜昌县大老岭和兴山县龙门河两个自然保护区项目建设的协调工作力度。大老岭植物多样性保护区已通过国务院三峡办和中国三峡总公司组织验收,龙门河植物多样性保护区设计大纲已完成评审,进入建设启动阶段。四是着手开展秭归四溪流域生态自然保护区项目的前期准备工作。

(戴业富)

湖北省宜昌市对口支援工作

1999年,宜昌市认真贯彻国务院、湖北省关于对口支援三峡库区移民工作的一系列重要指示精神,抢抓对口支援机遇,打三峡牌,促进库区移民安置和经济发展,全年组织出访求援、考察洽淡项目团组336批1670人次,接待对口支援来访团组425批3371人次。全年对口支援共落实项目165个,到位资金26182.8万元。其中经济合作项目81个,到位资金24768.3万元,无偿援助资金及物资折款755.4万元;援建希望工程29个,到位资金659.1万元;安置移民1450人。

(一)对口支援工作进一步加强

宜昌市根据国务院"涪陵会议"精神，进一步统一思想认识，加强领导，不断加大对口支援工作力度：一是思想认识进一步统一。政府各部门不断增强4个意识，即：机遇意识、求援意识、服务意识和发展意识。为进一步落实"涪陵会议"精神，学习借鉴重庆的经验，由宜昌市市长助理、三峡坝区工作委员会主任易行运带队组织市、县三峡办及市直有关单位负责人赴重庆市考察学习对口支援经验，进一步开启思路，明确着力点。二是领导力度进一步加强。5月，宜昌市委召开市委常委专题办公会，专题研究对口支援工作，市委书记孙志刚深入对口支援企业调查研究检查指导工作，提出"大打三峡牌十法"。6月，市委确定由19位市级领导联系18个重点对口支援项目，市委书记孙志刚、代市长王振有分别率团赴大连、上海、江苏等省市求援招商。三是工作目标进一步明确，市政府以宜府发〔1999〕17号文下发《宜昌市1999年对口支援三峡库区移民工作意见》，对对口支援工作目标提出具体要求。

为促进"涪陵会议"签约项目的建设，市委以宜文〔1999〕23号文明确由5位市级领导联系市直涪陵会议签约项目。

1999年，涪陵会议13个签约项目中7个项目建成投产，占签约项目的54%。这7个项目是：北京汇源果汁集团总公司与宜昌县威陵股份有限公司合作二期工程项目；青岛海尔集团与宜昌县银豪电器公司合作生产"海尔牌"吸油烟机项目；江苏森达集团在秭归独资兴办三峡鞋业有限责任公司项目；韩世集团在秭归独资兴办三峡食品有限责任公司项目；天津灯塔涂料公司与兴山县三峡制漆厂合作生产高档涂料项目；大连大显集团公司与宜昌市电子公司合作生产黑白显像管及电子枪项目；浙江水晶集团、湖北东光电子集团公司与兴山县天星水电集团合作的水晶深加工项目。

（二）招商引资有新突破

1999年，对口支援工作紧紧围绕引进一批名优企业落户宜昌的工作目标，继续坚持"攻大求优攀名"的工作思路，加大工作力度。由市级领导带队，以市委、市政府的名义组团分别赴大连、河北、上海、辽宁、青岛、湖南、江苏、吉林等地进行求援招商活动。市委书记孙志刚率团赴大连成功地举行了"宜昌——大连对口支援三峡移民新闻发布会"，签订10个对口支援项目，代市长王振有率团赴上海浦东成功召开"宜昌——浦东促进会1999年会暨招商信息发布会"，签订13个对口支援合作项目。市委副书记李泉，副市长张为民、朱常渭，市长助理易行运、陈华远等市级领导多次赴对口支援重点企业求援，同青岛海尔、沈阳黎明等大型名优企业达成合作协议。宜昌、秭归、兴山、远安、枝江等县、市的主要领导带队分别赴上海、江苏、湖南、北京、青岛、浙江、广东等省市洽谈对口支援项目，开展多方求援活动。1999年有江苏、北京、青岛、浙江、上海、武汉等省市企业和省司法厅等省直部门来宜昌市举行各种联谊会。仅"1999年青岛产品宜昌展销会"上就实现商品成交额100多万元，达成代销或经销项目17项，合同金额3600多万元；两地企业签订意向经济合作项目5项，协议投资总额2000多万元。经过扎实不懈的努力，1999年新引进15个名优企业落户宜昌，其中总投资在1000万元以上的主要有湖北八峰药化集团与宜昌县西陵药业有限责任公司合作生产氨基酸产品项目，江苏华扬集团独资在秭归生产太阳能热水器项目，上海人造板制造总厂与远林集团合作加工人造板，北京福田公司与远安县车桥厂合作加工生产汽车车桥等7个项目。这些新引进项目已建成投产，并逐步发挥经济效益。

（三）高效生态农业项目建设有新进展

宜昌市十分重视做好三峡库区的生态环境工程项目建设，市直有关部门狠抓生态农业项目的技术指导、协调、督查工作，使项目建设的质量、进度都取得较好的效果：一是认真抓全市13个高效生态农业示范点的规划实施；二是深入库区农业示范点进行调查研究，树立样板。组织有关部门3次赴兴山、秭归、远安、宜昌4县对大老岭林场植物多样性保护、三峡工程湖北库区古大树种保护、兴山龙门河常绿阔叶植物多样性保护及部分高效生态农业项目进行调查、立项和检查等工作；三是突出重点，落实措施，不断加大工作力度；四是加强技术宣传培训工作。

（杨宣英）

重庆市涪陵区对口支援工作

（一）概况

1999年，涪陵区在对口支援工作中，以落实1998年度国务院对口支援会议签约项目与巩固已有的对口支援成果为工作重点，狠抓认识到位、政策到位、工作到位，全区对口支援工作进入稳步发展时期。全年签订对口支援协议21项，协议支援资金68475万元。启动实施项目16项，占签约项目的76.20%，支援方到位资金5204.4万元。接受捐款116.54万元。

截至1999年底，全区有对口支援企业40户，1999年实现产值5.49亿元，创利税9398万元。

1999年8月，在国家停止执行联营专项贷款政策的情况下，涪陵区共争取到联营专项贷款项目6个，资金23260万元，占重庆库区1999年安排联营专贷资金总额的44.09%。

(二)对口支援工作取得新进展

1999年,涪陵区狠抓国务院对口支援会议签约项目的落实,取得较好效果。国务院对口支援三峡库区企业迁建工作会议1998年底在涪陵召开后,涪陵区多次召开现场办公会议和专题会议,研究签约项目的启动与建设问题。截至1999年底,国务院对口支援会议签约的7个项目,已开工6个,占85.7%,签约项目成功率是全库区最高的。娃哈哈涪陵公司二期工程于1999年11月23日开工,计划投资由签约时的1亿元扩大为2亿元。涪陵太安铝厂于7月投产,是全库区签约项目中第一家投入生产的企业,产品质量优良,市场乐观,全年实现产值2929万元,安置移民职工200人。丁基橡胶瓶塞项目、无纺布项目、金属硅项目、水润滑塑胶轴承项目等也顺利开工建设。

1999年,涪陵区积极探索对口支援新路子,合作领域全面拓展。

(1)农业产业化,根据涪陵区农业生产的集约化程度,科技含量普遍较低,除榨菜以外,名、特、优、新较少的特点,积极引进农业对口支援项目。涪陵区堡子镇与浙江义乌市合作开发的草莓项目、1999年在重庆投资贸易洽谈会上签约的深圳利加盛公司与南沱镇联合开发的长江特种水产养殖项目,均已起步,发展势头良好。白千层项目和竹业加工项目,已进行示范种植。

(2)生态环境保护项目,实现零的突破。浙江温州市平阳县无偿捐赠20万元,在涪陵区珍溪镇建设浙江三峡生态防护林。《浙江日报》社在浙江社会各界募捐,在涪陵区大木林场建设三峡浙江林。

(3)改进库区办学条件,取得良好进展。由浙江平阳县、上虞市、瓯海区3个县(市、区)投资40万元,拼盘建设的涪陵区珍溪希望小学,其教学环境、教学设备、教学手段,在重庆市现有的小学中,处于领先水平,重庆电视台"三峡大移民"栏目对此作了专题报道。对口支援援建的新妙希望小学、白涛三门子希望小学、碧筱希望小学等相继建成投入使用。截至1999年底,涪陵区通过对口支援捐赠资金拼盘建设的希望小学达46所。

(4)对口支援企业进入涪陵后,通过几年的运作,取得较好的经济效益,对涪陵的投资环境产生了信心,随着市场份额扩大和开发新产品的要求,原有的生产规模和结构已不能满足需要。涪陵区积极帮助他们再兼并淹没企业,组建新的经济实体,形成新的经济增长点。北京市对口支援涪陵区的长江博华电缆公司与北京三信通公司和深圳一家企业合作购买淹没企业荔枝密封件厂新建的厂房,开发光缆项目,成功实施再兼并。

(夏 晖)

市、县移民工作

秭归县

【超额完成移民搬迁任务】 按照三峡工程进度要求,秭归县1999年计划完成移民搬迁5000人,其中农村移民3000人,城镇移民2000人。全年实际完成移民搬迁8585人,其中农村移民3637人,城镇移民4948人。从三峡工程开工到1999年底,秭归县累计完成移民搬迁60584人,其中坝区2017人,库区58567人;累计完成移民生产安置22995人,其中移民出县安置12056人。

【城镇迁建进展顺利】 秭归新县城围绕"四化一防"(硬化、绿化、亮化、净化、防护)和文明创建开展工作。全年完成桔苑、桔颂、迎宾等路基工程12626m,完成天问、西楚路等道路硬化67063m。铺设排水管1205m,修建排水沟1133m,建垃圾中转站10个,架设路灯300盏、12km,高杆灯5杆。栽植行道绿化树6800株,公共绿化移植草皮30000多m²。县城单位绿化面积达15.8万m²。为规范管理,命名了新县城大小街道,编制门牌号码。实行"门前三包"责任制,全面实行住宅小区物业化管理,县城的环境更加整洁亮丽,1999年被评为省级卫生城。1999年,库区沙镇溪集镇完成整体搬迁,屈原、郭家坝、泄滩集镇单位已搬迁至新镇办公,水田坝、香溪集镇全面开展了地面建房。

【专业项目建设取得阶段性成果】 1999年,完成库区复建公路3条41km,风茅公路竣工通车,完成沥青路面3km,玄武洞大桥竣工,龙潭河、柳树沟、向家坝大桥全部合龙。全县累计完成库区复建公路160km。邮电、广播、电力、通信等专业项目已形成网络。

(王海群)

万州区

【概况】 1999年，万州库区各级移民部门和广大干群以“两个调整完善”为重点，继续坚持开发性移民方针和资金、任务双包干原则，切实推行“一个挂钩、两个确保、三个不突破、四个探索”，即坚持资金使用与人头挂钩，确保移民工程质量、移民资金不流失，不突破移民规划、用地指标和“双包干”政策，积极探索农村移民外迁、迁建企业结构调整、城镇成建制规模搬迁和生态环境保护。全年完成移民项目投资278896.63万元；修建农村移民住房82.11万m^2，城市居民住房102.97万m^2，集镇居民住房18.68万m^2，企业住房46.88万m^2；城镇场地平整1238.45万m^2，城镇道路82.68 km，大中型桥梁9座976m；迁建工矿企业80家；生产安置25910人，生活安置42069人。

【农村移民安置】 库区各地在坚持以土为本、大农业安置为主的农村移民安置思路的同时，积极探索本地安置与异地安置、集中安置与分散安置、政府安置与移民自找门路安置相结合的安置途径。在清理移民开发土地基础上，深入开展移民就近后靠调整土地安置工作。累计调整土地5549.9万m^2，清理开发可用于安置的土地2.5万亩，为比较准确的计算安置容量奠定基础。仅万州区全年就完成土地安置农村移民624人。同时积极加快沿江公路建设和发展高效生态农业，进一步拓宽安置容量，营造安稳环境。万州区全年乡镇移民公路动工修建146 km；龙宝高峰镇和五桥黄新移民高效农业产业带已起步，分别累计安置移民176人和824人。此外，按照国务院“两个完善、三大政策”的移民迁建工作部署，配合规划设计单位进一步修改完善农村移民安置实施计划，补充调整移民外迁规划，计划编制万州移民开发区外迁移民12.48万人，其中万州区1.24万人。

【外迁移民安置试点】 根据1999年5月国务院三峡工程移民工作会议提出的鼓励和引导更多的农村移民外迁安置的部署，万州成立移民外迁工作领导小组，制定工作计划及实施方案，落实2000年移民外迁11省市的编制规划和初步衔接工作。出市出县外迁安置试点工作有条不紊。全年成功地完成云阳县移民759人到江津市油海镇安置的试点任务；圆满完成800余名移民赴新疆建设兵团“劳务起步，过渡安置”试点的宣传发动和起运护送工作；积极探索移民外迁安置新途径，通过投亲靠友，自找门路等多种形式，移民分散自主外迁安置10017人。外迁形势较为乐观。

【迁建企业结构调整】 根据朱镕基总理“着力调整经济结构、产业结构和产品结构，加大搬迁企业改革调整力度，不搬污染源、不搬亏损源，不搞重复建设，下决心关闭淘汰不适应库区生态环境的落后企业”的指示精神，万州区专门召开党工委扩大会，提出建立企业迁建和结构调整机构和班子；完善调整方案；统一思想，协调运作；搞好试点的四大工作重点，痛下决心调整淹没工矿企业的结构，修订规划涉及万州移民开发区949户淹没企业，拟保留238户，破产关闭和资产重组711户，调整压缩比为74.9%。还在奉节4户破产关闭试点成功的基础上，万州区绢纺厂、丝织厂等21户扩大试点的淹没企业已有17户进入实质性工作阶段。万光实业集团有限公司、万元纸业股份有限公司、万州油脂公司炼油厂、迪康长江制药有限公司、天子城实业公司、龙宝万星鞋业公司、奉节化学工业公司、开县轻工机械总厂等8个重点企业迁建技改项目，大都投产或试车，经济效益和社会效益明显。同时，积极改善投资软硬环境，紧紧抓住移民迁建和对口支援及全国企业结构调整的历史机遇，重新修订出台40条移民优惠政策，积极引进上海汇丽、成都荣高等数十个名牌企业、名牌产品落户万州，合作类项目计有170个，引入资金7.8亿元。万州库区正成为“名牌”产品走廊、名牌企业之家。

【城镇迁建】 新城基础设施经过数年大规模投入之后，1999年把城迁工作重点转到小区功能配套设施和大量复建房屋上来。房屋建设速度加快，成片新房矗立在各地新城和集镇，特别是万州主城区的3个移民新区着力加大以水、电、气、通信、消防、医院、学校等城镇功能配套建设。百安坝、周家坝、龙宝双河口等移民新区初具形象，大周、小周、瀼渡、新乡、武陵等集镇已基本完成基础设施建设，建房已成规模，部分占地移民和淹没移民已搬入新居。陈家坝直管公房100多户率先迁入百安坝，社会各界反应良好。天城、云阳的党政机关已迁至新城办公。奉节宝塔坪、三马山小区，忠县红星小区、开县中吉小区等小区建设全面启动，商贸、医院、学校等各项配套设施逐步完善，大规模搬迁的条件日渐形成。万州大桥、万安大桥等重点建设项目进展顺利。为保证城迁项目的建设质量，不准有隐患的工程交付使用，长江水利委员会监理单位对54个基础设施、专业设施、统建房项目进行后评估，对工程进度、质量及配套功能作出客观评价，进一步确保项目工程质量安全。

（刘发国）

涪陵区

【项目投资计划完成情况】 1999年，涪陵区完成移民投资27962万元，占年初计划数28611万元的97.7%。

安置移民5910人，复建移民房屋20.67万m^2。其中完成农村移民生活安置1852人，比年初计划数1515人超22个百分点；生产安置1185人，占年初计划数的100%，调整用于农村移民的耕园地19755亩，为25868个农村移民提供了生产安置用地；复建农村房屋6.89万m^2，比年初计划数2.15万m^2超119个百分点。完成城集镇移民安置2873人，复建城集镇房屋8.68万m^2，比年初计划数8.57万m^2超1.3个百分点。动工迁建企业20个，完工13个，复建企业房屋5.1万m^2。

【移民工作】 按照1998年底朱镕基总理视察库区移民工作的重要讲话以及国家和重庆市移民工作会议精神，针对移民安置工作出现的新形势，调整思路，定准方向，明确提出坚持以大农业为基础，完善土地调整工作，多渠道安置农村移民；坚持突出结构调整做好工矿企业迁建，积极探索企业关闭销号的政策措施；坚持开发性移民方针、双包干原则、对口支援不动摇，重抓四大管理(即：移民规划与用地管理、计划与资金管理、项目与质量管理、队伍建设与政策落实)，这"三个坚持"为移民工作指明了方向。

【移民工程项目"四制"管理】 严格坚持项目"四制"，尤其是进一步加大监理力度，项目监理率达到100%，已竣工工程合格率100%。在重庆市"百人质量检查团"抽查的4个项目中，优良工程3个(即：涪陵桥南大桥、涪陵苎麻纺织厂纺织大楼和南沱镇焦岩移民新村3个项目)，合格工程1个。监理单位提出合理化建议105条，优化设计，消除工程质量隐患46项。

【开展移民管理效益年】 涪陵区移民系统结合效益年活动的开展，积极开展市级文明单位创建活动，推行政务公开，加强移民干部职工"宁可苦自己，绝不误移民"的思想教育，牢固树立全心全意为移民迁建单位、对口支援企业和广大移民群众服务的意识。

(夏 晖)

万州区天城管委会

【概况】 1999年，天城管委会实施以新城建设为重点，积极稳妥地安置移民迁建工作，实施项目130个，完成移民投资2.2亿元。其中移民投入资金16500万元，占计划的105%。农村移民安置完成1486万元，占计划的93%；集镇迁建完成260万元，占计划的60%；城镇及居民搬迁完成10833万元，占计划的108%；工矿企业迁建完成3450万元，占计划的99.8%；专业设施复建完成900万元，占计划的112%。

【主要措施】 一是以"路、桥"为龙头，新城基础设施建设实现新跨跃。要想富，先修路。新城基础设施的建设是移民迁建和安置的重要措施之一。天城新城的建设，通过多方努力，争取计划外移民项目11个。特别是争取到连接北山观、枇杷坪和周家坝、映水坪的石宝大桥的立项。同时，连接周家坝、映水坪和沙河上坪的苎溪河大桥也已纳入立项意向。两桥将成为天城未来的发展之桥。万州大桥建设达到进度要求，道路建设进一步加快。实现枇杷坪干道枇杷坪段、申明东路竣工验收，枇杷坪干道北山观段，申明东路、滨江路部分路段、申明东西干道、建国路A段硬化，鸡西路、大映路、健身路、附护路改造全面开工。

二是以安置企业为主线，迁建工作明显加快。按照部署，按时完成工矿企业搬迁规划修编。对有市场、有效益的47家企业进行调整、重组成22家新企业；对移民补偿资金少，资不抵债，污染严重的63家企业计划实行关停或破产。已有27家企业被兼并组合搬迁，13家企业基本达到销号要求，有16家企业在新城区投产运行。全年新开工28家企业，建成7家，粮油加工厂和塑料四厂的破产关闭进入尾声。

三是以深化农业调地为重点，落实和探索农村外迁移民新途径。以农业调地安置作为重点，对开发调整出的土地，明确权属，落实到农村移民户，积极探索移民外迁路子。除1998年开工的10万㎡移民统建还房外，新开辟5个统建小区，集中快速修建移民统建还房。全年建成统建还房11.5万㎡，生活安置占地移民和城市居地6000余人，生产安置农村移民671人，其中农业安置49人，其它渠道安置622人，生活安置农村移民986人。

四是以保证质量为宗旨，提高移民工程质量。对工程质量一是严格要求移民工程要按基本建设程序办；二是坚持党政领导负责制、业主制、项目法人负责制；三是定期组织有关专家、技术人员对所有移民工程质量、进度、安全进行监督检查，发现问题，及时整改，整改不到位的不验收、不决算，把质量隐患消灭在萌芽状态。

五是以强化监督为手段，管好用好移民资金。在移民资金管理方面，管委会全面实施"六位一体"的监督机制，建立健全以监察局牵头，移民、建行、审计、财政、检察等部门参与的移民资金监督网络，充分发挥移民资金监督网络的监督作用，要求其参与到所有移民工程中去，并对每项移民工程进行自始自终的监督。同时，严把大额移民资金拨付关，定期不定期地对镇乡、街办的移民资金进行检查，发现问题及时整改，确保移民资金的安全、有效使用。

(胡一帆)

万州区五桥管委会

【概况】 1999 年,五桥区移民工作以“两个调整完善”为着力点,继续坚持开发性移民方针和资金、任务“双包干”原则,按照国务院和重庆市对移民工作的总体部署,狠抓各项工作措施的落实。全年移民项目计划投资 19813.8 万元,实际完成 19627.55 万元,占全年计划的 99.06%;生产安置农村移民 903 人,占计划的 131%;生活安置农村移民 892 人,占计划的 104%;动迁企业 10 个,占计划的 110%;复建房屋总面积 18.14 万 m^2,占全年计划的 120.08%。做到当年任务当年完成。为完成五桥二期移民任务夯实了基础。

【移民安置】 移民新城建设集中投入,重点推进,突出建设形象,完善城市功能,注重城市居民和二次移民安置搬迁效益。共完成城市基础设施投资 7600 万元,新开工项目 4 个,续建项目 9 个;竣工房屋面积 9.96 万 m^2;建房安置二次占地移民 1100 人;搬迁城市居民 60 户,180 人。

【工矿企业迁建】 企业搬迁与对口支援相结合,与调整产品结构相结合,与资产重组相结合,与关停无生命力的小企业相结合,是 1999 年的主要特点。全年完成 3 个企业的销号工作;新开工 3 个项目,续建 2 个项目并开始 6 个关闭企业的前期准备工作。

【对口支援】 1999 年,五桥区对口支援工作采取高效益、高效率、低成本的办事原则,将企业搬迁与调整产品结构相结合,移民安置与脱贫致富相结合,近期支援与长期合作相结合,在移民迁建、工业项目、农业开发、公益事业等方面取得十分突出的成绩。全年实施对口支援项目 42 个,到位资金 1471.02 万元。其中移民迁建方面,由上海黄浦区、嘉定区、卢湾区、宝山区各捐赠 50 万元援建太龙镇新立移民新村和新田镇卢新移民新村,每个移民新村无偿投资100 万元,为移民新村建“五个一”工程,即一所希望小学,一个幼儿园,一个文化站,一个卫生所,一个农技站。在工业项目方面,上海汇丽集团与五桥合成化学厂、江陵仪器厂合资组建上海汇丽(重庆)建材有限公司,上海方到位资金700万元;江苏常柴对口支援五桥金汇标件厂、到位资金 229.5万元;宁波市鄞县出资 180 万元联合组建陈家坝大宏钢模构件厂。在农业开发方面,宁波三高长毛兔发展有限公司与五桥稻麦原种场合资组建万州三高长毛兔发展有限公司,宁波方投资 150 万元,已到位资金 30 万元;宁波市海曙区和经济技术开发区各捐赠 5 万元给五桥街道办事处用于高效生态农业综合示范点和特种养殖项目;宁波鄞县给五桥新田镇投资 4 万元用于雷竹项目的发展;宁波慈溪市投资 9.2 万元为五桥太龙镇发展优质杨梅等项目;宁波北仑区投资10 万元用于五桥陈家坝街道办事处扩建大棚蔬菜基地;宁波余姚市投资5 万元用于五桥新乡镇桂圆基地建设。在公益事业方面,上海市对口支援三峡工程领导小组办公室捐赠100 万元援建五桥上海科技推广中心;上海黄浦区、嘉定区援助40 万元修建五桥白羊镇希望小学和五桥向家乡希望小学;卢湾区援助20 万元修建五桥青少年活动中心;宁波市捐赠140 万元援建了五桥信息中心、五桥职教中心、五桥镇卫生院、五桥计生服务站等。

(张定权)

万州区龙宝管委会

【概况】 1999 年,龙宝管委会围绕两个调整,重点抓城集镇基础设施配套和居民还房的建设。全年下达各类移民计划共 21045 万元,实际到位 19352 万元,实际完成 20011 万元,完成占计划和到位的 95%、103%。

完成农村移民安置计划 2421 万元,完成生产安置 1564 人,生活安置 1776 人,农房建设 6.61 万 m^2。

完成城市迁建计划 10050 万元。完成单位 7.3 万 m^2,居民建房 12 万 m^2。95 户 273 人城市居民、520 户 1759 人占地移民搬迁入住新区,发放居民移民明白卡 18897 户。

完成集镇迁建计划 2977 万元。武陵集镇基础设施全面启动,且 90%已达竣工条件,瀼渡集镇已达全面销号条件。完成集镇建设 7.8 万 m^2,完成集镇单位 44 个,150 户居民搬迁销号。

完成工矿企业计划 4537 万元。完成建房 5.3 万 m^2,搬迁销号 12 家,在新区建成投产 2 个,红心服装厂、印刷包装厂等关闭破产企业试点运行良好。

【对口支援】 对口支援龙宝有天津、南京、厦门三市,共实施对口支援项目 63 个,到位各类资金 2.3 亿元,社会公益事业获得无偿捐赠 4682 万元。

【移民资金管理】 出台《龙宝移民资金管理暂行办法》及《实施细则》,成立以局长为组长的移民资金管理监督检查领导小组,强化移民资金的拨付、使用管理。全年对 2 个县级移民管理单位、7 个镇乡、14 个搬迁企业及其 50 个工程项目实行移民资金和项目专项检查,查出违纪资金 4729 万元,当年整改到位率 97%。

【移民项目管理】 对工程质量监督检查加大力度,坚持实施业主负责制、招投标制、合同制、监理制、竣工验收制，严格按基本建设程序报批。当年新开工项目76个，实行招投标76个，实行监理76个，竣工41个，均为合格以上，其中优良23个，优良工程率56%。

（张慧胜）

巫 山 县

【概况】 1999年，巫山县紧紧围绕移民搬迁工作这个中心，塑造形象，增强素质，两个文明一起抓，加快全县移民搬迁步伐。全年累计完成移民资金投资24140.83万元，占下达计划的97.3%；新县城累计开工房屋面积63万 m^2，完成49万 m^2；集镇建设累计完成投资2940万元，完成建房面积8.45万 m^2；农村移民生产安置11032人，生活安置14023人，其中外迁4868人；企业迁建开工27家，完工16家（组合搬迁6家，补偿销号10家），复建道路完工12.3km，交付使用5.7km；完成变电站复建2座，总容量24000kVA，高压输电线79km，光缆51.15km。

【新城建设】 突出综合协调，促进整体推进。重点采取“以复建促拆迁，以拆迁促建设，以安置促征地”的办法，从占地移民房屋复建入手，及时启动10处占地移民、居民、安置区的建设工程，迅速建成30栋5万 m^2 的移民搬迁房，从门面复建安置、拓展市场摊位安置移民、办理占地移民农转非手续等方面，为占地移民的生产安置和房屋拆迁创造条件。抓规划设计和质量管理，坚持按照设计服从规划，房建与场平服从设计的原则，全面推行“三统一分”的建设模式。

【农村移民外迁工作】 近攻湖北省扩大外迁容量，远联广东省提高安置效益。广东省博罗县接收大昌镇的首批移民150户592人试点工作全面展开，由移民代表组成的“巫山县外迁移民回访团”，实地走访考察博罗县的杨村和柏塘两镇。本着“政府牵线搭桥，移民充分自愿”的原则，双龙、大昌、大溪、南陵等乡镇的4000余名移民外迁安置在湖北省的当阳、宜昌、松滋、荆州等地。

【农村移民内部安置】 农村移民内部安置重点在“一挂二改三高”工作的落实。狠抓土地挂钩和土壤改造、配套改良工作。做到土地挂钩与耕种、房迁地点、安置合同签订、移民资金补偿四到位。以七星、朝阳、洋河3个移民村为发展库区高效生态农业大棚蔬菜试验示范基地，先后建成86个大棚500亩试验田，引进优良品种20个种类50个品种。

【移民资金管理】 实行各级党政一把手对移民资金负总责的制度，建立移民资金投资包干、分级负责、分级管理、责任到人的资金任务双包干责任制，严格计划项目管理、审批程序管理、资金末梢管理，不断完善财务制度及监督制约机制。

1999年，巫山县移民局先后被巫山县委、县政府评为县级部门综合考核一等奖、县移民工作先进单位，被三峡建委移民开发局和重庆市移民局评为政策研究和移民信息先进单位等30多个荣誉称号。

（巫山县移民局）

巫 溪 县

【概况】 1999年，重庆市、万州移民开发区移民局下达巫溪县投资计划25万元。全年完成25万元，占年计划100%；完善花台乡花台村移民居民点基础设施，生活安置移民15人，累计安置移民47人，占规划生活安置农村移民的17.4%；在移民安置区花台乡川主村建移民小学一所，为今后移民子女就学奠定基础。

全面完成8年试点和一期移民期间开发、改造土地清理工作。为摸清巫溪县移民安置容量及8年移民试点期间移民开发、改造土地质量和数量，按照重庆市人民政府统一布置，县组建班子、组织人力进行认真负责清理，并在此基础上形成《巫溪县人民政府关于农村移民土地清理情况的报告》上报重庆市人民政府。

1999年，巫溪县移民局纪检监察、信访、档案工作获重庆市移民系统三等奖；纪检监察、农村移民安置、信访工作获万州移民开发区移民系统二等奖；巫溪县移民局被中共巫溪县委、巫溪县人民政府授予四好领导班子、最佳文明单位称号，同时获县目标考核三等奖。

（巫溪县移民局）

云 阳 县

【概况】 1999年，云阳县移民工作紧紧围绕朱镕基总理视察重庆库区的重要讲话精神和国务院三峡移民工作会议、三峡工程库区农村移民外迁现场会议精神，着力“两个调整”，狠抓工作落实。

云阳县1999年移民项目计划投资38461.57万元，实际完成42350万元，占年计划的110%。其中农村移民安置14788万元，占计划的104%；集镇迁建2457万元，占计划的101%；城镇迁建13050万元，占计划的112%；工矿企业迁建5611万元，占计划的128%；专业设施复建5216万元（其中含归垫新县城基础设施费 2168.6 万元)，占计划的 108%。实现当年计划当年完成的要求。

【农村移民安置】 根据农村移民安置政策的变化和发展的新情况，把本地安置与异地安置、集中安置与分散安置、政府安置与自找门路安置结合起来。一是抓好县内安置移民工作，在严格控制二、三产业和自谋职业安置的基础上，着力调地安置移民。全县调出土地 13948 亩，占重庆市保证目标 7903 亩的 143.7%、力争目标的 103.7%。二是抓好移民集中外迁的试点工作，严把宣传组织、资金审查、建房质量、搬迁运输、资金补偿“五个关口”，全力以赴抓好外迁试点。三是抓好劳务输出，过渡安置试点。重庆市下达云阳县 300 名移民到新疆务工的试点任务后，即把任务落实到高阳镇，经过深入发动和精心组织，324 名移民于 1999 年 8 月 18 日到新疆建设兵团农一师务工。四是落实县内安置工作。全年共生产安置 4676 人，占计划的 102%；生活安置 5292 人，占计划的 104%；建房 13.44 万 m^2，占计划的 125%。其中集中外迁安置 741 人(包括随迁安置 133 人)、自主分散外迁安置 2262 人。基本实现农村移民安置以后靠为主向大多数外迁的这一根本性转变。

【企业迁建】 全年新开工企业 23 个，占计划的 110%；完工企业 20 个，占计划的 100%。在企业迁建中，把经济效益作为工作的出发点和落脚点，采取技改、兼并、组合、对口支援等多种形式，构建具有发展活力的云阳库区工业经济体系。对搬迁企业关停并转，对全县 181 家淹没企业重新进行调查摸底，分类排队，立足“三改一加强”，修订完善企业迁建规划，对资不抵债的云阳机械厂进行破产试点。

【招商引资、对口支援工作】 根据《重庆市政府关于进一步规范政务管理，改善投资环境的决定》，成立“云阳县外来投资管理投诉协调服务中心”，制定《云阳县外来投资管理实施细则》、《云阳县招商引资及对口支援服务指南》，投资环境得到明显改善。全年有 10 名县级领导分别带领 30 多个部门和单位负责人，前往江苏省有关部门和市县进行对口支援回访，沟通感情，加深了解。全年共争取到各种招商引资及对口支援资金 5003.22 万元，比上年增长 61.4%，成功引进外来企业 5 家落户云阳。

(向荣兵)

奉节县

【概况】 1999 年，奉节县在抓两个调整和完善方面，务求安置实效，各项移民工作协调发展，全年完成移民投资 54883 万元，占重庆市下达计划的 110%，各大类投资完成进度均衡，补齐历年投资欠帐，基本达到投资进度与流程相匹配的要求。

【移民工作】 全年完成农村移民生产安置 7365 人，占重庆市下达年度目标任务的 216%；生活安置 7918 人(其中县外安置 5906 人)，占重庆市下达年度目标任务的 322%，搬迁农房 195670m^2。建成集镇房屋 34040m^2，占重庆市下达年度目标任务的 119%。在农村移民安置工作中，一是突出抓好处迁，把外迁作为农村移民安置的重点，对外迁移民的补偿给齐给足，充分调动移民自主分散外迁的积极性。1999 年外迁到湖北、四川、贵州、湖南、安徽以及重庆近郊等地 6000 余人。二是认真清理移民土地，摸清家底。对 8 年试点以来开发改造土地的数量、质量、资金投入等进行全面、细致的清理，同时，对可供安置移民的用地，认真完善配套并落实到户。三是狠抓集镇建设，继续探索农村移民进集镇兼业安置的渠道。四是狠抓 6 个乡镇双销号。

【基础设施建设】 开工建设城市道路 29.9km，完成路基 16.5km；建设桥梁 11 座，竣工 6 座；硬化路面 15.5 km；动工治理高边坡 4 处，长 2550m；结合滑坡治理动工库岸防护 2 处；完成场地平整 25 公顷；开工建房总面积 32.39 万 m^2，竣工 17.2 万 m^2，占重庆市下达年度目标任务的 115%。

【企业迁建】 企业迁建完成项目 8 个，其中：破产关闭安置销号 4 个、技改组合迁建 4 个。在技改组合迁建上，县氮肥厂通过政府牵线、对口支援，与青岛保绿森环保设备有限公司合作，组建奉节县保绿森环保设备有限公司，引进意大利技术，年生产 500 套污水净化装置，产值可达 2 亿元，已投入正常生产。在关闭破产试点取得经验的基础上，食品公司和印刷厂也进入关闭破产程序。对项目难选、补偿额度小的微型企业实施一次性补偿销号，对搬迁项目一时难以确定的企业，实施“先生活后生产”的思路进行职工住房搬迁；组合迁建、技术改造、兼并联合的重庆民安药业兼并县糖果厂，三峡水泥集团组合迁建白帝水泥厂，四川中电公司兼并县磷肥厂等搬迁建设均取得长足发展。

【对口支援】 对口支援奉节县的辽宁省落实对口支援工作计划，无偿援助资金 2220 万元，兴建辽宁希望小学和辽宁大道，部分单位积极争取对口部门单位的支援。1999 年全县对外洽谈合作、争取对口支援的项目 58 个，签订正式合作协议和得到支援省市正式承诺支持项目 27 个，协议投资总额6.9亿元，协议引进资金 4.3 亿元。

(傅兵军)

石 柱 县

【概况】 石柱县西沱区工委下辖1镇4乡、26个村、112个组,人口8449人。涉及单位67个,工矿企业16家,等级公路10km,邮电通信线路21.2km,广播杆线52.3km,输电线路11.6km,水电站1座(装机容量125kV),抽水站2座(装机11.9kW),港口1处,码头8处,停靠点7处,文物古迹11处。耕地5204.2亩,园地1519.4亩,河滩地315.5亩,林地959.3亩,鱼塘85.2亩,柴草山425.0亩。

截至1999年底,累计移民项目资金计划11098.2万元。已完成项目资金投入9914.55万元,占累计计划资金的89.33%,顺利完成8年移民试点工作任务和一期移民工作任务,进入二期移民任务阶段。

【移民任务完成情况】 农村移民:重庆市移民局下达的任务是生产安置162人,生活安置410人;石柱县委、县政府下达的任务是生产安置900人,生活安置700人。截至12月底,完成农村移民生产安置959人,占重庆市计划的502%,占石柱县计划106.6%;完成生活安置752人,占重庆市计划的183.4%,占石柱县计划的107.4%。

集镇迁建:计划建房面积15000m^2,截止12月底,已动迁11个单位,281户居民,425人,施工面积11000m^2。专业设施复建,川汉公路复建总长8.74km,前段4.62km全部完工,并验收结算。移民土地调整,当年调整土地694.9亩,安置移民780人,其中,就地调整238.52亩,安置287人,异地调整456.38亩,安置493人。

【对口支援】 1999年,石柱县共组团到各对口支援省市汇报6次,出访40多人次,邀请对口支援省市组团回访考察5次,33人次。主要项目有:

天津市已落实名优产品葡萄产业化项目一个。种植酿酒型葡萄4000亩,生产中高档葡萄酒40万箱、3600t,预计年销售额达7800万元,税利3590万元,投资总额6789万元,其中支援方投资447万元。1999年到位资金537万元,其中支援方到位230万元,天津市无偿援助9.6万株葡萄枝,西沱已落实葡萄园300亩,成活率97%。

云南省宣威火腿苏氏集团有限公司与石柱肉联水产公司联营,年加工火腿3000t,年总产值8000万元,税收500万元,总投资4500万元,其中支援方投资700万元,双方已投入资金367.2万元,其中支援方投资20万元,产品已进入重庆市46家大商场,湖南长沙3家大商场。

(石柱县移民局)

丰 都 县

【概况】 1999年,丰都县移民项目计划资金26004万元,截至12月底,共到位26004万元,完成拨付26820.95万元,占到位资金的103.14%。

全年农村移民完成改土860亩;整修山坪塘25口,可蓄水6.24万m^3;新修蓄水池19口,可蓄水0.94万m^3;新修渠堰18km、道路42.9km;完工房屋9.975万m^2;完成生产安置1745人,生活安置2300人,分别为年度计划的135.8%和709.88%。

新县城新征地300亩,拆迁安置76户304人,续建和新开工道路路基5km,完成道路硬化1.9km、土石方130万m^3、砌体4876m^3,完工房屋17.6万m^2,为年度计划的176.2%,新县城大面积平场基本结束。

工矿企业迁建新开工16家,完成迁建13家,其中,新开工的东建材厂旭日升项目,兴旺化工厂轻质碳酸钙项目进入试生产阶段,奇正公司新型建材项目正实施主体工程;续建恒利食品公司竣工投产,鸿鑫印务有限公司、天蕾实业有限公司进入试生产阶段,氰化纳厂设备安置完成75%,华美公司正实施土建工程,工矿企业迁建修编工作完成。

专业设施复建完成土石方6万m^3,砌体1.65万m^3、混凝土3260m^3,完工丰高公路、丰鹅公路、丰忠公路等道路路基共10km,完成输变电线路10km,通信线路21km,王高公路动工桥梁10座,竣工1座,兴义大桥主体工程基本完成,高镇大桥完成工程总量的70%,天然气储配站平场结束。

【对口支援】 实施合作项目29个,项目总投资48470.4万元,其中支援方投资16280万元,已到位3023.5万元,旭日升冰茶、重庆利都不锈钢、重庆恒利食品竣工投产,河北廊坊红黄蓝化工集团与丰都县的合作项目止在进一步磋商、协调。

(丰都县移民局)

武 隆 县

【概况】 1999年,武隆县移民项目计划1528万元。通过土地调整和其他渠道兼业生产安置农村移民141人,其中:白马镇117人,鸭江镇24人。完成白马镇农村移民搬迁工作,该镇8家农户共31人全部签订生活安置销号合同。搬迁后户均住房面积104.94m^2,每户拥有32.76m^{2}的门面一间。

集镇迁建工作。新征土地13亩，完成白马镇六方坪移民新区场地平整3906m^2，安装供水管道1200m，修建排水沟290m。完成移民投资235万元。移民单位投资搬迁1个，建筑面积258.68m^2。移民居民投资搬迁3户。

专业项目复建任务为"4路1线1站"，共投入移民资金1111.6万元。4路即县城江北沿江公路1.72km、白马至大院子公路1.76km、白马铁佛寺至老街垭口复建段水毁工程整治、县城至白马镇沿江公路加宽改造；1线即县城至有关淹没乡镇的广播线路；1站即白马镇广播站复建。

【加强移民培训】 全年举办移民培训6期，参训人数930人次，其中：干部培训4期167人次；移民培训2期763人次。

【对口支援工作】 武隆县移民局接待江西、云南对口支援团组4批，24人次，到江西、云南回访6次，24人次。洽谈意向性合作项目4个，到位资金66万元。

（武隆县移民局）

长寿县

【概况】 长寿县地处三峡库区上游，全县淹没涉及5镇1乡，半个县城，30家工矿企业（其中省市属企业9家）；淹没耕园地5240亩，河滩地1339亩，林地柴草山6228亩；淹没房屋20万m^2；直淹人口7119人，规划搬迁人口10078人，其中县城6127人，集镇557人，农村3394人；农村生产安置人口6268人；另有因淹没形成的危岩滑坡21处，面积2.18km^2，受影响房屋5.5万m^2，人口1.5万人。按分县补偿切块包干测算，全县（含省市属企业）淹没补偿经费为4.7亿元。

1999年，长寿县累计投入移民资金8800万元，竣工安置房屋11.83万m^2，已搬迁销号2166人，其中县城1436人、集镇315人、农村415人；农村移民调整土地2610亩，土地调整安置4116人，生产销号安置423人；完成库周公路30km的路面修建；搬迁销号企业16个，完成运输桥电站替代项目渝桂水泥厂、广播、通信线路等3个专业设施项目的复建；争取对口支援到位资金20299万元，兴力、联办对口支援企业（项目）10个，争取对口支援到位资金1714万元。

【城镇移民迁建】 以旧城改造为主。城镇移民迁建以旧城改造、半淹县城功能恢复和港口码头复建相结合，积极探索私产房移民安置的办法。在深入调查研究的基础上，多次召开专题会议征求各方面意见，出台旧城改造、三峡移民、城市开发三方面政策相结合的私产房移民安置办法，积极稳妥地解决"结构补差、过渡安置、门面还房"三个最为突出的难点问题。

【企业迁建】 以调整结构、壮大规划为前提。对有优势产品、发展前景较好的4个企业，按企业自愿的原则，实行组合搬迁，促进新企业上档次上规模。其中原扇沱榨菜厂和鹞子岩榨菜厂组合搬迁成立长寿榨菜总厂后，当年开发研制的新产品荣获1999中国国际农业博览会名牌产品奖，产品畅销日、韩两国，实现当年投产、当年见效、当年创汇。对规模小、扭亏无望、停产多年的3户企业，按照"两个调整完善"的思路，实行"一次补偿到位、企业自主关闭、职工拿钱走人"的安置办法，探索、总结出淹没企业关闭安置的实施措施。

【移民资金管理】 执行责任考核和责任追究制度。在移民管理工作中，全县以移民资金和移民工程质量管理为核心，完善监督管理网络和措施，实行责任考核和责任追究制度，提高管理效率。1997年成立的长寿县移民资金监督管理领导小组由县纪委、监察局、反贪局、建行、移民局等定期召开联席会议，每年至少进行两次专项大检查，对查出的问题限期整改，进一步规范移民资金管理。

（长寿县移民局）

江津市

【概况】 江津市位于三峡工程水库末端，属于汛后回水淹没区，淹没涉及珞璜、仁沱、西湖等乡镇的37个村，淹没商品菜地2452亩，需安置移民1527人，涉及工矿企业20个，水利、码头等设施127处。1999年调整土地1650亩，与29个淹没村签定生产安置销号合同，落实安置人口1527人。1999年重庆市人民政府决定在江津市开展三峡库区农村移民外迁安置试点工作，计划在油溪镇安置农村移民563人，实际完成安置云阳县故陵、普安等2个乡镇的农村移民163户608人，占计划的108%，达到移民"生产有土地、生活有住房、安稳有条件、致富有基础"的基本要求，为三峡库区外迁移民安置探索出一条新路，先后受到李鹏委员长和吴邦国副总理的好评，国务院三峡工程库区农村移民外迁现场会对江津的经验给予了充分肯定，并以此模式向全国11个省市分配安置外迁移民7万人的任务和重庆市内外迁安置2万人的任务。

【外迁试点】 根据对江津市12个乡镇的调查摸底，确定油溪镇为接受云阳农村外迁移民安置的试点镇。油溪镇有耕地面积2.3万亩，其中田1.1万亩，土1.2万亩，人均耕地1.05亩。尽管人均耕地不多，但可以从实际出发,积极挖掘潜力,把部分闲置的耕地利用起来。该镇位于长江北岸,离江津城区 18km,且有长江水路、成渝铁路、市级公路“三通”的便利条件,经济条件相对比较好,是江津市粮、菜、果生产大镇。

为了使外迁移民安置试点工作科学有序开展,编制接收安置三峡库区农村外迁移民试点的规划和安置方案,对移民承包地的调整、建房选址及规划、标准等作了明确具体的规定,做到定人、定点、定位、定标准,有很强的操作性。

【移民房建】 建好房屋是移民搬得来、安得稳极为重要的一项工作。在移民建房上,江津市充分尊重移民的意愿,采取“统一规划、分户自建、监控质量”的办法。即:外迁移民建房由油溪镇政府统一规划,并确定恰当的地点;移民建房既可以自己建,又可以委托当地的施工人员建;江津市移民局和油溪镇重点抓好质量监督。江津市城乡建委和油溪镇还提供 9 套农村适用房图纸供移民选择,并向他们推存当地有经验的工匠。油溪镇成立建房安全质量管理小组,制定移民建房免收有关税费等一系列扰惠政策,镇乡建、国土部门实行“一条龙”办公,随时根据移民建房的建筑材料进行质量抽检,确保建材质量。江津市建委质检部门不定期地到现场巡回检查,监督工程质量。检查中,发现 4 户移民新建的房屋有质量问题。立即发出整改通知,要求户主、施工队立即停建或返工。同时,加强房建工作中的管理,切实解决移民建房中的质量问题。

【三下乡活动】 为了使移民逐步能致富,走上科学种田、科学致富的道路,对移民进行科学技术和知识的教育很有必要,对此,落实“三下乡”活动非常有意义,也是稳定移民的必要措施。江津市和乡镇组织科技下乡,以村为单位对移民进行当前生产所急需的农业科技知识培训,为移民尽快适应当地农业生产打下基础;还组织医疗卫生队下乡,油溪镇派出医疗卫生小分队分赴移民安置村和移民户,为移民进行免费体检、预防疾病;组织文化下乡,由广播、电视、文化部门落实专人到移民村社播放电影和维修广播、电视设备,以丰富移民的文化生活,促进精神文明建设。

渝 北 区

【基本情况】 1999 年重庆市移民局下达渝北区移民项目计划1137万元,11 月底到位资金1137万元,占计划的 100%。截至 12 月 31 日,实际完成1096万元,占计划的 96.39%。其中:农村移民安置完成 35 万元,占计划 35 万元的 100%;集镇迁建完成 650 万元,占计划 665 万元的 97.74%;勘测设计完成 37 万元,占计划 37 万元的 100%,经重庆市政府移民工作检查组检查,获得好评。另外,渝北区在移民资金的纪检、监察、内审工作、移民信访工作、移民档案工作等方面分别被重庆市移民局评为先进集体。

【移民工程进展】 一是农村移民安置有了新的突破。主要表现在:①大力发展高效生态农业。洛碛镇上坝村续建大棚蔬菜 40 亩,计划投资 35 万元,完成兴建蔬菜大棚 120 个 35 亩。②移民新村建设进展较快。洛碛镇洪岗移民新村计划建房 3005m^2,安置移民 19 户 72 人,实际完成 5 亩地的场平和建成长 160m、高 5.5m 的条石堡坎。③全面完成土地开发改造项目的清理工作。对 1988 ~ 1998 年期间的土地开发改造项目进行全面清理,全区完成土地开发改造 6330 亩。其中:移民分成面积2129亩,可用于安置移民的有 1039.5 亩,不能用于安置移民的有 1020.5 亩(25°坡度或土质较差等原因造成),水毁和修路占地 69 亩,此次清理为今后农村移民安置工作奠定基础。

二是集镇迁建步伐加大。在基本完成舒家场迁建的同时,洛碛集镇搬迁工作开始起步。为配合地方经济发展,经市人民政府同意,1999 年 10 月,完成洛碛镇迁建新址的调整工作,由原“上坝”一带改为“青木、井口”一带,新址迁建规模 450 亩,其详细规划已委托渝北区规划设计院进行。

三是工矿企业迁建项目正在抓紧实施。全区计划工矿企业迁建项目 14 个,其中:续建项目 2 个(洛碛化工厂、太洪化工厂),完成投资 85.6 万元;基本完成迁建任务的企业 4 个(洛碛机械配件厂、长江水泥制品厂,盛鑫织布厂,重庆长江依之密活塞有限公司),已完成投资 87 万元;完成销号企业 5 个(江北铸造厂,二轻印刷厂洛碛分厂,蜀州化工厂,江北化肥厂,新兴车厢厂),经渝北区公证处公证,已按规定程序办理了销号手续,拨付移民补偿金 249.82 万元;破产关闭企业 2 个(迎乐化工厂、迎祥化工厂),已完成补偿 202.58 万元;洛碛水厂已结合集镇搬迁开始搬迁工作,水管安装工程已投资 40 万元。

【对口支援工作】 一是继续加强与安徽省所辖有关市、省直机关、高等院校以及大中型企业的联系,全年接待对口支援考察团组 7 批 36 人次,得到安徽省无偿援助资金(含实物折价)168 万元,技改专贷 30 万元;二是认真抓合作项目的续建工作。安徽省支援洛碛镇兴建银杏基地项目,计划总规模 4000 亩,在去年完成 1000 亩的基础上,第二批银杏优质苗 6 万余株(折合人民币 73 万元)已于 1999 年 12 月 13 日由安徽铜陵专程送往洛碛。

(罗 玲)

电力工程 Ⅶ

猫跳河红岩水电站

输变电工程

综述

1999年，中国电网建设有限公司撤销，业主职责移交国家电力公司，同时在国家电力公司内部设立国家电力公司电网建设分公司（以下简称电网公司），由电网公司代表国家电力公司行使电网建设的业主职责。国家电力公司把电网公司按事业部建制并运作，同时成立国家电力公司电网建设部，行使国家电力公司系统内电网建设管理职能，与电网公司合署办公。电网公司（电网建设部）的领导也作了相应调整，总经理（主任）由霍继安担任，副总经理（副主任）由孙家骏、李文毅、苏力担任，总工程师由章龙才担任。

由于机构调整，电网公司的职责也作了相应调整。调整后的电网公司代表国家电力公司行使电网建设的业主职权，直接负责三峡输变电工程和跨大区、跨独立省网的联网工程以及关系到全国联网的大型送出工程的建设管理；从事与此相关的电力工程咨询、监理、物资设备采购等工作。

1999年，三峡输变电工程一次系统资金计划14.09亿元，其中固定资产投资6.18亿元，综合费用7.91亿元。全年实际完成投资14.4亿元，完成计划的102.2%。

三峡输变电工程建设完成500kV输电线路1项，173km，200kV开关站1座；在建500kV输电线路工程2项，384km，500kV变电站一座，主变容量74万kV·A；新开工500kV输电线路3项，400km，新建500kV变电站3座，主变容量225万kV·A；直流工程按计划顺利进展。

（刘　博）

规划设计

为确保2003年三峡电站首批机组发电时送得出、落得下、用得上，电网公司按照三峡电力系统总体规划和三峡输变电工程总体规模要求，考虑到受端电网的受电能力和国家可能确定的三峡电力电量分配方案，针对工程建设的具体情况，组织有关专家及各有关网、省电力公司，就三峡电站2003年投产运行新建三峡输变电工程进行研究、调整。1999年12月6日，电网公司霍继安总经理会同国家电力公司综合计划与投融资部、战略研究与规划部、电力规划总院，召集华中、华东电力集团公司，湖北、湖南、河南、江西、江苏、安徽、浙江、重庆等省、市电力公司，再次召开2003年前三峡输变电工程建设方案协调会，对2003年前三峡输变电工程建设项目进行重新安排，落实各有关网、省电力公司建设的输变电项目与三峡输变电项目之间的衔接与进度配合，明确各建设单位的职责分工，并对需要配套建设的220kV输变电工程计划做出安排。

（一）2003年前三峡输变电工程建设规划

按照确保三峡电力送出、三峡输变电工程建设规划总量不变、有利于加强网省主干电网并与各网省电力公司电网建设工程相衔接的原则，经调整并报国务院三峡工程建设委员会（以下简称三峡建委）原则同意后，2003年前三峡输变电工程投产规模为：交流线路4201km、变电容量1000万kV·A，直流线路1000km、换流容量600万kW。与国务院三峡建委批准的原2003年规划相比，交流线路提前建设1185km，变电容量提前建设175万kV·A，直流线路经过路径优化减少100km。

（二）电网公司与各有关网、省电力公司的分工和进度配合

电网公司负责建设500kV变电站围墙内部分，围墙外的220kV配套部分由当地省（市）电力公司负责建设，要求与500kV变电所同步建成；电网公司负责建设500kV输电线路，其线路两端的进出线间隔和高压电抗器（如果需要装设）原则上由变电站（含新建、扩建和已有）产权单位负责建设，并要求与500kV线路同步建成。

（三）三峡输变电工程通信等二次系统建设问题

三峡输变电工程通信、自动装置等二次系统建设问题涉及电网调度、经营等体制问题，截止到1999年底还没有明确。因工期需要，只明确：常州——瓶窑、常州——繁昌、洛河——阜阳等线路上同时建设OPWG，以满足系统通信需要。

（刘　博）

工程建设管理

(一)交流输电工程

凤凰山——下陆500kV输电线路工程,线路全长63km,1999年累计完成投资7785万元,形象进度完成全线架通,进入检修、消缺阶段,并准备质监及竣工验收工作。将于2000年6月30日投产。

双河——南阳500kV输电线路工程,1999年累计完成投资26987万元,形象进度完成架线126.65km,占工程总量的41%。

南阳——郑州500kV输电线路工程,线路全长204km,计划总投资19491万元,1999年投资5900万元。完成线路复测定位工作,施工单位和监理单位进入现场,开展施工前的各项准备工作。该工程由云南省电力勘测设计院设计,由陕西、安徽、华东、黑龙江送变电公司承担施工任务,山东诚信监理公司负责监理。

岗市——长沙500kV输电线路工程,线路全长188km,计划总投资16734万元,1999年投资300万元。施工、监理单位进入现场,进行施工前的各项准备工作。该工程由湖南省电力勘测设计院、中南电力设计院共同设计,广西、湖南、贵州省送变电公司和湖南省水电安装公司承担施工任务,河南立新电力监理有限公司和武汉中超电网建设监理公司的联合体负责监理。

南昌500kV变电站工程,1999年累计完成投资12554万元。安装完成4台主变压器、2台500kV断路器、4组隔离开关,悬吊式管母线吊装完成90%,220kV设备已安装完成,管母线吊装完成60%;全站电缆沟完成工程量的75%。

孝感500kV变电站工程,变电容量75万kV·A,1999年投资3300万元,进行"四通一平"工作。该工程由中南电力设计院设计,湖北省送变电工程公司承担施工安装,中国超高压建设公司负责监理。

长沙500kV变电站工程,变电容量75万kV·A,计划总投资14618万元,1999年投资3500万元。工程进入"四通一平"阶段,土石方挖填完成60%,场地平整完成50%。该工程由湖南省电力勘测设计院设计,湖南省送变电建设公司承担施工安装任务,河南立新电力监理有限公司和武汉中超电网建设监理公司的联合体负责监理。

益阳500kV变电站工程,变电容量75万kV·A,进入施工图设计阶段,并开始"四通一平",开展施工安装和监理招标工作。

新乡500kV变电站工程,变电容量75万kV·A,进行施工图设计,着手准备"四通一平",进行施工安装和监理招标准备工作。

(二)直流输电工程

三峡——常州±500kV直流输电工程1999年按计划完成关键设备的国际招标采购工作、加紧进行生产制造,同时加大监造力度,完成中、外双方联合设计,审查并通过两端换流站和线路部分的技术设计,完成OPGW通信光缆及设备的国际招标,换流站"四通一平"基本结束。

1.换流站中直流设备采购国际招标

换流站中直流设备采购国际招标的准备工作历时3年,1999年4月12日由电网公司董事长李世忠代表中方分别与中标方ABB电力系统公司和SIEMENS AG公司签定设备采购合同和技术转让协议。合同总金额4.2亿美元,其中包括制造技术转让费1527万美元。同时签署的还有直流技术转让协议和合作生产合同,融资协议总金额5.06亿美元。由财政部同时与北欧投资银行,国家开发银行与法国兴业银行、澳大利亚新西兰联合银行、东方汇理银行、德国复兴开发银行和德累斯顿银行等签署融资协议。

2.联合设计及技术转让

设备采购合同签定后,中外双方先后进行两次联合设计,并进行技术转让和培训工作。1999年4月13~20日召开第一次联络会议,双方递交开展工作所必须的基础资料,并就设备接口资料、总平面布置、工程设计和设备、联合设计安排、CPM图等进行详细讨论。

1999年5~7月和8~10月先后两次组织电力规划设计院、电力科学研究院、西电集团公司、许继集团公司等赴ABB公司参与联合设计接受技术转让,内容包括:主接线、主回路设备参数、无功补偿、绝缘配合、交流及直流滤波器、交流及直流开关、各种过电压研究、可用率和可靠性研究、潮流及稳定研究、网络等值、设备容量研究、一次设备规范、控制保护、换流站系统二次(包括SCADA、交流保护、远动、通信等)等等。

1999年10月在ABB公司及SIEMENS公司再次召开联络会议,对联合设计中的重大技术问题进行确认和审查,初步确定了换流站总平面布置、主接线及设备接口方案,确认换流站的土建要求及外方提供交流变压器、平波电抗器、可控硅阀等关键设备的工程设计、结构设计以及达到保证值的措施。

3.换流站国内设备采购

按照支持民族工业,提高工程国产化率,降低工程造价的原则,工程中除国内还不具备生产能力的设备进口外,其余设备均在国内采购。1999年完成部分直流工程所需设备国内招标采购工作,龙泉换流站有:75万kV·A的联变、220kV和35kV开关、220kV电压互感器及电流互感器、35kV低压电抗器、500kV金属氧化物避雷器等,政平换流站有:500kV并联电容器、500kV金属氧化物避雷器、电容式电压互感器等。

4.关键设备监造及工程监理

由于高电压、大功率直流设备在中国还不具备生产能力，对直流工程建设的关键环节缺乏经验，为确保三峡——常州直流输电工程关键设备的制造质量及性能，确保按期投运，保证送电，电网公司聘请国际上经验丰富、熟悉工程建设的咨询商及设备监理商承担该工程关键设备的监造及工程建设关键环节的监理。聘请加拿大 Hydro – Quebec International Inc.负责设备监造及工程监理，聘请荷兰 KEMA 公司负责换流变压器及平波电抗器的监造，并要求对方为中方技术人员提供免费技术培训。

5.直流工程技术设计审查

电网公司委托中南电力设计院和华东电力设计院共同完成三峡——常州 ±500kV 直流输电工程线路和换流站技术设计，1999 年 10 月通过国务院三峡建委办公室和国家电力公司对线路工程的技术审查，12 月通过国务院三峡建委办公室和国家电力公司对换流站工程技术设计的审查。审查结果最终确定了工程总规划、总概算和主要技术参数。

线路工程西起三峡电站附近的龙泉换流站，途经湖北、安徽、江苏三省，东至江苏常州的政平换流站，线路穿越大别山区，跨越长江和汉江，还需穿越河网泥沼地带，线路全长 890km，设计容量 300 万 kW，首次采用国产 $4 \times 720mm^2$ 导线。静态（按 1993 年 5 月末价格计算）总投资 13 亿元人民币。

换流站工程额定输送功率 300 万 kW，双极，每极 150 万 kW，额定直流电压 ±500kV。同时确定电气方面主接线方式和主要技术参数，站内布置，系统接线方式、调度方式、监控和保护形式、技术经济指标及概算等。

龙泉换流站装设 29.75 万 kV·A 单项双绕组变压器 12 台，2 种形式各设 1 台备用相。500kV 本期出线 5 回，远期出线 8 回，200kV 出线本期 5 回，远期 9 回。龙泉换流站用征地 333 亩。

政平换流站装设 28.37 万 kV·A 单项双绕组变压器 12 台，2 种形式各设 1 台备用相，500kV 交流出线远景 4 回。政平换流站用征地 170 亩。

（刘　博）

物资设备供应

（一）总体情况

1999 年签定设备、物资、材料等采购供货合同 92 份，合同总金额 59613 万元。

线路工程中，1999 年分别完成双河——南阳和凤凰山——下陆线路工程的铁塔、导线、绝缘子供货总量的 80%和 90%；完成岗市——长沙、南阳——郑州线路工程的导线、铁塔、绝缘子的招标采购，签定采购供货合同 21 份，合同金额 26050 万元。其中，铁 18798t，13680 万元；导线 65816km，8281 万元，地线、光缆 1004km，2600 万元；绝缘子 160463 片，1489 万元。

变电站工程中，南昌变电站截至年底，设备安装基本结束，进入调试准备阶段；孝感变电站、长沙变电站、益阳变电站等新建变电站完成一次设备采购招标，完成双河变电站、凤凰山变电站、小刘变电站等扩建工程的一、二次设备采购招标。1999 年签定变电站一、二次设备采购代货合同 71 份，合同金额 33563 万元。其中，孝感变电站 4685 万元，长沙变电站 5682 万元，益阳变电站 5406 万元，双河变电站扩建 1569 万元，凤凰山变电站扩建 2153 万元，小刘变电站扩建 1291 万元，龙泉——政平直流换流站交流部分 6287 万元，新乡变电站 5890 万元。同时完成孝感、益阳、长沙、新乡 35kV 电抗器、电容器、断路器 600 万元。

（二）物资设备采购供应管理

根据以往工程建设中物资、设备采购供应情况，总结并制定《三峡输变电工程物资设备供应的管理办法》，确立电网公司物资部——中国超高压输变电公司物资处——施工单位物资管理部门的三级管理模式。为适应国家电力公司实体化改革的需要，电网公司对原有的物资供应管理模式进行调整。由三级管理模式改为电网公司直接实施合同的全过程管理，全权负责招标采购、委托监造及合同执行。电网公司直接派出驻施工现场工程师，接受电网公司的统一管理，负责供货合同的现场执行、协调有关各方关系，加大管理力度。

先后制定有关物资设备采购、供货、财务核算、合同等管理办法和相应实施细则。按招投标法规范操作，形成完整的物资供应流程，并实现全过程计算机管理，逐步纳入科学化管理轨道，做到工作程序清楚，职责分工明确，责任到位，有章可循。

1.规范设备物资招标采购行为，提高招标工作水平

在总结以往招标工作经验的基础上，组织专家编制《输变电工程设备招标文件范本》。依照标书范本和每一个单项工程的具体情况，与有关部门反复协调，精心编制招标文件，使招标文件编制水平和工作效率大幅度提高。同时，在设备选型、技术设计上注重采用新技术、新工艺，提高技术含量。修改评标细则和有关办法，增加技术部分所占比例，在实际操作过程中得到广泛好评和认可。

2.加大设备监造力度

物资、设备供应管理模式改变后，加大监造力度，提高监造水平。在新的管理模式中，监造方代表业主方行使监造权力，有举足轻重的作用。选择国内有监造资质，并且在领域内具有权威的第三方进行跟踪监造。按供货合同要求，依照电力部、机械部联合发出的《大型电力设备质量监造暂行规定》，分别与监造方签定监造协议。实行驻厂监造，形成业主方、监造方、制造厂共同构成的质量保证体系，使设备生产在全面、有效的质量监控之下，做到质量问题消灭在萌芽状态，不合格产品决不出厂。

3.强化合同管理，严格工程核算手续

1999年开工项目多，涉及厂家多、合同量大、付款方式多，物资部指定专人负责合同管理，按不同工程设置合同台帐，定期与有关部门核对，定期向主管领导报告合同执行情况，发现问题及时解决，同时严格物资材料的出入库手续，细化设备物资款拨付审批程序，层层把关，确保三峡基金使用安全、合理。

(三)开展直流换流站主设备运输的前期工作

1999年初，电网公司对三峡——常州±500kV直流输电工程两端换流站的设备运输路径进行调研，提出路径方案，经各方面专家的实地勘察、论证，优化路径，最终确定运输路径，与有关地方政府及交通、航运、公路、铁路等有关部门达成协议，制定设备运输所经码头、道路、桥梁的加固、改造、疏浚等方案，并与有关部门签定合同。

(刘 博)

科 技 攻 关

电网公司在工程建设中积极推进新技术、新产品和新工艺的应用。在变电站建设中调整设计思想，确立工业设施小型化、集约化、少占地的指导思想。

在南昌变电站的设计中大胆取消传统的"一对一"模拟控制系统，采用国产微机分散控制系统，大胆采用国产微机保护，并依靠电磁兼容研究成果，将保护装置下放到配电装置现场，仅此一项设计改革就节省电缆用量近100km，占地比传统同规模变电站减少20%左右，减少站内值班人员，节约投资，工程造价得到控制；积极探索高新技术设备在变电站的应用，如GIS、PASS装置在变电中的引进应用等；大截面导线金具研制、同杆双回铁塔塔型优化、导线放线工艺等的研究取得阶段性成果；完成锚杆基础有关装置和工艺的研究；直流合成绝缘子的国产化取得突破性进展，已通过验收，并挂网运行；将数字摄影技术用于输电线路路径选择上，在三峡——常州的直流输电工程中通过该项技术的采用，将原来设计1000km的输电线路优化为890km，大大降低工程综合造价；另外在直流工程中首次采用4×720mm^{2}大截面导线，全线架设地线复合光缆，国内大截面导线和金具制造水平得以提高；通过对13种导线的比选，最终确定特强型钢芯铝合金绞线，将跨江杆塔的高度压缩至227m等等。

(刘 博)

财 务 管 理

电网公司财务工作的主要任务是以电网工程建设为中心，筹集和管理建设资金，加强项目财务管理，加强合同管理；提高工程建设经济效益；建立健全财务经济制度，强化财务服务和财务监督；完成公司法人资产清算和移交；健全系统财务机构，提高人员素质，为今后工程建设奠定坚实基础。

(一)完善财务管理制度，加强财会基础工作建设

针对电网公司体制改革和业务发展需要，对有关财务管理制度进行修改，并根据需要制定新的制度。修改的制度主要有：电网公司财务管理办法、会计核算办法、费用报销管理办法；重新制定的办法主要有：支票、现金管理办法、业务招待费管理办法、竣工决算管理办法等。对北京以外的工程项目部和代表国家电力公司管理的有关公司财务管理工作加强指导，协助建立相关的财务管理制度、办法和细则等。

(二)经营性资产移交工作

电网公司改革后，不再从事电网的运行、维护、经营和相关资产的经营，将原中国电网建设有限公司的有关电网运营和相关资产的经营权移交给国家电力公司有关部门。按国家电力公司的要求，成立由国家电力公司和电网公司组成的联合财务清算小组，配合中恒信会计帅事务所对原中国电网建设有限公司的资产进行清理，形成《资产清算报告》。同时确立生产经营类资产移交、基本建设类资产留归电网公司的原则，据此核定划转资产总值13.6亿元，留归电网公司资产26.18亿元。

(三)加强财务管理，控制工程造价

按照静态控制、动态管理的原则，从工程财务管理的角度出发，健全财务岗位责任制，实施财务预算管理方式，严格执行工程概算、计划和经济合同，加强概算管理，避免不符合国家规定或不利于工程建设管理、不利于控制造价的事件发生。充分利用工程资金使用空置期间的价值，在国家政策允许范围内，合理调配资源，加强资金运作，1999年累计获取利息收入3600万元,利用这笔收入冲减工程成本,提高三峡资金的利用率。

(四)积极筹措工程建设资金,落实资金计划

受诸多因素影响,1999 年应收三峡基金 17.5 亿元,实际收到 8 亿元,考虑到借支中国三峡总公司 5 亿元,资金到位率 60%,资金到位情况较差。为落实电网公司资金计划,确保工程建设所需资金,电网公司在直流工程利用外资上投入力量,要求进口商协助提供的出口信贷和商业贷款须覆盖几乎 100% 的进口设备原价和贷款利息等费用,争取尽一切可能降低融资成本,与国家开发银行一起与外方进行艰苦的融资谈判,且在财政部支持下,同意以中国政府的名义向北欧投资银行贷款 5000 万美元,优化外资结构。在国际资本市场利率变化较大的形势下,经过广泛调查研究,充分听取各方面专家意见,毅然锁定当时较低的国际融资利率,使融资利率保持在接近最低水平,仅此一项约可节约工程成本 300 万美元。通过大量工作,深入挖掘潜力,保证工程建设所需资金。

(刘　博)

电　力　生　产

葛洲坝电厂电力生产概况

1999 年,葛洲坝电厂年发电量 157.2512 亿 kW·h,超过年度计划 153 亿 kW·h 的 2.8%。

按月份分析,8 月份发电 19.3492 亿 kW·h,是全年发电量最高的月份;3 月份发电 5.3164 亿 kW·h,为全年发电最少的月份。

按机组分析,二江电厂 5 号机组发电量最多,年发电 9.0094 亿 kW·h,大江电厂 21 号机组由于扩大性大修,全年发电 5.4791 亿 kW·h,在 21 台机组中最少。

全年机组设备保持在良好水平,机组平均可利用小时数 8216.54h,实际平均运行小时数6671.81h。

全年水能利用好。全年发电耗水总量 3587.22 亿 m^3,占全年来水总量的 76%,每千瓦小时电量耗水 22.81m^3,水能利用提高率 5.16%,机组等效可用系数定额完成率 108.64%。

1999 年为电网系统调峰作出努力,日平均调峰量 28.8 万 kW,最大日调峰量 48.8 万 kW,弃水调峰损失电量 2.28 亿 kW·h。

(一)节水增发电量

1999 年,葛洲坝水库全年来水量 47940.9 亿 m^3,年平均入库流量 15200m^3/s,比多年平均值偏丰 6.3%。全年节水增发电量 7.7726 亿 kW·h,1999 年节水增发电量统计见下表。

(二)葛洲坝电厂厂用电电量及变损电量

1.厂用电率

1999 年葛洲坝电厂厂用电率 0.19%,较 1998 年下降 0.03%,节约厂用电量 500 万 kW·h。其中二江电厂从 0.25%下降至 0.21%,大江电厂从 0.21%下降至0.18%。

2.变损率

1999 年全厂变损率 0.64%,较 1998 年上升0.13%,其中二江电厂 0.13%,较 1998 年下降 0.05%;大江电厂 0.92%,较 1998 年上升 0.18%。变损电量 9977 万 kW·h,较 1998 年上升 3190 万 kW·h。二江电厂采用改善线路有功电能表二次回路的功率因数,减少 PT 二次压降的办法,变损电量及变损率控制较好,较 1998 年有所下降。大江电厂变损电量及变损率升高的具体原因:1999 年发电量较 1998 年增加较多;线路 PT 二次压降及 CT 测量误差增加。针对问题,将在调查研究基础上,采用改善线路有功电能表二次回降将线损降到正常值。

1999 年节水增发电量统计表

月份	入库流量 (m^3/s)	相应频率 (%)	较多年平均值%	设计电量 (万 kW·h)	调峰损失 (万 kW·h)	考核电量 (万 kW·h)	实际发电量 (万 kW·h)	节水增发电量 (万 kW·h)
1	4470	36.7	偏丰 3.2	70886	0	70886	73151	2266

2	3890	50	偏枯 4.5	56009	0	56009	57829	1822
3	3200	97.2	偏枯 28.9	51134	0	51134	53164	2030
4	5710	75.5	偏枯 15.2	82054	200	81855	84270	2415
5	11100	61.5	偏枯 7.5	149463	518	148944	152012	3068
6	19500	38.3	偏丰 4.8	173428	4671	168795	177220	8461
7	43500	3.6	偏丰 45.0	137828	6595	131238	142476	11238
8	27500	50.6	偏枯 2.5	181187	5006	176176	193492	17316
9	28100	50.6	偏枯 6.0	172443	4584	167855	186212	18357
10	15600	82.9	偏枯 21.0	188213	1218	186996	191619	4623
11	12400	17.3	偏丰 15.9	157414	0	157414	160258	2844
12	6450	26.7	偏丰 6.3	98023	0	98023	100809	2786
全年	15200	26.7	偏丰 6.3	1518082	22792	1495289	1572512	77226

（李友军　谢兴发）

葛洲坝电厂安全生产情况

1999 年，葛洲坝电厂机电设备运行平稳，全年未发生设备事故；发生设备一类障碍 12 次。按设备分类，电气设备 9 次占 75%，机械设备的自动控制和保护装置 3 次占 25%。按设备部位和技术原因分类，励磁装置 5 次占 41.7%，继电保护和操作回路 4 次占 33%，自动控制装置 3 次占 25%。在人身安全方面，全年无生产性人身重伤及以上事故，人生轻伤发生 5 次，轻伤 8 人，其中道路交通车辆事故 4 次，轻伤 7 人。全年无火灾事故和水淹厂房事故。发生机动车辆行车事故 29 起，直接经济损失 42 万余元。

（一）葛洲坝电厂二江分厂安全生产情况

截至 1999 年 12 月 31 日，葛洲坝电厂二江分厂实现连续安全生产 1730 天。

二江电厂在坚决执行“两票三制”、“三级验收制”的同时，先后建立设备改造跟踪表，设备巡视到位卡，有效地跟踪设备的异动执行情况，以考核与奖励并举的方式有力地监督运行和维护人员巡检到位率，确保设备安全运行。

4 月 3 日晚，二江电厂发生机组误强励灭磁开关柜着火事故，造成 6F 灭磁开关柜、励磁调节器及可控硅整流柜元件大部分烧毁；4 月 8 日，5 号机组又发生与 6 号机组类似的励磁主励系统异常。截至 12 月 31 日，二江电厂发现设备缺陷 1938 条，其中重大设备缺陷 28 条，安全操作 74342 项，办理工作票 3168 张，合格率 100%。进行机组大中修 2 台次，各种线路、机组小修 24 台次，厂用电及三峡大楼检修 6 台次及厂内所有辅助设备检修。

（二）安全保证体系和安全监察体系运作情况

安全生产保证体系包含人、设备和手段 3 个因素。葛洲坝电厂将三者有机结合，进一步强化保证体系的决策指挥、执行运作、规章制度、安全技术和设备管理五大保证系统的作用。全厂认真落实江泽民总书记关于安全生产工作重要指示，坚决树立安全生产第一的思想。坚持第一安全责任人主持召开月安全分析会，研究生产中的薄弱环节，部署检查防范整改措施。为把安全生产责任落到实处，重点加强班组建设，印发《班组控制异常和未遂安全目标管理措施》，继续推行“分厂控制事故，车间控制障碍，班组控制异常和未遂，个人控制违章”四级安全控制。重新修订出台的 1999 年安全目标管理考核办法，把设备可靠性管理纳入安全考核范畴，认真落实《反事故措施计划》和《安全技术劳动保护措施计划》。1999 年又重点进行 500kV 开关站构架变形和防腐方案论证，葛凤线、葛双一回线保护装置换型和 SF_6 断路器操作回路改造。对厂房发电机组逐步进行技术改造，采用先进的微机步进式调速器、多微机励磁调节器、微机保护装置；完善计算机监控系统，提高发电厂公用系统和机组辅助装置自动化水平，并顺利通过全国电力系统 Y2K 联合测试。

1999 年安排“反事故措施”计划 10 项，“安全技术劳动保护措施”计划 9 项，全部按计划执行完毕。为保证“无人值班（少人值守）”运行值班方式改进后仍能保持平稳运行，一方面加强检修质量控制，坚持“有修必修，修必修好”原则，对每一个检修项目都进行工作负责人自我把关，班组、车间、分厂三级验收，提高设备检修质量，使机组非计划停运降至每台机组 2 次 9.1 小时。另一方面加大设备巡检维护消缺力度，葛洲坝电厂检修分厂通过对运行中的避雷器带电检测，及时发现并更换 6B（C 相）、7B（B 相）电导电流不合格的避雷器;葛洲坝电厂水工分厂通过水调计算机软件改造,精确预报和调度1999年长江上游连续3次超45000m³/s的洪水;葛洲坝电厂三峡供电局抢在汛前完成13个变电站的清扫检修维护,并完成11项重大技术改造项目;葛洲坝电厂三峡水厂为保证水厂船安全度汛,对船岸连接进行技术攻关并取得成功。全厂发现设备缺陷7470条,实际处理7204条,主设备消缺率100%,辅助设备消缺率96.7%。

葛洲坝电厂设置安全监察处,负责全厂电力生产全过程的人身和设备安全的事前、事后监督与检查以及安全管理职能。监督上级有关安全生产指示和各项规章制度、反事故措施计划的执行;监督涉及设备(设施)安全的技术状况、涉及人身安全的防护设施状况;监督安全工器具、起重机具、高处作业用具及厂内运输设备的管理和定期试验;监督劳动保护用品和安全工具、安全防护用品的购置、发放和使用;监督现场岗位培训;对违章作业和违章指挥进行监察;协助领导组织安全教育,安全检查,安全分析和事故调查、统计上报。

1999年葛洲坝电厂主要抓三个方面的安全监察工作。一是充分发挥全厂四级安全网作用,加强以"两票三制"为主要内容的规章制度和生产现场安全监察。根据大量检修大都集中在冬修时期,任务繁重,作业面广,环境较差,人员易疲劳的实际,做到哪里有作业现场,就把安全监督岗设在哪里,落实安全措施,纠正习惯性违章,严防发生人员误操作事故。全年办理一种工作票1122张,二种工作票9778张,合格率均达到100%;完成操作任务8222个,操作106239项,操作正确率100%。二是加强压力容量以及特种起重机械的安全监察。按检验周期分别完成厂房15台压力容器(高压油罐、气罐)年检,特种起重机械60台年检(其中桥机13台、门机17台、叉车4台、吊车5台、电梯15部和作业车6台)。通过年检整改,取得宜昌市政府主管部门颁发的安全准用证。三是加大对多种经营三产部门的安全监察,促进规范化管理。针对葛洲坝电厂家属区配电系统供电面广、线长、设备老化及管理不规范,专门发文"关于对非厂(站)用电6kV、0.4kV配电系统加强安全管理的意见",对非厂用电系统的每一个配电所进行安全检查,针对存在的隐患发出整改通知书。

(三)职工安全技术培训情况

安全生产,以人为本。葛洲坝电厂各生产班组坚持认真开展"技术问答"、"考问讲解"、"技术讲课"、"反事故预想及反事故演习"等岗位练兵。1999年生产单位共有4422人次参加培训。葛洲坝电厂四大分厂都完成全员上岗考试,有903人走进考场,参加岗位应知应会,竞争上岗考试。根据生产需要,开办"班长管理"和"水电厂生产常识"培训班。举办一期非厂用电值班电工安全技能知识培训班,34名职工参加电工理论和实际操作培训学习,其中32名通过考试取得上岗证;"桥门机工、起重工"取证复审培训班46人合格;派出6名焊工、8名潜水工和4名船员外出培训,均获得工种岗位资格证书;还为新进厂的57名职工开办入厂教育培训班,接待各地来厂实习学生2851名。岗位培训另一重点是落实国家电力公司"3.9"会议精神,认真做好有关计算机2000年问题的事故预想和应急准备,二江和大江电厂制定"0启动方案",并举行有发电运行、检修、水调、通信等部门参加的大型协同演习,为保证计算机控制和信息系统失效后能安全稳定运行设置起第二道防线。

(李隆本 胡 滨)

附表1 **葛洲坝电厂历年设备事故统计(1981~1999年)**

年份	历年连续安全记录	事故(一类障碍)				机械设备				电气设备				单位		
		总数	事故	障碍	误操作	主机	轴承	辅机	自控	主设备	配电	继电保护	励磁集控	大江	二江	检修
1981	99	1	1		1							1			1	
1982	72	25	5	20	2	1	3	1	7	5		7	1		25	
1983	110	28	10	18	8	1	3	1	1	2	2	12	6		28	
1984	101	5	5		2						1		4		5	
1985	364	2	2		1							1	1		2	
1986	366	13		13	1		2			2		4	5	9	4	
1987	637	30	1	29	2		3	1		1	3	13	9	26	4	
1988	206	34	5	29	4	1	3	4	2	2	1	12	9	26	8	
1989	209	24	3	21	5			1	1	2	4	11	5	16	7	1
1990	168	24	5	19	6		2	1	3	3	4	9	2	16	8	

1991	399	10		10	2		1		1			3	5	7	3	
1992	426	14	1	13					5		3	3	3	8	6	
1993	422	14	2	12	2		2		1		2	7	2	6	7	1
1994	418	10		10				1	2		1	2	4	6	4	
1995	497	16	4	12	1		1	3	3		1	4	4	9	5	2
1996	281	23	1	22	1		4	1	2	1	5	7	2	5	8	10
1997	416	12	3	9	1		2		3		2	4	2	5	4	3
1998	460	13		13					5			3	5	7	6	
1999	825	12		12					2		2	3	5	6	6	
合计		310	47	263	39	3	36	14	38	18	31	106	74	152	141	17

注:1.本表未统计葛洲坝换流站事故。2.统计事故归并一类障碍。3.机组水车操作、调速自动及机械保护归并"自控"。4.发电机励磁及计算机、系统自动装置归并"励磁集控"。5.及检修、水工统计为"检修"。6.电气主设备含发电机、变压器和220kV、500kV高压开关

附表 2 **葛洲坝电厂历年人身事故统计(1980~1999年)**

年份	发生工伤统计					归属		单位						
	工伤总数		死亡	重伤	轻伤	生产	非生产	大江	二江	水工	检修	生产其他	机关	多种经营后勤
	次	人												
1980														
1981	12	12			12	5	7		3	1		2	4	2
1982	11	11			11	8	3		6	3		1		1
1983	16	16		2	14	11	5		6	7			3	
1984	12	12	1		11	8	4		5	2		1	4	
1985	13	13	1		12	5	8	2	3	3		2	2	1
1986	10	10			10	5	5	2	3	1		1	2	1
1987	7	7			7	4	3	5	1				1	
1988	9	9	1		8	6	3	3	1	2			2	1
1989	13	13	1		12	5	8	3	2	4		1	2	1
1990	16	17			17	12	5	2	7	1		3	3	1
1991	11	11			11	6	5	2	1			1	6	1
1992	21	25		3	22	17	8	1	8	3		5	5	3
1993	14	15			15	11	4	2	1	5	2		1	4
1994	8	8			8	6	2			5	2			1
1995	7	7	1		6	3	4		1		1	1	2	2
1996	10	13	1	2	10	10	3		1		8		2	2
1997	14	16			16	5	11		2	3	2	3	2	4
1998	5	5			5	4	1			2	2	2		
1999	6	9			8	2	7	2			1		1	5
合计	214	228	6	7	215	133	95	24	51	42	18	22	42	29
%														

说明:1.统计数据从筹建之日起 2.生产其他含通信、空调、三峡供电及三峡水厂

三峡工程施工供电概况

1999年葛洲坝电厂三峡工程施工供电局接管最后一座35kV永久站——坛子岭变电站及35kV坛王线、王围线和覃中线，形成完整的施工供电网，实现安全供电5周年。文明创建活动持续开展，创建措施得力，特色突出，效果明显，"党政管理一体化，两个文明一起抓"的文明创建经验在葛洲坝电厂推广，荣获三峡坝区综合治理优秀单位、安全文明创建先进单位，连续第3年获葛洲坝电厂厂级文明单位。

安全供电的各项经济技术指标达到业主要求，全年为施工区安全供电3.09亿kW·h，为完成448万m^3混凝土浇筑提供可靠供电。

（一）提高设备健康水平

历时5个月对陈家冲、▽79m、王陵庙、覃家沱4站进行整顿性大修；预试B14台、DL138台、YH31台、LH138台、BL131组、检验继电保护484套次；查缺、消缺1943项，其中重大缺陷51项；对35kV及以上电压等级的140多km架空输电线路进行巡检、消缺；在陈家冲等站加装35kV、6kVPT电压监视回路，对部分功率变送器、电流变送器及配对表头进行改造；更换陈莲线1#～7#塔破损严重的绝缘子；对坝河口35kV开关机构接触不良、数次烧红刀闸等严重缺陷，提出6kV刀闸改造方案并付诸实施；在船闸站安装两台接地消谐设备，消除6kV系统铁磁谐振过电压重复烧毁PT；为提高直流系统运行可靠性，在陈家冲站增加一套高频直流开关电源和免维护铅酸蓄电池。

（二）加强安全管理

针对用电负荷上升（最高峰值达6万kW·h），加强对变压器及各电器连接件发热情况的跟踪检查；修改完善《消缺管理制度》、《三峡电网用电监察管理规定》、《6kV公用系统管理》；发挥用电监察的作用，结合葛洲坝电厂和坝区安全大检查活动，对施工单位用电设备进行全面检查，督促消除设备隐患；针对工区网备用电源薄弱的实际，理顺调度关系，严格执行规章制度，做好周密细致的事故预想；加强对外联系，每两周召开一次供电协调会，通报供电生产情况，统计负荷性质和分配情况，互通信息；严格节假日领导和检修骨干值班制度，汛期检修人员分两班倒在三峡值班，保证事故处理的技术力量。

（三）设备事故处理

迅速处理设备事故，将停电时间和停电范围缩到最小。正确处理6kV设备事故5637次、35kV设备事故248次，完成操作任务2966个，无差错操作31909项。一年来没有因人为供电事故而影响工程施工的事件发生，没有一宗供电索赔事件发生。

1999年3月开展"检修工作负责人、运行主值班员"考试考核上岗工作，考试考核不合格者，取消工作负责人、运行主值班员资格，参加下年度考试考核晋级上岗，提高职工业务技能，增强对改革的心理承受能力。

（谭云影）

运　行　与　管　理

葛洲坝水利枢纽安全监测

1999年，葛洲坝水利枢纽安全监测人员采集现场观测数据20多万个，并及时进行计算，提出月报和年度资料整编分析报告。

观测资料表明：葛洲坝水利枢纽经过20多年的运行，已逐步趋于稳定。基础地质条件、上下游水位、时效等因子的影响逐年减弱，其变化规律主要受温度影响，呈年周期性变化。年内基础沉陷无明显变化。坝顶最大下沉量，接、裂缝最大开度，最大渗透压力及排水量超监测值，但不影响水工建筑物的安全运行。水平位移的变化规律为随气温的下降向坝中心线收缩，与上、下游水位无明显相关性。受气温上升，混凝土膨胀的影响，钢筋应力计最大拉应力大部分出现在月平均气温最高的8月，泄水闸个别墩迎水面与坝底结合部的钢筋拉应力超出监测值；水质化验分析显示：取样孔多离子的含量及水质基本稳定，分解型侵蚀和硫酸盐型侵蚀程度较弱。泥砂取样测验显示：过机泥沙含量逐年上升的趋势1999年有所缓解。对水工建筑物的定期检查和年度详查未发现新增裂缝及坝体渗水等缺陷,原有裂缝也无明显发展扩大迹象。

葛洲坝水利枢纽水工建筑物总体上运行状态良好。二江泄水闸五闸段和1#船闸右闸墙伸缩缝止水损坏,引起较大排水及二江泄水闸个别墩与坝底结合部钢筋应力超监测值,是今后监测的重点。

1999年,葛洲坝电厂投资对观测设施进行自动化和内埋仪器数据采样方法的改造。在二江泄水闸小型综合自动化、2#船闸渗压自动化和一期工程内埋仪器数据采样方法改造等运行稳定的基础上,对二期工程内埋仪器数据采样方法进行改造;一期工程渗压自动化项目已签订合同,坝顶真空激光管道技改项目,进入施工准备阶段。

葛洲坝水利枢纽安全监测仪器老化,特别是一期工程内埋仪器已运行多年,均为超期运行,1999年完成测点鉴定工作。聘请有关专家对葛洲坝水利枢纽的长周期观测资料进行全面分析和充分论证。认定其运行是稳定的,今后监测的重点应由全面监测转入对重点部位重点监测与全面检测相结合的阶段。根据鉴定结论,完成《葛洲坝水力发电厂水工建筑物观测规程》的修编工作,封存了部分监测值不准确、已接近失效的内埋仪器,重新进行测点的分类和测次的调整,以便更及时、更准确的提供观测资料,确保水工建筑物的安全运行。

(周诗涛)

葛洲坝电厂设备检修概况

(一)输变电设备检修

主要完成的检修工作有:

(1)500kV开关站1~6间隔进出线全部输变电设备的常规项目检修、预试。

(2)500kV开关站1~4串500kV进线线路及5~6串220kV进线线路和铁塔的常规项目检修;对进线串在防淤堤的铁塔跳线串进行调爬处理,提高防污能力;更换导线及地线的防震锤;更换第五串开关的主、副分闸线圈,有效地提高断路器的防偷跳能力。

(3)500kVⅠ母、Ⅱ母,220kVⅠ母、Ⅱ母常规项目检修预试。

(4)5053国产断路器更换,备件为大修后换下并经返厂大修的5063断路器。500kV断路器从1999年开始进入大修期,葛洲坝电厂已根据断路器运行情况,制定了逐台检修计划。

(5)解体性大修500kV隔离刀闸7组。

(6)500kV开关站及220kV开关站内悬式绝缘子检测及缺陷处理。

(7)500kV构架的安全性研究。完成500kV构架大梁加固的前期监测。为确保主网设备安全,对500kV开关站的整个构架进行检测,如A形柱超声波探伤、灌浆处理试验等,为构架的进一步改造打下基础。

(8)220kV开关站2组隔离刀闸大修,更换主回路导电部分;220kV开关站的金属结构防腐工作。

(9)大江电厂9P、23P的400V开关换型改造;二江电厂厂用变22B、23B、24B、324B加装快速熔断器。

(二)机组检修

1.完成21F扩修工作(跨年度检修,至2000年3月底完成)

此次扩修的重大项目有:将水轮机5片轮叶全部更换,换下的轮叶受汽蚀和长江泥沙的严重磨损,已不能继续正常运行,返至东方电机厂修复以作为备品。进行水轮机转轮静平衡试验。转轮室中环因汽蚀严重,进行补焊处理。水轮机过流部件涂抗磨涂料,提高水轮机过流部件的抗泥沙磨损和抗汽蚀能力。将发电机空冷器改造为针刺式空冷器。发电机定子槽楔全部更换,原定子槽楔普遍松动,不能有效地保证定子线棒的紧度。发电机出口SF_6断路器解体性大修。加装机组磁盘测速装置。

2.完成4F、10F、11F等3台次发电机组大修

除大修标准项目外,还完成以下主要项目:水轮机过流部件涂抗磨涂料,转轮室中环汽蚀补焊,推力油冷器改造,动力盘低压开关改造,发电机风洞照明改造等。此外,各大修机组分别进行了以下工作:

以4F为试验机组,开展发电机增容改造可行性研究,更换6根试验用线棒,在定子线棒上进行测温试验,并进行不同运行工况下发电机的温升试验。10FPKG开关大修,这是该类开关的最后一次大修。11F空冷器改造为针刺式空冷器。PKG开关换型改造。发电机出口断路器是扩大单元接线中维护系统和发电机安全运行的关键设备,其运行水平的高低对发电机的安全稳定运行具有重要意义。葛洲坝电厂在大江电厂安装12台由沈阳高压开关厂引进法国技术生产的KN4—36型压缩空气介质断路器(即PKG开关)。由于其结构、密封、备品等方面的原因,其性能已不能满足运行和检修维护的要求。为此,葛洲坝电厂从1999年11月起,逐步将其更换为先进的HEC15型SF6断路器,以提高开关性能和运行可靠性。

3.完成1F中修

处理了涡壳中间歇性金属异音故障。检查发现金属异音系1998年7月葛洲坝上游沉船事故引起,一长约4m宽约2m的金属板块冲入涡壳,与活动导叶相撞击而发出声音。

4.完成机组小修37台次。

(三)辅助设备检修

(1)完成全厂油、气、水辅助设备系统检修。进行大江1# 高压机换型改造,增设二江厂内工业用空压机。

(2)完成全厂厂用电系统检修。于6月15日前完成所有与防汛相关厂用电及相关设备的检修、预试,其余厂用电设备及辅助设备的检修、预试均在10月上旬前完成。其中6kV变压器检修66台次,小车开关86台次。

(3)完成其它非生产系统6kV设备检修。

(4)全厂雷、接地设备检测,一次设备红外测温。发现6B主变高压套管接头局部过热和6B、7B主变高压侧避雷器电导电流过大等重大设备缺陷。

(郑富清　余维坤)

水　库　调　度

葛洲坝水库来水情况及气象水情预报

(一)来水情况

1999年葛洲坝水库来水偏丰,年来水总量4794亿m^3,年平均流量15200m^3/s,较多年平均值14300m^3/s偏丰6.3%。全年出现3次大于45000m^3/s的洪水,年最大洪峰流量57500m^3/s。年内来水分配:汛前来水偏枯,其中1~5月来水总量较多年同期平均值偏枯9.5%,汛期来水偏丰且比较集中,其中7月来水特丰,月平均流量43500m^3/s,较多年同期平均值偏丰45%,汛后10月来水偏枯,11、12月来水偏丰。其中10月份来水比多年同期平均值偏枯21%,11~12月份来水比多年同期平均值偏丰14%。

三峡区间降水偏少,出现夏秋连旱,四川盆地降水偏多,总的情况有如下特点:

(1)5~6月中旬,三峡区间处于初夏季节,以过程性降水为主,仅出现4次降水过程,降水偏少,6月下旬~7月上旬,乌江流域出现3次连续暴雨天气过程,降水相当集中。7月23日~8月6日四川盆地和三峡区间受大陆高压脊控制,维持连晴天气。8月6日至9月15日,四川盆地出现7次暴雨过程,降水明显偏多,三峡区间从7月下旬至9月底,出现连续干旱天气。

(2)罕见的"凉夏"。1999年夏天由于拉妮娜冷洋流抑制副热带高压的发展,副热带高压一直很弱,位置偏东偏北。盛夏时节,三峡区间气温都在35℃以下,出现罕见的"凉夏"。

(3)秋夏气温偏高。9月6~13日,西太平洋副热带高压和来自四川盆地的暖高压合并加强,并稳定控制长江流域,同期,极地气候变暖,冷空气活动势力偏弱。结果,长江流域的气温猛升,从30℃以下升到35℃以上,最高气温达39℃,本应是气温较低的凉爽秋季,却比夏季气温还高。

三峡区间各月降水量统计见表1。

表1　　三峡区间各月降水量统计表　　单位:mm

月份	4	5	6	7	8	9	10
降水量	145	157	164	177	98	67	108
多年平均值	108	157	166	176	164	160	101

(二)气象与水情预报

1.气象预报

汛期,葛洲坝电厂专业气象台每天制作四川盆地和三峡区间定量降水预报及近坝区灾害性天气预报,三峡区间24h降水预报准确率84%、48h降水预报准确率79%、三峡区间面雨量大于20mm的降水过程预报准确率34%,近坝区灾害性天气无漏报。还制作旬降雨过程预报,即每旬末制作下旬降雨过程的中期预报,准确率77%。

2.水情预报

各月平均预报流量误差统计见表2。各月不同预见期入库流量预报误差见表3。

表2　　各月平均流量预报误差统计表　　单位:m^3/s

月份	多年平均	实际流量	预报流量	相对误差(%)
1	4320	4490	4200	-6.5
2	3950	3890	4050	4.1
3	4440	3200	4670	45.9
4	6700	5700	4800	-15.8
5	11900	11100	13000	17.1

6	18600	19500	18000	-7.7
7	29700	43500	37000	-14.9
8	28100	27500	32000	16.4
9	26600	28100	26100	-7.1
10	19500	15600	18000	15.4
11	10500	12400	11300	-8.8
12	5990	6450	7600	17.8
年平均	14300	15200	15150	0.3

表 3 各月不同预见期入库流量预报误差表 单位:%

月份/预见期	1	2	3	4	5	6	7	8	9	10	11	12
12h	1.41	1.35	1.58	2.68	1.93	1.92	1.12	1.08	0.98	1.96	1.04	0.79
24h	1.40	1.43	1.98	2.28	3.65	2.51	2.00	1.80	1.36	2.48	1.24	1.05
48h	1.35	1.45	2.14	5.99	7.45	4.78	4.43	3.02	2.42	4.26	2.17	1.83

(三)水库调度业务应用系统投入运行

汛期,葛洲坝电厂与河海大学联合开发的水库调度业务应用系统投入试运行,该系统包括枢纽运行实时采集系统、水情电报接收翻译系统、枢纽查询系统、水情查询系统、洪水预报系统、报表系统、水库调度计算系统、调度值班管理系统,与华中理工大学共同开发的区间降雨径流分析系统,这些新系统投入运行,使葛洲坝电厂水库调度自动化系统向前迈进了一步。

(李学贵)

葛洲坝水库洪水及发电调度

(一)洪水调度

1. 7月2日第一次洪水

6月25~28日,受西南暖湿气流和西南涡共同影响,岷江、沱江和乌江流域出现连续强降水过程。受岷江、沱江涨水影响,上游干流控制站寸滩站流量从25日8时的15600m³/s涨至28日20时的28900m³/s,寸滩站和武隆站的合成流量30日2时的49000m³/s,本次洪水过程三峡区间基本无降水。受干流涨水影响,葛洲坝水库入库流量从6月26日20时的23800m³/s,开始持续上涨,7月2日2时到峰,洪峰流量47500m³/s,本次洪水过程大于45000m³/s的时间为45h。

根据预报,6月29日12时开启大江泄洪冲沙闸,分五档操作,每档间隔1小时,最大泄流量15000m³/s。

本次洪水期间漂浮物较多,机组水头受阻严重,6月28日开启大江排漂孔,同时,调度中加大二江泄水闸左区泄量,为减少粗沙过机对机组的磨损,6月29日开启大江排沙洞,6月29日~7月1日逐步开启大江15#~16#机组排沙底孔各一孔运行。

2. 7月8日第二次洪水

7月1~5日,受副高西南暖湿气流影响,四川盆地出现连阴天气,其中4日、5日嘉陵江流域出现大到暴雨过程,6~7日,万县——宜昌普降大到暴雨,其中万县——宜昌平均雨量6日46mm,7日50mm。本次洪水过程发生在一次洪水过程的退水段,区间降雨又集中在万县——宜昌区间,汇流时间短,受万县——宜昌强降水影响,入库流量从7月6日14时43000m³/s起涨,7月8日14时到峰,洪峰流量52500m³/s,本次洪水过程大于45000m³/s历时84h。

本次洪水发生在第一次洪水的退水段,与第一次洪水相连,两次洪峰之间的入库流量均维持在42000m³/s以上,因此,大江泄洪冲沙闸、大江排漂孔、排沙洞,大江电站排沙底孔的开启情况同第一次洪水过程。

3. 7月20日第三次洪水

7月15~16日,受冷峰和西南涡共同影响,三峡区间、四川盆地及乌江流域出现大到暴雨,局地大暴雨过程。长江上游的四大支流岷江、沱江、嘉陵江、乌江流量先后起涨到峰。受其影响,寸滩、武隆合成流量最大为62800m³/s,此后流量快速下退。15日8时~16日8时,重庆——万县平均雨量44mm,万县——宜昌平均雨量71mm,入库流量由15日20时33000m³/s快速上涨,20日10时到峰,洪峰流量57500m³/s,16日以后四川盆地和三峡区间降雨基本停止,寸滩、武隆合成流量过程尖瘦,入库流量峰值较寸滩、武隆合成流量峰值削减5300m³/s。

葛洲坝工程防汛协调小组于7月16日下午召开第三次防汛协调会,布置第三次洪水调度工作。会议认为,大江泄洪冲沙闸泄流能力为20000m³/s,而近几年只开至15000m³/s,为充分发挥该闸的泄洪冲沙效能,有效排除大江航道泥沙,以利枯水期通航,要求大江泄洪冲沙闸开至18000m³/s。7月17日13时大江泄洪冲沙闸开启,17时开至15000m³/s,18日15时开至18000m³/s。18日21时50分,接长江防汛总指挥部转湖北省防汛指挥部指示,要求葛洲坝电厂将大江泄洪冲沙闸减少到15000m³/s,18日22时40分大江泄洪冲沙闸关至15000m³/s。

(二)发电调度

1.发电概况

1999年全年来水偏丰。汛前1~5月来水偏枯,对发电不利;汛期6~9月来水较丰,但比较集中于7月,汛后10～12月来水偏丰,有利于发电。1～5月累计发电42.0426亿kW·h,比全部机组投产发电以来同期平均值少4.3亿kW·h,7月来水特丰,比多年同期偏丰45%,出力严重受阻,月发电量比全部机组投产发电以来同期平均值少3亿kW·h,11月份发电量是全机组投产发电以来同期发电最好的年份。8～12月发电量100.96亿kW·h,比全部机组投产发电以来同期平均值多7.93亿kW·h,全年发电量157.25亿kW·h。

2.节水增发电量

葛洲坝电厂针对全年来水特点采取一系列节水增发电量措施:

(1)汛期投入大量人力物力,及时清除机组拦污栅前漂浮物,增加有效水头多发电。

(2)水调人员控制水库水位偏上限运行,作好区间小洪水的优化调度,合理选择航道冲沙时机,非汛期机组经济运行,尽量多发电。

(3)加强与网调和大、二江中控室的联系,汛期根据水情及时调整机组出力,多发季节性电量,尽量减少弃水调峰损失电量。

(4)针对1999年网调严格控制发电计划的特点,葛洲坝电厂加强对流域水雨情及天气形势的分析,准确预报来水,向网调提供较准确的出力预报,同时加强与网调联系,全年没有因出力预报不准确造成弃水。

(5)合理安排机组和输变电设备的检修,11月来水偏丰,为不影响发电,机组检修计划一再推迟,保证11月的系统调峰,又避免弃水调峰损失电量。

上述各项措施起到较好效果,全年平均库水位比考核水位抬高0.28m,全年节水增发电量77226万kW·h,水能利用提高率5.16%。

3.配合系统调峰

华中电网为提高电能质量,将系统周波变幅由50±0.2Hz调整为50±0.1Hz,网调加强对发电计划的控制,因此葛洲坝电厂发电负荷一般都按计划负荷曲线控制,调峰幅度比往年有所减少,全年最大调峰量80万kW,年平均调峰量24.3万kW。

1999年葛洲坝水库运行情况见下表。

1999年葛洲坝水库运行情况表

项目＼月份	单位	1	2	3	4	5	6	7	8	9	10	11	12	全年
月初库水位	m	65.86	65.90	65.93	65.53	65.68	65.63	66.41	66.44	66.36	65.65	65.71	65.68	65.86
月末库水位	m	65.90	65.93	65.53	65.68	65.63	66.41	66.44	66.36	65.65	65.71	65.68	65.88	65.88
最高库水位	m	66.40	66.18	66.06	66.50	66.50	66.44	66.46	66.56	66.44	66.49	66.46	66.35	66.56
最低库水位	m	65.74	65.65	65.27	65.53	65.55	65.56	66.05	65.74	65.62	65.55	65.52	65.53	65.27
平均库水位	m	65.99	65.91	65.54	65.86	65.97	66.13	66.30	66.30	66.28	66.06	65.92	65.96	66.02
平均水头	m	25.50	25.86	25.96	24.75	21.69	19.28	13.56	17.02	17.04	20.17	21.33	24.56	21.36
平均入库流量	m^3/s	4470	3890	3200	5710	11100	19500	43500	27500	28100	15600	12400	6450	15200
最大入库流量	m^3/s	5350	4150	3700	14500	16800	44500	57400	36400	37800	18500	16000	10500	57400
最小入库流量	m^3/s	3700	3550	2900	3200	7000	9500	32900	17800	14400	12800	10400	4800	2900
发电流量	m^3/s	4360	3780	3120	5550	10900	15800	19300	19600	19600	15300	12300	6360	11400
弃水量	亿m^3	0.00	0.00	0.00	0.38	1.09	91.33	646.88	209.57	218.20	5.13	0.00	0.00	1172.57
平均出力	MW	983	861	715	1170	2043	2461	1915	2601	2586	2576	2226	1355	1795
调峰容量	MW	194	72	40	249	490	372	203	166	168	291	357	308	243
发电量	亿kW·h	7.3151	5.7829	5.3164	8.4270	15.2012	17.7220	14.2476	19.3492	18.6212	19.1619	16.0258	10.0809	157.2512
耗水率	$m^3/kW·h$	15.98	15.81	15.70	17.08	19.28	23.16	36.21	27.12	27.32	21.40	19.83	16.88	22.81

(李学贵)

葛洲坝水库航运及冲排沙调度

(一)航运情况

1999年葛洲坝1#、2#、3#船闸运用12422次,货运量1050.9万t,输送旅客315万人次。

(二)冲排沙调度

1.大江泄洪冲沙闸运用

1999年大江泄洪冲沙闸共运用5次,其中第1、2、5次为泄洪冲沙,第3、4次为冲沙运用,运用情况见表1。第3次冲沙为满足冲沙用水需要,压负荷损失电量1198.2万kW.h。

1998年洪水期间,大江泄洪冲沙闸运用受限,运用时间未达到规程要求,致使大江上下游泥沙淤积严重。为增加大江航道冲沙时间,提高冲沙效果,8月份采用大江泄洪冲沙闸控制水库水位的调度方案进行大江航道冲沙。尽管给水库调度和闸门操作带来很大难度,由于水库调度和闸门操作人员密切配合,不仅保证了水库安全运行,而且充分利用来水最大限度的增加航道冲沙时间,取得较好的冲沙效果。

表1 大江泄洪冲沙闸运用情况表 单位:m³/s

序号	开启时间	关闭时间	开启时Qλ	关闭时Qλ	最大泄流量	运行历时(h)	运行方式
1	6月29日 12:05	7月14日 17:16	39800	36200	15200	389.2	泄洪
2	7月17日 13:03	7月23日 17:10	41400	44000	17700	172.1	泄洪
3	8月13日 7:05	8月14日 8:40	23900	24000	10600	25.6	冲沙
4	8月19日 20:05	8月22日 7:34	28300	30500	12200	191.6	冲沙
5	9月7日 8:06	9月11日 11:07	35500	33400	17700	273	泄洪

2.三江冲沙闸运用

三江冲沙闸运用3次,前2次为汛前航道冲沙,后一次为汛末航道冲沙,运用情况见表2。

由于冲沙时机选择好,这3次航道冲沙对发电基本无影响,而且冲沙效果较好,保证了枯水期航道畅通。

表2 三江冲沙闸运用情况表 单位:m³/s

开启时间	关闭时间	开启时Qλ	关闭时Qλ	最大泄流量$\theta_{泄}$	运行历时(h)	运行方式
8月19日6:11	8月19日21:06	26000	28500	9120	14.9	汛期冲沙
8月23日6:15	8月23日21:21	32800	34600	8840	15.1	汛期冲沙
9月19日7:06	9月19日20:05	30800	29000	9190	14	汛期冲沙

3.排沙底孔(洞)运用

大江排漂孔6月28日16:48双孔开启导漂,为开启排沙洞,29日8:26大江排漂孔关闭,排沙洞开启后,29日11:10大江排漂孔再次开启双孔导漂,7月23日10:45关闭,运行历时26天。

大江排沙洞左孔于6月29日9:45开启,8月5日16:01关闭,运行历时37天。

大江电厂机组排沙底孔6月30日17#~20#机左孔开启,7月11日15#、16#机右孔开启,8月6日开启的15#~20#机排沙底孔先后关闭。8月23日,12#机左孔,13#机双孔开启,8月24日,8#机左孔、9#机左孔、10#机左孔先后开启,9月6日开启的8#~17#机排沙底孔先后关闭。除14#机因抓梁不到位未开启外,大江电厂其它13台机组每台机均有一个底孔开启,其中13#机双孔开启,对减轻厂前泥沙过机对机组的磨损起到较好作用。

(李学贵)

三峡库区水情预报

(一)完善组织保障措施

1.强化水情预报会商制度。对大的洪水过程及重要的天气系统实行葛洲坝电厂水情中心、葛洲坝电厂水调室、长江水利委员会、中央气象台、万县气象台多方会商制,预报成果由葛洲坝电厂水情中心综合分析后对外发布。

2.强化请示汇报制度。遇重要水情信息及时向中国三峡总公司各级领导及相关施工、设计、监理等单位汇报。

3.强化24小时值班制。主汛期,葛洲坝电厂水情中心实行倒班制,为三峡工程提供全天候水情咨询。

4.强化重大水情跟踪预报制度。三峡区间是暴雨多发地区,区间暴雨洪水特别是近坝区暴雨洪水由于汇流时间短、涨洪迅速,对工程威胁最大,因此,必须充分利用现有的近坝区自动雨量遥测系统,对区间暴雨洪水实行跟踪滚动预报。

5.强化水情预报与气象预报的有机结合,以提高水情预报的精度和预见期。

6.加强自动化设备维护,确保主汛期各设备的正常运行。

(二)完善技术保障措施

1.三峡坝区水文规律的分析研究

二期围堰形成后，坝址过水断面束窄为原来的1/3,其上游形成近20亿 m^3 的库容,三峡坝区的水文条件及坝区水文规律发生很大变化。为此，葛洲坝电厂水情中心在汛前专门组织技术力量对三峡坝区水文规律进行深入细致的分析研究，内容包括：坝址流量与上围堰(茅坪二)水位关系研究；坝址流量与下围堰(三斗坪)水位关系研究；坝址流量与二期围堰上下游落差关系研究；万县流量(水位)与上围堰(茅坪二)水位关系研究；万县流量(水位)与下围堰(三斗坪)水位关系研究；巴东水位与坝址流量关系研究；葛洲坝出入库流量与黄陵庙实测流量关系研究；葛洲坝水库水位变化对三峡坝区水位影响分析。汛前，坝区水文规律分析研究工作全部完成，编写了技术报告，制作了相应预报方案，为提高水情预报的精度奠定良好基础。

2.建立三峡坝区实时水情监测系统

实时水情信息跟踪监视,是三峡工程施工及工程防汛应急抢险的需要,葛洲坝电厂水情中心开发研制了实时水情监视系统。该系统包括:坝区各遥测站点雨量实时动态显示;坝区各遥测站点的实时水位过程线显示;坝区上下游遥测站点的实时水位落差显示;坝区各遥测站点水位特征值统计。

3.建立上游流域水、雨情监视系统

及时、准确地掌握上游流域各报汛站的水情变化及各区域的降雨时空分布是作好三峡坝区水情预报的前提。为此,葛洲坝电厂水情中心开发研制了上游流域水、雨情监视系统,该系统具有如下功能:上游流域水情动态图形演示;上游流域水情查询;上游流域降雨动态图形演示;上游流域雨情查询;上游流域降雨棒图显示;上游流域各报汛站水位(流量)过程线显示;上游流域各报汛站水位(流量)、雨量特征值统计;三峡坝址水情预报显示;三峡坝区历史洪水演示。

4.葛洲坝水利枢纽运行状态监视系统

三峡坝址距葛洲坝水利枢纽38km,位于葛洲坝库区内。葛洲坝库水位变化直接影响三峡坝区各部位的水位及三峡坝址流量的变化,因此,及时准确的掌握葛洲坝实时库水位及未来变化,是做好三峡坝区水情预报的重要前提。为此,葛洲坝电厂开发研制了葛洲坝水利枢纽运行状态监视系统,该系统具有如下功能:大江、二江机组出力监视;电网周波监视;大江冲沙闸、三江冲沙闸运行状态监视;二江泄水闸运行状态监视;葛洲坝坝前水位监视。

5.洪水预报系统的研制与完善

汛前,利用1998年的水文资料对新安江三水源洪水预报模型、CLSN洪水预报及岩溶模型的预报参数进行重新率定,对上游流域各区间经验单位线进行预报检验,对干流洪水预报方案进行校正。同时,开发研制意大利ARNO洪水预报模型,从而增加和完善洪水预报手段,为三峡坝区汛期洪水预报提供技术保障。

(三)汛期水情预报

1999年汛期具有三大特征:

洪水出现次数多于常年。主汛期出现大于45000 m^3/s 的洪水3次,其中大于50000 m^3/s 的洪水出现2次,而历史大于50000 m^3/s 洪水多年平均出现次数为0.9次。

洪水出现时间提前。从历史资料统计看,每年第一次洪水一般出现在7月中旬,1999年7月1日即出现洪峰流量47500 m^3/s 的洪水过程。

洪水出现时间集中。3次45000 m^3/s 以上的洪水均集中出现在7月份。具体预报情况见表1。

表1　三峡坝址洪峰流量预报误差统计　单位:m^3/s

洪峰序号	预报峰量	实际峰量	误差(%)	预见期(h)
第一次	48000	47500	1.1	63
第二次	48000	50300	-4.6	24
第三次	58000	58000	0	72

1.短期洪水预报

洪水预报过程中,采用多方案、多手段、综合预报。其中,区间降雨径流预报采用新安江三水源模型、意大利CLSN模型、ARNO模型及经验单位线。干流预报采用上下游水位(流量)相关及马斯京根演算。实时预报作业中首先利用模型及河道演算计算初步成果,再根据最新资料进行实时校正,综合定出预报成果。

2.短期水位预报

水位预报采用上下游水位相关(包括:万县水位与坝区水位相关及奉节水位与坝区水位相关)、坝区水位流量相关等方法,并利用最新实测数据对预报成果进行实时校正后对外发布。根据防汛需要,1999年主要对围堰上游的茅坪二站、上围堰站及围堰下游的三斗坪站进行水位预报,预报段次根据流量级相应调整。

3.长期预报

中长期预报方法仍以传统的数理统计、相似分析为主,结合最新大气环流形势变化特征制作中长期预报。

为满足工程需要，除制作汛期最大洪水预报外，每旬末、月末对次旬、月的特征值进行预报。项目包括：三峡坝址最大、最小、平均流量预报，三峡坝区主要站点的水位预报。长期预报误差统计见表2。

表2 三峡坝址逐月流量长期预报误差统计

项目 / 月份	实况流量(m^3/s)		预报流量(m^3/s)		预报误差(m^3/s)	
	月平均	月最大	月平均	月最大	月平均	月最大
1月	4490	5350	4520	5100	0.67	-4.67
2月	3890	4200	3780	4200	-2.83	0.00
3月	3200	3700	4150	5600	29.69	51.35
4月	5700	14500	4800	6430	-15.79	-55.66
5月	11000	17000	15800	25000	43.64	47.06
6月	19300	45100	17600	26700	-8.81	-40.80
7月	43200	58000	37000	59000	-14.35	1.72
8月	27500	35100	32000	49000	16.36	39.60
9月	28100	36200	26100	33800	-7.12	-6.63
10月	15600	17800	15200	18300	-2.56	2.81
11月	12400	16000	11300	14700	-8.87	-8.13
12月	6590	10600	7600	10600	15.33	0.00

(四)信息发布

1999年5~9月，葛洲坝电厂水情中心发布水情信息：短期洪水预报499段次；长期预报5期；旬预报15期；水情快报20期；7月洪水分析一次；洪峰预报3次。

(魏东升)

合作与交流 Ⅷ

碧口水电站

国际合作与交流

友好往来与合作概况

1999年，伴随着三峡工程建设高峰期的到来，中国三峡总公司对外友好往来活动的开展日益广泛、深入，许多国外企业、学术团体、政界要员、外交官等纷至沓来，参观、考察三峡工程的最新进展，交流、探讨技术、经济合作，积极参与项目投标及合同谈判，出席国际会议，了解移民、生态环境等社会热点问题的解决措施等，形成了继大江截流后的又一个对外交流高峰年。

据统计，全年共接待来自36个国家和地区的境外团组162批，共2300人次。其中技术及学术交流450人次，商务合作交流95人次，参观考察13823人次。来访人员中部长、大使、跨国公司总裁等知名人士65人次。来访的主要国家和地区有日本、美国、德国、法国、加拿大、挪威、泰国、瑞士、越南、马来西亚和香港、台湾等。

1999年，为满足三峡工程建设的需要，中国三峡总公司先后派出43批团组，计157人次前往19个国家和地区进行技术考察、执行合同及技术培训、出席国际会议等，均取得良好成果。

中国三峡总公司于11月在三峡工地圆满召开"1999年水利水电工程造价国际交流会"，并协助有关主办单位先后召开4个国际性会议。

为确保完成年浇筑混凝土448万 m^3 任务，中国三峡总公司与美国ATKINSON公司、法国SPIE公司分别签订二期工程混凝土施工设备咨询合同，专家们对ROTEC塔带机、POTAIN顶带机及混凝土拌和楼的运行、维护及改造以及混凝土浇筑施工中的问题提出很有价值的建议。中国三峡总公司还与美国HARZA公司签定了混凝土质量控制咨询服务合同，专家们对试验室和现场发现的问题提出建议，均被采纳。

（许可达）

重要出访情况

为满足三峡工程建设的需要，1999年度中国三峡总公司先后派出各类执行合同、技术培训或交流考察团组，各团组圆满完成出访任务，为三峡工程的建设和管理带回许多有价值的成果和经验，同时也宣传了三峡工程。

第67届国际大坝会议执行会议暨大坝基础、大坝效益与大坝影响研究国际学术研讨会于9月19～26日在土耳其召开，中国大坝委员会主席、中国三峡总公司总经理陆佑楣等一行6人出席了此次会议。会议期间对三峡工程安排了专题报告会。陆佑楣总经理重点阐述了中国修建大坝决策的科学性，他的报告为世界各国更好地了解中国建坝的情况，更好地了解三峡工程以及争取更多的国外专家参加2000年北京举行的国际大坝会议起到很好的作用。

三峡电站的筹建工作于1999年开始，为吸收国内外大型水电站的管理经验，探讨人员培训方面的合作，中国三峡总公司副总经理李永安等9人于4月16日～5月2日赴巴西和委内瑞拉，进行为期17天的实地考察。考察团一行在巴西考察了目前世界上已建成的最大水电站——伊泰普水电站。在考察委内瑞拉的古里水电站及其下游梯级马卡瓜水电站时，代表团就三峡电站运行、维护人员的培训等事宜与委内瑞拉卡罗尼流域开发总公司签定合作协议。

1999年三峡工程的混凝土浇筑进入关键时期，为在该工程的主要大型施工设备、金属结构及升船机关键技术等方面进一步加强同国外企业的合作，中国三峡总公司副总经理贺恭等7人于10月17日～11月4日赴日本、德国和法国，对施工设备的生产厂商和NIDERFINA升船机进行技术考察，不仅落实了两台顶带机在投产试运行中缺陷的处理措施，还同德国联邦交通工程研究院（BAW）签定了三峡升船机利用德国升船机技术做可行性报告的咨询合同。

8月18日～9月22日，根据机组合同执行的需要，中国三峡总公司先后派出三批团组前往加拿大召开机组第三次设计联络会，王家柱副总经理出席会议并在会议期间就有关重大问题做出决策。会议分水轮机技术组和发电机技术组进行设计联络，在会议期间还根据需要，另外分组进行安装协调、转轮组装加工专题协调、机组大件专用起吊工具的协调、商务方面的会谈以及运输交货协商等。通过代表团的努力工作及与VGS、ABB设计人员的协调配合，圆满完成工作任务，为下一阶段的土建施工和设备制造创造条件。

为切实作好三峡电厂和梯调中心的筹建工作,根据中国三峡总公司与法国电力公司(EDF)签定的三峡电厂及梯级调度中心管理人员培训协议,中国三峡总公司管理培训代表团一行15人,在葛洲坝电厂姚海清厂长的带领下,于11月21日~12月22日在法国(EDF)进行为期一个月的培训学习和实地考察。培训期间,代表团重点听取40多位EDF总部有关部门及下属部门和一些水电厂领导及专家的介绍和讲解,了解EDF的基本情况、战略方针的制定、人事制度、培训制度、合同管理制度、财务管理、电力系统及流域调度的优化管理、水电设施的检修政策和先进技术的运用等等。通过学习,不仅开扩了眼界、拓展了思路,还学到很多先进的管理经验和思想,对三峡电厂的筹建和梯调中心的筹建有很强的指导意义和借鉴作用。

(吴笑敏)

国家电力公司电网建设分公司赴日考察500kV变电站情况

1999年4月1~14日,国家电力公司电网建设分公司总经理霍继安率物资部和工程部魏恭华、孙竹森、冯金玲、张禹芳一行5人组成的代表团对日本500kV变电所的建设和发展情况进行考察,力求在中国电网建设中有所借鉴。

考察期间,代表团访问了东京电力公司。实地考察了东京电力公司所辖的新新田和新岗部500kV变电所、关西电力公司所辖的东大和500kV开关站。针对500kV电气设备,考察了东芝公司的浜川琦制造厂,三菱公司的伊丹制造厂、神户制造厂和赤穗制造厂。

这次考察过程中,东京电力公司、关西电力公司、三菱公司和东芝公司认真接待,详细安排实地考察和技术交流,并提供一些参考资料,使这次考察达到预期目的。

(一)对东京电力公司的访问和技术交流

东京电力公司是日本最大的电力公司。高峰负荷达到5000万kW以上,售电量每年以约2%的速度增长。现有500kV变电所19座,开关站4座。另有6座变电所和开关站正在计划和建设中。

1.日本500kV电网布局基本特点

(1)减少变电所的布点,每个变电所的规划容量较大。

(2)厂站之间线路平均长度较短,输送容量较大,几乎所有的线路都采用多回路同杆并架。电网的这种布局可以减少变电所的建设用地,缓解线路走廊的拥挤。

2.东京电力公司500kV变电所建设的基本原则

(1)变电所选址原则是尽量选择山地或河滩地。

(2)变电所建设周期约6~8年,其中:计划、调查、准备、征地、初步设计、施工设计和五通一平等工作,需要3~4年;施工需要3~4年。

(3)500kV变电所的基本规模:

电压等级:500kV/275kV或500kV/154kV。出线规模:500kV4~6回;275kV或154kV6~10回。主变容量:规划容量225~675万kVA,单组容量75~150万kVA。无功补偿:主变压器第三线圈根据需要设置容量和容感性,一般不设置高抗。

(4)500kV变电所运行值班定员,通常采取有人值班,每个变电所一般12~15人。

(5)变电所总平面布置。根据站址自然的地形地貌,因地制宜地灵活布局,围墙往往是不规则形状。

(6)配电装置:为进一步压缩占地,当500kV采用全GIS时,架空出线采用“千鸟型布置”。一般情况下500kV间隔宽度不大于34m,视具体情况而定。“千鸟型布置”为38m(双回线)。

(7)500kV变电所的二次系统:其发展趋势是全数字化的计算机监控系统,继电保护装置布置在配电装置就地,已有成熟的经验。变电所与其它厂站及调度所的通信通道一般采用光纤或微波,很少采用载波。

(8)防雷接地:采用EMPT计算程序进行500kV配电装置雷电侵入波计算条件是以近距落雷为前提,雷电流取值为150kA。由于防腐的需要,变电所的接地体均采用铜材。

(9)建构筑物:变电所的建筑物一般较小,造型简单,不做复杂的装修。配电装置的构架一般采用角钢组合型式。

(10)消防:主变压器采用水喷雾,主变消防水池120t,另设一个40t的消防水池。每相主变压器之间均不设置防火墙,与中国不同。

(11)环境保护的主要措施:采用专门的环保、景观评估系统进行环保评估;选址不选耕地,因地制宜灵活布置,普遍采用GIS,大幅度压缩占地,减少对周围环境的破坏;利用自然地形实施绿化,以利水土保持;主变压器在必要时装设防噪音的设施,断路器采用价格较高的液压机构,以减小噪音。

(二)对电气设备制造厂的考察情况

代表团考察了东芝公司和三菱公司的几个制造厂,参观了生产车间并作了技术交流。几个厂均有很强的实力,除常规设备外,还有特高压的制造能力。

1.东芝公司浜川崎制造厂

该厂为东芝公司所属的电力设备制造厂,于1962

年建厂，厂区占地面积 270000m²，厂区内建筑面积 148000m²。主要产品有：变压器、断路器、GIS、避雷器和电力、机电行业的控制监视装置等等。

2.三菱公司伊丹制造厂

伊丹是三菱公司的一个输变电、交通产业事业所，总部设在大坂的伊丹地区，下属有 3 个分部：伊丹制造厂、神户制造厂和赤穗制造厂。

伊丹制造厂生产开关设备和其他机电产品。用于电力系统的开关设备主要产品有：GIS、半 GIS、罐式断路器和瓷柱式断路器等。该厂与中国西电集团 1985 年就开始合作，至今已有近 15 年历史。

3.三菱公司神户制造厂

该厂主要的产品是自动化控制系统和保护装置，面对的领域主要是电力系统和工业自动化控制。用于电力系统的产品主要有继电保护、电厂和变电所（换流站）及调度端的监控系统、无功和电压的自动调节控制系统（SVG 取代 SVC）、安全稳定自动装置等。

该厂的几种微机型线路保护已通过中国电科院系统所的动模试验，微机型母线保护的动模试验正在进行。母线保护与中国的上海断电器厂正在进行合作生产的准备工作。

4.三菱公司赤穗制造厂

该厂是三菱公司的变压器制造厂，生产电力变压器、试验变压器和其它行业的各种特殊变压器。该厂技术观点是，对高电压、大容量的产品，由于铁芯和线圈布置合理，采用外铁芯变压器经济效益显著。该厂正在与中国保定变压器厂探讨合作事宜。

（三）对本次考察的初步认识和建议

1.对日本 500kV 变电所的考察

日本 500kV 变电所的建设思路，是以日本国情为基础的，由于国情的不同，在中国的电网建设中，显然不能完全照搬，只能借鉴其适用的部分。

（1）电网的格局。负荷集中、输电距离短、输送容量大是日本电网的基本特点，这种电网条件下形成的变电所规模，对中国地域广阔、负荷分散的多数地区并不一定适用，而对负荷集中的大城市及周边地区，从发展来看日本的经验则有所借鉴。考察组认为，适当放宽对 500kV 变电所的建设规模限制是可取的。只要规划合理，有可能减少 500kV 变电所（开关站）数量而节省投资。实际上，北京和上海近些年已经在做这方面的尝试。

（2）节省占地和环境保护的经济代价。日本在工程建设中，特别注意节省占地和环境保护。节省土地和环境保护也是中国工程建设的一个基本原则。但作为发展中国家，经济建设和环境保护的矛盾更为突出。如何根据国情适度把握政策、以及在经济环境变化时如何及时调整政策值得思考。

（3）500kV 变电所的自动化水平。日本 500kV 变电所的分布式监控系统已很成熟。根据技术交流和掌握的资料，日本各大公司都推出成熟的装置和系统，并在实际工程中普遍采用。不仅在应用方面成熟，三大公司在制造上也具有较高的水平。

2.对日本电气设备制造厂的考察

本次考察所参观的几个日本厂家，基本代表日本电力设备的制造水平。中国的同类企业，差距是明显的。

（1）严格的管理制度。日本严格的企业管理是世界著名的。体现在：①岗位职责明确。职责制定具体、细致，包括各岗位之间的衔接，使整体工作象机器一样运转；②工作安排的计划性强。制定计划的管理者对计划实施的可操作性有很强的预测能力。

（2）技术工艺先进，自动化水平高。本次考察的几个日本企业均有一流制造设计和试验条件，工艺和自动化水平较高。由于工作环境严格，自动化水平高，从而人为干预出差错的机率大为降低，同时提高了工作效率。

（3）强大的新技术开发能力。所参观的几个日本企业，无一例外都有强大的新技术开发能力。其特点是资金投入大、新技术开发和转入应用的周期短。有了这套系统，能够紧跟科技进步的形势，使企业永远处在可持续发展的良性循环中。

（刘　博）

重要来访情况

（一）技术交流

三峡工程左岸电站高压电器设备是实现三峡工程二期建设目标、保证 2003 年首批机组投产后电力外送的关键设备。由于该批设备技术要求高，采购数量多，制造难度大，中国三峡总公司决定通过国际公开招标购买“国际精品”，并争取尽可能多的优惠出口信贷和国际商贷，降低采购成本。15 台 500kV/84 万 kVA 的主变压器及其附属设备的供货合同授予德国西门子输配电集团公司及中国分包企业；39 个间隔 550kV 及配套设备的供货合同授予瑞士 ABB 高压技术有限公司及中国分包企业。

2 月 22 日，来自美、英、法等国的 12 家世界著名检验、咨询公司角逐三峡机组监造任务，法国 EDF/BV 公司在激烈竞争中最后获得机组监造合同，合同总价 580 万美元。EDF 是具有 50 年电业管理经验的法国电力公司，BV（法国技术监督局）则是在世界 150 个国家设有

550个办事处的大型跨国集团。按合同规定,这家公司将代表中国三峡总公司对国外生产的机组设备首批重要部件、重要工序进行监造,对国内分包生产的部件全过程驻厂监造。该公司首批监造工程师6月底已进驻加拿大、巴西工厂。

加拿大CAE电子公司副总裁兼能源系统总经理Mr. Barry Cooper一行于1月13日与中国三峡总公司领导探讨了三峡电站计算机监控系统的质量保证以及双方合作等。CAE对三峡电站及梯级调度的计算机监控系统非常重视,两年前就开始准备,希望提供高质量的实时监控系统,并将转让先进技术。

经过前期的技术交流,美国ATKINSON公司总裁Mr. William Carlson5月9日前来就工程进度、控制系统和大型施工设备的管理等进行深入交流,并签订了"中国长江三峡水利枢纽工程建设咨询服务合同",ATKINSON公司将选派5名能够胜任本合同条款要求的工作人员到三峡工地,参与大型进口设备塔带机、拌和楼、缆机以及与此有关的设备的安装、运行、维护和管理的指导和咨询服务工作。

挪威埃肯集团公司前来就抗冲磨微硅粉混凝土技术进行交流,内容包括高抗冲磨空蚀混凝土的研究、应用、水利工程实例以及微硅粉在混凝土中的应用方法等,在水工泄水建筑中应用具有高耐冲磨空蚀性能的混凝土,是提高结构耐久性、降低运行养护与维修费用的最有效方法。

日本前田建设株式会社多次与中国三峡总公司就MY-BOX连续计量式垂落型混凝土生产系统进行交流,10月30日,前田又兵卫会长与中国三峡总公司签署"关于混凝土防止分离试验的备忘录"。制作使用MY-BOX的目的是:试验并确认MY-BOX在三峡大坝永久船闸工程混凝土浇筑施工中防止混凝土分离的有效性。双方还续签互换工程师的合作协议。

日本OILES公司社长及中日榆茨油研液压公司前来就二期工程液压启闭机液压系统和轴承等事宜进行交流;日本三井物产、住友金属等就三峡工程压力钢管用厚板事宜交流;日本NKK及丸红株式会社就压力钢管用高张力钢板等进行交流;克瓦纳能源公司总裁等报告了克瓦纳能源公司对三峡转轮加工的准备情况;德国曼内斯曼力士乐(中国)有限公司总裁就液压启闭设备的技术及质量要求进行交流;喜利得公司就该公司的紧固技术和产品等进行技术交流;巴西Mendes Junior公司介绍了该公司在天生桥一期工程面板堆石坝中使用的一种新型监测仪器——电平器;美国哈扎公司前来就聘请外国专家作监理事宜进行交流;奥地利奥钢联公司副总裁及伊林公司就三峡调速器及励磁系统等进行交流。

(二)商务交流

三峡工程投资规模相当大。其资金筹集、运行,特别是海外融资等一直是国外金融机构关注的焦点。中国三峡总公司一直把是否能够提供优惠的出口信贷作为设备采购及技术引进的融资途径。世界许多著名银行和金融机构前来了解工程资金运行情况及设备采购中的融资问题,探讨合作的可能性。

法兰西银行政策委员会委员佛鲁莎女士及法国财政部官员于6月23日来访,中国三峡总公司李永安副总经理会见代表团时介绍了三峡工程筹资情况。

法国兴业银行是ABB参与三峡左岸电站高压电器设备招标的贷款银行,该银行国际融资部总裁Mr. Marchand一行10月8日前来就出口信贷融资方案等进行会谈。

美国俄勒冈州农业厅国际贸易经理Mr. Robert G. Russell一行与中国三峡总公司实业总公司总经理甘伍等就种草技术和经验等有关方面进行交流,还探讨了开发地理信息系统的合作可能性,并签署备忘录。中国三峡总公司将建立和维护样板试验区,并提供样板试验区的有关数据和周边地区的气候、土壤、水文数据资料;与OSC(俄勒冈州种籽委员会)共同向国际开发组织申请赠款,以进一步完成中国三峡总公司草种树种选择和种植管理工作。

日本通产省、输出入银行代表团于5月5日考察三峡工程施工现场、库区移民和生态保护情况。香港鹏利保险公司就三峡工程风险保障、风险管理、财产保险等进行交流,探讨双方在保险项目方面的合作事宜。西商银行新任亚太区董事总经理金德荣以及法国巴黎国民银行(BMP)北京代表处、日本野村证券株式会社等国外金融机构也前来了解三峡工程资金需求及海外发债等情况。

(三)学术交流

三峡工程的有关技术问题已引起越来越多的外国专家的注意,前来进行学术交流的外国专家、知名教授、学术团体络绎不绝。涉及的主要议题有电站梯级调度、大坝安全监测、升船机的技术难题、环境保护以及国际上先进的质量管理、监理经验等。中外学者以严谨的科学态度交流各自的经验,并对三峡工程的建设提出了很多好的建议。

根据全国政协副主席钱正英的建议,应中国三峡总公司邀请,委内瑞拉EDELCA公司(卡洛尼电力有限公司)的5位专家于1月13日前来中国三峡总公司进行学术交流。EDELCA公司是负责Caroni(卡洛尼)河流域梯级开发的国营水电公司。该公司详细介绍Guri电站的机构设置、人员配备和技术素质要求,电站控制模式、自动化装置及特点、电站运行及维护、设备在线监控手段、监控点布置、电站机电设备检修方式以及电站运行过程中出现过的重大设备事件及处理情况和经验。交流会结束时，双方签署备忘录，表示将在人员交流与培训及现场试验方面互相合作。双方都认为在大电站、大机组管理及梯级电站调度方面进行合作对彼此都有益。

升船机是三峡工程永久航道的快速通道，技术难度很大，倍受国内外有关人士关注。德国是垂直升船机发展较早的国家。4月，中国三峡总公司邀请德国联邦交通部的升船机专家就三峡升船机及德国新尼德芬诺升船机设计方案进行交流。双方签订"长江三峡工程升船机主体部分可行性研究设计合同"。

由小坂忠会长率领的日本河川协会考察团一行32人在结束对四川、湖北部分水利工程考察后，专程前来三峡工地拜访中国三峡总公司王家柱副总经理。小坂忠会长在会见时说：他本人是第三次来到三峡工地，通过考察学到了很多东西。他希望今后每年组织日本的水电工程界人士来三峡工地考察学习。

日本地球工学研究会会长岩佐义明教授前来了解三峡工程环境保护情况，贺恭副总经理在会见代表团时说：工程开工以来，始终坚持工程建设与环境保护同步进行，将环境保护摆在重要位置，三峡工程有显著的环境和社会效益。日本国立茨城大学都市系统工学科教授等前来就光测试技术等进行学术交流。

前来进行学术交流的还有马来西亚科学院代表团、日本名古屋大学教授代表团等。

（四）参观考察

随着三峡工程在国际社会影响力的不断提高，1999年成为国外政界人士、外交界人士、大型公司总裁等重要人物来访人数最多的一年。他们前来工地参观考察，了解工程进展、移民安置、环境保护等情况。通过实地考察，他们认识到国外许多关于三峡工程的报道不正确，歪曲了事实，都表示：三峡工程不仅仅是中国人的梦想，也是全世界所有水电工作者的梦想，他们愿意作为传播桥梁，将三峡工程的真实情况介绍给本国人民，并利用各种机会介绍三峡工程的效益，工程进展的现状，让世界上更多的人了解三峡、认识三峡、关心三峡、支持三峡。

由美国ASPEN INSTITUTE组织的美国参众两院议员大型访华团一行70人于4月2日对三峡工地进行考察。他们当中有10位参议员，11位众议员，均是首次访华，其中有美国国会环境委员会主席、民主党大会主席、拨款委员会主席和参议院交通委员会主席等。代表团在参观工地后对三峡工程作为世界级超级工程给予了充分肯定，认为三峡工程不仅造福于中国人民，而且对全世界都是一个重大贡献。

法国前总理、现国会议员爱德华·巴拉迪尔于4月14日参观三峡工程，他兴奋地说：这是我有生以来所看到的最大工程，从这里看到了中国的综合国力，看到了中国政府改革开放的决心，它表明中国人的雄心壮志和技术能力及长远的眼光。

日本参议院议长斋藤十郎率日本参议院代表团于5月3日参观三峡工地，议长在听取袁国林副总经理的介绍后，非常感动。在展览馆，他欣然用汉字写下了"雄大自然，悠久历史，新大事业，无量感动"16个字，表达他对三峡工程的认知和感情。

以美国时代华纳集团公司主席兼首席执行官李卓豪先生为团长的"新闻旅行团"一行80人于9月27日参观考察三峡工程。李先生说：巨大的三峡工程在进度、资金、质量方面都得到有效控制是不容易的。时代华纳董事会成员与员工以前都读到过关于三峡工程的报道，今天来工地实际体验，可以亲自听一听看一看。

加拿大公共事业部部长Mr. Alfonso Gagliano及前外长一行于9月1日来访，部长先生说：原来曾在电视上看过三峡工程的报道，今天来现场耳闻目睹，亲自感受到修建三峡工程的必要性和重要性，中国政府修建三峡工程的决策是正确的。有些人不赞成修建三峡工程，是因为他们不了解三峡工程利及千秋、造福人类的贡献。加拿大有很多企业与中国三峡总公司有合作项目，这本身就表明加拿大政府支持企业参与三峡工程建设，希望双方能有更多的合作，共同分享三峡的成就和荣誉。

泰国上议院科技能源委员会主席派蓬·埃姆潘参观完三峡工地后说：泰国诗琳通公主曾访问过三峡工程，我们这次来访，通过亲眼目睹工程建设宏大的规模，开阔了眼界，增长了知识，同时更深刻理解了三峡工程的意义。得知工程建设有着许多世界第一，真为你们感到高兴和骄傲，相信三峡工程能创造出更多的世界纪录。

马来西亚能源电信部长寥莫宜先生于8月26日来访，随着马来西亚经济的复苏，曾一度中断的沙涝月、巴贡等水电站将重新兴建。此次来三峡工地的目的，就是想全方位了解当今世界一号工程的建设和管理情况。

以越南国家计划委员会主席邓友为团长的越南政府代表团于11月15日拜访中国三峡总公司。邓友感谢中国三峡总公司给他们一个到世界上最大的水利水电工地上参观学习的良好机会。他说：三峡工程如此庞大，而施工秩序如此井然，工地面貌赏心悦目，给他们留下深刻印象。越南准备在山罗省建一个360万kW的水电站，希望今后再派技术人员和管理人员来三峡工地交流管理和施工经验。以越共中央委员、国家主席府办公厅主任（原水利部部长）阮景营为团长的越中友协代表团于10月3日考察三峡工地，他说，作为搞水利的同行，他特别体味到三峡工程的宏伟。

ABB集团总裁兼首席执行官 Goran Lindahel 及瑞士总裁 Mr. Sonnenmoser 一行先后两次访问中国三峡总公司。林道总裁主要是来了解三峡水轮机组制造合同的执行情况。通过参观三峡工程,增加对中国的理解。他说:我们不仅要很好地执行合同,还要为中国未来工业着想,使当地机械制造业达到世界先进水平。

德国西门子公司副总裁 Dr. Wilhelm 于8月13日来访,Dr. Wilhelm 博士赞颂三峡工程是为中国人民造福的工程,具有划时代的历史意义,并为西门子公司能够参与三峡工程建设感到自豪。

法国阿尔斯通公司总裁比尔热及驻华使馆官员于5月13日来访,比尔热表示:刚刚参观完三峡工地,发现变化非常大,为中国人的效率感到骄傲。阿尔斯通公司对三峡这个项目非常重视,几乎运用全部的人力和物力,严格按照合同办事,尽全力达到目标。三峡工程这个项目是不允许有任何差错的,全体员工非常清楚这一点。

前来三峡工地参观考察的还有埃塞俄比亚工程和城市建设部长海尔·阿塞吉德、伊朗能源部副部长拉苏尔·扎嘎、美国商务部副部长、国家海洋大气局局长詹姆斯·贝克、泰国国防部能源厅副厅长他威、美国青年领导人代表团以及瑞士驻华大使、德国驻华大使、马来西亚驻华大使、丹麦驻华大使、乌克兰驻华大使、奥地利驻华大使、美国驻成都总领事、前民主德国驻华大使、中国驻法国大使、中国驻德国大使等。

(葛玉蓉)

技术经济合作

(一)阿肯森(Atkinson)咨询项目

1999年5月4日,中国三峡总公司与美国阿肯森公司签定《中国长江三峡水利枢纽工程建设咨询服务合同》,合同金额139万美元,工作量60个人·月。合同从5月份开始执行。阿肯森公司派遣以 Harmunf Kogel 为组长的5位专家前来三峡工地。专家的主要工作成果为:

对美国罗泰克(Rotec)设备安装,阿肯森公司邀约罗泰克人员召开多次会议,提前讨论一些问题,并同罗泰克管理层有许多直接的通信对话,催促加快合同图纸和急需材料的供应。阿肯森直接与罗泰克接触一定程度上缓解了有关各方关系,促进了塔带机的安装、维护工作。

阿肯森专家对美国江森(Johnson)公司拌和楼的操作、保养、改造提供支持,提出许多建议。有些建议被施工单位采纳。如在拌和楼的翻罐控制系统中加流量控制阀以缓解翻罐时搅拌罐的抖动。

阿肯森同时协助德国克虏伯(KRUPO)缆机、丹麦克诺尔(KROLL)塔机的安装和调试工作。阿肯森的建议主要集中在设备的调试和验收阶段。克诺尔塔机曾碰到几次加工件问题,阿肯森受邀协助解决这些问题。

除设备安装和调试方面的工作外,阿肯森研究现场的施工方法和工作习惯,并准备一些专题报告。这些报告和发言,是他们多年水电工程施工经验的结晶,为三峡工程提供了许多有价值的建议。

(二)法国斯卑(Spie Batignolles T.P.)公司两个咨询合同的执行

中国三峡总公司于1998年12月同法国 Spie 公司签订《三峡水利枢纽二期工程混凝土施工及施工设备运行管理技术咨询服务合同》。合同于1999年5月开始执行。合同总金额为200万法国法郎,法国政府提供合同金额50%的赠款,其余50%由中国三峡总公司承担。合同规定的咨询服务时间为9个人·月。因现场施工需要,在第一合同完成基础上,双方又续签第二个合同,服务内容类似于第一合同。斯卑公司先后派遣以 MIRABILA Antonio 为组长的3位专家来现场工作。工作成果是:

(1)为日本皮带机公司(NC)的皮带机改造提出建议。NC公司是首次制造如此大型的皮带机。其设备本身存在许多不完善之处。斯卑专家提出一些好的改造方案,并得以采纳;

(2)为5、6#顶带机的安装、调试提供现场指导。对设备使用单位提出的问题作出准确分析,并亲手操作示范,帮助解决实际问题;

(3)对顶带机的维护提出建议,编写提供维护操作手册;对厂家的维护章程提出修改意见,为监理单位编写现场维护手册提供宝贵的参考资料。

(4)敦促各方做好5、6#顶带机的安全工作,包括现场的交通平台、爬梯、栏杆扶手的工况、电气接头的质量和设备防火设施检查等;并对承包商的工作人员进行顶带机系统维护保养的理论和现场培训。

(三)美国哈扎国际公司混凝土质量控制咨询服务合同

1999年9月10日,中国三峡总公司与美国哈扎国际公司(Harza International Inc)签定混凝土质量控制咨询服务合同。合同总金额12万美元。工作量为6个人·月。Gary Mass 和 Ernest Mitchell 受遣前来工地工作,两位专家通过深入浇筑现场和混凝土试验室发现一些问题,并提出如下建议:

(1)混凝土取样要注意有代表性和有效性,避免在供料线上料少的情况下取样或在下雨时取样不作遮盖保护。

(2)对混凝土生产过程要严加控制监督,强调监理要随时观察拌和楼的情况，记录并保存每一批混凝土的资料，密切注意检测出机口的温度；另外，根据在试验室容重试验的结果，控制拌和楼生产混凝土的产出量，可以为三峡工程节约巨大的费用。

(3)混凝土仓面浇筑要注意的问题：卸料的位置不要过高，混凝土料堆积也不要过高，以防止混凝土骨料发生分离；不宜用振捣泵移动混凝土或用多头振捣泵在小范围内振捣引起过振，从而避免在表层产生很厚的砂浆；在钢筋网密布的地方用适当规格的振捣泵或者暂时将钢筋网留出足够的空间，以保证所有的部位都能振捣密实。

(4)在浇筑混凝土之前，仓面积水要处理干净，以防止积水与新混凝土混合，降低混凝土的抗张拉强度、剪应力和防渗性；在一些重要的暴露面，模板要确保对正，使混凝土表面平整。尽可能避免钢筋头露出混凝土表面，当钢筋头伸出到混凝土表面时要留锥形孔以便修补。避免今后可能会发生的气蚀或其它的问题。专家的这些建议在工地上被采纳，混凝土的浇筑质量大为改观。

(5)取消 20cm 的垫层混凝土，不仅有助于加快浇筑进度，使混凝土形成均匀整体，避免垫层混凝土的较高温升问题，而且还可以节约可观的成本。

(6)在现场调查的基础上，专家向中国三峡总公司提交了周报、月报；还提供一些有参考价值的资料，包括一些最新的施工方法。

(路玉美)

参加国际会议情况

随着工程建设的全面进展，借鉴国内外水电同行在大型水电工程建设中的先进经验显得尤为重要。大型水电工程造价控制与管理是水电建设的重要课题，也是三峡工程建设的重要课题。为此，中国三峡总公司经国家科技部批准，于 11 月 8～9 日在三峡工地召开 4 次专题性的“1999 年水利水电工程造价管理国际研讨会”。来自加拿大、美国、挪威、伊朗、日本、中国(含香港特别行政区)等 6 个国家约 100 名代表参加会议。与会代表围绕水利水电工程投资风险分析、工程造价的控制管理原则和方法、价格补偿管理等议题进行广泛交流与热烈研讨。会议共收到论文 35 篇，会上交流、讨论气氛热烈，涉及面广，且有较高水平。

1999 年，中国三峡总公司在三峡工地还协办召开 4 次国际会议。这 4 次会议是：10 月 19～21 日的“大坝安全监测技术国际研讨会”；10 月 23～26 日的“民用基础设施系统健康监测国际会议”；10 月 25～27 日的“加速 21 世纪水电开发国际研讨会”以及 11 月 8～10 日的“1999 年管理科学与工程国际会议”。中国三峡总公司作为协办单位，积极协助主办单位组织并参加会议。通过这些会议，不仅开阔了视野，而且也很好地宣传了三峡工程，让更多的人了解三峡工程，取得很好的效果。

(陈洪斌)

与港、台、澳的合作与交流

与香港、台湾交流概况

在香港回归后，为进一步加强同香港科技界、工程界的交流，中国三峡总公司副总经理李永安于 10 月 21 日会见了以香港其士国际集团有限公司主席周亦卿博士率领的香港贸易发展局代表团。在谈到三峡工程的融资问题时，李永安说：三峡工程资金融资渠道多元化，资源充足，融资问题基本得到妥善的解决，不存在压力。周亦卿博士说规模庞大的现代化施工场面会永远留在他们的记忆之中。香港贸易界愿与三峡广泛交流，加强合作，增进友谊，为这一造福子孙后代的伟大工程的建设而作出努力。

香港品质保证局是香港政府于 1989 年成立的以 ISO9000、ISO14001标准为主的第三方管理体系认证机构。其行政总裁吴遐威前来探讨三峡工程混凝土质量认证事宜。

应中国三峡总公司邀请，台湾中兴工程顾问股份有限公司刘仁周、黄庆祥前来介绍台湾明谭等水电站机组监造的成功经验，并对三峡工程机组监造事宜提出咨询意见。

（杨洪斌、葛玉蓉）

香港大学、香港理工大学学生到三峡实习情况

在1998年成功地为香港大学19名土木系学生进行三峡工地暑期工地培训的基础上，中国三峡总公司一行3人于1月26日～2月1日应邀访问香港大学，期间听取参训学生成绩汇报会，并为优秀报告颁奖，同时就中国三峡总公司的员工培训、香港大学以及香港其它大学的学生到三峡工地进行培训等方面的合作进行了有益的探讨。

香港大学27名学生、香港理工大学27名学生于6月23日～8月6日在三峡工地进行暑期工程实习，在吸取1998年工程实习的成功经验，并征求香港大学意见之后，经过中国三峡总公司有关部门精心组织安排，在三峡工程各参建单位的积极支持下，为实习学生安排了专题报告、地方工业参观、社会文化交流及分专题现场实习等内容丰富的活动。学生们纷纷表示，有机会到三峡工地实习，亲眼目睹并深入了解这一伟大的民族工程的建设是他们作为一名工程系学生、一名中华儿女的荣幸，而在实习中所学到的知识将让他们终生受益，并表示一定要把他们所见所闻带回香港，让更多的人了解三峡、关心三峡。两校的学生返校后都作了生动的报告，引起极大的反响，学生们纷纷要求2000年暑期再到三峡工地实习，而且香港科技大学也提出开展此项合作的要求。

（杨洪斌、葛玉蓉）

海外人士谈三峡

三峡工程建设真了不起

5月3日，日本参议院议长代表团冒雨考察三峡工程。中国三峡总公司副总经理袁国林、办公室主任刘洪泰陪同客人实地参观三峡展览馆和施工现场。

袁国林副总经理向客人介绍了三峡工程的建设进展情况，并回答了客人提出的问题。他说，三峡工程是按照市场经济的原则进行建设的，选用了中国最优秀的水利水电建设队伍和世界上最精良的设备，采用科学的现代化管理，工程建设7年来，在资金筹措与控制、工程进度与质量上都令人满意。他还向客人介绍了三峡工程的生态效益、经济效益等情况。

日本参议院议长斋藤十郎听了袁国林副总经理的介绍后，非常感动，他说："中国人真了不起，三峡建设真了不起。"在三峡展览馆欣然用汉字写下"雄大自然，悠久历史，新大事业，无量感动"16个字，表达他对三峡工程的认识和感情。站在坛子岭上，他说，三峡工程很伟大，希望每年都能来三峡一次，来欣赏人类水利水电史上的杰作。

这次来三峡考察的日本参议院议长代表团由日本参议院中的自民党、共和党、民主党、社会党等党派成员组成。

（吴豪强）

（本文摘自《中国三峡工程报》1999年5月5日，第530期）

中国政府修建三峡工程的决策是正确的

9月1日，加拿大公共事业部部长阿方索和前外长、现任加拿大邮政总公司董事长 Andre Ouellet 一行参观考察三峡工程建设。

中国三峡总公司总经理陆佑楣在会见客人时说，欢迎加拿大朋友造访三峡，三峡工程开始论证时就有加拿大朋友参加。三峡工程开工后，中加双方在三峡的合作项目很多，加拿大 GE 公司承担三峡二期工程部分发电机和水轮机的制造任务，AMI 公司与中国三峡总公司合作开发建设了 TGPMS 系统等等，这些合作都非常愉快。三峡工程最主要的作用是防洪，这一点，加

拿大专家的看法和意见与我们一致。同时,三峡工程还是改善长江航道的重要通航工程,水电是最干净的能源,三峡工程对水电的开发和改善长江流域生态环保有举足轻重的作用,是对世界生态环保的贡献。

阿方索说:三峡工程是一个巨大的水电工程。原来在电视上看过,今天又现场耳闻目睹,亲自感受到了修建三峡工程的必要性和重要性。三峡工程移民100万,保护人口1500万和2300万亩耕地,同时还有极大的经济效益、生态效益和航运效益。可以说,中国政府修建三峡工程的决策是正确的。有些人不赞成修建三峡工程,是因为他们不了解三峡工程利及千秋、造福人类的贡献。加拿大在水利水电建设方面有一些经验,希望能提供给三峡,这次来三峡,本身就表明加拿大政府支持企业参与三峡工程建设,希望双方能有更多的合作,共同分享三峡的成就和荣誉。

随行参观的还有加拿大企业界的代表。

(吴豪强)

我们是来学习的

8月26日,马来西亚能源电信部部长寥莫宜及夫人、马来西亚工程咨询公司总裁李怡章及夫人、马来西亚驻华大使马阿杜一行来三峡工地考察。中国三峡总公司副总经理袁国林会见远方的客人,并与客人举行座谈。

早在1995年,袁国林副总经理曾率团访问马来西亚,受到寥莫宜部长的热情款待,此番老朋友相见格外高兴,话题自然是常谈常新的三峡工程。寥莫宜部长说,随着马来西亚经济的复苏,曾一度中断的沙捞月、巴库等水电站将重新兴建。此次来三峡工地的目的,就是想全方位了解当今世界一号工程的建设和管理情况。他诚恳地说:“我们是来学习的。”

袁国林副总经理说,中国和马来西亚有着长期友好的关系,两国同为发展中国家,我们愿意将建设心得及在建设过程中所遇到的困难和解决的途径,毫无保留地与马来西亚的朋友们共同交流。三峡工程开工6年来,遇到了各种各样的问题和挑战,同时也取得了很多经验和教训。其中最重要的一条就是要有好的工程设计。目前,三峡工程建设进展之所以顺利,与中国对三峡工程进行40多年的论证勘测设计密不可分。因此,优良、科学的工程设计是搞好工程的关键。其次,要有好的水电建设机制。对此,中国探索了很多年,最后确定了采取项目法人责任制。具体来说就是业主负责制、招标投标制、建设监理制和合同管理制,而合同管理制是工程建设管理的基础。实践证明,项目法人责任制符合中国国情和三峡工程的建设实际。

(于翔汉)

(本文摘自《中国三峡工程报》1999年8月31日,第581期)

通过参观三峡工程加深了对中国的理解

8月2日,ABB集团总裁林道一行访问三峡工程,了解三峡水轮机组制造合同的执行情况。

ABB集团是目前世界上最大的电气设备公司,在1997年三峡工程左岸14台机组招标中夺得8台机组制造任务。

中国三峡总公司总经理陆佑楣陪同客人参观三峡工程施工现场并详细介绍工程进展情况。在左岸厂房坝段,林道问陆佑楣总经理,将来的发电机用什么颜色。陆佑楣反问道:你认为呢?林道先生指着旁边一幅红色标语,风趣地说:“ABB红”。在二期基坑里,陆佑楣总经理介绍了混凝土浇筑情况。他说目前混凝土皮带运输系统尚未形成,主要靠汽车运输,等这些系统形成后,每月可浇筑混凝土50~60万m^3。林道先生称赞“真了不起。”在右岸导流明渠,林道先生指着滚滚东去的江水说,这里蕴藏着多大的能量啊!

参观结束后,林道先生说,通过参观三峡工程,增加了对中国的理解。中国不仅历史悠久,而且近年来发展特别快,已经成为世界上最强大的国家之一。三峡工程是人类最伟大的工程之一,是水电史上最伟大的工程。

林道先生说:“有两件事让我最感动。一件是中国三峡总公司对我们的信任,使我们成为亲密的合作伙伴。我们不仅要很好地执行合同,还要为中国未来工业着想,使当地机械制造达到我们的水平。另一件是我们真诚合作产生的友谊,这种友谊就像刚才看到的花岗岩一样不可动摇,相伴终生。”

随同林道来访的还有ABB集团瑞士公司总裁松能摩撤等人。

(徐爱民)

(本文摘自《中国三峡工程报》1999年7月5日,第570期)

为中国人的效率而感到骄傲

5月13日,法国阿尔斯通集团总裁比尔热、法国驻华使馆公使参赞包美诚、法国阿尔斯通中国总裁戴伟明一行7人来三峡工地参观。中国三峡总公司总经理陆佑楣、副总经理王家柱在三峡坝区接待来访的客人。

比尔热先生说,他和他的同事们为以美国为首的北约轰炸中国驻南斯拉夫大使馆一事深表遗憾,为在此事件以身殉职的中国记者表示哀悼。陆佑楣总经理说,希望北约的空袭尽快结束。他说,如果战争继续进行下去,将对世界和平产生非常不好地影响,战争是会蔓延的,中国距离科索沃很远,但现在也受到了波及就足以说明了这一点。我们施工人员的精神和情绪都受到了影响。他进一步指出:搞工程建设需要和平的环境。北约的狂轰滥炸是愚蠢的。他希望三峡与阿尔斯通合作愉快。法国客人对陆佑楣总经理的话表示赞同。

陆佑总经理向客人们详细介绍了三峡工程的进展情况。他说,目前三峡工程正按计划有条不紊的进行,左岸厂房设备制造、安装已着手进行。最近,对水轮机转轮进行了第二次试验。从试验结果看,虽然没有完全达到合同规定的参数,但初步情况还好,还有待进一步的完善。在谈到水轮发电机组的稳定性时,陆佑楣说,这是一个很重要的问题,它关系到三峡工程的质量,希望阿尔斯通在这方面要有文字上的承诺。他笑着说:"我们已经请了法国的监理公司对你们制造的设备进行监造。"

阿尔斯通集团总裁比尔热说:"我们刚刚看过工地,变化非常大,我们很兴奋,为中国人的效率而感到骄傲。我们也看到我们集团的员工在施工现场工作。据我所知,水轮机所遇到的困难已基本解决。对三峡这个项目,我们集团非常重视,几乎动用了全部的人力和物力,我们将严格按照合同办事,尽全力达到我们的目标。三峡工程这个项目是不允许有任何差错的,我们非常清楚这一点。"

(于翔汉)

(本文摘自《中国三峡工程报》1999 年 5 月 18 日,第 536 期)

希望今后能更多地听到来自三峡的声音

美国《时代》周刊记者唐瑞雅于 3 月 25 日来到三峡工地,进行为期一天的参观采访活动。中国三峡总公司总经理陆佑楣于当日上午在三峡坝区建设管理中心会见了来访记者。

美国《时代》周刊杂志以报道全球最新事件及动态为主,以 400 万份的发行量向全世界发行,影响巨大。此次采访文章将赶在朱镕基总理访美之前发表,意义更为重大。

陆佑楣回答了记者关于三峡工程的防洪效益、质量、反腐倡廉、资金、泥沙、文物、移民等方面的问题。当记者问到朱镕基总理为何在去年 12 月份强调工程质量时,陆佑楣说:"国务院总理换届后,朱镕基总理担任三峡工程建设委员会主任。去年年底视察了三峡工地,并听取了我们的汇报,感到很满意。朱镕基总理说:三峡工程不同于其它的工程,是'千年大计,国运所系',一定要保证工程质量。如今我们运用的是现代化的技术和设备。应该保证在工程竣工后 1000 年仍可使用,我们要有这种意识。"

交谈过程中,唐瑞雅向陆佑楣总经理介绍了国外关于三峡工程的报道概况。她说:"现在全世界都在关注这个工程,关于三峡工程的各种报道很多,希望今后能够更多地听到来自三峡方面的声音"。

采访结束后,记者参观了三峡工地施工现场,在二期围堰,唐瑞雅感慨地说:"真没想到工程如此巨大,各项施工管理得井井有条,太不容易了。"

(沈文富)

(本文摘自《中国三峡工程报》1999 年 3 月 30 日,第 515 期)

三峡工程是中国第二个长城

在 9 月 1 日开幕的 1999 巴黎中国文化周上,三峡工程模型作为科技展区可持续发展专题项目之一展出。巴黎各界予以极大关注,展出第一天,观众就达 600 多人。

在展厅内,三峡工程模型被布放在显著位置。参观者兴趣盎然,详细了解三峡工程建设规模、进度以及生态、移民、文物等问题。法国著名的生态环保专家、自然资源保护委员会副主席克莱尔就生态、移民、工程建设与效益等问题深入询问长达一个多小时。他称赞说,三峡工程是中国的第二个长城。联合国教科文组织总干事马悦尔,在开幕剪彩后,在国务院新闻办主任赵启正陪同下参观了三峡工程模型,并询问工程所处地理位置及工程建设有关问题。马悦尔赞扬三峡工程是一项伟大的工程。

在参观者中,一对老夫妻令人瞩目。妻子用轮椅推着瘫痪的丈夫来到模型前,丈夫已失去说话能力,但他久久地注视着模型,眼中流露出钦佩的目光。

一位旅居法国的华侨,十分关心自己的家乡重庆。关心三峡工程对重庆的影响。他表示,明年要回国亲眼看看三峡工程建设。他说,许多华侨为祖国能建设这样伟大的工程而感到自豪。

让三峡工程走向世界,让世界了解三峡工程,这是到国外组织三峡工程模型展的重要意义所在。在本次参展之前,中国三峡总公司曾派员赴美国、加拿大、日本、巴西等国家组织类似展览。

(刘荣波 张松林)

(本文摘自《中国三峡工程报》1999 提 9 月 2 日,第 582 期)

三峡工程创造了让先进的科学技术转化为现实生产力的环境

三峡工程是中国这个伟大的国家正在进行的一项巨大的工程。象万里长城一样，在未来许多年人们将参观和谈论这个伟大的工程。

许多工程界的人都喜爱历史和人类的成就。该工程使我想起我为什么选择工程施工这一职业。我在美国长大，我们在20世纪初的伟大成就，就是在内华达州建成了胡佛大坝。来自美国西部州的水电站能源，促进了工业的发展和农业土地开发，造就了加利福尼亚等州的今天。我认为三峡工程的能源将为周边地区的人民带来同样的发展潜力。

还是在孩提的时候，我就对水电设备惊叹，敬慕那些制造设备的人们，并对国家建成胡佛大坝感到骄傲。每天到三峡现场工作时，我也同样为中国人民感到骄傲。我相信在百年后三峡工程也会激发孩子们提出与我小时候问的同样问题：

(1)在这一伟大工程中当一名工人会有何种感觉？

(2)工程一定很艰巨，有多少人参加了建设？

(3)他们使用了何种设备？

(4)它给我们输送了多少年的廉价的电力。我们的祖先怎样会对我们的需要有这么深远的预见？

(5)当时的情况是怎样的？

(6)当今我们如何做才能对得起如此伟绩？

(7)我会有机会参与如此伟大的工程吗？

中国三峡工程已回答了当年这个小男孩(如今已有孙子了)的所有问题。

即使是现在我们会对建设如此巨大的工程之前所做的准备工作发出感叹，诸如：

(1)由许多道路和桥梁构成的交通系统的施工；

(2)形成施工区所需的现场通信系统；

(3)寻找和开发原材料；

(4)提高供货商的供货能力，以满足此类工程所需的大量的施工材料；

(5)组织施工所需的熟练劳动力；

(6)工程融资；

(7)满足工人的住宿、就餐和医疗保障的需要。

然而，重要的是要注重不断的改进和提高。世界上大公司从多年的经验中认识到：建立一个能促使工人提高工作水平，保证高的工作质量的工作环境，是非常重要的，是发展和繁荣的关键。现在我们已受邀参与三峡工程的一小部分工作，保证施工尽可能达到最好的质量。达到最好的质量要有以下几方面的支持：

(1)确定为所有工程建设者都明白的工程目标；

(2)对怎样达到目标有一个明确计划；

(3)提高实现目标的人们的知识；

(4)提供达到目标所需的工具。

每个大型工程都有值得改进的地方。提供精良的工具、继续培训工人，中国三峡总公司创造了一个使不断的技术改进成为现实生产力的环境。

(本文作者 Ernest Doug Mitchell 先生为美国哈扎国际工程公司专家，参与三峡工程混凝土质量及浇筑技术咨询工作)

参与三峡工程建设是一种荣耀

三峡工程是世界上雄伟的工程之一。而且在未来的几个世纪中仍会享此盛名。我羡慕中国人民能够建设如此浩大的工程。这一工程寄托着那些着眼于中国未来和中国人民福利的人们的期望。为使工程能够实施，这些理想家们必须冲破重重障碍，坦然面对如潮的批评，在当今世界范围内，象三峡工程如此规模及性质的工程在建设阶段听到强烈的反对声是非常普遍的。然而，您将看到一旦工程发挥效益，所有的好处都一一实现时，这些批评很快会消失。中国人可以对这一事业感到自豪和骄傲。

我相信中国三峡总公司已具备一支有才干的队伍从事工程建设，在三峡工地工作期间，我结识了许多朋友。非常高兴能有这样的机会和他们一起工作，他们十分热心友好，竭尽全力帮助我，我最大的愿望是我的经验对于和我工作过的人们能有所启发，我留下的知识无论在现在还是将来都会对他们有所帮助。

参与并支持三峡工程的建设，对我而言是一种荣耀和荣幸。我知道世界上只有很少的工程师才能够拥有这样的机会。在我的有生之年，这是我值得珍藏的记忆。我希望将来的某一时间能够重返三峡工地，看看工程的投运情况，并参观大坝和水库。

(Gary Mass)

(本文作者 Gary Mass 是美国哈扎国际工程公司专家，参与三峡工程混凝土质量及浇筑技术咨询工作)

著名厂商简介

斯卑巴第诺尔土木工程公司

【简介】 斯卑巴第诺尔土木工程公司(Spie Batignolles TP,简称SBTP)是斯卑集团公司(Spie Group)旗下的分公司。它在世界各地承包各类建筑工程的设计和施工。

从1846年创立以来,斯卑巴第诺尔土木工程公司在交通、能源和建筑各个领域获得为全世界公认的丰富经验。在地下工程领域,斯卑巴第诺尔土木工程公司更是领先世界水平。

斯卑公司有能力承担以下各方面工作:

咨询:可行性研究、项目融资、项目组织、初步设计、详细设计和工程检查;

土建:设计和施工特殊基础、土石方、高架桥、隧道、平峒、车站、车间;

辅轨:设计、物资供应、铺设、整修和维修;

机电:设计、接触网、变电站、低压网络架设(信息传输、通信、控制、信号)、维修。

【城市交通】 斯卑集团公司熟练地掌握了地铁建设所必需的各个环节,包括设计、设备的购买和运输、不同类型的土建工程、机电设备的安装、测试和试运行、维修、人员培训和项目管理。斯卑巴第诺尔土木工程公司已经成为地铁建设的世界先锋。

斯卑公司参加了法国巴黎、里昂、马赛和图卢兹地铁,加拿大蒙特利尔地铁,埃及开罗地铁,委内瑞拉加拉加斯地铁,香港地铁和新加坡地铁的建设。

【飞机场】 过去的30年里,斯卑集团公司曾参加了30多个民用和军用机场的建设,它的最新业绩包括澳大利亚Brisbane和Wage机场,伊拉克巴格达机场,多米尼加共和国圣多明哥机场,中国海南省三亚凤凰国际机场和博茨瓦纳机场。目前,斯卑巴第诺尔土木工程公司正在兴建巴黎华西戴高乐国际机场第二号新候机大楼。

【铁路基础结构】 一个世纪来,斯卑公司共修建几万公里的铁路,遍及全世界。

过去的十几年里,斯卑公司大量地参加了法国高速铁路基础结构的建设。斯卑公司参加的最宏伟的铁路工程是英吉利海峡隧道工程,是英吉利海峡隧道的发起者、设计者和施工者之一。

【隧道】 斯卑公司在法国修建了第一条高速铁路隧道和最初几条大断面高速铁路隧道。目前,斯卑巴第诺尔土木工程公司正在修建欧洲直径最大的(12.4m)瑞士Adler铁路隧道。

斯卑巴第诺尔土木工程公司还把它掌握的地下工程建设技术成功地应用于导流洞、发电引水洞、压力进水洞、地下发电厂和发电尾水洞的开挖工程上。

【桥梁】 斯卑巴第诺尔土木工程公司能够为各种类型桥梁的设计和施工进行结构计算。此外,它的施工人员与技术处密切配合,共同优化设计施工方法,并且在工地上严格地执行这些方法,以达到建成高质量长寿命的桥梁的目标。

【大坝水电工程】 斯卑公司建设各种类型的水利水电工程,比如大坝、导流洞、发电引水洞、地下或地面发电厂、发电尾水洞等。斯卑公司在水利水电工程方面的业绩有:委内瑞拉Vueltosa大坝、哥伦比亚Guavio水电工程、摩洛哥Amougguez水电工程、肯尼亚Turkwel混凝土拱坝及水电设施、法国科西加岛上Sampolo和Treva-dine混凝土重力坝、加拿大的雅姆湾开发工程上的LaforgeⅡ号水力发电厂、法属圭亚那的世界上第一次采用碾压混凝土建造的小跳大坝和中国黄河上的小浪底工程。

【核电站】 40多年来,斯卑公司大量地参与了法国的核电发展计划,修建了30多座核电站。斯卑公司参与建设的核电站总容量达1500万kW,是参与把法国核电技术出口到国外的第一家法国工程公司。在南非Kocberg建造了2个90万kW的核反应堆,参与了中国大亚湾和岭澳核电站的建设。

【建筑行业】 斯卑巴第诺尔公司承包以下各种类型的工业建筑:核电站、火电站、肥料厂、炼油厂、石化厂、轧钢厂、铝厂、水泥厂、选矿厂、重型机械厂、焚化厂、污水净化中心和抽水站等,除大型项目外,它也承建生产日用消费品的小型工厂。

斯卑巴第诺尔土木工程公司

SPIE
pie Batignolles T.P.

Spie Batignolles TP

埃及 开罗地铁2号线
Cairo Metro Line 2, Egypt

斯卑巴第诺尔土木工程公司(Spie Batignolles TP,简称P)是斯卑集团公司(Spie Group)旗下的分公司。它在世界承包各类建筑工程的设计和施工。

从1846年创立以来，斯卑巴第诺尔土木工程公司在交通、和建筑各个领域获得为全世界公认的丰富经验。在地下工域，斯卑巴第诺尔土木工程公司更是领先世界水平。

斯卑公司有能力承担以下各方面工作：

咨询：可行性研究、项目融资、项目组织、初步设计、详细设计和工程检查；

土建：设计和施工特殊基础、土石方、高架桥、隧道、平峒、车站、车间；

铺轨：设计、物资供应、铺设、整修和维修；

机电：设计、接触网、变电站、低压网络架设(信息传输、通信、控制、信号)、维修。

中国 海南三亚凤凰国际机场
Sanya Airport, China

地铁全自动地铁流星线水下隧道
o Meteor Under River Crossing, France

巴黎 华西戴高乐国际机场第二号新候机大楼
Roissy CDG Airport Terminal 2, France

伊拉克 巴格达机场
Baghdad Airport VVIP Terminal, Iraq

英吉利 海峡
Channel Tunnel (3x53km), France/United

南韩 汉城至釜山高速铁路
Seoul/Pusan High Speed Train (PSM Method), South Korea

法国 高速铁路东南线
High Speed Train (TGV), France

1995年，贺恭副总经理率领中国三峡总公司代表团成功访问法国斯卑集团公司，开始了斯卑集团公司与中国三峡总公司在大项目管理方面的交流。斯卑公司为三峡工程提供有关混凝土浇筑的塔带机、顶带机的安装、运行和维修等方面的技术咨询。目前斯卑公司正在金结和机电设备安装与调试方面为三峡工程提供技术服务。

Add: Parc Saint Christophe·Pole Magellan·95862 Cergy Pontoise Cedex·France

Tel: 33(1) 34243000

Fax: 33(1) 34243910

http: www.spie.fr

1.法国卡特农核电站
Cattenom Nuclear Power Plant, France
2.中国大亚湾核电站
Daya Bay Nuclear Power Plant, China
3.法国敦克尔克铝厂
Dunkirk Pehiney Aluminium Plant, France
4.法属圭亚那碾压混凝土小跳大坝
Petit Saut RCC Dam, French Guyana
5.尼日利亚石化炼油厂
Eleme Petrochemicals Complex, Nigeria
6.法国高速铁路文塔白莀大桥
Ventabren High Speed Train (TGV) Vaiduc, France
7.法国诺曼底大桥
Normandy Cable-stayed Bridge (865m Central Span), France

1.索托王国至南非的引水隧道全断面掘进机
Lesotho Tunnels Boring Machine, Lesotho
2.希腊雅典地铁全断面掘进机
Athens Metro Tunnels Boring Machine, Greece
3.瑞士俯瞰阿尔卑斯隧道
Vue des Alpes Express Way Tunnel, Switzerland
4.中国黄河小浪底工程
Xiaolangdi Multipurpose Dam on Yellow River, China

1

2

3

4

圣－克里斯多夫园－斯皮公司总部
Parc Saint-Christophe: Spie Head Office

直属单位 Ⅸ

石门水库

中国三峡总公司直属单位

葛洲坝水力发电厂

【概况】 1999年是葛洲坝电厂两个文明建设的丰收年。一是超计划完成年发电任务。在长江来水不均和电力市场仍然疲软的影响下，年发电量达到157.2512亿kW·h(其中大江电厂发电101.2303亿kW·h，二江电厂发电56.0209亿kW·h)，超过年度计划153亿kW·h的2.8%，与上年同比增发24亿kW·h，增幅17.5%，连续第17年居全国发电厂年发电量之冠。二是安全生产创历史最高纪录。截至12月31日，安全生产纪录825天(从1997年5月16日算起)，创建厂19年来安全生产最高历史纪录，并首次实现连续二周年无事故，为建厂以来第5个安全无事故年。三是精神文明建设迈入全国500佳。被中央文明委授予"全国精神文明建设先进单位"荣誉称号。

1999年，葛洲坝水力发电厂销售电量155.96亿kW·h，比上年增长17.44%；实现销售净收入12.4556亿元，比上年增长34.28%；实现利润总额5.2459亿元，净利润3.5597亿元，分别比上年同期增长5.46%和6.66%。上缴三峡工程建设基金3.0004亿元，完成年计划的100.01%；归还葛洲坝电站二期工程基建贷款1.2523亿元；多种经营实现销售收入1.2亿元，利润2200万元。至年末，该厂资产总额68.7566亿元，净资产48.2327亿元，负债总额20.5239亿元；固定资产原值72.6138亿元，不良资产下降8199万元，资本保值增值率100.79%，实现国有资产保值增值目标。

1999年，葛洲坝水力发电厂随中国三峡总公司作为中央部委第二批"三讲"单位，从7月7日开始，历时3个月，在全厂136名处级以上干部中进行"三讲"教育活动，从职工中收集158条意见，提出15条整改措施；4～12月，在自行模拟稽察的基础上接受国家稽察。大江分厂荣获"湖北省五一劳动奖状"和"湖北省安全、文明生产先进单位"称号。

【再次更换机组叶片】 继1998年对20#机组叶片更换之后，1999年葛洲坝电厂在21#机组扩大性大修过程中，由四川东方电机厂中标对21#机组的叶片进行更换。葛洲坝电厂的水轮机叶片，选用2台ZZ560型转轮、4个叶片、转轮直径11.3m、单位容量17万kW和19台ZZ500型转轮、5个叶片、转轮直径10.2m、单机容量12.5万kW。两种叶片中，17万kW水轮机叶片采用$OC_r13N_i6M_o$，这是中国首次研究成功的不锈钢水轮机叶片，每个叶片重40t；12.5万kW水轮机转轮叶片则采用材料$OC_r13N_i5M_o$。两种水轮机均为国际上最大转桨式水轮机，分别为国内哈尔滨电机厂和四川东方电机厂研制，并获国家科技进步特等奖。容量12.5万kW的21#机组系四川东方电机厂生产，自1988年12月6日投入运行以来，已运行59618.69h，由于大江电厂处于长江南津关河段弯道凸岸，是泥沙输送的主要通道，机组过流部件磨蚀严重，且呈越靠右岸越严重之势。21#机组位于大江电厂最右岸，叶片磨蚀更为严重，机组发电出力效率有很大下降。这台机组更换的叶片是上年20#机组更换下的在东方电机厂修复的叶片，改变叶型增加了叶片抗磨裙边，因而不仅要进行静平衡试验，而且要进行效率试验。由于有20#机组更换叶片的经验，21#机组叶片更换工作顺利，换下来的5个叶片，将继续由东方电机厂修复后作为今后备用叶片。

【首次自行修复机组缺损叶片】 大江电厂9#机组在进行一般性大修过程中，工作人员检查过流部件时，发现其4#叶片出水边一角缺损0.4～0.5m^2，此现象是葛洲坝电厂投产19年来首次出现。叶片有缺损无论对机组的机械平衡性或运行稳定性，还是对机组发电出力，都是不允许的。葛洲坝电厂领导极为重视，马上召开紧急会议，及时研究修复方案。工程技术人员与广大职工仅用6天时间就完成任务，修复质量的变形误差在2mm内，优于±5mm允许误差。

【"无人值班"(少人值守)方式运作】 一年来，"无人值班"(少人值守)方式运作良好：全面完成安全生产任务和发电生产任务；优质高效地完成3台机组的大(扩)修和25台次机组的小修以及500kV开关站的检修任务，结合检修进行多项重大技术措施的实施，并完成部分设备的整改工作；运行ON－CALL组的应急职能得到充分发挥，设备巡检质量得到提高，定期工作质量得到保证，全年共发现设备缺陷1655条，其中重大或较大设备缺陷48条，多次避免重大事故的发生。正确处理500kV开关站刀闸拉环流和500kV线路取风筝等运行中的突发事件；远方AGC、AVC及自动开停机的应用保持优良状态；减轻了运行人员的劳动强度，劳动生产力大大提高。

【专项支出10亿元贡献于社会】 葛洲坝电厂作为20世纪全国最大的电厂,除在发电、航运等方面创造巨大的经济效益和社会效益外,1981～1998年,根据有关部门规定,从其成本费用、营业外支出及专项基金中支出10.04亿元,贡献于湖北省和宜昌市人民。主要有:①根据电力部和财政部规定,从1981年1月1日起,葛洲坝电厂每发1kW·h电拿出1厘钱,作为库区维护基金,已累计支出2.0869亿元,这笔基金加强了水库维护工作,解决了库区遗留问题、库区人畜饮水及提水灌溉工程和交通设施的维护等问题。②根据能源部和交通部规定,累计支出2.6651亿元,用于葛洲坝船闸及上下游航道、锚地管理、大修理、更新改造及清淤费用,确保航运正常运行。③为华中电网配套工程维护累计支出费用4.2245亿元。④从1988年开始支付葛洲坝工程基地维护费,累计支出7000万元,解决基地的桥梁、道路、集贸市场的维护问题。⑤保护国家一级动物中华鲟,累计支出1010万元。⑥为解决地方人口增加、粮油食品超亏给城市带来的困难,葛洲坝电厂从投产开始每年给予宜昌市人民政府定额补贴200万元,累计支出3600万元,这项补贴在地方财力增强、电厂照章纳税的情况下,仍将保留到2003年三峡电厂第一台机组发电为止。这些专项支出均占葛洲坝电厂当年发电收入的10%以上。

【技术人才获殊荣】 5月,葛洲坝电厂能达公司总经理顾宏进,被国家人事部授予第八批国家级有突出贡献中青年专家,这是葛洲坝电厂建厂近20年来中青年技术人员首次获此殊荣。6月,宜昌市和湖北省人民政府先后授予励磁专业职工龚元生"宜昌市技能大师"、"湖北省技能大师"称号,授予焊接专业职工杜庆敏、水工观测专业职工万家洪、电气专业职工夏敬杰"宜昌市技术能手"、"湖北省技术能手"称号。8月,共青团中央、国家经贸委及劳动社会保障部联合发文,授予该厂现任厂长、原副厂长毕亚雄"1998年度全国青年岗位能手"称号。

11月中旬至12月中旬,开展为期一个月的"青工技能节"活动,进行电路设计、控制盘配线、电缆头制作、起重桥门机操作、计算机程序设计、网页制作、操作应用、英语通用翻译和专业翻译等6大类9个项目的技术技能大赛,激发青工学技术的热情。5年来,该厂有100余项成果获省级以上"五小"成果和华中电力系统科技进步奖。

【电价提升2分钱】 1999年,国家计划委员会以特急计价格〔1999〕724号文批准,将该厂上网电价从1999年7月1日起在原电价基础上再调增2分钱,即0.102元/kW·h,并于1999年底执行到位。在此之前的1993年,为筹集三峡工程建设基金,国家计委曾以计投资〔1993〕631号文件规定:"1993年1月1日起,对葛洲坝电厂上网电价在现行电价基础上每年提价1分,分4年到位,每千瓦时共提4分",这项政策分别于1993、1994、1996、1997年到位(1995年因国务院决定当年不得出台新的调价措施,当年未予调整,延长一年到位)。国家计委两次下文对该厂电价调增,但该厂电价仍制约更新改造和企业发展。

【开展向王祖仁学习活动】 王祖仁,男,1947年1月出生于河南省汲县,1970年8月毕业于武汉水利电力学院,同年分配到黑龙江镜泊湖电厂工作,1983年10月调入葛洲坝电厂。1999年9月3日,王祖仁同志在冒雨检查宜昌东山商务活动中心工程质量时,不幸意外从三楼坠地牺牲。王祖仁同志几十年如一日,对党忠诚,工作负责,廉洁奉公,深得职工拥戴。王祖仁同志去世后,葛洲坝电厂召开较大规模的追悼会,给予很高的评价,厂党委发出《关于开展向王祖仁同志学习活动的决定》,长篇通讯《生命之光》先后在《葛洲坝报》、《中国三峡工程报》等报刊登载,厂内几十位干部职工自发写出体会文章。使职工树立起正确的人生观、世界观、价值观。

【服务三峡作贡献】 三峡施工供电局全年向工区供电3亿kW.h,实现安全供电5周年,年内完成3座变电站设备大修、5项重大更改工程,巡线140km,完成新线路报装33条。三峡工程水厂累计供水4718万t,超计划3000万t的57.3%,水质合格率99.98%,连续安全生产1721天,年内完成技改工程46项,荣获"湖北省消费者满意单位"和"湖北省劳服企业先进单位"称号。三峡水情中心的全年12h、24h、48h水位预报合格率分别为98.4%、97.5%、93.4%;流量预报合格率100%、100%、99%。监理公司完成三峡左岸14台水轮机埋件等13项工程的监理、监造任务,顺利通过国家电力公司甲级资质复查。三峡监测中心完成永久船闸高边坡、临时船闸及升船机高边坡、纵向围堰茅坪溪部位、厂坝1～6#坝段等部位的水工安全监测工作。2月成立的三峡重件码头管理处,全年进行6次吊装作业,吊装部件328件,起吊量2873.8t,成功起吊三峡机组首批进口部件(2号机组座环及附件)。

【沉船打捞失败】 为消除安全隐患,对1998年7月23日失事撞击葛洲坝沉入1号、2号机组坝前的"顺通218号"驳船进行打捞。长江航道局武汉救捞工程处以38万元包干价中标后,于3月22日正式动工,先后采取充气自浮、整体打捞两种方案均未成功,再次打捞工作将于2000年春季进行。

【"净化长江水、保护母亲河"行动】 4月20日,由共青团湖北省委、长江水利委员会、湖北省水利厅、湖北省环保局、长江航务管理局、长江航运总公司共同发起的"净化长江水、保护母亲河"行动启动仪式在葛洲坝前举行。团省委副书记邓清波主持仪式,团中央书记处书记孙金龙、湖北省副省长周坚卫发表讲话,葛洲坝电厂、葛洲坝集团公司、三峡通航管理局、宜昌市交委的400多名团员青年参加仪式。启动仪式向长江流域的全体青年发出倡议:净化长江水、保护母亲河是我们跨世纪一代青年的神圣职责,需要我们立足本职岗位,弘扬高度的职业文明,增强环保意识,加强执法监督,扩大社会宣传,用我们的文明行为控制污染,感召社会。

长江白色污染近3年特别受到社会和新闻媒体的广泛关注。从1999年汛期情况看,江面白色污染量大为减少,没有因白色污染造成葛洲坝电厂停机事件发生。

【精神文明上台阶】 葛洲坝水力发电厂多年来牢牢把握既发电又育人的办厂宗旨,坚持"两手抓、两手都要硬"的工作方针,努力开发水力、人力两种资源,建设能源、人才两个基地,完成电力外送、人才外送两个任务,始终把精神文明建设放在重要地位。利用"八创一评"文明创建活动(即:创文明单位、文明车间、文明处室、文明班组、文明小区、文明宿舍、文明家庭、文明公司、评文明职工),将两个文明建设有机结合,制订细则时坚持"有利于安全文明生产、有利于检查考核评比、有利于职工积极广泛参与"的原则,做到"三分一流":分系统、分步骤、分层次、统一规划,使活动更具操作性、实效性。设立精神文明建设奖励基金,出台化解矛盾、见义勇为、勇于举报、后备干部培养、精神文明创新、企业文化优秀成果等6个奖励细则,一年评选一次。葛洲坝电厂先后被评为"湖北省最佳文明单位"(三次)、"国家电力公司双文明单位",获"全国五一劳动奖状"等荣誉,"全国精神文明建设先进单位"称号。

(谢兴发)

设　备　公　司

【设备采购供应管理工作】 按照1999年度工程建设计划的安排,设备公司紧紧围绕全面形成混凝土浇筑手段,完善施工设备管理,金结设备制造合同执行,启闭机械招标采购,机组设备运输到货及辅机设备采购等主要任务,根据设备自身特点,分别从招标采购、设备制造验收、运输仓储、安装调试、运行管理关键环节着手积极开展工作。截至1999年底,共签订合同188份,总金额104578.9万元,其中组织招标采购9次,总金额2889.9万元。

施工设备:完成塔(顶)带机、供料线、缆机、塔机等26台(套)大型设备的安装,总量2.6万t;建立以塔(顶)带机为主,门、塔、缆机为辅的混凝土连续浇筑体系;组织红旗设备评比2期,评出红旗、先进设备65台(次);组织技术培训22期779人,颁发证书321人;组织召开施工设备管理工作会议,制定《混凝土运输设备维护及定期保养制度》、《配件供应管理办法》等重要的设备管理制度,组织编写印发33种操作规程,积极推行定期维护保养检修制度,完善施工设备管理体系;聘请美国AKINSON公司专家进行设备管理咨询。业主设备年累计拌混凝土313.4万m^3,运输混凝土264.4万m^3,分别占全工地年混凝土浇筑总量的68.4%、57.7%,为创造458.5万m^3/年的水电工程混凝土浇筑强度新纪录发挥重要作用,其中塔(顶)带机年累计浇混凝土146.3万m^3,占业主设备年累计混凝土浇筑总量的46.7%,占全工地年累计混凝土浇筑总量的31.9%。

金属结构:完成永久船闸、大坝和电站厂房二期工程金属结构与启闭机械设备的招标采购,合同总金额145656万元,金结设备制造总重96612.5t,启闭机械设备173台套,共有25个厂家参与制造;组织召开金结设计联络会20次,出厂验收8个设备制造项目共计5322t,完成5个设备制造项目共计3591t设备的到货验收;组建金属结构监理督导组,设立日常办事机构,定期开展工作。

成套设备:完成机组设备境内运输与现场转运招标;左岸电站机组设备报关、运输和到货验收29次,共计5556.16t,调拨出库3431t/75次;采购金属结构检测仪器、办公自动化设备226台(套),价值610万元;通过▽79m、王凌庙、▽185m变电所与左岸重件码头的竣工验收;参与高压电气设备、电站厂房桥机招标;全面规范合同文件,开展永久机电辅助设备采购准备工作。

【基础管理工作】 人事管理:完善人员招聘考试、试用签约制度,将招聘补充人员,内部调剂充实关键岗位力量与优化人员结构结合起来,促进人才合理流动;领导班子建设通过增加班子成员,注入新鲜活力,深入贯彻民主集中制,重视深入施工现场指导与开展工作;健全处级干部竞争上岗制度,通过对13名上岗干部进行人才测评与年度考核,注重实绩,促进干部队伍综合素质的提高。

财务管理:以配合稽查、审计为重点,规范配件购销业务的会计核算模式,全面清理器材采购科目及往来帐,结算设备采购合同58份;查处聘用人员贪污案件1起,严格合同款支付各关键环节的管理;积极转换设备保险管理模式,获得增值税一般纳税人资格,为培育开发配件市场创造条件。

仓储管理与配套服务:充分利用左右岸堆场、田秋渔、保税库、柳树湾库房共11.6万m^2的仓储场地,合理制定设备仓储场地整体规划,按需招标兴建右岸6000m^2基建钢罩棚工程,为107台退场土石方设备的存放、维护和保养提供场地准备。密切衔接到货验收、入库仓储、出库调拨、直供现场各环节工作，继续完善修配、峡润、大禹三个控股公司工程设备修理、运输报关、保税仓储、备品配件供应、招商代理、培育配件市场各项业务。

信息管理：与46个厂家联系，解决大型施工机械、临时船闸设备、所负责设备的计算机2000年问题；统一“TGPMS”“NOTES”“TEAMS”3个信息系统，建立设备公司内部网站，实时公布备品配件供应信息，加大TGPMS系统与P3软件培训与应用力度，保证设备信息、动态、简报的便捷传递与反馈，开发工程设备运输、峡润仓储系统与劳资管理系统，提高计算机管理水平。

从工作实际出发，设备公司各部门与控股公司先后建章立制22项，理清业务流程，规范内部管理。以服务工程建设为中心，以创建安全文明小区为重点，工会、团组织、妇女组织、综合治理、消防安全、交通安全、爱国卫生、“工民、警民”共建组、计划生育等专项工作组织积极配合，相互支持，做了大量细致入微的工作。

【精神文明建设】 各级干部与职工结合工程建设与设备公司实际，深入学习邓小平理论。7～9月，公司副处级以上干部开展“三讲”教育。建立《设备公司党风廉政责任制实施细则》，播放廉政教育录像资料，狠抓廉政建设不放松。1999年，设备公司被命名为三峡工程坝区第一批“安全文明单位”，并荣获“三峡坝区道路交通安全管理先进单位”和“坝区综合治理先进单位”称号，定期开放卡拉OK厅与图书阅览室，举办职工生日庆祝活动，丰富坝区职工文化生活，积极组织书法摄影比赛，增强集体凝聚力。设备公司精神文明建设成效显著，获三峡工程坝区“1997～1999年度精神文明建设先进单位”称号，综合处获“先进集体”荣誉称号。

【多种经营】 修配公司、峡润公司、大禹公司3个控股公司紧密配合设备公司各业务部门，紧紧围绕为工程建设服务为中心的原则，深化工程设备维修与技改，报关商检、运输、保税仓储、机电贸易、配件供应等为工程建设服务的工作，步步到位，环环扣紧，并不断依靠社会、依靠市场进一步完善设备保障体系，挖掘与培育配件市场。通过组织专家研究与解决重大技术和商务问题，探索进口设备配件国产化的新路子，做好技术引进与消化工作。为工程建设服务同时注重自身发展，坚持不断完善以市场为导向，以质量为中心的经营机制，重视规范经营。在经济效益稳步增长的同时，取得良好的社会效益。修配公司荣获“宜昌市外商投资先进企业”称号；峡润公司先后荣获“宜昌市外商投资示范企业”、“宜昌市外商投资先进企业”称号；大禹公司作为宜昌市唯一一家企业入选“中国劳动就业企业协会”会员，并荣获“宜昌市优秀劳服企业”称号。

（朱 明）

物 资 公 司

【概况】 1999年，三峡工程建设各项目工程均达到计划形象进度。物资部在建设管理各方密切配合、积极协作下，圆满完成三峡工程建设所需主要物资供应任务。全年累计采购钢材9.8093万t、木材7835m^3、油料3.6424万t、炸药5832t、水泥76.5051万t、粉煤灰28.38万t，采购总金额8.725亿元；累计供应钢材9.2317万t、木材7387m^3、油料3.7149万t，炸药5832t、水泥76.50万t、粉煤灰28.38万t，累计供应总金额7.517亿元。供应强度约为上年的2～3倍，其中粉煤灰供应强度为1998年的4倍。物资质量合格率、供应及时率均达到100%。

【质量管理】 1999年进一步从招标采购、质量检测、质量异议处理等方面对物资、特别是构成大坝主体的钢材、水泥、粉煤灰等物资的质量控制进行尝试，加大质量管理的投入和力度。在日常供应工作中对供应厂家的产品质量和服务质量进行了综合考核，考核结果作为物资招标采购评标过程中一项重要指标考虑。通过综合考核对供应厂家实行优胜劣汰的动态管理，几年来逐渐形成了相对稳定、直接的资源供应渠道，建立起严密可靠的质量保证体系。委托国家建筑钢材质检中心代表业主物资部门对进入工地的钢材进行质量检测，派遣质检专业人员进驻三峡，对每一批次送达三峡工地的钢材进行抽样质检，并在发生钢材质量争议时公正、迅速地作出定性分析，给予仲裁。

积极会同国家水泥质量检验中心、水泥生产厂家，研究并采取有效措施，把水泥进入工地储罐的温度控制在合理范围内。

对粉煤灰的生产过程、厂内质检及质量控制系统进行巡视监督和指导。全年共检测粉煤灰试样1084组，出版《质量检测月报》12期（月刊，含水泥），此外，组织各电厂试验室进行两次粉煤灰对比试验。

【物资招标采购】 进一步规范物资招标采购程序，通过严格的公开招标采购落实全年主要物资的资源配置。

出台《物资采购价格管理实施细则（试行）》。通过广泛采集物资市场价格信息，建立动态的物资市场价格信息库，为三峡工程建设施工所需物资的采购提供成本控制依据。1999年共审批施工单位自购钢材257t，经市场询价后确定的审批价格较自购申报价格平均减幅为10%～14%，一些非常规大规格物资价格减幅达到23.5%左右。

完成两次大宗常规钢材物资的招标采购，并成功组织供应几批工程部分关键部位用特殊专项应急短线物资。对左岸安Ⅲ坝段排砂底孔钢管衬砌不锈钢板国内招标、60kgf级的高强压力钢板进行的国际招标采购等,按照“公正、公开、公平”原则进行招标采购,按照“优质、优价、优先”原则组织评标,使采购物资质量得到充分保证、价格合理优惠、交货期满足工期要求。

积极采取有效措施,拓宽粉煤灰资源供应渠道,控制采购成本。通过全面的实地考察,新引入一批具有优质粉煤灰生产能力的电厂,签订临时供应合同并进行为期2个月的试运行。在基本掌握各厂实际生产情况、产品质量状况、建立安全的库存储备之后,年底对粉煤灰招标采购方式进行调整,采取粉煤灰补充资源招标和竞价排序的办法,对所有通过招标入围的12家电厂的最新报价进行竞价排序,按”优质、优价、优先”的排序原则确定各拌和楼的资源配置方案。

经初步测算,通过这次竞价排序使粉煤灰的综合成本价每吨降低约9.931元。

【物资现场调度管理】 提出周物资调度供应制度,建立周调度例会制度。建设管理各方共同分析物资消耗情况、周生产安排及需要协调的事项,业主物资部门根据提出的问题和要求,对资源配置和物流组织作出优化和合理调整,并预测下期资源需求。

建立调度值班制度,实施24小时全天候值班。制定和强调值班调度员和责任调度员的职责,基本保证在异常情况发生时,当日值班和责任调度员都能够在第一时间内赶赴现场及时处理,建立起一套有效的异常情况反应处理机制。

制定并出台《三峡工程物资进出场管理暂行办法》,利用三峡坝区封闭管理的有利条件,设立物资检查站,对运输物资进出坝区的车辆进行登记和检查,避免三峡工程专用物资流失。1999年,物资调度管理在资源供应最紧张的建设高峰期始终保证了现场物流组织的连续性和有序调度,为顺利完成全年物资供应任务奠定坚实基础。

【信息系统建设】 与华中理工大学联合研制开发《散装水泥/粉煤灰调运信息管理系统》(以下简称水/灰调运系统),系统基本实现散装水泥/粉煤灰的供应从物资需求计划、资源平衡、到调运方案生成和执行监控、以及信息查询发布、统计分析等研发目标,实现对水泥、粉煤灰物资供应全过程的实时动态调度。

系统7月份正式投入运行,8月份顺利通过教育部组织的最终验收鉴定,由专家组成的鉴定委员会通过测试、审查,形成一致鉴定意见,认为:

系统运行半年来,业主物资部门提高管理水平,调度指挥工作更加合理有序、具有预见性,对确保三峡工程水泥、粉煤灰的供应发挥了极大的作用,并取得显著的经济效益和工程综合效益。

鉴定意见认为,该系统在研制大型工程项目的物资调运实时指挥系统方面建立了一个具有创新意义和可供借鉴的示范系统,具有很高的实际应用价值和广阔的应用前景。该项研究成果在大型工程的物资调运指挥领域已经达到国际领先水平。

进一步开发、完善TGPMS物资域各项功能模块,经测试,原先无法使用的TGPMS已基本满足业务需求。集中开展为期一周的TGPMS用户培训,并进行TGPMS基本业务数据登录、整理工作。

【物资业务综合管理】 物资核销工作一直是综合管理业务的重点。经过认真研究,物资部决定在监理单位中设立材料监理工程师,专门负责材料计划、核销的审批、监督,严格按照进度计划、工程量、配合比等参数对施工单位申报的月度、年度计划及核销报表认真进行审核确认,结合物资部MIS系统计划控制调拨功能的使用,防止项目工程建设用物资出现材料不合理消耗及串项现象。

材料监理工程师在业务上与物资部直接对口,发现材料收支异常情况及时与物资部沟通、协商解决。

比照《三峡工程建设监理委托合同》,根据物资管理工作内容及其对材料监理的具体要求,在各主要监理单位委托材料监理工程师开展、签定《三峡工程材料监理委托合同》,详细明确材料监理工作内容、权责。此项工作已进入实施前准备阶段。

(於崇东)

实业总公司

1999年实业总公司全年实现销售收入6400万元,创利1250万元。通过几年的发展,形成以物业管理、宾馆服务、公交运输、旅游接待为优势的综合服务型企业。建立起一支综合素质较高的职工队伍。

【发挥物业管理优势,为工程建设服务】 绿原公司在认真总结1997年和1998年绿化、环卫两轮竞价承包责任制的经验后,进一步修改完善1999年第三轮竞价承包责任制。同时加强管理,严格考核,合理奖罚,1999年承担的62万m^2坝区道路清洁和60万m^2的绿地维护工程质量稳定,并圆满完成供水监理、市政监察及绿化工程等任务,使三峡坝区保持着清洁、美好的市政形象,荣获湖北省爱卫会“全省卫生单位”称号。

1999年西坝接待中心管理的三峡总公司总部办公大楼荣获“湖北省城市物业管理优秀大厦”称号,并获得三峡总公司1999年度卫生评比第一名和湖北省爱卫会“全省卫生单位”称号。

房产物业公司承担三峡坝区60.58万m^2房屋监管

和体育馆、游泳馆、十三小区、十四小区、美食城等物业管理及服务项目。1999 年继续保持十四小区为全国物业管理优秀示范小区的同时，使三峡坝区十三小区建设成为全国物业管理优秀示范小区；东岳庙小区为湖北省物业管理优秀小区。

生活服务公司承担三峡总公司坝区建设管理中心大楼、实业总公司洞湾与东山办公楼的物业管理和市区东山、西坝、绿萝路等职工生活区物业管理项目。按照国家物业管理有关标准严格要求，规范管理，较好地完成各项服务工作任务，坝区三峡建设管理中心荣获“湖北省城市物业管理优秀大厦”称号。

供电项目部在承担左岸各生活小区供电维护等任务的基础上，1999 年增加左岸生活办公区部分供电设施及维护管理等项工作。项目部调整组织与人员技术结构，下大力气进行安全技术培训，狠抓安全教育工作，圆满完成各项工作任务。全年完成供电运行 8748h，供电合格率、电压合格率、设备完好率等均达到 100%。

文化公司管理三峡坝区文化中心以来，千方百计提高文化中心各项设施的利用率。1999 年，文化公司在影剧院接待演出 18 场、大型会议 11 个，放映电影 240 场；图书馆日夜开放，向三峡建设者借阅图书 1.4 万多人次，并举办 3 次图书展览。为进一步丰富文化中心的活动内容，在已有的各种文化娱乐项目上又增加了台球室、乒乓球室、书店及音像制品出租等项目，为三峡建设者提供价廉质优服务，使文化中心成为三峡建设者业余文化活动之家。

【发挥宾馆服务优势，树立良好窗口形象】 实业总公司自 1993 年开始管理坝区接待中心以来，经过 6 年不断学习、探索、积累经验，逐步形成具有特色的宾馆管理体系和一支素质较高的员工队伍。坝区接待中心和西坝接待中心已成为三星级宾馆，具有较好的接待能力和较高的服务水平，成为三峡总公司对外接待的重要窗口。

1999 年，坝区接待中心多次圆满完成三峡总公司各项重要会议和重大接待活动，受到各级领导和宾客的赞扬，钱正英副主席在几次入住坝区接待中心后说：“我到过很多星级饭店，你们的服务最细致体贴”，李鹏委员长及夫人在 1999 年 10 月 13 日离开三峡之际，转身向坝区接待中心员工握手道别，并鞠了一躬，深情地说：“谢谢大家”。

西坝接待中心 1999 年被宜昌市消费者协会授予“消费者满意”单位，被湖北省评为食品质量、卫生“双百佳”先进单位，同时取得良好的经济效益，全年完成营业收入 700 万元，成本、费用也得到较好的控制。一年来西坝接待中心员工以“真心、诚心、用心、细心”获得中国三峡总公司内外一致好评。

【树立坝区公交运输形象】 1999 年实业总公司进一步加强对运输公司的管理，加大运力投入和基础设施建设，取得明显的经济效益和社会效益。全年共发出客运车辆 5 万余班次，年营业收入 1000 万元，实现利润 400 万元。三峡坝区公交客运已成为实业总公司又一个支柱产业。

【发挥旅游接待优势，促进三峡坝区旅游业的发展】 随着三峡工程的建设，三峡工程参观旅游逐渐兴起。实业总公司及各下属单位有序地组织人们参观游览三峡工程，维护在三峡坝区建成的参观景点和接待码头等设施，加大对旅游业的投入和对外营销、宣传力度，初步形成旅游接待优势和能力，为三峡坝区旅游业的兴起和发展打下基础。

【加强企业管理，提高经营管理水平】 实业总公司近几年发展速度较快，资产 4650 万元，受委托管理的资产约 5 亿元。公司管理人员和员工队伍也相应增加。为了管理好实业总公司及下属各个项目单位，1999 年在企业管理方面主要做了以下方面工作：

继续进行经济责任考核制，提高企业经营效益；实行财务集中管理和内部审计制，提高财务管理水平；加强人事管理，推进企业养老保险等项改革；按照现代企业制度要求，逐步完善各项管理制度。

（韩　健）

长江三峡技术经济发展有限公司

【尝试用人制度的改革，为公司发展储备人才】 长江三峡技术发展有限公司现有员工平均年龄偏大，专业技术人员结构不合理，考虑到今后发展的需要，必须解决这个关系到企业生存的大问题。因此，1999 年面向社会，公开招聘 10 名应届大学本科毕业生，对他们实行新的人事管理制度——人事代理制进行管理。这项工作得到中国三峡总公司人事劳动部的大力支持和帮助。所招的 10 名大学生综合素质较高，党员占所招人数的 60%；专业面较宽。

【1999 年主要工作】 为期 4 年、工程总投资 9.8 亿元人民币的四川宝兴河小关子电站监理项目进展顺利。截至 1999 年底宝兴河监理部现场人员 36 人，组成全方位、多专业的监理队伍。单元工程合格率 100%，优良率：土建 80%，机电安装 95%。

十三陵抽水蓄能电站地下厂房交通洞混凝土衬砌工程监理，是继电站主体工程验收后的后续项目，承接监理任务的同志克服验收工作量繁杂、人员紧张、施工干扰大等困难，圆满完成监理任务，1999年9月通过业主验收。

三峡监理项目部继续承担三峡辅助工程部分项目的监理工作。制冷项目1999年进入具体实施阶段，已完成方案设计、设备订货、粗骨料制冷的技术设计，水冷砂子的离心脱水试验、中期试验和试验报告。汽车货物运输是1999年新发展的经营业务。全年共承运水泥3.83万t、粉煤灰7.44万t。引进俄罗斯弹性金属塑料轴瓦技术项目通过专家评审。

【盘活资产，全方位挖潜增收】 1999年长江三峡技术发展有限公司加大对外投资与往来项目的管理力度，全面清理债权债务，分门别类，制定旧债催讨计划。对无法收回的往来项目拟安排起诉。

作为三峡总公司的重点单位接受国务院三建委的稽察，在时间紧、任务重、人手少的情况下，计财处人员全力以赴，11月底完成工作并受到好评。

【寻求新市场，参与国外工程项目的竞争】 积极开拓市场，力争走出国门，走向世界。1999年参加伊朗莫拉萨得拉水电项目的投标工作。在参与国外建设市场的竞争中锻炼了队伍，积累了经验。

（长江三峡技术经济发展有限公司）

三峡国际招标公司

【概况】 1999年三峡国际招标公司（以下简称“招标公司”）通过加强管理、优化组织、提高效率、深化服务的工作方针，一方面仍然坚持以做好三峡工程招标服务和保证合同顺利执行为工作重点，深入研究、科学管理，全面配合三峡总公司努力完成1999年三峡工程建设任务；另一方面利用招标公司自身资源优势和这几年积累的国际招标经验，积极拓展三峡工程机电项目国际招标以外的招标服务和其他招标市场，顺利开展各种经营工作，稳步加强资本运营，确保招标公司取得最大的经济效益。

【主要工作】

1.加强水轮发电机组、高压电气设备等永久机电设备合同执行的管理工作，提高合同执行的服务质量

(1)根据三峡总公司机电管理体制，严格履行招标公司的责任，以工程和三峡总公司利益为重，主动协调有关部门和单位的工作关系，及时沟通信息，避免机电设备从设计、制造、出厂检验、运输、报关交货、验收等所有各环节之间因衔接不良发生的问题，确保合同按期交货。

(2)重视合同变更管理，严肃对待变更的审批程序和谈判，在保证设备质量和交货进度的前提下，严格控制价格变化，使合同卖方理解三峡工程供货合同管理的严肃性，增强其履约观念。

(3)面向工程，派专职人员，负责前方合同执行工作，重点解决机组埋件等现场交货验收中的矛盾和问题，与卖方工地总代表、工程建设部等单位和部门，建立起有效的工作程序，严格把关，满足工程埋件的供货进度。

(4)慎重对待合同支付审单，主动与融资项目的贷款银行、国家开发银行和中国银行衔接工作，做好三峡总公司移交给招标公司的外汇核销工作。

(5)1999年完成机组合同对外付款4536万美元，接到机组埋件61595t，商签机组变更项目3份，金额约250万美元。

(6)积极承担TGPMS永久机电设备的输机工作，并相应调整内部工作流程。

2.贯彻执行国家颁发的一系列加强机电设备招标管理的法律、法规，高质量地完成三峡总公司各项招标采购工作

(1)规范、高效、精心地组织实施高压电气设备的国际招标。三峡左岸电站高压电气设备15台主变压器和500 kV GIS国际招标是招标公司首次进行的公开竞争性的国际招标。为妥善解决招标项目中的资质、技术、商务、融资和技术转让问题，在三峡总公司领导下，招标公司集思广益，反复设想解决问题和矛盾的预案，精心编制招标文件。然后，按规范进行招标程序中的各个步骤，公平对待投标者，以投标文件为依据，依靠专家的力量，集中大家的智慧，为领导定标决策留出较大的选择空间，经过三峡总公司领导决策推荐，国务院三峡建设委员会批准，高压电气设备取得技术、商务、融资和技术转让条件皆优的好结果，受到国务院领导的高度赞扬。同时以高效、公开、公平赢得投标者的赞赏，为三峡总公司在国际上树立了良好形象。

(2)为扩大代理三峡总公司招标业务范围，积极与三峡总公司各有关部门加强联系，扩展封闭母线、桥机及滑线等国内项目招标。为出色完成这些项目的招标工作，通过深入研究，以对国际招标的态度，组织骨干认真分析形势，适当简化条件，编制范本文件。坚持形成招标竞争局面。在机组封闭母线的招标工作中，较好地处理技术引进关系，坚持公开、平等竞争，使中标方案采用国际先进技术，价格为其他同等水平竞争者的一半，维护了三峡总公司的“三公”原则，累计完成上述项目合同额5700万元人民币。

(3)在三峡总公司工程建设部、物资部和设备公司的支持下，招标公司积极主动地为工程承包商的进口部件和材料提供国际招标服务，利用三峡总公司和招

标公司自身的无形资产，取得显著的招标效益。

(4)招标公司在多次编写机组招标文件和配套设备文件的基础上，完成调速励磁系统的编标和发标工作。对标书反复修改，结合政府的要求和潜在投标者的情况，数易其稿，顺利通过国务院三峡建设委员会、对外经济贸易合作部的审查，于1999年12月15日发售标书，进入招标阶段。

【经营管理】 结合招标实际情况，逐步建立有效的开拓市场激励机制，调动招标公司职工开发项目的积极性，在认真做好招标业务的同时，全年签定2份咨询服务合同，合同额108万元；为葛洲坝电厂重点技改项目进口的第一批设备已顺利交货安装。认真分析招标公司货币需求量，继续展开资本经营，购买三峡债券、国债和对外投资，取得较好的经济效益。

【财务状况】 抓会计基础达标工作，迎接稽查检查，全面整顿会计核算基础工作，继续控制费用的支出，按照标准规范审批程序和项目列支渠道，遵纪守法，实现会计达标。1999年招标公司通过扩大经营项目，控制成本支出，实现收入802万元，利税257万元。

【精神文明建设】 严格按照中国三峡总公司党组的要求，踏踏实实完成每一阶段的"三讲"教育。并根据"三讲"教育中发现的各类问题，从招标公司既定制度上查找，属于有制度而没有坚持执行的，制定有力措施确保制度的执行；属于制度不完善的，有针对性地加以健全和完善；属于没有明确制度的，依据党和国家的法规，明确责任人和具体完成时间限制，建立科学可行的制度。"三讲"教育结束之后，招标公司决定把"三讲"教育坚持下去，并与日常管理工作结合起来，使整改措施逐条落实，实现招标公司决策制度化、经常化，干部团结协作、职工积极上进。领导干部带头廉洁自律，在招标和合同执行中能自觉遵守制度，严格要求，做好保密和反腐工作。

（沈延军）

三峡财务有限责任公司

【概况】 1999年，三峡财务有限责任公司在董事会的领导下，积极争取中国三峡总公司及成员单位的大力支持，通过全体员工的努力工作，全面完成年初的经营计划。资产总额29.8亿元，比上年略有下降，超年度计划11.6%。总存款24.8亿元，其中一般性存款18.3亿元，委托存款6.5亿元，总存款比上年净增4亿元，增长28.2%，一般性存款平均余额达到18亿元，超年度计划26%。各项贷款余额14.1亿元，其中自营贷款8.2亿元，委托贷款5.9亿元；自营贷款比上年净增3.69亿元，增长82%，自营贷款平均余额达到7.6亿元，超年度计划2%。全年实现收入9480万元，利润4857万元，比计划增加1152万元，超年度计划32%，股红分配率8.5%，完成"保8%分红率"的经营目标。资产质量优良，不良资产率为0，收息率达100%，保证了三峡资金的安全。

【经营工作】 存款工作取得一定成效。财务公司将营业部单独设立为存款工作的责任部门，搞好存款调查研究，掌握资金分存和存款走势，做到存款工作有的放矢。同时取得中国三峡总公司有关部门的支持，通过审计室开展帐户清查工作，抓住中国三峡总公司财务部门加强成员单位开户管理的有利时机，不断提高开户率和资金回笼率。年底开户122户，比上年增加13户，空户由年初16户降为零。

加大信贷投放力度，支持三峡工程建设，也为公司创造稳定的收入来源。全年累计发放信贷资金贷款76550万元，累计回收39600万元，净投放量达36950万元，全年累计实现贷款利息收入4928万元，占全部营业收入的52%。

继续发挥国债交易业务的优势，抓住回购利率较高的机会，加大回购业务力度，充分利用闲置资金，发挥国债交易第二备付金的作用。全年国债自营业务累计交易量108亿元，平均投资规模4.25亿元，累计实现收入2556万元，综合收益率达到6.01%。利用发债资金规模优势适时开展短期拆借批量业务，累计发生16.5亿元，全年共实现拆借利息收入745万元，本息均已按期收回。

外汇业务申报工作取得阶段性进展。1999年中国金融管理体制改革，外汇业务的审批权限和范围发生较大变化，这给公司申报外汇业务工作带来不利影响。经过努力工作，增资扩股和股权结构调整已获批准，经营外汇业务申报工作已由武汉人民银行转报至中国人民银行总行，相关报批工作正在抓紧进行。

【发挥财务公司在三峡资金筹集、融通和管理中的作用】 年初，公司积极配合三峡总公司作好"'98三峡债券"发行的前期准备工作，并取得副主承销商资格。财务公司注重积累销售经验和构建分销网格，利用与各金融机构联系较多、往来密切的优势，以机构投资者为目标市场实施营销策略，在5天内就完成3.5亿元的销售额，并初步建立起自己的销售渠道，为今后各期三峡债券的发行和销售奠定良好基础。及时开办三峡债券二级市场业务。自6月18日交易系统开始运作以来，业务开展正常，全年代理交易1900万元。

根据三峡工程施工进度的资金需求，三峡总公司决定继续发行30亿"1999年三峡债券"。财务公司一方面作为发行领导小组组成单位参与发行人的前期准备工作，另一方面借此机会发展自身的投资银行业务，在进行大量调查研究和市场分析的基础上，自行设计发行方案，并大胆提出10年期浮息券创新品种。

进一步疏通结算渠道，不断完善结算手段，提高员工业务素质和服务质量，及时解决汇路和票据传送过程中存在的问题，使同城转帐和异地大额电汇基本做到零在途。为更好地服务工程建设，财务公司开通坝区结算点的结算专线，实现前方票据即时受理，即时人帐，满足三峡总公司有关业务逐步向前方转移的需要。全年公司与各代理行的结算总量达530亿元，并基本做到准确、及时、安全。积极配合三峡总公司审计室开展帐户清查，主动协助三峡总公司财务部召开“加强结算管理，防范结算风险”座谈会，进一步保证成员单位结算资金安全。

【风险防范】 财务公司一方面加强制度建设，另一方面逐步构建科学的内外监控体系。1999年，财务公司共接受各类外部审计和检查8次。认真开展内部稽核，把各项错弊消灭在萌芽状态，促使公司各项业务规范运作。同时，聘请富有金融审计经验的会计师事务所对公司进行内部稽核，全面检查内控制度的有效性，初步形成由事后监督、外部审计(检查)、内部稽核直至内部稽核的再稽核等多个环节构成的风险控制体系。

注重硬件设施建设，加强安全保卫工作，在营业部门配备防弹玻璃、电视监控和自动报警装置，并对员工进行经常性的安全教育，安全保卫工作得到三峡总公司保卫部门和地方公安部门的支持和肯定。

【自身建设】 制订《内部经营目标责任综合考核办法》，将原来随工资发放的津贴、奖金和董事会核发的效益奖纳入考核分配范围。考核实行综合考核与效益考核双百分制，公司员工的日常行为操守和工作业绩与奖金分配挂钩，真正体现“按劳分配、按功计酬”的分配制度。其次是探索推行员工晋升制度改革。通过考察广州、深圳等地金融机构的人事制度，拟定适合公司自身特点的员工考核晋升的改革思路，并制订相应的制度和办法。

1999年，财务公司科技工作进展较为顺利，内部办公自动化系统初步建立，并利用总公司的网络资源开通国际互联网，提高工作效率，促进业务的发展。

对新办公场所进行必要整修，员工的工作环境整体上了一个台阶。员工住宅建设及配套房改在年内基本完成。按照国家社会保障体制改革的总体要求，及时为全体员工办理养老、失业、工伤、生育等各种社会统筹保险。

(谢　峰)

北京峡光经济技术咨询有限责任公司

【概况】 北京峡光经济技术咨询有限责任公司(以下简称“峡光公司”)是一个以水利水电工程造价咨询业务为主的咨询企业，1995年1月成立，由中国三峡总公司发起并控股，中国建设工程造价管理协会、水利部水利水电规划设计总院、中国华能集团四川分公司等参股联合组建。峡光公司具备甲级咨询和甲级造价咨询资格，拥有一批中国水利水电造价行业中知名的专家和高素质的中青年工程经济技术人员。

峡光公司成立以来，先后承担了长江三峡，金沙江向家坝、溪洛渡，黄河李家峡、小浪底、大峡等水利水电工程造价咨询工作。同时，还为国务院三峡工程建设委员会(以下简称三峡建委)、水利部建设与管理司等政府有关部门，以及国家开发银行、中国国际工程咨询公司、中国电网建设有限公司、中国水利水电对外公司、水利部经济建设定额站等提供服务和编制行业标准。在中国工程造价行业中获得较高的知名度和良好的信誉。

峡光公司咨询内容：工程造价管理和控制办法编制，工程定额编制，工程概(估)算，业主预算及标底编制，枢纽、送变电工程和水库移民年度价格指数及价差分析计算，工程经济技术分析，工程索赔、工程投资管理咨询，工程投资跟踪风险分析，工程造价软件开发，业主期望电价分析与计算，工程造价信息，工程定额测定与分析等。

【1999年主要工作】 1999年度完成的具体合同共20项，其中中国三峡总公司合同占50%，与1998年比例基本持平。完成的各项合同分别为：三峡枢纽工程1998年度价差测算报告；三峡水库移民1998年度价差定性分析报告；三峡送变电工程1998年度价差测算报告；江垭水利枢纽1996～1998年度价差额测算报告；李家峡水电站1998年度价差测算报告；白石水库造价咨询；大朝山水电站造价咨询；响洪甸水电站造价咨询；三峡工程投资风险分析报告；建设管理文件汇编(第五册)；水利水电工程信息资料汇集；三峡水库移民咨询；下岸溪人工砂石料价格咨询；金属结构标底编制；三峡枢纽工程价差计算办法；水利水电工程概算定额编制；水利水电工程造价咨询；三峡工程投资分析报告；三峡工程金属结构价格咨询；界竹江水电站贷款评估咨询。

协助中国三峡总公司成功举办水利水电工程造价国际交流会议。来自美国、日本、挪威、英国、香港等7个国家和地区共89名代表参加，为各单位借鉴国内外同行的先进经验提供了一次极好的机会，拓展了水利水电造价的思路，峡光公司在会上宣读了论文，在会场内外与各方进行广泛交流，达到宣传峡光，提高峡光知名度的效果。

应国家发展计划委员会、三峡建委办公室、移民开发局、建设部、水利部、国家电力公司以及中国国际工程咨询公司、中国投资咨询公司、中国水利电力对外公司的邀请，峡光公司先后派员，以造价专家的身份，参加水布垭、吉林台、皂市、大峡、西龙池等水利水电工程项目的审查、评估、争议协调工作，参加全国和水利部造价工程师教材、试题的编写审查以及造价软价评估审查等各项工作。

1999年咨询服务结算共收入348万元，较1998年增加96万，增幅38%，实现营业利润101万元，比1998年增加48.64%。合同完成额和营业利润实现1999年度计划目标。1999年峡光公司接待北京地方税务局、会计师事务所、国家审计署和国务院稽查工作组4个单位和机构对峡光公司的审计稽查，获得好评。

（北京峡光经济技术咨询有限责任公司）

移民开发局直属单位

三峡移民工程咨询中心

【概况】 三峡移民工程咨询中心是三峡库区唯一具有甲级资质的移民咨询单位，主要负责三峡库区移民规划、设计咨询评估工作，下设综合处、技术处两个业务部门，有高中级专业技术人员11人，现任主任王克福、副主任岳世勇。

【主要工作】 1999年，三峡移民工程咨询中心与三峡移民开发局规划司正式签订8个专项咨询任务合同，并严格按照合同规定开展咨询业务工作。基本完成二、三产业安置农村移民研究、实施新土地法对移民投资的影响、25度以上坡耕地退耕还林对农业安置影响、半淹城镇功能恢复、库区城镇库岸防护、移民规划成果资料摘编等6个专题调研任务；城镇新址占地人口调查的复核工作、库区崩滑体处理规划评审已做好前期准备工作。完成移民开发局交办的承办三峡库区移民规划工作会、参加库区移民工程建设质量大检查等10项任务。

【转变观念，积极拓展咨询业务】 1999年，三峡移民工程咨询中心转变观念，面向市场，拓展咨询业务，开展经济创收活动。先后3次组织专家到巫山县上门服务，对巫山县新城建设中的高边坡护防等有关设计问题进行现场咨询，技术把关；与涪陵区移民局联合组织召开3次专家评审会，拓展咨询业务合作的范围及形式，得到当地政府和移民部门的欢迎，并收到较好的经济效益。全年组织及参与库区移民工程的规划设计评审活动7次，审查移民项目设计30多个，面向市场经济创收近百万元，纯收入20多万元，同时，通过科学合理的咨询评估工作，优化移民项目设计方案，节省了移民投资。

（梁福庆）

三峡移民工程监理中心

【主要工作】 1999年，三峡移民工程监理中心贯彻执行《长江三峡工程建设水库移民综合监理管理暂行办法》精神，具体管理、指导综合监理单位实施《长江三峡工程水库移民综合监理指标体系》，通过以会代训、研究部署工作、抽查汇报等形式逐步规范综合监理管理制度，综合监理工作基本覆盖全库区。

1999年，对进入三峡移民监理市场的监理单位经过认真审查，办理19个单项工程监理单位和2个综合监理（含17个工作站）的《三峡移民监理资质认证书》；办理全库区30位监理工程师的注册工作，并对库区上报申请《三峡移民监理工程师资格证书》的人员进行初审，初审意见已上报三峡建委移民局待批准。

1999年，组织两期三峡移民监理管理干部和监理工程师的培训工作，共培训管理干部和监理工程师120多人；在5月底和6月底分二批组织两省（市）移民局和部分重点县（区）的移民机构管理人员到棉花滩水库和小浪底水库工程调研取经，学习监理工作管理经验，制定和完善二期移民监理工作规划、措施。

1999年,先后重点抽查9个县(区)监理工作情况和10多个监理单位的监理实施情况,听取移民监理管理部门和监理单位的意见,帮助他们解决一些工作中的问题,对监理单位报来的报告、报表、简报等认真分析,对库区反映的监理单位的一些情况,及时组织省(市)移民局和建委部门的人员,按建设监理法规和三峡移民政策、规定认真调查,提出处理意见。

1999年12月16~17日,三峡库区移民监理工作会议在湖北宜昌召开。会议对三峡移民监理工作作系统总结和透彻分析,提出今后的主要任务和要求。监理中心负责此次会议的文件材料准备和会务工作,受到三峡建委领导和移民开发局领导的高度赞扬。

【自身建设】 三峡移民工程监理中心是三峡建委移民局直属事业单位,负责三峡库区移民工程建设监理管理的主办机构。监理中心设主任、副主任各1人,下设综合处、监理处,副主任黄喜洋主持工作。1999年4月,根据党组的决定,与驻宜办、咨询中心实行三块牌子、一套班子的管理模式。

1999年,监理中心与库区监理单位实现联网,能快速地接收、传送监理信息。中国建设监理协会于1999年1月28日批复同意监理中心作为特约会员加入中国建设监理协会。

(孙 燕)

移民培训中心

【概况】 1999年,三峡移民培训中心紧紧围绕三峡移民这个中心任务,在探索中培训,在困难中发展,认真履行职责,完成了1999年的培训工作任务,全年举办培训班4期,培训各类移民干部计180人次。

年初,制订三峡建委移民局1999年移民培训工作计划,对全年培训工作的指导思想、基本思路、培训班次、培训内容、组织形式和实施方法、步骤等方面提出具体要求。

按照年度培训计划,上半年,在湖北宜昌市举办"三峡库区移民工程地质灾害防治培训班",收到实效;6月下旬,举办"库区搬迁工矿企业改革调整研讨班"。推动了库区搬迁工矿企业改革调整工作的开展。下半年,相继举办"局机关干部计算机应用培训班"和"三峡库区新任移民局长培训班"。这两期培训班,由于准备工作充分,教学内容丰富,组织工作严密,均取得较好效果。

【加强对库区移民培训工作的指导】 开展和加强对库区移民培训工作的业务指导,是培训中心的重要职责。1999年以来,培训中心抓住时机,因势利导,经常采取不同形式和方法对库区移民培训工作情况进行业务指导和检查。库区各级移民机构全年共举办各类培训班136期,培训移民干部和专业人员400人次,开展农村移民技能培训达3万多人次。同时,为总结交流这几年三峡库区移民培训工作的经验,研究部署今后移民培训工作任务,10月召开由库区各县以上移民部门领导参加的"移民培训工作座谈会",总结交流培训工作经验。

【进行培训工作的规范建设】 1999年以来,培训中心在边培训、边充实、边改进、边提高的过程中,进一步建立和加强培训中心的基础业务建设,使培训工作逐步走向制度化和规范化的轨道。一是整理编撰约28万字的《三峡库区移民工作地质灾害防治与研究》一书下发库区,受到广大移民干部和有关地质部门的重视和欢迎;二是建立并完善11个管理规章制度,使培训中心工作实行规范化管理;三是抓教员队伍建设,在历次培训教学中,筛选确认15名有关专家、教授为培训中心兼职教员。

(培训中心)

柘溪水电站

新闻宣传与出版 X

石泉水电站

新 闻 · 宣 传

新闻宣传工作综述

1999年是三峡工程进入混凝土施工高峰的一年。这一年，中国三峡总公司新闻宣传中心紧紧围绕三峡工程，紧跟全国形势，积极做好新闻宣传工作，认真贯彻执行党中央、国务院三峡建委和中国三峡总公司领导的方针、政策和指示，把住正确的舆论导向，新闻宣传和编辑出版方面取得较好成绩。

(一)按照中国三峡总公司的部署和要求，紧密配合工程建设和中国三峡总公司的重要活动，及时对外进行宣传报道，进一步加强与新闻媒体的联系与合作，工作更加主动、深入

1999年，三峡工程由开挖全面转入混凝土浇筑，并形成第一个浇筑高峰。年初，中国三峡总公司提出年浇筑"保400万 m^3"、"争448万 m^3"的奋斗目标，这是全体三峡建设者的奋斗目标，也是新闻宣传工作的重要任务。为更好地紧密配合工程建设搞好宣传报道，新闻宣传中心在做好与新闻媒体的联系与合作的同时，及时向外提供信息，全年共发《新闻宣传信息》24期，新闻通稿10余篇，向各新闻媒体发稿100余篇。同时，还与《中国经济时报》、《学习时报》(中央党校办)等报合办专版22个，其中同《中国经济时报》合办的"建设中的三峡"已办14期，收到较好效果。在加强与各新闻媒体的联系中，做好来采访记者的接待和安排工作是很重要的一环，新闻宣传中心积累多年来接待工作的经验与教训，力争把工作做得更周到和细致，1999年共接待中外记者210批、1240人，其中国外记者34批、249人。接待大型的采访团4次。从采访后的反映看，都感到比较满意。为适应新形势宣传的需要，又重新编辑出版《三峡工程简介》(文字与VCD)和《三峡梦正圆》VCD。

1999年继续与湖北电影制片厂合作，摄制完《三峡梦正圆》第五集。自行摄制完成《三峡工程施工区征地移民》专题片、工程进展汇报片。完成5次航拍任务，拍摄时间达20余小时，留下工程整体进展形象的宝贵资料。三峡展览馆自1998年9月迁入坝区后，不断加强内部管理，拓宽展览内容，增设新的展区，在二楼新增葛洲坝电厂、环保、质量、财务公司的展览。一年来，展览馆共接待各级、各界来宾11119人次(内宾8640人次，外宾2419人次)，其中有许多党和国家的高级领导人和国内外各界的知名人士。通过参观、介绍，进一步增进他们对三峡工程的了解，都留下较好的印象。此外，三峡工程模型同国家科技部一起参加"1999年巴黎中国文化周"的展览。

(二)《中国三峡工程报》社坚持正确的舆论导向，紧跟全国政治、经济形势，紧紧围绕工程建设和三峡建委、中国三峡总公司的中心工作以及移民工作，积极组织宣传报道，起到较好的舆论引导作用和促进作用，全年共出报150期，其中《三峡周末》52期

完成"448万 m^3"的浇筑任务是1999年的重头戏，《中国三峡工程报》社在年初中国三峡总公司工作会议期间就积极配合，组织报道，编发"话说400万 m^3"专题报道。随着工程的进展，《中国三峡工程报》社又适时进行策划，相继推出"半月回眸400万 m^3"、"走进400万 m^3"专栏。开辟"摄影长廊"，组织摄影专版，形象地报道工程建设。针对各个时期的重点问题，还出版了质量、温控、防汛等专版，开展"工程管理大家谈"、"1999年三峡工程质量纵深行"、"工程科技创新与应用"征文活动，从这几个重要方面深入报道了三峡工程的建设情况。

此外，《中国三峡工程报》社在加大移民工作的宣传报道力度，发挥舆论监督的作用；拓展报道的广度，增强报道的社会性、科学性、可读性等方面，也进行进一步的探索和实践，启动"热点聚焦"、"三峡视点"深度报道栏目，加强对科技创新与应用的宣传报道。对中国三峡总公司的精神文明建设、各时期的中心工作和重要活动，如：宣传"三峡工程优秀建设者"等先进典型，同直属党委联合举办"知心的话儿向党说"征文活动，配合"三讲"宣传、配合发行三峡债券的宣传等等，都收到较好的效果。

在办好报纸的同时，《中国三峡工程报》社还加强与社会的联系，加强与兄弟媒体的交流与合作，除继续与香港《文汇报》合办专版外，1999年又在坝区为著名摄影家高秀峰举办摄影作品展；同《中国记者》杂志联合举办"舆论监督难点大家谈"、"三峡杯"征文大赛，收到来稿150余篇，其中有不少是全国新闻界的知名、资深记者和中央主要新闻单位的名牌栏目主持人，如原《经济日报》总编艾丰、中央电视台《焦点访谈》栏目的编辑、记者等等，这批征文质量较高，在新闻界引起较大重视，对进一步搞好舆论监督起到较好的促进作用。

(三)《中国三峡建设》杂志社继续进行改革、创新和探索，改版后的杂志受到各方认同和欢迎，再度被评为"湖北省优秀期刊"

经过1998年下半年一段时间的准备，从1999年开始，《中国三峡建设》杂志社推出分单、双月出版的"工程科技版"和"移民综合版"。由于两个版的内容相对集中，从而加大了工程科技的报道和对库区移民工作的宣传，版式也作了较大的改进。改进以后，更好地适应不同读者群的需要，尤其是受到库区广大移民干部和群众的欢迎，同时增加了发行量。1999年，杂志社共组稿14期，出版发行正刊12期、增刊1期。全年收到稿件800多篇，照片、书法、美术作品近500件，刊发366篇文稿、300余幅照片、书法及美术作品。改版后的"移民综合版"，在内容上突出库区的移民迁建、经济开发及环境保护等社会关注的焦点、热点问题，版式设计上突出一个"活"字，文字与图片恰当搭配，增强了知识性和可读性。"工程科技版"坚持贯彻"高、精"两字原则，在科技含量上要求"高"，对每篇文章要求"精"，不讲空话、套话、废话。因此，总的看来，虽然刊发的稿件较往年有所减少，但质量更高，取得的效果更明显，如第5期、第11期两个施工技术专辑，受到普遍欢迎。另外，在编辑工作的标准化、规范化方面，通过进一步的学习和请有关专家进行评刊也更进一步完善和改进。

(四)《中国三峡建设年鉴》社加强"精品"意识，加强内部管理，按计划出版当年卷，编纂质量进一步提高

《中国三峡建设年鉴》社按照1999年4月第三次编纂工作会议的要求，把切实提高编纂工作质量放在主要位置，加强每个编辑人员的精品意识，使1999卷无论是框架，还是条目遴选、装帧印刷质量都有所提高。除按计划完成1999卷年鉴的编纂出版任务外，《中国三峡建设年鉴》社还编辑出版《建设中的三峡·1998》年报和《年鉴编纂手册》，完成《三峡年鉴·1998》电子版的策划、制作工作，进一步提高了年鉴的使用价值。《年鉴·2000卷》的编纂大纲已提出初稿送各编委，待第四次编纂工作会议讨论通过。《中国三峡建设年鉴》进一步加强内部管理，按栏目明确分工，责任到人，实行组稿、采集、编辑、校对一体化。

(刘荣波)

三峡工程宣传热点及社会反响

1999年是三峡工程开工以来最具挑战性的一年：永久船闸完成石方开挖任务，通过大规模的岩体锚固，使高达175m的岩体边坡的稳定性达到设计要求；整个工程的混凝土浇筑施工进入高峰期，当年就创下年浇筑混凝土458.5万m^3、月浇筑混凝土55.35万m^3、日浇筑混凝土2.18万m^3的世界纪录。如何突破船闸深槽开挖的边坡稳定关及如何冲刺大浇筑的世界纪录，成为三峡工程众多宣传热点中两个最热之点。

对此两大热点，新华社、中央人民广播电台、中央电视台和《人民日报》、《北京周报》、《香港文汇报》、《中国经济时报》、《中国经济导报》、《湖北日报》以及《时代潮》、《东方经济》等媒体连续进行了不同形式的追踪报道。社会反响最为强烈的，一是中央电视台《科技博览》在年底连续5天于黄金时段推出介绍三峡的系列节目(第一集题为"跨世纪工程"，第二集题为"锁定船闸"，第三集题为"横空出世的缆机"，第四集题为"水下生命线"，第五集题为"三峡混凝土的学问")，主要从技术攻关或技术革命的角度折射三峡建设者的才智和胆略；二是《北京周报》在1999年35号上分别以英、法、日、德和西班牙等5种文字刊登对三峡工程建设的回顾性文章，在国外产生较大影响。它用5种语言对工程进行"回眸"，图文并茂，较全面地介绍了三峡工程的工程投资、工程进展、建设机制和工程管理等问题。

成功发行"1998年三峡债券"，是1999年初出现的新闻聚集点。以此为切入点的宣传热浪从1月7日起即滚滚扑来。《人民日报》、《香港商报》、《光明日报》、《中国青年报》、《中国经济时报》、《湖北日报》为先，其余一些地方报刊和大小商报紧随其后，有力推动了三峡债券的发行，使"1998年三峡债券"发行在几天内就早早完成。《经济日报》、《中国经济导报》在其后发表的大特写中写道："原定发行20天，但仅仅4天时间，20亿元三峡债券即被抢购一空……许多大小城市都出现了排队抢购的情景。"对此，全国人大常委会委员长李鹏对中国三峡总公司副总经理李永安说："永安，你们的债券抢手，我都没有买着！"。

由于7月17日《楚天都市报》一篇失实报道引发的正误之说，使1999年围绕三峡汛期封航与应急转运问题的对答成为又一个中外注目的宣传热点。《楚天都市报》在其三版刊发的署名文章失实与谬误之处甚多，甚至妄加猜测地编造"汛期断航"的"严重后果"，出现舆论的严重误导。对此，中国三峡总公司新闻中心派员专访坝区管理部主任、汛期应急转运领导小组常务副组长潘大中，通过答记者问方式澄清被误导的事实，同时以《三峡汛期不会封航》、《三峡工程汛期应急转运有序进行》为题，在《中国经济导报》、《湖北日报》等报刊上相继发表文章，客观地批驳小报的误导，纠正那些不实之言，同时，消除了汛期游人对进出三峡的疑虑，在社会上产生了较好的影响。

（杨慎勤）

报道三峡工程的新闻单位

时　间	新闻单位	报道内容
1月1日	中国经济时报	沿黄河长江筑绿色长城
6日	经济日报	橘红橙黄话移民
	重庆日报	把朱总理重要讲话精神落到实处
7日	香港商报	三峡工程二期债券获准发行
8日	光明日报	'98三峡债券近日发行
	中国经济时报	'98三峡债券获准发行
	中国青年报	三峡特殊移民
	粤港信息日报	三峡债券　再发廿亿
	湖北日报	中国人民银行批准'98三峡债券18日开始发行
10日	湖北日报	三峡左岸电厂首台机组一设施通过验收
11日	长江日报	我省三峡电力外送工程开工
13日	中国经济导报	小三峡旅游上档次
14日	人民日报	国旅总社为消除三峡游船大战出新招
15日	人民日报	三峡债券即将发行
	中国日报	三峡工程发行新债券
	中国青年报	20亿三峡债券将正式发行
	中国经济时报	'98三峡债券18日发行
	湖北日报	'98三峡债券18日发行
16日	香港商报	三峡二期工程全面展开
19日	中华工商时报	①三峡债券京城忒火 ②没有卖不动的债券
20日	经济参考报	三峡债券在京热销
	中国经济时报	①'98三峡债券有何特点 ②"三峡"在京两日售罄
21日	人民日报	抢救三峡文物　亟待抓紧落实
22日	经济日报	三峡债券热京城
	重庆日报	长江三峡淹没地区考古获得重要发现
23日	中国日报	每周人物——中国长江三峡工程开发总公司总经理陆佑楣
	重庆日报	我国将加强建设项目污染控制管理
25日	香港商报	三峡债券掀企业债券投资热
26日	光明日报	水中国宝难觅踪迹
28日	经济参考报	联合治水防洪患
	中国经济时报	三峡移民资金节省2000万
	粤港信息日报	三峡债券为何抢手
29日	人民日报	三峡出奇石
2月1日	重庆日报	峡江涌起考古潮
5日	重庆日报	①把握机遇建家园 ②大局精神耀千秋 ③奋勇争先闯新路 ④重庆ABB承接3台500千伏大型变压器订货
8日	湖北日报	省领导走访慰问三峡移民
9日	湖北日报	长江三峡游船市场亟须规范
	重庆日报	文物宝贵安全堪忧
10日	重庆日报	为文物寻找理想归宿
11日	湖北日报	①三峡大坝基础开挖最深部位通过验收 ②宜昌市周密安排三峡移民节日生活
12日	湖北日报	三峡工程慰问信

时　间	新闻单位	报道内容
13日	粤港信息日报	三峡债券火爆京城
14日	湖北日报	①国家移民局领导走访慰问三峡工程移民 ②《世纪之梦》研讨会在汉举行
15日	人民日报	三峡移民已近17万
	经济日报	三峡库区移民工作取得成果
17日	长江日报	三峡除夕不夜天
18日	重庆日报	三峡库区开发性移民取得瞩目成绩
21日	人民日报	坚守岗位作奉献
22日	人民日报	三峡库区出土文物引人注目
23日	香港商报	三峡工程渐入投资高峰
24日	人民日报	①三峡工程　我们继续关注你 ②抢救三峡库区文物
25日	湖北日报	三峡工程今年将创世界水电施工新纪录
26日	中国经济时报	三峡总公司将打破世界水电施工之最
27日	经济日报	国家加大三峡工程投资力度
	经济参考报	国家加大三峡工程的投资力度
3月1日	重庆日报	拓展移民工作视野　加快库区经济发展
3日	香港商报	退田还湖根治长江中下游水患
4日	湖北日报	长江两岸写风流
5日	湖北日报	宜昌市邮政局为三峡工程提供全方位服务
8日	人民日报	抓住机遇　开发三峡　振兴重庆
	人民日报(海外版)	三峡工程今年将创造水电施工世界新纪录
	香港商报	三峡创世界水电施工纪录
	重庆日报	抓住机遇　开发三峡　振兴重庆
9日	中国经济时报	千年大计　国运所系

时　间	新闻单位	报道内容
10日	中华工商时报	移民白云湖
14日	香港商报	渝与国际社会合作　保证三峡库区环境
	湖北日报	迎接跨国公司进驻三峡工程
16日	香港商报	三峡高压电气设备国际招标
	重庆日报	库区生态环境建设:代表关注的焦点
17日	重庆日报	确保移民资金安全有效使用
18日	经济日报	泥沙堵住长江咽喉
	粤港信息日报	三峡设备订单“流油”　八国厂家蜂拥“争食”
	湖北日报	三峡工程左岸电站高压电器设备开始国际招标
19日	中国经济时报	三峡工程电气设备招标不搞“暗箱操作”
	香港商报	渝将办三峡国际旅游节
	重庆日报	万州强化移民资金内部监督管理
21日	重庆日报	谋求库区环保良策
22日	湖北日报	三峡工程建设者精心组织九九施工
	重庆日报	云阳移民迁建出实招
	粤港信息日报	①跨世纪的难题　难不倒的巫山 ②心系库区 ③情漫巫峡 ④华夏旅游明珠——巫山县 ⑤新崛起的巫山
24日	重庆日报	看山城重庆新貌　游长江大小三峡
27日	人民日报	葛洲坝船闸重现明净
28日	重庆日报	甘宇平考察江津接收异地安置库区移民工作
29日	人民日报	长江上游水位长时间持续回落
	中华工商时报	三峡电力卖给谁

时　间	新闻单位	报道内容
30日	中国经济时报	队伍素质亟待解决
	湖北日报	世界最大引水压力管在三峡焊接
	长江日报	三峡工程不是“豆腐渣”
31日	中华工商时报	三峡原始森林　半年盗伐殆尽
4月1日	长江日报	三峡工程总体质量良好
3日	重庆日报	青春在移民攻坚主战场闪光
5日	建筑时报	三峡工程不是“豆腐渣”
	重庆日报	云阳县移民宣传月有声有色
7日	中国经济导报	三峡工程总体质量良好
	湖北日报	花园村成为我省三峡外迁移民安置第一村
9日	人民日报	三峡地区发现楚人墓群
	重庆日报	①外迁移民不荒 ②奉节“四种精神”破难题 ③三峡库区生态环境监测能力大大提高
12日	重庆日报	①三峡工程施工难度创“世界之最” ②依法移民　科学移民加快进度
13日	香港商报	三峡二期工程质量好
	湖北日报	①让青春在建功立业中闪光 ②正是青春绚丽时
15日	经济日报	长江三峡工程招标公告
16日	湖北日报	三峡工程管理信息系统通过验收
	重庆日报	三峡库区公路交通现状
17日	中国青年报	保护“母亲河”在行动
18日	长江日报	三峡珍稀植物奔赴昆明世博会
19日	工人日报	三峡工程:对质量要终身负责
20日	人民日报	秭归移民搬迁与环保同步
21日	经济日报	①绿色的呼唤 ②葛洲坝:依托三峡保持增长

时　间	新闻单位	报道内容
22日	人民日报(海外版)	寻找三峡旅游新卖点
23日	重庆日报	移民工程必须进行地质勘测
24日	粤港信息日报	隐忧
26日	建筑时报	千年大计　国运所系
27日	参考消息	中国应修建新的千年浩大工程
28日	中国经济导报	①三峡地质条件　无碍工程建设 ②解除三峡百年隐忧
29日	中国经济时报	三峡拟聘洋监理
5月7日	中国经济时报	应重视水资源安全
	重庆日报	①早搬迁　早发展 ②大周乡:高效农业促移民 ③巫山移民政策宣传有声有色 ④云阳今年首批外迁移民对接顺利完成
12日	经济参考报	防洪今年不可忽视
	湖北日报	①三峡工程首批外方监理确定 ②三峡建设者化义愤为动力
13日	香港商报	国家级瑰宝流失海外
	建筑时报	首批洋监理进入三峡工程
14日	重庆日报	三峡库区发现唐代墓群
16日	湖北日报	加强三峡库区生态环境建设
	重庆日报	揭开天坑地缝惊世奥秘
17日	重庆日报	打通大三峡与大西北公路枢纽
18日	人民日报	长江三峡设备采购招标通告
	长江日报	我市企业三峡二期工程夺标五亿元
19日	法制日报	永远的三峡
	中国经济时报	不尽长江滚滚来
	重庆日报	①辽宁对口支援库区项目运作良好 ②“牵挂你的人是我”

时　间	新闻单位	报道内容
20日	长江日报	吉奥之星"直播"江河汛情
	湖北日报	三峡通航管理局全力以赴　汛期通航准备有序展开
21日	人民日报	三峡刻石传艺术
	重庆日报	①云阳移民的新家 ②外迁移民忙"双抢"
23日	湖北日报	三峡临时船闸开始通航
	重庆日报	巫山加大力度　清除白色污染
24日	人民日报	①拓宽移民安置门路加大企业调整力度　确保三峡工程二期移民任务圆满完成 ②确保三峡工程二期移民顺利进行
	人民日报(海外版)	确保二期移民任务圆满完成
	光明日报	①拓宽移民安置门路加大企业调整力度　确保三峡工程二期移民任务圆满完成 ②确保三峡工程二期移民顺利进行
	长江日报	珍惜移民资金　严控迁建规模　不得乱铺摊子
	中国青年报	拓宽移民安置门路　加大企业调整力度
	中华工商时报	鼓励三峡移民外迁
	中国经济时报	①水土流失:疤未愈添新伤 ②调整和完善移民政策
	湖北日报	①拓宽移民安置门路　加大企业调整力度　确保三峡工程二期移民任务圆满完成 ②确保三峡工程二期移民顺利进行
	重庆日报	①全力确保二期移民任务圆满完成 ②确保三峡工程二期移民顺利进行 ③长江上游最早的枯水题刻

时　间	新闻单位	报道内容
25日	中国经济时报	长江:一条长长的排污沟
	法制日报	巫山公证处主动参与移民工作
26日	光明日报	①垃圾潮困扰母亲河 ②让长江太湖流域更清洁
	中国经济时报	无序采砂使长江伤痕累累
	长江日报	三峡工程开始高强度浇筑混凝土
	建筑时报	千年大计　国运所系
27日	人民日报	关停小火电时间表确定
29日	光明日报	"长江上游生态行"采访团出征
	中国经济时报	三峡拟聘洋监理
31日	香港商报	大坝建成影响景观局部 三峡新增景点将多一倍
	重庆日报	①让移民长治久安 ②云阳移民搬迁重实效 ③涪陵移民工程监理模式翻新 ④一片深情系远山 ⑤有关部门检查三峡文物保护工作
6月1日	重庆日报	打开西安——三峡——张家界旅游干线
2日	粤港信息日报	三峡电气设备招标
	重庆日报	五桥移民局信访工作得民心
3日	人民日报	三峡移民"豆腐渣"工程负责人被判刑
	经济日报	三峡游能否重新"热"起来
	中国经济时报	不尽长江滚滚来
	经济参考报	三峡工程高压电气设备招标
	中国青年报	三峡工地不夜天
	湖北日报	宜昌市利用外资为三峡铺绿添彩
	重庆日报	三峡工程施工进入混凝土浇筑高峰

时　间	新闻单位	报道内容
4日	人民日报	长江源环保纪念碑将建立
	人民日报(海外版)	地质奇观之旅
	经济参考报	国电公司向市场型企业转轨
	经济日报	①三峡库区自然生态总体无变化 ②江泽民为“长江源”环保纪念碑题词
	中国经济时报	三峡生态环境喜忧参半
	法制日报	长江源建环保纪念碑
	湖北日报	中行将筹资2亿美元支持三峡工程
	长江日报	中国银行为三峡工程融资2亿多美元
	香港商报	中银筹资两亿美元　支持三峡工程建设
5日	人民日报	三峡工程:建行提供四十亿元商贷　中行筹措资金二亿美元
	中国青年报	巴东有一堆“豆腐渣”工程
	香港商报	建行四十亿元贷款支持 三峡工程二期工程资金到位
	重庆日报	中国银行筹资2亿美元支持三峡工程左岸项目
	湖北日报	三峡临时船闸集控系统改造工程通过中间验收
6日	中华工商时报	长江源头敲响警钟
7日	经济日报	建行为三峡二期工程发放贷款
	光明日报	对长江防洪体系的思考
	法制日报	三峡库区野生动物亟需保护
	湖北日报	三峡工程:对外合作势头强劲
8日	中华工商时报	三峡工程获40亿商业贷款
9日	经济日报	①三峡:安移民　迁企业　进展如何 ②移民搬迁建设要量力而行 ③长江三峡工程知多少?
10日	人民日报	《中国'98大洪水》细说端详
	建筑时报	三峡高压电气设备国际招标
11日	经济日报	三峡永久船闸主体开挖基本完成
	中华工商时报	外商一如既往热三峡
	南方周末	从豆腐渣工程调查三峡移民资金流失
	香港商报	三峡船闸
	重庆日报	①矢志不渝为移民 ②发展库区高效农业　开发三峡旅游景点 ③移民新疆天地宽 ④云阳移民搬迁重实效 ⑤三峡工程永久船闸主体开挖基本完成
14日	经济日报	企业债券的品种创新
15日	人民日报(海外版)	加快建设长江综合防洪体系
	光明日报	①厂会协作　支援三峡 ②关于加强长江近期防洪建设若干意见
	湖北日报	加快建设长江综合防洪体系
	重庆日报	加快建设长江综合防洪体系
16日	中国经济导报	三峡永久船闸挖完了
	中华工商时报	巴东移民豆渣工程大曝光
	法制日报	小出纳赌掉百万移民款
17日	中国经济时报	火热的工地　优美的环境
18日	中华工商时报	'98三峡债券挂牌上市
	经济日报	“长江三峡”应属谁家
	重庆日报	'98三峡债券挂牌上市
19日	人民日报	堤路失修　早作决策
	湖北日报	金融市场为“三峡”鸣锣
	长江日报	三峡工程全面转入混凝土浇筑阶段　日浇筑量创世界纪录

时　间	新闻单位	报道内容
20日	湖北日报	①我省加快荆江分洪区建设 ②湖北开关厂抢抓三峡机遇
	长江日报	平湖村葛洲坝移民义助三峡移民
21日	重庆日报	库区风貌
23日	中国经济导报	于光远的忧虑
24日	人民日报	①李先念同志和万里长江第一坝 ②我国加快大江大河防洪工程建设
	经济参考报	大江大河防洪工程建设加快
	湖北日报	精心施工
	重庆日报	巫山小三峡开展“创建文明风景区”活动
25日	长江日报	①三峡旅游如何面对新世纪 ②长江大坝截流　三峡美景依存
28日	中华工商时报	两跨国集团中标三峡发电机组
	湖北日报	①三峡最大金属埋件回填 ②探讨三峡工程对湖北发展的机遇与挑战
29日	中华工商时报	三峡移民资金补偿找工行
	经济参考报	三峡移民资金银行管理
	湖北日报	①三峡工程实行定期稽察和质量检查制度 ②李铁映在我省考察三峡工程建设情况
	重庆日报	提高认识加大力度狠抓落实　确保二期移民工作顺利进行
30日	经济日报	警惕走私蛀虫盯上三峡工程
	光明日报	长江源区生态环境告急
	长江日报	“长江三峡”权益起纠纷
	重庆日报	①坚定信心　拓宽思路　全面完成二期移民工作任务 ②认真学习提高素质加强领导　打好二期移民工作的总体战

时　间	新闻单位	报道内容
7月1日	中国经济时报	“四制”托起世纪工程
	中华工商时报	三峡工程坝区将建成森林公园
	湖北日报	长江三峡水涨　临时船闸禁航
2日	湖北日报	三峡工行承诺向三峡二期工程放贷40亿元
	长江日报	三峡工程临时船闸停航
3日	长江日报	三峡工程的史诗
4日	长江日报	①三峡工程水域恢复通航 ②三峡工程二期攻坚
	香港商报	长江上游再建两水电站
	重庆日报	三峡工程打响二期攻坚战
5日	中华工商时报	三峡工程水域恢复通航
	粤港信息日报	支援三峡库区　广东出力最大
6日	重庆日报	加强移民工程管理
7日	湖北日报	三峡电厂特大模板拼装
	重庆日报	探索市内异地安置移民的新途径
8日	湖北日报	三峡临时船闸再次封航
9日	湖北日报	长江新的洪峰通过三峡坝区
10日	湖北日报	①三峡工程生态环保项目竣工验收 ②三峡库区沿江公路工程可行性报告通过评审
11日	长江日报	六万旅客安全疏散
	香港商报	太湖及三峡水位回落　政府密切注视灾情
12日	重庆日报	三峡工程第一个生态环保项目建成
15日	中国经济时报	为三峡工程理财
	香港商报	三峡进入最艰巨施工期
17日	长江日报	正视三峡水库淤死问题
20日	人民日报(海外版)	三峡大坝封航不影响旅游
	长江日报	三峡明渠禁航
	湖北日报	长江新的洪峰形成

时　间	新闻单位	报道内容
21 日	香港商报	铁路电力三峡工程债券保险公司获准限额购买
22 日	建筑时报	三峡工程进入攻坚期
27 日	长江日报	“移民贩子”贩卖三峡移民
28 日	湖北日报	三峡工程汛期应急转运有序进行
	重庆日报	对人民负责　对历史负责
30 日	中国经济时报	三峡工程:汛期有备无患
	重庆日报	重庆市人民代表大会常务委员会关于移民工作的决议
8 月 1 日	湖北日报	三峡库区坝上转运港口亟待规划建设
2 日	湖北日报	武汉市对口支援三峡库区成效显著
	重庆日报	①这里就是我们的家 ②莫等“水赶人走”
3 日	中华工商时报	三峡工地战高温
	重庆日报	①污水逐年递增　长江哪堪重负 ②置之死地而后生
4 日	中华工商时报	三峡移民成了“摇钱树”?
	人民日报	长江防洪工程
	中国经济导报	①三峡汛期不会封航 ②三峡工程积极拓展融资渠道
	重庆日报	再接再厉　加大力度　共同发展
5 日	湖北日报	三峡二期主体工程实现“艰难跨越”
8 日	中国经济时报	两分钱的努力
9 日	香港商报	中国拓宽融资保三峡工程
	湖北日报	高温下的三峡工地
	重庆日报	巫山小三峡清洁队荣膺首批全国旅游景区青年文明号称号
10 日	湖北日报	防洪工程学
11 日	人民日报(海外版)	总统系列品质优　再振长江三峡游

时　间	新闻单位	报道内容
12 日	湖北日报	萨凡奇和他的“三峡梦”
15 日	湖北日报	尽早研究接受使用三峡电力对策
17 日	经济日报	西门子变压器被三峡工程选用
	长江日报	话剧《三峡魂》将进京
	重庆日报	①立市之本　务求必胜 ②《长江三峡》特种邮资明信片首发式在万州举行
19 日	光明日报	长江不会变成第二条黄河
20 日	中国经济导报	乡企竞标三峡成功
21 日	重庆日报	①共圆三峡梦 ②“长江三峡、天坑地缝、金佛山”列入申报《世界遗产名录》预备清单
22 日	湖北日报	应引导三峡移民有效使用补偿资金
23 日	重庆日报	三峡古人类发祥地之一
25 日	经济日报	三峡债券火爆债市之背后
28 日	湖北日报	三峡工程首条永久供料线投产
29 日	经济参考报	资源珍稀　三峡物种保护加力度
	重庆日报	三峡工程进入高强度高难度施工阶段
30 日	人民日报	奋进的 50 年——三峡浇铸夜间现场
31 日	经济参考报	三峡工程上半年筹资 34 亿元
	湖北日报	为三峡美景再添奇
9 月 1 日	中国经济导报	三峡工程不忘系上保险带
	经济日报	①由数字看三峡移民工程 ②三峡工程移民管理制度创新 ③效益明显　监督有力 ④关键在于库区干部素质

时　间	新闻单位	报道内容
2日	长江日报	武船承造三峡工程永久船闸人字闸门
4日	香港商报	长江三峡摄影巡徊展今在光华新闻文化中心举行
5日	中国经济导报	推一推大三峡旅游
	湖北日报	三峡三期工程右岸地下电站进水口开挖
6日	建筑时报	心系三峡的“常青树”
7日	湖北日报	三峡大坝长成“壮小子”
8日	中国经济导报	中外企业争“投”三峡启闭机
	长江日报	三峡库区水土流失得到初步控制
9日	中国经济时报	三峡成为工程旅游热点
11日	重庆日报	加强领导　落实责任　打好二期移民攻坚战
12日	湖北日报	三峡二期工程全面进入浇筑阶段
14日	湖北日报	三峡升船机重大难题研究取得新进展
15日	中国经济时报	三峡工程招标采购
	经济日报	三峡工程新签国际采购合同
	中国国际广播电台	三峡工程再招标
	中国经济导报	三峡工程设备再招标
	香港商报	三峡电站电气设备采购开标
	湖北日报	三峡总公司通过国际招标
17日	长江日报	钱正英、张思卿盛赞《三峡魂》
19日	人民日报	三峡奇景游不完
20日	人民日报	三峡二期建设国际招标合同签字
22日	中国经济导报	两外企分获三峡工程巨额合同
	经济参考报	翘望高峡出平湖
23日	建筑时报	三峡电气设备合同开标
24日	中国青年报	“省油灯”并非戏谑之词　三峡出土宋代“样品”
	长江日报	话剧《三峡魂》在三峡坝区首演
25日	湖北日报	①进一步抓好移民工作　建设高质量移民工程 ②大型话剧《三峡魂》在三峡坝区首演
26日	经济日报	三峡坝区崛起“名牌经济”
29日	经济日报	三峡工程移民的实践与启示
30日	人民日报	高峡出平湖
10月2日	湖北日报	三峡工地热火朝天
6日	光明日报	绿色长江不是梦
	经济日报	三峡大坝工地分外忙
8日	人民日报	《三峡魂》唱响水利人的颂歌
9日	湖北日报	秭归优化配置教育资源
11日	人民日报	载辉煌成就　谱世纪新篇
	重庆日报	还我一江清水
12日	重庆日报	江津,三峡移民温暖的家
13日	长江日报	佳节登高望大坝
14日	人民日报(海外版)	三峡工程必须质量一流、管理一流
	光明日报	李鹏考察三峡工程建设和移民工作
	经济日报	李鹏考察三峡工程和移民工作
	重庆日报	①李鹏考察三峡工程和移民工作
	重庆日报	②丰都玉溪遗址发现唐宋文化地层
	湖北日报	实现一流工程目标　如期完成移民任务
15日	湖北日报	繁忙的三峡工地
	重庆日报	外迁移民别故乡
16日	光明日报	必须运用法律武器保护生态环境

时　间	新闻单位	报道内容
19日	经济日报	三峡——常州输电工程通过技术审查
	中国青年报	李鹏考察三峡工程
	中华工商时报	ABB中标三峡工程项目
23日	人民日报(海外版)	①中国电网建设前景美好 ②三峡工程大容量变压器分包合同签字仪式举行
	经济日报	三峡工程变压器合同签字
	湖北日报	世界最大人工骨料生产系统验收
25日	法制日报	长江污染见闻与思考
27日	人民日报(海外版)	开发行提高监理水平
	中国经济导报	三峡工程"食粮"无忧
28日	香港商报	三峡机电设备起运
29日	中国经济时报	三峡工程完成投资430亿
	湖北日报	三峡旅游区又添一大景观
31日	人民日报	顾全大局克服困难确保完成外迁移民安置任务
	长江日报	三峡重庆库区7万移民外迁　将安置到上海等11个省市
	重庆日报	三峡工程库区农村移民外迁现场会在渝召开
	湖北日报	世界动力理事会第二次国际会议在三峡工地召开
11月2日	湖北日报	始终把质量摆在第一位
3日	人民日报	要一丝不苟高质量建设好三峡工程
	人民日报(海外版)	游小三峡
	中国经济导报	西门子又获三峡订单
	重庆日报	以世界一流标准建设好三峡工程
7日	湖北日报	三峡工地"出版"我国第一部钢制大书
	重庆日报	责无旁贷完成移民外迁任务
8日	湖北日报	秭归移民工程折射干部队伍素质
9日	重庆日报	三峡工程混凝土浇筑量创世界纪录
	长江日报	神农架发现5个珍稀濒危植物群落
10日	人民日报	①我国防洪工程建设成效显著 ②三峡永久船闸主体工程开挖完工
	经济日报	三峡永久船闸主体工程全线开挖完工
	光明日报	拯救白鳖豚刻不容缓
	法制日报	三峡永久船闸主体工程全线开挖完工
	重庆日报	长江防洪工程经受住洪水考验
11日	重庆日报	心系移民　情注库区
12日	中国经济导报	三峡工程启闭机招标见分晓
	重庆日报	三峡重庆库区地面文物保护项目仍在纸上谈兵专家期待实地布阵
13日	中国青年报	7万三峡库区移民将外迁
	湖北日报	三峡建设者又瞄准金沙江
	重庆日报	三峡大坝穿"冬装"
14日	中国青年报	铁十一局一处铁面建三峡
16日	人民日报	中外名曲绕三峡
18日	人民日报	①三峡移民外迁盘子敲定 ②讲大局是具体的
19日	湖北日报	①三峡工程入库国税过亿元 ②神农架发现珍稀濒危植物群落
22日	重庆日报	我市为库区披绿装
23日	经济日报	王家柱到中流击水
	湖北日报	猇亭为三峡移民营造"精神家园"
26日	湖北日报	华工大培养物料"大管家"
28日	重庆日报	我市库区半数农村移民将外迁

时　间	新闻单位	报道内容
29 日	经济日报	①三峡工程五年入库国税 1.1 亿 ②拓宽三峡库区移民环境容量
12 月 1 日	光明日报	人大室内乐团赴三峡演出受欢迎
	中国经济导报	首台三峡机组大件抵坝
5 日	重庆日报	协力振兴三峡旅游
8 日	经济参考报	三峡豪轮全线"搁浅"
	湖北日报	三峡涉外旅游遭遇"红灯"
10 日	粤港信息日报	长江三峡游　明年大热门
12 日	湖北日报	加强三峡库区自然灾害的综合治理
17 日	长江日报	三峡大型发电机组过汉
18 日	香港大公报	三峡工程今年目标接近完成
27 日	重庆日报	①忠县十移民　"金台"当员工 ②云阳县对外迁移坚持"五不"
29 日	经济日报	10 万尾中华鲟苗放流长江期间　长江干流分段禁渔
	中国经济导报	大三峡初露端倪
	重庆日报	石宝新镇
30 日	经济日报	①以可持续发展眼光看水利建设 ②三峡库区考古新发现 ③移民安置与水利建设要统筹兼顾
	湖北日报	三峡工程第一个浇筑高峰年实现 448 万立方米辉煌目标
31 日	中国青年报	大坝

（沈文富）

文　　摘

关于三峡环境保护的报道

《长江日报》3 月 4 日刊发《三峡植物资源超过文献记载》一文，文中称："据过去的文献记载，三峡库区拥有高等植物 3014 种，而省野生动植物保护站等单位调查后确认，仅库区的湖北部分(巴东、兴山、宜昌和秭归四县)，就拥有种子植物 3777 种，如果加上蕨类植物则要超过 4000 种。……调查中的一系列新发现还表明，部分珍稀、特有植物的实际分布范围也比原来记载的要广。"

《重庆日报》3 月 16 日编发消息《库区生态环境建设:代表关注的焦点》，消息说："在出席九届全国人大二次会议的重庆代表团代表所提交的 51 件议案中，有关三峡库区生态环境建设的议案就占 6 件。库区生态环境建设成为代表们关注的焦点。"

《人民日报》4 月 20 日《秭归移民搬迁与环保同步》一文报道："在妥善安置移民的同时，湖北省秭归县将三峡库区环保工作放在突出位置，对迁出区原有垃圾点进行了较彻底的清理，为确保三峡水库蓄水运行后的水质安全创造了条件。"

《重庆日报》4 月 9 日《三峡库区生态环境监测能力大大提高》一文报道："国家环保总局为了监测长江三峡生态系统的变化情况和规律，为三峡库区的经济建设、环境科研和环境管理提供依据，于 1993 年建立起从攀枝花到上海的'长江暨三峡生态环境监测网'，共建起 30 多个监测站。他们每年利用监测资料整理出同步监测报告和生态环境质量报告书。"

《中国经济导报》4 月 28 日发表文章《解除三峡百

年隐忧》，文中说："农工民主党和九三学社的专家们调查发现，有两个不容忽视的问题正在威胁着建设中的三峡工程，那就是江水的污染和库岸的崩塌。"文章指出"防治库区污染，库岸的防护和再造的工作处于滞后的状态，如不采取措施，迎头赶上，造成的损失将是无法估量的……。调研的结果证明应加强库区环境保护，进行生态系统重建；尽快制定规划，加强库岸防护治理和再造。"

《湖北日报》5月16日刊发《加强三峡库区生态环境建设》一文，对三峡库区生态环境建设提出了如下建议：一是加强库区两岸坍山滑坡治理。二是加强库区沿江城镇、居民点和公路边坡治理。三是加强城镇环境保护配套设施建设。四是扩大外迁移民，缓解退耕还林后移民安置容量减少的矛盾。五是适当提高三峡库区生态环境建设投资标准。

《光明日报》5月26日刊载《垃圾困扰母亲河》一文，详细报道了垃圾污水直排长江，葛洲坝水利枢纽受到垃圾严重困扰的现状。作者认为"垃圾、污水的无害化处理，尽管其功在当代，利在千秋，但属市政建设的配套设施，短时间内看不出什么效果，又有经费原因而不予重视或拖到最后才解决，这实际就是认识不足，目光短浅的表现。"文章还称："葛洲坝电厂在继续研究水利枢纽的清污导漂措施的同时，提出了几条解决途径：一、从整治环境，加强环保意识这个根本着手。根据目前情况，还要进一步统一规划，分布实施治理项目。二、结合三峡库区开发性移民政策，调整农作物种植结构。陡坡山地应以经济作物如果树、茶树种植为主。坚决做到25度以上的坡地退耕还林，增加植被覆盖面。三、对长江沿线城镇生活工业垃圾的处理要高度重视，不能把长江作为天然垃圾场。要结合库区城镇的搬迁，妥善处理垃圾问题。对老城镇，要根据经济情况，统一规划，尽快建立垃圾回收、处理体系。四、对长江水运船舶，要加强安全管理和执法检查。同时对船舶的污染问题要有适当的制度约束，对于废水、废油、船用生活垃圾等处理要有专门规定，要提高全民环保意识，堵住垃圾污染源。"

《经济日报》6月4日《三峡工程生态与环境监测公报显示：三峡库区自然生态总体无变化》一文称：6月3日，国家环保总局发布《长江三峡工程生态与环境监测公报》，监测结果表明：1998年三峡坝区环境综合整治成效显著，净化、绿化、美化水平进一步提高，库区自然生态总体维持原有状态，农业生态环境有所改善，长江干流水质基本稳定，继续保持Ⅱ类水质的良好状态，年际变化不明显。《中国经济时报》6月4日也以《三峡生态环境喜忧参半》为题对此作了报道，指出"库区受人为活动影响，野生动物的栖息地严重破碎化，各地物种群落结构相似，优势和常见种差异不大，有效地保护野生动物已成为当务之急；库区农村能源短缺，森林的乱砍滥伐严重，由此引起的水土流失和生态破坏问题应引起高度关注；船舶污染事故减少，但沿江垃圾仍是近岸水域水质的一大威胁，应尽快消除。

《湖北日报》7月10日《三峡生态环保项目竣工验收》一文报道："三峡工程第一个生态环境保护项目——宜昌大老岭国家森林公园植物多样性保护建设工程，8日通过竣工验收，三峡库区的800多种种子植物和珍稀植物有了安全的家园。"7月12日，重庆日报《三峡工程第一个生态环保项目建成》一文称："1992年，国家将大老岭植物多样性保护列为三峡工程环保建设规划。到目前为止，大老岭已从三峡库区和邻近高海拔地区引种栽植了16种珍稀树种，使这些濒危植物得到保护。在面积达29公顷的珍稀植物区，引种国家一级保护植物珙桐、蓖子三尖杉等16种三峡库区珍稀濒危植物，移植光叶珙桐、连番树等25种珍稀树种，引种移植延龄草、马蹄香等11种矮小草本珍稀植物，形成了一定规模的珍稀植物集中生长群落。"

《武汉晚报》7月15日刊载《桃花鱼有绝种之虞》一文称："距今约有15亿年历史的珍稀多细胞腔肠动物——俗称桃花鱼的淡水桃花水母，其生存环境随着三峡二期工程蓄水位的升高，已受到严重威胁，由于抢救保护工作滞后，该物种面临灭绝的危险。有关专家介绍说，比中华鲟还要古老的这一物种，目前仅在无污染的三峡库区秭归县长江边的几处深潭中有较多分布，在世界其他国家已经绝迹。……有关人士呼吁，有关方面应尽快拿出保护方案，确保这一国宝的安全。"

《经济参考报》7月29日刊载的《资源珍稀　三峡物种保护加力度》报道："三峡植物园总体规划目前在宜昌通过专家评审。这座占地400多公顷，总投资9000多万元的植物园，将随着三峡工程的逐步推进，为即将受淹没的珍稀物种提供新的生存空间。"《武汉晚报》8月12日也刊发《三峡植物园总体规划通过评审》一文，文中称："三峡植物园是以省级森林公园金银岗森林公园为核心进行组建的。占地面积5000余亩，植物园的建设以引种保存三峡地区珍稀濒危植物的特有植物为主体，以交换性收集、种植保存、展示展览、示范推广、科普教育等为基本功能。"

《光明日报》8月19日《长江不会变成第二条黄河》一文称："据最新监测数据表明，长江水含沙量不会持续增长，长江不会变成第二条黄河。"

《武汉晚报》8月23日《长江上游治污初显成效》一文报道："今年汛期以来，建在宜昌市西陵峡口的葛洲坝电厂拦污栅前的垃圾比往年减少约三分之一，堆积的厚度降低两米左右。有关方面认为，这一现象表明，近两年治理长江垃圾污染的工作见成效。”

《长江日报》9月8日刊发《三峡库区水土流失得到初步控制》一文称：“截至去年底，长江上游水土流失重点防治工程已在重庆、湖北的29个县（市、区）内开展了三期以小流域为单元的综合治理，累计治理水土流失面积1.28万平方公里。据统计，三峡库区林草覆盖率已经由23%上升到44%，土壤侵蚀量比治理前减少37%……。实施水土保持综合治理措施，调整土地利用结构，迫使库区荒山荒坡减少了近80%，坡耕地减少近40%，其中大于25度的陡坡耕地有80%已经退耕。经过治理的库区粮食产量和群众经济收入有大幅度增加。这使得库区人地矛盾得到缓解，单位土地人口承载力得以提高。据专家分析，三峡库区目前每平方公里能增加人口环境容量30人左右。”

《光明日报》10月6日刊发《绿色长江不是梦——黎安田提出三条长江上游水土保持对策》一文，黎安田说：长江现在面临的问题不少，但最突出的、也是最主要的有两个：一个是中下游的洪水，另一个是上中游的水土流失，前者是突变性灾害，给中下游广大平原区人民生命财产安全带来极大威胁，是长江的显性病、急性病；后者是渐发性灾害，薄积厚发，对上中游广大山丘区社会经济发展危害深刻，且危害下游，是长江的隐性病，慢性病。二者都是流域人民、也是中华民族的心腹之患。长江中下游的防洪问题说到底是洪泛区的利用问题。黎安田就如何进一步作好长江上游水土保持工作提出了三点对策：一是加强对水土保持生态环境建设的统筹协调。二是坚持综合治理，加大坡耕地的改造力度，加强微型水利工程的配套建设。三是要切实加强长江流域的水土保持监督执法工作。

（袁　磊）

关于三峡文物保护的报道

《人民日报》1月21日刊发《抢救三峡文物亟待抓紧落实》一文，文章认为：三峡文物抢救保护工作之所以步履艰难，主要在于抢救保护体制不顺，协调不力。文物部门坚持认为，文物保护是他们的专利，工程部门只管给钱就行了；工程部门则把文物保护工作视为工程建设的组成部分。文物部门认为文物有连续性，凡是历史上有价值的物品都属文物，都要进行保护；工程部门认为抢救保护的范围不应扩大，重点放在秦汉、唐宋以前，“年代较近，品位不高”的文物不需抢救保护。由于认识不一致，在经费概算上工程部门只从移民经费中估列了3亿元（1993年5月价），而文物部门及专家学者经过实际调整测算，需要经费达19亿元多。按照制定的抢救保护规划，即使调动全国考古发掘力量，在经费得到保证的情况下，也仅能抢救三峡工程所涉文物总面积、总数量的10%。从1998年到2003年，是重庆库区文物抢救工作的攻坚阶段，但目前人力、财力缺口都很大，抢救保护规划也未正式审定，若再掉以轻心，损失根本无法弥补。

《重庆日报》1月22日《长江三峡淹没地区考古获得重要发现》报道：陕西省考古工作者最近赴长江三峡工程淹没地区进行抢救性调查发掘获得重大成果，发现一批夏商时期的青铜器，主持此次发掘的张天思研究员说，过去长江流域发现的青铜器最早为商代中期，而这次出土的7件青铜镞和1件青铜锥形器，则在夏朝至商朝时期，较以前发现提早了二三百年。

《人民日报》1月24日编发由重庆市《公民报》提供的《抢救三峡库区文物》一文称：“1992年，国家文物局开始组织文物部门和专家对三峡库区淹没及迁建区进行考察和试掘，确定文物点1282处，其中三峡库区重庆段883处（地下文物590处，地面文物293处）。重庆库区文物数量占整个三峡库区文物总量的2/3。……随着三峡工程建设的上马，库区各级党政，文物主管部门以及全国科研、高教等单位为库区文物抢救、发掘和保护做了大量工作。一批文物已出土面世，群众的文物保护意识逐渐提高，文物犯罪活动有所控制。但单凭这些努力远不足以保护好库区众多的珍贵文物。1996年6月以前就提交国家移民主管部门的库区文物保护规划迟迟得不到评审和批准，给库区文物抢救和保护带来了极大的困难；一是不少亟待搬迁的地面文物因遗址规划未列入移民迁建区规划，移民新区也未预留文物建筑迁建地，致使文物保护难以实施；二是迁建区的建设大多没有与文物部门衔接，造成大量古遗址、古墓葬遭到破坏；三是库区文物之多，发掘抢救工作量之大，是我国空前的，必须有较长的时间作保障，但大江截流后的工程进度加快，距三峡工程竣工的时间越来越短，若再不审批规划，势必因时间不足而使大量文物葬身江流。”

“经费奇缺是库区文物保护部门最头疼的问题之一。在三峡工程论证时仅确认文物点百余处，文物保护经费2.9亿元。1996年经调查确认文物点1282处，超出三峡工程论证的数目11倍。规划编制文物保护经费总概算为194153.32万元，缺口高达16亿元。而到位的经费又仅占概算总经费的1%左右。若照这样下去，到三峡大坝建成时，最多能完成文物抢救发掘量的20%。”

“库区盗掘古遗址、古墓葬和贩卖走私文物的犯罪活动极其猖獗。近年来,全国公安、海关查获了大批从三峡库区流散走私文物。从1992年至1997年,仅重庆海关就截获走私文物159件。从1996年至1997年,三峡库区公安机关截获涉案文物案件共5起265件,其中上等级文物21件。……”

《重庆日报》2月10日发表《建立三峡博物馆,为文物寻找理想归宿》一文称:“在目前已出土千件以上珍贵文物、数千件一般文物及数万件各类遗物标本的基础上,难测其量的大批地下文物还将陆续回到地面上来。作为中华民族宝贵的历史文化遗产,这些文物应当得到有效的保存,同时它们也应当发挥其传播历史文化知识,对外展示民族文化面貌及提供科学研究资料等作用。因此,为我们的宝贵文化遗产寻找一个理想的归宿之地,建立一座三峡博物馆显然是十分必要的。……专家认为,不论从展现旧石器时代以来三峡地区的文明进程,保存展示随移民搬迁而面临变化甚至中断的三峡地区民俗文化及民间工艺和传统生产方式,还是从通过各种手段展示三峡水库建成前的自然、地理景观等方面考虑,建立三峡博物馆是势在必行的。……重庆市文物部门目前已拟定了《中国三峡博物馆项目分析》报告。报告中称:未来的中国三峡博物馆将是一座集人文科学和自然科学于一体的综合性的具有世界影响的国家级博物馆。”

《人民日报》2月22日刊发消息《三峡库区出土文物引人注目》称:“四川省文物考古研究所三峡考古队目前在三峡库区重庆市忠县发掘出土了108件宋代瓷器和铁器,其中尤以“玉壶春”瓶和名为“匜器”的盛酒器皿最引人注目。……专家说,这些文物集中体现了中国宋代涂山窑、龙泉窑瓷器的工艺水平,不仅本身具有很高的艺术鉴赏价值,而且对于了解、研究宋代峡江地区人们的日常生活具有重要的参考价值。”

《重庆日报》2月9日刊发《文物宝贵 安全堪忧》一文中称:“1998年3月,在美国纽约国际亚洲文化节艺术品展销会上,一件中国青铜器十分引人注目;标价为250万美元的一株汉代鎏金灯树(以前误传为“摇钱树”),工艺精湛,精美绝伦。据悉,后来这株灯树被一名美国富翁以标价买走。此后,有关这一精美文物来历的说法中,多数认为它在重庆巫山被盗掘出土,经非法贩卖而流失海外。”文章认为,尽管此事目前尚无最终定论,但有一个事实是确定无疑的:近几年峡江地区的盗掘活动十分猖獗,大批遗存遭到破坏,大量文物四处流失。三峡文物的保护抢救工作,不仅要与大坝工程抢时间,而且要同不法分子作斗争。”

(袁　磊)

关于三峡旅游的报道

《人民日报》1月14日《国旅总社为消除三峡游船大战出新招》一文报道:“国旅总社在武汉推出长江游船网络系统,计划1999年开船后运营。此举可望理顺三峡游船的价格和销售体系,变无序竞争为有序竞争。三峡游船削价大战、无序竞争状况将得到根本改观。”

《武汉晚报》5月4日刊发《三峡之奇天下无双 奉节天坑地缝面世》一文称:“天坑,地质学上称之为岩溶漏斗,奉节县小寨天坑上口直径622米,下口直径522米,深666米,总容积11934.8万立方米。经中国科学院洞穴研究所所长朱学稳教授比较研究,天坑是目前世界上容积最大的漏斗。与天坑毗邻的地缝,全长37公里,宽1米至500余米,深4m至900余米,据称是世界上最长的地缝。天坑和地缝被并称为“三峡之奇”。

《经济日报》6月3日刊载《三峡游能否重新“热”起来》一文,认为三峡旅游能够在较短的时间内走出低谷,原因有四:一是国内外游客对三峡工程建设已经有了一个正确、客观、公正的认识和理解,所谓“告别三峡游”的误导已开始从人们的心目中逐步消失。二是国家旅游局十分重视推销长江三峡游。三是长江三峡区域旅游部门开始重视市场规律,重视市场开发。四是打破行政区划,寻求区域合作,长江三峡旅游市场正在走向规范化。

《长江日报》6月25日《三峡旅游如何面对新世纪》一文指出:“三峡工程应该说为三峡的旅游市场带来了新的机遇。三峡工程建成后,将形成一个碧水如镜的宽阔湖面,托出峡江千岛奇观。三峡工程同时带动了一大批新景点的开发。三峡景区的自然景观会变得更加绚丽多彩。作为旅游行业,目前的迫切任务就是规范市场,健全管理机制,更新产品,调整结构,完善运作体系,创立品牌,保证质量,把三峡旅游推向更高水准。”

《中国经济时报》9月9日《三峡成为工程旅游热点》一文指出:“水利工程旅游是伴随着水利工程的修建而逐步形成和兴起的工业旅游项目。长江流域的治理和水电资源的开发,使一个个水利工程逐步成为工业旅游中一颗颗璀璨的明珠,它们在向广大参观者和游人展示和宣传水利工程巨大综合效益的同时,水利工程的旅游资源也得到开发和利用,并产生了良好的经济效益,推动了当地经济与文化旅游事业的发展。”文章还称:“三峡工程建设工地气势宏伟，震撼人心，三峡工程建设生活区环境整洁优美。5年来，随着三峡工程的进展，一批批来自国内外的政界要人、工程技术专家、新闻界的记者和广大游客走进三峡工地，去参观、领略中国现代水利工程建设最为壮观的一幕幕场景。目前三峡工地本身已成为参观旅游景点……据不完全统计，1998年仅三峡坝区旅游部门接待的人数已达40万人次……"

《湖北日报》12月8日《三峡涉外旅游遭遇"红灯"》一文报道："往日穿梭游弋在幽深峡谷中的豪华游轮，如今无客可载纷纷靠岸停航。……这些豪华游轮，总投资30多亿元，都采用银行贷款建造，目前偿还困难。"

（袁　磊）

出　版

中国三峡出版社出版概况

（一）基本情况

1999年中国三峡出版社走过了建社以来最关键的一年，出版社全体同志认真学习邓小平理论，积极参加"三讲"教育，坚持党的出版方针，把握正确的出版方向，在出版及培养队伍方面均取得了一定的成绩。

中国三峡出版社1999年出版图书36种，印刷品11种，再版图书10种，总印数52.35万册，总印张4759.29千印张，新排字数715.38万字。

（二）坚持出版特色，加强市场调查

宣传三峡工程和三峡移民工作是中国三峡出版社的重要任务。在1999年的出版品种中，有关的图书占有相当大的比例。已出版和正在运作中的图书有：《三峡移民管理概论》、《开发性移民理论与实践》以及《中国三峡工程移民志》等。

1999年，图书市场不景气，为适应市场，创造效益，出版社的编辑跑书店、看书摊、访同行、勤交流、通信息，在市场调查和选题策划上下功夫，出版了一批内容健康、可读性强、受读者好评的图书，如《益智健身手指功》、《生命健康在自己手中》等。

（三）加强管理意识，完善管理体制

规章制度的建立和完善是衡量出版社管理水平的重要标志。为加强图书管理工作，1999年中国三峡出版社制定了选题奖励办法，对社会效益和经济效益均佳的选题给予奖励；实现了出版社与新闻出版署信息中心、计财司、图书司的联网，迈出了图书出版管理工作网络化的第一步。另外，在出版管理上，坚持查验印刷厂三证，按出版法规办事，努力做到印刷环节不失控。发行部门同安徽、江苏、河北、天津等省市新华书店建立了广泛的联系，扩大了出版社的知名度。

（四）重点图书

1999年，中国三峡出版社出版了以下重点图书：《开发性移民理论与实践》；《三峡移民管理概论》；《新中国五十年宜昌大事记》；《三峡百万移民纪实》；《巴渝作家书系（第二辑）》；《益智健身手指功》；《灾难中的救护与防病》；《职工劳动权益自我保护问答手册》；《素质教育初探》；《生命健康在自己手中》等。

（李莹莹）

人　物　XI

黄龙滩水电站

先 进 人 物

1999年度三峡工程优秀建设者

（按姓氏笔划排序）

马勇顺（湖北省宜昌市公安局）

马勇顺，男，1957年12月出生，河南省人，中共党员，大专文化，1977年参加工作，历任宜昌市公安局户籍员、刑警大队中队长、点军公安分局刑侦科科长、政保科科长、三峡坝区分局八河口派出所所长，现任宜昌市公安局三峡坝区分局警卫科科长。

马勇顺1993年调入三峡坝区公安分局任八河口派出所所长。建所初期，办公就在一间租来的简易房子里，工作生活条件十分艰苦。在极其困难的条件下，他教育大家：条件艰苦不可怕，怕的是丢掉了服务三峡工程建设的意识。他要求大家一定要履行好保卫三峡工程的职责。三峡工程开工初期，左岸工地移民搬迁工作量大，矛盾多，加上外来人员猛增，治安问题十分严重。派出所平均每天要出警10次以上，同时还要配合有关部门做好移民搬迁工作，当时的工作十分繁重，但在马勇顺的带领下，全所民警辛勤工作，圆满完成各项任务，受到上级部门表扬。

为了加强对辖区的治安管理，马勇顺根据辖区情况，决定由所内民警分片管理，责任到人，责任区民警负责责任区的调查摸底、办理案件和治安巡逻。

"要牢固树立服务意识，为施工单位排忧解难"。这是马勇顺的口头禅，他是这么说的，也是这么做的。

5年来，马勇顺顾大家，舍小家，他妻子1992年到云南漫湾工地工作，至今长年在外，家中有一个独生女，其父母又年老多病。常有朋友问他在三峡工作亏不亏，他说："不亏，我舍的是小家，顾的是大家，身为一名人民警察，能参加保卫举世无双的三峡工程，是我的光荣"。1997年，马勇顺患锥间盘突出症，由于大江截流期间工作任务繁重，他不分日夜，带病坚持工作，查处案件，拆违章建筑，夜间巡逻，派出所的工作井井有条，直至大江截流顺利完成后才住院治疗。

精心组织、严密部署，扎扎实实搞好警卫工作。坝区警卫工作有两个特点，一是警卫任务繁重、规格高。每年坝区警卫任务有20起左右，加上重大保卫任务，有50多起。二是现场多，变化大，坝区警卫现场大多集中在施工现场，他要求大家一定要认请当前复杂的社会治安形势，明确当前警卫工作的艰巨性，克服麻痹思想，工作中要始终坚持"安全第一"，绝对保卫好警卫对象的安全。马勇顺率领大家深入现场反复仔细的查看，认真检查，正确评估任务中的危险因素，科学制订方案，严密部署警力。在警卫任务中，严格实行"定人、定岗、定责、定时"的四定责任制，有效地保证警卫任务的施行。

1999年，马勇顺在警卫科长的岗位上，作出突出成绩。全年圆满地组织实施警（保）卫任务46批次，其中：一级4批次，二级7批次，三级8批次，保卫任务27批次。组织开展坝区警卫基础工作调查，建立警卫基础档案30套。

马勇顺踏上警卫工作这个新的岗位后，十分注重政治业务知识的学习，他反复强调，不学习政治上就要落伍，业务上就要掉队，工作上就会落后。他不仅这样说，更是带头这样做。他首先制订学习训练计划，按照计划，认真学习邓小平理论，"十五大"的有关文件、《三讲教育必读》、中央《警卫工作规定》和《警卫工作教程》，在学习中他写下了10万字的学习笔记和心得。

刘金焕（葛洲坝三峡建设公司）

刘金焕，男，1962年出生，湖北石首人，中共党员，高级工程师，葛洲坝水利水电工程集团公司三峡工程施工指挥部常务副指挥长。1981年参加工作，长期从事技术和项目施工管理工作，曾先后参加葛洲坝二期工程、广西岩滩水电站、

清江隔河岩工程和三峡工程等大型水电工程建设，担任过质检员、科长、项目负责人、质安处处长等职务。1995 年 2 月 ~ 1997 年 2 月，任葛洲坝一公司三峡左岸项目部常务副经理、项目经理、一公司副经理；1997 年 2 ~ 5 月任葛洲坝一公司副经理、三峡指挥部副指挥长；1997 年 5 月 ~ 1998 年 6 月，担任葛洲坝集团一公司董事长、总经理；1998 年 6 月 ~ 1999 年 11 月任葛洲坝集团三峡指挥部常务副指挥长。

刘金焕在担任葛洲坝一公司三峡左岸项目部经理期间，结合工程施工特点，采取超常规措施，将电脑控制下的室内流水作业管理方法运用到野外水电工程施工中，通过精心施工、科学布局，形成钻爆、造料、挖装、运输、填筑一条龙生产线，提前 9 个月完成三峡隔流堤填筑施工的任务，获得“工期、进度、质量、安全、效率和填筑高程”6 个第一。1997 年 11 月 8 日三峡工程大江截流中，刘金焕负责左上堤头抛填的组织指挥工作，达到“安全、正点、有序”的目标，圆满完成抛填施工任务，为三峡工程大江截流做出了突出贡献。1998 年 6 月，刘金焕出任葛洲坝集团三峡建设公司常务副总经理，协助总经理主抓前方生产，取得二期基坑开挖、拌和系统安装的阶段性成果，确保了三峡二期主体工程混凝土浇筑的顺利进行和夺取 1999 年厂坝二期工程第一个浇筑高峰年施工生产的胜利。刘金焕善于抓好各项管理工作，在担任集团公司三峡指挥部常务副指挥长期间，以抓质量管理为突破口，广泛开展质量、安全、文明施工。曾荣获中国水利水电总公司“80 年代优秀大中专毕业生”、“百名优秀中青年专业技术人员”及“湖北省青年岗位能手”、“百名优秀中青年专业技术人员”及“湖北省青年岗位能手”、“全国青年岗位能手”等称号。

张小厅(长江水利委员会)

张小厅，男，1954 年生，北京市人，大学文化，高级工程师，中共党员。1971 年参加工作，在水电十三局当工人，1979 年考入华北水电学院，1983 年毕业分配到长江水利委员会施工处工作，先后参加葛洲坝、隔河岩、三峡等水利工程建设，从事施工组织设计、现场设计代表及监理工作。历任副科长、副处长、处长、局长助理，现任三峡工程建设监理部副总监。

1999 年 2 月，张小厅担任长江委三峡工程建设监理部常务副总监，并主动提出分管大坝处和金结机电处等 3 个处的工作。

以身作则，强化现场值班制度。监理的责任是对业主负责，对工程质量负责，强调旁站监理作业程序。对此，他以身作则，严格执行监理部领导、监理处领导和监理站(组)三级联合值班制度，及时发现和解决施工及监理中的问题。他经常工作至深夜，节假日也常常加班、加点，超负荷工作，甚至有时带病坚持深入施工现场。

规范管理，加强质量控制。为避免和防止在强大的进度压力下忽视和放松质量，消除检验过程中不利的人为因素，监理部在 1997 年、1998 年制定的《土建工程施工质量监理工作规程》、《混凝土工程监理实施细则》、《混凝土原材料质量检验监理工作规程》等监理文件基础上，1999 年又编发了《关于混凝土单元工程质量检验与评定的补充规定》，结合三峡工程的实际，增补冷却水管、接缝灌浆管路、混凝土养护等 7 道施工工序的检查记录表格，将混凝土施工从仓面准备、资源投入到浇筑及养护全过程的检查纳入施工质量控制和现场质量检验的重要内容。张小厅要求现场监理人员严格执行以施工工序为基础的标准化、量化的质量检验制度，通过施工工序质量控制保证施工质量，实现 1999 年 220 万 m^3 坝体混凝土浇筑无质量事故的预控目标。

通过监理协调手段的运用，主持研究解决混凝土浇筑温度控制中一系列技术难题：1999 年 9 月气温较高时段，用塔带机入仓浇筑混凝土，浇筑温度不能满足要求，他积极主动协调各方关系以及监理部内部关系，协调各方调整出机口温度为 7℃控制；当发现浇筑的深孔底混凝土最高强度太高时提出铺设一层冷却水管。他还积极参与《三峡水利枢纽混凝土工程温度控制手册》的编写，并担任监理部混凝土温控小组组长，主持监理部温控周报的编制工作。

汪安华(长江水利委员会)

汪安华，男，1940 年 6 月出生，江西省进贤县人，教授级高级工程师。1962 年毕业于武汉水利电力学院水工建筑系，1963 年分配至长江流域规划办公室(现长江水利委员会)施工设计处工作。历任施工设计处混凝土室主任工程师、室副主任，葛洲坝工程设计代表处副总工程师、隔河岩工程设计代表处副总工程师等职；现任长江水利委员会三峡工程代表局副总工程师、设计院施工处副总工程师。1995年被湖北省政府授予湖北省优秀设计工作者，1996年被国务院批准为享受政府特殊津贴科技人员。

汪安华自1963年以来，长期从事水工混凝土设计与施工工作，既有深厚的理论知识，又有丰富的实践经验。先后参加了丹江口、葛洲坝、隔河岩和三峡水利枢纽等大型水利水电工程的建设。汪安华作为主要参加者的“葛洲坝二江电站及水轮机组”1988年获得国家科技进步特等奖，参与主持的隔河岩“二.二”发电主要技术问题研究1996年获得中国科协星火计划三等奖，参与设计的“隔河岩水利枢纽新型重力坝拱坝设计”，获第八届优秀工程设计金奖。

三峡工程开工以来，汪安华分管长江水利委员会设计院施工处技术工作，主要负责三峡大坝、厂房施工技术。三峡工程的建设规模和难度创下了许多世界之最，其中大规模和高强度的混凝土浇筑是三峡工程施工的重中之重。施工处承担的三峡工程设计项目多、任务重、时间紧，作为分管技术的总工程师，他身上的担子很重。早在三峡工程的初步设计和技术设计阶段，就参与主持编写《长江三峡水利枢纽工程初步设计报告》(下篇)、《长江三峡水利枢纽大坝单项技术设计专题报告》、《长江三峡水利枢纽通航建筑物单项技术设计专题报告》、《长江三峡水利枢纽电站厂房单项技术专题报告》及施工设计和《三峡大坝分缝分块专题研究报告》等。还主持国家“七五”、“八五”攻关中多项课题研究。

三峡工程进入招标设计阶段后，作为混凝土专家，汪安华本着对业主负责、对人民负责的精神，对整个三峡工程的混凝土施工方案、施工进度、混凝土温度控制、仪埋规划等做了大量深入细致工作，参与《右岸一期工程议标设计文件》、《三峡工程大坝混凝土施工设备国际招标文件》、《长江三峡水利枢纽大坝和电站厂房二期工程土建与安装施工招标文件》等大量招标文件和施工图的指导和审查工作。

1999年，在他主持下，向业主提交了《三峡工程大坝温控设计汇报提纲》、《长江三峡水利大坝1999年5~9月浇筑基础约束区混凝土温度控制专题研究》、《三峡大坝非约束区采用3m浇筑层厚专题研究》、《三峡水利枢纽左岸电站厂房1#~5#机尾水管封闭块回填研究》和《长江三峡水利枢纽二期主要项目施工进度分析研究》等近10份报告，这些研究成果已经应用于三峡工程实际施工中，为三峡工程1999年完成浇筑448万m^3混凝土的计划提供了有力的技术保证。

吴志林(三联总公司)

吴志林，男，云南弥勒县人，汉族，1947年出生，初中文化，1966年参加工作，先后参加过云南绿水河电站、大寨电站、鲁布革电站、广西天生桥电站、广东广蓄电站的建设，历任运转工、运行班长等职，现任三联总公司机电队副队长。

以身作则、言传身教。吴志林自参加工作，几十年如一日，从一名普通的设备运转人员、设备修理人员到一位出色的技术能手、班长、副队长，他凭的是对工作无限的热爱和极端的责任感，凡事自己先干。机电队的工作杂，技术难度较高、突发性事件多。所以，加班加点的时候特别多，有时一干就是10几个小时，甚至20几个小时连轴转，直到问题解决为止。

带头钻研、业务精湛。学无止境，干机电工作的人都深有体会。设备在不断的更新，每接触一台机器就得从头学起，为了创造一个好的学习风气，他带头学习。公司新进压风机，他就从安装调试开始，白天边干边学，晚上抽空戴上老花眼镜看说明书，直到搞清楚机器原理。干一行钻一行是他一惯坚持的原则。

无私奉献、贵在坚持。做一点好事并不难，难的是一辈子做好事。吴志林一心扑在工作上，自己全部的精力无私奉献给三峡工程。几年来，他从未休一个周末和轮休假，多少次队长和同事们都劝他适当休息几天，他总是笑着说：“习惯了，闲着也没事干。”他与妻子长期两地分居，工作紧张时一年也见不到一次。

吴质斌(青云公司)

吴质斌，男，1964年10月生于四川彭州市，1987年6月毕业于河海大学，1987年8月~1988年6月在青海龙羊峡水电站水电四局施工处任助理工程师，1998年6月~1990年10月在福建水口华田公司任工程师，1990年10月~1997年8月在青海李家峡电站施工局，历任技术科科长、技术办副主任、技术办主任、生产办主任、施工局副局长。1997

年8月~1998年5月在青云水利水电联营公司任副总经理,1998年5月~1998年8月在水电四局任副局长兼青云水利水电联营公司副总经理。现任水电四局副局长兼青云水利水电联营公司总经理。

青云公司是参加三峡工程建设的五大施工队伍之一,统领这支队伍的就是骁勇善战的水电四局副局长吴质斌。

在他的率领下,青云公司1999年紧紧围绕大坝混凝土浇筑、金属结构制安等施工重点,克服设备制造缺陷多,到货晚等困难,完成投资3.6亿元,浇筑86.12万m^3,引水压力钢管制安1942 t和固结灌浆10949m,主要项目完成年度计划。混凝土浇筑完成年度计划78万m^3的110%。

担任总经理后,摆在他面前的任务就是如何使这一支新型强强联合的紧密型联营体的优势发挥出来。一种新型合理的联营形式如果不把它的潜能完全挖掘出来,就没有生命力。可这种联营体是两家母体工程局第一次尝试,没有成功的经验可借鉴。对此,他边率领职工进行工程建设、边探索、边改革。经过两年的努力,圆满完成各项年度施工计划。

勇于探索和实践是吴质斌的一个显著特点。他以勇于开拓的精神带领决策层一班人,以紧密型联营体运作模式为基础,完善目标管理和成本管理为主线的内部管理体系,将设备、物资、人事管理纳入集约化管理轨道,及时调整内部单价体系,建立内部模拟市场系统。

"质量第一"是他雷打不动的原则。他在自己的述职报告中有这样一句话,"三峡工程的施工质量就是领导干部政治素质的一种体现"。他认为工程质量是企业的生命,在进度与质量发生矛盾时坚决以质量为先。

"人生在世就要成就一番事业"、"干三峡工程最大的收获是提高了自己的思想境界和看问题的高度",他常这样说。为此,青云公司专门设立了总经理党委书记意见箱,对所提的意见和建议他都心存感恩的对待。合理的意见立即采用,对比较普遍的问题用公开信的形式给予解答。

张治源(三七八联营总公司)

张治源,男,汉族,1949年生,河南武陟县人,大专文化,1969年参加工作,先后在刘家峡、石泉水电站工作,1980~1981年在华东水利学院干部培训班学习,1984~1986年在陕西广播电视大学学习,1986~1991年在阿尔及利亚布坝工程指挥部工作,曾任工人、团委副书记、政治部副主任、厂党委副书记、副处长、大峡工程指挥部副指挥长、水电三局副局长等职,现任三七八联营总公司副总经理。

张治源担任副总经理以来,以建设一流的三峡工程为己任,认真抓好自己分管的工作,做到了在其位、谋其政、尽其责,一心扑在三峡工程建设上。

两年多来,由于每月的施工生产任务落到实处,使左岸电站厂房工程形象达到业主、监理和设计单位的工期要求,1999年度厂房提前43天完成业主下达的44.83万m^3浇筑的年度计划,实现年浇混凝土突破50万m^3的目标。

在三七八联营总公司承建的三峡工程项目施工中,张治源以"如临深渊,如履薄冰"的高度责任感,始终把质量视为工程的生命。为了进一步提高三七八联营总公司的质量管理水平,加大质量管理工作力度,他主持制定《质量管理办法》、《工程质量责任制度》、《质量奖惩条例》等管理制度和《工程质量组织保证体系》框架图,完善施工质量管理的基础工作。

结合质量认证复核工作,他批示质量管理部购买1000多册《中国长江三峡质量标准汇编》等质量管理资料,发放至全公司质量管理检查人员和工程技术人员手中,以指导和规范质量管理工作。三七八联营总公司实现1999年初提出的混凝土质量合格率100%、优良数控和量控85%以上、无质量事故、质量管理体系和规章制度健全等8项质量管理目标。

为了搞好安全生产工作,他坚持以人为本,加强员工素质教育,狠抓落实。烈日下或阴雨天,他定期带领安全监察人员在永久船闸的峭壁下、在电站厂房的仓号里进行安全大检查。对检查出的问题,及时下达"安全隐患整改通知书"。对不安全因素较多的施工部位,他要求安全管理部和各工区加强对职工的安全教育,并设立"安全警示牌"。1999年共组织综合性安全检查4次,专项安全检查4次,限期整改各类安全隐患52项。

由于坚持安全生产"三级教育"和"三不放过"原则、重奖重罚及安全生产例会等一系列行之有效的安全管理措施,1999年轻伤、重伤及死亡人数全部在规定的安全控制目标范围内。使安全管理工作真正起到了为三峡工程建设保驾护航的作用。

张乾元(三七八联营总公司)

张乾元,男,汉族,江苏省淮安人,1940年出生,1963年大学毕业,先后在河南省三门峡、四川龚嘴、铜街子、非洲喀麦隆、四川南津驿、湖南五强溪、大源渡、三峡工程等参加水电站的建设,曾任水电第七工程局副局长,现任三七八联营总公司

副总经理,教授级高级工程师。

1993 年,张乾元参加三峡工程建设,任三七八联营总公司董事,执委副主任,经常不顾长途跋涉的劳苦,亲赴三峡工地指导工作。1997 年任三七八联营总公司副总经理,1998 年,张乾元针对前期严重的经营亏损和联营体制下实际运作中存在的一些问题,着手调查研究。经过科学分析,积极组织清理和解决前期遗留经济问题,理顺内部经济关系。他以一个水电老专家的高度责任感和事业心,忘我的工作热忱,积极协助总经理处理三七八联营总公司出现的各种矛盾和问题。经济联营体很快扭转了被动局面,圆满完成 1998 年度计划,被中国三峡总公司评为"集团级"先进单位。

1999 年,三峡工程混凝土浇筑要完成 448 万 m^3 的任务,三七八联营总公司面临巨大的压力。厂房标段由于设备调整和施工手段不足,永久船闸二标段由于交面严重滞后等问题,使生产形势非常严峻。张乾元以一个阅历丰富的老水电专家的事业心和责任感,知难而进。他经常深入现场,调查研究,集思广益,科学决策,组织制定"1999 年施工组织设计"。在厂房标段施工中,提出不等不靠"以小带大"的施工设备调整方案,并亲自组织实施,取得良好的效果。在永久船闸施工中,他针对交面滞后的情况,主张调整施工组织设计,加大施工投入,交面一块,浇筑一块,立足"抢"字。克服重重困难,提前 8 天完成年浇筑任务。

有了正确的决策,还要贯彻正确的决策。施工过程中,施工现场情况复杂,矛盾多,施工协调难度大。张乾元总是认真负责,殚精竭虑,尽可能把问题解决在矛盾发生之前,他不分白天黑夜,天晴下雨,始终坚持指挥在工地。如船闸六闸首人字门框预应力锚杆施工中,他多次召开专题会议,组织专业人员专题研究,攻克技术难关,满足超规范设计的要求。被业主确定为形象工程。

张乾元在分工主管项目中,为使施工进入一个良性循环状态,他紧紧抓住施工、技术、质量、安全部门不放松,以科学的态度对待三峡工程建设。在施工中除解决好生产环节的协调外,更重要地是指导有关部门及时调整施工计划,施工计划要有预见性,要有利于整体目标的实现,由于施工计划科学合理,三七八联营总公司创造了月混凝土浇筑 5 万 m^3 的纪录。在技术管理中,他根据业主、设计、监理的要求,建立工作职责,协调内、外关系,运用科学技术的优势,优化施工方案,提出合理化建议。

在质量管理工作中,他始终坚持"质量第一"的原则,大力支持质量管理部门工作,严格把关。对工地上出现的质量缺陷从不放过,除了立即处理外,还组织有关人员进行分析,吸取教训。在他的严格要求下,三七八联营总公司全年混凝土合格率 100%;优良率 87%。

周光奉(武警水电三峡工程指挥部)

周光奉,男,汉族,1953 年 9 月出生,云南省楚雄县人,大学文化,中共党员,1972 年入伍,1975 ~ 1979 年在清华大学水利系学习,先后在潘家口水库、引滦工程、广西天生桥,三峡水利枢纽工程工作,曾先后任技术员、副股长、股长、主任工程师,现任武警水电三峡工程指挥部副指挥长兼总工程师。参加工作后,荣获三等功 2 次,曾被武警水电一总队评为优秀共产党员和优秀技术干部。

入伍 28 年来,周光奉先后参加了陕西略阳电厂专线铁路、潘家口水库、引滦入唐工程、天生桥大型水电站建设。1993 年 9 月,他参加三峡永久船闸一期工程投标,在众多优秀水电企业的竞争中,武警水电部队以施工组织设计周密、报价合理、装备优良、实力雄厚赢得评标专家组的高度评价,一举夺得永久船闸标。周光奉作为技术负责人,带领工程技术人员投入到施工工地作技术准备工作。1994 年 4 月 17 日正式开工,拉开了永久船闸开挖攻坚战的序幕。永久船闸开挖技术要求高,施工难度大,堪称世界之最。为了确保施工质量,周光奉带领工程技术人员,日夜坚守在施工第一线,反复进行爆破试验,在爆破现场对无数次爆破效果进行研究,通过上千次的爆破试验,掌握了永久船闸 3000 多 m 长不同地段的岩石特性,为开挖爆破提供了可靠的技术依据,并在永久船闸二期开挖工程中得到全面推广和应用。他在施工中严把安全质量关,大力倡导"质量兴军",指导业务部狠抓安全质量教育,在部队广泛开展安全质量知识讲座和竞赛,使部队全员质量意识普遍得到提高。

在永久船闸二期开挖与锚固施工中,特别是 1998 年初至 1999 年 9 月间,在工期滞后的情况下,周光奉与工程技术人员反复研究和审查技术方案,合理组织施工,协调工序间的矛盾,确保工程按计划完成。在科研方面,积极与业主、设计单位联系立项,先后进行小药卷爆破、水平保护层开挖、岩石火焰切割、短高强锚杆受力、高强锚杆施工生产工艺、高强锚杆抗剪、钢筋机械联结技术运用等试验。推广电碴压力焊试验与应用,解决 14m 锁口锚杆紧缺问题。同时在永久船闸施工中创造近 10 项国内和世界纪录。1999 年度,由于技术保障有力,全年完成土石方开挖 243 万 m^3、锚索安装 1712 束、锚杆安装 82239 根、混凝土浇筑 42 万 m^3，单元工程合格率 100%，综合优良率 81%。

易保仁（西北勘测设计研究院）

易保仁，男，1936 年 11 月出生，湖北黄陂县人，大学文化，中共党员。1963 年 9 月毕业于武汉水利电力学院，毕业后分配到北京勘测设计院水工处。先后参加黄河刘家峡、龙羊峡电站施工现场设计，刘家峡水利枢纽河段的规划选点，黄河八盘峡水电站装机扩容的可行性研究和黄河大峡电站对外公路的选线与设计工作。曾任技术员、工程师、高级工程师、教授级高级工程师，现任三峡工程建设西北院监理中心副总监理工程师。

1994 年，易保仁随着三峡工程胜利开工的喜讯来到三峡，带着一个中国水利工作者的满腔热情投身于三峡工程的建设中，成为三峡建设者中的一员。从此，他的热情转化为无穷的力量。在负责左岸厂坝一期第一阶段开挖工程施工监理工作期间，他凭借扎实的业务功底和近 40 年从事设计和施工管理工作的丰富经验，在业主单位的指导下，使工程提前 60 天完成任务，验收质量总评为优良，工程造价控制在合同以内，成绩显著。

三峡工程第二阶段开挖工程开工后，由于已界临建基面，钢管槽、电站厂房基坑开挖系 60 余 m 的垂直高边坡，质量要求高，技术难度大。他组织监理人员与施工单位一道进行预裂爆破试验，多次调整和改进爆破参数，取得成功经验。尤其在高边坡预应力锚索施工中，遇到技术难题，在他的主持下，经反复试验，纠正了不合理施工方法，使工程施工顺利进行，保证了工程质量和工期。

二期工程开始后，他主持左岸大坝Ⅱ标的施工监理工作，通过两年多的施工，工程进展顺利，达到进度、质量指标要求。1999 年实现年浇筑 86 万 m^3 混凝土的指令任务，工程质量优良。在大坝基础约束区温控混凝土生产施工中，克服许多困难，达到设计要求，生产稳定，积累了宝贵经验。

杨照荣（葛洲坝水力发电厂）

杨照荣，男，1957 年 2 月出生，湖北省公安县人，中专学历。1980 年 7 月参加工作，中共党员。历任葛洲坝电厂电气运行主值班员、二江运行值长、三峡施工供电局调度所主任、三峡施工供电局总工程师、现任葛洲坝电厂三峡施工供电局副局长。

1999 年，三峡供电局接管了最后一座 35kV 永久变电站——坛子岭变电站及 35kV 线路——坛王线、王围线和覃中线，形成了较完整的施工供电网。为了新站新线路的接管和稳定运行，杨照荣克服重重困难，自始至终坚持在交接试验现场指挥并与各方面联系协调，对试验中出现的任何异常情况都不放过并及时同业主和监理协商解决办法。

为了使各项技术管理更加科学化和规范化，他负责组织《三峡施工供电网调度规程》的编写，并提出及时根据网络的变动情况绘制网络图。针对供电局内材料计划管理不规范的状况，提出重新制订局材料计划的申报、审批和管理办法，对材料计划的格式、分类及申报时间等都做了详细规定，并提出采用计算机进行材料计划的管理，使之更加科学化和规范化；根据更改工程的完成情况，审批了《三峡供电局 2000 年度更改工程计划》，使供电局的各项技改、反措工程落实更有计划性。

由于设计、施工及设备本身等方面的原因，供电设备存在不同程度的缺陷。针对陈家冲变电站只有一组铅酸蓄电池，维护工作量大，且充电装置系晶体管型、许多元件已经老化等问题，提出了“陈家冲变电站直流系统改造”方案并付诸实施，提高了陈家冲变电站直流系统的运行可靠性。针对船闸 6kV 系统经常因接地故障引起谐振的问题，组织一系列的系统试验，提出加装接地变压器和消弧线圈的措施，有效地解决了谐振问题，保障了 6kV 系统的运行稳定性。

杨照荣对工作认真负责，宽以待人。但对自己却十分严格，以一个优秀共产党员的形象为群众树立榜样。在对外交往中，从不利用工作便利谋取私利。他身患高血压，妻子常年有病，但他在三峡工地一呆就是 10 多天。父亲辞世时，作为独子的他也未能留在身边。

骆世钟(长江三峡通航管理局)

骆世忠，男，1959年7月出生，重庆市万州区人，大专学历。1976年8月参加工作。曾任知青代表、船闸管理局调度值班主任，现任三峡通航管理局调度室主任。1999年度被评为三峡通航管理局双文明先进个人、三峡工程汛期应急转运先进个人、优秀党员和十大标兵。

骆世钟，作为长江三峡通航管理局三峡调度室主任、三峡工程汛期应急转运协调领导小组办公室副主任，负责三峡坝区水域通航调度组织和应急转运船舶调度现场指挥工作。1999年，他带领三峡调度室全体同志，以“科学调度、规范管理、内强素质、外树形象”为指导思想，以为三峡工程建设服务、为长江航运事业服务为工作主线，精诚合作，团结奋斗，圆满完成年度调度的各项工作任务，实现三峡坝区通航调度组织工作和应急转运船舶调度指挥工作安全有序、无一起调度责任事故的目标。

在三峡工程二期通航调度工作中，他应用葛洲坝船闸调度管理10多年的经验与实践，独立完成《三峡工程二期通航调度规程》《两坝统一调度实施方案》《三峡工程汛期应急转运调度管理暂行规定》的编写工作，参与《三峡工程二期通航管理办法》《明渠绞滩管理办法》《明渠限航流量标准暂行规定》《应急转运水上船舶调度安全维护管理办法》等编写工作。

三峡工程汛期应急转运是一项光荣而艰巨的政治任务。骆世钟在严峻的挑战和考验面前，以三峡建设者的主人翁姿态，紧张而有序地组织应急转运船舶调度工作。他曾连续6天6夜坚守在工作岗位上。当时调度指挥组设在一间矮小的平房里，里面只有调度工作所必须的设备设施和两张床，7、8月份的天气，他和调度工作人员一个个汗流满面，一日三餐均在囤船上吃，连喝水也要到很远的地方去一桶一桶的提，更谈不上能洗个凉水澡。他爱岗敬业，努力工作，认真履行职责，从不叫苦叫累。1999年汛期共安全调度指泊船舶898艘次，转运旅客129668人，货物297.5t，赢得三峡总公司、秭归县政府等单位的一致好评和由衷称赞。

涂国华(葛洲坝三峡建设公司)

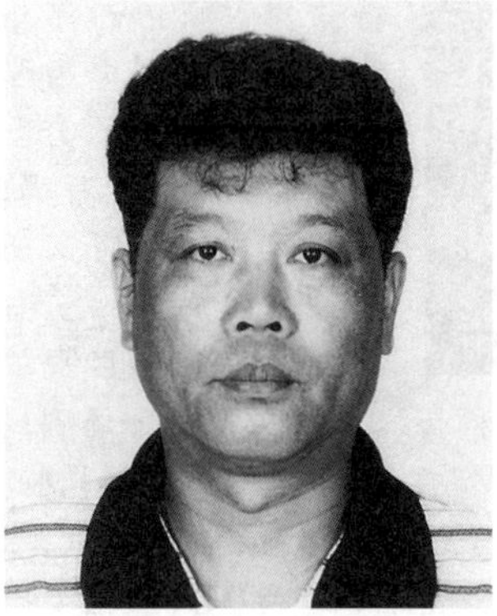

涂国华，男，1953年出生，湖北武汉市人，中共党员，工程师，1979年毕业于武汉水利电力学院施工机械专业，先后任葛洲坝起安分局修理队队长、门机队队长；云南漫湾电站葛洲坝施工一处施调科副科长、机电科科长；葛洲坝三峡指挥部二公司塔带机队队长；现任葛洲坝三峡建设公司▽79m项目部副经理。1998年获葛洲坝三峡指挥部“最佳文明职工”称号，被授于“1999年度三峡工程优秀建设者”光荣称号。

1996年，中国三峡总公司从美国引进混凝土入仓设备——罗泰克塔带机。为了摆弄好这个身高130m，自重900t，被称为“世界第一塔”的塔带机，葛洲坝二公司组建了塔带队，涂国华出任塔带队队长兼民兵独立排指导员，当时摆在涂国华面前难题重重，他虽然与起吊机械打了几十年交道，但真正安装全液压、电脑控制、世界一流的现代化设备还是首次，而参与安装的美方专家认为，只有他们美国人才能安装使用，对葛洲坝人持怀疑态度。对此，涂国华暗暗下决心，一定要掌管好这台设备。他刻苦钻研，在实际安装中编制方案，认真对塔带机安装的每一个细小环节逐一进行技术交底，和职工一起反复讨论研究。1996年8月，终于按计划完成调试，并一次运行成功。

1999年4月，葛洲坝集团三峡指挥部在三峡工程混凝土浇筑高峰到来的关键时期，成立▽79m项目部。涂国华被任命为▽79m项目部副经理，主管1#～4#塔带机的运行和设备安全管理工作。他带领▽79m项目部机电科的全体职工，狠抓设备的安全操作、维护保养、检修管理、配件、物资管理等工作，厉行节约，降低成本消耗，保证▽79m项目部设备满足混凝土高强度生产需要。▽79m项目部1999年上半年获得中国三峡总公司“优秀设备管理先进单位”称号。

彭启友(中国三峡总公司)

彭启友,男,生于1939年8月,湖北黄陂人,中共党员。教授级高级工程师,享受政府特殊津贴。1965年毕业于武汉水利电力学院水工建筑专业,分配到刘家峡水电工程局,任技术员。之后又历任水电四局八一三分局技术员、水电四局施工技术处主体科副科长、科长、工程师,开挖分局副局长、浇筑分局副局长、调度室主任,水电四局副局长、高级工程师,福建水口电站华田联营董事、副总经理,水电四局李家峡水电站工程指挥部总指挥长兼党委书记,水电八局局长、教授级高级工程师,二滩水电站Ⅰ标(中、意、法)IJV董事。

1994年,彭启友调入中国三峡总公司,担任工程建设部主任,负责三峡工程现场施工组织的全面管理工作。他全力以赴投入到三峡工程建设中,深入施工第一线。由于他辛勤工作,鼓舞和带动了工程建设部全体职工,有效地组织设计、施工、监理单位共同完成了三峡一期工程的生产任务,1997年11月高质量地实现了大江截流,三峡工程顺利转入二期工程施工。

1999年,面临大型混凝土施工设备的安装调试,高温季节混凝土温度控制以及永久船闸直立墙开挖局部块体失稳等许多难题,他凭借自己多年的水电施工经验和忘我的工作精神,领导中国三峡总公司工程建设部全体同志,协调中国三峡总公司设备公司、物资公司等相关部门,采取一系列有力措施,深入工程第一线,加强现场组织协调,发挥设计、施工、监理等参建各方积极性,克服种种困难,创造了年浇筑混凝土458.8万m^3、月浇筑混凝土55.35万m^3、日浇筑混凝土2.18万m^3的世界记录。

在保证工程质量方面,彭启友带领中国三峡总公司工程建设部全体工程技术人员认真贯彻中央领导对三峡工程质量的一系列重要指示,认真落实国务院质量检查专家组的指导意见,逐步完善质量保证体系;攻克高温季节浇筑混凝土的温控和永久船闸高边坡的开挖和支护难题。根据1999年中国三峡总公司自检情况,在全年评定的13760个单元工程中,一次检验合格率95.5%,复检合格率100%,优良率75.8%。其中主体工程混凝土浇筑评定8674个单元工程,一次检验合格率95.2%,复检合格率100%,优良率80.7%。工程质量每年都有明显进步,得到国务院质量检查专家组的肯定。

项目管理方面,在他的大力倡导下,1999年建立了施工、监理、工程建设部项目管理干部现场24小时值班制度,及时排除各种标段之间的干扰,提高了项目管理力度和办事效率。

在配套措施方面,他与有关部门经过研究,建立了设计协调例会制度,并亲自主持设计协调例会,加强设计对工程建设的技术支持,快速研究解决现场出现的各种问题,做好日常供图及技术服务工作,并对一些重大的技术问题进行讨论。另根据工程实际情况,聘请少数国外知名公司专家,对三峡工程的关键项目进行监理和咨询。为了保证工程进度,1999年准确及时地指导完成沙石骨料两个系统的改造,安装了厂坝浇筑的临时供料线,促使6台塔(顶)带机和7座拌和楼正常运行。

1998年长江发生罕见的特大洪水,中下游不少城市长时间超警戒水位,人民的生命财产受到严重威胁。汉川民乐闸出现险情,湖北省防汛指挥部向中国三峡总公司请求支援水利专家,受中国三峡总公司陆佑楣总经理的委派,彭启友带上2名技术人员赶赴现场,在实地勘察后,决定采用铅丝笼串联的方式立堵决口,经过努力,决口被顺利封堵。

他心系三峡工程,长期以三峡工程为家,家里的事情基本上没时间过问,连女儿结婚,也只能遥遥祝贺。1996年初,年过八旬的母亲去世,当时正是临时船闸工程施工的关键时期,为了工程建设,他没能回去见母亲最后一面。

薛瑞宝(中南勘测设计研究院)

薛瑞宝,男,1937年3月出生于浙江宁海,1956年8月毕业于水电部杭州水力发电学校。1956年起先后在水电部北京勘测设计院、长沙勘测设计院、湖南勘测设计院、中南勘测设计研究院从事金属结构专业设计工作。历任技术员、工程师、主任工程师、高级工程师、教授级高工,现任中南院三峡建设监理中心副总监。

薛瑞宝从事水电事业的科技工作40多年来,在祖国江河的不少水电站都留下了他的足迹。他先后参与建设上犹江、官厅、柘溪、东江、凤滩、大广坝、孟洲坝、五强溪、凌津滩等水电站30多座。其中主持和负责设计的五强溪三级船闸金属结构总体设计，荣获中南院科技进步一等奖，主持和负责的凤滩升降机金属结构的总体设计，荣获中南院科技进步二等奖。他主持设计的 QPK 型快速闸门启闭机，荣获 1984 年水电部规划设计总院的科技进步二等奖，1986 年水电部三等奖；他主持制定的《水利水电工程启闭机制造、安装及验收规范》荣获 1994 年水电部科技进步三等奖。

从 1998 年开始，他作为专家参加了三峡工程永久船闸金属结构及启闭机的设计审查，招标文件审查和评标工作。

1999 年 2 月，薛瑞宝就任中南院三峡建设监理中心副总监，分管永久船闸金结设备制造。为使分散在上海、武汉、四川、湖北等地的 5 个制造厂监理站的工作有据有序地顺利进行，他领导组织监理实施细则的编写工作，完成实施细则 7 册，总计字数约 11.2 万字。由于三峡工程永久船闸金结设备制造监理实施细则的贯彻执行，各监理站的工作有成效地开展，监理细则受到业主单位有关领导的肯定和好评。

按业主的要求，薛瑞宝很重视每月两期监理简报编辑工作，对每期简报都亲自审阅定稿。监理简报使各监理站和各承制厂成为一个有机的整体，相互学习，取长补短，同时沟通了监理单位和设计单位的信息。

在浮式检修门埋件施工图样核审中，发现浮式检修门进槽时将与边墙相碰，他经过反复测试，认为必须修改原设计施工图。他及时起草发文，提请设计单位拿出处理措施，长江委设计院接受了意见。挽回了一次重大损失。

薛瑞宝要求监理站严格审查各承制厂的开工申请报告及有关施工组织措施，生产进度网络计划、工艺文件、材料采购合同，外协件订购合同及进口技术协议等，对其中达不到开工条件的申请报告，他提出具体意见，让制造厂修改，补充完善后重报。

薛瑞宝强调监理工作的指导思想是贯彻三峡工程“千年大计，国运所系”和“三峡工程的生命是质量”的思想，各监理站始终抓住以质量控制为基础，执行实施阶段的全过程、全面监理的原则。各承制厂加强领导，强化管理，采取有力措施确保工程质量。

本着对业主高度负责的精神，薛瑞宝努力搞好设计、制造(包括进口件)的协调工作。他多次主动参与永久船闸人字闸门，输水廊道反向弧形工作阀门的自润滑轴承进口件技术参数的方案研讨，并与国外厂商进行技术交流，参与有业主、设计、监理、各承制厂参加的技术协调会，签署有关纪要，使进口件的采购工作顺利进行。

薛瑞宝是三峡工程金属结构设备制造督导组的成员之一，他积极主动地搞好督导组的工作，对每一次督导组的活动都积极参与，不辞辛苦到处巡查；对中南院监理部下属各监理站，只要有可能就到监理站检查工作，协调承制厂和监理站的关系。薛瑞宝对整个监理业务的综合而有效地管理，使三峡工程永久船闸金属结构设备制造监理工作有条不紊地顺利进行。

1999 年度三峡总公司先进工作者

2000 年 2 月 18 日，中国长江三峡工程开发总公司以三峡办字〔2000〕21 号文颁发《关于表彰 1999 年度三峡总公司先进工作者的决定》。《决定》说：

1999 年是三峡二期工程混凝土浇筑全面展开的一年，也是混凝土浇筑进入高峰的第一年，三峡总公司广大职工在总公司党组的领导下，高举邓小平理论的伟大旗帜，充分发扬工人阶级主人翁精神，顽强拼搏，开拓进取，工程建设、电力生产、多种经营以及中国三峡总公司的建设等各方面的工作都取得了可喜成绩，涌现出了一批勤奋敬业、无私奉献、清正廉洁的先进人物。为鼓励先进，激发广大职工的积极性，经中国三峡总公司总经理办公会研究，决定授予彭启友等 54 名同志为“1999 年度三峡总公司先进工作者”称号。希望受表彰的同志发扬成绩、戒骄戒躁，在新的一年里作出更大贡献。

2000 年的三峡工程建设和改革任务更加繁重，对三峡总公司每一位职工都是一次严峻的考验，这就需要我们全体职工以先进人物为榜样，团结一致，攻克难关，以更加优异的成绩迎接新世纪的到来。

先进工作者名单

李　磊	吴大发	陈　涛	廖良义	杨红宁
梅国学	杨安民	张捍慧	李　军	刘匡华
程雪源	李文学	张克平	周　成	彭　澎
晏新华	祝华英	黄正平	邢　岚	彭启友
曹广晶	张曙光	王忠诚	程剑平	王世平
田开宽	蔡定国	吴海斌	姜艳梅	吴启仁
刘　星	罗荣海	张淑芝	李旭东	周福萍
王兴礼	曹艳萍	李泽峰	迟振波	庞庆庄
张　诚	刘　强	程永权	李平诗	马炳奇
黄　明	张建成	袁　杰	徐小玲	张国禹
陈双全	杨少达	寥厚君	翦　健	

1999年三峡库区移民系统政务工作先进单位表彰决定

1999年12月24日,国务院三峡工程建设委员会移民开发局以国峡移发办字〔1999〕154号文印发湖北省、重庆市移民局

在三峡库区移民系统政务工作中,涌现出了一批先进单位。这些单位在移民政策研究、宣传、信息工作中做出了突出成绩,促进了移民工作顺利进行。

经湖北省、重庆市移民局推荐,国务院三峡工程建设委员会移民开发局审定,共评出三峡库区移民系统政务工作先进单位15个。现予以表彰。请你们认真总结先进经验,再接再厉,不断提高移民工作管理水平,为三峡工程移民工作做出更大贡献。

移民政策研究工作先进单位名单如下(排名不分先后)

宜昌市移民局
万州移民开发区移民局
巫山县移民局
秭归县移民局
开县移民局

移民宣传工作先进单位名单如下(排名不分先后)

重庆市移民局政策法规处
万州移民开发区移民局
江津市移民局
万州区龙宝移民局
宜昌县移民局

移民信息工作先进单位名单如下(排名不分先后)

重庆市移民局办公室
涪陵区移民局
云阳县移民局
忠县移民局
兴山县移民工作委员会

1999年三峡工程库区移民统计工作先进单位和个人表彰决定

2000年2月18日,国务院三峡工程建设委员会移民开发局以国峡移发计字〔2000〕24号文印发湖北省、重庆市三峡工程移民局

在1999年移民统计工作中,涌现了一批先进单位和先进个人。这些单位和个人在统计工作中作出了突出的成绩,保障了统计工作的顺利进行。

经过湖北省、重庆市移民局认真评选,国务院三峡工程建设委员会移民开发局审定,共评出统计工作先进单位7个,先进个人9人,现予以表彰。请你们认真总结先进经验,再接再厉,为进一步做好三峡工程移民统计工作继续努力。

先进单位名单如下(排名不分先后)

秭归县移民局计划财务股
兴山县移民局计划财务股
重庆市移民局计划财务处
万州区移民局计划统计科
涪陵区移民局计划财务科
奉节县移民局计划财务股
巫山县移民局计划财务股

先进个人名单如下(排名不分先后)

宜昌市移民局 余咏祥
宜昌县移民局 孙永发
巴东县移民局 宋秀翠
云阳县移民局 冯 霞
天城移民局 万春露
忠县移民局 蒋夏雪
江津市移民局 幸禹梅
渝北区移民局 罗 玲
武隆县移民局 杨 敏

老水电工作者

关于表彰刘洪泰等481名从事水利水电工作30年以上同志的决定

1999年10月22日，中国长江三峡工程开发总公司以“三峡技字〔1999〕261号”文颁发《关于表彰刘洪泰等481名从事水利水电工作30年以上同志的决定》：

决定说：“根据中国水利学会和中国水力发电工程学会关于对从事水利水电工作30年以上同志进行表彰的通知精神，我公司于1996年1月发文对第一批122名从事水利水电工作30年以上同志进行了表彰。现正值世纪之交，总公司决定对刘洪泰等481名从事水利水电工作满30年以上同志进行表彰并颁发荣誉证书”。

三峡总公司第二批从事水利水电工作30年以上人员名单

刘洪泰 谭德骏 周汉坤 方炎安 蔡惠琮 李淑兰
杨荒庭 曾宪军 彭雄才 李冰 杨慎勤 李先镇
薛砺生 朱和 刘天礼 陶楚才 许可达 刘祥林
王永栏 蔡定国 赵锡锦 贺崇耀 唐崇福 许福先
廖良义 宋治华 刘松柏 刘汉中 史振寰 朱华
张再荣 庞永祥 杨清 李仲宁 商文汉 李旭东
高士友 张志 孙立芝 李玉萍 况世仁 肖崇乾
冯印菊 陈绪贵 詹自英 莫思芳 任学勤 杨继春
李纯斌 贾春元 沈善良 陈喜忠 王世前 王树成
曹化早 李森 张超然 秦锡翔 孙直义 刘利人
汪先绪 张玉慧 张祖英 许继珍 杨世金

葛洲坝电厂：

汤正义 代宏贵 楚国靖 陈昌佩 王宪钧 肖海波
蔡中轩 彭敦庆 袁昌国 陈良润 陈均玲 吴菊芳
周家惠 肖祖柱 徐井水 王新和 罗德勋 胡圣柄
林永兴 李品炎 邓习念 玉桂元 周银生 张化民
周志昂 胡桂香 何华煊 雷国建 周南安 王允德
宋荣生 朱道同 朱美云 戴云霞 苗德先 方柏洋
卢源泉 杨来裕 齐淑范 周素芳 常曼玲 孙家浚
龚正朝 万里刚 邢宝海 阎志远 石文凝 石美姣
徐文忠 蔡增伟 周淑芳 刘鹤祥 王兰芝 崔桂珍
张仲 袁守富 王玉帛 杨敦祈 赵云江 叶腊英
尉洪兰 刘康平 张秀燕 史元金 高志和 于永安
林太举 杨长林 杨英 周斌 钱志华 宋淑琴
廖建明 袁长寿 朱绍俊 卢兆策 李开球 张均和
王汉友 程丹华 胡太志 殷善续 王淑贞 赵如海
陈传德 艾立侯 陈三明 向方荣 员志国 郑大毛
任彩云 丁光汉 张晓汉 宋明伦 王家治 崔万才
陈敬选 何凤 夏舜海 王泉水 张树根 李彦君
王辉文 张淑贞 梁庆云 陈奇振 马芹岭 肖兴腾
陈昌顺 贲玉林 周思媛 张东阶 秦文华 程美伦
毛俊荣 汤建国 赵志明 谭希兰 张秀珍 范生德
陈德雄 易春久 梁凤才 王玉玲 米道生 黄法本
孙林阶 郭柏林 高培金 郝大华 范世德 夏菊花
唐传元 黄定炎 王凤昌 漆厚成 沈仕源 杨生才
杨少立 马天定 吴克 王祖海 王振友 张培华
薛杏官 王志明 丁科选 刘远乐 吴自信 张景华
徐玉珍 方丽华 彭火明 周德先 刘学礼 万森海
雷清明 黄一军 方丽英 何勤太 李金和 李绍卿
邱安乐 胡金斗 龚光义 吴璀组 张登平 常金龙
杨智良 袁儒桂 方银 吴运 王宗英 夏元球
张存忠 黄天贵 陈永阳 李锦荣 李云 胡炳廉
陈荣生 刘振荣 王子岳 陈瑛才 吴炳良 李新民
盛春斌 刘振国 俸远禧 彭福成 黄亚先 郭义涛
闪小花 曹太荣 唐泽凯 毛国祥 刘鸣星 李秋菊
欧阳定 向光静 孟炳君 姚海清 管金钧 池汉治
程素华 高敏兰 朱海棠 蔡熙金 陆锋 岳学田
计春芝 陈早香 赵梅山 李义军 刘庚辛 喻希麟
杨盛斌 刘俊生 吕淑珍 李文玲 顾文宏 阎于信
张志超 莫德灿 杨汉联 王宜良 张尚志 何照保
陈玉民 刘仁国 龚申甫 余梅初 吴敬明 李淑君
尚国成 蒋厚巨 左执中 周孔荣 熊雄 肖立山
张立知 王保成 刘志民 赵学阳 严鄂 贺学启
陈正德 韩启胜 王迎华 黄秉炎 胡建平 徐良美
胡杏英 张美娣 彭永金 张正英 吴正忠 杜清香
邵开秀 潘如珍 彭国民 张秀英 邹长海 谢克永
王亚丽 万祖芳 许洪珍 王俊杰 杨令可 周铭
李忠义 李映霞 刘学兰 顾金兴 史元新 周长生
王彦式 刘玉华 刘希林 刘学信 杨景芳 汪舜卿
李永新 周秀兰 李凤英 刘梅 黑光乐 李德洲

贺爱华 曾秉谦 孔　强 田茂先 董建超 杨法金
周寿财 邱桂然 许一中 马方洲 熊春生 杨德芳
李庭芳 高莨弟 王正容 张德志 王　楷 涂坤炎
杨万献 杨启宇 林晚霞 曾广照 何士贞 邹学才
颜　卫 李仲龄 杨富荣 周重谦 高长生 谭明仪
万兴亮 李运木 许承庆 蔡中模 余传俊 叶伯涛
孟昭天 谭腊生 贾景萱 汪安祖 欧阳宏 张文华
王荆洲 陈礼隆 李金兰 刘忠杰 张运惠 李成功
刘正远 吕金艾 周桂莲 蔡关康 管国新 宋传香
李华顺 吴椿林 庄　茹 王少清 袁需时 李绍君
凌济时 黄满照 李玉爱 杜庆敏 贺长运 刘源德

王兰芳 饶忠万 张蕴华 黎　昭 邵松林 徐　英
耿保清 甘玉明 李树兰 周启吉 陈荣映 杨怀瑞
于保康 李应兰 曹丽丽 贺桂三 何功传 陈嘉良
李文胜 喻希勋 彭金华 许正国 王希文 许　玲
张俊青 陈光明 向亿德 李凤亭 牧邦强 张志华
贾艳君 温淑清 沈玉凤 沈世贵 黄翘芳 王金瑞
叶廷侯 周培春 王晓莺 曾章莲 张传贵 王友胜
唐永龄 马南任 吴义芳 冯美雄 郑长浩 章德洲
龙佑清 袁桂华 莫指宁 刘学国 陈国华 徐伟韬
王永碧 余大芬 王墨儒 李秉礼 王永峰 谭维恩
沈慰玉 周正立

统计资料 Ⅻ

凤滩水电站

三峡工程固定资产投资完成情况

三峡工程固定资产投资完成情况汇总表

表 1

单位:万元

工程项目或费用名称	至1999年末累计完成	其中	
		1999年完成投资	完成年计划(%)
总计	4702900.13	1134965.73	101.61
(一)三峡工程投资合计	4657359.18	1127344.73	101.65
1.三峡工程静态投资合计	3328003.41	735797.03	100.57
①枢纽工程静态投资	1963307.94	383398.56	100.46
建安工程	1567105.07	306500.28	110.63
永久设备	120501.93	51113.07	71.24
其它费用	259248.12	24933.53	99.24
基本预备费	16452.81	851.68	11.01
②水库淹没处理补偿费	1364695.47	352398.47	100.69
2.价差预备费	771402.62	250943.17	117.62
①枢纽工程价差	366158.09	126341.64	146.33
②水库淹没处理补偿价差	405244.53	124601.53	98.11
3.贷款利息	557953.15	140604.53	85.73
(二)概算外项目	45540.95	7621.00	95.26

三峡工程固定资产投资完成情况分项表

表 2

单位:万元

工程项目或费用名称	至1999年末累计完成	其中	
		1999年完成投资	完成年计划(%)
三峡工程投资合计	4657359.18	1127344.73	101.65
第一部分　建筑工程	913683.63	263122.14	112.83
挡水工程	204503.66	122719.11	103.58
左岸非溢流坝段	24393.24	3926.34	444.66
左岸厂房坝段	71546.02	49009.57	92.15

工程项目或费用名称	至 1999 年末累计完成	其中	
		1999 年完成投资	完成年计划(%)
左导墙坝段及导墙	5826.42	5316.91	75.86
溢流坝段	71932.90	63249.81	110.65
纵向围堰坝段	19396.88	188.95	
右岸厂房坝段	911.11	64.67	
右岸非溢流坝段	10497.09	962.86	401.19
发电厂工程	85471.82	44043.91	113.23
左岸厂房及尾水渠、厂前区等	76078.15	41012.81	117.22
右岸厂房及尾水渠、厂前区等	7916.68	1554.11	88.81
地下厂房进水口预建	1476.99	1476.99	68.38
航运工程	383156.44	88030.38	134.87
永久船闸	291830.90	79736.66	134.04
上游航道工程	32287.40	6195.46	109.54
船闸工程	191902.71	72381.74	147.61
下航道工程	67640.79	1159.46	97.03
上游隔流堤			
升船机工程	50260.46	6267.81	136.49
上游航道工程	2259.67		
升船机闸室段工程	41110.17	6267.81	136.49
下航道工程	6890.62		
航道整治及通航配套设施	41065.08	2025.91	169.96
航道整治工程	4796.10	1687.00	169.38
通航配套设施	17353.00	196.00	100.00
连接河段及口门区清淤及炸礁	13500.37	142.91	
助航设施	5415.61		
交通工程	201908.39	3169.26	76.18
公路工程	139199.97	1377.25	76.51
公路专用线	118111.44	396.57	
江峡大道	11757.65	766.76	
西陵大道	5225.05	58.02	
左右岸上坝公路	2986.12	155.90	
宜莲路局部改造加固	1119.71		
桥梁工程	43550.65	638.64	177.40
西陵长江大桥	39901.59	171.39	
船闸升船机下航道桥	3649.06	467.25	
码头工程	14119.88	360.00	18.00
右岸码头	9927.84	151.08	

工程项目或费用名称	至1999年末累计完成	其中	
		1999年完成投资	完成年计划(%)
左岸码头	4192.04	208.92	10.45
夜明珠中转站	2270.30		
交通设施运行维护费	2767.59	793.37	
公路运行维护费	2251.90	623.41	
桥梁运行维护费	515.69	169.96	
房屋建筑	19776.50	556.71	15.91
办公室、调度通信管理大楼	7776.50	556.71	55.67
北京三峡大厦	12000.00		
其他工程	18866.82	4602.77	158.72
厂外输变电工程	4687.41	79.48	39.74
220kV变电站	2311.99	79.48	39.74
220kV供电线路	1751.90		
110kV供电线路	623.52		
安全监测工程	9113.11	3832.33	141.94
枢纽安全监测工程(外部)	6221.70	2785.42	557.08
内部观测工程	88.50	88.50	5.90
水情预报保障服务系统	398.67		
水库淤积及下游冲刷观测服务系统			
地震及区域地质监测	2404.24	958.41	958.41
消防工程	76.44		
环保设施	653.62	26.27	
厂坝生活区一次性绿化	3820.82	255.90	
工程整理	20.41	10.41	
公共设施运行维护费	495.01	398.38	
第二部分　机电设备及安装	93678.40	31425.79	64.80
设备费	92493.35	30818.44	64.14
安装费	1185.05	607.35	134.97
发电设备及安装工程	76263.94	27334.92	85.82
设备费	75582.26	26789.82	85.32
安装费	681.68	545.10	121.13
左岸14台水轮机发电机设备及安装	75863.63	26934.61	90.69
设备费	75366.23	26573.79	90.39
安装费	497.40	360.82	120.27
水力辅助机械设备及安装	184.10	184.10	122.73
设备费			
安装费	184.10	184.10	122.73

工程项目或费用名称	至 1999 年末累计完成	其中	
		1999 年完成投资	完成年计划(%)
电气设备	215.90	215.90	10.80
安装费			
设备费	215.90	215.90	10.80
通信设备及安装	0.31	0.31	
安装费	0.18	0.18	
设备费	0.13	0.13	
调度通信设备及安装	0.31	0.31	
安装费	0.18	0.18	
设备费	0.13	0.13	
升压变电设备及安装工程	261.78	251.28	2.20
设备费	261.78	251.28	2.20
安装费			
高压设备及安装	261.78	251.28	3.35
设备费	261.78	251.28	3.35
安装费			
其它设备及安装工程	17152.68	3839.59	73.14
设备费	16649.31	3777.34	71.95
安装费	503.37	62.25	
厂坝区供水供热设备及安装	13.90	13.90	
安装费	13.90	13.90	
设备费	0.58	0.58	
安全监测设备及安装	1613.43	501.43	13.37
设备费	1613.43	501.43	13.37
交通及消防设备	48.35	48.35	
安装费	48.35	48.35	
220kV 变电站	2877.29		
设备费	2436.17		
安装费	441.12		
三峡计算机系统	12599.13	3275.33	218.36
设备费	12599.13	3275.33	218.36
第三部分　金属结构设备及安装	28675.67	20850.25	72.40
安装费	667.09	555.62	10.89
设备费	28008.58	20294.63	85.63
挡水工程	7961.94	7961.94	71.73
闸门设备及安装	7826.77	7826.77	70.51
安装费			

工程项目或费用名称	至 1999 年末累计完成	其中	
		1999 年完成投资	完成年计划(%)
设备费	7826.77	7826.77	122.29
启闭设备及安装	106.63	106.63	
安装费			
设备费	106.63	106.63	
电力拖动及控制	28.54	28.54	
安装费	23.16	23.16	
设备费	5.38	5.38	
发电厂工程	7005.93	7005.93	118.74
闸门设备及安装	6866.81	6866.81	116.39
安装费	521.12	521.12	
设备费	6345.69	6345.69	107.55
启闭设备及安装	139.12	139.12	
安装费			
设备费	139.12	139.12	
航运工程	5882.38	5882.38	49.85
船闸工程	5870.31	5870.31	49.75
闸门设备	4842.53	4842.53	41.04
安装费			
设备费	4842.53	4842.53	42.48
启闭设备及安装	1027.78	1027.78	
安装费			
设备费	1027.78	1027.78	
升船机工程	12.07	12.07	
闸门设备及安装	12.07	12.07	
安装费	11.34	11.34	
设备费	0.73	0.73	
第四部门　临时工程	607690.71	34764.00	110.57
导流工程	219992.50	9917.21	106.73
导流明渠	65488.72	786.85	
一期土石围堰	24930.64	101.89	
二期围堰工程	50403.77	1167.23	90.34
三期围堰工程	16624.13	54.70	
纵向混凝土围堰	47944.96	1584.08	
导流底孔及防冲保护	3849.46	3849.46	54.99
底孔上下导渠			
通航建筑物上下航道围堰	10750.82	2373.00	237.30

工程项目或费用名称	至1999年末累计完成	其中	
		1999年完成投资	完成年计划(%)
临时船闸围堰	716.37		
航运工程下围堰	10034.45	2373.00	237.30
交通工程	89747.22	5098.08	61.42
公路	35321.13	495.39	165.13
左岸施工道路	22449.05	442.66	147.55
右岸施工道路	12869.96	52.73	
其它交通工程	2.12		
桥梁	1880.07	80.07	
临时公路桥	1880.07	80.07	
混凝土系统公路立交桥			
码头	148.02		
临时码头	148.02		
施工支洞	2177.00		
临时船闸工程	43617.79	-612.72	
上游引航道工程	11223.71	8.41	
船闸闸室段工程	20473.32	168.55	
金属结构设备及安装	3464.84	-799.20	
下游引航道工程	8455.92	9.52	
施工栈桥	6467.84	4999.97	62.50
翻坝措施费	135.37	135.37	
房建工程	91851.88	7535.62	753.56
办公、生活文化福利建筑	82208.63	7510.71	751.07
工地房建	42549.44	249.41	
宜昌本部房建	22970.73	6800.76	680.08
驻外机构房建	8559.78	336.34	
三建委办公室房建	2128.68	124.20	
长委房建	6000.00		
仓库	9222.36		
其他房建	420.89	24.91	
其他临时工程	206099.11	12213.09	95.04
供水工程	18050.35	538.49	53.85
供电工程	11384.06	1021.03	204.21
通信工程	7553.70	612.64	111.39
砂石料系统	38469.97	2937.25	56.49
混凝土拌和制冷系统	28382.60	2459.91	409.99
场地平整	36332.16	-68.69	

工程项目或费用名称	至1999年末累计完成	其中	
		1999年完成投资	完成年计划(%)
排水工程	6194.18	2.70	
护岸工程	21800.04	1473.04	147.30
其它(含大型设备安拆费)	36175.25	3040.06	76.00
附属企业	1756.80	196.66	
第五部分　水库淹没处理补偿费	1364695.47	352398.47	100.69
库区征地移民费	1364695.47	352398.47	100.69
第六部分　其他费用	259248.13	24933.53	99.24
建设管理费	127921.59	13879.57	87.38
建设单位开办费	5632.11		
建设单位经常费	38666.64	7461.02	117.04
建设单位管理费	17080.86	3050.36	152.52
监理费	18296.63	4231.86	110.64
执行概算及招标费用	3289.15	178.80	32.51
三建委办公室开办费	700.07		
三建委办公室经营费	875.99		
坝区综合管理费	6128.75	1248.64	136.46
建设及施工场地征用费	43297.00		
其它专项费	32621.03	5169.91	62.55
施工及临时通航管理费	7476.56	2221.76	72.37
咨询论证费	8850.85	1401.26	56.05
特殊专项科研费	11935.75	1062.15	63.41
生态环境补偿费	4357.87	484.74	47.52
生产准备费	81.84		
科研勘设费	116598.96	9578.05	131.66
科学研究试验费	6284.02	1185.80	118.58
前期勘设统筹费	20516.00		
勘测设计费	89798.94	8392.25	133.74
其他	14645.74	1475.91	85.31
预算定额编制管理费	364.46	168.39	84.20
工程保险费	7102.19	1307.52	85.46
其他	7179.09		
第七部分　茅坪溪防护工程	43878.59	7451.17	108.87
第八部分　基本预备费	16452.81	851.68	11.01
导流明渠绞滩,助航设施			
对外交通及坝区征地费	10838.68		
特殊宣传费	6039.57	1277.12	

工程项目或费用名称	至1999年末累计完成	其中	
		1999年完成投资	完成年计划(%)
其它	-425.44	-425.44	
第九部分 价差	771402.62	250943.17	117.62
枢纽工程	366158.09	126341.64	146.33
水库淹没处理补偿	405244.53	124601.53	98.11
贷款利息	557953.15	140604.53	85.73
概算外项目	45540.95	7621.00	95.26
黄龙寺机场	10000.00		
三峡地下厂房前期设计费	5005.75		
金沙江开发前期工作	18579.20	5964.00	99.40
重庆变压器有限公司	5000.00		
葛洲坝电厂小型基建	6956.00	1657.00	82.85

三峡工程主要工程量完成情况汇总表

表 3

项目名称	单位	其中		
		至1999年末累计完成	1999年完成	完成计划(%)
土石方开挖	万 m^3	16745.71	520.69	116.62
其中 主体工程	万 m^3	11231.26	485.16	112.70
其中 淤沙开挖	万 m^3	2205.33	0.00	
土石方回填	万 m^3	6886.41	229.13	115.14
其中 主体工程	万 m^3	2656.23	33.32	42.18
混凝土浇筑	万 m^3	1056.12	458.90	109.26
其中 主体工程	万 m^3	926.38	458.50	109.17
钢筋	万 t	12.40	6.47	81.28
其中 主体工程	万 t	9.35	6.47	81.28
防渗工程(含摆喷、旋喷)	万 m^2	24.10	0.00	0.00
灌浆工程	万 m	18.77	8.96	103.94
固结灌浆	万 m	14.44	8.48	107.48
帷幕灌浆	万 m	4.33	0.48	65.75
金属结构制作安装	万 t	0.80	0.72	33.03
机电设备及安装	台套	0.00		

表 4

1999 年主要混凝土生产设备完成产量统计表

单位：m^3

设备名称及编号	1月	2月	3月	4月	5月	6月	7月	8月	9月	10月	11月	12月	本年累计
TB1#	13957.00	15405.50	0.00	17389.00	21950.00	26589.50	23968.00	19197.50	32197.00	37443.50	35566.30	22256.50	265919.80
TB2#	0.00	0.00	0.00	17206.00	29236.00	36235.50	33146.00	42826.00	31088.00	31644.00	38810.00	30959.50	291151.00
TB3#	0.00	0.00	0.00	0.00	5715.00	35723.50	47096.00	47485.00	42397.50	39685.00	44512.00	39001.40	301615.40
TB4#	0.00	0.00	0.00	0.00	0.00	0.00	0.00	14809.00	21289.00	32492.00	41005.50	36549.50	146145.00
TB5#	0.00	0.00	0.00	0.00	4486.00	18764.00	24508.00	41964.50	32567.00	29860.00	28053.00	33828.20	214030.70
TB6#	0.00	0.00	0.00	0.00	0.00	6540.00	30532.00	37890.00	25382.00	44755.00	49101.50	50257.00	244457.50
CC－001	10736.00	8307.00	4655.00	9819.00	14623.00	14671.00	15979.50	2618.50	11376.00	16792.00	28687.00	31740.50	170004.50
CC－002	10999.00	6971.00	12029.00	15518.00	16166.00	16240.00	17938.00	18693.00	19647.00	23326.10	30419.00	31992.50	219938.60
CC－003	9891.00	8405.00	13317.00	10307.00	15340.00	14370.00	3697.00	2165.00	7725.00	9090.00	7184.00	10545.00	112036.00
CC－004	14280.00	11527.00	18352.00	19869.00	18953.00	15209.00	6414.50	8699.50	12905.00	11022.00	10914.50	7009.00	155154.50
上海 1#	9850.00	7385.00	5112.00	8961.00	4732.00	5050.00	9014.60	10320.00	6865.00	7444.50	5622.50	9605.70	89962.30
上海 2#	0.00	1580.00	12689.00	8535.00	2395.00	4806.00	4452.50	4866.00	8965.00	7776.50	1793.50	7409.00	65267.50
上海 3#	0.00	3757.00	5744.00	4447.00	5539.00	3800.00	11478.50	7708.00	5131.40	5430.80	7353.75	6614.50	67103.95
上海 4#	0.00	0.00	0.00	1305.00	5416.00	8027.00	8477.00	12160.00	14131.00	5496.50	6333.50	4247.50	65593.50
吉 1#	8256.00	4755.00	3366.00	6116.00	6756.00	1776.00	0.00	0.00	0.00	6797.00	14919.00	16778.00	69519.00
吉 2#	11544.50	5522.50	11552.50	11723.50	10958.50	11848.00	12558.00	9243.00	11815.00	11878.00	9987.00	12271.50	130902.00
CC1#	0.00	0.00	0.00	0.00	0.00	0.00	0.00	0.00	0.00	1916.00	5320.00	7144.50	14380.50
CC2#	0.00	0.00	0.00	0.00	0.00	0.00	0.00	0.00	1518.00	5155.00	5608.00	8288.60	20569.60
以上 18 项小计	89513.50	73615.00	86916.50	131195.50	162265.50	219649.50	249259.60	280645.00	284998.90	328003.90	371190.05	366498.40	2643751.35
EL79 郑州楼	22401.00	17117.00	26584.00	68649.50	59812.00	83488.50	75219.50	83626.00	81060.50	89652.50	85717.50	96686.00	790014.00
EL79CIFA 楼	0.00	0.00	9299.00	19361.50	49518.50	61057.00	69623.50	75209.00	69263.00	74791.00	87510.50	88591.50	604224.50
EL98.7 郑州楼	14993.50	20178.00	23850.50	12780.00	16386.00	17964.00	25492.00	16869.50	35966.00	51489.50	55667.50	77751.00	369387.50
EL98.7IHI 楼	8292.50	9314.00	0.00	39870.00	56444.00	56780.00	47017.00	55004.00	55177.50	57769.50	68203.00	90404.00	544275.50
EL82 郑州楼	20390.00	39918.00	42036.00	40234.00	42718.00	44620.00	53726.00	55943.00	53372.70	42841.50	43853.95	53656.50	533309.65
EL90 江森楼	0.00	0.00	0.00	0.00	0.00	7236.00	25552.00	40910.00	39372.00	45066.20	75785.10	59032.00	292953.30
EL90 郑州楼	30981.00	51964.50	40944.00	51657.90	63997.80	57946.60	56447.90	58702.70	58086.80	63579.60	49364.30	87859.10	671532.20
以上 7 项小计	97058.00	138491.50	142713.50	232552.90	288876.30	329092.10	353077.90	386264.20	392298.50	425189.80	466101.85	553980.10	3805696.65

项目合同统计

已签合同分类汇总表

表 1

项　　目	1999 年		1993 ~ 1999 年	
	数量(项)	金额(万元)	数量(项)	金额(亿元)
建安工程合同	184	58625.57	1323	197.38
机电设备合同	11	148725.52	15	63.28
金属结构设备采购合同	14	97420.28	20	14.36
勘察设计合同	19	39998.66	288	14.16
工程监测、科研、工程咨询、技术服务合同	153	6685.28	1278	9.92
监理合同	16	3474.35	112	2.91
征地移民合同	8	6129.51	105	8.25
施工设备及其他设备采购合同	145	5006.80	1226	24.00
物资采购合同				
其它合同	42	5168.46	194	5.45
合计	592	371234.43	4561	339.71

说明:(1)勘察设计合同包含金沙江前期设计 2684.27 万元 (2)技术服务合同包含金沙江前期技术服务 2060 万元 (3)征地合同包含北京市崇文区广渠门内大街 25 号房地产

主要项目招议标汇总表

表 2

项　　目	1993 ~ 1999 年		1999 年	
	招议标项目数	合同金额(亿元)	招议标项目数	合同金额(万元)
建安工程公开招标项目	14	79.19		
建安工程邀请招标项目	77	56.62	9	25100.99
建安工程议标项目	103	28.33		
机电招标项目	11	75.74	8	142069.20
金属结构招标项目	21	18.73	15	141104.30
科研、咨询、试验、监测及技术服务合同	13	0.36	7	384.52
监理招标项目	13	1.02	6	6914.04
设备招标项目(国内)	60	5.25	3	517.79
设备招标项目(国际)	19	10.51		
其他项目	1	0.03		
合　　计	332	275.78	48	316090.84

1999年验收的施工科研及其它科研项目统计表

表 1

项目名称	承担单位	项目负责人	验收时间
三峡工程压力引水管钢衬钢筋混凝土联合受力的安全性与经济性研究	河南科华工程咨询有限公司	张镜剑	1999.1.10
永久船闸闸室衬砌墙水平分缝及钢筋是否过缝对结构锚杆受力条件影响分析	河海大学	姜弘道	1999.2.12
施工科研工具软件引进	中国水利发电学会	刘永川	1999.3.20
拟建三峡工程坝区国家森林公园可行性研究	中国三峡总公司实业总公司	甘　伍	1999.2.2
三峡工程永久船闸计算机仿真及决策支持系统总体设计研究	华中理工大学	齐　欢	1999.9.11
三峡工程永久船闸闸室混凝土夏季施工与温度控制研究	武汉水利电力大学	段亚辉	1999.8
三峡水利枢纽二期厂坝部分工程项目 1999 年施工关键技术问题研究	长江勘测规划设计研究院	陈文斌	1999.7.22
三峡工程砂石料生产能力调查分析	葛洲坝水电工程学院	吴永立	1999.7.2
三峡工程导流明渠 1998 年实测地形通航水流条件及防冲补冲试验	长江科学院	杨文俊	1999.5.18
水力浮动式转矩平衡重垂直升船机模型制作	宜昌市葛电检修工程公司	樊晋生	1999.9
茅坪溪防护坝沥青混凝土耐水性(耐久性)研究	东北勘测设计院	祁世京	1999.9.1

1999年验收的八个单项设计审查科研项目统计表

表 2

项目名称	承担单位	项目负责人
三峡升船机上闸首结构三维有限元静力和动力分析研究	河海大学	傅作新
三峡水轮机方案与发电量的关系研究	中国水力发电工程学会	尹明万
三峡工程抗冲耐磨等特种涂料测试和研究	中国水利水电建设工程咨询公司	石瑞芳
三峡工程水轮发电机组冷却供水方式(顶盖取水方案)调查研究	鲁布革水电科技实业公司	商　舸
三峡工程通航建筑物上游引航道布置水工模型船模试验	长江科学院等	饶冠生等
三峡工程泄洪深孔(短管)突扩体型水力学试验	长江科学研究院	杨　淳
三峡深孔出口突扩体型研究	武汉市大才科技公司	刘　宁

三峡厂房坝段、厂房及钢管相互作用三维非线性仿真计算	长江水利委员会	刘 宁
三峡右岸电站24#~26#机组段厂房型式及提前施工方案专题研究	长江水利委员会	刘 宁
三峡工程临时船闸坝段后期冲沙孔结构应力分析研究	武汉水电大学	常晓林

征地移民情况

三峡库区移民统计编表说明：

(一)资金到位情况

1999年国家共安排三峡库区移民资金477000万元。其中湖北省88216.1万元，重庆市377067万元，中央直属军工企业8750万元，中央统筹经费及中央移民工作经费2966.9万元。截至1999年12月31日，中国三峡总公司拨入移民资金477000万元，资金到位率为计划的100%。三峡建委移民局下拨移民资金474033.1万元。其中湖北省88216.1万元，重庆市377067万元，军工企业8750万元。均分别占其当年计划的100%。总体上看，1999年三峡工程库区移民资金拨付到位及时，保证了移民资金按计划、有重点用于移民工程建设。

(二)投资完成情况

1999年，湖北省和重庆市共完成移民项目投资381091.41万元(不含上年结转29670.67万元)，占当年项目计划的85%。

1.农村移民安置完成移民资金79743.61万元(不含上年结转6611.15万元)，占当年计划资金的83%。土地开发面积2.97万亩，新建水塘水池204个，水渠44条，农村道路86条共231.09km，农村建房133.12万m^2，其中移民住房131.64万m^2。

2.城市迁建完成移民资金149565.79万元(不含上年结转3953.49万元)，占当年计划资金的85%。城市平整场地572.44万m^2，道路38条共101.75km，新建大中型桥梁2380m，完成给水工程3座，供水能力1.1万t，铺设输变电线路6.05万m，广播电视线路6.82万m，城市居民住房129.21万m^2。

3.集镇迁建完成移民资金30029.64万元(不含上年结转5570.15万元)，占当年计划资金的104%。集镇建房51.66万m^2，其中居民住房33.98万m^2。

4.工矿企业迁建完成移民资金71631.51万元(不含上年结转6185.81万元)，占当年计划资金的93%。115个工矿企业完成了迁建任务。

5.专项设施复建完成移民资金43164.45万元(不含上年结转6936.37万元)，占当年计划资金的68%。复建公路15条共118.01km，复建大中型桥梁2604.76m，新建码头10座，水电站6座，铺设输变电线路20.82万m，通信线路12.99万m，广播电视线路38.74万m。

6.环境保护完成移民资金1230.18万元(不含上年结转10万元)，占当年计划资金的48%。7项环保项目已完成。

分省情况：湖北省1999年完成项目投资46845.50万元(不含上年结转9976.61万元)，占当年项目计划资金的55%；重庆市1999年完成项目投资325609.27万元(不含上年结转19694.06万元)，占当年项目计划资金的92%。湖北省由于12月25日收到的1.2亿元移民资金，到位较晚，故没有形成工作量，农村移民安置受调地和外迁因素影响，城市迁建受巴东县城地质影响，工作滞后，故完成量偏低。重庆市移民任务较重的万州开发区1999年完成项目投资为270276.98万元，占当年项目计划的96%。其中云阳、奉节、巫山三县，1999年完成项目投资分别为36664.29万元、53964万元和26626.14万元，分别占当年项目计划的95%、106%和107%，均全面完成全年计划任务。

中央直属军工企业完成投资8636.64万元，占年度计划资金的98%。

总体来讲，1999年各大类计划完成情况正常，但大类间计划完成情况不均衡。农村移民安置、城市迁建和工矿企业迁建完成情况正常，集镇迁建超额完成了计划任务，专项设施复建受前期工作和施工质量影响完成比例较低。也存在区域间完成计划情况不均衡的现象，如湖北省宜昌县、秭归县、巴东县和重庆市丰都县、武隆县和江津市只完成计划的59%、46%、68%、60%、69%和34%。而如湖北省兴山县和重庆市长寿县、渝北区、巴南区、云阳县、奉节县、巫山县、开县等县(区)完成情况都在95%以上。二期移民阶段是整个移民搬迁极为关键的攻坚阶段,从1999年计划执行情况来看,本年度资金投入强度基本适应移民工程建设的需要,但迁建任务完成进度与计划投资完成进度仍存在不匹配的现象。

(三)移民搬迁安置情况

1999年,三峡工程库区共搬迁安置移民(实迁)68560人,占当年任务目标的80%。其中城镇居民29292人,农村移民39268人,分别占当年任务目标的47%和167%。农村生产安置移民38387人,占当年任务目标的152%。

湖北省1999年搬迁安置移民(实迁)15678人,占当年任务目标的98%。其中城镇居民9495人,农村移民6183人。分别占当年任务目标的84%和131%。农村生产安置移民6272人,占当年任务目标的123%。

重庆市1999年搬迁安置移民(实迁)52882人,占当年任务目标的76%。其中城镇居民19797人,农村移民33085人。分别占当年任务目标的39%和176%。农村生产安置移民32115人,占当年任务目标的160%。

从以上数据看,1999年三峡工程库区湖北省搬迁安置进度快于重庆市。由于各地坚持以大农业为基础,紧紧抓住二次土地承包机遇,加大土地调整力度,多种形式安置,农村搬迁安置进度加快,成绩显著。

三峡工程库区移民主要指标完成情况统计

表1

(一)移民人口搬迁安置情况	单位	累计	1999年
安置人口	人	218832	68560
其中:城镇	人	103280	29292
农村	人	115552	39268
其中:省外	人	16070	9787
(二)移民项目大类投资完成情况	亿元		
合计	亿元	150.36	41.07
农村移民安置	亿元	25.61	8.64
城(集)镇迁建	亿元	67.41	18.91
工矿企业迁建	亿元	36.19	7.78
专项设施复建	亿元	17.89	5.01
环境保护	亿元	0.14	0.12
勘测设计	亿元	3.10	0.61
湖北库区	亿元	39.68	5.68
重庆库区	亿元	108.95	34.53
军工企业	亿元	1.73	0.86
(三)实物量完成情况			
1.农村移民安置情况			
土地开发	万 m^2	21206.14	1978.47
农村道路	km	1826.00	231.09
农村建房	万 m^2	350.82	133.12
其中:移民住房	万 m^2	333.86	131.64
2.城市迁建			
征地及场平	万 m^2	4334.87	970.86
道路	km	321.51	101.75
大中型桥梁	m	6424.14	2380.00
居民住房	万 m^2	363.99	129.21
3.集镇迁建			
居民住房	万 m^2	104.66	33.98
4.工矿企业迁建	个	543	115
5.专项设施复建			
公路	km	675.08	118.01
大中型桥梁	m	5486.95	2604.76
港口码头	座	16	10
航道设施	座	2	2
水电站	座	18	6
输变电线路	万 m	99.84	20.82
输变电站	座	13	2
广播电视线路	万 m	88.26	38.74

三峡库区城乡人口迁移情况统计综合表

表 2 单位:人

	实迁人口									
	1999 年	累计	城镇		乡村					
			1999 年	累计	1999 年	累计	县内		县外	
							1999 年	累计	1999 年	累计
搬迁总人数	68560	218832	29292	103280	39268	115552	22235	79368	17033	36184
90m 以下	0	42987	0	20149	0	22838	0	19746	0	3092
90 ~ 135m	42046	94446	17375	43906	24671	50540	11942	27979	12729	22561
135 ~ 156m	14040	38051	6681	15362	7359	22689	6522	19452	837	3237
156 ~ 175mm	12474	43348	5236	23863	7238	19485	3711	12191	3467	7294

三峡库区城镇人口迁移情况统计综合表

表 3 单位:人

	实迁人口	
	1999 年	累计
搬迁人口数	29292	103280
90m 以下	0	20149
90 ~ 135m	17375	43906
135 ~ 156m	6681	15362
156 ~ 175m	5236	23863

三峡库区农村生活安置人口统计综合表

表 4 单位:人

	实迁人口							
	1999 年	累计	县内安置		县外安置			
			1999 年	累计	1999 年	累计	其中:省外安置	
							1999 年	累计
搬迁人数	39268	115552	22235	79368	17033	36184	9787	16070
90m 以下	0	22838	0	19746	0	3092	0	629
90 ~ 135m	24671	50540	11942	27979	12729	22561	6365	9396
135 ~ 156m	7359	22689	6522	19452	837	3237	331	557
156 ~ 175m	7238	19485	3711	12191	3467	7294	3091	5488

三峡库区农村生产安置人口统计综合表(1999年累计表)

表5　　单位:人

	应迁人口	合计	县内安置				县外安置	
			小计	农业安置	二、三产业安置	其它	小计	其中:省外安置
搬迁总人数	380493	147915	111483	75655	15660	20168	36432	15594
90m以下	49915	22838	19746	12359	3342	4045	3092	609
90~135m	150961	65148	42319	29433	5688	7198	22829	9211
135~156m	124400	27394	23954	17212	2435	4307	3440	554
156~175m	55217	32535	25464	16651	4195	4618	7071	5220

三峡库区农村生产安置人口统计综合表(1999年)

表6　　单位:人

	应迁人口	合计	县内安置				县外安置	
			小计	农业安置	二、三产业安置	其它	小计	其中:省外安置
搬迁总人数	25172	38387	21398	14435	1822	5141	16989	9827
90m以下	0	0	0	0	0	0	0	0
90~135m	15589	22557	9797	4677	1282	3838	12760	6523
135~156m	5691	9245	8513	7739	81	693	732	280
156~175m	3892	6585	3088	2019	459	610	3497	3024

三峡库区移民工程投资完成情况

表7　　单位:万元

	工程设计总投资	其中:移民资金(静态)	移民资金累计计划	累计完成投资	其中:移民资金	本年计划投资	其中:移民资金	本期完成投资	其中:移民资金	其中:上年结转资金
合计	3462818.63	1980246.66	1611978.21	2219809.14	1503618.22	554329.01	437064.17	539838.29	410792.08	29670.67
(一)农村移民安置	351371.94	291710.87	281102.83	279624.96	256045.11	91950.51	86594.99	95194.37	86354.76	6611.15
开发土地	144422.80	121294.14	127811.88	93653.02	86570.72	38787.45	37878.25	31315.92	30731.92	2049.53
小型水利设施	8830.57	7451.73	14096.72	9398.05	9203.71	1572.93	1462.93	1432.98	1387.38	286.57
基础设施	25509.15	24014.42	19437.18	26909.87	24414.88	3632.62	3503.12	8368.04	8349.37	388.53
企业安置	32238.17	16479.48	13085.15	22854.06	18385.61	3715.50	1745.02	5697.91	3459.46	381.50
农村道路	13000.42	12439.72	8649.60	14379.22	10381.31	1138.31	1138.31	5510.60	1540.60	102.68
农村建房	66666.59	53978.23	59949.48	58576.45	53308.39	24971.63	22759.69	22083.35	20170.26	870.26

	工程设计总投资	其中：移民资金（静态）	移民资金累计计划	累计完成投资	其中：移民资金	本年计划投资	其中：移民资金	本期完成投资	其中：移民资金	其中：上年结转资金
其中:移民住房	52337.02	45420.18	32588.24	45107.68	40530.22	13265.91	11375.46	15412.53	14129.41	479.91
外迁安置	36025.40	33933.40	24199.78	32891.60	32891.60	15186.03	15186.03	13939.85	13939.85	1930.92
其它渠道安置	8533.89	6383.89	6101.54	11645.75	11571.95	2475.87	2475.87	5251.43	5181.63	649.25
补助费用	16144.95	15735.86	7771.50	9316.94	9316.94	470.17	445.77	1594.29	1594.29	14.91
(二)城市迁建	1027835.12	612394.81	577944.08	743396.13	552229.76	199120.65	170904.19	199024.04	153519.28	3953.49
征地	105916.48	83324.68	108331.88	110817.56	108168.47	38941.35	38941.35	29149.18	27829.18	0.00
场地平整	74531.77	52129.16	46718.59	55251.70	45330.46	27322.40	26484.50	18170.54	17700.74	47.85
道路	148628.86	113149.14	136668.82	146229.64	132278.11	36369.00	33969.00	33584.10	32533.43	674.34
大中型桥梁	34890.71	30110.71	32665.41	34127.16	28047.16	6520.00	5420.00	7266.00	6098.00	709.00
给排水	70239.79	46280.27	41447.85	52476.26	47031.70	8119.58	5054.00	11902.87	11107.07	0.00
输气管道	11092.80	1175.80	390.00	5454.20	1064.20	230.00	0.00	242.00	242.00	0.00
输变电	17803.05	8251.29	9326.51	5869.72	5692.51	2020.00	2010.00	763.81	727.68	0.00
广播电视邮政电信	4880.49	3159.62	3507.67	4647.82	3667.82	50.00	30.00	594.00	134.00	0.00
防洪护岸	80752.26	48856.91	11672.91	18916.34	13631.56	14229.00	3970.00	10759.28	6615.50	0.00
城市建房	479098.91	225960.23	187214.44	309605.73	167317.77	65319.32	55025.34	86592.26	50531.68	2522.30
其中:居民住房	168978.79	62967.13	73467.13	15460.24	87029.03	27735.27	26743.27	41706.45	27668.55	619.00
(三)集镇迁建	164834.66	124424.08	135495.67	158705.28	121848.63	45782.13	33333.55	42526.23	35599.79	5570.15
基础设施	63715.23	52492.14	60736.59	61308.24	56133.52	13648.39	12190.81	18014.69	16708.52	2684.40
道路	20517.58	16455.21	17972.86	19019.66	18669.66	3295.89	3286.61	3432.77	3421.54	20.00
集镇建房	80601.85	55476.73	56786.22	78377.38	47045.45	28837.85	17856.13	21078.77	15469.73	2865.75
其中:居民住房	39963.13	26931.94	28141.93	43985.30	25474.06	17689.65	9533.45	10708.91	7697.27	542.13
(四)工矿企业迁建	1223871.46	621198.14	379708.50	642543.24	361905.89	113383.40	76451.27	117552.11	77817.32	6185.81
(五)专项设施复建	651786.36	292652.77	201927.66	362840.80	178920.80	95519.40	61289.20	78110.48	50100.82	6936.37
公路汽渡	182648.84	99466.78	82092.51	108228.17	76002.13	38332.23	24916.07	28420.09	19211.87	4954.92
大中型桥梁	62939.49	34507.94	32953.50	43852.90	33098.34	19465.00	10035.00	19623.61	12973.15	892.00
港口码头	152938.05	44437.05	15266.20	41549.03	9776.55	16361.63	9803.67	11037.23	4657.64	321.00
航道设施	3458.00	3458.00	3458.00	3457.60	3457.60	1505.00	1505.00	1504.60	1504.60	0.00
水电站(抽水站)	130153.09	30439.37	23896.43	116119.54	21917.11	3073.00	2263.00	2807.40	1673.92	64.30
输变电	26520.38	17179.88	14706.74	15669.41	12135.40	4489.80	3393.72	2672.63	1908.64	36.00
输气管道	6488.00	3685.00	4125.00	5842.84	3489.60	1784.54	1784.54	1865.24	1254.14	0.00
广播电视邮政电信	46939.71	19779.05	12469.88	20222.42	11145.18	6480.57	3560.57	6347.43	3884.61	500.00
水文站	6326.78	6326.78	4279.78	3253.91	3253.91	1853.00	1853.00	2287.13	1487.13	153.01
文物古迹	28839.23	28839.23	5011.97	3224.60	3224.60	1002.65	1002.65	311.92	311.92	15.14
库底清理	4534.79	4534.29	3667.65	1420.38	1420.38	1171.98	1171.98	1233.20	1233.20	0.00
(六)环境保护	6747.61	6261.05	2514.79	1460.16	1435.16	1998.54	1957.54	1260.18	1240.18	10.00
(七)勘测设计	36371.48	31604.94	33284.68	31238.57	31232.87	6574.38	6533.43	6170.88	6129.93	403.70

三峡库区移民工程成果及形成生产能力

表 8

项目名称	计量单位	建设规模	累计完成规模	累计计划规模	本年计划规模	本期完成规模	其中：上年结算规模
(一)农村移民安置							
1.土地开发面积	万 m^2	25942.50	21206.14	30084.89	649.97	1978.47	1460.25
开垦	万 m^2	5049.64	4890.78	5030.26	25.95	8.32	0.00
改土	万 m^2	9021.18	7797.75	11766.45	251.17	231.84	39.69
防护	万 m^2	41.02	41.02	41.02	16.02	16.02	0.00
调整	万 m^2	11759.62	8407.29	13180.99	351.49	1710.74	1420.56
买土	万 m^2	71.04	69.30	66.17	5.34	11.55	0.00
2.水利设施							
水池	m^3/个	2722975.50/2921	3274283.80/2517	1854796.00/2591	151274.00/142	178616.00/204	525.00/4
水渠	m/个	435046.92/713	610268.92/5926	279303.00/333	38783.00/31	54490.00/44	2000.00/3
3.农村道路	km/条	1313.83/576	1826.00/709	1143.12/439	108.98/60	231.09/86	8.00/2
机耕道路	km/条	1020.32/527	1411.57/523	945.07/412	48.23/41	88.98/64	4.00/1
库周道路	km/条	293.51/49	414.43/186	198.05/27	60.75/19	142.11/22	4.00/1
4.农村建房	万 m^2	361.21	350.82	301.83	83.03	133.12	1.79
移民住房	万 m^2	335.71	333.86	278.80	82.74	131.64	1.79
其中:还建	万 m^2	126.58	160.19	94.17	33.10	71.48	0.96
公益用房	万 m^2	4.76	4.30	2.49	0.16	0.89	0.00
其它	万 m^2	20.74	12.66	20.54	0.13	0.59	0.00
(二)城市迁建							
征地	万 m^2	2810.49	3274.61	3221.22	230.11	398.42	9.19
场平	万 m^2	1604.77	1060.26	1225.78	269.40	572.44	0.00
道路	km/条	391.93/219	321.51/201	294.67/190	35.23/23	101.75/38	17.32/7
大中型桥梁	m/座	5742.14/34	6424.14/31	5656.14/24	260.00/1	2380.00/19	1144.00/9
给水	t/座	371005.00/16	223332.50/20	321955.00/19	950.00/3	11010.00/3	0.00
排水	t/座	25000.00/2	25510.00/8	10000.00/1	0.00	10.00/1	0.00
输气管道	万 m	52.81	52.69	52.69	0.00	0.00	0.00
输变电线路	万 m	35.20	35.36	37.41	4.39	6.05	0.00
变电站	座	5.00	4.00	5.00	0.00	0.00	0.00
通信线路	万 m	29.43	29.54	29.43	0.00	0.76	0.00
广播电视	万 m/座	51.90/5	33.60/3	53.50/6	13.95/2	6.82/1	0.00
防洪护岸	万 m^3	122.09	119.04	75.95	1.50	3.30	0.00
城市建房	万 m^2	789.80	507.29	657.83	161.41	161.67	2.37
其中:居民住房	万 m^2	727.14	363.99	266.90	69.79	129.21	1.89

项目名称	计量单位	建设规模	累计完成规模	累计计划规模	本年计划规模	本期完成规模	其中：上年结算规模
其中：还建	万 m^2	373.61	153.42	159.83	13.32	29.21	1.89
(三)集镇迁建							
集镇建房	万 m^2	204.28	176.72	173.33	56.47	51.66	3.25
其中：居民住房	万 m^2	113.40	104.66	99.58	30.85	33.98	0.91
(四)工矿企业迁建	个	1599.00	543.00	928.00	500.00	115.00	1.00
工矿企业建房	万 m^2	343.37	240.10	266.29	63.76	63.95	8.85
(五)专项设施复建公路	km/条	804.84/81	675.08/68	657.30/77	213.10/14	118.01/15	0.00
汽渡	处	1.00	0.00	1.00	0.00	0.00	0.00
大中型桥梁	m/座	10230.95/64	5486.95/53	8322.18/57	2259.80/4	2604.76/17	0.00
港口	座	5.00	0.00	5.00	5.00	0.00	0.00
码头	座	24.00	16.00	22.00	9.00	10.00	0.00
停靠站	座	0.00	0.00	0.00	0.00	0.00	0.00
航道设施	处	3.00	2.00	3.00	2.00	2.00	0.00
水电站	座	16.00	18.00	21.00	6.00	6.00	0.00
抽水站	座	3.00	3.00	3.00	0.00	0.00	0.00
输变电线路	万 m	110.91	99.84	85.06	16.44	20.82	4.00
变电站	座	22.00	13.00	21.00	2.00	2.00	0.00
通信线路	万 m	176.36	112.48	169.09	9.38	12.99	0.00
邮电局(所)	个	11.00	6.00	11.00	1.00	0.00	0.00
广播电视线路	万 m	101.34	88.26	87.47	38.66	38.74	0.00
中转站	座	10.00	8.00	12.00	7.00	3.00	0.00
水文站网	处	49.00	3.00	49.00	0.00	0.00	0.00
文物古迹	处	78.00	0.00	78.00	0.00	0.00	0.00
库底清理	处	7738.00	7738.00	7738.00	0.00	0.00	0.00
(六)环境保护	项	6.00	8.00	6.00	3.00	7.00	0.00

三峡库区移民工程房屋建筑面积情况

表 9

	设计总面积（万 m^2）	累计竣工建筑面积（万 m^2）	本年计划竣工面积（万 m^2）	本年施工面积（万 m^2）	本年竣工面积（万 m^2）	本年竣工房屋价值（万元）	本年竣工房屋平均造价（元/m^2）
合计	1824.69	1313.73	403.37	492.49	436.04	164832.68	378.02
厂房	264.07	193.97	36.14	46.35	37.61	20378.42	541.84
住宅	1150.10	876.36	298.03	362.22	316.26	101913.30	322.25
农村	309.86	333.86	98.17	117.50	131.64	27851.44	211.57

城(集)镇	715.10	468.65	169.56	210.38	163.19	65918.91	403.94
企业	125.14	73.85	30.30	34.34	21.43	8142.95	379.98
办公用房	148.71	83.37	31.88	37.98	45.58	25136.04	551.47
商业、居民服务业用房	161.00	94.70	26.12	32.22	26.54	12465.49	469.69
文化教育用房	44.25	32.98	4.96	3.70	2.81	1332.08	474.05
医疗用房	13.52	7.49	1.07	1.87	1.49	452.43	303.64
科研用房	0.92	0.13	0.04	0.18	0.03	0.00	0.00
其他用房	42.12	24.73	5.13	7.97	5.72	3154.92	551.56

三峡库区移民工程资金来源情况（1999年累计表）

表 10 单位：万元

	合计	国家移民资金	银行贷款	对口支援				利用外资	财政补助	自有资金	其它
				合计	中央	省外	省内				
合计	1724783.37	1257283.73	218164.66	52911.15	7565.00	35788.00	9558.15	1472.49	13233.72	76012.68	105986.34
农村移民安置	249050.31	230805.24	4816.00	140.00	50.00	90.00	0.00	0.00	5.00	4705.73	8578.34
城市迁建	558088.49	453158.53	12164.95	10082.14	15.00	3699.00	6368.14	826.49	8062.54	27387.44	46687.80
集镇迁建	136935.86	109638.36	3220.63	1870.01	0.00	155.00	1715.01	21.00	512.18	5944.97	15728.71
工矿企业迁建	487048.25	287414.91	111750.36	32499.00	500.00	30824.00	1175.00	625.00	1254.00	30552.69	22952.29
专项设施复建	266691.37	149363.55	86212.72	8320.00	7000.00	1020.00	300.00	0.00	3400.00	7421.85	11973.25
环境保护	1997.12	1972.12	0.00	0.00	0.00	0.00	0.00	0.00	0.00	0.00	25.00
勘测设计	24971.97	24931.02	0.00	0.00	0.00	0.00	0.00	0.00	0.00	0.00	40.95

三峡库区移民工程资金来源情况（1999年）

表 11 单位：万元

	合计	国家移民资金	银行贷款	对口支援				利用外资	财政补助	自有资金	其它
				合计	中央	省外	省内				
合计	518645.25	412330.03	30591.29	4919.90	1010.00	2973.00	936.90	847.49	4895.34	32705.65	32355.55
农村移民安置	102897.08	96323.46	401.00	90.00	0.00	90.00	0.00	0.00	0.00	2577.27	3505.35
城市迁建	190014.88	153837.39	2506.90	2733.90	10.00	2199.00	524.90	826.49	1084.96	15280.17	13745.07
集镇迁建	35116.86	28943.30	1120.00	447.00	0.00	35.00	412.00	21.00	210.38	1910.95	2464.23
工矿企业迁建	105140.50	73446.40	16515.94	129.00	0.00	129.00	0.00	0.00	200.00	10165.16	4684.00
专项设施复建	77956.61	52326.11	10047.45	1520.00	1000.00	520.00	0.00	0.00	3400.00	2772.10	7890.95
环境保护	1630.39	1605.39	0.00	0.00	0.00	0.00	0.00	0.00	0.00	0.00	25.00
勘测设计	5888.93	5847.98	0.00	0.00	0.00	0.00	0.00	0.00	0.00	0.00	40.95

三峡库区移民项目资金收支情况

表 12

单位:万元

项目名称	本年计划投资额	实际支出额	
		累计支出	本年支出
合 计	465283.10	1601169.85	411942.44
(一)农村移民安置费	96343.10	255194.85	88020.06
1.生产安置费	55333.51	142140.89	49848.54
2.房屋及附属设施补偿	26049.55	68113.62	22988.17
3.零星果木补偿费	692.51	3054.81	1535.78
4.搬迁费	450.00	1899.57	1899.57
5.基础设施费	3461.03	21315.45	4721.45
6.小型水利设施费	160.00	1784.65	298.73
7.学校医疗点增容费	27.63	665.29	69.64
8.过渡期生活补助费	210.00	2575.41	954.91
9.村组副业补偿费	15.09	1108.11	195.66
10.库周交通恢复费	70.00	7195.57	3033.84
11.其他	9873.78	5341.48	2473.77
(二)城镇迁建费	176010.40	564654.75	149264.15
1.基础设施费	113693.49	395699.26	101989.28
2.房屋补偿搬迁费	62316.91	168955.49	47274.87
(三)集(场)镇迁建费	28807.00	124874.85	30753.48
1.基础设施费	14030.60	75118.46	13890.53
2.房屋补偿搬迁费	14776.40	49756.39	16862.95
(四)工矿企业迁建费	67951.00	356342.65	65165.51
(五)专项设施复建费	63513.60	183875.64	51432.74
1.公路桥梁汽渡复建费	38725.31	108961.43	29287.43
2.港口码头复建费	10032.67	10625.70	5115.84
3.电力复建费	5744.72	35872.88	7484.77
4.邮政电信复建费	2094.50	8852.32	2674.56
5.广播电视复建费	1576.47	3119.24	1646.05
6.输气管道复建费	1784.54	3880.50	1640.04
7.水文站网复建费	632.00	3032.00	632.00
8.航道设施复建费	767.53	3989.53	1867.53
9.文物古迹发掘迁建费	785.37	5011.97	1002.65
10.库区清理费	0.00	336.62	12.63
11.其他	1370.49	193.45	69.24
(六)环境保护费	2470.00	1273.19	1099.97
(七)滑坡监测处理费	0.00	971.52	636.86
(八)勘测规划设计费	6258.00	35966.56	5433.96
(九)耕地占用税	5580.00	18821.01	5065.99
(十)其它费用	18350.00	59194.83	15069.72
1.综合监理费	2950.00	6813.16	2612.07
2.移民职业培训费	4155.00	7138.73	3213.84
3.行政管理费	10445.00	44174.95	8858.11
4.科研费	800.00	1067.99	385.70

补充指标:累计实收拨款数额1686923.64万元;期末帐面余额159356.33万元。

对口支援及工矿企业统计

对口支援统计说明:1999年对口支援工作共实施经济合作项目425个(其中新建项目128个),实际到位资金145382.20万元;社会公益项目共落实资金29634.91万元,其中无偿援助设备、物资折款及捐赠现金共计28710.05万元,援建移民希望学校32所,各类助学活动的资金额为924.86万元,安排移民劳务3265人次;培训各类人员1475人次,干部交流74人次。对口支援项目共安置移民10851人。

1999年全年对口支援共为库区引入外来资金138923万元,其中社会公益项目资金29635万元,经济合作类项目中支援方到位资金为109288万元。

截至1999年12月31日,对口支援共为三峡库区引入外来资金727730万元(其中社会公益类项目资金为86877万元,经济合作类项目资金为640853万元),实施经济合作项目1538个。

1999年对口支援工作从引进项目的数量和资金量来看,均是自开展对口支援工作以来最好的,项目质量总体上比较好。今后库区在引进项目时,一要加强对项目的前期考察工作,二要加强对项目的跟踪服务工作。

工矿企业编表说明:表中数据包括中央直属企业的有关情况。截至1999年底,中央直属企业(6家)动工兴建项目 6 个，累计安排移民资金 20750 万元。

表中各栏的移民资金情况，包括 1999 年底追加安排重庆库区专项用于企业破产关闭试点的 66.00 万元移民资金。

对口支援三峡工程库区移民工作情况统计表

表 1

	资金总额（万元）	无偿援助		援建希望学校		安排移民劳务（人）	培训（人次）	干部交流（人）
		次数	折款金额（万元）	数量（所）	资金额（万元）			
合　计	29634.91	62	672.63	54	885.90	3265	1475	74
湖　北	22845.67	31	317.85	21	196.70	3080	606	7
重　庆	6789.24	31	354.78	33	689.20	185	869	67

续表 1

	项目个数（个）			项目投资情况（万元）							
	合计	新建	续建	双方计划投资总额	支援方	受援方	实际到位资金总额	资金到位率	支援方	受援方	移民资金
合计	425	128	297	857786.7	613631.5	244155.20	145382.2	50.39%	109288	36094.2	15187
湖北	38	27	11	26218.5	15698.5	10520	22593	86%	12073	10520	0
重庆	387	101	286	831568.2	597933.0	233635.2	122789.2	14.77%	97215	25574.2	15187

对口支援项目到位资金统计表

表 2　单位：万元、个

	对口支援引入资金总额	社会公益类项目			经济合作类项目					
		资金合计	无偿援助资金额	希望工程到位资金额	合计		实施		支持项目	
					项目个数	到位资金额	项目个数	到位资金额	项目个数	到位资金额
合　计	138922.91	29634.91	28710.05	924.86	425	109288	214	76529.40	211	32758.60
湖　北	34918.67	22845.67	22648.97	196.70	38	12073	38	12073.00	0	0
重　庆	104004.24	6789.24	6061.08	728.16	387	97215	176	64456.40	211	32758.60

三峡工程库区已完成迁建任务企业情况

表 3

	项目数量（个）				涉及淹没企业	对口支援项目	计划投资（万元）		到位资金（万元）	
	合计	技改项目	原迁企业	补偿销号	数量（个）		总投资	其中移民资金	小计	其中移民资金
合　计	401	225	100	76	543	28	371538.75	190399.76	432425.71	187968.57
湖　北	142	39	79	24	175	5	107348.15	42787.86	106906.61	40526.67
重　庆	259	186	21	52	368	23	264190.60	147611.90	325519.10	147441.90

续表 3

	完成投资(万元)		竣工房屋面积(m^2)	职工人数(人)	安置移民(人)	企业经营状况		
	小计	其中：移民资金				盈利(个)	持平(个)	亏损(个)
合　计	452916.24	220294.75	1731496.50	66428	8058	105	93	203
湖　北	112942.14	33953.45	533859.50	19293	1068	35	35	72
重　庆	339974.10	186341.30	1197637.00	45135	6990	70	58	131

注：对口支援项目个数以搬迁后项目个数为准。

国民经济和社会发展统计

国民经济和社会发展主要指标

表 1

指标名称	计量单位	数量
(一)社区基本情况		
乡(镇)个数	个	973
(二)人口、劳动力情况		
年末总人口	万人	1576.08
其中：乡村人口	万人	1353.94
年末全部从业人数	万人	781.04
其中：城镇职工	万人	98.64
(三)综合经济		
1.国内生产总值(当年价格)	万元	6152226.00
第一产业	万元	1958492.00
第二产业	万元	2379747.00
第三产业	万元	1813987.00
2.主要农产品产量		
粮食	t	6569563.00
猪牛羊肉	t	595212.00
水果	t	561868.00
3.工业总产值(现价)	万元	3879355.00
4.全社会固定资产投资完成额	万元	1878239.00
5.社会消费品零售额	万元	2706086.00
批发零售贸易业商品销售总额	万元	1273850.70
出口总额	万元	10593.00
(四)财政、金融		
财政总收入	万元	315169.00
其中：地方财政收入	万元	221428.00
财政总支出	万元	366278.00
(五)人民生活		
城镇职工工资总额	万元	455989.50
农村居民人均纯收入	元	1804.74
(六)运输邮电交通		
公路货运量	万 t	30060.71
公路客运量	万人	39079.82
境内公路里程	km	43331.00
邮电业务总量(当年价)	万元	87545.63
电话交换机容量	门	669697
(七)教育、科技、文化和卫生		
成人高中等专业学校在校学生数	人	36277
普通中学在校学生数	人	615584
小学在校学生数	人	1374746
适龄儿童入学率	%	90.54
医院、卫生技术人员数	人	35000
医院、卫生院床位数	床	45293
(八)自然资源		
行政区域土地面积	公顷	4182266.30
耕地面积	公顷	1095554.69
林地面积	公顷	1292719.15

1998年三峡库区国民经济和社会发展主要指标(分地区)

表 2

县名	年末总人口(万人)	乡村人口(万人)	乡村劳动力(万人)	职工人数(万人)	国内生产总值(万元)	第一产业(万元)	第二产业(万元)	第三产业(万元)	全社会固定资产投资完成额(万元)	财政收入(万元)	地方财政收入(万元)	财政支出(万元)	工资总额(万元)	农民人均纯收入(元)
库区合计	1576.08	1353.94	781.04	98.64	6152226	1958492	2379747	1813987	1878239	315169	221428	366278	455989.5	1804.74
湖北省辖区	165.03	141.02	57.69	8.77	1268740	262129	660909	345702	235974	59592	38999	58407	44765	1851
重庆市辖区	1411.05	1212.92	723.35	89.87	4883486	1696363	1718838	1468285	1642265	255577	182429	307871	411224.50	1758.48
宜昌县	57.28	47.30	25.53	3.60	827337	125900	490654	210783	54318	32266	18282	26204	22089	2559
秭归县	40.38	34.81	19.70	1.82	163491	41332	65176	56983	97538	9567	7518	11879	7219	1497
兴山县	18.94	14.89	10.06	2.07	118476	30124	66022	22330	45110	9158	6629	9046	10082	1916
巴东县	48.43	44.02	2.40	1.28	159436	64773	39057	55606	39008	8601	6570	11278	5375	1435
涪陵区	109.23	86.23	61.67	11.11	570284	89434	279562	201288	205796	83410	38860	64838	60813	1692
丰都县	76.41	66.90	46.19	3.06	182192	62940	54420	64832	71714	11304	9044	16512	16309	1550
武隆县	35.58	35.25	22.95	1.92	110000	46500	24800	38700	32198	10518	7791	15167	5000	1540
石柱县	49.43	43.83	0.00	5.61	114739	39756	41929	33054	25052	8544	8544	12740	12569	1183
长寿县	88	73	50	9	450000	185000	90000	175000	118020	35160	16441	0.00	64000	2260
江津市	144.48	122.22	78.62	5.24	833987	229039	338498	266450	319556	16818	16818	27071	30220.40	2992.07
渝北区	78.30	63.47	47.44	5.48	372774	101800	161917	109057	175377	15951	15951	21863	20893	2232
巴南区	86.11	65.08	21.03	0.00	413600	150200	160600	102800	107469	0.00	10296	19935	21846	2330.83
五桥	60	55	37.15	3.47	13770	5600	4030	4140	4060	4966	3836	9542	10880	1522
龙宝	49.72	28.53	30.44	11.44	228729	28955	117068	82706	132186	10320	8136	11120	54261	1646
天城	55.52	45.98	31.70	4.48	233400	55500	118800	59100	79720	10980	8423	14581	21967	1742
开县	147	134	79.3	5.83	643952	386421	142579	114952	96496	17100	12560	19756	22862	1616
奉节县	100.71	93.23	43.77	9.25	117163	54139	22176	40848	85384	11500	0.00	16195	12888	1372
忠县	97.8	88.18	56.30	4.50	211956	84686	59352	67918	34250	8029	8029	13736	17544.1	2226.23
巫山县	58.47	52.15	35.29	2.27	112461	44664	23015	44782	55059	6601	4731	14552	11874	1224
巫溪县	50.17	46.26	27.34	2.26	71215	38405	14751	18059	23143	4376	3216	10970	6364	1192
云阳县	124.12	113.62	54.16	4.95	203264	93324	65341	44599	76785	0.00	9753	19293	20934	1574

续表 2

县名	粮食产量（t）	猪牛羊肉产量（t）	水果产量（t）	工业总产值（万元）	公路客运量（万 tkm）	公路客运量（万人次）	邮电业务量（万元）	社会消费品零售额（万元）	中学在校学生数（人）	小学生人数（人）	学龄儿童入学率（%）	医院、卫生院床位数（个）	卫生技术人员数（人）	公路里程（km）
库区合计	6569563	595212	561868	3879355	30060.71	39079.82	87545.63	2706086	615584	1374746	90.54	45293	35000	43331
湖北省辖区	691664	104681	95422	1223917	565.1	1621.6	10177	292115	134526	189766	98.96	3096	5015	7531
重庆市辖区	5877899	490531	466446	2655438	29495.61	37458.22	77368.63	2413971	481058	1184980	82.11	42197	29985	35800
宜昌县	244977	38777	8398	892903	183	865	4773	162001	26750	62820	99.98	1292	1555	2800
秭归县	146926	21509	56422	97821	198.5	516	1921	49098	16846	49018	99.2	563	1120	1844
兴山县	77073	10751	20045	170726	81.9	190.2	1345	40015	11329	22528	99	456	855	449
巴东县	222688	33644	10557	62467	101.7	50.40	2138	41001	79601	55400	97.67	785	1485	2438
涪陵区	443936	48775	14544	526588	354	1201	12455	164078	32151	97959	99.77	1990	3149	1545
丰都县	335414	31346	32209	52879	76.2	1345.9	4129	65763	26903	67343	99.45	974	1283	1046
武隆县	165024	23451	3442	32781	114	213	1675	500400	11785	34670	96.44	120	706	2181
石柱县	288404	16033	12543	37060	85.35	71.10	1756	47310	15092	38367	96	710	1170	15405
长寿县	380000	0.00	0.00	100029	26790	28164	7753	148332	31000	71000	99.9	1800	2400	1412
江津市	734955	75677	74427	326330	9	1159	5930	200763	51939	116808	99.7	24944	2494	1242
渝北区	351529	0.00	16691	442587	3	0.00	6629	88582	33034	65072	99	827	1696	1418
巴南区	498137	0.00	17345	423426	426	2119	7761	99048	35934	69225	0.00	2258	2589	1972
五桥	23022	26100	43000	35860	83.6	114.6	1144	4620	18010	51216	97.81	505	726	480
龙宝	120121	13836	18338	182576	424	1455	12452	106638	17369	42054	99	1309	2305	172
天城	214820	27400	30598	168519	439	663	1579	72689	16961	48419	99	1065	1315	604
开县	595910	80156	43862	44660	256.06	360.12	4260	145128	44926	184052	10.00	1373	2575	1928
奉节县	390166	3773	71962	46024	120.2	213.3	2600	541390	56570	14866	99.8	1187	1446	3225
忠县	415322	45402	15000	123801	1.00	0.00	493.63	60193	32456	94011	99.9	1245	1960	0.00
巫山县	218906	31600	9195	22198	200	96	2145	45786	13472	12306	99.82	643	931	990
巫溪县	27555	2641	26978	18092	34.2	84.2	1202	34690	12074	53851	99.3	192	891	847
云阳县	467500	64341	36312	72028	80	200	3405	88561	31382	123761	0.00	1055	2349	1333

大事记 XIII

陆水水电站

1999年大事记

中国三峡建设年鉴社

一 月

4日　三峡大坝和电站厂房二期工程金属结构设备制造开标仪式在三峡坝区举行。参加投标的有来自全国各地的25家金属结构设备制造厂。中国三峡总公司副总经理王家柱出席开标仪式并讲话。

5日　国家林业局、中国三峡总公司建设“三峡坝区国家森林公园”协议签字仪式在三峡坝区举行。国家林业局党组成员、中国林科院院长江泽慧和中国三峡总公司副总经理袁国林分别在协议书上签字。

6日　“三峡——常州±500kV直流输电工程换流站设备国际招标评标报告”经国务院三峡工程建设委员会(以下简称“三峡建委”)主任朱镕基、副主任吴邦国同意,国务院三峡建委以国三峡委发办字〔1999〕1号文批复,同意报告中的定标推荐意见。

7~8日　国务院三峡工程建设委员会移民开发局(以下简称:三峡建委移民局)在宜昌召开“三峡库区移民规划工作会”。参加会议的有湖北省、四川省、重庆市及有关区(市)移民局,长江水利委员会等单位代表。三峡建委移民局副局长宋原生主持会议,向会议传达朱镕基总理1998年12月视察三峡工程库区、坝区时的重要讲话精神,并作了会议总结讲话。与会代表在会上交流了7年来三峡移民规划工作情况,探讨了进一步搞好移民规划工作措施。

7~14日　在挪威KEN水力试验台上进行ALSTOM/KEN三峡水轮机模型第二次试验。根据中国三峡总公司的要求,KEN在第一次模型试验后,研制了各种泄水锥,选定采用6B泄水锥。对6B泄水锥的试验结果表明,压力脉动有一定的改善,对机组的稳定运行更趋有利。

8日　中国三峡总公司召开1999年计划工作会议,对1999年年度施工计划进行周密部署。1999年工程施工特点是混凝土浇筑峰高量大,全年混凝土浇筑总量达448万m^3。会议由中国三峡总公司副总经理贺恭主持。中国三峡总公司总经理陆佑楣,副总经理李永安、王家柱,总工程师张超然等到会并作重要讲话。

8日　李鹏委员长听取三峡建委副主任郭树言关于三峡输变电工程直流设备和枢纽工程高压电气设备国际招标有关情况的汇报。

11日　三峡建委副主任郭树言主持专题会议,研究修改三峡库区文物保护规划等有关问题,三峡建委办公室副主任李世忠、移民局局长漆林和长江水利委员会以及有关方面负责人出席会议。

12日　中国三峡总公司、国家气象局“气象服务保障系统建设与服务”协议书签字仪式在中国三峡总公司总部大楼举行。这标志着一个崭新的、具有世界先进水平的气象保障系统将为三峡工程建设服务。

12日　横跨长江三峡江面,直径为102 mm的摆塔式2号缆机主索从左岸厂坝4#坝段中转平台引出,顺利到达大江对岸。摆塔式缆机是三峡二期主体工程混凝土浇筑的重要运载工具,是目前世界上最先进的大型施工吊运设备。

14日　1998三峡债券承销协议签字仪式在北京人民大会堂举行。中国三峡总公司副总经理李永安、中信证券公司董事长常振明分别代表发行人和主承销商签订了承销协议。1998三峡债券以中信证券有限责任公司为主承销商,中国国际金融公司、三峡财务有限责任公司为副主承销商,联合证券公司、湖北证券公司为分销商。

14~16日　三峡建委副主任郭树言主持召开“三峡库区贯彻落实朱镕基总理讲话精神座谈会”,研究讨论移民工作有关问题,三峡建委副主任、重庆市副市长甘宇平,湖北省副省长张洪祥,三峡建委办公室副主任李世忠、高金榜,三峡建委移民局局长漆林和长江水利委员会、三峡建委办公室、移民局以及渝、鄂有关部门、库区有关市县政府负责人出席会议。

18日　1999年三峡物资供应四方协调会在三峡坝区召开,各主要施工单位、监理单位、中国三峡总公司工程建设部等有关单位负责人参加了会议。中国三峡总公司副总经理贺恭在会上讲话。

19日　为进一步加强对三峡工程的科技管理,促进科研与生产的紧密结合,中国三峡总公司召开首次科技工作会议。会议由中国三峡总公司总工程师张超然主持。中国三峡总公司总经理陆佑楣、副总经理贺恭和王家柱以及有关部门负责人参加了会议。

20日 全国人大常委、全国总工会副主席刘珩率慰问团慰问工作、生活在第一线的三峡建设者，并向他们赠送慰问金。

22～25日 中国三峡总公司组织召开“九五”国家重大技术装备研制和国产化项目——三峡水利枢纽成套设备“大型专用起重机械研制”专题审查验收会议，审查由太原重型机械(集团)有限公司和大连大起集团有限公司承担研制的专题报告。该专题研制由国务院三峡建委办公室组织，中国三峡总公司主持，是三峡工程重大技术装备研制的首次专题审查验收。

25日 世界最大引水压力管道首节钢衬顺利运抵三峡工地，并安全吊装在左岸厂房1#坝段设计预定部位。自此，三峡大坝金属结构施工全面展开。

26日 1999年三峡工程安全生产工作会议在三峡坝区举行，施工、监理及中国三峡总公司负责人出席会议。会议总结了1998年三峡工程安全生产工作，并提出1999年的工作重点是：抓教育培训，抓督查整改。

27日 国务院副总理吴邦国在新华社《国内动态清样》第56期刊登的《重庆破获贪污三峡库区移民资金大案》上批示：“请树言同志阅。移民资金的安全问题要引起重视，一个出纳就可取款130万元用于赌博，这反映移民资金管理中的漏洞。请举一反三研究移民资金的管理问题”。

28～29日 国务院三峡建委副主任郭树言在北京主持召开国务院三峡建委第30次办公会议，研究三峡工程二期通航有关问题，着重讨论三峡工程导流明渠通航标准、三峡工程二期施工超过设计通航标准时的应急翻坝措施以及临时船闸事故总结。三峡建委副主任、中国三峡总公司总经理陆佑楣和国务院三峡建委办公室、中国三峡总公司、交通部、长江水利委员会的主要负责人李世忠、张德楠、贺恭、王家柱、李居昌、郑守仁以及交通部、湖北省、重庆市、宜昌市、长江航运管理局等有关负责同志参加会议。

月底 三峡库区考古工作者宣布：通过科学发掘，他们在泔井沟中坝遗址发现有明确地层关系的三星堆文化、老官庙下层文化和哨棚嘴文化的地层叠压遗迹。这一发现对建立峡江地区史前考古文化序列有非常重要的意义。

二 月

3～5日 国务院三峡建委系统在北京召开贯彻中纪委三次全会精神工作会议。会议主题是：传达学习江泽民总书记在中纪委三次全会上的讲话、朱镕基总理在国务院廉政工作会议上的讲话以及尉健行同志在中纪委三次全会上的工作报告；总结1998年三峡建委系统党风廉政建设和反腐败工作；提出1999年三峡建委系统党风廉政建设和反腐斗争要点。会议由三峡建委监察局局长何文彬主持。三峡建委办公室、移民开发局、中国三峡总公司纪检监察部门的负责同志参加了会议。

6日 中共中央政治局常委、中央书记处书记、中央纪律检查委员会书记、全国总工会主席尉健行考察三峡工程并慰问三峡建设者。

8日 中国三峡总公司1999工作会议在宜昌召开。陆佑楣总经理在会上作了题为《团结一致，扎实工作，打好攻坚战，迎接新世纪》的工作报告。这次会议的主题是：总结1998年的工作，明确1999年任务，统一思想，群策群力，制订各项应对措施，就工程建设、电力生产、多种经营和中国三峡总公司各项配套改革作出总体安排。

10～12日 在北京发售长江三峡工程左岸电站550 kV主变压器、GIS设备招标文件。购买主变压器招标文件的有：住友商事、三井物产、扎布罗日、三菱电机、瑞士ABB公司、保定天威集团、丸红株式会社、阿尔斯通、西门子、沈阳变压器厂、伊林公司、西电集团公司、日棉株式会社和施耐德公司共14家。购买GIS招标文件的有：住友商事、三井物产、三菱电机、ABB、平顶山高压开关厂、丸红株式会社、阿尔斯通、西门子、沈阳高压开关厂、西电集团公司、日棉株式会社共10家。

11日 国务院三峡建委移民开发局在人民大会堂举行“中国长江三峡工程库区开发性移民情况报告会”。三峡建委副主任郭树言致辞。移民局局长漆林主持会议。

会议全面介绍了6年来移民暨对口支援取得的成效，宣传了三峡库区开发性移民和对外开展经济技术合作的重要性。全国人大、全国政协、国务院有关部门、有关对口支援省市和单位的代表，加拿大、法国等国驻华使节约200人应邀出席报告会。

12日 长江三峡水利枢纽工程大坝和电站厂房二期工程金属结构设备制造合同签字仪式在三峡工程建设管理中心举行。该合同总金额6.042亿元人民币。由葛洲坝集团机电建设有限公司、郑州水工机械厂、富春江水电设备总厂、夹江水工机械厂、湖南水工机械有限公司及武汉冶金设备制造公司承制。至此，三峡厂坝二期工程主体金属结构设备制造标已全部发标。

13～14日 国务院三峡建委移民局局长漆林率团慰问三峡移民并考察三峡工地。

20日～3月1日 三峡建委副主任郭树言应美国国会议员邀请访问美国，在美国国会发表关于三峡工程建设的讲演，会见美国国会参议员C. Thomas、F. Murkowski、D. Durbin，众议员T. W. Ewing、D. Manzullo，与美国商务部、进出口银行首脑 M. Copps、D. Thompson 会谈,参观考察有关水利、电力工程和生产企业。

22日 来自英国、美国和法国的5家外国公司向中国三峡总公司递交三峡机组监造建议书,角逐三峡机组的监造任务。

22日 三峡建委副主任郭树言主持召开专题会议;研究审定《国务院办公厅关于三峡工程移民工作有关问题的通知(代拟稿)》,三峡建委办公室副主任李世忠、高金榜,移民局局长漆林和有关方面负责人出席会议。

24～28日 三峡建委移民局局长漆林、副局长宋原生一行9人先后赴湖北荆州、湖南岳阳、江西九江等5个地(市)6个县13个村学习、考察灾后移民建镇情况,并向三峡建委提出学习考察报告。

月底 在奉节白帝城附近的上关遗址,发现三峡地区最大的一座战国楚墓。该墓墓口长7.1 m,宽6.1 m,墓口至墓底深7 m。出土了大量的陶器和铜器。

三　月

3日 三峡建委移民局以国峡移发规字〔1999〕19号发出《关于开展地面文物保护项目招投标试点的通知》。《通知》强调:选择试行招投标项目的原则:一是确定为搬迁和部分搬迁保护的地面文物项目;二是已安排一定经费,有一定前期工作基础的项目;三是具有代表性且相对集中的寺庙、民居、古桥等项目优先入选。

4日 三峡永久船闸金属结构设备制造监理合同正式签字,国家电力公司中南勘测设计研究院承担监理工作,随后金结制造第一批驻厂监理进驻设备制造厂。

5日 三峡建委办公室、移民局联合向国务院报送《关于三峡工程移民工作有关问题的请示》。《请示》分五个部分:①关于移民工程质量问题;②关于城集镇迁建规模问题;③关于农村移民外迁问题;④关于工矿企业迁建问题;⑤关于移民资金使用管理问题。

6～9日 美国阿肯森公司总裁卡尔森与中国三峡总公司副总经理贺恭及有关部门人员,就三峡二期工程施工设备的运行、维护、管理以及进度控制等方面进行交流和协商,并于3月9日下午签订设备运行维护和管理咨询合同意向书。

10日 国家电力公司电网建设分公司(以下简称电网公司)在武汉主持召开三峡输变电工程质量工作会议,霍继安副总经理参加会议并作重要讲话。要求参与三峡输变电工程设计、制造、施工、监理等有关各方,要认真贯彻执行国务院及其有关部委有关基础设施工程质量的若干规定,制定切实可行的具体措施,确保三峡输变电工程质量。

10日 中共中国三峡总公司党组正式出台《1999年纪检监察工作安排》,明确1999年反腐倡廉的基本任务。

10～14日 来自台湾中兴工程顾问公司的水利水电专家刘仕周与黄庆祥,就三峡机组监造工作方面与三峡水利水电专家进行交流。

12日 国家发展计划委员会批复三峡——常州±500kV直流输电工程外汇额度(计外资〔1999〕251号)。该批复同意三峡——常州±500kV直流输电工程借用国外贷款5.73亿美元,其中0.5亿美元为北欧投资银行贷款,其余部分为国外出口信贷和商业银行贷款。所借国外贷款专项用于三峡——常州段输变电工程所需主设备和换流设备备品、备件等进口费用的对外支付,国外贷款本息由国家电力公司负责偿还。

12日 由山西长治锻压机床厂制造的目前国内最大卷板机在三峡工地正式投入使用。该机的顺利投入使用,标志着中国已成为世界上能生产特大卷板机的少数国家之一。

16日 三峡建委副主任郭树言主持三峡建委办公室、移民局、监察局副处级以上干部会议。由全国人大代表、中国三峡总公司总经理陆佑楣传达九届全国人大二次会议精神,由全国政协委员、三峡建委办公室副主任李世忠和中国三峡总公司副总经理袁国林传达全国政协九届二次会议精神。

16日 中国三峡总公司在三峡坝区召开三峡工程左岸电站高压电气设备国际招标标前会。来自世界18个国家、近20个高压电气设备制造厂家的130余位代表参加会议。标前会由中国三峡总公司副总工程师黄源芳主持。中国三峡总公司副总经理李永安、王家柱等出席标前会。

18日 中国历史博物馆、重庆市博物馆、四川大学、云阳县文物管理所联合对故陵"楚墓"进行试掘。故陵"楚墓"位于云阳县故陵镇长江南岸Ⅱ级台地。本次发掘由中国历史博物馆馆长俞伟超担任领队,四川大学历史系马继贤教授具体负责工地发掘工作。

20日 国务院三峡办副主任、电网公司董事长李世忠在湖北省政府有关部门领导的陪同下,视察宜昌龙泉换流站工程站址,听取有关方面的汇报后,再次强调三峡输变电工程建设必须严格执行业主负责制、招投标制、工程监理制和合同管理制,业主单位和地方政府都要站在对方的角度考虑问题,相互理解,相互支持。

22日 为Ⅰ&ⅡB标供应混凝土的▽79m两座4×4.5混凝土拌和楼投产。6月15日,▽90m两座4×3和4×6拌和楼安装完成投入运行。

24日 三峡建委副主任郭树言主持召开专题会，研究三峡工程质量管理有关问题，研究审定《三峡工程库区移民基本预备费使用管理办法》和《三峡库区移民工程建设项目管理办法》。三峡建委办公室副主任李世忠、移民局局长漆林、监察局局长何文彬和有关方面负责人出席会议。

25日 吴邦国副总理主持召开专题会议，研究三峡库区移民工作有关问题，国务院副秘书长马凯、三峡建委副主任郭树言、三峡建委办公室副主任李世忠、三峡建委移民局局长漆林和国家计委副主任李荣融、国家经贸委副主任郑斯林、财政部副部长高强、国土资源部副部长蒋承菘、建设部副部长宋春华、中国人民银行副行长尚福林、国家开发银行副行长杨晓堂、建设银行副行长李早航、工商银行副行长孙昌基、国家审计署副审计长翟熙贵、国家环保总局副局长王心芳、国务院研究室副主任尹成杰和解放军总后勤部部长助理梁洪以及有关部门有关方面负责人出席会议。

25日 中国三峡总公司总经理陆佑楣在三峡坝区建设管理中心会见美国《时代》周刊记者唐瑞雅，回答了记者关于三峡工程的防洪效益、质量、反腐倡廉、资金、泥沙、文物、移民等方面的问题。

26日 中国三峡总公司总经理陆佑楣在三峡展览馆接受荷兰电视台记者的采访。陆佑楣总经理介绍了三峡工程建设进展情况，强调了三峡工程的防洪效益，还分别就三峡工程技术、资金筹措、文物保护、移民搬迁以及大坝安全等问题回答了记者的提问。

29日~4月1日 中国三峡总公司邀请国内著名的水利水电专家，举行三峡工程混凝土质量专家咨询会。会议由著名水利水电专家、工程院院士谭靖夷主持。与会专家有两院院士张光斗、潘家铮，工程院院士文伏波、朱伯芳、赵国藩及陈赓仪、罗承管、李嘉进、刘颖、吴澄、许百立、聂客亮、王圣培等14名著名水电专家。

四　月

2日 美国参众两院议员组成的大型访华团一行70人参观三峡工地。中国三峡总公司总经理陆佑楣在三峡展览馆就三峡工程的防洪、发电、移民、水库泥沙及工程建设等情况回答参众议员的提问。

2~3日 三峡工程建设基金、电力建设基金和供电工程贴费征收管理工作座谈会在广州召开。国家财政部、国家电力公司、国务院三峡建委移民局、中国三峡总公司以及来自全国各省（市、区）财政、电力部门的有关负责同志参加了会议。

3日 由中央电视台、经济日报社、光明日报社等数家新闻单位记者组成的“保护母亲河行动”采访团，采访了三峡坝区的生态环保情况。

5~23日 在加拿大GE公司进行VGS三峡水轮机模型第二次试验。根据中国三峡总公司的要求，VGS重新开发了F-599模型，试验表明，F-599转轮模型较F-584转轮模型在压力脉动方面有所改善，对机组的稳定运行更趋有利。

5~9日 三峡工程管理信息系统（TGPMS）通过测试验收。该系统是中国水电界首次大规模引进并合作开发的管理信息系统，中国三峡总公司副总经理袁国林担任验收委员会组长，并发表讲话。

7日 九届全国人大代表、中国三峡总公司总经理陆佑楣，全国政协委员、中国三峡总公司副总经理袁国林向该公司副处级以上干部传达九届全国人大二次会议和全国政协九届二次会议精神，要求全体干部职工以“两会”精神指导1999年的工作，结合实际，抓好落实，高质量完成施工任务。

7~10日 中国三峡总公司邀请中国岩石力学和工程学会组成专家组，在三峡坝区召开三峡工程永久船闸专家咨询会。专家组针对永久船闸高陡边坡稳定性、中隔墩岩体加固和工程技术与安全措施3个专题进行讨论。咨询会议分两个阶段进行，分别由中国三峡总公司总工程师张超然和中国工程院院士王思敬主持。

8日 1998年8月底动工兴建的王陵庙35 kV变电所工程通过验收，工程质量优良。该工程为三峡二期工程90 m高程混凝土拌和系统与基坑内抽水、开挖、混凝土浇筑及施工照明提供电力保障，它由中国三峡总公司投资建设。

8日 四川省文物考古研究所、丰都县文物管理所联合在丰都县三合镇新湾村钟梁子进行发掘，发现完整的东汉时期漆木棺材痕迹和双人合葬土坑墓，墓深2.5 m，长9 m，宽4 m。发掘出大量陶器、玉器、铜器和钱币等。

9日 英国约克郡电视台一行4人在外事部门陪同下，对三峡工地进行为期一天的采访拍摄活动。摄制组先后在永久船闸、坛子岭、厂房坝段、西陵长江大桥、导流明渠等地进行采访。

11~13日 由国家建设部组织的三峡工程建设监理经验现场交流会在三峡坝区举行。来自全国建筑和监理行业的250余名代表参加了会议。

12日 中国电网建设有限公司受国家电力公司的委托在北京分别与瑞士ABB电力系统公司和SIEMENS AG公司签署三峡——常州±500kV直流输电工程换流站设备采购合同，中国电网建设有限公司董事长李世忠代表中方在合同上签字。同时签署的还有直流技术转让协议、合作生产合同、贷款协议等。合同、协议资金总额 5.06 亿美元。上述合同、协议的签订，标志着历时三年的三峡——常州 ± 500kV 直流输电工程换流站设备采购国际招标工作的顺利结束，按期转入生产和建设阶段。

14 日　法国前总理、现国会议员爱德华·巴拉迪尔先生参观考察三峡工程。中国三峡总公司副总经理袁国林在坝区接待中心，会见爱德华先生并进行友好会谈。

14 日　全国妇联副主席、书记处书记华福周一行 16 人，在中国三峡总公司副总经理袁国林、直属党委副书记柳定祥、工会副主席徐美琴的陪同下，参观了三峡工程。

14 日　宜昌市和大连市联合举办的对口支援三峡移民新闻发布会在大连举行，两市各界人士及 20 多家新闻单位近 200 人参加会议。

15 日　中国三峡总公司总经理陆佑楣接受日本朝日新闻记者古谷浩一的采访，回答记者提出的关于三峡工程目前的进展情况、环境保护、移民及治水等问题。

16 日　美国全国公共广播电台记者马洁涛和美国《费城问询报》记者林忱在三峡坝区展览馆采访中国三峡总公司总经理陆佑楣。

16 日～5 月 2 日　李永安副总经理率团赴巴西和委内瑞拉进行为期 17 天的实地考察，并与委内瑞拉卡罗尼流域开发总公司签定三峡电厂运行和维护人员的培训合作协议。

23 日　武警总部政治部副主任张铭少将一行视察武警水电部队三峡工程指挥部和永久船闸工地。

28 日　三峡建委副主任郭树言、移民局局长漆林出席朱镕基总理主持的国务院常务会议，汇报三峡库区移民工作有关问题和国务院三峡工程移民工作会议准备工作情况。

28 日　中国三峡总公司总经理陆佑楣在三峡坝区接待中心会见法国阿尔斯通公司输变电部总裁马里尔先生一行，并进行了友好的座谈。

29 日　中国三峡总公司副总经理袁国林陪同全国政协副主席、全国供销总社党组书记、理事会主任白立忱视察三峡工程。

4 月底　中国三峡总公司在北京召开模型试验成果评审会，对 VGS 和 ALSTOM/KEN 的两个模型的试验成果进行了评审。评审认为，两个模型均达到当今国际上的较高水平，但未达到合同保证值。提出了有条件接受的建议。

五　月

3 日　日本参议院议长代表团考察三峡工程。中国三峡总公司副总经理袁国林、办公室主任刘洪泰陪同客人参观三峡展览馆和施工现场。

3 日　全国人大外事委员会徐敦信主任委员考察三峡工程施工现场。

4 日　中国驻法大使吴建民、公使参赞施燕华参观考察三峡工程，受到中国三峡总公司副总经理袁国林的热情接待。

6 日　由中华全国总工会、中国三峡总公司、全国水电总工会、湖北省总工会以及三峡各参建单位共同组织的三峡工程劳动竞赛活动——1998 年度表彰大会在三峡坝区影剧院召开。

大会授于三七八联营总公司等 3 个单位"长江三峡工程劳动竞赛先进单位"称号；授予葛洲坝集团清江施工局三峡建设公司等 8 个单位"长江三峡工程劳动竞赛先进集体"称号；授予三联总公司混凝土一队一班等 22 个班组"长江三峡工程劳动竞赛先进班组"称号；授予郑建波等 15 名同志"三峡工程优秀建设者"称号。

7 日　三峡左岸电站 14 台机组设备监造合同签字仪式在中国三峡总公司举行。法国国际检验局和法国电力公司组成的联营体获得三峡机组监造资格和监造任务。中国三峡总公司陆佑楣总经理和联营体驻京代表前田先生分别代表双方签字。三峡机组监造是中国三峡总公司根据朱镕基总理的指示，保证三峡机组制造质量而采取的又一重要举措。

9 日　中共中央统战部副部长胡德平率全国非公有制经济代表人士 80 余人，在中国三峡总公司副总经理袁国林陪同下考察三峡工程。

9 日　中国三峡总公司授权代表——设备公司经理肖崇乾与美国阿肯森公司高级副总裁霍夫·詹姆斯，在"中国长江三峡水利枢纽工程建设咨询服务合同"上签字。中国三峡总公司总经理陆佑楣、副总经理贺恭出席签字仪式并讲话。

10 日　中国三峡总公司总经理陆佑楣主持召开党组会议，学习中国政府抗议北约轰炸中国驻南斯拉夫使馆的严正声明和胡锦涛副主席的讲话，代表全体三峡建设者表示对以美国为首的北约强盗行为的无比愤怒。

12 日　三峡下岸溪砂石系统的重要增容项目——水回收车间，经过试运行后正式投入运行。该项目投产后将解决系统扩机增容后生产用水的矛盾，回收的部分石粉可提高成品砂石质量，还能缓解废水处理沉淀池容量不够而制约系统加工生产的矛盾。

13 日　法国阿尔斯通集团总裁比尔热、法国驻华使馆公使参赞包美诚、法国阿尔斯通中国总裁戴伟明一行 7 人参观三峡工地。中国三峡总公司总经理陆佑楣、副总经理王家柱在三峡坝区接待中心接见来访客人。

15日　三峡左岸永久船闸冷水厂制冷机组正式启动,永久船闸冷水厂是专为降低混凝土内部温升而兴建的。该工程由三七八联营总公司∇98·7拌和项目部承建运行。

17日　三峡建委副主任郭树言在国务院总理办公室向朱镕基总理、吴邦国副总理汇报有关向三峡枢纽工程派出稽察组工作方案等事宜,朱镕基总理、吴邦国副总理对三峡工程稽察工作做了重要指示。

18日　瑞士驻华大使雷尔、瑞士ABB公司总裁松能摩撒、执行副总裁兼高压电器公司总裁等一行访问三峡。中国三峡总公司副总经理李永安、王家柱、副总工程师黄源芳与来访客人亲切会谈。

18日　三峡工程左岸电站机组设备国外供货部分境内运输合同在三峡坝区正式签字。中标单位是中远公司和上海亚东国际货运有限公司。

18日　三峡大坝和电站厂房二期工程金属结构设备制造监理合同签字,分别由长江水利委员会工程建设监理中心、国家电力公司西北勘测设计研究院承担厂坝一、二、三标段和四、五标段的设备制造监理任务。

19日　世界上大型混凝土浇筑设备——PONTAIN顶带机在三峡正式投产。该设备是目前世界上最新型的混凝土浇筑设备。

19～20日　国务院在北京召开三峡工程移民工作会议。中共中央政治局常委、国务院总理、三峡建委主任朱镕基在会上发表了重要讲话。国务院副总理、三峡建委副主任吴邦国代表三峡建委作工作报告。会议由国务委员、国务院秘书长王忠禹主持。这次会议的主要任务是:贯彻落实江泽民、李鹏、朱镕基同志关于三峡工程建设的重要讲话精神,讨论《国务院办公厅关于三峡库区移民工作若干问题的通知》,进一步提高认识,统一思想,总结移民工作的成绩和经验,研究部署下一阶段工作,确保三峡工程二期移民顺利进行。三峡建委副主任郭树言、甘宇平,三峡建委办公室副主任李世忠、高金榜,三峡建委移民局局长漆林、监察局局长何文彬、湖北省副省长张洪祥,三峡建委有关成员、国务院有关部门负责人,对口支援有关省(市、区)政府负责人以及三峡库区政府、有关部门负责人共200人出席会议。

20日　三峡工程防汛工作动员会在三峡坝区召开。会议要求各参建单位立足防大汛、抗大洪、抢大险,积极行动起来,做好1999年的防汛度汛工作。

21日　三峡工程厂坝二期金属结构设备制造进口轴承采购合同在北京签字。中国三峡总公司与德国费格尔莫古迪瓦公司(DEVA公司)签署总金额为144.6146万美元的金属结构自润滑轴承采购合同。

25日　武警总部副司令员朱成友中将带领总部机关调研组,在武警水电指挥部副主任陈方枢少将和武警水电三峡指挥部领导的陪同下,视察了三峡永久船闸工地。

28日　三峡工程左岸电站厂房125/125t桥式起重机招标采购在宜昌开标。中国三峡总公司副总经理李永安、王家柱及有关职能部门负责人,和来自全国7省市9个在国内有较强实力的起重设备生产厂家代表出席了开标仪式。

28日～6月9日　三峡建委副主任郭树言、三峡建委移民局局长漆林率调研组在山东、江苏、上海等地进行三峡库区农村移民外迁调研考察工作。

30～31日　吴邦国副总理视察三峡库区移民工作,三峡建委副主任郭树言、甘宇平和国务院有关部门、有关省市领导随同。

31日　三峡工程左岸电站高压电气设备国际招标采购开标仪式在中国三峡总公司举行。这是继左岸14台机组国际招标后的又一次大规模的国际招标。来自6个国家的18个竞标厂商代表以及国内制造厂商和买方等单位的代表100多人参加了开标仪式。

六　月

1～3日　机组埋件安装现场协调会在三峡工地召开,中国三峡总公司、有关制造厂商、设计、施工监理单位参加了会议。会议协调解决了机组设备有关方面的工作联系问题,为机组埋件的现场安装进行了积极的准备。

3日　电网公司霍继安副总经理主持召开会议,研究落实电网公司1999年计划执行工作。按计划1999年续建南昌变、双南线、凤下线,新建长沙变、孝感变、岗长线、南郑线、三峡左岸出线、三峡——常州直流工程、东北华北联网工程,预开工益阳变、荆门开关站、荆州变等,三峡输变电工程计划投资162332万元,预计可完成159555万元,东北华北联网工程预计可完成20000万元。

3日　中国三峡总公司在三峡坝区召开工程质量管理工作会议。会议由副总经理贺恭主持,总经理陆佑楣作总结发言。

7日　国家电力公司党组成员、总经理助理周小谦主持召开会议,听取江西省电力公司胡德成总经理关于南昌——新余——赣州线路纳入三峡输变电工程配套项目,并提前建设的建议情况的汇报。周小谦在会上指出,三峡项目调剂安排要坚持以下原则:①促进三峡电力送出,总量不能超;②在建设三峡电网的同时,促进省网建设,改善网架结构。

8日　湖北省委、省政府在武汉召开省三峡建委第八次(扩大)会议,贯彻落实国务院移民会议精神,进一步动员和部署全省支援服务三峡各项工作。会议由张洪祥副省长主持,湖北省三峡办陈水文主任在会上传达了 1999 年 5 月中旬在北京召开的国务院三峡工程移民工作会议主要精神。蒋祝平省长、邓道坤、周坚卫副省长出席会议并作重要讲话。省直各有关部门负责人及库区市县分管领导等参加会议。

10 日　国务院三峡建委下发文件,作出关于向三峡枢纽工程派出稽察组和质量检查专家组两项重大决定,旨在完善建设保证体系,强化质量、资金等监督、约束机制,确保工程施工的全面顺利进行。

14 日　河海大学在中国三峡总公司办公楼举行硕士学位授予典礼,27 名三峡建设者戴上硕士帽。中国三峡总公司博士、硕士研究生及在读研究生人数达 108 人。

15 日　三峡建委三峡枢纽工程稽察工作培训班开学。开学典礼由国家行政学院党组书记张志坚主持,三峡建委副主任郭树言讲话,三峡枢纽工程稽察组组长石启荣、副组长张德楠和稽察组全体成员以及三峡建委稽察办公室有关负责人出席。

15 日　中国三峡总公司财务部主任赵泽黎与中国工商银行三峡分行行长陈焕祥分别在三峡二期工程商贷合同上签字。

根据合同规定,中国工商银行三峡分行 1999 ~ 2003 年内向中国三峡总公司发放 40 亿元人民币贷款,并分年度作出贷款计划,其中 1999 年度发放 4 亿元。中国工商银行三峡分行自组建以来,已累计向三峡主体工程、配套工程以及移民迁建项目发放人民币贷款 21.9 亿元,外汇贷款 1320 万美元。

16 日　中国三峡总公司副总经理王家柱会见美国哈扎(HARZA)公司副总裁卡特(Carter)和苏士敦。哈扎公司是国际著名的咨询公司。

16 ~ 17 日　湖北省直机关对口支援三峡库区移民工作座谈会在宜昌县召开。湖北省直 34 个部门和宜昌市、恩施州及库区宜昌、兴山、秭归、巴东 4 个县的负责人参加了座谈。

16 ~ 23 日　三峡建委副主任郭树言、三峡建委移民局局长漆林、三峡建委办公室副主任高金榜和长江委副主任傅秀堂等考察重庆市的江津市、涪陵区、丰都县、万州区天城管委会、奉节县、巫山县、湖北省巴东县和远安县,考察了外迁安置移民试点、迁建县城新址、重点基础设施建设项目、对口支援迁建企业和高效生态农业示范点,并同重庆市、湖北省和涪陵、万州、宜昌及区县有关领导进行座谈。在三峡坝区,郭树言考察三峡坝区的施工情况,并与中国三峡总公司总经理陆佑楣等负责同志研究有关问题。

17 ~ 18 日　中国工商银行在三峡坝区召开支持三峡库区迁建工作座谈会,贯彻落实国务院对口支援三峡库区企业迁建工作会议的有关精神,部署三峡库区工矿企业迁建、移民补偿资金管理和支持企业迁建工作。

18 日　经中国证券监督管理委员会核准,1998 三峡债券 20 亿元在上海证券交易所正式挂牌上市。中国三峡总公司总经理陆佑楣挥槌击锣,副总经理李永安代表发行人讲话。

23 ~ 29 日　国务院三峡建委移民局在北京主办三峡库区搬迁企业改革调整研讨班。三峡建委副主任郭树言和学员座谈并作重要讲话,移民局局长漆林作总结发言。郭树言指出:要用好用活国家给予的优惠政策,切实加大搬迁企业改革调整力度,重构三峡库区新的生产力体系。

24 日　56 名来自香港大学和香港理工大学土木及结构工程系的学生,赴三峡工程各施工区进行为期 7 个星期的实习。

24 ~ 26 日　国家自然科学基金委员会和中国三峡总公司联合资助项目"三峡水利枢纽工程应用基础研究"课题在三峡工地经过国家验收。

25 日 ~ 7 月 3 日　由国务院三峡建委监察局局长何文彬率领的移民资金专题调研组,对三峡库区移民工作,特别是移民资金使用管理情况进行专题调研。何文彬强调:库区各级党政主要领导要对移民资金管理负总责,切实加强资金监管工作,保证移民工作顺利进行。

26 日　中共中央政治局委员、中国社科院院长李铁映在中国三峡总公司总经理陆佑楣、副总经理李永安、王家柱和湖北省委副书记王生铁等陪同下考察三峡工程。李铁映提出要从社会科学的角度研究三峡工程的效益的内涵,把三峡工程建成爱国主义教育基地,并题写"惊世伟业、兴我中华"赠给三峡建设者。

七　月

2 日　受国家科委和中国环境科学研究院委托,中国三峡总公司作为乙方,承担国家攻关项目"三峡工程对长江流域可持续发展影响研究"。中国三峡总公司成立以王家柱副总经理为组长的课题组开展课题研究工作。

5 ~ 6 日　四川省人大常委会李永寿副主任率领由省经贸委、机械厅及若干制造企业组成的代表团考察三峡工程。中国三峡总公司副总经理王家柱同代表团进行座谈,商讨可能的合作前景。

7 日　三峡建委办公室、监察局联合召开全体职工大会,李世忠主持会议,郭树言作"三讲"教育动员报告，中央巡视组组长刘广才讲话，三峡建委办公室党组全体成员、监察局局长何文彬出席会议。

7日　中国三峡总公司作为中央第二批“三讲”教育单位，正式进入“三讲”教育第一阶段——思想发动、学习提高阶段，时间为14天。中国三峡总公司党组书记陆佑楣、党组成员李永安、袁国林、王家柱在会上对“三讲”教育工作提出明确要求，并指出要联系工作实际和个人思想，在学习中自我反思，同时，严格“三讲”教育工作标准。

8日　宜昌大老岭国家森林公园植物多样性保护工程通过专家组评审验收，52种珍稀植物得到保护，这是三峡工程第一个生态保护项目通过验收。该工程的竣工，将有效地保护和丰富公园内的植物物种，抢救和保护三峡库区珍稀濒危植物，并为此类环境保护项目的推广提供借鉴。

9日　三峡工程第二个生态保护项目——兴山县龙门河常绿阔叶林自然保护区设计大纲通过专家评审。龙门河亚热带常绿阔叶林自然保护区是三峡库区保存比较完整的中亚热带北缘原生地带性植被，现有活立木蓄积18万 m^3。林区内有维管植物160科、724属、1737种。区内海拔高度1631 m，森林植物群落垂直分布明显，有国家一级保护植物1种，二级保护植物8种，三级保护植物22种，区内动物资源16目41科220余种。该项目建设期为3年，总投资估算为450万元。

9日　三峡左岸电站厂房1200/125t桥机和125/125t桥机招标采购合同签字仪式在中国三峡总公司举行。2台起重量为世界之最的1200/125t桥机的卖方为太原重工股份有限公司，2台125/125t桥机卖方为大连大起集团有限责任公司。合同的买方代理为三峡国际招标有限责任公司，中国三峡总公司副总经理王家柱出席签字仪式并讲话。

10日　全国政协副主席张思卿一行，在中国三峡总公司副总经理袁国林等的陪同下，考察三峡工程。

12～13日　中共中央政治局常委、国务院总理朱镕基，中共中央政治局委员、国务院副总理温家宝到湖北省检查指导防汛工作，并在武汉召开湖北、湖南、江西、安徽、江苏、重庆六省市长江防汛工作座谈会。

12～15日　法国DOS－EN－STOCK电视公司到三峡工地，进行为期3天的采访，中国三峡总公司副总经理王家柱接受记者采访，就有关坝址选择、工程效益、泥沙及国外公司参与等问题回答记者的提问。

15～17日　国家林业局与中国三峡总公司在三峡坝区召开《三峡坝区国家森林公园总体设计大纲》专家评审会，对《设计大纲》及相关的技术问题进行讨论和审议，并通过评审意见。

18日　根据国务院三峡建委三峡枢纽工程质量检查专家组的安排，专家组成员陈赓仪、谭靖夷、梁应辰，特邀专家王作高，工作组成员魏永晖、王光伦、何本善和王明坦等一行10人，首次对三峡工程进行为期8天的调研活动。

21日　中国三峡总公司党组召开“三讲”教育第一阶段转入第二阶段动员大会。“三讲”教育第二阶段为自我剖析、听取意见阶段。中国三峡总公司党组书记陆佑楣强调要高质量地做好第二阶段的工作，中央巡视组组长刘广才对中国三峡总公司“三讲”教育第一阶段做出的成绩，提出表扬。

22日　三峡左岸14台机组发电机至升压变压器之间的20 kV/26kA离相封闭母线及励磁分支回路母线，面向国内外公开招标。

23日　三峡建委移民局在京召开“三峡工程库区移民资金使用情况座谈会”。参加会议的有湖北省、重庆市移民局，长江水利委员会，三峡建委办公室计划司代表。三峡建委移民局局长漆林出席并讲话，副局长迟文江、宋原生，纪检组长卢纯在会上发表意见。

23日　三峡建委办公室党组召开“三讲”教育转段学习动员会议，三峡建委办公室主任、党组书记郭树言总结第一阶段的学习情况，部署第二阶段的工作任务。

23日　中国三峡总公司直属党委召开各级党组织负责人会议，学习贯彻中共中央关于取缔“法轮功”的有关通知，直属党委副书记柳定祥在会上传达中央精神、揭批李洪志及其“法轮大法”。

本月　经过武警水电部队6年的艰苦奋战，三峡永久船闸及高边坡近4000万 m^3 的花岗岩开挖工程基本完成。

八　月

2日　瑞士ABB集团总裁林道先生一行访问三峡工程。ABB集团是目前世界上最大的电气设备公司，中标三峡工程左岸8台机组的制造。中国三峡总公司总经理陆佑楣陪同参观施工现场并详细介绍工程进展情况。

3日　三峡建委副主任郭树言主持召开三峡工程高压电气设备国际招标的定标协调会议，三峡建委办公室副主任李世忠、张德楠、高金榜，中国三峡总公司副总经理李永安、王家柱和国家计委、国家经贸委、外贸部、国家机械局、中国银行等有关负责人出席会议。

5日　国务院副总理吴邦国听取三峡建委副主任郭树言关于三峡工程高压电气设备国际招标和提高三峡水库初期发电水位有关问题的汇报，三峡建委办公室副主任李世忠、张德楠同志在座。

6日　三峡大坝和电站厂房二期工程金属结构设备首批埋件泄洪坝段导流底孔第一批埋件运抵三峡工

地交货。

7 日　中国三峡总公司召开“三峡工程施工设备管理工作会议”。中国三峡总公司总经理陆佑楣，副总经理贺恭、王家柱出席会议。贺恭强调指出：施工设备是三峡工程施工的生命线，能否管好、用好设备，直接关系到三峡工程的质量和工期。

7～18 日　三峡坝区召开首届三峡施工设备管理工作会议，会议就施工管理工作中存在的主要问题进行讨论，并制订相应的措施。中国三峡总公司总经理陆佑楣、副总经理贺恭出席会议并讲话。

10 日　三峡左岸电站机组封闭母线招标采购合同签字仪式在中国三峡总公司举行。合同买方代理为三峡国际招标有限责任公司，卖方为江苏长江电器集团。中国三峡总公司副总经理王家柱出席签字仪式并讲话。

10 日　三峡二期基坑最后一个开挖项目——左导墙基础开挖完工并顺利通过验收。至此，二期基坑开挖全部结束，全面进入混凝土浇筑阶段。

13 日　德国西门子公司副总裁 Dr. Wilhelm 及德国驻华大使一行访问三峡工程，向中国三峡总公司领导介绍发电机供货情况及高压电器设备技术转让事宜。

8 月 18 日～9 月 22 日　根据机组合同执行的需要，中国三峡总公司先后派出三批团组前往加拿大召开机组第三次联络会，王家柱副总经理出席会议并在会议期间就有关重大问题作出决策。

19 日　中国三峡总公司党组召开“三讲”教育转段动员大会，进入第三阶段——交流思想、开展批评阶段，陆佑楣总经理代表中国三峡总公司党组总结“三讲”教育第二阶段的工作，并全面部署“三讲”教育第三阶段的工作，中央巡视组组长刘广才在会上作重要讲话。

20 日　中国人民保险总公司副总经理唐若昕、湖北省分公司总经理韩千里以及中国太平洋保险公司总经理王国良、副总经理张俊才等到三峡工地，就长江汛期三峡工程的防灾防损情况进行考察。中国三峡总公司副总经理李永安接待客人。

24 日　三峡工地混凝土施工设备 6 台塔（顶）带机全部安装完成并投入运行。11 月 17 日，6 台塔（顶）带机的混凝土供料线安装完成并投入运行。

26 日　马来西亚能源电信部部长寥莫宜及夫人、马来西亚工程咨询公司总裁李怡章及夫人、马来西亚驻华大使马阿杜一行到三峡工地参观考察。中国三峡总公司副总经理袁国林会见客人并与客人举行座谈。

26 日　埃塞俄比亚工程和建设部部长海尔·阿塞吉德一行 4 人考察三峡工程。海尔·阿塞吉德一行是应中国交通部邀请访华的，在日程安排中，他们特别提出要考察三峡工程。中国三峡总公司副总经理王家柱会见来访客人。

27 日　电网公司在武汉召开会议，审查并通过了“三峡左岸电厂——龙泉换流站 500kV 送电线路工程初步设计”，会议同时审查并通过了三峡枢纽内及枢纽外 8 回出线的初步设计。

28 日　三峡工程右岸地下厂房进水口段开挖拉开序幕。三峡工程右岸地下厂房进口段开挖 220.5 万 m^3，工期 13 个月。投资约 8300 万元。

29 日～9 月 22 日　中国三峡总公司在加拿大组织召开 VGS 三峡机组第三次设计联络会，对设计、制造等技术问题以及合同执行中相关商务问题进行协调，达到预期目的。

九　月

1 日　加拿大公共事业部部长阿方索和前外长、现任加拿大邮政总公司董事长奥尔莱特（Ouellet）一行参观考察三峡工程，中国三峡总公司总经理陆佑楣会见了客人。

7～8 日　全国人大副委员长、农工民主党中央主席蒋卫华一行考察三峡工程。中国三峡总公司总经理陆佑楣详细介绍了三峡工程的投资完成情况，工程建设进展以及生态环境保护方面的建设成就。

12 日　最高人民法院副院长姜兴长到三峡工地考察。中国三峡总公司副总经理贺恭在坛子岭向客人介绍三峡工程历史背景及工程建设总体情况。

14 日　三峡工程左岸电站高压电气设备采购合同和贷款协议、转贷协议在北京人民大会堂签字。至此，继左岸 14 台机组之后，三峡工程又一重大国际招标采购圆满结束。三峡建委副主任郭树言、三峡建委副主任、中国三峡总公司总经理陆佑楣，副总经理李永安、秦中一，三峡建委办公室副主任张德楠，中国银行副行长孙昌基和德国、瑞士驻华大使以及中外供货厂商、贷款银行负责人等出席签字仪式。

评标委员会严格按照投标资信、设备的技术性能、商务条件及价格、技术转让和融资条件等 5 个方面，进行综合评价，最终将 15 台主变压器的供货合同授予德国西门子输配电集团，其分包厂和技术转让受让方是保定天威集团和沈阳变压器有限公司；将 39 个间隔的 GIS 供货合同授予瑞士 ABB 高压技术有限公司，其分包厂和技术转让受让方是沈阳高压开关厂和西安高压开关厂。

16 日　国家计委副主任郝建秀一行来三峡工地考察。中国三峡总公司副总经理袁国林陪同参观工地并介绍工程进展情况。

17～19 日　三峡输变电工程的标志性工程三峡

——常州±500 kV直流输电工程线路技术设计在北京通过审查。本次审查会是由三峡建委办公室和国家电力公司共同主持召开的，三峡建委办公室副主任李世忠、国家电力公司副总经理陆延昌出席会议并讲话。会议由三峡建委办公室副主任张德楠主持。

该工程是三峡输变电工程中第一条新建超高压直流输电单项工程，担负着2003年三峡左岸电站首批机组发电后直接向华东送电任务，是目前中国最大的直流输电工程。线路全长890 km，设计容量300万kW级，总投资约13亿元人民币。

19～25日 中国大坝委员会主席、中国三峡总公司总经理陆佑楣率团参加在土耳其召开的国际大坝会议67届年会，并在专题讨论会上介绍三峡工程最新进展情况。

21日 三峡建委移民局召开“三讲”教育总结大会。大会由副局长宋原生主持。党组书记、局长漆林在会上作总结。中央巡视组组长刘广才在会上作重要讲话。

22日 三峡建委办公室党组和三峡建委监察局“三讲”教育工作总结会在北京召开。三峡建委办公室党组书记郭树言代表党组总结开展“三讲”教育工作情况，中央巡视组组长刘广才在会上做重要讲话。

24日 郭树言主持召开三峡建委第31次办公会议，研究三峡工程建设资金征收、管理等有关问题，三峡建委办公室副主任李世忠、高金榜，国家电力公司副总经理谢松林、中国三峡总公司副总经理李永安和国家计委、财政部、中国人民银行等有关部门负责人出席会议。

24日 受中国三峡总公司总经理陆佑楣的委托，王家柱副总经理和张超然总工程师代表中国三峡总公司，会见主办“1999《财富》全球论坛”年会的美国时代华纳集团董事会首席执行官李卓豪率领的“新闻旅行团”60余人，并陪同考察三峡工程。

28日 “三峡建设者庆祝建国50周年歌咏晚会”在坝区体育馆举行，中国三峡总公司领导、宜昌市领导及近3000名建设者观看了演出。整台晚会气势恢宏，隆重热烈，充分展示了广大三峡建设者的精神面貌，进一步激发了广大建设者的爱国热情。该台晚会由中国三峡总公司自己录制，实现了大型晚会节目录制的突破，并随后在三峡电视台和湖北省电视台播出。

28日 电网公司向国家电力公司上报“2000年电力基本建设投资建议计划”(电网计〔1999〕52号)。该建设计划说明了1999年计划预计完成情况，建议2000年计划指标是：三峡输变电工程基建投资计划为194491万元，其中静态投资151041万元，价差预备费43450万元；东北华北联网工程投资计划为16451万元。

本月 经各有关行业勘察设计协会组织专家初审，全国第八届优秀工程勘察设计评选委员会审定，由长江水利委员会设计院设计的三峡工程大江截流设计荣获国家优秀工程设计金奖；由长江委设计的三峡工程一期土石围堰设计荣获国家优秀工程设计银奖。本次评奖共评出优秀工程241项，其中金奖46项，银奖81项，铜奖114项。

十 月

3日 三峡工程永久船闸南线五闸首保护层最后一方石碴被运往碴场，至此，由武警水电部队第四支队担负的永久船闸南线开挖全线告捷，这标志着永久船闸主体开挖工程圆满结束。

3日 以越中友好协会会长阮景营为团长的越中友好协会代表团一行5人考察三峡工程。中国三峡总公司副总经理王家柱陪同客人参观三峡展览馆和三峡工地现场，并设宴招待越南客人。

3～10日 全国人大常委会委员长李鹏在重庆视察，听取重庆市委、市政府关于移民工作的汇报，接见了库区部分区县负责人，就确保完成二期移民任务作了重要指示。

8日 郭树言主持召开三峡建委第32次办公会议，审查三峡库区文物保护规划，三峡建委副主任、重庆市副市长甘宇平，三峡建委办公室副主任李世忠、高金榜，三峡建委移民局局长漆林，国家文物局副局长张柏和湖北省文化厅，重庆市文化局，鄂、渝两省(市)移民局以及长江水利委员会有关负责人和特邀专家出席会议。

11～13日 全国人大常委会委员长李鹏视察三峡工程，这是他第14次到三峡。随同前来的全国人大及三峡建委的有关领导有：侯宗宾、郭树言、陈光毅、范敬宜、乔晓阳、姜云宝、吴文昌、漆林等。

李鹏委员长对一年来三峡工程建设的顺利进展表示满意。他还向三峡建设者发表了重要讲话，要求全体建设者坚持三峡建设方针，坚定二期工程建设和移民目标，兢兢业业工作，为如期完成二期工程建设和移民任务而奋斗。

13日 由重庆博物馆、丰都县文物管理所联合组成的三峡库区文物考古队，在重庆丰都县高家镇金钢村发掘出唐代和东周时代玉溪遗址。该遗址文化层共10层，覆盖面积8万m^2。

14日 三峡建委副主任郭树言和国务院副秘书长马凯在北京共同主持召开三峡库区农村移民外迁现场会预备会议，研究布置接收外迁移民任务和现场会议有关准备工作，三峡建委办公室副主任李世忠、高金榜，三峡建委移民局局长漆林和重庆市以及接收外迁移民任务的湖北省、上海市等11个省(市)人民政府秘书长(副秘书长)出席会议。

16日　中国人民解放军空军政治部主任邓昌友中将考察三峡工程建设。中国三峡总公司副总经理李永安向客人介绍三峡工程建设的进展和移民工作情况。

17日~11月4日　中国三峡总公司副总经理贺恭率团赴日本、法国和德国,对施工设备的生产厂商进行技术考察,同德国联邦交通工程研究院签定三峡升船机利用德国升船机技术可行性报告的咨询合同。

18~20日　原中共中央政治局常委宋平在三峡建委副主任郭树言、湖北省委书记贾志杰、省长蒋祝平的陪同下考察三峡工程和湖北省三峡库区移民工作。在三峡展览馆,中国三峡总公司总经理陆佑楣详细地向宋平介绍了三峡工程的设计、资金、进展、效益等情况。宋平谆谆告诫:工程质量要万无一失。

19~22日　1999大坝安全及监测国际研讨会在三峡坝区隆重开幕,来自中国、美国、加拿大等国内外的170余位水利水电工程专家汇聚一堂,共同研讨大坝安全及监测的相关问题。中国三峡总公司总经理陆佑楣主持开幕式并作重要讲话;副总经理王家柱出席会议作关于三峡工程建设进展情况的报告并回答与会代表的提问。长江委副主任沈泰、美国ASDSO公司代表Samual·Lin和水利部建筑司司长刘桥深分别在开幕式上发表讲话。

19日　湖北、湖南、河南、广东、广西及海南6省(区)的人大常委会主任考察三峡工程。中国三峡总公司总经理陆佑楣、办公室主任刘洪泰热情会见来访客人并陪同客人参观三峡工地。

19日　"三峡下岸溪人工砂石骨料生产系统"完建验收会在三峡工地举行。该人工砂石系统经扩建后已具备每小时处理毛料2400 t和每小时生产成品砂782 t的能力,为目前世界上最大的人工砂石料系统。

19日　由小坂忠会长率领的日本河川协会考察团一行26人考察三峡工程。中国三峡总公司副总经理王家柱会见小坂忠会长及部分代表。会谈结束时,王家柱向客人们赠送了三峡大坝基坑的岩石标本。

21日　以香港其士国际集团有限公司主席周亦卿博士为团长的香港贸易发展局代表团一行参观考察三峡工程。中国三峡总公司副总经理李永安会见来访客人。

22日　马来西亚科学院代表团考察三峡工程,中国三峡总公司副总经理李永安会见该代表团。李永安副总经理向客人们详细介绍了三峡工程的进展情况,并热情回答了客人们的提问。

24日　葛洲坝集团混凝土浇筑又添新记录。创最高日产13942.5(拌和)m^3,零点班创最高班产量4458.2 m^3,▽79拌和系统混凝土生产日产量突破8000 m^3。

28~30日　以"加速21世纪水电开发"为主题的世界动力理事会第二次国际会议在三峡坝区隆重召开,来自印度、尼泊尔、赞比亚、俄罗斯、法国、中国等15个国家的130余位专家和代表分别就发展中国家的水电开发、先进水电技术、抽水蓄能电站开发、泥沙问题、水电开发的环境支持、水电规划和开发中的国际合作及水电工程的融资和法律框架、人力资源管理等问题进行了交流与探讨。会议共收到学术论文73篇。

中国三峡总公司副总经理袁国林主持大会开幕式。中国大坝委员会主席、中国三峡总公司总经理陆佑楣在开幕式上发表讲话。中国三峡总公司总工程师张超然介绍三峡工程主要建筑物的布置情况和进展情况,并提交了《三峡工程若干重大技术问题的突破》论文。

29日　中央组织部原副部长赵宗鼐在中国三峡总公司总经理陆佑楣的陪同下考察三峡工程。赵宗鼐考察三峡工程时说:三峡工程的建设体现了民族精神。

29~30日　三峡工程库区农村移民外迁现场会议在重庆市召开。中共中央政治局委员、国务院副总理、国务院三峡建委副主任吴邦国出席会议并作总结讲话。吴邦国强调:农村移民外迁工作不仅关系到千家万户农村移民和迁入地老居民的切身利益,关系到迁出与迁入地的社会稳定,还关系到三峡二期移民任务能否按期完成、三峡水库能否按期蓄水,三峡工程能否按期发挥效益。各地政府必须高度重视,顾全大局,克服困难,积极稳妥地做好这项工作。

30日~31日　吴邦国副总理视察三峡库区移民工作,三峡建委副主任郭树言、甘宇平和国务院有关部门、有关省市领导随同。

十一　月

1日　国务院副总理吴邦国视察三峡工程。中国三峡总公司总经理陆佑楣,副总经理李永安、袁国林陪同吴邦国副总理视察永久船闸施工现场、坛子岭、上游围堰、1~6#厂房坝段、泄洪坝段、机电安装等现场。吴邦国副总理视察三峡工程时强调:三峡工程是千秋大业,要把质量摆在最重要位置。

1~2日　由中国画报协会会长邢雁率领的全国画报代表团到三峡工地一线采访。中国三峡总公司副总经理袁国林会见了采访团的记者们。

2日　来自中、英、美、巴西等12个国家的30多位河流专家考察了三峡工程。中国三峡总公司副总经理袁国林陪同客人参观三峡展览并回答了客人的提问。

3日　广西壮族自治区人大常委会主任赵富林考

察三峡工程。中国三峡总公司总经理陆佑楣在坝区接待中心会见了客人。赵富林一行在坝区参观了三峡工程展览馆以及坛子岭、导流明渠等施工现场，还前往秭归新县城考察了移民情况。

8日　电网公司在河南省开封市主持召开三峡输变电工程开封500kV变电所规划选址评审会议，会议确定：变电所的规模为主变容量二组75万kVA变压器，本期主变容量为一组750MVA变压器；500kV出线6回；220kV出线12回，本期6回；太平岗为首选所址，万寨作为备选所址。

8日　水利水电工程造价国际学术交流会在三峡坝区召开。中国三峡总公司副总经理袁国林、中国建设造价管理协会理事长杨思忠主持开幕式。中国三峡总公司副总经理李永安致闭幕词。这次会议对工程造价管理方法及原则、工程投资风险分析、上网电价计算原则及如何发挥咨询机构对造价控制的作用等课题进行研讨。会议共收到论文32篇。

8日　三峡永久船闸、大坝和电站厂房二期工程门、桥机招标采购合同在坝区签字，合同总金额11652万元人民币。分别由大连大起(集团)有限责任公司、太原重工股份有限公司和郑州水工机械厂3家单位中标。中国三峡总公司总经理陆佑楣、副总经理贺恭出席签字仪式并讲话。

8日　贵州、陕西、宁夏回族自治区、内蒙古自治区4个省区的部分政协委员冒雨视察三峡工程。中国三峡总公司副总经理袁国林会见客人并介绍三峡工程从提出、论证到开工建设的历史过程。

9日　由武警水电部队承担的三峡工程永久船闸主体段开挖完工。武警水电部队在三峡工地集会庆祝，大力表彰为三峡工程建设做出突出贡献的5个先进单位和23名先进个人。中共中央委员、武警总部司令员杨国屏上将考察三峡工地并到会做重要指示。中国三峡总公司总经理陆佑楣赠旗祝贺并讲话。

10日　三峡建委副主任郭树言主持专题会，审查《关于三峡库区农村移民外迁安置工作若干问题的通知(国办代拟稿)》，三峡建委移民局局长漆林、三峡建委办公室副主任高金榜和有关方面负责人出席会议。

10日　三峡建委副主任郭树言主持召开专题会议，研究修改《长江三峡工程移民条例》，三峡建委移民局局长漆林、三峡建委办公室副主任高金榜及有关方面负责人出席会议。

11日　全国市长研修班代表团赴三峡考察。中国三峡总公司副总经理袁国林向考察团介绍三峡工程的建设进展、枢纽布置、移民搬迁和资金筹措等有关情况。

11日　以“发挥职工技协优势，推动国有企业改革”为主题的中国职工技协四届一次会议在三峡坝区隆重举行。来自全国20余个省、市、区工会负责人、职工技协办主任及中国职工技协第三届委员会委员出席会议。中国三峡总公司副总经理贺恭出席开幕式并致欢迎词。

11日　全国人大民族委员会执法检查组一行5人考察三峡工程建设情况，中国三峡总公司总经理陆佑楣陪同客人参观三峡展览馆、三峡工地和秭归新县城。

12日　国务院三峡建委移民局在北京召开三峡工程库区移民外迁工作座谈会。国务院三峡建委移民局局长漆林、三峡建委办公室副主任高金榜在会上指出：要充分认识三峡库区移民外迁工作的重要性、复杂性和艰巨性，认真贯彻落实党中央、国务院关于三峡库区移民外迁工作的会议精神，圆满完成三峡库区移民外迁工作任务。

14日　伊朗能源部副部长嘎尔一行访问三峡。中国三峡总公司副总经理贺恭接见来访客人并介绍三峡工程建设的投资、工程进展及质量管理情况，回答了客人们对三峡工程的生态环境、筹资渠道、组织机构、管理机制和三峡电价的提问。

15日　为期4天的“1999年管理科学与工程国际会议”在三峡召开。来自美国、澳大利亚、俄罗斯和中国等国内外专家和代表共106人，在“面向21世纪的经济发展与管理现代化”的主题下，围绕三峡工程建设和管理进行广泛的研讨。本次会议共收到论文438篇。

15日　三峡首台机组座环运抵三峡工地。该座环是一个环形的钢结构物体，由6块弧形钢结构物组成，最大一块重67 t，总重419.9 t。它们将在三峡工地被焊接成直径达12 m的圆环。

15日　越南计划委员会主席邓友、建筑部副部长阮红军、国家建筑工程质量监督局局长陈种等一行10人参观考察三峡工程。中国三峡总公司副总经理贺恭会见来访客人。

15日　湖北省委常委、省军区政委吴凤龙少将一行考察三峡工程。中国三峡总公司副总经理李永安向客人们介绍工程进展情况，并陪同参观了三峡工地。

17日　美国青年党领袖朱迪·A·布莱克和约翰·赫森带团访问三峡。中国三峡总公司副总经理李永安在三峡展览馆会见了来访团。

17日　日本地球工学研究会会长岩佐义明、鹿岛建设株式会社武内等一行8人，在中国水科院灾害环境研究中心主任刘树坤的陪同下，参观考察了三峡工地。中国三峡总公司副总经理贺恭会见了客人。

24日　三峡建委副主任郭树言主持召开三峡机组辅机国际招标协调会，研究有关问题，三峡建委办公室副主任张德楠，国家机械局副局长张小虞，中国三峡总公司副总工程师黄源芳（代李永安出席）和国家计委、国家经贸委、外贸部、水利部、国家电力公司等有关方面负责人出席会议。

23～24日 全国政协副主席周铁农率26名政协常委和委员参观视察三峡工程建设和移民工作情况。中国三峡总公司副总经理袁国林陪同客人参观了移民新城秭归。中国三峡总公司总经理陆佑楣、副总经理袁国林、王家柱陪同客人参观了三峡展览馆和三峡工地。

30日 为加强三峡库区生态环境的保护和治理，重庆市成立了由重庆大学、重庆市环境科学研究院等6家单位联合组建的三峡库区生态环境研究中心。科研人员中包括3名中国工程院院士。

十二 月

1～8日 由全国政协副主席钱正英率领的国务院三峡建委三峡枢纽工程质量检查专家组对1999年三峡工程施工质量情况进行了检查。专家们针对目前三峡工程质量保证体系的执行情况以及混凝土施工、金属结构和机电埋件安装的质量现状和存在的问题，准确、全面而具体地提出了指导性意见。

5日 全国政协委员、监察部副部长左连璧一行考察三峡工程。中国三峡总公司副总经理李永安陪同参观考察。

6～17日 三峡建委副主任郭树言率三峡建委检查调研组在重庆三峡库区检查、调研农村移民外迁工作落实情况、工矿企业迁建、破产关闭试点情况、对口支援工作情况以及1999年移民计划完成等情况，分别在重庆市和宜昌市出席“重庆市三峡库区农村移民外迁工作会议”和“三峡工程库区移民工程监理工作会议”并作重要讲话。检查调研组成员有三峡建委移民局副局长迟文江、三峡建委办公室、移民局有关司负责人，检查调研组先后在重庆市、丰都、忠县、石柱、万州、开县、云阳、巫山等区县听取当地政府和有关部门的汇报，实地考察、检查有关移民工作。

7日 国务院三峡建委三峡枢纽工程稽察组在中国三峡总公司召开三峡枢纽工程稽察工作动员大会，动员会由稽察组副组长张德楠主持，稽察组组长石启荣代表稽察组作动员报告，中国三峡总公司总经理陆佑楣作重要讲话。

9日 国家文物局局长张文彬一行参观考察三峡工程建设。

10日 中国三峡总公司西坝总部大楼、坝区建设管理中心获湖北省建设厅授予的“湖北省城市物业管理优秀大厦”称号。

11日 最高人民检察院副检察长胡克惠访问三峡工地，中国三峡总公司总经理陆佑楣陪同客人参观了三峡展览馆和三峡工地。胡克惠说，检察部门要为三峡工程做好服务工作。随同胡克惠访问三峡工地的有：湖北省人民检察院检察长靳军、宜昌市政法委书记甘家宽、宜昌市人民检察院检察长李早湘等。

15日 中国三峡总公司在北京发售三峡左岸电站调速系统、励磁系统招标文件。购买调速系统招标文件的厂商共6家；购买励磁系统招标文件的厂商共8家。

16日 三峡工程大江截流及二期围堰合同项目工程通过三峡合同验收领导小组的竣工验收。验收领导小组认为：合同项目工程已全部完成；工程总进度和施工质量满足合同要求；工程质量达到部颁优良标准；围堰运行正常；验收程序符合要求、手续完备、资料完整。该10个合同项目工程单元总数为3175个，合格率100%，优良率84.8%。

16日 三峡工程永久船闸、大坝和电站厂房二期工程液压启闭设备采购合同签字，共采购液压启闭机116台，合同总金额2.5亿元。中国三峡总公司总经理陆佑楣，副总经理贺恭、王家柱出席签字仪式。此次5个液压启闭机标段由中国船舶重工集团国营三八八厂、国营四七一厂、国营四六一厂及江苏液压启闭机厂中标。

16～17日 国务院三峡建委移民局组织的三峡库区移民监理工作会议在宜昌召开。国务院三峡建委办公室、移民局、建设部、中国三峡总公司的有关领导和三峡库区各县（市）的政府、移民局领导出席会议。

17～19日 国家电力公司电网建设专家委员会第四次全体会议在北京举行。与会专家对三峡电力系统和三峡输变电工程建设、全国联网和跨大区联网工程建设、电压等级和电网结构等问题、电网新技术的应用、进一步发挥专家委员会的作用等5个方面提出了具体、明确的意见和建议。

22日 三峡建委副主任郭树言主持召开专题会议，听取分别赴重庆市、湖北省和接收三峡库区农村外迁移民任务省市作调研的4个检查调研组的汇报，研究有关外迁移民工作的政策性问题，三峡建委办公室副主任李世忠、高金榜，移民局局长漆林等出席会议。

22日 中国三峡总公司召开三峡工程质量管理委员会扩大会议，向三峡工程参建各方传达三峡建委质量检查专家组意见，并提出贯彻落实措施。会议要求各参建单位依据专家意见，逐一对照检查，进一步完善质量保证体系，并认真检查落实以促进三峡工程质量水平再上新台阶。

24～26日 国家电力公司在北京召开三峡——常

州±500kV 直流输电工程换流站技术设计审查会,审查并通过受电网公司委托,由中南电力设计院、华北电力设计院共同承担的这条直流输电工程两端换流站——龙泉、政平换流站的技术设计。与会138名专家和各方代表最后审定:工程额定输送功率300万kW,双极,每极150万kW;额定直流电压±500kV。同时确定主接线方式和主要技术参数、站内布置、系统通信方式、调度方式、监控和保护形式、技术经济指标及概算等。

31日　三峡工程全年完成混凝土浇筑458.52万m^3,超额完成年浇筑448万m^3混凝土的计划,远远超过巴西伊泰普创下的年浇筑混凝土320万m^3的记录。

31日　三峡建设者"庆回归、跨世纪2000年元旦长跑运动会"在三峡坝区举行,参建单位3000多名运动员参加了运动会。本次运动会充分展示了三峡建设者庆祝澳门回归的喜悦心情,着力体现了三峡建设者迈入新世纪的满怀豪情。同时,运动会也表现出建设者完成458万m^3混凝土的高昂斗志和迎战2000年540万m^3混凝土的坚定信念。

附　录 XIV

欧阳海水库

长江三峡工程历史回顾

三峡工程航运专题论证始末

三峡工程与长江航运开发紧密相关，早在1918年，孙中山先生对改良长江上游水路提出在三峡“当以水闸堰其水，使舟得溯流以行，而又可资其水力，其滩石应行爆开除去，于是水深十尺之航路下起汉口，上达重庆，可得而致。”

中华人民共和国成立后，在人民政府领导下，长委会全面开展了长江流域规划与三峡工程的规划设计、科研工作。对三峡工程的航运问题，党和国家领导人历来十分重视和关心，曾作过一系列的指示，要求兴建三峡工程一定要改善长江航运条件。回顾三峡工程航运专题论证工作，大体上经历了四个主要阶段：编制三峡工程初步设计要点报告（1958～1960年）；三峡工程航运梯级——葛洲坝工程兴建（1972～1981年）；编制150 m水位方案可行性报告，进一步论证水位方案（1982～1985年）；重新论证编制新的可行性报告（1986～1988年）。

（一）成都会议定方略

1958年长办根据党中央成都会议的决定，开展了三峡工程初步设计工作，1959年底及1960年底先后完成初步设计要点报告及初步设计报告（草稿）。三峡工程初步设计要点报告着重研究了坝址和正常蓄水位选择问题。

关于三峡工程正常蓄水位选择，在长江流域规划中，比较宜宾至宜昌河段梯级开发方案时，三峡工程相应的正常蓄水位从190～260 m都曾进行了研究。在初设要点阶段又比较了190、195、200及205 m方案，报告中建议采用200 m水位方案，可基本满足综合利用各方面的要求。

在航运规划与设计工作方面，长江流域规划要点和三峡工程初步设计要点阶段，长办与交通部门通力合作，配合上述不同正常蓄水位方案的研究及坝区选择，均进行了相应的研究。当时认为兴建三峡工程对航运有利，200 m方案能满足万吨船舶直达重庆。与此同时，以200 m水位方案和三斗坪坝址为重点，就航运本身的需要进行了许多专题研究。每项专题又都经过多种方案的比较与论证，其中最主要的有远景货运量推算；通航建筑物型式规模尺寸的拟定；施工通航方案及坝下游航道改善措施。

由于长江航运的重要地位，三峡工程自长江截流至水库蓄水到最低通航水位的几年时间里，运输中断不仅给长江航运带来不良后果，也会给国民经济造成严重损失，这是兴建三峡工程必须解决的重要问题。因此，解决三峡工程施工期通航问题是一项重大课题。根据国家计委交通局1958年8月会议的决定，施工通航设计年货运量暂按单向下水3000万 t计算，通航建筑物尺寸采用190×25×4 m。在此条件下曾研究过断航、不断航及短期断航三大类方案；比较过船闸、升船机不同型式和不同水级；研究过左岸右岸及纵向围堰等不同位置共有几十种方案，仍不能作出最终的定论，仅以短期断航方案为代表列入初步设计要点报告中。

三峡工程建在三斗坪，坝上600多k m的川江天险变为通途，但是坝下至南津关35k m的航道仍基本保持天然状况，加上三峡电站日调节不稳定流的影响，使通航条件更加复杂化，成为限制长江航运发展的一段卡口。为此，曾探索多种解决方案，大体可归纳为整治原河道、另辟新航道及修建航运梯级三大类。经过反复比较并结合模型试验证明，兴建葛洲坝反调节水库，通航条件大为改善，能满足航运要求，又可利用这段河谷落差发电，而且工程投资相对较省。

1959年10月，在三峡工程第二次全国科研会议上，经过充分讨论，代表们认为：兴建葛洲坝枢纽是改善坝下通航条件的优良方案。

1959年12月，为解决三峡工程航运问题，经林一山主任建议，交通部同意，由交通部部长王首道主持召开了三峡工程航运专题会议。会议讨论正常蓄水位的选择与航运的关系；坝区选择与航运的关系；永久通航建筑物尺寸的意见；大坝施工期通航以及施工期货运量标准五个中心问题。在会上长办魏廷琤和董士镛同志分别就三峡航运问题作了全面介绍和补充发言，经过讨论，交通部同意兴建葛洲坝反调节枢纽正常蓄水位为65 m的方案，并要求与三峡工程同期建成。关于施工通航问题，讨论认为会上提出的临时与永久通航相结合不断航或基本不断航的方案较好，这个方案大大减少了工程投资，并且统一了各部门的矛盾，得到与会代表一致赞同和王首道部长的支持。

关于船闸尺寸问题，交通部提出先建较小尺寸船闸，同时着手修建第二线尺寸较大船闸的规划设想，以适应施工通航期和建坝后一定时期运量增长需要。关于运量标准，会议确定施工期运量以1967年单向下水2000万t作为设计标准。同时，还讨论了重庆港的淤积及下一步工作安排等问题。通过这次会议，解决了久悬未决的几个大问题，为开展初步设计创造了条件。

(二)建葛洲坝为实战作准备

1970年党中央决定先建葛洲坝工程，决策的重要因素之一就是为三峡工程作实战准备。葛洲坝枢纽是三峡工程的航运梯级，论证葛洲坝航运问题，也是为解决三峡航运问题作实战准备。1970年12月30日葛洲坝第一期工程宣布动工。1972年11月周恩来总理在葛洲坝工程汇报会上指示："在长江上修一个坝，不成功，垮了，要载入党史的问题。我第一担心是通航，第二是泄洪，你们如果说不行了，我们马上停下来，总结经验，修改设计。"与此同时葛洲坝工程技术委员会成立，负责修改原初步设计。修改设计工作开始以后，委员会对航运方面存在的问题十分重视，几乎每次会议都涉及航运问题。就航运而言，存在的问题主要有四个方面：关于船闸规模尺寸和兴建程序；关于泥沙淤积碍航；关于通航水流条件；关于三江船闸及引航道的布置。

关于船闸规模尺寸，原初设报告中拟定三江右岸布置一座大船闸(Ⅱ号船闸)，左岸为一座小船闸(Ⅲ号船闸)，大江布置一座大船闸(Ⅰ号船闸)，船闸尺寸分别为：240×34×5 m、120×18×3.5 m、240×38×6.5 m。修改设计时，交通部门认为原规模不能改变，但闸室的长度应由240 m改为280 m。三江和大江两线航道应分别在一期和二期工程完建。另一种意见认为，大江船闸可以缓建，时期根据货运量增长的情况而定。经过反复讨论，最后技术委员会慎重决定：三江船闸仍选用一大一小方案，大船闸宽度、水深不变，长度同意改为280 m，一期工程内建成三江两座船闸。大江仍布置一座大船闸，船闸尺寸直到1982年审查大江补充报告时才最后确定为长280 m、宽34 m，闸槛水深上游为6 m，下游为5.5 m，在二期内建成。

葛洲坝工程蓄水以后，库区航道将得到改善，但因流速减缓，致使库尾、库区、坝区和坝下都将产生不同程度的淤积。泥沙模型试验初步成果表明，坝区上下游引航道泥沙淤积是很严重的，对确定修改初步设计基本方案有直接影响。技术委员会经过与设计科研人员共同研究认为，解决三江航道的泥沙淤积碍航问题，基本途径仍然是采用修建防淤和导堤，形成三江上游人工航道"束水攻沙、静水通航、动水冲沙"辅以机械清淤的措施，以保证航道所需的水深。通过汉口、宜昌、南京三个泥沙模型反复进行坝区泥沙冲淤试验，对三江上游淤堤的长度从800 m至1800 m试验了多种方案，试验结果表明，冲沙后引航道内剩余的淤积量随着防淤堤长度的增加而减少，但当防淤堤长达1550 m，其冲沙效果与1800 m相近，从而摸清了防淤堤长度与泥沙冲淤的关系。因此，科研人员建议防淤堤的合理长度为1550～1800 m。1977年3月第九次技术委员会最后审定防淤堤长度为1850 m，至此，三江航道的泥沙淤积问题可算基本解决。

长江流经南津关河段，两岸山嘴交错，河道地形复杂，形成三大回流泡漩区。天然情况洪水期大流量时要"扎水"停航，建库后，船队进入三江和大江人工航道口门要走新航线，仍存在有一定困难。因此，交通部门要求对南津关河段进行整治，以减弱泡漩强度，并要求调整上游引航道口门处流速、流态，使在口门外长500 m、宽200 m的水域内横向流速不超过0.3 m^3/s，纵向流速不超过2 m^3/s。

根据上述要求，为了探求南津关整治的最佳方案，组织多次现场查勘、测量、试验研究，并首次在国内应用小比尺遥控船队模型试验技术和大规模的实船模拟航行试验。通过二十几组水工模型试验方案比较，最后以汉口模型1974年第八方案整治效果较好，能满足航运要求，该方案在南津关左右岸开挖石方约300万m^3，经过科研人员、设计人员和船长们共同商议同意作为选定方案，并经1974年12月第六次技术委员会审定。

修改初步设计开展以后，交通部门提出船闸上游上航道布置应满足三个(直线段、弯曲半径、静水段)1200 m的要求。经研究，如果将三江和大江船闸上闸首由坝轴线向下移450 m，上游引航道布置可以满足航运要求，但挡水前沿增长，工程量大大增加，且给两岸交通联系增添很大困难，一时难以定论。1973年6月经湖口实船试验以后，交通部门将原来要求的三个1200 m改为三个1000 m，于是，又对船闸的布置研究不下移的方案，将Ⅱ号船闸轴线在允许范围内进行调整，可使上游直线段由700 m增加至960 m，弯曲半径由720 m增加至1000 m，基本满足航运要求。对于下游引航道也可使Ⅱ号和Ⅲ号船闸轴线相交的问题有所改善，还可解决Ⅱ号船闸下闸首结构布置的困难。最后决定大江、三江船闸不下移，将Ⅱ号船闸轴线与坝轴线垂线交角，由原方案10°改为8.5°；在上游距坝轴线200 m处，将防淤堤边线向右折角3°；再将Ⅱ号船闸轴线由原设计位置向右移动10 m。以上布置方案经1974年12月第六次技术委员会审定。至此，葛洲坝工程航运方面争论较多的几个主要问题已基本解决，为顺利复工创造了有利条件。

葛洲坝一期工程运行三年以后，交通部门及船闸管理部门对于三江航道和船闸总的评价是："经过三年多的运行实践证明，整治南津关河段，修建防淤堤形成人工航道，改善了流速、流态，减少了泥沙淤积，使船队能安全进入口门，保证了航运基本畅通。对于三江上下游引航道，采用静水通航、动水冲沙辅以机械清淤措施是可行的。"

葛洲坝工程航运与泥沙方面的论证和实践，确实为建设三峡航运工程和解决泥沙淤积碍航问题积累了丰富经验，奠定了技术基础。

(三)重新论证显慎重

1983年3月，长办根据多年来取得的大量科研、规划、设计成果，编制完成了三峡工程150 m方案可行性报告。同年5月国家计委主持召开审查会议，组织各部门代表和各方面专家分组认真审查讨论，原则上通过了可行性研究报告并建议国务院予以批准。

根据会议审查意见，为解决变动回水区及坝区泥沙淤积问题，立即组织科研单位分工进行深入试验研究。在变动回水区安排了四个典型河段(洛碛——王家滩、青岩子、丝瓜碛、兰竹坝)进行泥沙模型试验，试验所反映的情况是：变动回水区上段洛碛——王家滩河段，卵石淤积仍与天然情况相近似，上、下洛碛，灶门子三个浅区，最小通航水深不足3 m，出浅年份较多，出浅持续时间也较长，年内由数十天至近百天不等；变动回水区中上段青岩子、中下段丝瓜碛河段，一般年份通航无问题，仅在丰沙年后的枯水年，或遭遇特枯水年的不利条件下，在水库消落走沙期，会出现航道易位，最小航深为3 m甚至略低于3 m，历时十余天，丝瓜碛下段近30天；常年回水区上段兰竹坝河段，悬移质大量落淤使汊道消亡，水流趋于顺直，道航尺度一般无问题，仅在特枯年份略感紧张。

四段模型均进行了改善通航条件的试验，洛碛——王家滩河段推移质淤积问题，可以采取河道整治措施加以解决，整治工程量挖方约50万 m^3，填方约20万 m^3，推迟蓄水对浅滩通航条件改善不大。青岩子和丝瓜碛河段，无论采取河道整治和推迟蓄水措施，均能有效的解决问题，整治开挖石方青岩子约3万 m^3，丝瓜碛约40万 m^3。

泥沙专家组总结上述研究成果认为，三峡工程按150 m^3 方案，就维持现在通航尺度而言，近期自上洛碛至重庆57km航道将保持自然状态；丰都以下近450km的常年回水区航道将得到较大改善，其中石宝寨以下340km航道可得到根本改善；洛碛至丰都120km航道在水库蓄水运用的枯季及汛期也有不同程度的改善。但在水库消落期，有些浅滩航深会不足3m，有时还会出现些新的碍航情况。然而，四段模型试验成果显示，这些滩险是可以通过河道整治及水库调度措施来加以排除或改善的，疏浚作为辅助性措施也是有作用的。

为探讨升船技术可行性，1983年10月，由国家科委组织有关人员赴西德、比利时考察了升船机。考察结论认为：采用钢丝绳提升垂直升船机比较适应中国国情和三峡工程特点，技术上也是可行的。但因三峡工程升船机的规模超过了目前国际上已建和在建升船机的水平，技术上、施工上难度都很大。

对于施工通航方案，除继续研究并落实垂直升船机有关技术问题外，还结合枢纽布置和施工导流方案，重点研究了扩宽和挖深导流明渠结合施工通航的方案，此外还研究了临时船闸结合导流明渠通航方案。研究成果证明，三个方案技术上均属可行。1984年9月国家计委初步审定施工通航采用导流明渠加临时船闸以及永久升船机提前投入运行方案。

同年4月5日，国务院正式原则批准150 m水位方案可行性研究报告，要求在1985年完成三峡工程初步设计报告。由于150 m水位方案水库回水达不到上游重庆港，重庆市担心变动回水区段出浅碍航，会影响到重庆市和大西南的建设，于1984年10月，向党中央报告，要求将三峡工程正常蓄水位提高为180 m。

1984年11月国家科委在成都主持召开三峡工程科研工作会议，11月中，李鹏同志率各部委负责人和科研工作会议的部分专家视察三峡库区，听取了泥沙航运科研工作情况汇报。

1985年5月，李鹏同志主持国务院三峡工程筹备领导小组扩大会议，重点听取了150 m方案泥沙与航运科研成果的汇报，还听取了各方面专家关于水位选择的意见。

5月以后，三峡工程论证工作由国家科委主持，开展了150 m至180 m之间最佳蓄水位方案的选择与论证，国家科委先后组成泥沙、航运、地质、综合经济等许多专题的专家论证组，安排高于150 m水位方案的科研论证工作。与此同时，国家科委还正式将三峡工程重大科技问题列为"七五"期间国家重点科研项目第16项(包括泥沙与航运)和第50项(包括升船机技术)，组织各科研单位参加协作和攻关。在科委主持三峡工程论证工作期间，召开过几次泥沙与航运专题论证会，通过讨论，专家们认为，三峡工程建设方案主要问题和主变量是水位问题。但前一段泥沙模型试验等方面的研究工作，主要是针对150 m蓄水位方案，对较高水位方案的试验研究工作还做得很少，根据现有资料还难以否定蓄水位150 m或180 m方案，因而大家都同意下一阶段进行蓄水位方案论证时，仍应包括150 m、160 m、170 m、180 m几个水位方案。

7月，长办根据水位论证的需要，完成了正常蓄水位补充论证报告。三峡工程正常蓄水位比较高的方案综合效益较大，但移民安置难度和移民费用也相应增大。在基本满足综合利用要求的前提下，为尽量减少淹没和工程投资，推荐 170 m 水位方案，防洪限制水位 140 m，汛前低水位 150 m，坝顶高程 175 m 方案，初期按蓄水位 150 m 运用。正常蓄水位选定后，防洪限制水位及汛前低水位可再进一步研究作适当调整。

9 月，水利电力部委托中国三峡开发总公司(筹)和水利水电建设总局在北京共同主持召开三峡工程水位方案补充报告水电部内部预审会，会议的审查结论有以下几点：

(1)会议认为，选用 160 m 方案(坝顶高程 175 m，正常蓄水位 160 m)是适宜的。建议国家从宏观上对水位方案尽早做出决策，以促进三峡工程的建设。

(2)兴建三峡工程应对改善川江航运条件起重要作用。万吨船队通到重庆可以作为一个目标，但要综合治理，逐步实现。根据长江上中游航道状况和三峡工程所能起到的作用，最小航深不小于 3 m 比较适宜。

(3)泥沙问题是修建三峡工程必须解决的关键技术问题。根据水科院和长科院电算成果分析，汛期限制水位不宜超过 140 m，同时要尽可能推迟水库开始蓄水时间，以延长“走沙期”，汛前低水位可适当高一些，尽量适应航运要求。

(四)科学决策重民主

遵照党中央、国务院 1986 年 6 月《关于长江三峡工程论证工作有关问题的通知》精神，原水利电力部于 6 月成立三峡工程论证领导小组。本次论证共分 10 个专题，组成 14 个专家组分别开展论证工作。

按照论证领导小组的布置，航运专家组于本年 8 月 21 日成立，共有专家 28 人，8 月 21 ~ 24 日召开专家组第一次会议，会议首先讨论通过航运专题论证工作纲要，纲要中所拟定的论证内容，大体可归纳为六大类：长江航运发展和川江运量预测；长江航运发展对三峡工程的要求；三峡工程通航建筑物问题；航道与港口问题；水位选择问题；三峡工程替代方案与航运效益。上述六大类分别列有二十个专题，由有关单位承担研究，参加论证单位主要有：长江航务管理局，长江轮船总公司，长江航道局，重庆市三峡办，重庆市港口管理局，长办科学院、枢纽处和规划处等。会后，各单位立即开展各项调查研究和试验论证工作，对每项专题均进行了较全面、深入的论证，仅从三个方面综述如下：

1.航运发展对三峡工程的要求

兴建三峡工程一定要有利于长江航运发展，力求满足以下要求：

(1)万吨级船队渝汉直达及其保证率

实现万吨级船队直达重庆是体现三峡工程航运效益的基本目标，交通部门要求，为了取得较好的航运效益，万吨船队直达年保证率应不低于 50%，能达到 60% 更好。

(2)渝汉间船队尺度与通航标准

①一艘推轮顶六艘 500t 驳船。船队尺度(长 × 宽 × 吃水)126 × 32.4 × 2.2 m；

②一顶九艘 1000t 驳船，船队尺度 264 × 32.4 × 2.8 m；

③一顶九艘 1000t 分节驳船，船队尺度248.5 × 32.4 × 3.0 m；

④一顶六艘 2000t 分节驳船，船队尺度 196 × 32.4 × 3.1 m；

⑤一顶四艘 3000t 分节驳船，船队尺度 196 × 32.4 × 3.3 m；

⑥一顶四艘 3000t 分节驳船，船队尺度 219 × 31.2 × 3.3 m。

为了适应万吨级船队渝汉直达，交通部门认为原来提出过的航道尺度标准，即航道水深 3.5 m、宽度 100 m、弯曲半径 1000 m(个别地点经过加宽后可以略低，但不得少于 800 m)的要求是必要的。考虑到上水货源较少的实际情况，航道部门经过实船观测和初步分析，提出了按允许局部比降 1.0‰、2‰、3‰ 分别与最大流速 2.5 m^3/s、2.3 m^3/s、2.1 m^3/s 搭配的意见，用作研究万吨级船队直达通航期的依据。

(3)三峡工程永久通航建筑物

永久通航建筑物必须考虑两线船闸和一线垂直升船机，升船机主要供客船、旅游船、公务船、工程船及鲜活货物快速过坝需要。如果考虑到长江航运进一步发展，对船闸的布置方案，还应预留发展余地。

(4)施工期临时通航设施

在三峡工程施工期间，必须确保川江不断航，临时通航设施应满足运量增长的需要(预测约为 1000 ~ 1500 万 t)。原经计委初步审定的施工通航方案为导流通航明渠和临时船闸并升船机方案。本次论证交通部门及航运专家组特别强调早已确定的施工期临时通航设施方案，应予充分肯定，不应变动。

(5)要有利于库区库尾港口航道发展

三峡工程库区和库尾有主要港口巴东、万县、涪陵、重庆等，为了实现万吨级船队直达重庆并在重庆港区正常作业，应使重庆港区具有足够宽深的水域和正常流态，万吨船队的起讫点应定在九龙坡。同时，巴东、万县、涪陵等港口原有码头、库场被淹后，应迁建到适当地点，并应留有发展余地。

(6)要有利于长江干支流渠化与梯级衔接

三峡工程是长江流域规划中主体工程，应与上游干支流水利枢纽相互配合、相互衔接，逐步实现干支流梯级渠化，以利于航运发展和水资源综合开发利用。

2.三峡工程水位选择的建议

为了满足上述要求，对三峡工程各种特征水位选择有如下几点建议：

(1)正常蓄水位应定得高一点，以保持足够的调节库容，才有可能提高枯季调节流量；

(2)枯水期消落水位应尽可能高一点，以保证库尾港口和航道有足够的水深和水域；

(3)防洪限制水位应控制低一点，使嘉陵江口、铜锣峡一带在汛期处于天然畅流状态，以减少重庆港区的淤积。

(4)为了给防洪、发电、航运留有发展余地，坝顶高程应定得高一点，建议定为185 m，并一次建成。

3.主要专题论证基本结论

(1)近远期出川过坝货运量预测

对于西南出川和鄂西过坝货运量的预测，长航规划设计院、重庆市三峡办、长办规划处三个单位均提出了论证成果。关于2000年下水过坝运量预测值，三个单位(按上列顺序分别为2000t、1900万t和1100万t。以1985年出川下水运量443.3万t为基数，年递增率分别为10.5%、10.2%和7%。)关于远景2030年运量预测值，三个单位分别为4650～4960万t，5500～6000万t和3200～4970万t。经综合分析后，专家组议定2000年川江下水过坝运量为1550万t。考虑到今后几十年内西南和鄂西地区的经济发展，专家组认为将2030年川江下水过坝量定为5000万t是恰当的。

(2)万吨级船队渝汉直达及其保证率

三峡工程建成后，为川江通航万吨级大型船队提供有利条件，根据1946～1976年水文资料进行水库调度计算成果，对比万吨级船队通航所要求的航道尺度和流速、比降标准，据此测算年通航天。测算成果说明，在三十年中，万吨船队由宜昌直达重庆九龙坡的保证率，有24年达到50%以上(其中有20年达到60%)，其余6年为枯水年，年保证率在45%～49%之间，可以满足航运方面要求。值得提出的是，在长江中游河道，三峡水库建成后，枯季虽可增加2000～3000m^3/s的调节流量，但在浅滩段，保证3.5 m通航水深仍有困难，必须尽早实施浅滩治理措施及荆江河道的河势控制工程。从而使万吨级船队渝汉直达保证率能达到50%以上。

(3)水库变动回水区航道、港区泥沙淤积问题

为了研究回水变动区泥沙冲淤对航道和港区的影响，进行了150 m到180 m各种蓄水位方案数学模型计算和泥沙模型试验，取得了极其丰硕的成果，现仅就175 m水位方案各单位试验和计算成果中，所得到的几点共同结论记述如下：

①在常年回水区库段的滩险均被淹没，除青岩子、金川碛两浅滩需在新航槽中清除礁石外，其他滩险均可得到明显改善。

②每年汛后至翌年4月约6个月时间，重庆九龙坡港区以下600多km的库区航道，航行水流条件和航道尺度均能满足万吨级船队通航要求。

③按175 m、145 m、155 m方案运行前10年，重庆港区淤积逐渐增加，在水库水位消落后期如遇特枯水年，或丰沙年后的消落期，干流大渡口至小南海河段某些浅滩出现不同程度的短期碍航情况，九龙坡和朝天门港区边滩较宽，影响港区作业，嘉陵江口有些年份出现拦门沙，码头出现边涌，影响航行和港区作业。

(4)电站日调节不稳定流对航行安全影响

三峡工程发电与航运的矛盾问题，由于兴建了葛洲坝反调节枢纽，已基本得到解决。水位日变幅和坝下流速值均能满足航行要求，但小时涨率最大接近1.0 m，是否对航运有不利影响？关于这个问题，通过对国内外运行经验的调查和已有资料分析比较认为，尚不致影响正常通航。

(5)葛洲坝下游河道演变问题

为了确保航运畅通，1987年4月原水利电力部领导原则同意，在葛洲坝枢纽下游最低通航水位近期为38.5 m，远期为39.0 m。关于确保上述的工程措施希望能尽早付诸实施。

而且，葛洲坝下游河道冲刷，还会使宜都、芦家河、枝江等卵石浅滩的通航条件恶化，需要研究采取必要的治理措施。对于荆江以下河道的变化及其对航运的影响，尚须进一步研究，可能有利有弊。

(6)工程建设期间对航运影响

按175 m分期蓄水方案，三峡工程从开工到水位升到175 m共需18年时间。开工第12年后，长江主航道截流，第一批机组发电(围堰挡水发电)，运行水位为135 m，施工至第14年水位即可上升到156 m，工程完工后仍按156 m水位运行，待移民迁安完毕后，坝前水位才由156 m上升到175 m。上述水位分期运行方案，估计会给航运带来怎样的困难，均分别进行了研究。

关于对港口运行的影响，156 m水位运行期间，库区内港口主要有巴东、巫山、奉节、云阳、万县、忠县、丰都、涪陵、长寿等。万县以下各港正常运用水位均在100 m以下，在水位上升到135 m以前，均已筹建新港。

关于水位由135 m上升至156 m，船闸第一级上闸首闸槛抬高的问题，经研究不存在技术难题，为了不影响正常通航，考虑利用船闸的检修期进行改修。

(7)与上游梯级衔接

三峡工程是长江流域规划中的主体工程，应考虑与上游相邻梯级的合理衔接问题，逐步实现干支流梯级渠化，以利航运发展。当三峡枢纽正常蓄水位初选

为175 m方案以后，长办进一步研究了长江上游干流及主要支流的梯级衔接方案。初步拟定在干流上增建一级小南海枢纽，正常蓄水位为195 m，上游和原规划的朱杨溪枢纽相接，作为三峡与朱杨溪之间的航运梯级。在嘉陵江干流上，增建一级井口枢纽，正常蓄水位190 m，上游与合川枢纽衔接。乌江开发最下一级大溪口枢纽，正常蓄水位210 m，坝下游低水位149.7 m。大溪口枢纽上游与彭水枢纽相接，下游与三峡枢纽枯季低水位155 m相接尚重迭5 m以上，对航运更有利。

(8)三峡工程航运替代方案研究

航运专家组专门论证了如果不建三峡工程，航运采取什么方案替代的问题。目前，川江天然航道单向年通过能力约为1000万t左右，与远景规划年下水运量5000万t相比尚有4000万t货物的运输问题。论证认为全靠公路或全靠铁路分流均不合理，最后选用以整治航道提高水运通过能力为主，辅以出川铁路分流的方案，作进一步论证比较。

对川江航道进行大规模整治，单向年通过能力可增至4300万t，总投资约33.4亿元；出川铁路采用货物从重庆至枝城转长江水运，单向年货运输送能力为2500万t，总投资约50.46亿元。

航运专家组根据上述论证成果，组合成两种航运替代方案，即水运4300万t加铁运700万t和水运3000万t加铁运2000t，与兴建三峡进行了经济效益的论证比较工作。应当指出的是，这两种组合替代方案虽然能力上均能满足5000万t出川运量要求，但整治航道不可能根本改善川江水流条件，不能满足万吨级船队渝汉直达的要求，因而航运成本不能得以大幅度降低；新建出川铁路，投资昂贵，经济效益差，该线路的建设不属于铁道部门规划范围之内。本阶段只是用以与三峡工程航运方案进行经济比较。

(9)三峡工程航运经济效益分析

三峡工程航运效益包括直接效益和间接效益，直接效益表现为改善河流的航运条件，减少船舶运行费用等；间接效益，即社会效益，是效益的主要方面，因其数量化计算还有待进一步研究，本阶段经济效益数量化的计算，按有——无三峡工程方案航运系统投资费用进行比较，包括现行价格(按1986年价格)和影子价格计算，分别以静态指标和动态指标表示，计算结果如下表：

三峡工程航运经济效益指标表

单位：亿元

方案 \ 项目		静态效益		动态效益
		投资差值	年运行费差值	折现费用差值（折现率＝10%）
“水运4300＋铁运700”－三峡	现行价格	37.0590	2.1980	5.1101
	影子价格	39.4878	4.2432	6.3905
“水运3000＋铁运2000”－三峡	现行价格	47.2505	3.4039	5.8760
	影子价格	50.4966	8.0902	8.1813

航运专题重新论证工作，自1986年8月至1988年9月，整整经历了两年的时间，召开六次专家组会议及十九次专家工作组会议，还召开过多次小型专题讨论会，对有关问题进行了认真讨论研究，认识逐步深化，意见趋向一致，参加论证的有关单位，通力协作，完成专题论证报告44篇，已汇编成《三峡工程航运专题研究成果文集》。从完成的研究成果可以看出，本阶段航运专题论证工作取得了可喜成绩，不少专题的论证已超出了可行性阶段的深度，为中央领导决策提供了有力依据。

(本文摘自《长江志季刊》1991年第二期，作者姚聆泉，编者对原文作了部分删节，文中小标题为编者所拟)

关于孙中山提出“改善川江航道开发三峡水力发电”设想时间的考证

1997年11月8日，举世瞩目的长江三峡胜利完成截流，实现了几代中国人的夙愿，也使孙中山先生、毛泽东、邓小平等几代伟人提出的开发长江水力电力资源的设想开始实现。伟大的革命先行者孙中山先生最早提出了“改善川江航道，开发三峡水力发电”的设想，可这一设想孙中山先生究竟何时提出的呢？现根据中国第二历史档案馆馆藏档案文献资料，就这一问题作一简略的考证。

在孙中山先生有关言论和著作中，最早提出“改善川江航道，开发三峡水力发电”设想的著作为《建国方略》中的《实业计划》(物质建设)的第二计划的第四部分，其内容是：

“自宜昌而上，入峡行，约一百英里而达四川之低地，……改良此上游一段，当以水闸汇其水，使舟得溯流以行，而又资其水利。”

1924年8月17日，孙中山先生又在广州国立高等师范学校发表的《民生主义》演讲中说：“象扬子江上游夔峡的水力，更是很大，有人考察由宜昌到万县一带的水力，可以发生三千余万匹马力的电力，象这样大的电力，比现在各国所发生的电力都要大得多。”孙中山先生在这里进一步阐述了开发长江三峡水力电力资源的完整构想。

因此，我们有必要首先考察一下孙中山先生《实业计划》思想的形成过程，再来考察孙中山先生《实业计划》形成过程，再来考察孙中山先生《实业计划》公诸于世的前后过程。这样，孙中山先生提出有关开发长江三峡水力发电设想的时间问题就可迎刃而解了。

孙中山先生《实业计划》思想的产生，最早可以追溯到1894年的《上李鸿章书》中，当时他就产生了一个改变中国贫穷落后状况的初步设想。以后的10余年中，孙中山先生游历美日英诸国，使他的“振兴实业”思想进入了新的发展阶段。辛亥革命胜利以后，孙中山先生摈弃了“实业救国”口号的非政治倾向，提出了“振兴实业”，实现国民经济资本主义现代化的方案。而《实业计划》的问世，则标志了孙中山先生“振兴实业”的思想已进入了成熟阶段。

根据中国第二历史档案馆编《中国国民党大事典》等文献资料载：1917年6月19日，即孙中山先生在沪策划反对张勋复辟，领导护法运动期间，在上海就发表了英文《国际共同开发中国实业计划》(即后来的《实业计划》)的第一计划，详细论述完整的、系统的使中国步入现代强国的方案，但未引起国内外人士的注意。

由于1917年6月19日孙中山先生在上海以英文发表的仅是《实业计划》的第一计划，而有关开发三峡水力电力资源的设想在该计划的第二计划的第四部分。因此，应以第二计划的草拟完成或公布时间为孙中山先生提出开发三峡水力电力资源设想的时间。

据《总理全集》记载：《实业计划》系孙中山先生用英文著述，第一计划于1917年6月19日发表。辞广州军政府海陆军大元帅以后，1918年6月26日抵上海，孙中山先生继续完成《实业计划》的另外5个计划。1919年1月中旬，孙中山先生将写好的《实业计划》大纲英文本委托美国驻沪总领事转交美国驻北京公使芮恩施，2月1日芮恩施收到此大纲。这是我们知道的最早公布《实业计划》的时间。同年3月20日，孙中山先生又将《实业计划》大纲寄赠其英国老师康德黎的夫人与英国内阁的阁员，5月寄美国商务部长刘飞尔、意大利陆军大臣嘉域利亚等人。

1919年8月1日，孙中山先生指定胡汉民、汪精卫、戴季陶、廖仲恺、朱执信在上海组织建设社，出版《建设》月刊，孙中山先生的《实业计划》由朱执信译成中文从创刊号开始连载，这是《实业计划》中文本的最早公布时间。据《总理全集》记载，1921年10月10日，孙中山先生又将手书中文版的《实业计划》在上海正式出版发行。这就是孙中山先生《实业计划》著述出版的最初情况。

综上所述，早在1894年孙中山先生就已萌发了《实业计划》的初步构想。1917年6月19日《实业计划》第一计划的发表，表明了孙中山先生《实业计划》思想的成熟，并付诸于文字的著述。1919年1月中旬，《实业计划》大纲英文稿完成，同年2月1日美国驻华公使芮恩施正式收到《实业计划》大纲英文本。1919年8月1日起，《实业计划》中文本由朱执信翻译，连载于上海《建设》杂志。可以认定，《实业计划》第一计划并未涉及长江三峡水力电力资源开发的问题。后来由于政治形势的动荡，孙中山先生《实业计划》著述中断，1918年6月才安定于上海继续《实业计划》的著述。而1919年1月中旬《实业计划》大纲英文稿的完成，表明涉及开发三峡水力电力资源设想的第二计划也已归于大纲之中。是年2月1日，美国驻华公使芮恩施收到《实业计划》大纲，应视为是正式向外界公布的时间。即孙中山先生提出“改善川江航道，开发三峡水力发电”设想的时间，应为1919年2月1日。

(朱　琪　郭必强)

长江名称考

(一)长江的名称和演变

先秦时期，长江被称之为“江”。

我国最早的一部诗集——《诗经》就记载有“滔滔江汉、南国之纪”以及“汉之广矣；不可泳思。江之永矣；不可方思”之句，这是当时江汉平原一带劳动人民赞叹汉水又宽又广难以游泳过去，长江源远流长难以用竹木筏渡过去的一首民歌。《诗经》是西周初年至春秋中叶的诗歌选录，说明在距今2500多年前就有人把长江称之为“江”了。

汉代以后人们对长江的江宽、水深和巨大的水量有了进一步认识，开始称为“大江”。东汉王充《论衡·书虚篇》载：“广陵曲江有涛。文人赋之：大江浩洋，曲江有涛，竟以隘狭也”。三国时桑钦著《水经》载有：“岷山蜀郡氐道县，大江所出”之语。

随着岁月的推移，人们对长江的源远流长逐渐有更多的了解，因此汉魏六朝以后文献中出现有“长江”一词，如《魏志》载：魏文帝南征临江见波涛汹涌叹曰：“长江天堑，天之所以限南北也”。唐宋以后，长江一词日渐普遍，并多见于诗文之中，唐李白诗中有“孤帆远影碧空尽，唯见长江天际流”之句，杜甫七律《登高》中也有：“无边落木萧萧下，不尽长江滚滚来”。可见直到现在长江一名已流传1700多年之久了。

(二)长江江源地区主要河流的名称及演变

长江的江源，由于在青藏高原腹地，气压低、海拔高、氧气少，气候恶劣、交通不便、人迹罕至，过去人们，对江源众说纷纭，极不一致，名称也几经改变。

明代徐霞客纠正“江源于岷”的错误说法之后，人们开始以金沙江、通天河为长江上游并指出木鲁乌苏河为长江的源头。

从清代以来直至20世纪70年代均把通天河上游称木鲁乌苏河，这一段长江，唐代称牦牛河，宋、辽称为折曲，元、明、清三代上段称木鲁乌苏河，而下段通天河则名折曲。

木鲁乌苏河是蒙语“冰河”的意思，从清代所绘江源诸河位置来看，是把布曲(拜渡河)称为木鲁乌苏河而定为江源，近代地图上也有尕尔曲称木鲁乌苏河而定为江源的。尕尔曲又名列楚卡河、清代名喀七乌兰木伦河。

长办在1976年和1978年组织过两次江源考察，通过考察从长度、水量、走向、流域面积，以及历史上习惯等方面考虑，把沱沱河定为长江的正源，而当曲和楚玛尔河可分别视为南、北两流。

长江自囊极巴陇至直门达止名通天河，全长约813 km，多年平均流量为385 m^3/s、年水量为122亿 m^3，自古以来也有许多名称。

1913年版《青海图说》载“长江古名丽水，一名神川，其上流蒙名木鲁乌苏，番名(指藏名)州曲，或译曰直曲，周曲，普通曰通天河”。马鹤天在西北考察记中指出：“通天河，即长江之上源，蒙名木鲁乌苏，番名州曲，古名丽水，一名神川，其源有三，中源出于唐古拉山脉之巴萨通拉木山名木鲁乌苏，番名曲国公，东北流有喀齐乌兰木伦河……托克托乃乌兰木伦河自北来注之。”这是把布曲指为木鲁乌苏河。由上述可知长江通天河段曾有丽水、神川和州曲、植曲之称，上段称木鲁乌苏河，下段则称通天河。

(三)长江上游的名称

长江自直门达至宜宾长2308 km，称金沙江。

金沙江因盛产金沙而得名，宋应星著《天工开物》中说：“金沙江……回环五百余里，出金者有数截”。在汉代金沙江称绳水，亦名丽水。《汉书.地理志》遂久越巂郡载：“绳水出徼外，东至僰道入江”。遂久是今云南宁蒗县境，僰道即今宜宾县段三国时遂久以下金沙江的一段名淹水，再以下称泸水、泸江水；西晋时牛栏江口以下又名马湖江。流经川藏之间的河段当地兄弟民族又叫布叠河，今渡口市一段又名磨些江。18世纪齐召南在《水道提纲》中说：“金沙江即古丽水、亦曰绳水、亦曰犁牛河，番名木鲁乌苏……金沙江，亦名犁牛河，亦名布赖楚河，又名巴楚河。

长江从宜宾到湖北宜昌长约1033km，绝大部分流经四川，所以又称川江，川江河段在江津县城的一段称几江，《中国古今地名大词典》称：“几江在四川江津县北二里，大江东北骁县治，折东南流如几字，故名。”从奉节县白帝城起至宜昌南津关止，为著名的三峡河段，所以称为峡江。

(四)长江中游的名称

从湖北省宜昌到江西省湖口为长江中游。盛弦之《荆州记》中指长江自今江陵以下至九江一段为中江。湖北省枝城到湖南省的城陵矶系流经古代的荆州地区，所以此段又称荆江。荆江分上下段，以藕池口为界，上荆江长160km，两岸由冲积土层组成系顺直微湾河段，下荆江原长240km，系蜿蜒型河道，右岸为丘陵地，左岸为冲积平原，河曲带广达20~40km，河道在这一范围内自由摆动，多次发生自然裁直，新中国成立后经过中洲子、上车湾等两次人工裁湾以及沙滩子自然裁湾后，下荆江缩短为160km。这一河段左岸在春秋时代起就有一分流名叫夏水。自江陵经洪湖入江，下段名涌水，三国时夏水则自江陵经监利至堵口入汉水，以后逐渐淤没了。汉口以上长江又有蜀江之称，唐《元和郡县图志》卷27沔州汉阳县鲁山条载：“其山前枕蜀江、北带汉水。”汉口因有长江作纽带，和海运直接沟通，因而有人称汉口以下的长江为“长海”(见易宜曲《湖北地理》第50页，湖北人民出版社)

江西省九江市在隋代置浔阳县，唐升格为浔阳郡、所以九江河段又有浔阳江之称。

(五)长江下游的名称

长江自江西省湖口至江苏省江阴为下游，湖口对岸安徽境内的长江古称楚江，安徽铜陵至江苏镇江一段曾有扬子江、洋子江和京江之称。

扬子江一名始见于隋代大业年间，《隆庆仪征县志》载：“炀帝既幸江都，春二月遂临子津，置扬子宫于方山。扬子之名始此。后因以名镇，而江亦称扬子云。”隋代文学家柳䛒曾有“奉和晚日扬子江应制”和“应教”诗，他把扬子津至京口一带的长江称为扬子江。唐宋以后诗人则纷纷以扬子江为名吟诗填词。

北宋徽宗时，扬子江被认为“自瓜州趋江都经通州入海口”。这一段长江，也有称为京江的，如《太平寰宇记》卷123载：“大江西南六合自县界流入，晋祖逖击楫中流自誓之所，南对丹徒之京口，旧阔四十里，谓之京江，今阔十八里”。元胡三省注通鉴也有“大江迳京口城址，谓之京江”之说。宋代以后扬子江则是指瓜州～京口一段江面，即仪征、扬州一带与镇江之间的长江。由此可知扬子江一名虽已流传1400年之久，但仅仅是指仪征、扬州、镇江一带的长江，而并非指长江全部。

近代以来日本和西方国家对长江则有扬子江和洋子江之称。

日本大阪大学教授海野一隆的文章中曾提到1610年耶稣会教士金尼阁根据利玛窦的笔记写成《耶稣会士在华开教史》中说：“……南京的大河在华语中有：‘海之子’的意思，所以这样称呼(是)由于江面辽阔的缘故。”另一教士陆若谟在《日本教会史》中也说：“它也称为南京之河……因为这条江大，以此表示‘海之子’的意思”。1853年俄国的冈察洛夫在《日本渡航记》中说，他经舟山群岛时，英国籍船长告诉他“Yangtze Kiang”在华语中是大洋之子的意思，因此海野一隆认为最初来中国的西方人把南京附近的长江不是叫做扬子江而是叫洋子江。

这一段时间在我国历史文献和图籍中也散见有洋子江的名称。如在明代1545年刊印的《天下舆地水陆程限图览》卷九中，池州府附近的长江有洋子江的注记。天启六年(1626年)刊《天下水陆路程》之27有“镇江由洋子江至荆州水路”的记载。清代《士商要览·天下水陆路程》卷一也沿用着这一条记载。在清代地图中乾隆时有把长江江口注记为洋子江、九江附近注记浔阳江的，同治时有把铜陵附近的长江注记为洋子江，武昌、重庆、泸州则注为大江的。由此可见西方和日本使用的“Yangtze Kiang”确有可能是洋子江的译音。

综上所述，可见十六世纪以后流经安徽铜陵至江苏镇江的那段长江曾被我国、日本和西方国家称为洋子江和扬子江。

(六)江口段

春秋时代长江口在镇江、江都一带，在此以东均为大海。由于长江每年约有5亿t泥沙输送入海，因而海岸日渐向东淤长，到南北朝时今江阴处始为河口，南通市还是江心大洲，唐末以后南通才连接北岸陆地称通州，北宋徽宗年间《大观图经》载：“扬子江自黄天荡西牛步沙与建康为界……东北趋江都经通州入海”，这就是说长江河口段也名扬子江。清代乾隆32年(1767年)刊的《大清万年一统天下全图》中长江口曾注记为洋子江，以后不少文献和图籍都称扬子江口或长江口了。

(摘自《长江志通讯》1985年第1期，作者夏鹏章，本文略有删节)

三峡库区文物考

三峡库区文物概况

三峡以其雄伟壮丽的景色令人向往，历代文学家，画家用他们的如椽大笔，给三峡蒙上了一层绮丽神秘的色彩。古代人民留下的文物古迹，更为三峡增色生辉。为弄清三峡水库区的文物情况，以便对库区受淹文物进行妥善处理和保护，长办考古队与四川省文物管理委员会派员组成三峡库区文物调查队，1980年4～6月及1981年4～6月，调查队先后经武胜、合川、江北、合江、江津、巴县、重庆、长寿、涪陵、武隆、彭水、丰都、石柱、忠县、开县、万县、云阳、奉节、巫山、巫溪等20个县市，基本上完成了水库最高设计水位线(200m方案)下四川境内各县市的文物调查工作。重庆博物馆及库区各县市文化部门积极支持这项工作，派人参加调查并提供资料。

1982年3～6月，长办考古队又对库区湖北省境的巴东、秭归、兴山、宜昌进行调查，湖北省博物馆，恩施地区考古队，巴东县文化馆和秭归县文化馆为长办考古队提供了资料。

1985年3～4月，长办与文化部文物局及有关文物部门一同踏勘三斗坪施工区，了解施工区内文物情况，并到巫山、云阳、忠县、涪陵等地调查，了解到一些新情况。

根据上述调查成果，综合有关资料，本着文物工作“重点保护、重点发掘，既对基本建设有利，又对文物保护有利”的方针，兹将三峡水库蓄水位180m方案受淹重要文物概述如下：

重庆弹子石大佛：位于长江南岸，分上下两处，其下者依江岸石壁凿佛，原有一佛二弟子，现仅存一佛一弟子。佛为释迦坐佛，高约7m，双耳已失，手掌亦残；弟子为阿难，双手合什，嘴角微含笑意。另有4小石龛，均风化剥蚀。大佛左侧原有造像，现已毁。有一联曰："大慈大悲大硕，佛口佛骨佛心"。大佛座基高程为179m。其镌刻年代，据《蜀辖日记》及《小房壶斋舆地丛钞》7～8帙载：为伪夏都察院皱兴所凿。又据《巴县志.纪事》载：元至正十七年十二月丙戌明玉珍陷重庆，据之。二十一年正月明玉珍更定官制，并六卿为中书省枢密院，以载寿、万胜为左右丞相，皱兴镇成都。此间约在公元1357～1365年，大佛大致在其间镌刻。

另一处在大佛后上方，有重檐歇山式五间殿宇一座，座基高程190m。殿宇内罩一倚崖石窟造像。窟高约8m，窟内有佛造像五尊，正面三佛，正中之佛迭坐于一兽之上，两旁之佛迭坐于佛座；侧面之佛，右侧为骑象之普贤，左侧为骑狮之文殊。其镌刻年代，相传为明永乐年间。

涪陵镇安新石器时代遗址：位于长江左岸二级阶地，社员邓光发修筑房屋取土，掘至文化层，附近竹林也有文化层出露。从陶片器形判断，有红（灰）陶敛口钵，灰陶尖底器等。遗址高程181m。

涪陵蔺市镇龙门桥：跨架于梨香河上，长160m，宽7m，高27m，桥面高程171m。桥建于清光绪元年（1875年）为石构件纵联式拱桥，共3孔，实肩，桥墩上方栏杆外有两镂空透雕石龙，龙头朝梨香河上游方向，悬空昂首，口含宝珠，雕刻精致，造型优美，令人叹为观止。龙尾高翘于桥北栏杆外。桥西端两石雕象和东端石狮子保存好，栩栩如生；桥正中栏杆外的"龙门桥"3个楷书大笔遒劲饱满，雄浑有力。

涪陵小田溪战国墓群：位于涪陵城东南30km乌江西岸永胜乡，1972年四川省博物馆在此发掘了3座土坑墓，出土的器物有铜编钟14件，虎纽錞于一件，错银铜壶一件，钲两件，还有罍、釜、甑、戈、矛、剑、钺、弩机、镞及其他生活用具。编钟通身以浇铸和错金的技法，饰以兽面、蟠夔、几何纹组成的图案，铜银的技法，制成云水纹图案，都是精雕细镂，体现了高度的制作技巧。这批出土的文物除剑的形式尚有巴蜀铜兵器的特点外，其他都和秦楚无多大差别。

在蔺市镇、鹤凤滩、镇安等地，农民烧砖取土曾挖出一些巴人墓。《华阳国志》载：巴"先王墓在枳"，枳即今之涪陵。看来，配合基本建设，认真细致地工作，估计会有新的重要发现。

涪陵白鹤梁枯水题刻：是省级保护单位，位于长江与乌江交汇处上游约1km的长江中一道岩石渠——白鹤梁上，东西方向长1600m，南北方向宽10～15m，高出最低水位仅2m，只在冬春之交石梁才浮现江心。表层的坚硬砂岩，厚约1～1.5m，其下层为软质页岩，厚度在2m以上。岩面平整，呈14.5度的角度向江心倾斜。由于江水侵蚀，石梁分为三段，题刻和石鱼水均标均集中在中段靠下端的砂岩斜面上，计有题刻163段，其中以宋代最多，约百段左右。元、明、清代次之，石鱼14尾，线刻观音一幅。石鱼是古代水文观测的标志，题刻文字是古代水文观测的记录。我国古代人民把石鱼这一观测标志设置在多年平均最低水位附近。石鱼三、五年或十余年一现。涪陵民间有"石鱼出水兆丰年"的说法，每逢石鱼出水，观者络绎，观鱼者中，有人把石鱼出水日期、尺度以及叙述出水情景的诗文留刻在石梁上，这就给我们留下了珍贵的古代水文资料。其事在古代文献也屡见记载：

宋《太平寰宇记》载："开宝四年（公元971年），黔南上言，大江中石梁上有古刻云：广德元年（公元763年）二月江水退，石鱼见，部民相传丰稔之兆。"清代姚觐元、钱保塘辑《涪州石鱼文字所见录》载："涪州大江有石梁，长数十丈，上刻双鱼、一鱼三十六鳞。一含蓂叶，一含莲花，或三、五年或十余年一出，出必丰年，名曰'石鱼'"。清代陆增祥撰《八琼室金石补正》中亦收录了"涪州石鱼题刻一百段"的内容。新、旧《涪州志》中，各选收了石鱼题刻数十段。

题刻中谈及石鱼始末者不少，如宋开宝四年（公元971年）谢昌瑜等题记："大江中心石梁上，（缺字）古记，及水际，有所镌石鱼两枚，古记云：唐广德□□春二月岁次甲辰，江水退，石鱼出见，下去水四尺。问古老，咸云：江水退，石鱼见，即年半稔……自唐广德元年甲辰岁至开宝四年岁次辛未二月辛卯朔十日丙（下缺）余年，今又复见者"。清代肖星拱"重镌双鱼记"记述详细生动："涪江石鱼，镌于波底，现则岁丰，数千百年来，传为盛事。康熙乙丑（公元1685年）春三水落而鱼复出。望前二日，偕同人往观之，仿佛双鱼蓂莲隐跃。盖因岁久剥落，形质模糊，几不可问，遂命石工刻而新之，俾不至湮没无传，且以望丰享之永兆云尔……。"

白鹤梁163段石鱼题刻经整理研究，除无年代可考及与石鱼不发生关系者外，其中有价值者计103段，获得了自唐代广德二年（公元764年）以来1200多年中72个枯水年份的历史水文资料，是我国目前发现最早，资料最丰富并可资应用的古代枯水水文站，这在世界上也是独一无二的。

据调查，在长江中发现了11处历史枯水题刻群，枯水题刻362段，其中有年份记载的有179段。枯水题刻群中，其题刻资料之丰富可与涪陵白鹤梁相媲美者为云阳龙脊石（待后述）。

据《巴县志》载：重庆朝天门嘉陵江水底有一碑，一名壅熙碑，一名灵石，“每水落碑出，年丰，人争摹拓，数十年不一见”“非江水极涸不可见”。依据《巴县志》记载，可知灵石题刻记载了汉、晋、唐、宋、清各代计 17 个枯水年份。经访问老船工，他们说早年都曾亲见灵石，并能指出题刻所在地点。近来因泥沙淤积，不能目睹。看来，非得组织有关力量，辅以必要的设备进行“水下考古”方能得到这群历史枯水资料。

丰都天佛寺铁铸佛像：位于丰都县城一称杆厂内，原为天佛寺之正殿，殿内佛寺上原并列佛像三尊，中间铜铸佛像已毁，仅两旁铁铸佛像，高约 1.7m，铸于明代。天佛寺高程 159m。

丰都汇南战国——六朝墓群：墓群位于长江南岸一、二级阶地，高程160～180m，与丰都县城隔江相望。汇南公社红光大队许家院子及地质队驻地一带分布较密集。当地人烧砖瓦取土，时常发现六朝青瓷器及巴式剑。

忠县丁房双阙：位于忠县城关东门外公路旁，为四川省文物保护单位。两阙相距2.2m，皆设有木构房子使之不遭日晒雨淋，左阙（东阙）为双出阙，阙下部埋于地下，可见高度6.3m，系大石砌成，自下而上，分为阙身、枋额、平台、介石、腰檐、枋额、斗拱、阙顶、脊蚀九部分。右阙（西阙）为单一阙，可见高度5.63m。细部结构与左阙差异甚大，自下而上，为阙身，枋额、介石、腰檐、枋额、斗拱、阙顶、脊蚀八部分。两阙均有怪兽、人物等石刻分别造像，艺术价值较高；此建于东汉，后期有过维修，高程158m。

忠县甘井沟无铭阙：亦是四川省文物保护单位，位于忠县城北约7km的甘井沟左侧，高程143m。据了解，原为一对双阙，一阙遭雷击毁，幸存之无铭阙建一方亭予以保护，其时代与丁房双阙相同，可见高度5.37m。由阙身、枋额、介石、腰檐、枋额、平台、斗拱、阙顶八部分组成。阙身下部和阙基为后世维修，余皆系原物、无抽换迹象。

阙主要是体现封建礼仪的一种装饰性建筑。《白虎通义》说：“门必有阙者何？阙者，所以饰门，别尊也。”“阙”与“缺”通。一对阙之间留下的空缺之地，是作为通向后面建筑物的道路，如刘熙《释名》说：“阙，在门两旁，中央阙然为道也。”阙矗立在建筑物前，具有装饰建筑物大门的作用，使建筑物显得更加雄伟庄重。阙又是一种标志，既是该建筑物主人身份和地位的标志，又是地域界限的标志。比主人身份低下的人来到阙前，必须下车或下马，以示对主人的尊敬。西汉初建长安城，城西南的未央宫是皇帝朝会之处，在其四面的四个司马门之中，东面和北面的司马门是主要的。门外有阙各称东阙和北阙。诸侯来朝，入自东阙，士民上民，则诣北阙。东汉以后，地方官吏或豪强大姓于家庙祠堂及坟墓前立石阙为饰。四川汉阙保留至今者，除忠县汉阙外，尚有雅安高颐阙、芦山樊敏阙、绵阳府君阙、新都王稚子阙、渠县沈君阙等十多处，约占全国总数的一半。《蜀中广记》云：“忠州丁房双阙在巴王庙”，有人认为丁房双阙是巴王庙的祠阙，巴王庙今废。

忠县甘井沟夏商遗址：位于忠县东云公社红星四队，置于长江左岸二级阶地上，高程 150～155m。因修公路，遗址局部受破坏，断面可见文化层，厚 1m 多。汪家院子周围田地中布满陶片，红陶居多，黑陶较少，大多较为厚重，泥质，火候较高，口沿多有波浪形的花边装饰，系掐捏而成，纹饰多绳纹，还有编织纹、几何印纹等。从陶片的密集程度看，该处应是一陶器生产作坊遗迹。1059 年和 1975 年四川省博物馆对该遗址两次发掘清理出土的文物有石器、陶器、人骨及兽骨等。石器有斧、磷、凿、锄，一般为打制后加以粗磨而成。陶器有碗、罐、绳纹釜、角状尖底杯，角状尖底杯为这一遗址特色。1982 年复查该遗址时采集到陶罐和灯座形器，另出土有卜骨、双翼式铜箭镞和石矛等。1985 年 4 月踏勘时，从文化层断面底部发现有鬶（盉）足。

忠县石宝寨：位于长江北岸石宝公社，孤峰卓立，形似玉印，故名玉印山。传说这是女娲炼石补天遗留下来的一块石头，所以又叫石宝。明崇祯十年（1637年），农民起义军谭洪起义，据石宝为寨，故名石宝寨。寨上庙宇，始建于清康熙元年（1662 年）。嘉庆年间（1796 年～1820 年），能工巧匠在临江一侧修建了 11 层木质塔形楼亭，解放后又增建一层，共为 12 层，通高 56m。远望石宝寨：叠叠重楼，插入天际，江上孤峰，如幻如画。游人亲临此寨，则可见层楼红柱，飞檐绘彩，气势非凡；拾级而上寨顶，远望长江，天水茫茫，令人心旷神怡。寨上有忠县出土文物和化石陈列展览，其化石中有一恐龙，系在寨旁小溪口发现。另外还有张飞义释严颜、明代巾帼英雄秦良玉塑像。石宝寨顶海拔高程 230m，面积 1200m²，寨门海拔高程 175m。1980 年 7 月公布为四川省文物保护单位。

忠县涂井汉晋岩墓群：位于涂井公社汝溪河支沟崖岸上，高程 185～195m。四川省博物馆与万县地区文化局、忠县文化馆于 1981 年对其中一些岩墓进行发掘，出土文物 190 件。其中五号墓出土了“直百五铢”铜钱，摇钱树，陶屋、陶马、陶水田模型等 150 多件。

云阳张桓侯庙：俗称张飞庙，位于长江南岸飞凤山麓，与云阳县城隔江相望，是蜀汉末年为纪念名将张飞而修建的祠宇，后经宋、元、明，清历次修葺扩建，形成了一组宏伟壮丽、独具一格的古建筑群，是长江上游重古迹之一，1980 年 7 月公布为四川省文物保护单位，海拔高程 140m（从“江上风清”四字下算）。门前幽潭飞泉，古木葱笼。幽潭旁有纪念诗人杜甫客居此地而建的“得月亭”。庙内主要建筑有:结义楼、正殿、偏殿、望云轩、助风阁、杜鹃亭等。庙内收藏汉唐以来的碑刻书画极为丰富,其中不少是具有历史价值和艺术价值的瑰宝,如汉代《张表碑》、唐代颜真卿草书《争座位帖》、宋代黄庭坚大字行书《唐韩伯庸幽兰赋》、岳飞书《后汉书.耿弇传》大字长卷木刻等,均属书法艺术宝库中之奇珍,故有“张祠金石甲于蜀东”之誉。

云阳龙脊石题刻:龙脊石是一砂岩石梁,位于云阳城南长江中,靠张桓侯庙下游约150m处。枯水时节,脊分上、中、下三段露出江面,全长约200m,宽约10余m,最高处距调查时水面1.8m。上、中、下三段石脊上均有题刻,下段最多,共计170余段。其中高程在平均枯水年水位以下的可用枯水题刻68段,以宋代最多,即宋代30段,元代1段,明代24段,清代13段,脊石上题刻有:“古渝之义熙(即重庆之灵石),涪陵之石鱼,云阳之龙脊石,虽地各异,然意皆同”的记载。龙脊石除枯水题刻外,还有宋至清代的书法题刻,云阳县文化馆保留着题刻的一些拓片和照片。

奉节小滟滪堆枯水碑:在瞿塘峡口小滟滪堆的悬岩上,前人曾嵌立两碑石于岩壁上,作为枯水水位标志。一为1915年“水落至此”碑,碑文除述及1915年枯水年份外,还追溯了清嘉庆元年(1796年)枯水年份。1915年长江上游已有近代水文观测资料,此碑重要之处在于给我们提供了1796年这个极枯水年份的旁证。另一碑位于“水落至此”碑下游约12m处,窥其碑石年代为1937年,由于碑没于水中较深,目前还不知碑的全文。

奉节锁江铁柱:在夔门北岸草堂河口的石盘上,立有两根铁柱,各高6.4尺,枯水时才露出水面,系宋代末年设置拦江守关的铁索柱,曾有拦江铁链七条,长277丈。铁柱旁的岩石上有元代题刻,据《资治通鉴》载:五代时蜀王曾在夔州设置镇江军,以张武为峡路应援招讨使,把守峡江。后唐同光3年,张武用拦江铁索这种军事设施,截住来犯之敌——南平国国王高季兴(在荆州一带拥兵自立)的舟舰,战而胜之。张武所置铁索在三峡的确切位置,此书未详,但由此可知三峡拦江铁索历史之悠久。

奉节粉壁墙:即夔门处长江南岸白盐山陡岩题刻,自宋代起多有记录,书法兼有篆、隶、楷行,其中南宋书法家赵公硕所书《宋中兴圣德颂》,题壁高4 m,宽6.78 m,980余字,清代张伯翔所书“瞿塘”二字,字径1.7 m,笔峰遒劲,于圆熟中见秀润;刘心源所书“夔门”二字,既有汉隶特色,兼含魏碑笔意,均属摩岩珍品。另有抗战时期冯玉祥题刻二则,其一曰:“踏出夔巫,打走倭寇”。题刻高程均在100m以上。

三峡栈道遗迹:栈道于清光绪十四年(1888年)开凿,全长约50多 km,主要有两段“:瞿塘峡段从奉节县草堂河口东岸起,至巫山县大溪对岸的状元堆止,长约10 km,其崖壁上有两处题刻:一曰“开辟奇功”,一曰“天梯津逮”,均为施工时镌刻。巫峡段从巫山县城对岸起至川鄂两省交界处的青莲溪止,长30余 km,其余则散见于西陵峡中,栈道除钻孔外,也包括道路、石桥、铁链、石栏、宽二、三米,高出江面数十米,现在已经没有铁链,石栏也残缺不全。

巫山大昌古文化遗址:1971年,四川省博物馆曾在大宁河左岸大昌区七里公社进行试掘;1981年长办考古队在此调查,采集了一些夹砂红陶片和泥质红,灰陶片,其可辨器形有罐、器盖等。现陈列于巫山文化馆的鸟兽青铜尊(时代相当于殷墟晚期),就是1980年冬天在七里河岸边出土的。当地农民反映,1962年在此曾发现大型的青铜器(可惜已砸烂当废铜卖),由此可知川东一带在殷周时期跟中原已有往来。在大昌城南门河岸边,发现有战国灰坑。

大宁河古栈道遗迹:在大宁河右岸石壁上,可以见到栈道孔,呈长方形或方形,边长约10 cm、分上下两行排列,从巫山至巫溪县镇坪公社均可见栈道遗迹。栈道开凿于东汉永平七年(公元64年),用以架设竹管,将巫溪盐卤输送到巫山熬制,唐代又加以改造,成为人行栈道。

巫山孔明碑:位于巫峡集仙峰下,紧临江面,高程约95 m,传说诸葛亮在这陡壁上刻上了他的重要策论《隆中对》。实际上诸葛亮并没有在此刻下什么碑文,其碑乃其后朝代题刻。因岩石风化,字迹难以辨认,在船上可看到“重岩叠嶂巫峡,名峰耸秀,巫山十二峰”15个字,从旁边尚可辨清的“嘉靖□年”几个小字来看,碑文多系明代所刻。

巴东秋风亭:据记载,秋风亭于公元978年为寇准任县令时所建,原亭建在离现在县城上游约15里的旧城,现存秋风亭位于巴东城中,海拔高程175 m,为嘉庆二十一年(1816年)重建,同治五年(1860年)又维修过一次。亭高3丈余,分上下两层,亭内雕有九龙含珠。登亭览江,景色壮观。寇准在巴东任县令时,大力改革弊政,推广先进农耕技术,为老百姓做了很多好事。“人知公惠在巴东,不识三朝社稷功。平日孤舟已何处,江亭依旧傍春风。”苏辙这首《秋风亭》,表达了人民对寇准的仰慕和思念。

巴东西瀼口古墓群:1981年,恩施地区考古队在西瀼口下溪口发掘了一座战国巴人墓,出土文物有陶鼎,巴式剑和大量铜箭簇。在李家沱发掘宋墓一座,现地面上仍可看到一些宋墓,高程约120 m。当地曾发现唐代禽兽葡萄铜镜。估计西瀼口墓葬时代最早为战国,最晚为宋代。

巴东李家湾古墓群:位于长江北岸,上距县城约10

里，这一带时常发现南北朝墓葬，现在地上仍能发现南北朝墓葬，墓砖饰棱形几何印纹。高程约 105 m。

秭归屈原故里牌坊：在秭归的街口上，有一座修葺一新的古牌坊，上书“屈原故里”四个大字，系郭沫若手书，海拔高程 95m。旁边立着两块石碑，一题“大夫屈原故里”，一题“汉昭君王嫱故里”，均系清代所刻。王昭君家乡兴山县在西汉时属南郡秭归地，所以古人认为屈原、王昭君是同乡。

秭归屈原纪念馆：秭归城东 3 km 有个屈原沱，旧有屈原庙和屈原墓，现由国家拨款迁建于城东 1 km 的高山上，主体建筑为“屈原纪念馆”，屈原墓在其背后。海拔高程 160m。馆内陈列着秭归出土文物，其中有战国虎纽錞于，铜鼎、铜锯、巴式矛等，系筑路时在秭归县城附近发现一战国墓，后经清理而获得的珍贵文物。另外有一把青铜剑，剑格饰鸟篆铭文：“越王州勾，自作用剑”，是在香溪河口战国墓中发现的。这些文物为研究巴楚历史提供了珍贵的实物证据。

秭归鲢鱼山夏商遗址：位于长江北岸香溪公社永明大队，西距秭归县城 5km，面积约 4000 m^2，文化层堆积厚约 1m，1960 年中国科学院考古所在此调查并进行试掘，出土石器 5 件，其中石斧 2 件。还有大量的陶片，可辨器形有夹砂陶罐，多为圆唇外翻溜肩，饰方格印纹或细绳纹，其中一件可复原。陶盘也可复原，宽平沿，浅腹，矮圈足，泥质黑褐皮红胎。陶豆仅见豆柄数段，柄壁极厚近实心。在一灰陶片印有弦纹，S 形纹和圈纹。值得注意的是出土了数片方凿卜甲，凿的排列整齐，灼痕不显，此外还出了数块较大的鱼齿、鱼骨及兽骨。近年来由于农民在此建窑烧砖，遗址已被破坏。

秭归龚家大沟古文化遗址：位于长江南岸香溪公社东门头三小队，与鲢鱼山遗址隔江相望，高程 110m，现存面积 2000m^2，文化层厚约 2m。1981 年 4 月 28 日至 5 月 5 日，湖北省博物馆在此试掘，出土了相当丰富的大溪文化陶器和一些石器、骨器等。其中陶器主要器形有支座、瓮、罐、钵、簋、盆、豆等。还有东周时期的长颈罐、双翼形铜箭头。清理汉代石室墓一座，出土陶俑、陶罐、陶碟、陶鸭各一件及一些“五铢”铜钱。

秭归官庄坪周代遗址；位于香溪右岸官庄坪公社，旁有秭—兴公路通过，海拔高程约 90m，南距香溪河口约 8km。1981 年湖北博物馆在此进行初次试掘，出土的陶器有鬲、盂、罐、豆、盆、瓮、鼎、釜、缸等。经胡雅丽、王红星两同志整理研究，认为出土陶器时代最早为西周晚期，最晚为东周中期，根据地层迭压关系将其分为四期。第一期土著的因素较浓，如在大口鬲上普遍饰黑衣，其肩部多有绳纹按窝；第二期土著因素明显减少，至第三期外来因素（指广义的沮漳河流域楚文化）占了统治地位。这些出土文物将为楚丹阳的“秭归说”提供了一个历史的反证—西周晚期楚人影响虽及秭归，但秭归境内仍有相当强大的土著力量（指川东文化因素）与之抗衡。既然两股势力在西周晚期仍泾渭分明，势均力敌。那么，作为西周时期楚人政治、经济、文化中心的“丹阳”就很难定在秭归。这就是试掘秭归官庄坪遗址的独特的历史价值。

秭归柳林溪古文化遗址：位于茅坪公社前进一队长江北岸一级台地上，高程 85m，背靠罗家岭，西邻牛肝马肺峡，东面为柳林溪。遗址东西长 60m，南北宽 40m，文化层厚 1 ~ 2m。1981 年湖北省博物馆在此发掘，其资料尚未正式发表，但从北大严文明老师《新石器时代考古研究的回顾与前瞻》一文中得知，该遗址出土文物，其最早年代与河北磁山文化相当，是新石器早期偏晚阶段的文化遗存，早于大溪文化。这是湖北、川东新石器时代考古的重大收获之一。宜昌地区博物馆曾在此进行调查，遗址文化层暴露的遗物中有大量的陶片，以泥质灰陶为主，次为夹砂红陶，夹砂黑陶片，器形有鬲、鼎、豆、罐，纹饰多为绳，次为素面和交叉绳纹，遗址晚期文化年代为春秋战国。

秭归朝天咀新石器时代遗址：位于长江南岸茅坪公社民意二队，西距茅坪约 4 华里，与杨泗庙相连，长 100m，宽 20m，遗址断面暴露有泥质红陶片、泥质灰陶片，纹饰多为绳纹，篮纹，附加堆纹，还发现有钵、碗、罐、器盖等，石器分打制、琢磨制、磨制三种，器形有石斧、石，同时在冲沟内还发现从遗址冲出的大量鱼骨。

宜昌小溪口周代遗址：位于宜昌县太平溪公社小溪一队，西距太平溪镇 2 华里，长 200m，宽 80m，文化层厚约 2m。宜昌地区博物馆曾在此进行试掘，出土的大量的陶片中，质地为夹砂灰陶、夹砂红陶、泥质黑陶和加羼和料的灰陶、器形有鼎、鬲、罐、豆、器盖等。包含物中还有木炭、矿渣、碎铜屑、兽骨等。

宜昌路家河商周遗址：位于长江北岸太平溪公社五贤庙，西距太平溪镇约 4 华里。1982 年，在河岸边见到 1981 年洪水冲刷出的大量的陶片、陶器、石器和鱼骨。陶片可辨器形多为圜底钗，饰细绳纹，还有灰陶小尖底罐、尖唇、斜肩、素面；大口尊，饰方格纹，遗址定名为五贤庙商周遗址。1984 年，长办考古队林春同志在此发掘，定名为路家河遗址。

革命纪念有两处：一是巴东革命烈士陵园，高程 175.5m，上有万仙洞遇难的红军烈士公墓及其他烈士墓、革命烈士纪念塔，1958 年贺龙同志为该塔题词：“革命烈士们的业绩永远鼓舞我们前进！”另一处是在丰都名山公园的革命烈士纪念碑，碑上刻有革命烈士的英名，海拔高程 153m。

（摘自《长江志通讯》1985 年第二期，作者郑梦奎，本文略有删节）

三峡库区淹没线上著名文物古迹简介

丰都名山:1982 年 11 月 8 日,名山被国务院列为第一批国家重点风景名胜区——长江上游的一个名胜古迹点。丰都素有"鬼城"之称,说是人死后魂魄要到丰都——"鬼国幽都"报到。人死后精灵不灭,并转到冥冥中的另一个世界,这在科学不发达的古代,人们很容易产生这种观念。如屈原《九歌·国殇》:"身既死兮神以灵,子魂魄兮为鬼雄!"《招魂》:"魂兮归来,君无下此幽都些"。汉祖父子,本楚人,好楚声,崇祠祀。东汉,佛教始传入中国,道教也逐渐兴盛,张陵在丰都建立道教平都治。据《丰都县志》载:西汉中散大夫王方平、东汉和帝后曾祖阴长生在平都山(名山)学道功成。西晋初,名山始建道观,后又盖佛寺,如《水经注》载;"县(平都)有天师治,兼建佛寺,甚清灵,知山上寺观其来旧矣"。

鬼国阎罗王之说,佛道两家皆极推崇。道家设想罗丰山为阎罗王住所,因罗丰山的"丰"字与丰都县的"丰"字相同,后人遂将虚作实,说罗丰山就是丰都的"平都山",是阎罗王住所。李白诗:"下笑世上人,沈魂北丰都",可知唐时此类传闻已风靡社会。明清小说《封神演义》、《西游记》、《说岳全传》等描写丰都乃"鬼城地府",其影响更为广泛深入人心。有人又将阴长生、王方平穿凿附会为"阴间之王",历代在名山及其周围迭修寺庙,有仙都观,凌霄宫、阎罗庙……数目之多,有如杂货,于是,"鬼城幽都"路人皆知也。

据旧县志载:明代以前名山建筑,于明崇祯十七年(1644 年)毁于战火,只剩二仙楼。康熙元年(1662 年)知县汤蕿始鸠工备材,在废墟上重修名山寺观。现存建筑有"天子殿"、"二仙楼"、"大雄殿"、"百子殿"等。

天子殿占地 2431 m^2,殿高约 9.5 m。内塑阴天子坐像和"天子娘娘"。"六功曹"、"四大判官"、"十大阴师"以及地狱中种种酷刑、执行的鬼神等塑像,组成一幅阴森恐怖的立体图。山门门额正面嵌"天子殿"三字匾,背面楷书"幽都"二大字;门前蹲着一对栩栩如生、钢爪欲扑的石狮。

二仙楼为八面体立塔式阁楼,创修于西晋,清康熙十年(1671年)和清道光五年(1825年)两次维修。楼共三层,每层高丈余,一楼塑华光大帝——目连像;二楼塑观音及金童玉女像;三楼塑王阴二仙对弈和渔樵二夫观棋像。

大雄殿原为祀明初蜀献王朱椿(朱元璋之子、洪武二十一年封王镇四川)的殿宇,称"廖阳殿"。清重建,更名"大雄殿",门前横卧着相联一体的三座单孔石拱桥,长 335 公分。宽 156 公分,考为明代建筑,为适应"阴曹地府"之说,清代始称其为"奈何桥"。

奉节白帝城:为四川省文物保护单位,位于瞿塘峡口长江北岸白帝山上,海拔248 m。西汉末年公孙述拥兵据蜀,在山上筑城,传说城中井内曾有白龙跃出,因自号白帝,并名此城为白帝城。述死,土人在山上建庙立公孙述像,称白帝庙。三国刘备在此托孤,传为千古佳话。

现白帝庙有明良殿、武侯祠、观星亭等明清建筑。明良殿内有刘备、诸葛亮、关羽、张飞塑像,武侯祠内供诸葛亮祖孙三代像。祠前的观星亭传说是诸葛亮观星象之地。明良殿和武侯祠左右两侧藏有各代名碑。庙内还有文物陈列室、诗史堂。

巫山大溪新石器时代遗址:位于巫山县与奉节之间、长江南岸大溪和长江交汇处,面积约 1.5 万 m^2。1959 年和 1975 年曾先后两次进行发掘清理,共清理墓葬 207 座,出土了大量的石器、陶器、骨器和玉器。石器有斧、碎、凿、锄、刀、矛、镞、纺轮、人面形玩具等。陶器以红陶为主,灰陶、黑陶次之,彩陶较少;器形有釜、鼎、盂、豆、簋、碗、碟、罐、甑、空心球等;骨器有锥、针、凿、刀、矛等;玉器有璧、璜、环、玦、耳饰等。此外还有蚌镰、蚌环珠、象牙圈、海螺、松绿石等。从出土的器物看来,其文化是当地发展起来的,但也受其他文化的影响。从出土的石锄、蚌镰和彩陶碗上的谷穗纹饰看,农业已是主要的生产项目,人们生活相对稳定。另外根据墓葬中用鱼、狗殉葬及出土的兽骨、鱼骨,可以看出渔猎在当时仍占有重要的地位。

在长江西陵峡及峡口以东,近年来屡次发现大溪文化遗存,如宜昌扬家湾、宜都红花套、松滋桂花树、枝江关庙山等。

屈原故里:屈原(约公元前340~278 年),是我国伟大的爱国诗人。曾任楚国左徒和三闾大夫之职,后受权奸排挤而遭放逐,浪迹汉北、江南间,历十数年之久,饱经忧患。当楚都为秦兵攻破时,他愤而以身殉国,投汨罗江而死。其《离骚》、《九章》、《九歌》、《招魂》等诗篇,声贯古今,名扬中外,在世界文化史上享有崇高的地位。

屈原故里在秭归县三闾公社东平里,世传有香炉坪、照面井、读书洞等遗迹。

香炉坪是屈原诞生之地,传说屈原降生时异香扑鼻,此地因称为香炉坪。

照面井在香炉坪对面的伏虎山山坡上,相传系屈原所凿。清咸丰十年,乡民在井边常青树置"照面井"碑,上刻:"此系屈公遗井,以后切勿荒秽;此株青树,永世勿得砍伐"。

读书洞在响鼓溪深谷的半山上,相传为屈原读书处,洞口原有清同治年间所刻"读书洞"三字,早已剥落不清，现又立一新碑。

明妃村：今湖北兴山宝坪村，历代相传是王昭君故乡。

王昭君，名嫱，汉元帝时入宫为妃，封为昭君。晋朝避明帝司马昭讳，后称明君、明妃。竟宁元年（公元前33年），匈奴呼韩邪单于来朝求亲，昭君自请嫁给他。由于昭君和亲，对结束汉匈战争，促进民族溶合具有重要作用，符合人民愿望，因而她深受人民爱戴，故事在民间广为流传，并成为诗词、戏曲和小说等各种作品的题材。

宝坪村曾有许多纪念昭君的名胜古迹，如昭君祠、昭君院、楠木井、梳妆台、绣鞋洞、宋“昭君故里”碑等。现经整修的只有楠木井、梳妆台两处。

库区其他文物古迹概况

奉节城：系明代成化十年（1474年）修筑，周长6里，有5座城门，大南门是入城主要通道，原名“纵目”，后改称“依斗门”。其它尚有古城遗迹的还有秭归（清代）、丰都（清代）、巫山大昌（明代）等地。

奉节诸葛亮八阵图：古代所谓“八阵”，是指以“天、地、风、云、龙、虎、鸟、蛇”等为名称的战斗队列。明代茅元仪《武备志》载有《诸葛亮鱼复江八阵图》。因《三国演义》对诸葛亮的神化及后人对古代阵法不甚了解而给八阵图蒙上了一层神秘的色彩。诸葛亮所设八阵图，相传在奉节有两处，一是城东边的水八阵；一是白帝城东北草堂附近的旱八阵。所谓水八阵，实是位于梅溪河入江处的沙洲碛坝。碛，水中沙堆也。据志书记载，奉节人民因仰慕诸葛亮，每年正月七日倾城出游八阵图，谓之“迹碛”。踏碛之风，明代还有记载，后来就渐渐失传了。

杜甫草堂：杜甫曾在夔州住了一年多（766年－768年），写诗437首。宋乾道六年（1170年），陆游来夔州任通判，缅怀诗圣，作《东屯高斋记》，记载了杜甫在夔州的白帝城、瀼西，东屯等三处寓址，对寓址之荡然无存不胜感慨。瀼西在瀼河（梅溪河）之西的奉节城内“夔柚园”一带，东屯即今奉节县草堂，位于草堂区浣花大队，清代在此立杜公祠供人凭吊，但现在已另起新屋，辟为合作社商店。只在其街口立着清光绪末年为纪念杜甫所立的石碑。

孟良梯：位于瞿塘峡口的长江南岸粉壁墙东边绝壁上，凿有许多方形石孔，深1尺，宽0.8尺，高0.7尺，孔距3尺，自下而上呈“Z”形，一直排列至高不可攀的山腰，人称“孟良梯”，实为古栈道遗迹。

瞿塘峡、大宁河岩棺：四川大学曾在瞿塘峡的盔甲洞、风厢峡、巫溪荆竹坝清理了一些岩棺，发现铜带钩、铜手镯、木梳等汉代遗物。岩棺多数处于180m高程上。

巫山神女庙：始建于唐代、后毁。前几年在青石修复神女庙，旋毁于火灾。

陶片石器采集点有：万县聚鱼沱、麻柳沱，小湖滩、姚嘴、杨家碑、云阳余家嘴、新津口、中槽溪、故陵、奉节周家坪、巫山江东嘴、培石、巴东官渡口、李家湾、秭归势大岭、牛口、莲花沱、银杏沱、水井村、沙窝子、旧洲河、何家湾、大幺姑沱、王家祠堂、沙镇溪、泄滩、柳树湾、宜昌白水溪、太平溪，这些采集点均处于长江边，石器陶片零星散布于河漫滩及一级阶地。个别在二级阶地。其间杂有汉砖、青瓷片等晚期文物，不见文化层。可能是原遗存不丰富，经历年洪水冲刷及人为破坏，遗存所剩无几。

（摘自《长江志通讯》1985年第二期，作者郑梦奎，本文略有删节）

三峡移民试点回顾

三峡工程库区移民试点工作回顾

为了妥善解决艰巨而复杂的三峡水库移民安置问题，在三峡工程的长期研究论证中，始终将移民问题列为重要课题，同时开展研究，并不断进行实践探索。特别是进入80年代后，在总结国内外水库移民工作经验的基础上，中央提出开发性移民，并在三峡工程尚未批准开工以前，先批准在三峡库区开展移民试点工作。三峡移民试点，从开发性移民方针提出到思想组织准备，从广泛的试点探索到社会各界的充分肯定，从多方面的实践成功到结合搬迁的扩大试点，前后历时近九年，基本完成了试点任务，写下了古今中外水库建设移民史上的光辉篇章。

(一)妥善解决库区移民是三峡工程的关键

当今水库移民问题,是一个世界性的难题。尤其三峡工程库区移民,数量很大,涉及面广,既跨省,又跨世纪,必须认真研究、妥善安置。正如李鹏总理与国务院三峡工程库区移民对口支援工作会议部分代表座谈时指出的:"库区移民是三峡工程的难点。""100 多万移民在世界上也是一件大事情,没有社会主义制度,要办这样一件事情是很难的。我们要接受解放以来库区建设的经验,要把赔偿性移民变成开发性移民,不留后患。"三峡工程移民问题一直受到党中央、国务院的高度重视,三峡工程移民试点工作,始终是在党中央、国务院的亲切关怀和直接领导下进行的。

早在 1978 年 10 月,林一山同志根据长办和川鄂两省及库区各地县多年共同调查研究的成果,向李先念同志和国务院呈送了《关于三峡水库移民问题的报告》,提出采取移民工程措施解决水库移民和淹没处理的建议。1979年 4 月,林一山同志又向邓小平同志写了《三峡水库移民工程的报告》,得到了小平同志和中央有关领导的重视,并由李先念同志主持会议专门听取汇报,进行了讨论。

随着国民经济形势的发展,三峡工程逐渐提上了日程,中央对三峡移民问题提出了解决方针,并作出了决策措施。

1983 年夏天,水电部在烟台召开座谈会,专题总结全国水库移民工作经验,研究三峡水库移民安置问题,提出了开发性移民的建议。

1984 年 2 月,中央财经领导小组讨论兴建长江三峡水利枢纽工程问题时提出:"为了便于做好移民工作,可将三峡工程涉及移民的有关地、市、县统一划为一个特区,直接管理。"

1984 年 4 月,经中共中央、国务院批准的《关于开展三峡工程筹备工作的报告》中提出,"妥善解决库区移民问题。这是三峡工程的关键,必须花大力气,下大功夫妥善处理。鉴于三峡库区移民数量大,是一项政策性很强的工作,而且涉及到湖北、四川两省和中央有关部委,拟由筹备领导小组组织力量,进行调查研究,并和两省及中央有关部委协商后,提出方案报请国务院审定。"

1984 年 7 月,中央书记处会议决定,"为加快三峡电站的建设,妥善解决三峡库区的移民问题,决定成立三峡特区,特区政府直属国务院领导。川、鄂两省凡有移民的地区,均划归三峡特区政府管辖。""特区政府要创造妥善解决库区移民问题的新经验,如按照工程建设的需要,逐步组织移民参加水电站的基本建设,后撤后移;水库、电站建成后,组织移民充分利用水库电站的优势发展商品经济,发展各种类型的专业户和地区乡镇企业,努力勤劳致富。"

1984 年 9 月,国务院三峡工程筹备领导小组第二次会议指出:"成立三峡特区政府既可照顾三峡工程建设,又可照顾移民利益,变单纯安置性移民工作为开发性移民工作,组织移民致富,这是总结了三十多年水电建设经验提出的方针。""三峡地区资源丰富,人民勤劳,风景优美,名胜古迹很多,水运条件方便。尽管与先进地区相比,目前经济还不发达,但只要政策对头,方法得当,各方努力,完全有可能通过三峡工程的兴建,开发本地区的经济资源,把这里建设成经济发达的富饶地区。"

1984 年 10 月,国务院常务会议讨论确定:"原定成立三峡特区,可以改为三峡行政区。""成立三峡行政区的目的,是为了加快三峡工程的建设,妥善解决三峡库区的移民问题。""行政区的生产建设事业,应围绕三峡水电站来发展,诸如发展农副业生产、食品加工、机械修理、商业服务业、旅游业、建材业等。在经济上要搞轻型结构。"

1985 年 3 月,中共中央、国务院关于成立三峡省筹备组的通知中明确规定:"三峡省筹备组的主要任务是:……第二,制定开发型的移民安置规划。第三,做好安置移民的试点工作。……"

1986 年 5 月,中共中央、国务院关于将三峡省筹备组改建为国务院三峡地区经济开发办公室的通知中,重申"国务院三峡地区经济开发办公室,负责指导和帮助这一地区的经济开发和移民试点工作。"

1986 年 7 月,国务院转发《水利电力部关于抓紧处理水库移民问题报告》的文件中,再次明确提出"水库移民工作的方针是:水库移民工作必须从单纯安置补偿的传统做法中解脱出来,改消极赔偿为积极创业,变救济生活为扶助生产。要使移民安置与库区建设结合起来,合理使用移民经费,提高投资效益,走开发性移民的路子,"同时指出,应帮助移民调整产业结构,因地制宜地发展种植业、养殖业、工副业等多种经营,提高移民自身发展能力,支持他们开发创业。

这些重大决策和措施,为三峡移民试点工作的顺利进行指明了方向,明确了指导思想,并规定了重要的组织保障。

(二)三峡库区移民试点工作取得的成绩

为了认真贯彻中央明确提出的三峡移民实行开发性移民方针,试点工作首先深入研究了三峡水库淹没特点和库区的实际情况,使试点工作的顺利进行具有可靠的客观基础。根据 1985 年末的调查资料,三峡库区的基本特点是:

1.人口迁移数量城镇大于农村

三峡水库直接搬迁移民72.55万人，考虑20年搬迁期间人口增长因素，最终移民为113.18万人，其中城镇移民占54%，这些居民搬迁后仍从事原有职业，土地需求矛盾较小；淹没耕地35.69万亩、柑桔地7.44万亩，二者之和仅占库区19县(市)总耕地的2.9%，其中水田仅占水田总面积的2.2%，而且分散在沿江两岸的326个乡，没有一个乡全淹，全淹的村也较少。这就有利于农村移民就近开发土地资源后靠安置，各县(市)基本上都可在辖区范围内解决移民问题。

2.受淹没影响的城镇都是小城市和农村集镇

正常蓄水位175 m方案，淹没影响2个市和11个县城。除万县、涪陵二市移民较多外，其他县城都是1～3万人的规模；受淹集镇140个，多为区、乡政府驻地，一般为几百人至千余人的规模。受淹城市主要是沿江布置，背山面水，人口密集，缺乏发展余地。巴东、云阳县城还地处滑坡地带，从本身安全考虑也需要迁移。三峡库区受淹城镇迁建规划都进行了选址，主要城市已完成总体规划，不仅迁建城区比受淹面积扩大，而且有较大的发展规划，环境条件比现有状况有较大改善。

3.受淹影响工厂数量多、规模小

1985年受淹工厂657个，按其固定资产原值规模划分，100万元以下的473个，100～1000万元的168个，1000～5000万元的12个，超过5000万元的只是部分设施受回水影响的4个大厂。受淹的中小型工厂多数为地方民用企业，分布在沿江的城镇中，将与城镇统一规划，搬迁重建。工厂迁建与技改扩建相结合，是实现企业发展和安置移民的良好机遇。

4.三峡工程建设时间长

移民提前进行，既可减少淹没损失和搬迁赔偿，减轻移民安置工作的难度，还可以有时机为移民建设一个良好的生产生活环境。同时，提前开发，农村移民可以早受益，地方经济可以早繁荣。

5.群众积极支持，组织保障比较可靠

三峡工程在三峡地区已家喻户晓，移民对搬迁有心理准备，有支持国家建设、发展地区经济、提高生活水平的强烈愿望，欢迎移民试点，盼望提早开发。库区各级政府长期参与移民安置规划和研究论证工作，开展了多种形式的试点活动，积累了一些经验。省、地、县都建立了移民工作机构，锻炼了一批干部和专业人员，各地县主要领导都逐渐把工作的重点转移到移民安置和库区建设上来。

三峡移民工作是一项大的动态系统工程，千头万绪，必须按照迁建规律和客观基础，明确方向，抓紧重点。根据三峡库区的实际情况，试点工作确定了“三提前”的原则，农村移民安置以土地资源开发利用先行的顺序进行安排。

(1)农村移民生产安置基地建设提前；

(2)城镇迁建基础设施提前；

(3)人才培训、智力开发提前。

党中央、国务院对三峡工程移民试点十分重视。从1985年开始，每年拨款2000万元，在三峡库区进行开发性移民试点。到1990年度止，6年累计实际拨款1.1亿元。6年来的试点始终是按照开发性移民方针进行的，其主要成绩和经验是：

1.探索出农村移民安置的路子

农村移民是三峡移民的一个难点。6年共投资4600多万元，在库区开荒造梯田、建桔园、茶园、蚕桑和药材等经济园，同时还开展了养殖业试点，累计开发土地7.5万亩，有的已开始投产，取得了好效果。实践证明：以开发大农业为主，农民轻车熟路，家家户户都能干。如果能为每个农村移民开发一亩经济园、半亩稳产高产粮田，农村移民的安置就有了可靠的保证。在这样的基础上，再发展乡镇企业和二、三产业，就可以改善农村移民的就业结构，增加经济来源，移民就可以安置得很好。

2.探索了城镇搬迁的作法

6年试点中，城镇搬迁投资915.5万元，在已经定点并作了初步规划的9个城市和1个集镇进行了13项道路、桥涵、供水等工程，初步探索了城镇搬迁的作法，摸索出“三通”必须先行的基本经验。巴东县新城区开发、万县市龙宝新区开发、涪陵市三环路建设等实践，都说明先搞“三通”，事半功倍。充分发挥了各方面建设的积极性。

3.采取多种形式进行人才培训

在试点中，本着人才培训超前进行的原则，移民进入新的生产领域，先掌握必要的实用技术，投资127.5万元，采取与大专院校和科研单位挂钩，请进来教，派出去学等办法，培训了50名中专人才、14名青年移民干部、70名柑桔栽培和保鲜技术人员，以及财会、统计、经营管理人员。同时在19个县、市分别兴建“四结合”基地(培育优质苗木、高产示范技术推广、技术培训和安置移民四结合)，对广大农村移民进行实用技术的传授。

4.对工厂迁建作了初步尝试

试点中投资380万元，在库区选择了3个厂址高程低，经济效益好，有技改扩建能力的巴东水泥厂、万县市拉丝制钉厂和万县市毛巾床单厂进行迁建试点，摸索出了工厂迁建与技改结合、调整优化产品结构与调整产业结构相结合、工厂迁建与农村移民安置相结合的路子，既安置了农村移民，又开辟了工厂扩建的筹资渠道。

5.提高移民资金使用效益

在农业开发和工业开发项目的投资中，试行周转滚动,多次使用的办法,取得了一定效果。目前农业项目已有少数开始回收,工业项目中已有7个工厂,回收364万元,占7个厂投入基数的82.2%,其中万县市化妆品厂的“借贷——增值还贷——再借贷”的滚动增值办法,6年中贷款30万元滚动了三次,累计安置移民139人。

6.加强移民开发项目的经营管理

试点中各地对移民开发项目的经营管理,从实际出发,采取了多种形式。有成片开发、集约经营、入股联办、按股分成的联营股份制;有集体兴办、专业承包;有的实行统一管理、分户经营;还有集体兴办,专业大户承包经营等,都积累了有益的经验。

7.加强领导是关键

在试点工作中,各级党委和政府认真加强领导,在加强移民机构的自身建设方面,在做好深入细致思想政治工作方面;在加强财务管理、严格财务监督方面,都创造了一些好的作法和经验。

(三)加强移民试点工作不松懈

随着三峡工程重新论证工作的结束,在三峡工程的决策阶段,从1990年秋到1992年春,国务院领导田纪云、邹家华、宋健、李铁映、李贵鲜、陈俊生等,国务院三峡工程审查委员会及其下属的10个专题预审专家组、全国人大常委会、全国政协、社会各界和海内外的知名人士,先后有20多个考察团、组,分别到库区实地考察,一致认为:“自从1985年以来,三峡移民试点工作已经取得了不少的成绩,经验是成功的,这充分证明国务院和党中央制定的方针即把过去的赔偿性移民改变为开发性移民是正确的。”并明确提出“三峡工程不论确定干,还是不干以及何时干,移民试点工作都不能停止,而且应该扩大试点。”

1991年6月,邹家华副总理在库区考察后,向江泽民总书记和李鹏总理写了《关于三峡工程及移民试点工作的报告》,提出“按照开发性移民的方针,如果用10年时间使大部分或者绝大部分移民搬到淹没线以上,结合当地的经济建设,移民的生产和生活都能够稳定安排好,这将对三峡工程的建设起十分重要的作用,即使不建三峡工程也只是有利而无害的工作。”“建议扩大三峡工程移民试点工作,从今年起开始安排10年工作计划。”“考虑到这项工作涉及国务院有关综合部门和专业部门,也涉及到地方,因此必须有组织、有领导地开展,建议成立三峡移民试点工作领导小组,请陈俊生同志担任组长,成员名单请陈俊生同志提出报国务院批准。”对邹家华副总理的报告,江泽民总书记和李鹏总理都批示“同意”。

1991年8月,国务院为了加强三峡移民工作的领导,充分发挥中央和地方两个积极性,决定实行统一领导,分级负责,批准成立国务院三峡工程移民试点工作领导小组。国务委员陈俊生任组长,国务院副秘书长刘仲藜、李昌安、国家计委副主任刘江、国务院三经办主任李伯宁(常务)、四川省副省长蒲海清、湖北省人大副主任王汉章、水利部副部长张春圆任副组长,成员包括国务院有关部、委、局、办及三峡工程开发总公司和长江水利委员会的负责同志。明确领导小组的职责是:“主要负责规划和部署三峡工程移民试点工作,管理和安排三峡工程移民资金、物资,协调和解决三峡工程移民试点工作中的重大问题,指导和检查移民试点的落实情况,交流移民工作经验”等工作。并决定成立领导小组办公室,与国务院三峡地区经济开发办公室合署办公,一个机构两块牌子,办公室由李伯宁兼主任,刘江、黄友若、唐章锦、綦连安、杨启声任副主任。

1992年3月,在全国人大五次会议审议三峡工程前夕,田纪云副总理到三峡库区考察移民试点情况,向党中央、国务院写了《关于三峡工程库区移民情况的考察报告》,对三峡库区移民安置总的看法是“任务很重、难度很大、路子很宽、办法很多。”科学地分析了移民的困难所在及有利条件,明确指出“做好移民工作中坚持两条方针:一是坚持开发性移民方针;二是坚持以农为本,农工商结合的方针。”并提出了采取的十项措施和具体步骤。江泽民总书记批示:“纪云同志所提十条措施意见都很好。总之,这次在方针上一定要坚持开发性移民,而且已经在试点,榜样的力量是无穷的。人大原则通过以后,要有具体的规划,还要及早制定比较系统的法律规定。在水库区加强对干部、农民(包括工人群众)的宣传教育。”李鹏总理、万里委员长都批示认为:“有许多好的意见”,“很好”

为了进一步做好三峡移民扩大试点工作,1992年春夏,发了两个通知,召开了三个会议,举办了一次展览。

1.两个通知

1992年3月,国务院办公厅发出《关于开展对三峡工程库区移民工作对口支援的通知》(国办发〔1992〕14号文),要求各地区、各部门“要从实际出发,在安排基本建设、技术改造和其它投资开发项目以及横向经济合作、引进外资、人才培训、干部交流等方面,对三峡工程库区各县(市)移民工作给予重点支援。国务院各部门在安排计划时,要结合三峡工程库区移民,多摆些项目。其他省、自治区、直辖市的有关部门,要在互惠互利的基础上,积极开展与三峡工程库区各县(市)的经济、技术合作。”

1992年4月,国务院办公厅发出《关于严格控制三峡工程坝区和库区淹没线以下区域人口增长和基本建设的通知》(国办发〔1992〕17号文),对库区人口增长、淹没区基本建设、迁建区规划及建设,以及加强领导等方面，都作了明确规定。

2.三个会议

1992年2月，国务院在京召开三峡移民试点工作会议，交流移民试点工作经验，研究部署扩大试点工作。出席会议的有国务院三峡工程移民试点工作领导小组成员、国务院有关部委负责同志、四川省和湖北省及库区各地、市、县主管移民工作的领导、移民局长等，共140多人。邹家华副总理就做好三峡移民工作的重要意义，坚持开发性移民方针，用改革的精神做好三峡移民工作，加快三峡移民进度等问题作了重要讲话，陈俊生同志主持了会议并作了总结报告。

1992年6月，经田纪云、邹家华两位副总理批示，三峡工程论证领导小组在京召开三峡工程移民规划工作大纲审查会议，出席会议的有国务院三峡工程移民试点工作领导小组成员，三峡工程论证领导和有关人员，共130多人。会议由政协副主席钱正英主持，约请有关地方、有关部门共同审定由长委会起草的《长江三峡工程初步设计水库淹没处理及移民安置规划工作大纲》(送审稿)。

1992年8月，国务院在京召开三峡工程库区移民对口支援工作会议，贯彻落实国办发〔1992年〕14号文，动员各省、市，各部门、各行业与全国人民，为三峡工程的顺利兴建和搞好三峡工程移民工作贡献力量；总结交流和推广北京市和国务院有关部门开展对口支援的经验；研究有关的政策措施。出席会议的有全国21个省、自治区、直辖市、8个计划单列市和国务院有关部委主管计划的副省(市)长、副部长和局(办)等负责同志，国务院三峡工程移民试点工作领导小组成员，三峡库区各地、市、县的主要领导同志等，共200多人。会议由陈俊生同志主持。国务院领导李鹏、田纪云、邹家华、李贵鲜、陈俊生等，与出席会议的部分代表进行了座谈。李鹏总理在座谈会上就人大通过兴建三峡工程后，国务院采取积极行动办的几件事情；库区城镇搬迁和农村移民的指导思想和方针等问题作了重要讲话。邹家华副总理作了会议总结报告。

3.一次展览

为了便于全国人大代表和全国政协委员对三峡工程的审议，同时让广大人民群众对三峡工程有更多的了解，1992年3月20日至4月30日在北京中国军事博物馆举办了“长江三峡展览”。“开发性移民”是展览中的重要组成部分。

(四)三峡移民工作任重道远

按照党中央、国务院对三峡工程的总体部署，扩大移民试点阶段，本着突出重点，区别轻重缓急，先低后高，先淹先迁，后淹后迁，相对集中成片地开发和移民的原则进行具体安排。

(1)农村移民大农业开发，重点进行土地资源开发，掌握“三权”(开发权、使用权、管理权)，建设高标准经济林果园和粮田。两年计划开发以柑桔、茶、桑为主的经济果园和改造低产坡耕地，共14万亩，相应进行水利、道路等配套建设，以及保鲜、贮存和加工试点，投资12890万元。

(2)城镇重点安排巴东、云阳两县城结合自然灾害处理进行搬迁建设，秭归、丰都两县城远迁新区的基础设施建设，适当做好万县、涪陵两市迁建新区和其他城镇的“三通”建设，两年计划64项单项工程的施工，同时做好占地移民的安置工作，共投资12350万元。

(3)根据国家产业政策和技改扩建条件，计划开展25个工厂的搬迁，4个替代电站的施工，7条公路的改线复建，共投资6340万元。

(4)抓紧人才培训和勘测规划设计前期工作，逐步完善移民机构的自身建设，为大规模移民搬迁建设做好充分准备。

三峡移民工作任重道远，但有党中央、国务院的正确决策，成功的试点经验，做好三峡移民安置工作充满信心，最终不仅能为移民提供生活出路，更重要的是为移民开辟了致富的门路，从而把三峡库区建设成为一个繁荣昌盛的地区。

(本文摘自《长江志季刊》1992年第4期，作者姚炳华。本文编者对原文分段增拟标题并作较小删节)

三峡库区移民安置规划工作回顾

(一)库区历次调查及主要淹没实物指标

1.建国前的调查

1944年，美国垦务局设计总工程师萨凡奇查勘三峡坝址后，提出了《扬子江三峡计划初步报告》，资源委员会所属全国水力发电工程总处、经济研究所、地理研究所等单位指派15人，对库区有关县进行了经济调查。调查工作于1946年5月开始，当年12月结束，1947年编制了《三峡水库区经济调查报告》。主要淹没实物指标如下：

坝高200 m，淹没涉及20个县市，全部受淹和部分受淹的县城13个，场镇153个，需迁移人口约80万。

坝高160 m，淹没涉及15个县，全部受淹和部分受淹的县城9个，场镇85个，需迁移人口约26万。

坝高120 m，淹没涉及6个县，全淹和部分受淹县城3个，场镇21个，需迁移人口约4.5万。

高程150 m时，淹没房屋5万间，城镇34个，需迁移人口16.4万。

高程 180 m 时，淹房 17 万间，城镇 49 个，需迁移人口 45 万。

高程 210 m 时，淹房 42 万间，城镇 61 个，需迁移人口 86 万。

2.库区典型抽样调查(1956 年)

1955 年，长江流域规划工作开始，长办经济处经济调查队于 1956 年对库区部分县的部分城镇、农村作了典型抽样调查，淹没处理标准采用：城市和工业为 100 年一遇；农村居民和公路为 50 年一遇；耕地 5 年一遇。根据不同淹没处理的回水线，采用扩大指标估算三峡水库正常蓄水位 200 ~ 235 m 的各项主要淹没实物指标(见表 1)。

表 1 南津关坝址主要淹没实物指标

项目		单位	200 (m)	220 (m)	235 (m)	其中重庆市			备注
						200 m	220 m	235 m	
人口		万人	105.1	180.7	256.3	36.7	78.0	97.7	三斗坪坝址 200 m 方案；人口 103.6 万；耕地 46.2 万亩
其中：城镇		万人	56.6	89.7	117.9	21.0	44.7	57.8	
耕地		万亩	48.9	93.3	159.6	1.7	5.9	11.1	
房屋		万间	55.0	97.1	150.4	14.8	32.8	49.5	
工业企业	企业	处	213	324	367	93	182	211	
	净值	亿元	2.14	4.34	4.67	1.97	4.16	4.39	

3.库区分级普查(1958 年)

为了进一步研究三峡水库蓄水位，全面收集库区社会经济资料，弄清主要淹没实物指标，长办经济室第一经济调查队，于1958年8 ~ 10月会同川鄂两省有关委、局，对库区工矿企业进行了分级普查，专业项目委托中央及两省专业部门进行调查，详细指标见1958年分级高程主要淹没实物指标表(见表 2)。

表 2 1958 年分级高程主要淹没实物指标

项目＼分级高程	全库					其中重庆市		
	160 m	180 m	190 m	200 m	210 m	190 m	200 m	210 m
总人口(万人)	28.45	50.34	68.68	97.75	133.21	6.03	20.6	35.88
其中城镇	17.99	28.11	34.07	50.83	71.38	5.89	19.26	32.98
耕地(万亩)	14.33	31.61	46.50	65.54	88.52	0.68	2.09	40.0
房屋(万间)	16.67	29.25	38.26	52.64	72.03	1.81	7.41	14.15

4.补充调查(1975 年)

这次调查的主要任务是，在 1958 年分级普查资料的基础上，查清 1958 年以来库区工农业建设的变化。调查的重点是工矿企业的发展情况，提出三峡水利枢纽 170 ~ 200 m分级蓄水位以下各项主要淹没指标(见表 3)。

表 3 1975 年分级高程主要淹没指标

分级高程 (m)	人口(万人)		耕地 (万亩)	房屋 (万间)	备注
	总人口	其中城镇			
160	30.4	13.97	13.7	17.94	表中人口为 1974 年底人口
180	62.7	30.4	30.8	36.37	
190	81.4	36.5	45.9	45.58	
200	119.4	58.8	65.1	64.48	

5. 对部分县市的调查及移民安置规划(1976、1978)

1976 年 4 ~ 6 月和 1978 年 4 ~ 6 月，长办规划处组织工程技术人员前往开县、万县市、涪陵市以及万县，对当地自然资源和社会经济状况进行了调查，在此基础上，重点对三峡工程 190 m 水位方案以及 200 m 水位方案的移民安置规划进行了研究。

1976 年完成了开县移民安置规划和小江农田防护工程方案的研究，并完成了 200 m 水位方案和 170 m 水位方案的万县市城市迁建的轮廓规划。1978 年完成了涪陵市和万县的移民安置规划。

6.四川云阳县分级普查(1980)

1980 年 4 ~ 6 月由云阳县规划办公室、长办规划处、长办第八勘测队共同组成联合调查组，对云阳县202 m高程以下的库区进行测量定级，分五级即120 m、140 m、160 m、180 m、202 m进行淹没指标调查，所有水位均以水平调查，未考虑回水、浸没、风浪和坍岸等影响。同时对高阳区作了小区域移民安置典型规划(见表4)。

表4　1980年云阳县分级普查淹没指标

分级高程(m)	人口(万人)	耕地(万亩)	房屋(万间)	工业	
				个	原值(万元)
140	0.98	1.45	1.08		
160	4.91	3.06	5.1	12	4860
180	7.73	4.51	7.88		
202	10.41	6.42	10.51	15	5454

7. 测量定级调查(1983)

根据〔83〕国办函字17号文件精神，长办库区规划设计处会同勘测总队、川鄂两省以及库区各级人民政府，于1983年10月至1984年7月，分两批完成了三峡水库150 m方案可行性研究阶段淹没实物指标调查。调查结束后，各调查组分别向受淹的18个县市政府作了汇报，对调查成果的精度评价、地方意见、存在问题等都形成了会议纪要。

150 m方案初步设计阶段对相应的分级水位进行了计算和调整，但修正幅度很小。具体淹没指标如下(见表5)。

表5　三峡水库150 m方案主要淹没实物指标

项目 / 高程	人口(万人)		耕地(万亩)	房屋(万 m^2)		工矿企业	
	合计	非农业人口		合计	农村	个	原值(亿元)
150 m方案	33.04	19.52	14.61	1079	311	374	2.96

8. 重新论证阶段的调查(1986)

根据国务院〔86〕15号文，关于三峡工程重新论证的指示和水电部三峡工程论证领导小组第二次扩大会议的要求，长办组织工程技术人员50多人，于1986年8～10月分赴库区19个县市，会同地方政府各有关部门共计400多人，对150 m、160 m、170 m、180 m四个水位方案的淹没指标进行了复核。受淹的工矿企业的固定资产是以1985年全国工业普查资料为准，逐厂进行核实；城镇房屋是以1985年全国城镇房屋普查成果为基础进行核实；其它专业项目是由地方调查上报，长办进行复核。1987年初各县市又对175 m水位方案淹没实物指标进行了复核。主要淹没实物指标见表6。

表6　三峡水库不同正常蓄水位方案主要淹没指标表

正常蓄水位(m)	人口(万人)				耕地(万亩)	柑桔地(万亩)	工矿企业		公路(km)	高压输电线(km)	通信线路(杆km)
	合计	城市	集镇	农村			个数	固定资产原值(万元)			
150	33.54	14.78	5.13	13.63	14.46	3.36	374	29600	426	443	1568
160	42.71	18.47	6.37	17.87	21.61	5.61	476	39000	614	813	2038
170	63.66	26.78	8.45	28.43	29.84	6.87	587	65700	803	1041	2372
175	72.55	28.52	10.78	33.25	35.69	7.45	657	81900	956	1082	2642
180	79.48	30.25	10.93	38.30	39.71	7.91		95100	1110	1225	2849

9. 全库区的调查(1991～1992)

根据国务院和国务院三峡工程移民试点领导小组关于抓紧三峡前期工作的指示精神，长江水利委员会规划局库区规划设计处会同川鄂两省人民政府以及库区20个县市和重庆市七区政府，于1991年10月中旬至1992年6月初，分两批完成了三峡水库175 m方案淹没实物指标调查。

(1)调查目的：为估算水库淹没损失、研究水库淹没对地区经济影响、编制水库淹没处理规划和投资概算提供准确可靠的基础资料。

(2)调查范围：

①耕地、园地淹没调查的上线为坝前水位175 m接干流和支流相应的5年一遇洪水和11月份5年一遇来水的设计回水水面线；林地调查的上线为正常蓄水位175 m水平线。淹没调查下线，1～13断面为葛洲坝库区土地征用线，其后为河滩垦殖线。

②人口、房屋、工矿企业(大型工厂的主要车间除外)和专项设施等的淹没线：坝前水位177 m(175 m正

常蓄水位加 2 m 风浪浸没影响)水平接干流的和支流相应的20年一遇洪水和11月份20年一遇来水设计回水水面线。

③大型工厂主要车间的淹没线为坝前 177m 接 100 年一遇洪水设计回水线。

④滑坡、塌岸影响区以地质专业部门圈定的范围为准。

⑤设计洪水末端回水位置按高于同频率天然洪水位 0.3 m 处确定,尖灭点以后,考虑汛后 11 月份的来水影响。

(3)调查水位分级

根据主体工程的施工进度,为编制分年移民计划的需要,各项实物指标分以下四级进行调查:

Ⅰ级:坝前水位 90 m 按 20 年一遇回水线;

Ⅱ级:坝前水位 135 m 按 20 年一遇回水线;

Ⅲ级:坝前水位 156 m 按 20 年一遇回水线;

Ⅳ级:正常蓄水位 175 m 最终淹没线。

淹没区以上的滑坡、坍岸为淹没影响区。因蓄水可能引起的滑坡范围和滑坡稳定性的鉴定工作,有待进一步勘测。本次圈定的影响区,农村调查总户数、总人口、房屋总面积;集镇调查单位个数、房屋总面积、居民户数和总人口。

(4)本次调查分四大项目调查:

①农村调查:农村调查系指对农业村组、城(镇)所辖郊区农业村组,集体和国营农、林、牧、渔场等单位的淹没情况进行调查。

人口调查:人口(包括农村中的非农业人口)以居住高程和公安机关的户口为准,按 1990 年底的和调查时的实际户口进行核查登记其姓名、年龄、职业、文化程度。未上户口的超生子女和按政策需回原籍的人员,在取得相应证明后可进行登记。

房屋及附属建筑物:房屋按用途和结构逐户(单位)、逐栋丈量,以建筑面积计,附属建筑物以面积或处(个)计。

土地调查:土地分耕地、园地、林地、宅基地、柴草山和渔塘六类。土地调查以航片解译和 1/10000 地形图控制为主,部分县市采取实际丈量。

副业设施调查:副业设施是指村、组或农民家庭兴办的小型采集、加工、服务业。调查登记设施的规模和生产能力。

小型水利水电设施调查:主要对农业村组集体所有的小水库、山塘、水池、引水坝、渠道、小水电站、水轮泵站和抽水机站及配套的输电线路等纳入小型水利水电设施类调查。

②城镇调查:城镇调查分两部分,即全城(镇)基本情况和淹没情况。

全城(镇)基本情况包括:行政区面积,建成区域面积、地质、地形特点,高程范围,总人口及其组成,文化教育,交通运输,经济发展状况与特点,名胜古迹及历史沿革,建设发展规划等情况。

淹没情况:根据各城(镇)所处在的相应回水断面回水位,标绘在 1/10000 或 1/2000 地形图上。人口、房屋调查与农村调查基本相同。对义务兵、定向招生的中专以上学生、劳改犯及其他按政策规定需回原籍的人口,农村进城自理口粮人口、长住无户籍直系亲属人口,均分类进行登记。对城(镇)的市政工程如供水、排水、供电、供气、电信、广播、电视、道路、公园、体育场等设施均作了相应调查。

③工矿企业调查:对淹没涉及的全民、集体及全民与集体全营的工矿企业,按中央企业、地方企业、城镇街道工业、农村乡镇工矿企业分类,调查其全厂的基本情况和水库设计水位以下的淹没指标及分级蓄水的淹没的情况。

④专业项目调查:专业项目调查包括公路、输电线、通信线路、广播线、文物古迹(地面和地下)、港口码头、矿产资源、各类管道、乡以上的水利水电工程等。

三峡水库移民工作非常复杂,调查任务重,时间紧,目前只是完成了外业调查。

(二)库区移民试点工作

1976 年以来三峡库区进行了若干个项目的试点工作,尤其是 1984 年以后,国务院三峡地区经济开发办公室,长江水利委员会规划局库区规划设计处,在库区各级政府配合下,进行了库区城镇、工矿、专项设施,特别是三峡工程中最难的农村移民安置试点,现就“巴东县两壤口区域移民安置规划”及“忠县洋渡镇移民试点规划”的工作概况简述如下。

1.巴东县两壤口区域移民安置规划

为了对开发性移民方针进行多方面的探索,库区处在当时三峡省筹备组移民办公室支持下,于 1985~1986 年完成了巴东县两壤口区域移民安置规划。结合两壤口区域具体条件,移民安置规划应遵循如下原则:

(1)以移民生产安置为中心,并统筹兼顾其它区域性项目的规划;

(2)因地制宜发挥当地优势,以经济效益高的柑桔种植业为主,开展多种经营;

(3)生产安置项目的发展,以移民不低于搬迁时当地生活水平,并为今后发展提供条件;

(4)农村移民安置原则上不出组,组内不能安排的适当扩大到毗邻组,对确无条件就地安置的,地方考虑远迁或在场镇中的乡镇企业进行安置,土地开发要根据具体情况,宜农则农,宜林则林。

(5)两壤口区域幅员宽广,土地潜力相当大,县里原拟在此建万亩柑桔园,此次规划因限于各种原因,只考虑安置移民所需部分,其它范围内的土地利用,包括水土保持规划,待今后在区域总体开发规划时考虑;

(6)场镇规划近期与远期结合,近期为主。近期的主要任务是建设一个功能基本配套,市政设施基本完善,比较舒适的生产和生活新环境。

2.忠县洋渡镇移民试点规划

1988年6月,中国与加拿大双方对三峡工程移民问题通过平行论证,获得三峡移民可行的一致结论。尔后,双方又就后续研究工作,共同商定选择一个乡进行移民规划试点。CYJV又用电传与中方商讨,并共同拟定了七条选点的原则:

(1)淹没比较严重的乡;

(2)有广开门路的就业机会;

(3)在云阳、忠县、万县、奉节、秭归等五个县内选择;

(4)以选乡镇结合的典型为宜;

(5)试点乡和毗邻乡应有开拓环境容量的条件;

(6)试点乡和毗邻乡应有航片与地形资料;

(7)县乡领导重视和支持试点规划工作。

按上述选点原则,中加双方对三峡库区淹没涉及的乡镇逐个排队筛选,并于1988年12月在北京交换了选点情况,双方最后选定了四川省忠县洋渡镇作为中加合作移民规划的试点。

洋渡镇位于忠县西南角的长江南岸,水程距忠县县城25k m,幅员面积26.27k m^2,辖区有9个村和1个居民委员会,总人口10204人,175 m方案淹没耕地2742亩,直接受淹人口1807人,是库区淹没影响比较严重的乡镇之一。

1989年2~4月进行了洋渡镇淹没实物指标调查,同年6~7月进行分专业的详细规划,整个工作按实施阶段深度进行,当年10月,共完成专题报告12份,为综合编制《三峡水利枢纽中加合作忠县洋渡镇移民试点规划》提供了比较丰富的基本资料。

1990年6月,三峡工程移民论证专家组在四川省万县主持召开了“三峡库区乡镇移民规划交流会”,会上有三个典型乡作了汇报,与会代表一致赞同忠县洋渡镇农村移民安置以农业安置为主和移民安置不出乡的结论;同时认为,这次交流展示了三峡库区移民安置规划工作的前景和希望。

(本文摘自《长江志季刊》1992年第4期,作者刘少平,编者对原文作了删节)

刘家峡水电站

英文目录

XV

柘林水库

CONTENTS

SPECIALS

Important Speeches and Reports

REGULATIONS & DOCUMENTS

Regulations & Documents

Eco – Environment & Protection of Historic Relics

Business Management

Personnel

Party & Mass

Ethical & Cultural Progress

MAIN WORKS

Construction & Supervision

ELECTRICITY WORKS

Power Transmission & Transformation

Power Production

Operation & Management

Reservoir Regulation

COOPERATION AND EXCHARGE

International Cooperation & Exchange

Cooperation and Exchange with Hong Kong, Taiwan and Macao

TGP in the Overseas People's Eyes

Veteran Hydro Workers

STATISTICAL DATA

Completed Investment in Fixed Assets of TGP

Contracts

Land Acquisition and Resethement

Statistics of One – to – One Assistance & Industrial and Mining Enterprises

Statistics of National Economy & Social Development

MAJOR EVENTS

APPENDICES

Historical Review of TGP

Cultural Heritages

Review of Pilot Spots of Resettlement